2e ÉDITION

Psychologie en direct

Karen Huffman
Palomar College

Mark Vernoy
Palomar College

Judith Vernoy

Adaptation

Marie-Chantal Dumas

Laurie Fortier

Thérèse Pouliot
Collège François-Xavier-Garneau

Traduction

Marie-Claude Desorcy

Liette Petit

Jean-Robert Saucyer

MODULO

Psychology in Action, Fifth Edition
a été traduit de l'américain avec l'autorisation de John Wiley & Sons, inc.
© 1987, 1991, 1994, 1997, 2000, John Wiley & Sons, inc. Tous droits réservés.

Données de catalogage avant publication (Canada)

Huffman, Karen

Psychologie en direct

2e éd.

Traduction et adaptation de la 5e éd. de: Psychology in action.
Comprend des réf. bibliogr. et un index.

ISBN 2-89113-727-2

1. Psychologie. 2. Comportement humain. 3. Connaissance, Théorie de la. 4. Santé mentale. 5. Psychologie – Problèmes et exercices. I. Vernoy, Mark W. II. Vernoy, Judith. III. Titre.

BF121.H7814 2000   150   C00-940827-4

Équipe de production
Traduction des ajouts à la 2ᵉ édition : Chantal Barsalou, Claude Hopfenblum, Nathalie Liao, Alain Lalonde, Pierrette Mayer
Révision linguistique : Renée Léo Guimont, François Morin, Michèle Morin
Correction d'épreuves : Renée Léo Guimont
Illustration de la couverture : Tsing-Fran Chan, Lucia Gallery, NY/SuperStock, inc.
Typographie : Dominique Chabot, Carole Deslandes
Montage : Marguerite Gouin, Suzanne Gouin, Lise Marceau, Nathalie Ménard

Psychologie en direct — 2ᵉ édition
© Modulo Éditeur, 2000
233, av. Dunbar, bureau 300
Mont-Royal (Québec)
Canada   H3P 2H4
Téléphone : (514) 738-9818 ou sans frais (888) 738-9818
Télécopieur : (514) 738-5838 ou sans frais (888) 273-5247
Site Internet : http://www.modulo.ca

Dépôt légal — Bibliothèque nationale du Québec, 2000
Bibliothèque nationale du Canada
ISBN 2-89113-**727**-2

DANGER
LE PHOTOCOPILLAGE TUE LE LIVRE

Imprimé au Canada
1 2 3 4 5   04 03 02 01 00

Préface

PSYCHOLOGIE EN DIRECT 2ᵉ ÉDITION

Cette deuxième édition en langue française de *Psychologie en direct* est l'adaptation de la cinquième édition de *Psychology in Action* de Karen Huffman, Mark Vernoy et Judith Vernoy. En la préparant, nous avons cherché à préserver les qualités qui avaient valu à la précédente édition les commentaires élogieux et l'adhésion enthousiaste des enseignants et de leurs élèves. Résolument axée sur une approche dynamique, cette deuxième édition de *Psychologie en direct* continue donc de favoriser au plus haut point le processus d'appropriation et d'intégration de la matière.

Chaque chapitre a bien sûr été revu complètement et continue de refléter la réalité des élèves québécois francophones. Certains contenus iconographiques ont été rajeunis, les données statistiques ont été mises à jour et de nombreuses définitions en marge ont été ajoutées ou simplement améliorées. Certaines sections ont été enrichies de nouveaux exemples et contenus; d'autres ont été resserrées pour mieux traiter des notions essentielles au cours d'introduction à la psychologie. Toutes cependant témoignent du souci de présenter la matière d'une façon claire et immédiatement compréhensible aux élèves d'un premier cours de psychologie.

POUR UNE APPROCHE ACTIVE

On sait que les élèves ont souvent tendance à demeurer passifs en situation d'apprentissage, alors que la recherche démontre que la réussite augmente avec la participation (Bonwell et Eison, 1991). Dans cette nouvelle édition de *Psychologie en direct*, nous tâchons donc d'inciter encore davantage les élèves à l'apprentissage actif. Pour cela, nous avons ajouté les rubriques *Recherche et découvertes* traitant des recherches récentes et significatives en psychologie; les *pictogrammes* leur désignent les textes qui les aideront à acquérir des méthodes de travail efficaces ou à mieux gérer leur temps, tandis que par tout le manuel, des pictogrammes leur indiquent, en marge du texte, des sites Internet pertinents à chaque objet d'étude. Nous continuons bien sûr à recourir à la méthode SQL3R, aux rubriques d'activités spéciales *À vous les commandes* sollicitant leur participation, aux rubriques d'exercices *Pensée critique* visant à développer leur sens critique et aux rubriques *Les uns et les autres* favorisant la réflexion sur la multiethnicité ou sur les rapports entre les sexes, car tous ces outils ont fait leurs preuves.

APPRENTISSAGE PAR LA MÉTHODE SQL3R

Comme vous ne l'ignorez sans doute pas, *Psychologie en direct* 2ᵉ édition a été conçu pour que l'application de la méthode d'étude SQL3R (Survol, Questionnement, Lecture, Récitation, Révision et Rédaction) se fasse quasi d'elle-même. C'est donc presque en se jouant que les élèves passent d'une étape d'apprentissage à l'autre. Voyez :

Survol et Questionnement Pour favoriser un survol efficace de la matière, nous faisons commencer chaque chapitre par la présentation du plan, que nous faisons suivre de l'énumération des objectifs sous forme de questions guides. Vient ensuite un texte d'introduction choc qui éveille la curiosité et favorise le questionnement.

Choisis avec soin, ces textes sont directement liés au contenu de leur chapitre respectif. On y renvoie donc régulièrement les élèves comme à autant d'exemples pouvant les aider à organiser et à mémoriser les concepts.

NOUVEAU ▶ ***Des objectifs d'apprentissage nettement présentés*** Grâce à la nouvelle présentation en encadré des objectifs et à leur reprise en marge au début de la section à laquelle ils s'appliquent, les élèves savent d'entrée de jeu à quelles questions le texte répond. Ils prennent donc simultanément conscience des objectifs du cours qu'ils devront atteindre.

Tout un manuel en mode question-réponse ! Parce qu'il est écrit sur le mode question-réponse, le texte offre le triple avantage de faciliter le survol de la matière, de favoriser le questionnement et de fournir aux élèves des modèles de questions générales qu'ils devraient se poser durant leur lecture.

Lecture Chaque chapitre est rédigé dans un style simple et direct, qui interpelle les élèves sur le ton de la conversation et les ramène régulièrement au sujet discuté. De plus, pour éviter qu'ils ne soient déroutés et se plaignent de ne plus savoir ce qu'il importe de lire, le texte est présenté en continu sans être interrompu par des encadrés. Les élèves savent donc toujours où ils en sont.

Récitation et Révision Comme les objectifs sont ensuite repris par section, il a semblé plus approprié de résumer d'abord par section avant de proposer quelques

NOUVEAU ▶ questions de révision. Ce bref *Résumé* vise à favoriser davantage l'assimilation de la matière et la participation des élèves à leur apprentissage. (Les réponses aux questions de révision sont données à la fin du manuel.) De plus, pour faciliter en-

NOUVEAU ▶ core l'étude, nous avons ajouté à la fin de chaque chapitre un outil nouveau et extrêmement pratique : *Le chapitre en un clin d'œil.*

Rédaction L'écriture et la prise de notes sont aussi des techniques d'étude efficaces. En plus d'avoir à écrire durant le survol de chaque chapitre en répondant aux exercices et aux questions de révision, les élèves sont invités à prendre des notes et à inscrire leurs remarques personnelles dans les marges de leur manuel. Nous les encourageons aussi à y construire leurs propres schémas ou réseaux de concepts.

LES OUTILS D'APPRENTISSAGE EN BREF

Rubriques   À vous les commandes

Conçues pour amener les élèves à prendre en main leur apprentissage, des rubriques d'activités spéciales intitulées *À vous les commandes* apparaissent dans chacun des chapitres. Ces expériences et démonstrations, aussi intéressantes que réalisables, sont pour les élèves l'occasion d'appliquer les notions et principes fondamentaux de la psychologie. Certaines de ces rubriques identifiées par le pictogramme

NOUVEAU ▶ contiennent des conseils pratiques pour aider les élèves à mieux étudier et à mieux s'organiser (par exemple *Procrastination, performance et santé* (chapitre 11) ou *Amélioration de la mémoire : procédés mnémotechniques* (chapitre 8).

Rubriques   PENSÉE CRITIQUE • Psychologie en direct

En éducation, on s'accorde de plus en plus sur l'importance de développer son sens critique. Dans chaque chapitre de cette deuxième édition de *Psychologie en direct*, les élèves trouveront des outils pour y arriver. Nous leur présentons d'abord dans l'avant-propos les éléments affectifs, cognitifs et comportementaux de la pensée critique, puis nous les invitons à s'y exercer en réfléchissant sur des sujets qui mettent en lumière le contenu du chapitre à l'étude.

Rubriques   Les uns et les autres

Traditionnellement, la recherche en psychologie s'est d'abord attachée à étudier les comportements de l'Occidental mâle de race blanche. Cette limitation du champ

d'étude de la psychologie humaine, qui se traduisait forcément dans les manuels d'introduction à la psychologie, ne saurait bien sûr convenir à nos sociétés modernes multiethniques, soucieuses d'égalité des sexes et ouvertes par les télécommunications à la planète entière. Cela est bien sûr pris en compte dans *Psychologie en direct* où cet esprit d'ouverture au monde se reflète plus particulièrement dans les rubriques *Les uns et les autres*. Ces rubriques, que l'on reconnaîtra au symbole ☿, abordent le comportement sous l'angle de la multiethnicité et des rapports entre les sexes.

Rubriques   RECHERCHE ET DÉCOUVERTES

La psychologie étant une discipline en constante évolution, il était nécessaire d'exposer les élèves aux grands sujets de recherche de l'heure. Nous leur proposons donc une exploration brève mais rigoureuse de sujets de recherche susceptibles d'étayer significativement le texte. Ainsi, *Un regard scientifique sur le toucher thérapeutique* (chapitre 1) fait clairement ressortir l'importance de la méthode scientifique, tandis que *L'amour sur un pont suspendu* (chapitre 10) fait mieux comprendre comment une promenade au-dessus du vide peut influer sur nos émotions et à combien de différentes interprétations les résultats d'une même expérience peuvent donner lieu.

À l'heure d'Internet

Ces petits symboles ⟳www placés en marge des sujets importants indiquent aux élèves du cours d'introduction à la psychologie une judicieuse sélection de sites particulièrement enrichissants. Et comme nous avons voulu que la liste de sites que nous proposons demeure un outil de recherche à jour, nous l'avons logée à notre adresse : **http://www.modulo.ca.** En y cliquant sur la page *Psychologie en direct 2ᵉ édition*, les élèves auront accès à cette liste régulièrement mise à jour. Dans certains cas, l'icone numéroté ne les renverra qu'à un site, et dans d'autres, à plusieurs.

LE CHAPITRE EN UN CLIN D'ŒIL 👁

Cette fantastique synthèse visuelle que l'on retrouve à la fin de chaque chapitre définit les termes-clés et établit les liens entre les principales notions. L'élève peut s'en servir avant d'entreprendre chaque chapitre, pour se faire une image complète de ce qu'il y trouvera ou, après l'avoir fait, pour étudier et revoir ses nouveaux acquis.

REMERCIEMENTS

L'Éditeur tient à remercier toutes les personnes qui ont collaboré à la réalisation de cette 2ᵉ édition. Il remercie sincèrement Marie-Chantal Dumas, Laurie Fortier et Thérèse Pouliot qui ont bien voulu relire le texte et en proposer une excellente mise à jour. Merci de leur rigueur et de leur assiduité. Il tient aussi à souligner l'inestimable collaboration de Daniel Carrier du cégep de la Région de l'Amiante qui a relu et corrigé le texte, fait une sélection importante de sites Internet et effectué la mise à jour du nouveau guide de l'enseignant sur cédérom.

L'Éditeur remercie également tous les enseignants utilisateurs dont les suggestions et commentaires judicieux ont indiqué, au fil des ans, l'orientation à donner à cette nouvelle édition. Merci donc à Robert-Christian Bégin du cégep André-Laurendeau, à Lise Bélanger du cégep de Rivière-du-Loup, à René Darveau du cégep de Jonquière, à Bernard Chartier et à François Gileau du cégep de St-Hyacinthe, à Annie Giasson-Trépanier du cégep de Rimouski, à Serge Levesque du cégep du Vieux-Montréal, à Guy Parent du cégep de Sainte-Foy, à Robert Pelletier du cégep de Bois-de-Boulogne, à Élisabeth Rheault du cégep Montmorency, à Marc Richard du cégep de Saint-Jérôme et à Suzanne Tousignant du cégep Édouard-Montpetit.

Table des matières

10 La motivation et l'émotion   335

11 La psychologie de la santé   379

Mode d'emploi

GUIDE D'UTILISATION DE VOTRE LIVRE

Les auteurs vous remercient d'avoir acheté leur livre. Maintenant que vous l'avez entre les mains, nous voulons vous aider à en tirer le meilleur parti, c'est-à-dire à atteindre un double objectif : maîtriser la matière et obtenir de bonnes notes. Alors, voici trois recommandations :

1. Partez à la découverte de votre livre.
2. Acceptez quelques conseils sur la manière de lire les chapitres.
3. Employez les trois techniques d'étude que nous vous présenterons.

Si vous avez besoin de directives plus précises, adressez-vous à votre enseignant ou aux conseillers pédagogiques de votre collège.

À LA DÉCOUVERTE DE VOTRE LIVRE

Psychologie en direct a été soigneusement conçu pour faciliter votre apprentissage. Examinez-en les composantes et exploitez-les pleinement.

- **Préface.** Si ce n'est déjà fait, lisez la préface. C'est en quelque sorte le portrait de votre manuel.
- **Avant-propos.** Nous énumérons dans l'avant-propos les 21 éléments de la pensée critique. Apprenez ce qu'est la pensée critique et découvrez pourquoi il est important de la développer.
- **Table des matières.** Parcourez la table des matières pour vous faire une idée générale du contenu de votre cours.
- **Réponses aux questions.** Les réponses aux questions de révision se trouvent à la fin du manuel. Cette section est marquée en marge d'une bande verte.
- **Glossaire.** La première fois que nous employons un terme important dans le texte, nous en donnons une définition dans la marge. Toutes les définitions sont rassemblées, par ordre alphabétique, dans un glossaire de forme traditionnelle placé en fin d'ouvrage. Consultez ce glossaire pour réviser les définitions antérieurement présentées.
- **Bibliographie.** Chaque chapitre renferme un grand nombre de renvois (par exemple, « Lemonick, 1998 »). La bibliographie placée à la fin de votre manuel fournit les références complètes. Consultez-la si vous désirez approfondir un sujet ou trouver de la documentation pour un travail de session.
- **Index.** Si vous vous intéressez à un sujet en particulier, l'anorexie mentale ou le stress par exemple, vous repérerez dans l'index les pages où il est traité.

COMMENT LIRE UN CHAPITRE

Chaque chapitre de *Psychologie en direct* contient des outils d'apprentissage qui vous aideront à maîtriser la matière.

Plan du chapitre

Au début de chaque chapitre figure une liste des principales subdivisions du contenu. Les titres des sections apparaissent en majuscules et recouvrent de trois à cinq titres de sous-sections, imprimés en minuscules. La même typographie se répète dans le corps du texte. (Ce plan et, dans le texte, les titres des subdivisions vous fournissent la charpente autour de laquelle organiser vos nouvelles connaissances.)

LES OBJECTIFS D'APPRENTISSAGE

Ils sont formulés à l'aide de questions guides auxquelles vous devez réfléchir en cours de lecture. Quand vous saurez y répondre, vous aurez atteint les objectifs.

DES DOCUMENTS D'INTRODUCTION CHOC

En début de chapitre, vous trouverez un texte électrisant **directement lié au contenu**. Vous y serez régulièrement renvoyés, car cela vous aidera à organiser et à mémoriser les concepts.

DES QUESTIONS TYPES PERTINENTES

Au fil du texte, les questions que se posent typiquement les élèves à propos des sujets traités sont mises en lumière.

UN GLOSSAIRE IMMÉDIAT

Imprimés en vert dans le texte et définis en marge, les termes importants sont aussi regroupés dans un glossaire en fin de manuel. Révisez les définitions avant les examens.

DES ILLUSTRATIONS ET TABLEAUX ESSENTIELS

Plusieurs photos, figures et tableaux illustrent les concepts importants et renforcent directement le propos. Prenez le temps de les examiner : ils contiennent des éléments susceptibles de faire l'objet d'une évaluation.

NOUVEAU !

UN RÉSUMÉ ET DES QUESTIONS DE RÉVISION PAR SECTION

Les questions de révision sont présentées par section et accompagnées d'un résumé des principales notions.

LES UNS ET LES AUTRES

Une rubrique moderne pour comprendre les différences entre les cultures et entre les sexes. Nul doute : vous les lirez avec intérêt.

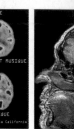

Un outil d'apprentissage dynamique !

DES RENVOIS UTILES

De petits pictogrammes vous indiquent des sites intéressants et appropriés à vos sujets d'étude. (*Voir* le mode d'accès en page V.)

Les textes et rubriques ponctués de ce pictogramme vous offrent des conseils pour réussir et mieux organiser votre temps.

RECHERCHE ET DÉCOUVERTES

Vous trouverez dans ces rubriques des résultats de recherches toujours fascinants.

À VOUS LES COMMANDES

Vous aimerez ces activités d'application brèves et amusantes visant le développement des habiletés d'observation, d'analyse et de synthèse.

PENSÉE CRITIQUE

Vous trouverez sous ces rubriques des exercices spéciaux qui, tout en jetant un éclairage important sur le contenu, vous aideront à développer votre aptitude à la pensée critique.

LE CHAPITRE EN UN CLIN D'ŒIL

Excellent outil de révision globale, ces synthèses visuelles pratiques de fin de chapitre font ressortir les liens entre les sujets principaux et secondaires du chapitre. Utilisez-les !

RECHERCHE ET DÉCOUVERTES

Un regard scientifique sur le toucher thérapeutique

Imaginez-vous un instant que vous êtes Emily Rosa, neuf ans, et que vous vous demandez quel sujet choisir pour le salon annuel de la Science de votre école. Or, il se trouve que votre mère et votre beau-père s'intéressent depuis longtemps au *toucher thérapeutique (TT)*, une forme de soins très communément utilisée pour traiter toutes sortes de problèmes médicaux par la manipulation des « champs énergétiques humains ». Vous les avez entendus débattre des questions que pose le TT et du manque de preuves scientifiques de l'efficacité réelle de cette thérapie. Ça y est ! Vous l'avez votre sujet ! Pourquoi ne pas mettre sur pied une expérience toute simple permettant de tester le TT ?

Il s'avère que votre expérience scientifique, toute simple mais bien pensée, se distinguant par son originalité, démystifie tant et si bien le TT qu'elle fait son chemin. À la une de presque tous les journaux, elle finit par être publiée en bonne place dans le très respectable *Journal of the American Medical Association (JAMA)*, et les grandes émissions d'actualités nationales s'arrachent votre participation.

Cette histoire vous semble farfelue ? Elle est pourtant véridique. Emily Rosa, une enfant de neuf ans, est parvenue, presque à elle seule, à mettre au jour les leurres et les impostures qui pouvaient encore subsister au sujet du TT, cette forme de thérapie que dispensaient officiellement plus de 100 000 praticiens professionnels reconnus. Comme l'a souligné le rédacteur en chef du *JAMA*, George Lundberg, au cours d'une entrevue télévisée : « Ce n'est pas l'âge mais la bonne science qui compte, et ça, c'est de la bonne science » (Lemonick, 1998).

Le mode d'expérimentation conçu par Emily était clair et net. Les praticiens du TT (dont les honoraires vont chercher dans les 70 dollars l'heure) prétendaient guérir ou du moins alléger de nombreux maux en effectuant, à quelques pouces du corps du patient, des mouvements circulaires et ondulatoires destinés à « replacer les énergies ». Ce rééquilibrage des champs énergétiques était censé apporter une guérison spontanée, permettre au corps de se remettre de lui-même par l'élimination du mal à sa racine (Quinn et Strelkauskas, 1993). Plutôt que de mener une enquête auprès de patients ou de praticiens afin de vérifier si le TT accélère bien la guérison des blessures, soulage la douleur ou fait baisser la fièvre, Emily décida plutôt de vérifier si les *champs énergétiques humains (CEH)* existent vraiment.

Tel qu'illustré à la figure 1.6, Emily installa un petit écran sur une table et demanda à 21 praticiens du TT de passer les mains à travers, paumes tournées vers le haut. L'expérimentatrice, en l'occurrence Emily, plaçait ensuite ses mains au-dessus de la main gauche ou de la main droite des praticiens — selon le côté où une pièce qu'elle lançait en l'air était retombée. Les praticiens devaient indiquer laquelle de leurs deux mains se trouvait le plus près de celle de l'expérimentatrice au cours de dix à vingt essais consécutifs. Chaque praticien invité à participer à cette expérience pouvait d'abord se concentrer, se préparer spirituellement à l'exercice de son art, et prendre tout le temps qui lui était nécessaire pour formuler une réponse au cours de chacun des essais. L'analyse des données de cette expérience révéla que les praticiens du TT n'avaient pas mieux répondu que s'ils l'avaient fait au hasard (Rosa et coll., 1998) !

Figure 1.6 **L'ingénieux dispositif expérimental mis au point par Emily.** Emily Rosa, neuf ans, a mis sur pied une ingénieuse expérience scientifique visant à vérifier si les praticiens du TT pouvaient détecter sa présence. Ces derniers devaient passer les mains dans les mains pratiqués dans un écran. Emily plaçait une pièce en l'air et, selon le côté où la pièce était tombée, plaçait l'une de ses mains au-dessus de la main gauche ou de la main droite des praticiens qui devaient détecter son « champ énergétique ». Ils s'en montrèrent incapables.

Qu'il s'agisse d'événements heureux comme un mariage, d'événements tragiques comme le décès d'un être cher ou de modifications banales comme un changement d'horaire de travail, tous ces changements causent du stress. Et si le surcroît de stress excède la faculté d'adaptation de l'organisme, il pourra s'ensuivre une maladie d'intensité moyenne ou grave.

Holmes et Rahe ont conçu une échelle regroupant 43 situations classées selon l'importance de leur contribution aux problèmes de santé. Ils ont attribué à chaque situation une cote exprimée en « unités de changement », établissant ainsi une *échelle d'évaluation de l'ajustement social*. Cette échelle a été révisée et mise à jour plusieurs fois depuis 1967. Au cours de la dernière mise à jour (Miller et Rahe, 1997), on a augmenté à 87 le nombre d'événements porteurs de changement et on a inclus le sexe, l'âge, l'état civil et l'éducation en tant que facteurs déterminants.

La perception d'un même événement varie d'un individu à l'autre : une situation peut paraître très stressante pour une personne, mais peu stressante pour une autre (Lazarus et Folkman, 1984). Par exemple, quelqu'un peut considérer le fait de déménager dans une autre province comme un grand sacrifice et en éprouver un stress considérable, tandis que quelqu'un d'autre, qui y verra une occasion formidable de voir du pays, n'éprouvera que très peu de stress.

À vous les commandes

Holmes et Rahe ont élaboré une échelle d'évaluation de l'ajustement social pour les adultes d'âge postcollégial. Selon eux, les personnes qui obtiennent un pointage élevé sont plus susceptibles d'avoir des problèmes comme une maladie cardiaque, une dépression ou un cancer que les personnes qui obtiennent un pointage sous la moyenne.

Pour vous faire une idée de cette échelle, examinez l'échelle d'évaluation du stress chez les collégiens (p. 386). Lisez la liste des situations ou événements et cochez ceux qui s'appliquent à vous, puis additionnez les unités de stress associées aux situations ou événements que vous avez vécus au cours de la dernière année.

Quel total avez-vous obtenu ? Michael Renner et Scott Mackin, les auteurs de cette échelle, ont [...] les pointages de leurs élèves se situaient entre 182 et 571, la m[...]

Électroencéphalographe : Appareil qui enregistre les grandes variations de l'activité cérébrale au moyen d'électrodes attachées au cuir chevelu.

...érieur du cerveau pour enregistrer ...les grandes variations de l'activité ...art à la peau ou au cuir chevelu. ...alographe. Cette méthode est largement ...nécessite pas d'intervention chirur- ...et notamment le sommeil et le rêve

ACTIVITÉ DU CERVEAU
...cerveau en leur appliquant de fai- ...Les courants provoquent des mou- ...rger des souvenirs. La stimulation

chologie en direct !

accomplir si on le maintenait en vie à l'extérieur de votre organisme ? Sans influx sensoriels et moteurs, serait-il capable de penser ?

Situation 2
La scène : Une salle d'urgence dans un hôpital. On vient d'admettre une victime d'un accident de la circulation. Deux internes parlent de son cas.

Premier interne : Doux Jésus ! Tout le cortex cérébral est gravement endommagé; nous devrons l'enlever au complet.

Deuxième interne : Pas question. Si nous enlevons tout ce tissu, le patient mourra quelques minutes plus tard.

Premier interne : Mais où as-tu fait tes études — chez toi en regardant « Hôpital général » ? Le patient ne mourra pas si on lui enlève tout le cortex cérébral.

Deuxième interne : Tes insinuations sont déplaisantes. J'ai fréquenté l'une des meilleures facultés de médecine, et je te dis que le patient mourra si on lui enlève tout le cortex cérébral.

Questions

1. Est-ce que le patient mourra si on lui enlève la totalité du cortex cérébral ? Expliquez votre réponse.

2. Si le patient privé de cortex cérébral est maintenu en vie, quels seront les comportements et les réactions qu'il conservera ? Que deviendront sa personnalité, sa mémoire et ses émotions ?

3. Quels comportements peut-il présenter-t-il s'il ne lui reste que les régions sous-corticales, le bulbe rachidien et la moelle épinière ? Si seuls son bulbe rachidien et sa moelle épinière sont intacts ? Si seulement sa moelle épinière est intacte ?

4. Est-ce qu'il vaut la peine de vivre sans cortex cérébral ? Nommez les parties du cerveau sans lesquelles, selon vous, la vie vaut encore la peine d'être...

LE CHAPITRE 3 EN UN CLIN D'ŒIL

LE NEURONE

Neurone : cellule nerveuse qui transmet l'information dans l'organisme.

Nerf : faisceau d'axones ayant la même fonction.

La structure du neurone

Dendrites : prolongements du neurone qui reçoivent les influx nerveux des autres neurones et les transmettent jusqu'au corps cellulaire.

Corps cellulaire : partie du neurone qui intègre l'information reçue et nourrit le reste de la cellule.

Axone : prolongement du neurone qui transmet les influx nerveux à d'autres neurones.

Myéline : isolant lipidique qui accélère la transmission des influx nerveux dans les axones.

Terminaisons axonales : petites structures qui libèrent les neurotransmetteurs.

LES MESSAGERS CHIMIQUES

Les messagers du système nerveux

Neurotransmetteur : substance qui transmet l'information entre les neurones. À un effet excitateur ou inhibiteur.

Synapse : jonction entre deux neurones, où les neurotransmetteurs passent de l'un à l'autre.

Les messagers du système endocrinien

Les glandes du **système endocrinien** produisent des **hormones** qu'elles libèrent dans la circulation sanguine. La majorité des glandes ont pour fonction de maintenir l'homéostasie, le fonctionnement normal de l'organisme.

Hypothalamus : glande maîtresse; minuscule structure située dans le cerveau qui maintient l'équilibre du système nerveux et le système endocrinien et régit des pulsions comme la faim, la soif, la libido et l'agressivité.

SYSTÈME NERVEUX PÉRIPHÉRIQUE

...té par les nerfs qui unissent le cerveau et la moelle épinière au reste de l'organisme.

Le système nerveux périphérique

...ux nerveux somatique : transmet l'information ...(sensorielle) au système nerveux central et ...on efférente (motrice) aux muscles sque-

Système nerveux autonome : régit les activités automatiques de l'organisme (comme la fréquence cardiaque et la respiration).

TROIS TECHNIQUES D'ÉTUDE

Maintenant que vous avez fait connaissance avec votre livre et que vous savez comment en lire les chapitres, vous êtes en voie d'atteindre vos deux objectifs : posséder la matière et démontrer votre maîtrise. Voici trois techniques infaillibles qui vous aideront à atteindre la réussite.

1. **Utilisez la méthode SQL3R.**   Le sigle SQL3R désigne les six étapes d'une étude efficace : survoler, questionner, lire, réciter, réviser et rédiger.

   - *Survolez* le chapitre en lisant le plan, le document choc et le paragraphe d'introduction, et les questions guides.

   - Pour maintenir votre attention et approfondir votre compréhension, transformez le titre de chaque sous-section en *question*. Inspirez-vous des questions guides présentées au début du chapitre et répétées dans les marges au début des sections.

   - *Lisez* le chapitre et essayez de répondre aux questions que vous avez formulées à partir des titres.

   - Après avoir lu le chapitre et répondu à vos questions, arrêtez-vous et *récitez* vos réponses, mentalement ou par écrit.

   - *Révisez* le contenu du chapitre en répondant aux questions de révision qui apparaissent à la fin des sections. Écrivez vos réponses et vérifiez-les à l'aide de l'annexe.

   - *Rédigez* encore en prenant des notes succinctes dans les marges, à côté des passages que vous ne comprenez pas parfaitement. Consultez ces notes pour poser des questions pendant les cours. La méthode SQL3R semble à première vue fastidieuse, mais nos élèves ont découvert qu'elle leur fait gagner du temps et qu'elle favorise la compréhension.

2. **Répartissez vos heures d'étude.**   Il est important de faire une récapitulation avant un examen, mais les séances d'étude intensives de dernière minute ne vous seront d'aucune utilité au collège. La recherche en psychologie a en effet révélé très clairement que les périodes d'étude courtes mais régulières donnent de bien meilleurs résultats que les longues séances de bourrage de crâne. Vous n'attendez sûrement pas la veille d'un important match de basket-ball pour commencer à vous entraîner. De même, il ne sert à rien de commencer à étudier la veille d'un examen.

3. **Écoutez activement les cours.**   Arrivez à l'heure à vos cours et ne sortez pas avant la fin, car vous pourriez manquer des explications importantes. Écoutez *activement* durant les cours. Posez des questions si vous ne comprenez pas. Regardez votre enseignant. Concentrez-vous sur ses propos et tentez d'en extraire l'idée principale. Notez les notions-clés et les exemples éclairants. Écrivez les dates et les noms importants ainsi que les termes nouveaux. Ne tentez pas de transcrire mot à mot ce que dit votre enseignant. Il s'agit là d'une écoute passive et mécanique. Aérez vos notes de façon à pouvoir y ajouter des éléments si votre enseignant revient sur un sujet ou développe une idée. Prêtez une attention particulière à tout ce que votre enseignant écrira au tableau. Les enseignants prennent généralement la peine d'écrire au tableau les concepts qu'ils jugent les plus importants.

Nous espérons que vous aimerez étudier avec *Psychologie en direct*. Comme nous le laissons entendre dans le titre que nous avons choisi, nous croyons que la psychologie est une science vivante, fascinante et utile. Nous souhaitons vivement que notre livre vous en persuade aussi.

Avant-propos

Si l'aptitude à la pensée critique a toujours été importante, elle est essentielle aujourd'hui. La complexité et la diversité culturelle du monde n'ont pas cessé d'augmenter. Les choix que nous faisons en ce moment à propos des espèces menacées, des forêts tropicales, des sans-abri, de la criminalité urbaine, de l'explosion démographique et des conflits régionaux se répercuteront non seulement sur nous et nos familles mais aussi sur les générations à venir. Comment prendre des décisions aussi importantes ?

Certes, l'information ne manque pas. Vous fréquentez un établissement d'enseignement postsecondaire et vous avez à portée de la main une montagne d'information. Pour trouver la documentation nécessaire à vos travaux, vous pouvez recourir à la bibliothèque mais aussi naviguer dans Internet et consulter des milliers de journaux, de revues scientifiques et d'encyclopédies.

La difficulté n'est pas de trouver l'information mais de savoir qu'en faire. Une fois que vous avez obtenu des données, vous devez en effet les interpréter, les évaluer, les assimiler, les synthétiser et les appliquer logiquement et rationnellement. Bref, en tant qu'élève et citoyen, vous devez appliquer la pensée critique.

QU'EST-CE QUE LA PENSÉE CRITIQUE ?

Le terme « pensée critique » a de nombreuses significations, et certains livres consacrent des chapitres entiers à sa définition. La *pensée* est l'activité mentale qui nous sert à comprendre le monde qui nous entoure. Le mot « critique », d'autre part, vient du verbe grec *krinein*, qui signifie « séparer », « choisir », « décider » et « juger ». La *pensée critique*, par conséquent, consiste à identifier et à évaluer nos processus cognitifs, nos sentiments et nos comportements dans le but de les clarifier et de les améliorer (d'après Chaffee, 1992).

La pensée critique est une habileté et, à ce titre, elle peut être améliorée. Chaque chapitre de *Psychologie en direct* contient un exercice visant à développer en vous au moins un des éléments de la pensée critique. Nous vous présentons ces éléments ci-après en trois listes : les éléments affectifs (relatifs aux émotions), les éléments cognitifs (relatifs à la pensée) et les éléments comportementaux (relatifs à l'action). Vous découvrirez sans doute que vous faites déjà usage de quelques-uns de ces éléments. Mais vous constaterez probablement qu'il vous en reste aussi à acquérir. Nous espérons que vous saurez déployer votre pensée critique dans les domaines de votre vie où l'émotion a déjà entravé votre aptitude à la prise de décision.

ÉLÉMENTS DE LA PENSÉE CRITIQUE

Éléments affectifs — arrière-plan d'émotions qui favorise ou entrave la pensée critique.

- **Préférer la vérité à l'intérêt personnel.** Les adeptes de la pensée critique doivent exiger d'eux-mêmes et de ceux qui sont d'accord avec eux la même rigueur intellectuelle que celle qu'ils exigent de leurs adversaires.
- **Accepter le changement.** Les adeptes de la pensée critique sont disposés à changer et à s'adapter leur vie durant. Comme ils font entièrement confiance aux processus de l'enquête rationnelle, ils sont prêts à remettre en question leurs valeurs et leurs croyances les plus profondes et à les modifier si elles se révèlent mal fondées.
- **Manifester de l'empathie.** Les adeptes de la pensée critique valorisent les pensées, les sentiments et les comportements d'autrui et ils s'efforcent de les comprendre. Ceux qui ne pratiquent pas la pensée critique jugent tout par rapport à eux-mêmes.
- **Accepter les opinions contraires aux siennes.** Les adeptes de la pensée critique abordent les sujets sous tous les angles. Ils savent qu'il est essentiel d'analyser et de comprendre les opinions contraires aux leurs.
- **Tolérer l'ambiguïté.** Bien que le système d'éducation enseigne souvent à donner « la » bonne réponse, les adeptes de la pensée critique admettent que de nombreuses

questions sont si complexes qu'il est vain de leur chercher une seule bonne réponse. Ils comprennent que beaucoup d'affirmations doivent être nuancées par des termes comme « probable », « fort probable » et « peu probable ».

- **Reconnaître ses partis pris.**   Les adeptes de la pensée critique utilisent toutes leurs facultés intellectuelles pour déceler leurs partis pris et leurs préjugés et pour les éliminer suivant une démarche réaliste.

Éléments cognitifs — opérations mentales intervenant dans la pensée critique.

- **Penser de manière indépendante.**   La pensée critique est une pensée autonome. Ses adeptes n'adhèrent pas passivement aux croyances des autres, et ils ne se laissent pas manipuler.
- **Définir les problèmes avec exactitude.**   Un adepte de la pensée critique cerne les problèmes en termes clairs et concrets afin d'orienter fermement sa réflexion et sa collecte de données.
- **Analyser la valeur des données.**   En évaluant soigneusement la nature des données recueillies et la crédibilité de leurs sources, les adeptes de la pensée critique détectent le pathétique déplacé, les présupposés sans fondement et les erreurs de raisonnement. Ils sont ainsi en mesure de rejeter les sources d'information malhonnêtes, inconséquentes ou mercantiles.
- **Employer diverses opérations mentales en résolution de problèmes.**   Ces opérations mentales comprennent : la *logique inductive*, le raisonnement qui procède du particulier au général; la *logique déductive*, le raisonnement qui procède du général au particulier; la *pensée dialogique*, qui fait intervenir l'échange d'opinions entre interlocuteurs; et la *pensée dialectique*, qui vise à dégager les forces et les faiblesses de points de vue opposés.
- **Synthétiser.**   Les adeptes de la pensée critique rassemblent les données éparses en schèmes cohérents.
- **Éviter de surgénéraliser.**   Les adeptes de la pensée critique évitent de surgénéraliser, c'est-à-dire d'étendre le résultat d'une réflexion ou d'une expérience à des situations qui ne ressemblent que superficiellement au fait étudié.
- **Employer la métacognition.**   La métacognition, aussi appelée pensée réflexive, est la capacité d'évaluer et d'analyser ses propres opérations mentales, autrement dit de penser à sa propre pensée.

Éléments comportementaux — actions nécessaires à la pensée critique.

- **Juger seulement en présence de données suffisantes.**   Un adepte de la pensée critique ne fait pas de jugements péremptoires.
- **Employer des termes précis.**   Les adeptes de la pensée critique emploient des termes précis pour cerner les questions clairement et concrètement, de manière à pouvoir les étudier objectivement et empiriquement.
- **Recueillir des données.**   La collecte de données récentes et pertinentes reliées à tous les aspects d'une question est essentielle à la prise de décision.
- **Distinguer les faits des opinions.**   Un fait est une affirmation dont on peut démontrer la fausseté ou la véracité. Une opinion est un énoncé qui exprime le point de vue ou les croyances d'une personne.
- **Pratiquer le dialogue critique.**   Les adeptes de la pensée critique contestent les opinions des autres, mais ils sont disposés à justifier les leurs. Le questionnement socratique est une importante forme de dialogue critique qui consiste à analyser la signification, le bien-fondé ou la logique d'une affirmation, d'une position ou d'un raisonnement.
- **Écouter activement.**   Les adeptes de la pensée critique utilisent toutes leurs facultés intellectuelles pour écouter les autres.
- **Modifier ses jugements à la lumière de faits nouveaux.**   Les adeptes de la pensée critique sont prêts à abandonner ou à modifier leurs jugements si l'expérience les contredit.
- **Appliquer ses connaissances à des situations nouvelles.**   Après avoir maîtrisé une nouvelle habileté ou accompli une découverte, les adeptes de la pensée critique transposent l'information ainsi acquise à de nouveaux contextes. Ceux qui ne pratiquent pas la pensée critique sont souvent capables de donner les bonnes réponses, de répéter les définitions et d'effectuer les calculs mais, faute d'avoir véritablement compris, ils sont incapables d'utiliser leurs connaissances dans des situations nouvelles.

Introduction à la psychologie

PLAN DU CHAPITRE

Au fil votre lecture, gardez à l'esprit les questions guides suivantes et tentez d'y répondre dans vos propres mots.

▲ Qu'est-ce que la psychologie et quels en sont les buts ? Quels sont les différents champs de la psychologie ?

▲ Quel avantage l'expérimentation présente-t-elle pour l'étude d'une question de recherche et comment les chercheurs procèdent-ils ?

▲ Quelles sont les différentes méthodes de recherche non expérimentale et quels sont les mérites et les limites de chacune ?

▲ Quels moyens prend-on pour encourager les psychologues, tant chercheurs que cliniciens, à respecter un code d'éthique professionnelle ?

Imaginons un instant que vous répondez à cette petite annonce. À votre arrivée au laboratoire de l'université Yale, vous rencontrez l'expérimentateur et un autre **sujet** (un autre participant à l'expérience). L'expérimentateur explique qu'il est en train d'étudier les effets de la punition sur l'apprentissage et sur la mémoire, et que l'un de vous deux jouera le rôle de l'élève et l'autre celui du maître. Vous tirez au sort et sur votre billet est écrit le mot *maître*. L'expérimentateur vous invite à le suivre dans une pièce où il attache l'autre sujet — « l'élève » — à une « chaise électrique » dont il semble impossible de se libérer. L'expérimentateur enduit ensuite les poignets de l'élève d'une crème protectrice afin d'éviter que les électrodes connectées au générateur d'électrochocs ne lui infligent « des ampoules et des brûlures ».

L'expérimentateur vous conduit par la suite dans un local adjacent et vous invite à prendre place devant l'appareil à électrochocs qui est raccordé à la chaise de « l'élève », de l'autre côté du mur. Comme l'indique la figure 1.1, cet appareil comporte 30 manettes correspondant à des décharges d'intensité croissante. Sous chaque groupe de manettes, des indications vous permettent d'évaluer les effets des électrochocs : « Choc léger », « Choc modéré », « Choc violent » et ainsi de suite jusqu'à « Danger — Choc mortel — XXX ». L'expérimentateur vous explique que votre tâche consiste à faire apprendre à l'élève une liste de mots groupés par paires; s'il se trompe, vous lui envoyez une décharge électrique. À chaque mauvaise réponse, vous devez augmenter l'intensité de la décharge. Ainsi, à la première erreur, vous lui envoyez une décharge de 15 volts; à la seconde, une décharge de 30 volts, et ainsi de suite.

L'expérience commence et l'élève semble avoir de la difficulté à faire ce que vous lui demandez, car il multiplie les erreurs. Vous vous rendez rapidement compte que vous êtes en train de lui infliger des décharges électriques qui semblent très douloureuses. Après avoir reçu une décharge de 150 volts, l'élève se met à protester : « Laissez-moi partir ! Je ne veux pas continuer ! »

Vous hésitez et ne savez plus très bien ce qu'il faut faire. L'expérimentateur vous encourage à poursuivre et insiste pour que vous augmentiez l'intensité des décharges même si l'élève refuse de répondre à vos questions. Mais il est évident que cette personne souffre. Que devez-vous faire ? Continuer à lui administrer des électrochocs ou vous arrêter ?

Des sujets réels ont participé à différentes expériences du même genre et se sont heurtés à ce problème. L'une de ces expériences (Milgram, 1990) a donné lieu au dialogue suivant entre l'expérimentateur et son sujet :

Le sujet : Je ne peux pas supporter ça. Je ne vais quand même pas tuer cet homme. L'entendez-vous hurler ?

L'expérimentateur : Comme je vous l'ai expliqué, les chocs sont peut-être douloureux, mais ils ne causent pas de dommages permanents aux tissus.

L'élève (en criant) : Laissez-moi sortir d'ici, vous n'avez pas le droit de m'empêcher de partir. Laissez-moi sortir, laissez-moi sortir, je crois que mon cœur va flancher, laissez-moi sortir ! *(Le sujet secoue la tête, tapote la table nerveusement.)*

Le sujet : Vous voyez, il crie à tue-tête. Vous l'entendez ? Je ne sais plus quoi faire !

Annonce d'intérêt public

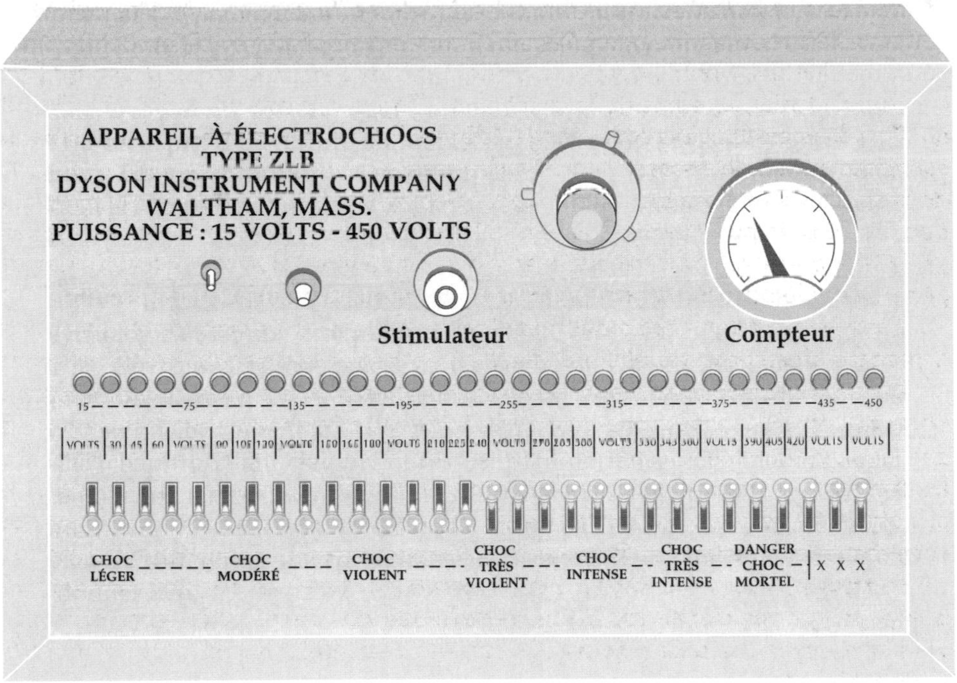

Figure 1.1 **Générateur d'électro-chocs de Milgram.** C'est l'appareil que les sujets de Milgram ont utilisé pour l'expérience sur la soumission à l'autorité. Remarquez à quel point les effets sont clairement indiqués, de léger à dangereux.

L'expérimentateur : L'expérience exige que...

Le sujet (l'interrompant) : Je sais monsieur, mais... cet homme ne sait pas ce qui l'attend. Il est rendu à 195 volts ! *(L'expérience se poursuit : 210 volts, 225 volts, 240 volts, 255 volts, 270 volts, jusqu'à ce que le maître, visiblement soulagé, en ait fini avec les questions concernant les mots groupés par paires.)*

L'expérimentateur : Vous allez devoir recommencer au début de cette page et reprendre toutes les questions jusqu'à ce qu'il les sache parfaitement.

Le sujet : Oh ! non, je ne suis quand même pas pour tuer cet homme. Vous voulez dire que je devrai continuer d'augmenter l'intensité des décharges ? Non, monsieur. Je l'entends beugler là-dedans. Je ne peux pas grimper à 450 volts !

Sujet : Personne qui participe à une recherche.

Selon vous, que s'est-il passé ? Le sujet a-t-il poursuivi l'expérience ? Vous serez peut-être surpris d'apprendre que ce sujet a continué d'administrer des décharges à l'élève en dépit des protestations de celui-ci, et qu'il s'est même rendu jusqu'à l'intensité la plus élevée lorsque l'élève a refusé de répondre à d'autres questions.

Vous l'avez peut-être deviné, cette expérience n'avait pas pour but d'étudier les effets de la punition sur l'apprentissage. Le psychologue qui l'a conçue, Stanley Milgram, effectuait une recherche sur la soumission à l'autorité. En fait, aucune décharge électrique n'a vraiment été administrée à « l'élève »; ce dernier était de mèche avec l'expérimentateur et faisait semblant d'en recevoir.

Quel aurait été votre propre degré d'obéissance ? Milgram a interrogé un certain nombre de personnes sur leur comportement probable en de telles circonstances. Toutes prétendaient qu'elles n'auraient jamais dépassé le niveau des 300 volts et moins de 25 % d'entre elles affirmaient qu'elles se seraient probablement arrêtées à 150 volts. Or, l'expérience menée par Milgram lui a permis de constater, à sa grande surprise, qu'au moins 65 % des sujets acceptent d'administrer des électrochocs d'une intensité maximale.

Le livre que vous tenez entre vos mains constitue une introduction à l'étude de la psychologie. En le parcourant, vous découvrirez que la plupart des recherches psychologiques ne sont pas aussi « choquantes » que celle de Milgram, mais qu'elles sont fort heureusement tout aussi intéressantes. Lorsqu'on leur demande ce qu'ils attendent d'un cours de psychologie, les étudiants répondent souvent qu'ils espèrent découvrir « comment l'esprit fonctionne », « pourquoi certaines personnes font des dépressions nerveuses et sombrent dans la maladie mentale », « comment élever des enfants », « comment interpréter les rêves et les tests de personnalité », et ainsi de suite. Nous nous pencherons effectivement sur ces sujets, mais nous tenterons également de répondre à des questions du genre de celles-ci : Comment l'apprentissage se fait-il ? Comment la mémoire fonctionne-t-elle ? Pourquoi certaines personnes se laissent-elles mourir de faim alors que d'autres mangent au point de devenir obèses ? Quelle est l'influence du stress sur notre fonctionnement physique et psychologique ?

Le présent chapitre s'attache à définir la psychologie et à en expliquer les buts; vous y trouverez un aperçu des domaines auxquels s'intéressent les psychologues, des types de recherches menées en psychologie et des règles d'éthique qui régissent la pratique de la psychologie.

COMPRENDRE LA PSYCHOLOGIE

▲ *Qu'est-ce que la psychologie et quels en sont les buts ? Quels sont les différents champs de la psychologie ?*

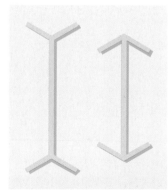

Figure 1.2 **Illusion de Müller-Lyer.** Les lignes verticales sont-elles de la même longueur ?

Psychologie : Étude scientifique du comportement et des processus mentaux.

Comportement : Action ou réaction observable et mesurable d'un organisme en relation avec son environnement.

Processus mental : Toute activité non observable directement, par laquelle le cerveau traite des représentations, conscientes ou non, de la réalité.

On ne peut toujours s'en remettre au bon sens pour faire des prédictions justes. Voyez par exemple l'illusion de Müller-Lyer (figure 1.2), la plus connue des illusions géométriques. La plupart des élèves du collégial ont l'impression que la ligne verticale de gauche est légèrement plus longue que celle de droite (Gordon, 1997; Schiffman, 1996; Wang, Irwin et Hautus, 1998). En fait, les deux sont de longueur égale. Après avoir vu l'illusion de Müller-Lyer, la plupart des gens croient que le système visuel est construit de telle sorte qu'il perçoit tout naturellement les deux lignes de façon erronée, mais c'est faux. Un grand nombre de personnes, spécialement celles originaires de zones rurales, perçoivent les deux lignes de la même longueur (Rivers, 1905; Segal, Campbell et Herskovits, 1963, 1966; Stewart, 1973). On ne peut tenir pour acquis que tous les gens se comporteront de la même façon que *soi*; voilà pourquoi il importe d'étudier le comportement de façon objective et scientifique.

La psychologie est l'étude *scientifique* du comportement et des processus mentaux. Dans cette définition, le comportement désigne les manifestations observables de l'organisme humain ou animal, comme d'appuyer sur une manette, de courir le marathon, de frissonner de plaisir dans les montagnes russes. Quant aux processus mentaux, ce sont des ensembles d'événements ayant lieu dans le cerveau sans manifestation observable, par exemple une image mentale, la pensée, le rêve, la mémoire.

Les psychologues étudient le comportement à l'aide de méthodes d'une grande rigueur scientifique, pour recueillir des renseignements au sujet d'un comportement en particulier, et pour en faire l'analyse et l'interprétation. En procédant ainsi, ils peuvent être à peu près certains que les résultats de leurs études ne sont pas faussés par leurs positions personnelles ou par des facteurs extérieurs au comportement étudié.

Les psychologues ont ingénieusement découvert des moyens d'évaluer non seulement les comportements, mais également les processus mentaux. Pour cela, les chercheurs ont recours à différentes méthodes novatrices. Ainsi, si Milgram avait voulu étudier les degrés d'angoisse de ses sujets, il aurait pu utiliser un électrocardiographe et d'autres appareils servant à mesurer le rythme cardiaque, la tension artérielle, la tension des muscles et ainsi de suite.

LES BUTS DE LA PSYCHOLOGIE : DÉCRIRE, EXPLIQUER, PRÉDIRE ET MODIFIER LE COMPORTEMENT

Pour comprendre l'univers complexe de la psychologie, il faut d'abord en examiner les quatre buts fondamentaux : décrire, expliquer, prédire et modifier le comportement. Dans certaines études, les psychologues se contentent de *décrire* les comportements en procédant à de rigoureuses observations de nature scientifique. Dans d'autres, ils tentent d'*expliquer* les comportements en procédant à des expériences susceptibles d'en déterminer les causes. Souvent, les psychologues se servent des renseignements recueillis pendant leurs recherches pour *prédire* à quel moment le comportement étudié réapparaîtra. Ils peuvent en outre utiliser les conclusions de leurs recherches pour *modifier* le comportement indésirable ou les circonstances l'entourant.

L'étude de Milgram a permis d'atteindre tous ces objectifs. Le chercheur a pu *décrire* comment ses sujets se comportaient lorsqu'une personne incarnant l'autorité leur ordonnait de poser un geste allant à l'encontre de leur sens du bien et du mal. Il a *expliqué* pourquoi les sujets avaient agi ainsi en modifiant de manière systématique certaines conditions de l'expérience. Ainsi, en installant le maître et l'élève dans une même pièce, puis dans des pièces séparées, Milgram a découvert que l'éloignement de la « victime » (l'élève) augmentait le degré de docilité du maître.

En appliquant les résultats de l'étude de Milgram au monde réel, il est possible de *prédire* le comportement humain dans des situations semblables. Par exemple, des officiers des forces armées peuvent s'appuyer sur les conclusions de Milgram pour prédire que les pilotes obéiront plus volontiers à l'ordre de lancer un missile sur une ville inconnue et éloignée plutôt qu'à l'ordre de tuer une personne à mains nues.

Les résultats de la recherche de Milgram et d'autres recherches du même genre sont utilisés aujourd'hui pour *modifier* le comportement. Ainsi, les parents et les éducateurs apprennent aux enfants à remettre l'autorité en cause dans des situations critiques ou dangereuses plutôt que d'obéir aveuglément. Afin de prévenir l'agression sexuelle, de nombreuses écoles mettent sur pied des programmes spéciaux à l'intention des jeunes enfants. Grâce aux spectacles de marionnettes, aux jeux de rôle, aux échanges en classe et à bien d'autres méthodes, les enfants apprennent à dire non aux adultes qui les touchent de manière inacceptable ou posent des gestes qui les rendent mal à l'aise. Dans votre vie personnelle, vous pouvez peut-être trouver des façons de mettre en application les résultats de l'étude de Milgram en modifiant votre propre comportement lorsque quelqu'un insiste pour que vous fassiez quelque chose de contestable. Par exemple, vous pourriez solliciter une consultation de vérification si votre médecin affirme que vous avez besoin d'une opération chirurgicale.

En plus de décrire et d'expliquer le comportement, les psychologues s'efforcent de le prédire et de le modifier. Par exemple, les recherches portant sur les illusions comme celle de Müller-Lyer nous permettent de *prédire* que chez une personne originaire d'un milieu rural, la perception d'illusion sera moindre que chez une autre issue d'un milieu urbain. Il serait même possible de *modifier* la perception qu'a une personne de la longueur des lignes dans une illusion géométrique, en lui faisant quitter son milieu rural pour l'amener vivre dans un milieu urbain. (Vous en apprendrez davantage sur les illusions géométriques en lisant le chapitre 5, « Perception ».)

LES CHAMPS DE LA PSYCHOLOGIE : LA RECHERCHE ET L'INTERVENTION

Il existe deux principaux champs d'activité en psychologie : la recherche, laquelle peut être fondamentale ou appliquée, et l'intervention, qui se pratique dans de nombreux secteurs.

La recherche fondamentale

Souvent, les chercheurs comme Stanley Milgram étudient un aspect du comportement sans penser aux applications possibles des résultats de leur recherche à la vie réelle. Connue sous le nom de recherche fondamentale, la recherche de ce genre est habituellement menée dans les universités ou dans des laboratoires de recherche; elle a pour objet de vérifier de nouvelles théories et des modèles de comportement. N'ayant pour but que l'avancement des connaissances, la recherche fondamentale, qui se fait dans tous les principaux champs de la psychologie, peut ou non déboucher sur des applications immédiates dans la vie courante. À long terme, cependant, les découvertes résultant de cette recherche finissent par amener des changements importants dans notre mode de vie. On s'en servira par exemple pour concevoir des logiciels plus conviviaux ou pour améliorer des méthodes d'enseignement aux élèves de première année.

La recherche fondamentale récente sur la mémoire (Courtney, Petit, Maisong, Ungerleider et Haxby, 1998) a eu recours aux plus récentes techniques de scanographie pour déterminer à quelles zones du cerveau fait appel la mémoire immédiate. (La mémoire immédiate est le processus de pensée qui permet de garder une représentation active de l'information afin de pouvoir l'utiliser pour résoudre des problèmes. On s'en sert par exemple pour se souvenir d'un numéro de téléphone qu'on va composer quelques instants plus tard.) Dans un autre exemple de recherche fondamentale menée sur 25 ans, on a étudié les habiletés cognitives des enfants précoces en mathématiques (Benbow, 1984; Benbow, 1986; Benbow et Lubinski, 1994; Benbow et Lubinski, sous presse). Une grande partie de la recherche fondamentale porte sur les perceptions que nos sens — le goût, le toucher, la vue, l'ouïe et l'odorat — nous donnent du monde extérieur (Schiffman, 1996).

En psychologie, la recherche fondamentale s'intéresse au comportement en lui-même, aux seules fins de la connaissance. Si nous voulons étudier la psychologie pour résoudre des problèmes de la vie réelle, nous devons recourir à la recherche appliquée.

La recherche appliquée

La recherche appliquée étudie le comportement dans le monde réel. Des recherches appliquées sont menées dans presque tous les secteurs de la psychologie, mais certaines d'entre elles en sont des champs d'application privilégiés. C'est le cas notamment de la psychologie industrielle et organisationnelle, de la psychologie de l'environnement, de la psychologie du sport, de la psychologie du consommateur, de la psychologie de la santé et de la psychologie clinique.

La psychologie industrielle et organisationnelle applique les principes de la psychologie au monde du travail (Aamodt, 1991, p. 4). Elle englobe la psychologie du personnel (sélection et évaluation du personnel), la psychologie organisationnelle (étude du leadership, satisfaction professionnelle, motivation du personnel et dynamique des groupes au sein de l'organisation), la formation et le perfectionnement.

La psychologie environnementale est l'étude des réactions comportementales aux changements apportés à l'environnement. Ainsi, les psychologues de l'environnement ont découvert que le rétablissement, après un épisode de stress, est plus rapide en milieu naturel qu'en milieu urbain (Ulrich et coll., 1991; Kaplan (1995).

La psychologie du sport étudie les moyens d'améliorer la performance des athlètes en mettant en application des principes de la psychologie tels que la visualisation et les exercices mentaux (Jones et Stuth, 1997; Murphy, 1990; Suinn, 1997).

Les psychologues de la consommation cherchent pour leur part à appliquer ces mêmes principes au comportement du consommateur, dont ils étudient les processus décisionnels et les modes de consommation (Cohen et Chakravarti, 1990; Graeff, 1997; Mooradian et Olver, 1997).

Recherche fondamentale : Recherche visant à étudier des questions théoriques sans chercher à résoudre un problème concret.

Recherche appliquée : Recherche qui utilise de façon pratique les principes et les découvertes de la psychologie pour résoudre des problèmes de la vie courante.

Les psychologues cliniciens et les psychologues spécialisés en counseling s'occupent des personnes souffrant de troubles affectifs.

Le chapitre 11 est entièrement consacré à la psychologie de la santé. On y verra notamment comment on peut se maintenir en santé en faisant de l'exercice ou en cessant de fumer, par exemple.

Étant donné la diversité des champs d'application de la psychologie, les psychologues sont appelés à exercer dans différents milieux. Ils peuvent travailler pour des organismes gouvernementaux, pour de grandes sociétés, dans les hôpitaux ou en milieu universitaire.

L'intervention

Les psychologues jouent des rôles très variés dans toutes sortes de domaines. Ils sont tour à tour travailleurs de la santé mentale, chercheurs, consultants et professeurs en milieux universitaire et collégial. Souvent, le psychologue doit mener plusieurs activités de front : enseigner, faire de la recherche et agir comme consultant en milieu industriel, ou encore recevoir des clients en pratique privée tout en poursuivant des recherches. À cause de la diversité de ses champs d'application, la psychologie est en ce moment un des choix de carrière les plus prometteurs (Burnette, 1994).

Le Département du développement des ressources humaines du Canada considère que les possibilités d'emplois en psychologie augmenteront beaucoup plus rapidement que dans la moyenne des autres secteurs. Cela s'explique autant par le départ à la retraite de psychologues que par la demande croissante pour ce genre de services. La plupart des psychologues se spécialisent dans un secteur en particulier. Certains de ces secteurs sont énumérés ci-dessous, mais cette liste est loin d'être exhaustive.

Les *psychologues cliniciens* et les *psychologues-conseils* travaillent auprès de personnes souffrant de troubles psychiques ou affectifs. Les étudiants se demandent souvent quelle est la différence entre un psychiatre et un psychologue clinicien. Les psychiatres sont des médecins. Ils ont fait des études en médecine et obtenu un doctorat en médecine avec spécialisation en psychiatrie; ils sont donc autorisés à prescrire des médicaments et des traitements. Pour leur part, les psychologues cliniciens ont fait des études supérieures et obtenu une maîtrise ou un doctorat après de longues études du comportement humain et des méthodes de thérapie.

En collaboration avec les éducateurs, les *psychologues scolaires* cherchent à promouvoir le développement intellectuel, social et affectif des enfants à l'école.

difficultés
des enfants
réaction
adaptation.

Les psychopédagogues étudient les modes d'apprentissage dans l'espoir d'améliorer la qualité de l'enseignement aux enfants. Sur cette photo, une psychopédagogue observe une classe sans être vue, à l'aide d'un miroir espion.

Les entreprises retiennent les services de *psychologues industriels et organisationnels* pour les aider à gérer leurs ressources humaines de manière harmonieuse et productive.

Les *psychologues du développement* étudient le développement physique, social et cognitif, ainsi que le développement de la personnalité, de la conception à la mort.

Les *psychologues sociaux* s'intéressent au comportement des personnes en groupe.

Les spécialistes en *psychologie comparée* étudient le comportement animal afin de mieux comprendre le comportement des animaux ainsi que celui des humains.

Les *neuropsychologues* étudient le rapport entre le cerveau et le reste du système nerveux d'une part, et le comportement d'autre part.

Les *psychologues de la santé* s'intéressent au rôle que peut jouer la psychologie dans la conservation de la santé et l'adoption de saines habitudes de vie.

Les *psychologues de la cognition* étudient les processus mentaux utilisés pour recueillir, organiser, traiter et emmagasiner l'information. En d'autres mots, leurs domaines d'étude sont les sensations, les perceptions, l'apprentissage, les processus cognitifs, l'utilisation du langage et la mémoire.

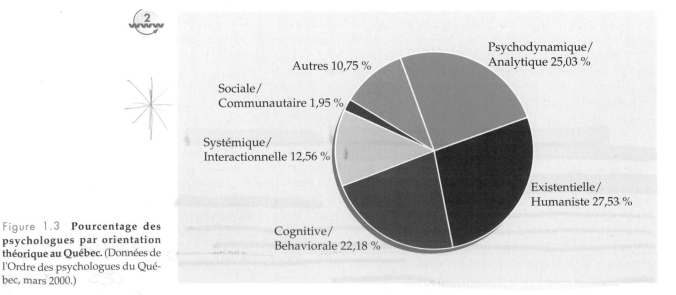

Figure 1.3 **Pourcentage des psychologues par orientation théorique au Québec.** (Données de l'Ordre des psychologues du Québec, mars 2000.)

Tableau 1.1 Les champs de pratique reconnus par l'Ordre des psychologues du Québec.

1. La psychologie clinique
2. La psychologie scolaire
3. La psychologie légale
4. La neuropsychologie
5. La psychologie communautaire
6. La psychologie industrielle organisationnelle
7. L'enseignement et la recherche
8. La gérontologie

po manières, moyens, méthodes d'enseignement

Les *psychopédagogues* s'intéressent aux méthodes d'enseignement : comment se fait l'apprentissage et quelles méthodes pédagogiques sont les plus efficaces.

Pour avoir une idée de l'orientation théorique des psychologues à l'œuvre dans les huit champs de pratique que reconnaît l'Ordre des psychologues du Québec, consultez la figure 1.3. Les champs de pratique reconnus par l'Ordre sont donnés au tableau 1.1. Par ailleurs, vous trouverez au tableau 1.2 la répartition des psychologues selon le secteur de travail. Ce ne sont là que quelques exemples des innombrables domaines de spécialisation en psychologie. En effet, la psychologie est un champ d'études si diversifié que l'American Psychological Association, qui regroupe le plus grand nombre de psychologues professionnels (dont certains sont québécois), reconnaît 54 spécialisations différentes, qui sont d'ailleurs énumérées au tableau 1.3 (aucune spécialisation ne porte les numéros 4 et 11).

Tableau 1.2 La répartition des psychologues membres de l'Ordre par secteur de travail de l'emploi principal.

Secteur de travail	Nombre	%
Pratique privée	2141	32,64
Fonction publique	362	5,52
Entreprises privées	420	6,40
Secteur de la santé et des services sociaux		
Centres hospitaliers	896	13,66
Centres locaux des services communautaires	408	6,22
Centres de protection de l'enfance et de la jeunesse	196	2,99
Centres de réadaptation et d'hébergement	399	6,08
Secteur de l'éducation		
Milieu scolaire – niveau primaire	575	8,77
Milieu scolaire – niveau secondaire	283	4,31
Cégeps et collèges	235	3,58
Universités	536	8,17
Autres	109	1,66
Total	**6560**	**100,00**

Source : Ordre des psychologues du Québec, mars 2000.

Tableau 1.3   Domaines reconnus par l'American Psychological Association.

1. La psychologie générale
2. L'enseignement de la psychologie
3. La psychologie expérimentale
5. La mesure et l'évaluation
6. La psychophysiologie et la psychologie comparée
7. La psychologie du développement
8. La psychologie sociale et de la personnalité
9. La Société pour l'étude psychologique des problèmes sociaux
10. La psychologie et les arts
12. La psychologie clinique
13. La psychologie-conseil
14. La Société de psychologie industrielle et organisationnelle
15. La psychopédagogie
16. La psychologie scolaire
17. Le counseling
18. Les psychologues de la fonction publique
19. La psychologie militaire
20. Le développement des adultes et le vieillissement
21. La psychologie expérimentale appliquée et la psychologie ergonomiste
22. La psychologie de la réadaptation
23. La psychologie du consommateur
24. La psychologie théorique et philosophique
25. L'analyse expérimentale du comportement
26. L'histoire de la psychologie
27. La psychologie communautaire
28. La psychopharmacologie
29. La psychothérapie

30. L'hypnose psychologique
31. Affaires concernant les associations de psychologues (dans chaque État)
32. La psychologie humaniste
33. L'oligophrénie (déficience mentale)
34. La psychologie des populations et de l'environnement
35. La psychologie des femmes
36. Les psychologues intéressés par les questions de religion
37. Les services à l'enfance, à la jeunesse et à la famille
38. La psychologie de la santé
39. La psychanalyse
40. La neuropsychologie clinique
41. La psychologie et le droit
42. Les psychologues en pratique privée
43. La psychologie de la famille
44. La Société pour l'étude psychologique des questions relatives aux homosexuels, aux lesbiennes et aux bisexuels
45. La Société pour l'étude psychologique des questions relatives aux minorités ethniques
46. La psychologie des médias
47. La psychologie de l'exercice physique et du sport
48. La psychologie de la paix
49. La psychologie des foules et la psychothérapie de groupe
50. Dépendances
51. La Société pour l'étude psychologique des hommes et de la masculinité
52. La psychologie internationale
53. La psychologie clinique de l'enfant
54. La psychologie pédiatrique

Les uns et les autres

LA PSYCHOLOGIE CULTURALISTE

Au fur et à mesure que nos contacts avec les autres peuples s'accentuent, un autre champ de la psychologie prend de l'importance. C'est celui de la *psychologie culturaliste*. Les psychologues culturalistes étudient l'influence de la culture et des

Si vous avez des amis dont la culture diffère de la vôtre, il se peut que leur comportement vous semble parfois étrange. Dans le monde d'aujourd'hui, les différentes cultures s'interpénètrent de plus en plus; il est donc de plus en plus important de comprendre l'influence que les coutumes et les croyances peuvent avoir sur le comportement des personnes.

coutumes ethniques sur le comportement des personnes, cherchant ainsi à circonscrire les comportements communs à tous les êtres humains et ceux qui sont propres à certains groupes culturels. Leur but premier est d'aider les gens de cultures différentes, n'ayant pas les mêmes attitudes ni le même mode de vie, à vivre ensemble, en paix et en harmonie, dans un monde qui rapidement se transforme en collectivité mondiale.

À moins d'avoir eu l'occasion de réfléchir à cette question, peu d'entre nous sont vraiment conscients de l'influence de la culture dans notre vie quotidienne. Comme le font remarquer Segall et coll. (1990), lorsque vous allez à l'école, vous vous rendez en classe à la même heure, les mêmes jours, vous vous assoyez et vous écoutez le professeur ou vous participez à une activité dirigée. Votre comportement vous est dicté par le système scolaire qui fait partie de votre culture. Dans une autre culture, par exemple dans une région éloignée d'Afrique de l'Est, votre éducation pourrait prendre un caractère fort peu structuré : vous et vos amis formeriez un cercle autour d'un aîné jouissant du respect de la communauté, certains d'entre vous s'assoiraient, d'autres resteraient debout et, tous, vous écouteriez l'aîné vous raconter des récits évoquant l'histoire de la tribu.

Les pages qui suivent abordent quelques-unes des questions les plus importantes de l'étude des influences culturelles sur le comportement. Nous expliquons ce que nous voulons dire par *culture* et abordons ensuite des questions telles que l'ethnocentrisme, l'individualisme et le collectivisme, et enfin les comportements universels et culturels.

Qu'est-ce qu'une culture ?

Berry et coll. (1992) définissent simplement la culture comme un mode de vie commun à un groupe de personnes. Ce mode de vie comprend les idéaux, les valeurs et les conceptions de la vie qui orientent les comportements (Brislin, 1993) et permettent aux gens de survivre dans un milieu donné (Segall et coll., 1992). Chaque culture définit ses normes propres en matière d'habillement, de logement et de transport, sa langue, ses pratiques religieuses, ses traditions et ses coutumes sociales. Lors d'une excursion dans le parc national Yosemite de Californie, par une chaude journée d'été, deux des auteurs de ce livre ont aperçu un groupe composé de jeunes femmes en robes et de jeunes hommes vêtus de pantalons longs et de chemises de coton. Leur tenue contrastait avec celle de *tous* les autres visiteurs du parc, qui étaient en shorts et en chemises. Dans ce cas précis, le seul fait que ces personnes aient été habillées de manière inhabituelle signalait qu'elles appartenaient à une autre culture. Vous avez probablement vécu une expérience semblable en rencontrant des femmes vêtues de saris ou des hommes portant le turban.

Culture : Ensemble de valeurs, de conceptions et de comportements acquis par une société en réponse aux exigences de son milieu de vie et qui est transmis de génération en génération.

Les différentes cultures du monde se sont développées en réaction à une multitude de facteurs, tant écologiques que sociopolitiques (Segall et coll., 1990). Les facteurs écologiques comprennent le climat, les ressources naturelles et les caractéristiques géographiques telles que le relief et la morphologie des sols. Ainsi, la neige étant abondante sur leurs territoires, les peuples vivant près du cercle polaire arctique ont beaucoup de mots pour décrire les différentes nuances de blanc, mais aucun pour les différentes teintes de rouge et de vert (voir Luria, 1976, p. 23). Parmi les facteurs sociopolitiques figurent notamment les migrations, les invasions et le commerce international. Les Indiens nomades des Prairies ont inventé le tipi, qu'ils pouvaient rapidement monter et démonter pour suivre les troupeaux de bisons, qui étaient leur source première de nourriture et dont la fourrure était utilisée pour les vêtements et les abris. Par contre, les Falaisiens du Sud-Ouest américain (les ancêtres des Pueblos), qui cultivaient la terre et étaient souvent attaqués par d'autres tribus, se protégeaient en construisant des maisons de pisé munies d'échelles amovibles du côté des falaises.

L'ethnocentrisme

Dans le monde d'aujourd'hui, les contacts interculturels sont inévitables. Que vous soyez un homme ou une femme d'affaires, un enseignant ou une enseignante, un conseiller ou une conseillère d'orientation, un avocat ou une avocate, ou membre de toute autre profession, que vous soyez une personne qui aime beaucoup voyager ou quelqu'un qui ne s'éloigne jamais de la maison, vous devez pouvoir composer avec des gens appartenant à d'autres cultures. Et composer ne veut pas dire seulement comprendre les différences, mais être capable de les apprécier et de les respecter. Les êtres humains sont portés à l'ethnocentrisme, c'est-à-dire à considérer leurs propres coutumes culturelles comme étant « la » norme par rapport aux autres cultures. Nous avons donc l'impression que nos façons de nous habiller, de parler ou d'agir sont naturelles ou correctes et que celles des autres cultures ne le sont pas. Nous sommes également enclins à penser que nos valeurs et normes culturelles sont meilleures que celles des autres. Nous portons donc un jugement favorable sur les gens qui nous ressemblent et un jugement défavorable sur ceux qui sont différents de nous (Triandis, 1990). En fait, aucune culture n'est naturelle ou artificielle, bonne ou mauvaise; les cultures sont tout simplement différentes. Lorsqu'une personne d'une autre culture agit d'une manière différente de la nôtre, cela signifie tout au plus qu'elle a grandi avec d'autres valeurs ou coutumes culturelles. Pour éviter l'ethnocentrisme, il faut observer les différences et les respecter, mais ne pas les juger.

En étant conscients des différences culturelles, nous pouvons éviter de faire de grosses gaffes tant dans nos rapports interpersonnels que dans nos relations d'affaires. Richard Brislin (1993) rapporte une anecdote savoureuse au sujet d'un homme d'affaires japonais qui avait été invité à prononcer une conférence devant les membres d'une importante société new-yorkaise. Cet homme savait que les Américains ont l'habitude de commencer leur allocution en racontant un fait amusant ou en lançant une ou deux blagues. Les Japonais, eux, amorcent habituellement leur discours en s'excusant « du peu d'intérêt » des propos qu'ils se préparent à tenir. Notre homme d'affaires japonais aborda ainsi son auditoire : « Je suis conscient du fait que les Américains commencent souvent leurs discours par une blague. Au Japon, nous commençons souvent par une excuse. J'ai trouvé un compromis : je m'excuse de ne pas avoir de blague à vous raconter » (p. 9). En étant sensibles aux différences culturelles, comme cet homme d'affaires japonais, nous pouvons apprendre à respecter toutes les cultures et à nous sentir à l'aise dans nos échanges interculturels.

L'individualisme et le collectivisme

Pour comprendre le comportement des personnes appartenant à d'autres cultures, il est important de se familiariser avec les concepts de l'*individualisme* et du *collecti-*

Ethnocentrisme : Tendance à considérer sa propre culture comme supérieure aux autres et à estimer que ses us et coutumes constituent le modèle par rapport auquel les autres cultures doivent être évaluées.

visme. Dans les cultures individualistes, qui s'observent principalement en Europe et en Amérique du Nord, les gens poursuivent des objectifs personnels et se préoccupent surtout d'eux-mêmes et de leur famille immédiate, et l'initiative individuelle y est encouragée. Dans les cultures collectivistes, c'est-à-dire en Asie, en Afrique, en Amérique centrale et en Amérique du Sud, les gens travaillent à la réalisation des objectifs du groupe auquel ils s'identifient, souvent une famille étendue, et sont prêts à sacrifier leurs propres intérêts à ceux de la société. Voilà qui pourrait aider les enseignants et les employeurs à comprendre pourquoi une famille latino-américaine vivant à Montréal peut soudainement disparaître pendant des mois. En période de crise, les immigrants retournent souvent dans leur pays pour aider les membres de leur famille étendue, par exemple pour réconforter une mère éplorée qui vient de perdre son mari. En poussant plus loin votre réflexion sur l'individualisme et le collectivisme, pouvez-vous comprendre pourquoi les États-Unis sont l'un des pays les plus individualistes du monde et pourquoi le communisme a une si forte emprise en Chine ?

Les comportements universels et les comportements culturels

Les psychologues culturels ont effectué des recherches dans tous les domaines de la psychologie, tout d'abord pour tenter d'établir une distinction entre les comportements universels que l'on observe chez tous les êtres humains et ceux qui sont propres à certaines cultures. Jusqu'à tout récemment, la plupart des recherches étaient effectuées en Europe et en Amérique du Nord. Ce sont les résultats de ces recherches qui ont servi de fondement aux théories sur le comportement humain formulées par la suite. Des chercheurs intéressés par les différences culturelles ont établi que lorsque des recherches psychologiques « classiques » étaient reprises avec des membres d'autres cultures, les résultats n'étaient pas toujours identiques. Par exemple, des chercheurs en perception visuelle ont présumé que tout le monde était sujet aux illusions d'optique (voir la figure 1.4 et le chapitre 5). Mais au cours de recherches menées avec des sujets recrutés dans des villages reculés d'Afrique, ils ont découvert que ces derniers étaient beaucoup moins enclins aux illusions visuelles que les sujets de culture occidentale (Segall et coll., 1990). Des études de ce genre démontrent que des comportements prétendument universels peuvent en fait être propres aux sociétés occidentales où les expériences ont d'abord été conduites.

Il est toutefois intéressant de souligner que des recherches visant à cerner des différences culturelles permettent parfois de comprendre des vérités universelles. Par exemple, une étude sur les états altérés de conscience a révélé que même si certains peuples fument de la marijuana ou boivent de l'alcool alors que d'autres mâchent des feuilles de coca, il existe, dans toutes les cultures, une tendance à adopter des comportements induisant de tels états.

En parcourant ce livre et d'autres ouvrages de psychologie, rappelez-vous que la plupart des recherches dont on vous présente les résultats ont été effectuées avec

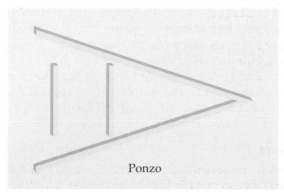

Ponzo

Figure 1.4   **Illusion de Ponzo.** Les gens de culture occidentale ont tendance à voir la ligne verticale de droite plus éloignée, et par conséquent plus longue, que la ligne verticale de gauche. Les illusions, comme bien d'autres éléments dans le monde, varient selon les cultures.

des sujets vivant au sein de sociétés occidentales traditionnelles et que, à ce titre, elles peuvent fort bien ne pas toujours s'appliquer aux autres cultures.

Le présent ouvrage présente une importante étude sur la diversité culturelle et les comportements humains universels. Même si nous intégrons des éléments de cette recherche dans l'ensemble du texte, chaque chapitre comporte, comme celui-ci, une section intitulée *Les uns et les autres*, signalée par un pictogramme spécial placé dans la marge de la façon suivante :

Les sections *Les uns et les autres* exposent des questions culturelles particulièrement intéressantes. Certaines traitent d'un sous-secteur de la psychologie culturelle, soit les différences de culture entre les hommes et les femmes. ■

LA PSYCHOLOGIE DANS NOTRE VIE : RÉALITÉ ET FICTION

La psychologie est un domaine d'études passionnant, car elle s'intéresse à des sujets dont on trouve des applications dans la vie courante. Ainsi, le fait de vous renseigner sur les modes d'apprentissage et de mémorisation peut vous amener à améliorer vos habitudes d'étude et à créer autour de vous un environnement plus propice à l'apprentissage. Un texte sur les relations interpersonnelles peut vous révéler des méthodes efficaces pour garder vos amis longtemps. Un autre sur la motivation peut vous inciter à modifier des comportements peu souhaitables tels que la suralimentation ou le tabagisme.

L'étude de la psychologie vous aidera également à faire plus aisément la distinction entre les explications du comportement scientifiquement vérifiées et celles qui s'appuient sur la seule observation subjective. Bon nombre de recherches dites « scientifiques », publicisées dans la presse populaire, ne sont en fait que des simulacres de recherches qui ne s'appuient aucunement sur des données scientifiquement recueillies.

De même, de nombreuses pseudo-psychologies populaires n'ont aucun fondement scientifique; ce sont de « fausses psychologies » qui cherchent à expliquer les différences de comportement ou de personnalité à l'aide de méthodes qui n'ont rien de scientifique. Les pseudo-psychologies comprennent notamment la chiromancie (la lecture du caractère d'une personne dans les lignes de ses mains), la

Pseudo-psychologies : Conceptions populaires ayant la prétention de révéler des renseignements psychologiques à l'aide de méthodes non scientifiques ou carrément frauduleuses.

Il faut se méfier des pseudo-psychologues. Seule la recherche psychologique scientifique permet de comprendre et de prédire le comportement humain. Les pseudo-psychologues tels que les astrologues et les voyants ont toutes sortes de prétentions, mais leurs méthodes ne sont pas scientifiques et leurs affirmations n'ont aucun fondement.

psychokinésie (la capacité de faire bouger des objets par la seule force de la pensée) et l'astrologie (l'étude de l'influence qu'ont les positions des étoiles et des planètes sur la personnalité des gens et les événements de leur vie). En dépit de leur caractère divertissant (les horoscopes sont amusants à lire et meublent admirablement bien les conversations), ces pseudo-psychologies sont incapables de prouver la légitimité des explications qu'elles donnent du comportement humain. D'ailleurs, un magicien nommé James Randi a pu prouver que de nombreux astrologues, et bien d'autres pseudo-psychologues, n'étaient en fait que des fraudeurs. Dans son livre intitulé *Flim-Flam !*, paru en 1982, Randi décrit comment il a pu, en procédant à des vérifications soigneusement contrôlées et étalées sur de nombreuses années, démontrer la fausseté de leurs allégations.

Au Québec, l'association Les Sceptiques du Québec inc. a publié en septembre 1992, dans la revue *Le Québec sceptique*, le compte rendu d'une expérience portant sur l'aptitude des sujets à se reconnaître dans un portrait astrologique. Chacun des sept sujets devait indiquer dans quelle proportion il se reconnaissait dans chacun des sept portraits qu'on lui avait soumis. Ces sept portraits, qui avaient été dressés par une astrologue expérimentée d'après la « carte du ciel » de chacun des sept sujets de l'expérience, ne portaient aucune marque distinctive autre que les lettres A à G, dont la correspondance n'était connue que des expérimentateurs. Si les résultats n'ont pas permis d'invalider l'astrologie en tant que telle, ils ont toutefois montré qu'elle ne pouvait être prouvée par cette méthode, car les sujets ne se reconnaissaient en moyenne qu'à 33 % dans le portrait qui était le leur. Quatre d'entre eux avaient accordé la plus haute note à un portrait qui n'était pas le leur, et les trois autres n'avaient pas accordé à leur portrait une note beaucoup plus élevée qu'aux autres. L'expérience a démontré que, s'il est facile de se reconnaître dans le portrait astrologique que l'on dresse de nous, il nous est à peu près impossible de le discerner s'il est inséré au hasard parmi six autres.

RÉSUMÉ

Comprendre la psychologie

La psychologie est l'étude scientifique du comportement. Les psychologues utilisent des méthodes de recherche scientifiques pour analyser le comportement.

La psychologie a pour but de décrire, d'expliquer, de prédire et de modifier le comportement.

Les psychologues effectuent des recherches et peuvent se spécialiser dans divers domaines comme la psychologie clinique, le counseling, la psychologie scolaire, la psychologie du développement, la psychologie sociale, la psychologie industrielle, la psychologie organisationnelle ainsi que la neuropsychologie.

La recherche fondamentale traite de questions théoriques; la recherche appliquée, elle, s'efforce de résoudre des problèmes concrets.

QUESTIONS DE RÉVISION

1. Quelle est la définition de la *psychologie* reconnue par les psychologues ?

2. Quelle est la différence entre un comportement et un processus mental ?

3. Les buts de la psychologie sont de _____, d'_____, de _____ et de _____ le comportement.

4. En quoi la recherche fondamentale et la recherche appliquée diffèrent-elles ?

5. Le principal reproche que l'on peut faire aux pseudo-psychologies est de :

_____

_____

LA RECHERCHE EN PSYCHOLOGIE

La psychologie ayant pour but d'étudier le comportement à l'aide de méthodes *scientifiques*, les psychologues, à l'instar des biologistes, des chimistes et des autres scientifiques, doivent mener des recherches comportant une collecte méthodique de données. Celles-ci doivent ensuite être analysées une à une jusqu'à ce qu'une conclusion objective s'en dégage. Afin que les autres — tant les profanes que les scientifiques — puissent comprendre, interpréter et répéter leurs expériences, les psychologues sont tenus d'utiliser des procédures et des méthodes scientifiques reconnues pour réaliser leurs études. Ces procédures constituent ce qu'il est convenu d'appeler la méthodologie de la recherche. En psychologie, la recherche fondamentale et la recherche expérimentale ont recours à des méthodologies distinctes. Dans la section qui suit, nous examinerons les caractéristiques de chacune d'entre elles.

LA RECHERCHE EXPÉRIMENTALE : L'ÉTUDE DE LA CAUSE ET DE L'EFFET

Toute étude de recherche part d'une idée ou d'une question à explorer. Ainsi, Stanley Milgram voulait comprendre ce qui incitait les gens à obéir à des personnes symbolisant l'autorité même lorsque celles-ci leur demandaient d'agir à l'encontre de leurs valeurs morales. La seule façon de répondre à cette question était de procéder à expérimentation. Seule l'expérimentation permet aux chercheurs d'isoler un facteur et d'en examiner l'effet sur un comportement précis (Cozby, 1985). Par exemple, lorsque vous préparez un examen, vous essayez probablement différentes méthodes — étudier dans une pièce tranquille de la maison, relire les passages que vous avez surlignés, répéter à plusieurs reprises les mots clés et leurs définitions, et ainsi de suite — pour vous aider à mémoriser la matière. Il est impossible de déterminer laquelle de ces méthodes est vraiment efficace parce que vous en avez probablement utilisé plusieurs à la fois. La seule façon de découvrir la méthode la plus efficace consisterait à isoler chacune d'entre elles dans le cadre d'une expérimentation. (Les techniques d'étude et de mémorisation ont fait l'objet de nombreuses expérimentations. Si vous désirez savoir comment acquérir de bonnes habitudes d'étude, consultez le chapitre 8, où sont présentés les résultats de ce genre de recherches.)

Chaque expérimentation comporte plusieurs éléments importants. Dans la section qui suit, nous examinerons les principaux d'entre eux : la théorie, l'hypothèse, les variables indépendantes, les variables dépendantes et les contrôles expérimentaux.

La théorie

La plupart des recherches expérimentales découlent d'une théorie. Une théorie scientifique est un ensemble de concepts étroitement reliés pouvant expliquer certains faits et prévoir les résultats d'expériences ultérieures. Les théories ne sont pas des suppositions ou de simples opinions. Les théories psychologiques sont des explications du comportement humain élaborées à la suite de recherches approfondies, de longues observations scientifiques et, comme le soulignent les chercheurs qui s'intéressent aux aspects culturels, d'études comparatives avec différentes cultures.

L'hypothèse

Après avoir étudié en détail les théories du comportement humain existantes et les recherches antérieures, Stanley Milgram a formulé des questions et des prédictions ayant trait aux réactions des gens face à l'autorité. Au cours de sa démarche, il a envisagé différentes façons d'aborder l'étude de l'obéissance aux personnes symbolisant cette autorité. Après avoir réuni les données de base nécessaires, il a

---

▲ *Quel avantage l'expérimentation présente-t-elle pour l'étude d'une question de recherche et comment les chercheurs procèdent-ils ?*

Données : Faits, statistiques, renseignements.

Méthodologie de la recherche : Méthodes scientifiques normalisées pour l'étude de certaines questions.

Expérimentation : Procédure scientifique soigneusement contrôlée visant à établir si certaines des variables manipulées par l'expérimentateur ont un effet sur les autres variables étudiées.

Théorie : Ensemble de concepts étroitement reliés constitué dans le but d'expliquer certains faits et d'élaborer des hypothèses vérifiables.

formulé une *hypothèse* dans laquelle il tentait d'expliquer pourquoi les gens se soumettaient ainsi.

Une hypothèse est une « supposition documentée », ou encore une explication possible du comportement étudié qui s'exprime sous la forme d'une prédiction ou d'un énoncé de la cause et de l'effet.

On émet couramment toutes sortes d'hypothèses et on entend parfois des affirmations du genre de celles-ci : « Les enfants d'aujourd'hui ne savent pas lire parce qu'ils regardent trop la télévision » ou « Lorsqu'il pleut, les gens sont déprimés ». Ces façons d'expliquer les comportements se fondent uniquement sur l'observation ou sur l'expérience personnelle. Une hypothèse *scientifique* s'appuie sur des faits et sur des théories ayant fait l'objet de recherches antérieures ainsi que sur l'expérience et l'observation personnelles. Elle est posée de telle sorte qu'elle indique comment les résultats peuvent être mesurés. Par exemple, une recherche expérimentale sur les programmes pour cesser de fumer peut permettre de formuler l'hypothèse suivante : « Les sujets du groupe A fumeront moins de cigarettes que le groupe B si... ». Une hypothèse peut être fondée ou non; elle n'est qu'une explication *possible* d'un comportement et doit être vérifiée dans le cadre d'une étude scientifique.

Quelle était l'hypothèse de Milgram ?   L'hypothèse de base de Milgram était ainsi formulée : si une personne représentant l'autorité le leur demande, les gens accepteront d'administrer à quelqu'un des secousses électriques d'une plus grande intensité qu'ils ne l'auraient fait de leur propre initiative. Mais Milgram a également formulé et vérifié des variantes de cette même hypothèse, notamment les suivantes :

Les effets de groupe.   Les sujets qui sont membres d'un groupe enverront des décharges d'une plus grande intensité que s'ils agissent à titre personnel.

Le sentiment de responsabilité personnelle chez les sujets.   Si les sujets se sentent peu responsables, ils administrent des électrochocs d'une grande intensité.

Les résultats des expériences menées pour vérifier ces hypothèses révèlent que l'hypothèse première — les gens obéissent à l'autorité — était confirmée dans tous les cas. Les différentes variantes de l'expérience de Milgram et leurs résultats sont présentés à la figure 1.5. Comme vous pouvez peut-être le constater, Milgram a pu établir que le fait de présenter l'expérience comme un défi et celui d'accroître le sentiment de responsabilité chez le sujet étaient les deux plus importants facteurs d'obéissance. Des conclusions qu'il peut être intéressant de se rappeler si

Hypothèse : Explication plausible d'un comportement étudié qui peut être vérifiée à l'aide d'une expérience ou d'une série d'observations.

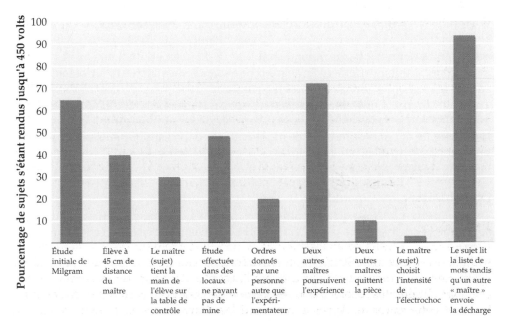

Figure 1.5   Degrés d'obéissance selon les différentes conditions expérimentales définies par Milgram afin de vérifier son hypothèse.

« Je sais comment sortir de ce labyrinthe, mais je ne leur ferai pas ce plaisir. »

Reproduit avec la permission d'Omni Magazine, © 1990.

vous vous demandez parfois si votre « seule dissidence » peut faire une différence dans le monde.

Les variables indépendantes et les variables dépendantes

Après avoir formulé une hypothèse, l'expérimentateur élabore une méthode de recherche lui permettant de la vérifier. Ce travail consiste surtout à choisir les éléments qui feront l'objet d'une manipulation directe et ceux qui pourront être modifiés. Ces éléments sont appelés des variables et, comme le nom l'indique, ce sont des facteurs qui peuvent varier, qui peuvent avoir différentes valeurs. Les variables peuvent être le poids, le temps, la distance entre des personnes, les points obtenus à un test, le nombre de réactions et ainsi de suite. Les deux grandes catégories de variables utilisées dans une expérience sont les variables indépendantes et les variables dépendantes.

Une variable indépendante est un facteur qui est sélectionné et manipulé par l'expérimentateur, et qui est totalement indépendant de ce que fait le sujet. Dans un premier temps, Milgram avait mesuré le degré d'obéissance à l'autorité en prenant note des réactions des sujets qui avaient reçu de l'expérimentateur l'ordre d'envoyer une décharge électrique à l'élève installé dans une pièce séparée. Il a par la suite manipulé les différents facteurs — la proximité entre l'élève et le sujet, la présence ou l'absence de l'expérimentateur, le sexe du sujet et plusieurs autres — afin de circonscrire leur effet sur le degré d'obéissance. Les facteurs ainsi manipulés étaient les variables indépendantes de Milgram.

Contrairement à la variable indépendante, qui est choisie et manipulée par l'expérimentateur, la variable dépendante est un comportement mesurable observé chez un sujet. Elle dépend de la variable indépendante et en est pour ainsi dire un résultat. Dans les expériences de Milgram, la variable dépendante restait toujours la même — la décharge de plus forte intensité envoyée par l'un ou l'autre des sujets.

Les contrôles expérimentaux

Toute expérience exige qu'au moins deux groupes de sujets soient constitués de sorte que la performance d'un groupe puisse être comparée avec celle d'un autre. Idéalement, la seule différence entre ces groupes réside dans les degrés ou les niveaux de la variable indépendante. Ainsi, Hélène Intraub (1979) a dirigé une expérience visant à établir si le temps de mémorisation pouvait faciliter la reconnaissance des visages. Sa variable indépendante était le temps de mémorisation après chaque présentation de visages. Les résultats de l'expérience ont révélé que les

Variables : Facteurs que l'on fait varier et auxquels on peut attribuer plus d'une valeur.

Variable indépendante : Variable contrôlée par l'expérimentateur et dont on peut évaluer l'effet sur le sujet.

Variable dépendante : Comportement mesurable observé chez un sujet et influencé par la variable indépendante.

sujets des groupes ayant pu consacrer davantage de temps à la mémorisation pouvaient reconnaître un plus grand nombre de visages que ceux qui avaient disposé d'une période de mémorisation plus courte. Comme la seule différence entre les groupes était le temps consacré à la répétition, il était possible de conclure qu'une longue répétition était la cause d'une reconnaissance facile des visages.

Souvent, les sujets d'un groupe sont placés dans une condition contrôlée, maintenue constante, dans laquelle ils ne sont exposés d'aucune façon à la variable indépendante. Dans son expérience sur la mémoire, Hélène Intraub aurait pu avoir un groupe témoin; il aurait suffi qu'elle demande à certains sujets d'accomplir une tâche complètement différente entre les présentations de visages, par exemple compter par sept, de 998 à 0, aussi rapidement que possible. Ces sujets n'auraient eu ainsi aucune possibilité de se concentrer sur la mémorisation des visages. La présence d'un groupe témoin permet à l'expérimentateur de généraliser plus largement les résultats de l'expérience qu'en l'absence d'un tel groupe; il y a toujours au moins deux groupes qui participent à une expérience à des fins de comparaison.

Dans le cadre de recherches sur des médicaments, il arrive souvent que les sujets du groupe témoin reçoivent un comprimé ou une injection qui semble identique à ce qui est administré aux sujets du groupe soumis à une condition expérimentale. Toutefois, les comprimés ou injections que reçoivent les sujets du groupe témoin ne contiennent que des substances inertes telles que du sucre ou de l'eau distillée. Ces fausses pilules et injections sont appelées des placebos. Les chercheurs utilisent des placebos parce qu'ils ont observé que le seul fait de prendre une pilule ou de recevoir une injection pouvait modifier le comportement d'un sujet. C'est donc pour s'assurer qu'un effet particulier peut vraiment être attribué au médicament testé et qu'il ne s'agit pas d'un effet placebo que les sujets du groupe témoin sont traités exactement de la même manière que les sujets du groupe expérimental, même s'il faut pour cela faire semblant de leur administrer des médicaments.

La répartition des sujets entre les groupes

Au moment de répartir les sujets entre les groupes, l'expérimentateur peut procéder au hasard en espérant que les sujets présentant des caractéristiques identiques ne se retrouveront pas tous dans le même groupe. Mais s'il juge que certains facteurs risquent d'influer sur les résultats, tel le quotient intellectuel dans une expérience sur la mémoire, l'expérimentateur peut décider de former des groupes aussi égaux que possible en soumettant les sujets à un prétest, en procédant à une enquête ou par d'autres moyens. Milgram avait pris soin de composer ses groupes selon l'âge des sujets (chaque groupe comportait un pourcentage identique de personnes dans la vingtaine, dans la trentaine et dans la quarantaine) et selon leurs antécédents professionnels (chaque groupe comptait un pourcentage identique de travailleurs qualifiés et non qualifiés, de vendeurs et gens d'affaires, et de professionnels).

Les chercheurs culturels doivent veiller à ce que les différentes cultures étudiées soient traitées de manière équivalente. Cela signifie que les sujets doivent tous bien comprendre ce que l'on attend d'eux, que les instructions doivent donc être aussi claires pour chacun d'entre eux et que les stimuli utilisés doivent leur être également familiers. (Les stimuli sont les objets présentés au sujet et auxquels celui-ci doit réagir.) Le maintien de telles équivalences est important, comme en témoigne une étude décrite par Serpell (1976) au cours de laquelle on a montré des images et des photographies sur papier à des adultes d'une tribu vivant dans une région éloignée d'Éthiopie. Lors de la première étude, ces adultes ont eu la réaction de sentir, de goûter et de froisser le papier, mais n'ont aucunement réagi aux images. Dans une étude complémentaire, l'expérimentateur a utilisé des dessins sur du tissu, matériau qui leur était beaucoup plus familier; n'étant plus distraits par un stimulus inusité, les sujets ont alors réagi aux images de manière satisfaisante.

Dans toute expérience, l'expérimentateur doit veiller à maintenir *constantes* toutes les variables parasites ou extérieures (celles qui ne sont pas directement

Condition contrôlée : Partie de l'expérience dans laquelle les sujets sont traités de la même manière que les sujets placés dans les conditions expérimentales, sauf que la variable indépendante ne leur est pas appliquée.

Condition expérimentale : Partie d'une expérience consistant à appliquer la variable indépendante aux sujets.

Placebo : Substance ne produisant normalement aucun effet physiologique et servant de moyen de contrôle, habituellement dans les recherches sur les médicaments.

Effet placebo : Changement observé dans le comportement des sujets du seul fait qu'ils croient avoir reçu un médicament efficace alors qu'en réalité ils n'ont reçu qu'un placebo, c'est-à-dire une substance inerte.

manipulées ou mesurées). Cela signifie que les facteurs n'ayant rien à voir avec l'expérience, tel le bruit d'un climatiseur qui s'arrête et se remet en marche, doivent être maintenus constants et identiques pour tous les sujets de façon à n'avoir pas d'influence sur les réactions de ces derniers.

L'expérience de Milgram était particulièrement bien contrôlée. Ainsi, les instructions étaient les mêmes pour tous les groupes et l'élève réagissait toujours de la même façon aux électrochocs de telle ou telle intensité qui lui étaient administrés. À 285 volts, il se contentait de pousser un cri déchirant; à 300 volts, il poussait un cri déchirant et ajoutait : « Je ne veux plus répondre à vos questions. Sortez-moi d'ici. Vous n'avez pas le droit de me garder ici. Laissez-moi sortir. Je veux sortir d'ici. » À 315 volts, il poussait un cri très déchirant et hurlait : « Je vous ai dit que je ne voulais plus répondre. Je veux me retirer de cette expérience. » Bien entendu, certaines variables n'ont aucun rapport avec la recherche et peuvent être ignorées; Milgram n'avait pas besoin de contrôler, par exemple, la couleur des yeux des sujets ou de leur demander s'ils étaient droitiers ou gauchers. Si les bonnes variables sont contrôlées, toute modification de la variable dépendante devrait pouvoir être attribuée *uniquement* à la variable indépendante, et le chercheur peut présumer, de manière raisonnable, que la variable indépendante est la *cause* du changement de comportement.

Les partis pris et les biais possibles dans la recherche

Outre les variables parasites, d'autres détails doivent être contrôlés. Les expérimentateurs ont, comme tout le monde, des convictions et des attentes personnelles. En recueillant leurs données, ils peuvent, par inadvertance, donner des indices aux sujets ou les traiter différemment conformément à ces attentes. Par exemple, un expérimentateur peut pousser un soupir de soulagement lorsqu'un sujet a une réaction favorable à l'hypothèse formulée. Cette tendance des expérimentateurs à influer sur les résultats dans le sens souhaité est appelée le parti pris de l'expérimentateur.

Les expérimentateurs peuvent prendre plusieurs moyens pour éviter les partis pris. L'un d'eux consiste à réaliser une expérience à double insu au cours de laquelle ni l'expérimentateur ni les sujets ne savent quels sujets font partie du groupe témoin et lesquels appartiennent au groupe expérimental. Par exemple, dans une expérience à double insu pour tester un nouveau médicament, ni l'expérimentateur qui administre le médicament ni les sujets qui le prennent ne savent qui reçoit un placebo et qui reçoit le vrai médicament. Parmi les autres techniques servant à neutraliser le parti pris de l'expérimentateur figurent celle qui consiste à utiliser des méthodes d'enregistrement aussi objectives que possible et celle qui consiste à recruter une personne neutre, autre que l'expérimentateur, chargée d'interagir avec les sujets et de recueillir les données. Milgram a eu recours à ces deux techniques : il s'est servi d'un magnétophone automatique pour enregistrer les réactions de ses sujets et il a retenu les services d'un enseignant d'une école secondaire pour jouer le rôle de l'expérimentateur.

L'*ethnocentrisme* est un autre des préjugés que doivent contrôler les chercheurs culturels. Les chercheurs ne peuvent présumer qu'un comportement typique de leur propre culture l'est aussi de toutes les autres. L'un des moyens d'éviter l'ethnocentrisme consiste à demander à deux chercheurs, appartenant chacun à des cultures différentes, d'effectuer deux fois la même étude, la première fois avec des sujets de leur propre culture et la seconde, avec des sujets de l'autre culture. En comparant les quatre études, il est possible d'établir une distinction entre les différences attribuables à l'ethnocentrisme et les véritables différences de comportement chez les ressortissants des deux cultures (Berry et coll., 1992).

Il existe une autre catégorie de faits que l'on doit contrôler : les biais de l'échantillon. Un échantillon est un groupe de sujets expérimentaux choisis pour représenter un groupe plus nombreux ou une population. Le biais de l'échantillon est la tendance de l'échantillon à ne pas être vraiment représentatif, ou typique, de la

Parti pris de l'expérimentateur : Tendance des expérimentateurs à influer sur les résultats d'une recherche dans le sens souhaité.

Expérience à double insu : Expérience au cours de laquelle ni le sujet ni l'expérimentateur ne connaissent le traitement administré ou ne savent à quel groupe le sujet appartient.

Échantillon : Groupe restreint de sujets qui sont représentatifs d'une population.

Population : Total de tous les cas possibles parmi lesquels un échantillon sera sélectionné.

Biais de l'échantillon : Tendance de l'échantillon des sujets d'une recherche à être atypique d'une population plus vaste.

population étudiée. Ainsi, on a mené de nombreuses recherches sur les maladies cardiaques. Toutefois, les sujets étudiés étaient presque exclusivement des hommes.

Les médecins se servent des résultats de ces recherches pour soigner tous leurs patients, autant les hommes que les femmes, sans tenir compte du biais de ces échantillons essentiellement constitués d'hommes. Les expériences ayant pour but d'appliquer les résultats obtenus à une vaste population, c'est-à-dire de *généraliser*, il est très important que l'échantillon soit représentatif de la population en général.

De préférence, les psychologues chercheurs choisissent leurs sujets au hasard parmi la population évaluée. Si elle est bien faite, la sélection au hasard permettra de constituer un échantillon représentatif et sans biais. La répartition, également aléatoire, des sujets entre les différents groupes expérimentaux permettra de contrôler encore davantage les distorsions possibles. Il est important enfin que l'échantillon soit d'une taille suffisante; plus l'échantillon est important, plus il a de chances d'être représentatif de la population entière. Les chercheurs qui généralisent les résultats à l'ensemble de la population doivent prendre en compte les différences culturelles et sélectionner, pour leurs études, des sujets représentant de nombreuses cultures.

Dans beaucoup de travaux de recherche, les sujets sont des étudiants de l'enseignement universitaire ou des animaux. Comment peut-on alors généraliser les résultats obtenus à l'ensemble de la population ?   Voilà qui peut poser un problème. Milgram s'était rendu compte que les étudiants de premier cycle de l'université Yale ne représentaient qu'un infime pourcentage de la population en général, car ils possédaient une intelligence supérieure, ils étaient tous âgés d'une vingtaine d'années et bon nombre d'entre eux avaient récemment participé à des études de psychologie. C'est pourquoi Milgram a fait appel à des sujets âgés de 20 ans à 50 ans, appartenant à divers métiers et professions et faisant partie de la collectivité des environs de Yale, et qu'il les a payés pour participer à l'expérience.

Cependant, les chercheurs ne disposent pas toujours de fonds suffisants pour payer leurs sujets. Cela explique pourquoi une proportion considérable des recherches psychologiques sont effectuées avec des animaux et des étudiants de l'enseignement universitaire. Quoi qu'il en soit, la plupart du temps, ces sujets ont des comportements suffisamment semblables à ceux de la population en général pour que les résultats des études puissent s'appliquer à l'ensemble de la population. Ainsi, David Hubel (1984), qui avait mené une importante recherche sur la physiologie du cerveau, a déclaré ce qui suit : « Les principes de la fonction [nerveuse] sont remarquablement similaires chez les divers animaux, aussi bien chez les escargots que chez les hommes [...]. Les structures du cerveau, disons d'un chat et d'un homme, se ressemblent tellement que la plupart des problèmes peuvent être étudiés chez l'un ou chez l'autre sans que les résultats soient bien différents » (p. 4).

RÉSUMÉ

La recherche expérimentale

La méthodologie de la recherche comprend des méthodes expérimentales conçues pour étudier les relations de cause à effet ainsi que des techniques non expérimentales permettant de décrire le comportement.

Toute expérience commence par la formulation d'une hypothèse visant à expliquer un comportement. Les variables indépendantes sont les facteurs qui feront l'objet d'une manipulation directe de la part de l'expérimentateur, tandis que les variables dépendantes sont les comportements mesurables des sujets. Les contrôles expérimentaux exigent que les sujets soient répartis en différents groupes et que les variables extérieures soient maintenues constantes.

QUESTIONS DE RÉVISION

1. Pourquoi l'expérimentation est-elle le seul moyen de déterminer la cause d'un comportement ?

2. Une _____ est une explication possible d'un comportement.

3. Les _____ sont des facteurs qui peuvent changer ou varier.

4. Lorsque Milgram a modifié la distance entre « l'élève » et le sujet dans l'une de ses expériences, la distance était la variable _____ tandis que l'électrochoc de plus forte intensité administré par le sujet était la variable _____.

5. Les sujets placés dans une condition _____ ne sont exposés d'aucune façon à la variable indépendante.

6. Pourquoi de nombreux chercheurs utilisent-ils des ordinateurs pour enregistrer les réactions des sujets et confient-ils la direction de leurs expériences à des personnes non informées ?

Les réponses aux questions de révision se trouvent en annexe.

LES MÉTHODES DE RECHERCHE NON EXPÉRIMENTALE : L'ÉTUDE DES CORRÉLATS DU COMPORTEMENT

▲ *Quelles sont les différentes méthodes de recherche non expérimentale et quels sont les mérites et les limites de chacune ?*

Il n'est pas toujours possible, pour des raisons éthiques ou pratiques, d'étudier le comportement dans le cadre d'expériences; les chercheurs ont donc conçu un certain nombre de méthodes de recherche non expérimentale. Ces méthodes comprennent notamment l'observation naturelle, les enquêtes et les études de cas individuels. Aucune de ces méthodes ne peut être utilisée pour cerner les causes du comportement, mais toutes peuvent être fort utiles pour préciser les rapports entre les variables et pour recueillir des renseignements permettant de prédire le comportement.

L'observation naturaliste

Observation naturaliste : Observation systématique du comportement d'un sujet dans son état ou dans son milieu naturel.

Lorsqu'ils pratiquent une observation naturaliste, les chercheurs observent systématiquement le comportement de leurs sujets dans leur état ou dans leur habitat naturel. Cet habitat peut être la jungle s'il s'agit d'une étude sur les chimpanzés, une salle de cours dans le cas d'une étude sur les élèves de troisième année (Josephson, 1987) ou les rues de Recife, au Brésil, si l'étude porte sur les petits vendeurs de la rue (Saxe, 1991). Cheney et Foss (1984) ont eu recours à l'observation naturaliste au cours d'une étude sur les problèmes sociaux des travailleurs présentant une déficience intellectuelle. Leur étude consistait à observer ces travailleurs dans leur milieu de travail. Ces observations leur ont permis de déceler l'existence de 355 problèmes sociaux différents qui affligent les travailleurs déficients mentaux. La majorité des travailleurs observés étaient aux prises avec des problèmes de communication avec leurs superviseurs et leurs collègues ou présentaient des comportements perturbateurs et dérangeants. L'analyse de ces problèmes peut fournir une information utile pour l'évaluation et la formation des déficients mentaux.

Le chercheur qui a recours à l'observation naturaliste s'efforce d'éviter que les sujets aient conscience d'être observés, parce que leur comportement deviendrait alors moins naturel. Vous est-il déjà arrivé de chanter au volant de votre voiture pour accompagner la radio et de vous interrompre brusquement en vous rendant compte que le conducteur de la voiture d'à côté vous observe ? La réaction est la même chez les sujets d'une étude scientifique lorsqu'ils se sentent observés.

Le principal avantage de l'observation naturaliste est de permettre aux chercheurs de réunir des données sur un comportement naturel plutôt que sur un comportement qui est une réaction à une expérience forcée. Si l'étude de Cheney et Foss

Grâce à l'observation naturaliste, Jane Goodall a pu recueillir une masse de renseignements sur le comportement des chimpanzés dans la nature sauvage.

s'était déroulée en laboratoire, les travailleurs auraient probablement agi autrement qu'ils ne le faisaient dans leur milieu de travail réel. Mais l'observation naturaliste est une tâche ardue et chronophage (elle exige beaucoup de temps), les contrôles sont insuffisants, il est difficile de généraliser les résultats ainsi obtenus et il peut y avoir perte d'objectivité scientifique si les expérimentateurs interagissent d'une façon ou d'une autre avec leurs sujets.

Les enquêtes

Les examens, les tests, les questionnaires et les entrevues (nous les regrouperons sous le nom d'« enquêtes ») sont autant de méthodes permettant d'étudier toutes sortes d'attitudes et de comportements. Ces enquêtes vont des inventaires de personnalité servant à répertorier les attitudes, les intérêts et les traits de personnalité, aux sondages d'opinion publique tels que les sondages Gallup et Harris.

C'est à l'enquête qu'a eu recours le chercheur S. Plous, qui voulait tracer un portrait précis des activistes qui militent pour la défense des animaux aux États-Unis. À l'occasion d'un vaste rassemblement d'activistes pour la défense des animaux qui a eu lieu à Washington, D.C., en juin 1990, Plous a interrogé 574 personnes. Après leur avoir demandé si elles se considéraient elles-mêmes comme activistes en ce domaine (402 ont répondu oui) ou non (172 ont affirmé ne pas l'être), Plous leur a demandé de se prononcer sur les priorités que devrait se fixer le mouvement de défense des animaux. Le tableau 1.4 (Plous, 1991) indique une partie des résultats de son enquête. Comme on peut le constater, un peu plus de la moitié

Enquêtes : Méthodes de recherche consistant à étudier les comportements, opinions, idées, sentiments ou attitudes d'un échantillon d'une population à l'aide de questionnaires détaillés.

Tableau 1.4   Quelle devrait être la priorité du mouvement de défense des animaux ?

Le traitement des :	Activistes[1]	Non-activistes
Animaux utilisés pour la recherche	54	26
Animaux utilisés pour l'alimentation	24	8
Animaux utilisés pour fabriquer des vêtements	12	22
Animaux dans la nature sauvage	5	30
Animaux utilisés pour le sport et les spectacles	4	14
Animaux utilisés dans l'éducation	1	0

1. Les chiffres correspondent au pourcentage de répondants ayant opté pour cette réponse.

Source : S. Plous, « An Attitude Survey of Animal Rights Activits », dans *American Psychological Society,* 1991. Reproduit avec la permission de S. Plous et de l'APS, © 1991.

des activistes étaient d'avis que ce mouvement devrait accorder la priorité absolue à la défense des animaux utilisés pour la recherche, alors que seulement un quart des non-activistes partageaient cette opinion.

Les enquêtes permettent aux chercheurs de décrire les caractéristiques d'un échantillon relativement restreint, par exemple quelques centaines de personnes, puis de généraliser l'information obtenue à une population plus vaste. Ainsi, en interrogeant 402 activistes pour la défense des animaux, Plous a pu étendre ses conclusions à l'ensemble du mouvement pour la défense des animaux. Pour être des outils de recherche efficaces, les questions des enquêtes doivent être formulées sans ambiguïté et ne pas être biaisées. Certains détails sont également très importants : s'assurer par exemple que l'échantillon est représentatif de la population. Afin de constituer un échantillon aléatoire (choisi au hasard) représentatif des activistes, Plous a posté les membres de son équipe de recherche à plusieurs coins de rue en leur demandant d'interroger les gens qui participaient à la manifestation.

Bien entendu, les enquêtes ne peuvent servir à expliquer un comportement, mais elles peuvent aider à le prédire. Plous n'a pu cerner les causes à l'origine des convictions des activistes interrogés, mais les résultats de son enquête peuvent être utiles pour prédire les attitudes et les objectifs des activistes pour la défense des animaux aux États-Unis.

À vous les commandes

Pourquoi ne pas mener votre propre enquête ? Postez-vous à un endroit stratégique sur le campus, dans votre immeuble d'habitation ou ailleurs. Arrêtez les passants au hasard et demandez-leur s'ils se considèrent ou non comme des militants pour la défense des animaux. Posez-leur ensuite la question du tableau 1.4 et cochez la réponse qu'ils ont choisie. Comparez ensuite les résultats de votre enquête à ceux de l'enquête de Plous. ■

Les études de cas

Supposons qu'un chercheur veuille étudier le problème de la « photophobie », la crainte de la lumière. Comme la plupart des gens ne craignent pas la lumière, il serait presque impossible de réunir un nombre suffisant de sujets pour réaliser une expérience ou pour procéder à une enquête ou à une observation naturaliste. Dans le cas de troubles d'une telle rareté, les chercheurs concentrent habituellement leur étude sur une seule personne aux prises avec le problème qui les intéresse. Ce genre de recherche en profondeur est appelée une étude de cas.

Étude de cas : Étude isolée et approfondie d'un seul sujet de recherche souffrant d'une condition particulière faisant l'objet de l'étude.

Dans une étude de cas, on examine à fond de nombreux aspects de la vie du sujet étudié afin d'essayer de décrire le comportement de la personne et d'évaluer les méthodes de traitement utilisées. Par exemple, en 1995, Oliver Sacks rapporta le cas de M.I., un artiste connu ayant perdu la faculté de percevoir les couleurs à la suite d'une blessure à la tête causée par un accident de la circulation. Sacks consigna les problèmes rencontrés par M.I. et les solutions qu'il y avait trouvées. Celui-ci éprouvait de la difficulté à écouter la télévision en couleur, car il avait du mal à interpréter les images et trouvait l'effet général plutôt déplaisant. La solution qu'il trouva fut d'écouter la télévision en noir et blanc. La perte de la perception de la couleur causée par un traumatisme est relativement rare, mais l'étude réalisée par Oliver Sacks représente une contribution inestimable pour les personnes souffrant de ce problème.

CORRÉLATION OU MÉTHODES EXPÉRIMENTALES : QUE CHOISIR ?

Nous avons appris en quoi consistaient les méthodes de recherche expérimentale et non expérimentale; voyons maintenant les avantages de chacune. Comme nous l'avons vu dans la section précédente, les expériences soigneusement contrôlées sont des outils fort utiles pour découvrir les causes d'un comportement. Toutefois, lors de sa recherche sur M.I., Oliver Sacks a dû réaliser une étude de cas, car c'était la seule méthode adaptée à la situation. Dans bien des cas, en effet, la seule méthode de recherche qui convient à l'étude du comportement humain est une méthode non expérimentale. En fait, certaines variables ne sauraient être étudiées autrement. Ainsi, il serait contraire à l'éthique d'administrer un médicament à un groupe de femmes enceintes sans l'administrer également à un groupe témoin afin de vérifier si ce médicament provoque des malformations congénitales. La seule façon d'étudier des problématiques telles que les lésions cérébrales, le suicide, la maladie mentale, l'alcoolisme, le divorce et la toxicomanie consiste à les observer telles qu'elles existent naturellement (Cozby, 1996).

Les méthodes non expérimentales ne permettent pas aux chercheurs de cerner les causes du comportement, mais ceux-ci peuvent s'en servir pour déterminer la corrélation, ou le rapport, entre les variables étudiées. Chaque fois que deux variables sont croisées, un changement à l'une d'elles s'accompagne d'un changement concomitant à la seconde. Les variables ne s'excluent pas mais influent plutôt l'une sur l'autre. Plus grande est la corrélation et plus grande est la relation qui existe entre les deux variables.

Corrélation : Rapport mathématique mesurant la direction et la force d'une relation établie entre deux séries de variables.

Les types de corrélations

Les variables peuvent être mises en rapport de trois façons. Si les deux variables varient dans le même sens — les deux augmentent ou les deux diminuent — la corrélation est dite *positive*. Par exemple, la corrélation entre le salaire et le nombre d'années d'études est positive parce que les personnes qui sont allées à l'école longtemps sont généralement celles qui touchent les salaires les plus élevés. Inversement, si les deux variables varient dans le sens contraire — l'une augmente pendant que l'autre diminue — la corrélation est dite *négative*. Ainsi, la corrélation entre la moyenne pondérée cumulative des étudiants et le nombre d'heures passées devant la télévision est négative, parce que ceux qui regardent beaucoup la télévision ont tendance à obtenir des notes inférieures. Enfin, les variables entre lesquelles n'existe aucun rapport ont une *corrélation nulle*. Le rapport entre la personnalité et le mouvement des étoiles est un bon exemple de corrélation nulle. Contrairement à ce que prétendent les astrologues, et à ce que croient un nombre surprenant de personnes, des recherches scientifiques authentiques démontrent que la corrélation est nulle entre la position des étoiles au moment de votre naissance et votre véritable personnalité.

Les études de corrélation

On a effectué d'importantes recherches à l'aide de méthodes corrélationnelles. L'existence d'une corrélation entre l'hérédité et la schizophrénie (trouble mental caractérisé par une désorganisation de la pensée et une perturbation des émotions) est bien connue. Des études ont permis de comparer les cas de schizophrénie chez les vrais jumeaux et les jumeaux fraternels. Les vrais jumeaux héritent de leurs parents de gènes identiques tandis que les jumeaux fraternels ne se ressemblent pas

Marc Chaloult

expérimentale donne des preuves non-expérimentale n'en donne pas.

n-E prédire.

E : Trouve les causes.

davantage que les frères et sœurs nés de couches différentes. Si l'un des vrais jumeaux est un jour atteint de schizophrénie, il y a entre 41 % et 63 % des probabilités que l'autre en souffre aussi à son tour; dans le cas de jumeaux fraternels, ce risque n'est plus que de 12 % à 21 % (Bernheim et Lewine, 1979; Gottesman et Shields, 1982).

Les études sur les jumeaux prouvent-elles que la schizophrénie est une maladie héréditaire ? Absolument pas. Les chercheurs peuvent *essayer de deviner* les raisons des corrélations entre les variables, mais les méthodes non expérimentales ne permettent pas d'en donner des *preuves*. Dans le cas de la schizophrénie, les études corrélationnelles indiquent que les dispositions génétiques jouent un rôle important dans son apparition. Toutefois, le stress environnemental, et tout particulièrement les perturbations familiales, jouent également un rôle important (voir McGuer, 1992; Torrey, 1992; Hans et Marcus, 1987; Ratner, 1982). Seule la *recherche expérimentale* permet d'isoler les causes véritables de la schizophrénie.

Une étude effectuée en Thaïlande illustre bien à quel point il est absurde de présumer que lorsque deux facteurs sont en corrélation, l'un est la cause de l'autre. En effet, Li (1975) cherchait à découvrir quels facteurs conditionnaient l'usage de méthodes contraceptives. Parmi les variables vérifiées, celle qui présentait la corrélation la plus forte avec l'utilisation de contraceptifs était le nombre d'appareils électriques (grille-pain, ouvre-boîtes, éclateurs de maïs, etc.) dans la maison. Pouvons-nous en conclure que les organismes de planification des familles devraient distribuer des grille-pain pour réduire le nombre de grossesses chez les adolescentes ? Bien sûr que non. La seule existence d'une corrélation entre l'utilisation d'appareils électriques et l'utilisation de méthodes contraceptives ne signifie pas que la première est la *cause* de la seconde. Nous ne saurions trop insister : *la corrélation n'est pas un lien de causalité.*

Toutefois, il ne faut pas en conclure que les études non expérimentales sont inutiles. Les descriptions et les corrélations ainsi obtenues peuvent servir à prédire le comportement, et de telles prédictions sont parfois fort précieuses. Ainsi, l'étude thaïlandaise peut amener les chercheurs à s'intéresser à une variable qui aurait un rapport à la fois avec le nombre d'appareils électriques dans un ménage et l'usage de contraceptifs, par exemple le niveau socio-économique. L'existence d'une forte corrélation entre ces trois variables pourrait permettre d'affirmer que les couples jouissant d'un niveau socio-économique élevé utilisent davantage les méthodes de contraception. Sachant cela, les organismes de planification familiale peuvent adapter la conception et la diffusion de l'information sur le contrôle des naissances aux différents groupes socio-économiques visés.

L'ÉVALUATION DE LA RECHERCHE

Comment les chercheurs savent-ils que l'information réunie mesure vraiment le comportement étudié ? On doit satisfaire à certaines conditions si l'on veut que les résultats d'une recherche soient exacts et constituent une mesure valable de l'hypothèse formulée. Certaines de ces conditions varient selon l'étude, mais d'autres sont indispensables : contrôler le parti pris de l'expérimentateur ou du chercheur, contrôler les influences extérieures, veiller à ce que l'échantillon soit d'une taille suffisante, et s'assurer que l'échantillon est représentatif de la population à laquelle s'appliquent les résultats. Toutefois, même si les méthodes et les contrôles sont adéquats, les résultats doivent faire l'objet d'une analyse statistique. Les statistiques sont l'ensemble des données numériques recueillies et traitées sur un sujet déterminé. La statistique, elle, est la science qui permet d'analyser ces données à l'aide de règles précises et de formules mathématiques. L'analyse statistique permet d'établir si les rapports ou les différences entre les variables sont significatifs. Une relation ou une différence est statistiquement significative lorsque l'expérimentateur a de bonnes raisons de croire qu'elle est vraie ou réelle, et non une simple coïncidence.

Une autre façon de vérifier la validité des résultats d'une recherche consiste à reproduire celle-ci en suivant la même démarche. L'étude de Milgram a été reprise

Statistiques : Ensemble des données numériques recueillies et traitées dans le cadre d'une recherche.

Statistique : Science qui a pour objet de réunir, d'analyser, d'interpréter et de présenter des données numériques.

Statistiquement significatif : Se dit d'un rapport que l'on ne croit pas fortuit.

Reproduire : Mener de nouveau une recherche en reprenant la même démarche.

RECHERCHE ET DÉCOUVERTES

Un regard scientifique sur le toucher thérapeutique

Imaginez-vous un instant que vous êtes Emily Rosa, neuf ans, et que vous vous demandez quel sujet choisir pour le salon annuel de la Science de votre école. Or, il se trouve que votre mère et votre beau-père s'intéressent depuis longtemps au *toucher thérapeutique (TT)*, une forme de soins très communément utilisée pour traiter toutes sortes de problèmes médicaux par la manipulation des « champs énergétiques humains ». Vous les avez entendus débattre des questions que pose le TT et du manque de preuves scientifiques de l'efficacité réelle de cette thérapie. Ça y est ! Vous l'avez votre sujet ! Pourquoi ne pas mettre sur pied une expérience toute simple permettant de tester le TT ?

Il s'avère que votre expérience scientifique, toute simple mais bien pensée, se distinguant par son originalité, démystifie tant et si bien le TT qu'elle fait son chemin. À la une de presque tous les journaux, elle finit par être publiée en bonne place dans le très respectable *Journal of the American Medical Association (JAMA)*, et les grandes émissions d'actualités nationales s'arrachent votre participation.

Cette histoire vous semble farfelue ? Elle est pourtant véridique. Emily Rosa, une enfant de neuf ans, est parvenue, presque à elle seule, à mettre au jour les leurres et les impostures qui pouvaient encore subsister au sujet du TT, cette forme de thérapie que dispensaient officiellement plus de 100 000 praticiens professionnels reconnus. Comme l'a souligné le rédacteur en chef de *JAMA*, George Lundberg, au cours d'une entrevue télévisée : « Ce n'est pas l'âge mais la bonne science qui compte, et ça, c'est de la bonne science » (Lemonick, 1998).

Le mode d'expérimentation conçu par Emily était clair et net. Les praticiens du TT (dont les honoraires vont chercher dans les 70 dollars l'heure) prétendaient guérir ou du moins alléger de nombreux maux en effectuant, à quelques pouces du corps du patient, des mouvements circulaires et ondulatoires destinés à « replacer les énergies ». Ce rééquilibrage des champs énergétiques était censé apporter une guérison spontanée, permettre au corps de se remettre de lui-même par l'élimination du mal à sa racine (Quinn et Strelkauskas, 1993). Plutôt que de mener une enquête auprès de patients ou de praticiens afin de vérifier si le TT accélère bien la guérison des blessures, soulage la douleur ou fait baisser la fièvre, Emily décida plutôt de vérifier si les *champs énergétiques humains* (CEH) existent vraiment.

Tel qu'illustré à la figure 1.6, Emily installa un petit écran sur une table et demanda à 21 praticiens du TT de passer les mains à travers, paumes tournées vers le haut. L'expérimentatrice, en l'occurrence Emily, plaçait ensuite une de ses mains au-dessus de la main gauche ou de la main droite des praticiens — selon le côté où une pièce qu'elle lançait en l'air était retombée. Les praticiens devaient indiquer laquelle de leurs deux mains se trouvait le plus près de celle de l'expérimentatrice au cours de dix à vingt essais consécutifs. Chaque praticien invité à participer à cette expérience pouvait d'abord se concentrer, se préparer spirituellement à l'exercice de son art, et prendre tout le temps qui lui était nécessaire pour formuler une réponse au cours de chacun des essais. L'analyse des données de cette expérience révéla que les praticiens du TT n'avaient pas mieux répondu que s'ils l'avaient fait au hasard (Rosa et coll., 1998) !

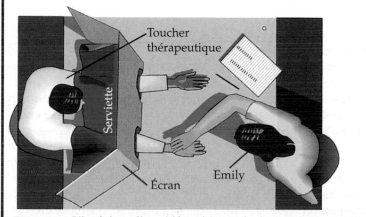

Figure 1.6 **L'ingénieux dispositif expérimental mis au point par Emily.** Emily Rosa, neuf ans, a mis sur pied une ingénieuse expérience scientifique visant à vérifier si les praticiens du TT pouvaient détecter sa présence. Ces derniers devaient passer les mains dans les trous pratiqués dans un écran. Emily jetait une pièce en l'air et, selon le côté où la pièce était tombée, plaçait l'une de ses mains au-dessus de la main gauche ou de la main droite des praticiens qui devaient détecter son « champ énergétique ». Ils s'en montrèrent incapables.

un nombre incalculable de fois, par Milgram lui-même et par d'autres chercheurs (Kilham et Mann, 1974; Shanab et Yahya, 1977), et les résultats sont demeurés les mêmes. Le fait de reproduire une recherche permet souvent d'en accroître la valeur, dans la mesure où les résultats de l'étude initiale sont en quelque sorte validés à de nombreuses reprises et qu'il devient alors plus légitime de les appliquer à des situations de la vie réelle. Les expériences sont aussi reprises pour d'autres raisons. À la lecture des rapports de recherche, les psychologues s'interrogent parfois sur certains aspects de la recherche. Par exemple, ils peuvent contester des résultats qu'ils jugent incompatibles avec ceux d'autres études ou avec les attentes les plus courantes. Ils peuvent aussi détecter une erreur dans la méthode, dans la démarche ou dans tout autre aspect de l'étude. Autant de motifs qui peuvent les inciter à reproduire la recherche. Les résultats de telles reprises peuvent confirmer ou infirmer ceux de l'étude initiale. Dans ce dernier cas, il faut absolument étudier le problème plus avant.

Cette expérience n'a pas simplement valu à Emily la notoriété, elle a aussi démontré la nécessité de soumettre toutes prétentions thérapeutiques au crible de l'analyse scientifique, de l'évaluation expérimentale. En effet, toutes les thérapies, et le toucher thérapeutique ne peut faire exception, doivent répondre à certains critères scientifiques de base. Le TT repose sur l'idée que tout le monde possède un champ énergétique détectable et que le rééquilibrage des forces associées à ce champ se traduit par des effets bénéfiques sur la santé. L'expérience "toute simple" d'Emily a démontré que 21 praticiens expérimentés n'étaient pas capables de détecter son champ énergétique et donc encore moins de le modifier. Étant donné l'absence de preuves scientifiques de l'existence du facteur, du principe à la base même du TT (et le nombre limité de dollars dans les coffres de la santé publique), certains membres de la communauté scientifique se demandent s'il ne serait pas plus sage de tout simplement bannir cette pratique (Rosa et coll., 1998).

Comme on pouvait s'y attendre, les praticiens du TT et leurs défenseurs contestent les résultats de l'étude d'Emily. Ce cadre expérimental différerait trop, selon eux, des conditions naturelles dans lesquelles se déroulent ces soins. « Au cours de ceux-ci nos mains bougent, elles ne sont pas stationnaires, elles ne demeurent pas dans une position fixe », affirment-ils. « Il ne s'agit pas simplement non plus d'entrer dans une pièce et de faire son travail sur demande comme n'importe quel travail, de s'exécuter mécaniquement. C'est tout un art, un savoir-faire, un processus qui est mis en branle » (Lemonick, 1998, p. 67). Les praticiens du TT pleinement convaincus de la valeur de leur travail peuvent contacter la *James Randi Educational Foundation*. Celle-ci offre 1,1 million de dollars à quiconque est capable de prouver l'existence des CEH dans des conditions scientifiquement contrôlées. Hélas, tous les efforts déployés pour amener les praticiens à participer à ce test sont demeurés lettre morte. Seule une praticienne du TT a accepté de s'y soumettre, et elle a échoué (Rosa et coll., 1998).

RÉSUMÉ
La recherche non expérimentale, la corrélation et l'évaluation
La méthodologie de la recherche comprend des méthodes expérimentales servant à analyser la relation de cause à effet et des méthodes non expérimentales permettant de décrire le comportement.

Les méthodes de recherche non expérimentale servent à décrire le comportement. L'observation naturelle permet d'étudier le comportement des individus dans leur milieu naturel. Les enquêtes se font sous la forme d'entrevues ou de questionnaires servant à recueillir des renseignements sur les sujets étudiés. Les études de cas individuels sont des études en profondeur de certains sujets.

Les expériences nous permettent de cerner les causes des comportements tandis que les corrélations servent exclusivement à prédire les comportements.

Les psychologues se servent des statistiques pour déterminer si les résultats d'une recherche sont significatifs ou le simple effet du hasard.

QUESTIONS DE RÉVISION

1. Lorsque des chercheurs effectuent des études consistant à observer le comportement d'une personne à travers un miroir espion, ils ont recours à la technique de _____.

2. Les enquêtes sont menées auprès d'un échantillon de personnes relativement restreint et les résultats ainsi obtenus sont généralisés à une _____.

3. Dans quelles circonstances a-t-on recours aux études de cas ?

4. Une forte corrélation entre deux variables signifie-t-elle que la première est la cause de la seconde ?

5. Les _____ sont l'ensemble des données numériques recueillies et traitées au cours d'une expérience.

6. Quelles sont les raisons qui peuvent inciter un chercheur à reproduire une recherche ?

7. Lequel des énoncés suivants résume la différence importante existant entre la recherche non expérimentale et la recherche expérimentale ? a) En recherche non expérimentale, le comportement est étudié tel qu'il existe naturellement; en recherche expérimentale, les conditions dans lesquelles le comportement se manifeste sont contrôlées. b) À la différence de la recherche non expérimentale, la recherche expérimentale permet aux scientifiques de faire des prédictions. c) La recherche expérimentale obéit à des critères plus scientifiques que la recherche non expérimentale. d) La recherche non expérimentale est moins longue à réaliser que la recherche expérimentale.

Les réponses aux questions de révision se trouvent en annexe.

L'ÉTHIQUE EN PSYCHOLOGIE

Tous les ordres professionnels de psychologues, dont le plus important est l'American Psychological Association (APA), reconnaissent qu'il est essentiel d'établir des normes éthiques élevées dans la recherche, dans le travail de thérapie et dans tous les autres domaines d'intervention de la psychologie. Au Québec, les psychologues se sont donné un code de déontologie dans lequel sont énumérés les nombreux devoirs et obligations qu'ont les membres de la profession envers le public et leurs clients. Il exhorte les psychologues à faire preuve d'intégrité et d'objectivité, de disponibilité et de diligence, de responsabilité, d'indépendance et de désintéressement dans l'exercice de leur profession. Le code définit aussi les limites du secret professionnel auxquelles sont tenus les psychologues et régit les relations professionnelles, l'attitude à observer lors de déclarations publiques, l'esprit avec lequel interpréter le matériel psychologique et les précautions à prendre dans la recherche.

▲ *Quels moyens prend-on pour encourager les psychologues, tant chercheurs que cliniciens, à respecter un code d'éthique professionnelle ?*

L'ÉTHIQUE DE LA RECHERCHE : LES DROITS DES SUJETS

Revenons brièvement à l'expérience de Milgram. Au cours de cette étude, les sujets ont cru administrer des électrochocs à un malheureux « élève ». Cet élève était en fait un complice de l'expérimentateur et faisait semblant d'éprouver de la douleur. Ce rôle était tenu par un comptable de 47 ans et son interprétation de l'élève désespéré était tout à fait plausible. Pouvez-vous imaginer ce qu'ont ressenti les sujets de Milgram lorsqu'ils ont découvert qu'ils avaient été dupés et qu'on les avait délibérément bouleversés ?

Cet aspect de l'expérience de Milgram a été blâmé pour des considérations d'ordre moral. Certains critiques ont fait observer que les sujets pouvaient avoir éprouvé, après l'expérience, de la culpabilité et du remords, sentiments qui venaient

PENSÉE CRITIQUE • Psychologie en direct

Mise en application d'une terminologie abstraite

Pour mieux comprendre la recherche scientifique

Les médias, les entreprises de publicité, les enseignants et vos proches évoquent fréquemment des résultats de recherches pour essayer de modifier vos attitudes et vos comportements. Comment pouvez-vous vérifier l'exactitude et la valeur de leur information ?

L'exercice qui suit améliorera votre aptitude à évaluer d'un œil critique leurs sources d'information. Les concepts de base vous sont déjà familiers puisque nous en avons parlé dans les sections portant sur les méthodes de recherche en psychologie. Lisez chacun des rapports de recherche et décelez le problème principal ou la principale limite de l'étude en question. Dans chaque cas, répondez par l'un ou l'autre des codes suivants :

CC = Le rapport est trompeur parce que les données corrélationnelles suggèrent l'existence d'un lien de causalité.

GT = Le rapport n'est pas concluant puisqu'il n'y avait pas de groupe témoin.

PPE = Les résultats de la recherche ont été faussés par le parti pris de l'expérimentateur.

BE = Les résultats de la recherche sont discutables à cause des biais de l'échantillon.

1. Un psychologue clinicien affirme que le toucher joue un rôle important dans la réussite des thérapies. Pendant deux mois, il a touché la moitié de ses patients (groupe A) en évitant de toucher les autres (groupe B). Il a constaté une évidente amélioration chez les patients du groupe A. _____

2. Un quotidien rapporte qu'il y a corrélation entre les crimes violents et les phases lunaires. Le journaliste en conclut que la gravitation de la Lune régit le comportement humain. _____

3. Un chercheur qui s'intéresse aux attitudes des femmes québécoises à l'égard de la sexualité avant le mariage demande aux abonnées des magazines *Châtelaine* et *Elle Québec* de répondre à une longue enquête sur le sujet. _____

4. Un expérimentateur veut étudier les effets de l'alcool sur la capacité de conduire une voiture. Avant de participer à un cours de conduite expérimental, les sujets du groupe A consomment 2 onces d'alcool, ceux du groupe B en consomment 4 et ceux du groupe C en consomment 6. Le chercheur rapporte que la consommation d'alcool réduit la capacité de conduire une voiture. _____

5. Après avoir lu dans une revue scientifique que le pourcentage de divorces est plus élevé chez les couples qui ont habité ensemble avant de se marier, une étudiante de l'enseignement collégial décide de quitter l'appartement qu'elle partage avec son ami de cœur. _____

6. Un propriétaire de cinéma affirme que les ventes de boissons augmentent lorsqu'il passe le court message subliminal « Buvez Coca-Cola » pendant la projection du film. _____

Réponses : 1. PPE 2. CC 3. BE 4. GT 5. CC 6. GT

---

s'ajouter au déchirement intérieur et au stress déjà ressentis pendant l'expérience elle-même (Baumrind, 1985). Milgram (1990) affirme avoir pris bien des précautions pour s'assurer, à court et à long terme, du bien-être psychologique de ses sujets. Au cours de séances post-expérimentales, Milgram a révélé à ses sujets la nature véritable de l'expérience, il leur a exposé sa démarche et il a pris la peine de leur expliquer que leur comportement, qu'ils aient été ou non obéissants, était normal et conforme à celui des autres sujets. Il a également fait parvenir à chacun d'eux un résumé de cinq pages des résultats de sa recherche.

Des études comme celle de Milgram soulèvent un certain nombre de questions d'éthique concernant la recherche en psychologie. Ces questions sont abordées dans une publication spéciale de l'APA intitulée *Ethical Principles of Psychologists* (1990).

L'un des grands principes énoncé dans le document de l'APA est que le chercheur doit obtenir le « consentement éclairé » de ses sujets avant le début d'une expérience. Le chercheur est tenu de bien informer les sujets de la nature de l'étude et de s'entendre avec eux sur les responsabilités de chacun. Bien entendu, Milgram n'a pas sollicité de ses sujets un « consentement éclairé ». Il les a trompés en leur disant qu'ils participaient à une étude sur l'apprentissage et la mémoire.

Mais si Milgram avait dit à ses sujets qu'il faisait une étude sur l'obéissance, leur comportement aurait-il été le même ? Probablement pas. Et c'est la raison pour laquelle il a préféré tromper ses sujets. Si les sujets connaissaient le but réel de certaines études, ils ne réagiraient certainement pas comme ils le font normalement. L'Ordre des psychologues du Québec reconnaît donc, comme l'APA, la nécessité de tromper les sujets au cours de certaines recherches. Toutefois, les chercheurs doivent se conformer à certaines règles, notamment informer les sujets une fois l'expérience terminée.

Au cours des séances de compte rendu, les chercheurs expliquent à leurs sujets les raisons de leur recherche et en profitent pour les rassurer et régler tout malentendu. Ces séances ont habituellement lieu à la fin de chacune des expériences. Milgram a tenu une telle séance-bilan avec ses sujets et leur a fait parvenir les résultats de ses recherches.

> **Séance de compte rendu :** Séance au cours de laquelle le déroulement de l'expérience est expliqué aux sujets qui y participent.

LES ANIMAUX ET LA RECHERCHE : UNE QUESTION DE MORALE ?

Dans l'expérience de Milgram, les élèves ne recevaient pas de décharges réelles, mais, à l'occasion d'autres recherches, des électrochocs ou d'autres types de traitements désagréables ont été administrés à des animaux. Ces dernières années, des groupes de défense des animaux ont publiquement dénoncé ce genre de recherches et les mauvais traitements infligés aux animaux en laboratoire. Toutefois, les recherches de cette nature sont extrêmement rares, et les psychologues affirment qu'elles n'ont lieu que dans les cas où il n'existe pas d'autres moyens d'étudier le comportement ou lorsque les applications possibles justifient la nature de l'expérience. Entre 7 % et 8 % seulement de toutes les recherches psychologiques ont recours à des animaux et, dans 90 % des cas, il s'agit de rats et de souris (APA, 1984). La plupart des institutions où l'on pratique des recherches sur des animaux mettent sur pied des comités chargés de veiller à ce que les animaux soient bien traités au cours des expériences et d'établir des lignes directrices conformes aux normes énoncées par l'APA en ce domaine.

La plupart des études utilisant des animaux ont recours à l'observation naturelle ou comportent des expériences d'apprentissage au cours desquelles les chercheurs emploient les récompenses plutôt que les punitions (Mesirow, 1984; Gallup et Suarez, 1985). On se sert d'animaux au lieu de faire appel à des humains parce

Les médias accordent considérablement d'attention aux protestations des groupes qui militent contre l'utilisation des animaux de laboratoire.

que les contraintes de temps (comme dans les études sur le vieillissement), le danger pour les sujets ou d'autres motifs semblables l'exigent (APA, 1984). À de nombreux égards, la recherche sur des animaux s'est révélée profitable pour les humains (Johnson, 1991). Des recherches sur l'apprentissage pratiquées sur des rats et des pigeons ont facilité la conception de certains outils pédagogiques. Une étude sur l'enseignement du langage des signes aux chimpanzés et aux gorilles a permis de mieux comprendre la structure du langage humain. Une autre portant sur les effets des drogues sur les animaux en gestation a démontré les risques de l'alcoolisme maternel et des autres drogues pour les bébés humains. Les recherches sur les animaux ont également profité aux animaux : on a aménagé des environnements plus naturels pour les animaux des zoos, on a mis au point des techniques de reproduction pour les espèces en voie d'extinction, et on a élaboré des techniques plus efficaces de dressage des animaux domestiques et sauvages gardés en captivité. Néanmoins, en dépit de ces avantages manifestes, l'utilisation d'animaux dans les recherches psychologiques continuera, dans les années à venir, de poser un problème de morale aux psychologues (voir Gallup et Suarez, 1985; Herzog, 1988; Miller, 1991; Ulrich, 1991).

LA DÉONTOLOGIE DE LA PSYCHOLOGIE CLINIQUE : RESPECTER LES DROITS DU CLIENT

Psychothérapie : Application des principes et des méthodes de la psychologie au traitement des troubles mentaux ou des problèmes de la vie quotidienne.

La réussite de la psychothérapie repose sur la capacité des clients d'exprimer leurs pensées et leurs sentiments les plus secrets pendant la durée du traitement. Pour y parvenir, ils doivent avoir pleine confiance dans leurs thérapeutes. Ces derniers ont donc la responsabilité de se conformer à des normes d'éthique très élevées, de façon à mériter cette confiance.

Les thérapeutes sont tenus d'agir de manière professionnelle et d'observer les règles morales établies. Ils doivent rester objectifs tout en étant suffisamment proches de leurs clients pour pouvoir les aider à résoudre leurs problèmes. Le thérapeute doit encourager son client à prendre une part active non seulement dans le choix, mais aussi dans le déroulement du traitement. Le rôle du thérapeute consiste notamment à évaluer les progrès du client et à lui en faire part.

Tous les renseignements personnels et tous les dossiers de thérapie sont confidentiels et ne doivent être transmis qu'aux seules personnes autorisées, et les clients doivent en être avertis. Cette obligation de confidentialité peut devenir une question d'éthique si le client révèle des choses susceptibles d'avoir des répercussions pour une autre personne ou même de nuire à cette dernière. Par exemple, si vous étiez un thérapeute, que feriez-vous si un client vous annonçait son intention de commettre un meurtre ? Alerteriez-vous la police ou chercheriez-vous plutôt à conserver sa confiance ? C'est là une décision difficile, mais les thérapeutes ont la responsabilité de protéger non seulement les intérêts de leurs clients mais également ceux des autres; ils sont donc tenus de signaler les cas de ce genre. La loi les oblige également à ne pas honorer leur promesse de confidentialité lorsqu'ils ont connaissance de mauvais traitements infligés à des enfants, et à en informer les autorités compétentes.

Les psychologues qui prodiguent des conseils aux personnes qui participent à des lignes ouvertes à la radio ou à la télévision violent-ils les règles d'éthique ?   Les psychologues sont nombreux à condamner de telles pratiques, car ils estiment qu'il est impossible d'évaluer correctement les problèmes des gens dans un si court laps de temps. De plus, ils soutiennent que les auditeurs ou les téléspectateurs peuvent alors appliquer à leur propre cas des avis destinés à une autre personne, ce qui peut soulever certains problèmes dans la mesure où il n'existe pas deux personnes ni deux situations identiques. D'autres, par contre, invoquent le caractère plutôt général de telles consultations et l'aide qu'elles peuvent apporter aux personnes concernées; pour leur part, les psychologues qui les animent soutiennent qu'au besoin ils invitent les participants à consulter un thérapeute qualifié. À leur avis, les conseils que donnent en ondes les psychologues peuvent aider des milliers d'auditeurs à se familiariser avec les principes et les méthodes de la psychologie, qu'ils peuvent ensuite utiliser pour résoudre leurs problèmes personnels (Schwebel, 1982).

RÉSUMÉ
L'éthique en psychologie

Les psychologues sont assujettis à des normes élevées d'éthique dans leurs rapports avec les sujets animaux et humains de leurs recherches ainsi que dans leurs relations thérapeutiques avec leurs clients. Les ordres professionnels de psychologues édictent des lignes directrices décrivant en détail les codes de déontologie à respecter.

QUESTIONS DE RÉVISION

1. L'un de vos amis accepte de prendre part à votre expérience et fait semblant d'être un autre sujet; il joue le rôle de _____.

2. Dans tous les cas où la recherche exige que les sujets soient trompés, les règlements de l'APA obligent l'expérimentateur à les convoquer, après l'étude, à une _____ afin de leur expliquer le but véritable de l'expérience, de leur faire part des résultats obtenus et de répondre à leurs questions.

3. Des animaux sont utilisés dans les recherches psychologiques seulement si _____ ou si _____.

Les réponses aux questions de révision se trouvent en annexe.

LE CHAPITRE **1** EN UN CLIN D'ŒIL

COMPRENDRE LA PSYCHOLOGIE

La **psychologie** est l'étude *scientifique* du **comportement** (actions observables) et des **processus mentaux** (fonctions non observables de la pensée). Les **pseudo-psychologies** ont recours à des méthodes non scientifiques ou frauduleuses.

Les buts de la psychologie

Quatre buts fondamentaux : décrire, expliquer, prédire et modifier le comportement.

Les champs de la psychologie

Psychologie clinique, psychothérapie, psychologie scolaire, neuropsychologie, psychologie du développement, psychologie sociale, psychologie industrielle et organisationnelle, etc.

La recherche

La **recherche fondamentale** porte sur des questions théoriques.

La **recherche appliquée** tente de résoudre des problèmes concrets.

LA RECHERCHE EN PSYCHOLOGIE

La recherche expérimentale

Caractère distinctif : vise à établir des relations de causalité.

Éléments constitutifs : théorie, hypothèse, variables indépendantes, variables dépendantes et contrôles expérimentaux (condition contrôlée, condition expérimentale, placebo, répartition aléatoire des sujets).

Sources de biais : parti pris de l'expérimentateur (qu'il est possible d'éviter en procédant à une expérience à double insu), ethnocentrisme et biais de l'échantillon.

La recherche non expérimentale

Caractère distinctif : porte sur des corrélations et permet de prédire le comportement.

Méthodes : observation naturaliste, enquête et étude de cas.

Types de corrélations : corrélation *positive* (les deux variables augmentent ou diminuent), corrélation *négative* (une variable augmente tandis que l'autre diminue) et corrélation *nulle* (aucun rapport entre les variables).

L'évaluation de la recherche

1. Après la collecte des **données**, l'**analyse statistique** permet d'établir si les résultats sont **statistiquement significatifs** ou simplement dus au hasard.

2. **Reproduire** la recherche permet de vérifier la validité des résultats.

L'ÉTHIQUE EN PSYCHOLOGIE

L'éthique de la recherche

Les chercheurs doivent obtenir le *consentement éclairé* des sujets et tenir une **séance de compte rendu** à la fin de l'expérience.

Les animaux et la recherche

Entre 7 % et 8 % seulement des recherches psychologiques ont recours à des animaux et, dans 90 % des cas, il s'agit de rats et de souris. Des comités sont chargés de veiller à ce que les animaux soient bien traités.

La déontologie de la psychologie clinique

Les thérapeutes sont tenus d'agir de manière professionnelle et d'observer les règles morales établies. De nombreux psychologues condamnent les consultations données en ondes à cause de leur brièveté et des risques possibles de généralisation de cas particuliers.

Les théories psychologiques

OBJECTIFS

Au fil de votre lecture, gardez à l'esprit les questions guides suivantes et tentez d'y répondre dans vos propres mots.

▲ Quelles ont été les premières théories psychologiques ?

▲ En quoi consiste la théorie psychanalytique de Freud ?

▲ Comment les behavioristes conçoivent-ils le développement de la personnalité ?

▲ En quoi la psychologie humaniste est-elle nouvelle ?

▲ Quelles sont les caractéristiques des théories cognitives de la personnalité ?

▲ Comment la psychobiologie explique-t-elle la personnalité ?

▲ Qu'est-ce que l'approche éclectique ?

Sigmund Freud est né en 1856 et est décédé en 1939. Les biographes de Freud croient que sa vie et sa personnalité ont été marquées par sa condition sociale : il était d'origine juive et vivait en Autriche, pays où les Juifs étaient non seulement victimes de discrimination, mais aussi persécutés. La ville où il habitait, Vienne, était celle-là même qui allait inspirer à Hitler sa haine profonde des Juifs. On suppose également que la très grande pauvreté de sa famille l'a fortement marqué.

En dépit de ces conditions difficiles, Freud réussissait bien à l'école et fut admis à la Faculté de médecine de l'université de Vienne à 17 ans. Il aimait le travail de recherche en laboratoire et voulait devenir professeur. Mais lorsqu'il apprit qu'il avait peu de chances de se tailler une place dans cette profession en raison de la pauvreté et de l'origine juive de sa famille, Freud décida d'étudier la neurologie et de se lancer dans la pratique privée. Dans le cadre de son travail de neurologiste, il devait traiter des troubles liés au système nerveux et il commença à s'intéresser aux patients dont les affections physiques, telles que la paralysie ou la cécité, ne semblaient avoir aucune cause physiologique et ne pouvaient être soignées à l'aide des traitements médicaux habituels. Par exemple, l'un de ses patients avait perdu toute sensibilité dans la main droite, mais non au bras ni au poignet. Or, ce symptôme est physiologiquement inexplicable. Après avoir rencontré d'autres cas tout aussi mystérieux, Freud présuma que les causes devaient être d'ordre *psychologique*. Il en vint ainsi à limiter sa pratique aux seuls patients dont les problèmes étaient présumés d'ordre psychologique. Il passait ses journées à les écouter lui raconter les expériences de leur enfance, revivant souvent avec eux des souvenirs d'agression sexuelle et de désillusion. Il acquit ainsi la certitude que les problèmes de ses patients résultaient de conflits entre ce qu'ils croyaient être un comportement acceptable et leurs motifs inavouables, principalement rattachés à la sexualité et à l'agressivité.

À force de prendre connaissance des expériences désagréables que ses patients avaient vécues, Freud est peut-être devenu de plus en plus désabusé au sujet de la nature humaine. Dans les lettres qu'il écrivait à ses amis et dans ses descriptions de lui-même, Freud donne l'impression d'un homme très souffrant, apathique et fatigué. Il souffrait parfois de crises de panique et la pensée de la mort l'obsédait. Il était en général d'humeur maussade, mais il passait occasionnellement par des périodes d'exaltation et de pleine possession de ses moyens, suivies de périodes de dépression pendant lesquelles il doutait de lui-même et ne pouvait ni écrire ni se concentrer. À 29 ans, il écrivait dans une lettre qu'il ne s'était jamais senti si heureux de vivre, puis, le jour suivant, qu'il ne pouvait en supporter davantage (Jones, 1990, p. 112). Freud souffrait de migraines, d'indigestion et de constipation, et il avait peur de voyager en train. Il faisait également usage de cocaïne pour combattre sa dépression et ne pouvait se passer de cigares.

Issu d'une famille modeste et élevé dans un milieu antisémite, Freud a tout de même réussi à fonder une école de psychologie et sa renommée de thérapeute était si grande que le producteur de cinéma américain Samuel Goldwyn lui offrit pour ses consultations des honoraires de 100 000 $, somme colossale à cette époque (Sheppard, 1988). Freud refusa de profiter de sa renommée pour s'enrichir et demeura en Autriche jusqu'à ce que les nazis et la Deuxième Guerre mondiale en viennent à menacer sa sécurité. En 1938, il émigra en Angleterre, où il mourut l'année suivante d'un cancer de la bouche.

Sigmund Freud est l'une des figures les plus célèbres de la psychologie moderne, mais il n'est pas, comme on le croit souvent à tort, l'inventeur de la psychologie. Déjà, au IVe et au Ve siècle avant notre ère, les Grecs s'intéressaient à l'étude du comportement humain et il semble qu'on n'ait pas fini de s'y intéresser. En effet, le comportement humain est si complexe que les psychologues ont multiplié les approches pour tenter de définir de façon systématique, objective et scientifique des notions aussi difficiles à cerner que celle de la personnalité, par exemple. C'est d'ailleurs par ce biais de l'étude de la personnalité que nous définirons et distinguerons les cinq principales approches de la psychologie moderne : psychanalyse, behaviorisme, psychologie humaniste, psychologie cognitive et psychobiologie. Nous aurons auparavant présenté les premières écoles de psychologie, le structuralisme, le fonctionnalisme et le gestaltisme, dans une perspective historique.

LA NAISSANCE DE LA PSYCHOLOGIE SCIENTIFIQUE

Au début du XIXe siècle, les recherches entreprises dans les domaines de la biologie, de la physiologie, de la chimie et de la physique ont éveillé un intérêt pour le comportement des animaux et des humains. Les physiologistes étudiaient la structure et les fonctions du système nerveux et les physiciens, les rapports entre les stimuli physiques et les sensations ressenties. La création, en 1879, du premier laboratoire de psychologie a marqué le début de la psychologie scientifique. L'intérêt suscité par ce nouveau champ d'étude a incité les psychologues à proposer différentes avenues de recherche. Petit à petit, les approches retenues pour l'étude du comportement se sont transformées en véritables théories psychologiques (voir le tableau 2.1).

▲ *Quelles ont été les premières théories psychologiques?*

Le structuralisme

Wilhelm Wundt est reconnu comme le fondateur de la psychologie expérimentale. Nous lui devons le tout premier cours magistral de psychologie ainsi qu'un ouvrage considéré comme l'un des plus importants de l'histoire de la psychologie : *Éléments de psychologie physiologique*. C'est également lui qui, en 1879, mit sur pied à Leipzig en Allemagne le premier laboratoire de psychologie (Schultz, 1969). C'est dans ce laboratoire que Wundt et ses disciples ont entrepris l'étude de la psychologie, qu'ils percevaient comme étant l'étude de l'expérience. Ils ont d'abord tenté de décomposer la conscience en ses éléments les plus simples à l'aide de la méthode d'introspection qui consiste à demander à un sujet de décrire les activités de sa conscience. Si vous aviez été l'un des sujets préalablement formé à la méthode de Wundt, ce dernier aurait pu vous faire entendre le bruit d'un métronome, puis vous demander de vous concentrer uniquement sur ce bruit et de lui décrire vos réactions immédiates, c'est-à-dire vos sensations et vos sentiments.

Introspection : Observation des mouvements de sa propre conscience.

Wundt lui-même n'a jamais utilisé le terme *structuralisme* pour désigner son école de pensée. C'est l'un de ses disciples, Edward Titchener, qui l'a fait. Ce dernier fit connaître les idées de Wundt en Amérique, où il ouvrit un laboratoire de psychologie.

À l'instar de Wundt, les structuralistes affirmaient que la « matière » mentale pouvait être décomposée en « éléments » psychiques, exactement comme l'eau pouvait se décomposer en ses éléments constitutifs, à savoir l'hydrogène et l'oxygène. Leur démarche les a par la suite conduits à l'étude des structures des processus psychiques.

Structuralisme : Théorie psychologique axée sur l'étude des sensations et des sentiments que provoque l'expérience de la perception.

Les structuralistes ont été les premiers à aborder la psychologie comme une science et à pressentir l'importance d'étudier les processus psychiques. Mais leur théorie ne convainquait pas vraiment les psychologues, surtout les psychologues américains, qui lui reprochaient de se limiter à un seul aspect du comportement et d'avoir peu d'applications pratiques. C'est d'ailleurs ce souci des psychologues

QUELQUES FIGURES MARQUANTES DANS L'HISTOIRE DE LA PSYCHOLOGIE (1879 – 1965)

1832-1920
Wilhelm Wundt – *Créateur du premier laboratoire de psychologie à l'Université de Leipzig en Allemagne.*

1879

1844-1924
G. Stanley Hall – *Premier Américain à obtenir un doctorat en psychologie. Instigateur de la psychologie scolaire.*

1882

1871-1939
Margaret Washburn – *Première femme à obtenir un doctorat en psychologie. Auteure de plusieurs manuels de psychologie comparée.*

1908

1857-1911
Alfred Binet – *Élabore le premier test d'intelligence en France.*

1905

1849-1936
Ivan Pavlov – *Publie les résultats de ses expériences célèbres sur la salivation des chiens pour lesquelles il recevra plus tard un prix Nobel.*

1904

1878-1958
John Watson – *Psychologue américain fondateur du behaviorisme dont il expose les principes dans un article intitulé « La psychologie telle que le behavioriste la voit ».*

1913

1875-1961
Carl Jung – *Se dissocie de Freud et forme une branche de la psychanalyse appelée psychologie analytique.*

1914

1885-1952
Karen Horney – *Critique la théorie psychanalytique de Freud.*

1945

Secretain/Sipa-Publiphoto

1908-1988
Françoise Dolto – *Psychiatre et psychanalyste française. S'intéresse principalement à l'éducation des enfants. Membre fondateur de la Société psychanalytique de Paris.*

1939

1904-1990
B.F. Skinner – *Enrichit le behaviorisme de la notion qu'un organisme apprend à se comporter en fonction de ce qu'il est renforcé à faire.*

1938

1908-1996
Salomon Asch – *Démontre l'importance de certains facteurs dans la formation des impressions et étudie par la suite les effets des pressions exercées par un groupe sur l'indépendance et le conformisme.*

1946

1902-1994
Erik Erikson – *Publie* Childhood and Society, *une révision de la théorie psychanalytique de Freud.*

1950

1902-1987
Carl Rogers – *Publie un ouvrage dans lequel il expose ses idées sur la psychologie humaniste.*

1961

1939-
John Berry – *Fait valoir l'importance des recherches interculturelles en psychologie.*

1961

1916-
Herbert A. Simon – *Présente ses conceptions de la théorie du traitement de l'information.*

1958

1927-
Lawrence Kohlberg – *Démontre l'existence de niveaux de moralité à différents âges.*

1963

1925-
Albert Bandura – *En collaboration avec Richard Walters, fait paraître un ouvrage dans lequel sont décrits les effets de l'imitation sur le développement de la personnalité.*

1963

1842-1910
William James – *Fait paraître un ouvrage exposant les principes de ce qui deviendra le fonctionnalisme.*

1890

1863-1930
Mary Whiton Calkins – *Crée un laboratoire de psychologie et devient par la suite la première femme à présider l'American Psychological Association.*

1891

1856-1939
Sigmund Freud – *Fait paraître un ouvrage sur l'interprétation des rêves et propose la théorie psychanalytique.*

1900

1874-1949
Edward Thorndike – *L'un des pionniers de l'apprentissage animal. À la suite de recherches sur l'apprentissage par tâtonnements effectuées avec des animaux enfermés dans une boîte-problème, il élabore la célèbre « loi de l'effet ».*

1898

1867-1927
Edward Titchener – *Obtient son doctorat et s'installe aux États-Unis où il poursuit ses travaux sur l'introspection à l'aide de la méthode structuraliste.*

1892

1886-1939
Leta Stetter Hollingworth – *Obtient son doctorat et publie le premier ouvrage de psychologie féminine.*

1916

1896-
Mary Cover Jones – *Démontre comment le conditionnement peut être utilisé pour supprimer la peur chez l'enfant.*

1924

1896-1980
Jean Piaget – *Publie un célèbre ouvrage sur le développement du jugement moral chez l'enfant et est considéré comme un précurseur de la psychologie cognitive.*

1932

1895-1982
Anna Freud – *Fait paraître un premier livre dans lequel elle étend les idées de son père à la psychanalyse des enfants.*

1927

1887-1967
Wolfgang Köhler – *Fait paraître un ouvrage intitulé L'intelligence des singes supérieurs, dans lequel il présente sa théorie de l'intuition. Il est le principal fondateur de la théorie gestaltiste.*

1925

1897-1967
Gordon William Allport – *Auteur d'un ouvrage intitulé The Nature of Prejudice. Bien connu pour sa théorie des traits de personnalité.*

1954

1914-
Kenneth B. Clark – *Effectue, avec l'aide de sa femme Marnie, des recherches qui sont citées par la Cour suprême des États-Unis dans un jugement visant à faire échec à la discrimination dans les écoles. Devient le premier président noir de l'American Psychological Association en 1971.*

1954

1919-1989
Leon Festinger – *Propose la théorie de la dissonance cognitive.*

1957

1907-1982
Hans Selye – *Physiologiste canadien, d'origine autrichienne, dont les travaux portent sur les modifications physiologiques consécutives à un choc (traumatisme ou opération). Il conçoit le syndrome général d'adaptation et la notion de stress.*

1956

1908-1970
Abraham Maslow – *Élabore les fondements de la psychologie humaniste.*

1954

1913-1994
Roger Sperry – *Rend publics les résultats de ses recherches sur la déconnexion interhémisphérique, pour lesquelles il recevra plus tard un prix Nobel.*

1964

1933-1984
Stanley Milgram – *Réalise une expérience célèbre sur l'obéissance et la désobéissance à l'autorité.*

1965

1918-
Brenda Milner – *Ses travaux sur les mécanismes de la mémoire, l'apprentissage et les fonctions de la parole ont aidé à mieux définir le rôle des diverses parties du cerveau.*

1965
à nos jours

Avertissement : *Des contraintes d'espace et la décision de ne pas dépasser l'année 1965 dans cette petite chronologie des événements expliquent l'absence en ces pages de la plupart des psychologues contemporains ainsi que celle de nombreux psychologues ayant apporté des contributions importantes à la psychologie.*

Tableau 2.1 Grandes théories psychologiques

Théorie	Figures importantes	Principales idées	Méthodes de recherche
Structuralisme	Wilhelm Wundt Edward Titchener	L'importance des processus de la pensée et de la structure du psychisme. La détermination des éléments de la pensée.	L'introspection dirigée. La méthode expérimentale.
Fonctionnalisme	William James John Dewey	L'importance de l'application des découvertes psychologiques à des situations concrètes. Le rôle des processus psychiques dans l'adaptation d'un individu à son environnement.	L'introspection. La méthode comparative (entre les processus psychologiques des humains et des animaux).
Gestaltisme	Max Wertheimer Wolfgang Köhler Kurt Koffka	L'importance de la structure et du contexte dans la perception d'un tout signifiant.	Expériences sur la perception.
Théorie psychanalytique	Sigmund Freud Carl Jung	L'influence de l'inconscient sur le comportement. L'importance des premières expériences de la vie dans le développement de la personnalité.	L'étude clinique de cas individuels.
Behaviorisme	Edward Thorndike John Watson B. F. Skinner	L'importance de la description objective des comportements observables dans l'étude de la psychologie L'importance de l'emploi de méthodes rigoureuses de recherche. La conviction que tout comportement est simplement une réponse à un stimulus externe.	Expériences concernant principalement l'apprentissage et fréquemment effectuées sur des animaux.
Psychologie humaniste	Carl Rogers Abraham Maslow	L'importance des sentiments d'une personne. La conviction que la nature humaine est fondamentalement bonne et que chacun cherche à s'épanouir. La confiance dans la capacité de chaque personne à résoudre ses propres problèmes.	Techniques d'entrevue.
Psychologie cognitive	Jean Piaget Albert Ellis Albert Bandura Robert Sternberg Howard Gardner	L'intérêt est centré sur les processus de la pensée et du raisonnement, et le traitement mental de l'information.	Expériences sur la mémoire. L'approche du traitement de l'information.
Psychobiologie	Johannes Müller Karl Lashley David Hubel Torsten Wiesel Brenda Milner	Le comportement est la résultante de processus chimiques et biologiques complexes dont le siège est le cerveau.	La scanographie du cerveau. La stimulation électrique du cerveau et l'enregistrement des effets provoqués. L'analyse chimique de tissus cérébraux. L'étude des fonctions des deux hémisphères cérébraux.
Psychologie évolutionniste	Charles Darwin Konrad Lorenz E. O. Wilson	Des facteurs innés influent sur le comportement, l'intelligence et la personnalité.	L'observation naturaliste. L'expérimentation.
Psychologie culturaliste	John Berry	Le contexte culturel influe sur le comportement.	La méthode consistant à comparer les réponses de personnes appartenant à des cultures différentes.

américains de trouver des applications pratiques aux découvertes de la psychologie qui a donné naissance à une nouvelle théorie connue sous le nom de fonctionnalisme.

Le fonctionnalisme

Vers la fin du XIXᵉ siècle, la théorie de l'évolution de Darwin commençait à avoir une certaine influence sur la psychologie. Dans la notion de « survie du plus fort », Darwin insistait sur le rôle que jouent les structures biologiques supérieures dans l'adaptation des organismes à leur environnement, idée qui semblait particulièrement intéressante. C'est à partir de cette idée que plusieurs psychologues américains ont décidé d'étudier la *fonction des processus psychiques* qui permettent à l'individu de s'adapter à son milieu, d'où le nom de fonctionnalisme. La théorie de Darwin laissait également entrevoir la possibilité que les processus psychiques de l'animal et de l'être humain s'inscrivent dans un continuum. Les fonctionnalistes ont donc étudié les processus biologiques et psychiques des animaux et des humains afin de vérifier leurs théories.

William James a été l'une des figures dominantes de l'école du fonctionnalisme. Comme les structuralistes, James percevait la psychologie comme l'étude de la conscience mais, contrairement à ceux-ci, il ne croyait pas que la conscience puisse être séparée en éléments distincts. Il avançait l'hypothèse que les activités de l'esprit sont étroitement rattachées en une expérience unifiée, que chaque idée découle d'une autre et que la vie consciente est un courant continu et non pas une série d'éléments composés.

Bien que le fonctionnalisme ne soit plus aujourd'hui une « école de pensée » reconnue, il a eu une grande influence sur l'évolution de la psychologie et a orienté les travaux de la plupart des psychologues de l'époque moderne. Les fonctionnalistes ont élargi le champ d'action de la psychologie afin d'y inclure des recherches sur les émotions et sur les comportements observables. Ils ont été à l'origine des tests psychologiques, ils ont changé les orientations de l'éducation moderne et ont étendu les études psychologiques à divers secteurs de l'industrie.

Le gestaltisme

La psychologie gestaltiste a été fondée par un groupe de psychologues allemands dirigé par Max Wertheimer. Ces psychologues s'intéressaient aux recherches sur la *perception*, c'est-à-dire à la façon dont nous interprétons l'information captée par nos sens. Wundt et les structuralistes s'étaient également intéressés à la perception, mais la philosophie qui sous-tendait l'approche gestaltiste était fort différente. Les gestaltistes rejetaient l'idée que les expériences pouvaient être subdivisées en divers éléments. Ils affirmaient plutôt que l'expérience était un tout organisé, différent de la somme de ses parties (le terme gestalt est un mot allemand qui signifie « structure » ou « forme »).

Afin d'illustrer leur théorie, les psychologues gestaltistes se sont servis de leur recherche sur la perception, citant par exemple l'impression de mouvement que donne le clignotement en alternance d'une suite d'ampoules électriques. Nous avons tous déjà vu au-dessus des enseignes de bars et de cafés ces flèches lumineuses composées d'ampoules qui s'allument et s'éteignent et qui semblent nous indiquer la porte d'entrée. Ce que nos yeux voient *vraiment*, c'est une série d'ampoules lumineuses qui s'allument à différents intervalles, mais ce que notre cerveau *perçoit*, c'est une flèche lumineuse en mouvement. D'où l'affirmation : l'expérience est un tout organisé différent de la somme de ses parties. Selon les psychologues gestaltistes, la psychologie ne devrait pas se confiner à la seule étude des comportements, mais étudier aussi comment les différents éléments s'agencent en touts signifiants ou en expériences organisées. Les gestaltistes ont également rappelé l'importance du contexte dans lequel a lieu l'expérience, contexte qui contribue à donner un sens à chaque événement.

Fonctionnalisme : Théorie psychologique consistant à étudier le rôle (ou la fonction) de la conscience dans l'adaption de la personne à son environnement.

Psychologie gestaltiste : Théorie psychologique axée sur les principes de la perception et voulant que l'expérience soit un tout organisé, différent de la somme de ses parties.

Gestalt : Mot allemand signifiant « forme » ou « structure ».

RÉSUMÉ

La naissance de la psychologie scientifique

Les structuralistes ont tenté d'identifier les éléments de la conscience et la façon dont ces éléments s'agencent pour former la structure de l'esprit. Les fonctionnalistes ont étudié le rôle des processus mentaux dans l'adaptation d'un individu à son environnement. Les gestaltistes ont étudié les principes organisationnels des processus de perception.

QUESTIONS DE RÉVISION

1. Les structuralistes concevaient l'étude de la psychologie comme étant l'étude de _____. Ils utilisaient la méthode d'_____ qui consiste à demander à un sujet de décrire les activités de sa conscience.

2. Reprenant l'idée de Darwin selon laquelle les structures biologiques supérieures jouent un rôle dans l'adaptation des organismes à leur environnement, les fonctionnalistes se sont appliqués à étudier la fonction des _____ dans l'adaptation des individus à leur milieu.

3. À quel phénomène psychique s'intéresse le gestaltisme ?

4. Expliquez le désaccord entre les gestaltistes et les structuralistes.

5. Le terme _____ signifie « structure » ou « forme ».

Les réponses aux questions de révision se trouvent en annexe.

Aujourd'hui, les premières théories psychologiques n'ont plus beaucoup d'influence, mais elles ont joué un rôle dans l'évolution des cinq grandes approches modernes de la psychologie. Ces « approches », qui se caractérisent par leurs sujets et leurs méthodes d'étude du comportement, sont les approches *psychanalytique*, *behaviorale*, *humaniste*, *cognitiviste* et *psychobiologique*. Vous verrez que chacune propose différentes façons de comprendre la personnalité.

▲ *En quoi consiste la théorie psychanalytique de Freud ?*

L'APPROCHE PSYCHANALYTIQUE

Quelle est la figure la plus connue du monde de la psychologie ? La majorité des gens répondrait sans hésiter : « Sigmund Freud ». Vous avez probablement entendu son nom en classe avant même d'entreprendre l'étude de la psychologie. On a appliqué les théories freudiennes en anthropologie, en sociologie, en religion, en médecine, en art et en littérature.

Théorie psychanalytique : Théorie de la personnalité dans laquelle Freud explique l'influence de l'inconscient sur le comportement.

Freud a élaboré la théorie psychanalytique, dans laquelle il pose les bases d'une démarche thérapeutique appelée *psychanalyse*. Les psychanalystes ont recours à des techniques telles que l'hypnose, l'analyse des rêves et l'association libre (qui consiste pour le patient à parler librement de tout ce qui lui vient à l'esprit) pour tenter de mettre au jour les conflits, les motifs et les sentiments refoulés dans l'inconscient. Les psychanalystes affirment qu'une fois ces forces inconscientes libérées, ils peuvent aider les patients à résoudre leurs conflits et à vivre une vie satisfaisante et harmonieuse. La théorie psychanalytique de Freud a été l'une des théories les plus influentes en psychologie, tout en étant l'une des plus controversées (Torrey, 1992b).

En examinant la théorie de Freud, nous nous pencherons sur trois des concepts de base les plus souvent étudiés : les niveaux de conscience, la structure de la personnalité et les mécanismes de défense.

LES NIVEAUX DE CONSCIENCE

Quelle serait votre réaction si vous entendiez une agente de bord vous saluer en disant : « Ça a été un véritable *martyre* de vous servir... je veux dire un véritable

« Bonjour mon vautour... euh, je veux dire mon amour ! »

S'agit-il ici d'un lapsus freudien ou d'un simple fourchement de la langue ?

The New Yorker Magazine, Inc, © 1983.

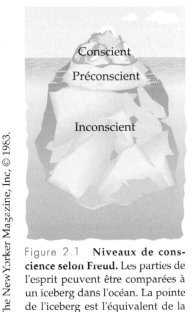

Figure 2.1 **Niveaux de conscience selon Freud.** Les parties de l'esprit peuvent être comparées à un iceberg dans l'océan. La pointe de l'iceberg est l'équivalent de la pensée consciente, facile à examiner. Immédiatement sous la pensée consciente, on trouve le préconscient, dont il est également possible de découvrir le contenu en déployant un peu plus d'efforts. La base de l'iceberg, entièrement immergée, ressemble à l'inconscient, qui échappe totalement à l'introspection.

plaisir ! » Selon l'approche freudienne, ce petit fourchement de la langue (connu sous le nom de *lapsus freudien*) pourrait refléter les sentiments véritables quoique inconscients de l'agente en question. D'après Freud, l'inconscient échappe à notre activité consciente, mais exerce une profonde influence sur notre comportement et se révèle malgré nous.

Qu'est-ce exactement que l'inconscient ?   Freud appelait l'esprit la *psyché* et décrivait l'inconscient comme l'un des trois niveaux de conscience (voir la figure 2.1). Pour décrire la conscience, Freud avait recours à l'analogie de l'iceberg. Le premier niveau de conscience, le conscient, renvoie à la partie de l'iceberg qui émerge de l'eau et qui se prête donc à notre examen. C'est dans cette partie consciente de l'esprit que se logent les pensées, les sentiments et les actions dont nous prenons instantanément conscience.

Immédiatement sous le conscient, juste à la surface de l'eau, on trouve le préconscient, le domaine plus vaste des activités mentales qui ne font pas partie de nos pensées courantes, mais auxquelles on a aisément accès en cas de besoin. Le troisième niveau, l'inconscient, se situe sous le préconscient et forme le gros de l'esprit humain.

Selon Freud, l'inconscient recèle les motifs primitifs et instinctifs, de même que les souvenirs empreints d'angoisse et les émotions auxquels un individu ne permet pas d'accéder à sa conscience.

On sait que le Titanic a sombré après avoir heurté l'énorme masse de glace immergée d'un iceberg. De même, l'inconscient d'une personne peut détruire sa vie psychique. Freud pensait que la majorité des troubles psychologiques ont leur origine dans des souvenirs et des instincts (sexuels ou agressifs) refoulés (ou cachés), emmagasinés dans l'inconscient.

Pour traiter les troubles psychiques, Freud a élaboré la *psychanalyse*, une thérapie dont il est question au chapitre 12. Vous devez vous douter qu'il n'est pas facile de faire une étude scientifique des concepts freudiens de conscient, de préconscient et d'inconscient, ni des techniques utilisées pour mettre au jour les motifs cachés, ou inconscients. Il n'est donc pas étonnant que ces concepts et techniques aient fait l'objet de nombreux débats entre spécialistes de la psychologie.

Conscient : En termes freudiens, ensemble des pensées ou des informations dont une personne est consciente ou dont elle se souvient.

Préconscient : Dans la terminologie freudienne, ensemble des pensées ou des informations dont une personne peut, moyennant quelques efforts, aisément prendre conscience.

Inconscient : Dans la terminologie freudienne, ensemble des pensées, des motifs, des pulsions ou des désirs qui échappent à l'activité consciente normale d'une personne, mais que la psychanalyse peut aider à découvrir.

RECHERCHE ET DÉCOUVERTES

La théorie de la gestion de la terreur et l'inconscient

Comment réagissez-vous à l'idée que vous allez mourir un jour? La mort est une réalité à laquelle nous devons tous faire face. Pourtant, la majorité des gens semblent ne pas être conscients de leur propre mortalité, ou alors ils refusent de l'admettre. Selon la théorie de la gestion de la terreur, le désir instinctif de vivre éternellement peut être la source d'une terreur paralysante. Il semble que ce soit pour gérer cette terreur que les humains ont créé, en fonction de leur culture, une vision du monde qui explique leur existence et promet l'immortalité, au sens propre ou figuré, à ceux qui respectent les normes établies.

Au cours d'une recherche récente, Jamie Arndt et ses collègues de l'University of Arizona (Arndt et coll., 1997) ont recueilli des faits étayant la théorie de la gestion de la terreur et des données expérimentales sur le « traitement inconscient de l'information ».

Bien que la conception de l'inconscient élaborée par Freud prête encore à controverse, des découvertes récentes en psychologie cognitive suggèrent qu'une partie importante du traitement de l'information se fait à l'extérieur du conscient (voir par exemple Baars, 1997; Greenwald et Banaji, 1995; Loftus et Klinger, 1992). L'information « inconsciente » est susceptible d'influer aussi sur les pensées, les émotions et le comportement (voir par exemple Bargh et coll., 1995; Murphy et Zajonc, 1993).

L'une des expériences courantes sur le « traitement inconscient de l'information » fait appel à des tests perceptifs subliminaux. On demande aux sujets de s'asseoir devant un petit écran pendant que l'expérimentateur projette de l'information visuelle (par exemple des mots) si rapidement et avec une intensité tellement faible que les sujets affirment ne pas avoir perçu les mots. Arndt et les membres de son équipe ont réalisé trois expériences à l'aide de cette méthode.

Au cours de la première expérience, les chercheurs ont découvert que la projection subliminale du mot « mort » accroît chez les sujets la tendance à penser à des thèmes reliés à la mort et à défendre la conception du monde propre à leur culture. La tendance à penser à des thèmes reliés à la mort a été mesurée au moyen de la présentation de fragments de mots. On a montré aux sujets des parties de mots (par ex. DÉC _ _) et on leur a demandé de dire le premier mot qui leur venait à l'esprit (par exemple *décor* ou *décès*, un mot relié à la mort). On a de plus mesuré la tendance des sujets à défendre la conception du monde propre à leur culture en leur demandant de lire et d'évaluer deux textes à propos des États-Unis, l'un positif et l'autre négatif, en leur faisant croire que ces essais avaient été rédigés par des étrangers alors qu'ils étudiaient aux États-Unis. Après avoir lu les textes, les participants exposés à des stimuli subliminaux évoquant la mort ont jugé plus sévèrement les auteurs

quant à leur amabilité, leur intelligence et leur savoir, et ils ont considéré les arguments présentés comme moins valables et moins convaincants, comparativement aux autres participants.

Au cours de la deuxième expérience, les chercheurs ont confirmé les résultats de la première expérience en comparant des stimuli subliminaux associés à la mort et des stimuli subliminaux évoquant la douleur. Au cours de la troisième expérience, en comparant des stimuli subliminaux associés à la mort, des stimuli supraliminaux (évidents ou perceptibles) associés à la mort et des stimuli subliminaux évoquant la douleur, les chercheurs ont découvert que seuls les stimuli subliminaux associés à la mort accroissent la tendance des sujets à défendre la vision du monde propre à leur culture.

Les trois expériences menées par Arndt, en plus de fournir des données intéressantes étayant le traitement inconscient de l'information, ont suscité des questions fascinantes sur la théorie de la gestion de la terreur en tant que technique utilisée couramment pour nier la peur de la mort. Si cette théorie est exacte, et si tous les humains éprouvent une terreur subliminale, ou inconsciente, de la mort, quelle est l'influence de cette peur sur leur comportement dans la vie courante ?

La peur inconsciente de la mort est susceptible de jouer un rôle notamment dans le domaine des préjugés. Une recherche menée dans cinq pays et comportant plus de 40 expériences distinctes a montré que, si on rappelle la réalité de sa propre mort à une personne, elle a davantage tendance à juger sévèrement les membres des autres groupes culturels, de même que les individus qui transgressent les normes morales ou critiquent sa propre culture. Par contre, elle est plus tolérante envers les membres de son propre groupe culturel, et les individus qui respectent les normes morales ou disent du bien de sa culture (voir la revue présentée dans Greenberg, Solomon et Pyszcynski, 1997).

Somme toute, la peur, universelle dans notre société, de la mort en général et de sa propre mort, est susceptible d'engendrer des motifs « inconscients » de préjugés. Le fait même que ces peurs et ces préjugés soient sous-jacents à notre état conscient habituel rend moins efficaces les efforts que nous faisons pour les comprendre et les éliminer. Notre peur subliminale de la mort nous porte-t-elle à préférer les membres de notre propre groupe culturel et à rejeter les autres ? Les préjugés diminueraient-ils si on incitait les gens à parler ouvertement de leur peur de la mort ? « À la lumière de ces données, il semble que l'étude expérimentale de la réaction aux stimuli évoquant la mortalité des humains constituera éventuellement une « voie royale » empirique vers les motivations de l'inconscient » (Arndt et coll., 1997, p. 384).

LA STRUCTURE DE LA PERSONNALITÉ

Freud concevait la personnalité comme une interaction dynamique entre différentes structures mentales : le *ça*, le *moi* et le *surmoi*. Chacune de ces structures résiderait, en tout ou en partie, dans l'inconscient (voir la figure 2.2). Chacune rendrait compte d'un aspect différent de la personnalité. (Rappelez-vous que le ça, le moi et le surmoi sont des concepts mentaux, donc hypothétiques. Il ne s'agit pas de structures concrètes que l'on peut disséquer comme un cerveau humain, par exemple.)

Le ça est la partie de la psyché que l'on croit présente dès la naissance. Tout comme le nouveau-né, le ça est immature, impulsif et irrationnel. Il est le réservoir de l'énergie mentale. Lorsque les tensions liées aux besoins primaires s'accentuent, le ça en recherche la gratification immédiate. Le ça est donc régi par ce que Freud appelle le principe du plaisir, qui est la recherche immédiate et ouverte du plaisir et une façon de réduire les tensions, sans égard à la logique ou à la réalité.

Si le ça était la seule partie de la psyché, nous aurions peut-être tendance à recourir à des moyens immédiats et parfois dangereux pour trouver le plaisir et éviter la douleur. Mais Freud a postulé l'existence de deux autres parties de la psyché qui refrènent et canalisent l'énergie potentiellement destructrice du ça. Il s'agit du moi et du surmoi, qui nous protègent des désirs de gratification immédiate du ça.

Le moi est la deuxième partie de la psyché à s'édifier. Le moi est capable de planifier, de résoudre des problèmes, de raisonner et de juguler le ça. Dans le système de Freud, le moi correspond au « soi », c'est-à-dire à la vision consciente et subjective que l'individu a de lui-même. Contrairement au ça, qui réside entièrement dans l'inconscient, le moi chevauche à la fois le conscient et le préconscient.

L'une des tâches du moi est de canaliser l'énergie du ça en tenant compte des réalités du milieu extérieur. Le moi a donc la responsabilité de retarder la satisfaction des pulsions du ça si c'est nécessaire, afin de tenir compte des réalités et des circonstances du milieu environnant. À l'encontre du principe du plaisir qui régit le ça, le moi est régi par le principe de réalité.

Pour illustrer les rapports entre le moi et le ça, Freud utilise l'exemple du cavalier et de son cheval. Le moi doit réussir à assujettir les pulsions du ça tout comme le cavalier doit réussir à maîtriser son cheval, pourtant plus fort que lui. Toutefois, le cavalier qui ne veut pas être jeté en bas de sa monture doit souvent accepter de mener le cheval là où celui-ci veut aller; de même, le moi prend l'habitude de s'approprier en quelque sorte les désirs du ça, comme s'il s'agissait des siens (Freud, 1923-1961, p. 25).

La troisième et dernière partie de la psyché à se former est le surmoi. À l'origine, cette structure fait partie du moi, mais elle s'en détache progressivement pour

Ça : Selon Freud, source des pulsions instinctives qui sont régies par le principe du plaisir et tendent vers une gratification immédiate des besoins.

Principe du plaisir : Dans la théorie de Freud, principe qui régit le ça. Lorsque le ça est à l'œuvre, le plaisir immédiat est la seule motivation du comportement.

Moi : Dans la théorie de Freud, partie rationnelle de la psyché qui se préoccupe de la réalité et s'efforce de maîtriser les pulsions du ça tout en tenant compte des exigences du milieu social et de l'estime de soi qui lui sont dictées par le surmoi.

Principe de réalité : Selon Freud, principe qui régit le moi conscient en évaluant la façon dont les exigences du ça inconscient peuvent être satisfaites tout en tenant compte des réalités du milieu environnant.

Surmoi : Dans la théorie psychanalytique, partie de la personnalité qui s'édifie à partir des interdits parentaux et des normes sociales de moralité.

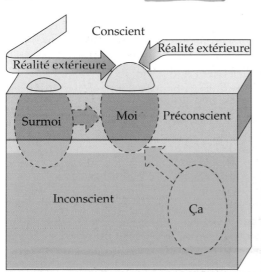

Figure 2.2 **Structures de la personnalité proposées par Freud.** Selon Freud, la personnalité se compose de trois structures fondamentales : le ça, le moi et le surmoi. Le ça est régi par le principe du plaisir, le moi par le principe de réalité et le surmoi par la conscience et l'idéal du moi. Remarquons comment chacune de ces structures réside, en tout ou en partie, dans l'inconscient.

jouer le rôle de « conscience morale » de la psyché. Cette séparation du surmoi survient lorsque l'enfant commence à intégrer les règles et les valeurs de ses parents et de la société. Le surmoi est une sorte de code d'éthique du comportement. Il comprend deux volets, la conscience et l'idéal du moi. La « conscience morale » est un ensemble d'interdits sociaux semblable à un code pénal ou juridique. Elle dresse la liste des choses à ne pas faire, tandis que l'idéal du moi établit celle des choses à faire pour nous sentir fiers de nous-mêmes. Le surmoi fonctionne comme un *principe de moralité* dans la mesure où la violation des règles de la conscience ou de celles de l'idéal du moi s'accompagne dans les deux cas d'un sentiment de culpabilité.

Le surmoi vise toujours la perfection et, à ce titre, est aussi irréaliste que le ça. Ce qui complique inévitablement le travail du moi. Non seulement le moi doit-il rechercher des objets et des événements qui satisfont les besoins du ça, mais ces objets et événements ne doivent pas non plus transgresser les règles édictées par le surmoi. C'est la raison pour laquelle le moi est souvent considéré comme l'*organe directeur* de la personnalité, car il gère, organise et dirige le comportement (Hergenhahn, 1990).

LES MÉCANISMES DE DÉFENSE

Lorsque le moi ne trouve pas les moyens de satisfaire à la fois le ça et le surmoi, une certaine anxiété se glisse dans le conscient. L'anxiété étant un sentiment désagréable, les gens s'efforcent habituellement de s'en débarrasser en faisant jouer leurs mécanismes de défense. Bien que Freud ait décrit plusieurs types de mécanismes de défense, il pensait que le plus important est le refoulement. On entend par refoulement le mécanisme par lequel le moi empêche les pensées fortement anxiogènes (c'est-à-dire les pensées tout à fait inacceptables) d'accéder au conscient. C'est la première forme de réduction de l'angoisse, et la plus fondamentale.

Ces dernières années, le refoulement est devenu un sujet à la mode et une source de controverse à cause des nombreuses poursuites intentées par des adultes qui affirment avoir des *souvenirs refoulés* de sévices sexuels subis durant l'enfance. Cependant, nous verrons au chapitre 6 qu'il est difficile de prouver l'exactitude de tels souvenirs. Le tableau 2.2 contient une brève description du refoulement et de quelques autres mécanismes de défense (tous inconscients) définis par Freud.

Je me rends compte que les gens utilisent continuellement des mécanismes de défense. Est-ce malsain ? Bien que l'emploi de mécanismes de défense puisse amener à mentir et à déformer la réalité, des recherches ont confirmé l'hypothèse freudienne selon laquelle une certaine déformation est essentielle au bien-être psychologique de chacun (Pervin, 1993; Snyder, 1988; Taylor et coll., 1988). Par exemple, les médecins et les infirmières peuvent *intellectualiser* une chirurgie présentant un côté horrible pour surmonter, inconsciemment, leurs propres peurs. En se concentrant sur les aspects techniques, très objectifs, de l'opération, ils ne risquent pas de se sentir submergés par les émotions que pourraient susciter en eux les situations potentiellement tragiques auxquelles ils ont parfois à faire face. La majorité des psychologues s'entendent pour dire que l'emploi de mécanismes de défense est sain à la condition de ne pas dépasser certaines limites.

ÉVALUATION DE L'APPROCHE PSYCHANALYTIQUE : CINQ PRINCIPALES CRITIQUES

Freud et ses théories psychanalytiques ont eu une influence considérable mais, comme nous l'avons déjà souligné, ces théories ont suscité de nombreux débats. Nous présentons ci-dessous les cinq principales critiques formulées au sujet des théories freudiennes.

Mécanismes de défense : Dans la théorie psychanalytique, réactions inconscientes du moi ayant pour but d'éviter l'anxiété et de résoudre des conflits. Tout le monde a recours à des mécanismes de défense. Ces mécanismes ne deviennent problématiques que s'ils sont utilisés de manière excessive.

Refoulement : Selon Freud, mécanisme de défense le plus important par lequel les pulsions inacceptables sont inconsciemment empêchées de parvenir à la conscience.

Tableau 2.2   Mécanismes de défense.

Mécanisme de défense	Description	Exemple
Le déplacement	Remplacer l'objet initial d'une pulsion par un objet moins menaçant.	Se mettre en colère contre un collègue après avoir essuyé des reproches de la part de son patron.
La formation réactionnelle	Refuser de prendre conscience de désirs, de pensées ou de sentiments jugés inacceptables en adoptant des comportements qui leur sont contraires.	Se montrer dominateur et vantard alors qu'on se sent inférieur et qu'on a peu d'estime de soi.
L'isolation	Ignorer les aspects émotifs d'une expérience pénible en se concentrant sur des pensées abstraites, sur des mots ou sur des idées.	Ne pas tenir compte de ses émotions en discutant des raisons de son divorce.
La négation	Se protéger d'une réalité désagréable en refusant d'en admettre l'existence.	Les alcooliques refusent d'admettre leur dépendance à l'égard de l'alcool.
La projection	Attribuer à autrui ses propres motifs ou pulsions inacceptables.	Ne pas s'avouer ses propres envies de relations extra-conjugales tout en faisant preuve d'une jalousie exagérée à l'endroit de son compagnon ou de sa compagne.
La rationalisation	Trouver des raisons socialement acceptables pour justifier des pensées ou des actions qui se fondent sur des motifs inacceptables.	Justifier le fait de tricher à un examen en disant « tout le monde le fait ».
Le refoulement	Empêcher des pensées douloureuses ou menaçantes d'accéder au conscient.	Oublier des agressions sexuelles subies dans la petite enfance.
La régression	Réagir à une situation menaçante d'une manière qui correspond à un stade antérieur de développement.	Se mettre en colère lorsqu'un ami refuse d'obtempérer à nos demandes.
La sublimation	Transformer des désirs non satisfaits ou des pulsions non acceptables en activités constructives.	Canaliser les désirs sexuels vers l'art et la musique.

1. *La difficulté de vérifier expérimentalement les concepts*. Le fait qu'il est impossible de vérifier expérimentalement la majorité des concepts de la théorie psychanalytique pose un grave problème du point de vue scientifique (Crews, 1997, 1998; Macmillan, 1997). En effet, comment pourrait-on réaliser une expérience portant sur le ça ou sur des conflits inconscients ? La méthode scientifique requiert la formulation d'hypothèses vérifiables expérimentalement et de définitions opérationnelles.

2. *L'importance exagérée de déterminants biologiques et inconscients*. À l'instar de plusieurs néo-freudiens, les psychologues contemporains pensent que Freud a accordé trop d'importance à des facteurs biologiques, et qu'il a sous-estimé le rôle de l'apprentissage et de la culture dans le modelage du comportement. En particulier, la croyance psychanalytique selon laquelle « l'anatomie fait le destin » ne tient nullement compte du rôle important de la culture dans la création des différences entre hommes et femmes.

3. *L'insuffisance des faits*. Freud a fondé ses théories presque exclusivement sur les études de cas de ses patients. Ses données étaient donc entièrement subjectives; c'est pourquoi les critiques se demandent aujourd'hui si Freud n'a pas prêté attention uniquement ce qu'il s'attendait à voir, et s'il n'a pas ignoré

le reste. (Il s'agirait là d'un exemple d'« illusion fondée sur des faits confirmatifs », selon la définition donnée dans la rubrique *Pensée critique* que vous pourrez lire dans le présent chapitre.)

Il est à noter que la très grande majorité des patients de Freud étaient des Viennoises appartenant à la classe supérieure qui souffraient de graves problèmes d'adaptation. Étant donné la très petite taille et le manque de représentativité de l'échantillon, on est en droit de se demander si la théorie de Freud ne décrit pas uniquement l'évolution de la personnalité perturbée de Viennoises de la classe supérieure ayant vécu au début du XXᵉ siècle.

4. *Le sexisme.* De nombreux psychologues rejettent les théories freudiennes parce qu'ils considèrent qu'elles sont entachées de misogynie ou qu'elles dénigrent les femmes. Premièrement, nous avons déjà souligné que Karen Horney, et d'autres après elle, ont rejeté le concept de l'envie du pénis. Deuxièmement, Freud a rejeté les allégations de sévices sexuels durant l'enfance formulées par ses patientes à partir du moment où certains de ses collègues se sont moqués du fait qu'il ait accordé de la crédibilité à ces témoignages. Il a alors adopté une nouvelle position : les femmes qui affirmaient avoir été victimes de tels sévices exprimaient en fait des désirs inconscients et des fantasmes. On sait maintenant que le taux de viol et d'inceste a toujours été élevé; il est donc tout à fait possible que Freud ait eu raison de croire au départ ce que lui disaient ses patientes, et qu'il ait eu tort de changer d'attitude (Masson, 1984, 1992).

5. *L'absence ou l'insuffisance de données interculturelles.* Les concepts freudiens les plus faciles à étayer au moyen de données empiriques, soit les déterminants biologiques de la personnalité, ne sont généralement pas corroborés par des études interculturelles (Crews, 1997).

Les critiques décrites ci-dessus ont une portée considérable. Cependant, il ne faut pas oublier qu'il est facile de critiquer les théories freudiennes. Par exemple, l'idée que les femmes sont inférieures aux hommes est ridicule selon les normes actuelles, mais il faut se rappeler que Freud a entrepris ses travaux au début du XXᵉ siècle; il ne disposait donc pas des découvertes de la recherche moderne ni des technologies les plus récentes. Critiquer les théories de Freud sans tenir compte du contexte historique équivaut à reprocher aux frères Wright l'aspect rudimentaire de leur avion. Quelle opinion aura-t-on des théories actuelles dans cent ans ?

Il ne reste que peu de freudiens puristes aujourd'hui; les psychanalystes emploient seulement quelques-unes des théories et techniques élaborées par Freud. Mais cela n'empêche pas plusieurs psychologues d'affirmer que, malgré les nombreuses erreurs qu'il a commises, Freud demeure l'un des géants de la psychologie (Fisher et Greenberg, 1996). Il faut reconnaître sa contribution et se souvenir de lui principalement pour trois raisons : 1) sa conception de l'inconscient et de l'influence de celui-ci sur le comportement; 2) sa notion de conflit entre le ça, le moi et le surmoi, et les mécanismes de défense qui en découlent; 3) l'ampleur même de sa théorie.

Quant à ce dernier point, il n'est pas exagéré de dire que les théories freudiennes ont eu une influence considérable sur l'évolution intellectuelle de l'Occident. Freud a tenté d'expliquer les rêves, la religion, les regroupements sociaux, la dynamique familiale, la névrose, la psychose, l'humeur, les arts et la littérature. L'héritage de Freud est encore manifeste dans la pensée et la création artistique actuelles. Lorsqu'on emploie les expressions « motif inconscient », « fixation orale » et « refoulement », on ne pense généralement pas à l'origine de ces concepts; il en est de même lorsqu'on accuse quelqu'un d'être resté au « stade anal » ou de faire preuve de « narcissisme ». Qu'on lui donne tort ou raison, Freud s'est mérité pour toujours une place parmi les précurseurs de la psychologie.

Même si on lui a reproché d'être sexiste, la psychanalyse a constitué l'un des rares domaines où les femmes ont joué un rôle proéminent au début du XXᵉ siècle. Sur la photo, on voit Freud en compagnie de sa fille, Anna Freud (1895-1982), qui est elle-même devenue psychanalyste et a fait la promotion des théories de son père après la mort de ce dernier.

RÉSUMÉ

L'approche psychanalytique

Freud a élaboré l'approche psychanalytique de la personnalité, qui met l'accent sur l'influence de l'inconscient. L'esprit (ou le psychisme) semble comporter trois niveaux (le conscient, le préconscient et l'inconscient) et la personnalité, trois structures distinctes (le ça, le moi et le surmoi). Le moi s'efforce de répondre aux demandes du ça et du surmoi. Lorsque ces demandes sont contradictoires, le moi fait appel à des mécanismes de défense pour réduire l'angoisse qui en découle.

Selon Freud, le développement psychosexuel de tous les humains comprend cinq stades, soit les stades oral, anal et phallique, la période de latence et le stade génital. La façon de résoudre les conflits qui surgissent à chaque stade influe sur le développement de la personnalité.

Les critiques de l'approche psychanalytique, et plus particulièrement des théories de Freud, affirment qu'il est impossible de vérifier la validité des concepts psychanalytiques, que cette approche accorde une importance exagérée aux déterminants biologiques et à l'influence de l'inconscient, qu'elle n'est pas fondée adéquatement sur des faits expérimentaux, qu'elle est sexiste, et qu'elle n'est pas étayée par des données interculturelles. En dépit de ces critiques, Freud est reconnu comme l'un des principaux précurseurs de la psychologie.

QUESTIONS DE RÉVISION

1. À l'aide de l'analogie de l'iceberg, expliquez les trois niveaux de conscience selon Freud.

2. Comment la théorie psychanalytique explique-t-elle la personnalité ?

3. Le _____ est régi par le principe du plaisir, qui recherche une gratification immédiate des besoins. Le _____ est régi par le principe de réalité, et le _____, qui est le siège de la conscience et de l'idéal du moi, est en quelque sorte le principe moral du moi.

4. Donnez cinq des principales critiques à l'encontre de la théorie de Freud.

Les réponses aux questions de révision se trouvent en annexe.

Les uns et les autres

HORNEY, FREUD ET L'ENVIE DU PÉNIS

Karen Horney a acquis une formation en psychanalyse freudienne en Allemagne et elle a immigré aux États-Unis en 1934. L'une de ses principales contributions est d'avoir combiné de façon créative les théories de Freud, d'Adler et de Jung. Elle a modifié ou rejeté certaines des idées de ces théoriciens, et elle a défini ses propres concepts (Horney, 1939, 1945).

Horney était totalement en désaccord avec Freud quant à l'origine biologique des différences entre les hommes et les femmes. Elle pensait que la conception freudienne de la personnalité de la femme reflétait les préjugés des hommes et leur manque de compréhension. Elle a rejeté l'idée que « la biologie fait le destin » et a soutenu que les différences entre les deux sexes résultent en grande partie de facteurs sociaux et culturels. Ainsi, le concept freudien d'envie du pénis reflète le sentiment d'infériorité culturelle des femmes, et non un sentiment d'infériorité biologique.

> *Le désir d'être un homme [...] peut être l'expression du désir des nombreux privilèges et qualités que notre culture considère comme masculins : par exemple, la force, le courage, l'indépendance, la réussite, la liberté sexuelle et le droit de choisir son partenaire (1926-1967, p. 108).*

Karen Horney (1885-1952), bien que disciple de Freud, s'est opposée à ce dernier quant à l'importance qu'il accordait aux déterminants biologiques de la personnalité. Elle a suggéré de remplacer l'expression « envie du pénis » par « envie du pouvoir », car ce désir découlait selon elle du statut social inférieur des femmes. On doit également à Horney le concept d'angoisse fondamentale.

Horney suggère de remplacer l'expression « envie du pénis » par *envie du pouvoir*. Elle affirme également que des hommes éprouvent l'envie de la matrice, c'est-à-dire le désir de porter et d'allaiter des enfants. Elle insiste sur le fait que chaque sexe admire certaines des caractéristiques et capacités de l'autre sexe, et que ni l'un ni l'autre sexe ne doit être considéré comme inférieur ou supérieur. Même si plusieurs chercheurs contemporains ont reproché aux théories freudiennes d'être entachées de préjugés favorables aux hommes, Horney a été la première à soulever le problème (voir par exemple Chodorow, 1978, 1989; Masson, 1992; Paludi, 1992).

Horney est aussi connue pour ses théories sur le développement de la personnalité. Freud pensait que la fixation à un stade du développement psychosexuel (stade oral, anal, etc.) constituait le principal facteur déterminant de la personnalité adulte; mais selon Horney, c'est la relation d'un enfant avec ses parents qui est le principal facteur déterminant.

Horney pense que chacun recherche la sécurité, principalement de l'une ou l'autre des trois manières suivantes : on peut aller vers les autres (en espérant recevoir leur affection et leur acceptation); on peut s'éloigner des autres (en défendant son indépendance, son intimité et son autonomie); ou on peut s'opposer aux autres (en tentant de les dominer ou d'exercer du pouvoir sur eux). Un équilibre entre ces trois tendances est essentiel à la santé émotionnelle. Un emploi exagéré de l'une ou l'autre des trois méthodes constitue une réaction névrotique, ou malsaine du point de vue émotionnel. ■

L'APPROCHE BEHAVIORALE

▲ *Comment les behavioristes conçoivent-ils le développement de la personnalité ?*

Behaviorisme : Théorie psychologique axée sur l'étude des comportements objectivement observables.

Stimulus : Objet ou événement qui provoque une réaction dans un organisme.

Les behavioristes estiment que, pour être véritablement scientifique, une méthode de recherche doit se limiter à l'étude de comportements objectivement observables. En fait, ils croient que tout comportement peut être considéré comme une réaction à un stimulus (un objet ou un événement, intérieur ou extérieur, qui amène un organisme à réagir). Un chien qui salive en entendant une clochette fournit un exemple de comportement du type stimulus-réponse, le stimulus étant le son émis par la clochette et la réponse, la salivation.

Les animaux étant des sujets idéaux pour étudier des comportements objectifs et observables, la majorité des recherches behavioristes s'effectuent avec des animaux ou à l'aide de méthodes élaborées suite à des recherches sur les animaux. Des behavioristes tels que John Watson, au début des années 1900, et B.F. Skinner, plus récemment, se sont particulièrement intéressés à l'*apprentissage*, c'est-à-dire l'acquisition des comportements, chez les chiens, les rats, les pigeons et d'autres animaux. Ils ont ainsi réussi à énoncer certains principes de base sur l'apprentissage (voir le chapitre 7).

Les behavioristes ne semblent s'intéresser qu'aux animaux. Aucun d'entre eux ne s'intéresse-t-il aux humains ?   Certains behavioristes s'intéressent effectivement aux humains. B. F. Skinner, l'un des plus célèbres, était convaincu qu'on peut utiliser l'approche behavioriste pour « façonner » le comportement humain et changer ainsi la tendance actuelle de l'évolution de l'humanité, désastreuse selon lui. Skinner a consacré beaucoup de temps à convaincre ses collègues de l'exactitude de cette conception, en écrivant et en donnant des conférences (Skinner, 1971, 1985). Il s'est également intéressé à l'apprentissage chez les humains et a réalisé des recherches sur l'enseignement programmé et les machines à enseigner (des ordinateurs), dont il préconisait l'utilisation en classe. D'autres behavioristes ont créé une technique thérapeutique, appelée modification du comportement, pour traiter les personnes qui souffrent de problèmes comportementaux tels les phobies (des peurs irrationnelles) et l'alcoolisme.

LA PERSONNALITÉ SELON LES THÉORIES DE L'APPRENTISSAGE

Comme nous l'avons vu précédemment, la psychanalyse conçoit la personnalité comme une réalité abstraite et plutôt *intérieure*, pouvant ou non être en accord avec le comportement extérieur d'un individu. Ainsi, la psychanalyse considère qu'un individu timide et introverti qui devient une star ou se lance en politique peut tout de même être une « véritable » personnalité introvertie.

Il en va autrement selon les théories de l'apprentissage. En effet, dans cette perspective, le terme *personnalité* renvoie à l'ensemble des comportements observables d'une personne. La personnalité est donc évaluée de l'*extérieur* par l'observation de comportements tel le fait de prendre la parole en public ou d'assister à des réceptions. L'étiquette « personnalité introvertie » ne s'appliquera qu'aux personnes qui se comportent timidement et de manière introvertie *la plupart* du temps. Pour le théoricien de l'apprentissage, la personnalité et le comportement sont fondamentalement une seule et même chose.

Il arrive pourtant que des personnes qui ne sont pas timides se comportent timidement. Comment les théoriciens de l'apprentissage expliquent-ils cela ? Les théoriciens de l'apprentissage croient que cela dépend de l'expérience d'apprentissage de chacun. La personnalité, comme d'autres comportements appris, est acquise par le conditionnement classique et opérant, l'imitation, etc. (voir le chapitre 7). Le comportement (ou personnalité) est considéré comme *circonstanciel*. C'est-à-dire que les comportements d'un individu peuvent varier selon les situations et selon les apprentissages antérieurs de cette personne. Ce sont les récompenses, les punitions et la présence de modèles dans ces situations qui permettent le mieux de prédire les comportements des individus.

Comment ces psychologues expliquent-ils alors la constance du comportement ? Certaines personnes sont manifestement toujours timides et introverties ! Les théoriciens de l'apprentissage expliquent cette constance par la diversité des expériences de vie et d'apprentissage des individus. C'est le renforcement ou la punition systématique, ou l'observation d'un comportement qui incitent l'individu à adopter des réactions habituelles dont l'ensemble forme ce qu'on appelle la « personnalité ».

Les contributions de Watson et de Skinner

Suite à ses recherches sur le conditionnement classique, John B. Watson a affirmé que *tout* comportement humain ou personnalité est déterminé par l'apprentissage. Comme de nombreux behavioristes de son temps, Watson était convaincu que le nouveau-né est comme une argile qui n'attend que les expériences d'apprentissage pour se modeler. Il prétendait même que si on lui donnait une douzaine de bébés en bonne santé, il pourrait, en les éduquant à sa manière dans un milieu spécifique, faire de n'importe lequel de ces enfants un médecin, un avocat, un artiste, un marchand ou encore un mendiant et un voleur, sans égard aux talents, penchants, tendances, vocation ou race des ancêtres de chacun.

Emboîtant le pas à Watson, le behavioriste moderne B.F. Skinner affirmait qu'il n'était pas nécessaire de connaître les caractéristiques biologiques ou la vie intérieure d'une personne pour expliquer sa personnalité, qu'il suffisait d'examiner à quels stimuli elle avait été exposée et quelles avaient été ses réactions. Si vous êtes une personne timide qui a du mal à se faire des amis, Skinner vous dirait que vous avez *appris* à vous comporter de cette façon, que votre comportement est le résultat de vos interactions antérieures avec les membres de votre famille, vos amis, vos professeurs et d'autres personnes (Skinner, 1990).

C'est du behaviorisme que découlent les théories de l'apprentissage. Voyons en quoi cela consiste.

La théorie de l'apprentissage social : observer et imiter

Comme les behavioristes, les théoriciens de l'apprentissage social considèrent que la personnalité est acquise et qu'elle est influencée par les expériences qu'a vécues l'individu. Ils croient cependant que nous apprenons en observant les autres et ce qui leur arrive et en y réfléchissant. Aussi, contrairement aux behavioristes, ils pensent que des phénomènes non observables jouent également un rôle important dans le développement de la personnalité.

Comment le fait d'observer les autres peut-il agir sur la formation de la personnalité ? Lorsque vous regardez une autre personne agir, vous évaluez et interprétez son comportement. Vous observez les conséquences de ses actions, mais vous vous demandez aussi si ce comportement pourrait vous convenir. Par exemple, les enfants observent les comportements des hommes et des femmes adultes, mais ils tendent à imiter les adultes qu'ils estiment leur « ressembler le plus ». C'est ainsi que les fillettes choisissent le plus souvent d'imiter le comportement de leur mère parce qu'on leur a dit qu'elles deviendraient un jour des femmes.

À cause de l'importance qu'ils accordent à l'imitation, les théoriciens de l'apprentissage se préoccupent des modèles de comportement qui sont proposés aux enfants. Ils dénoncent énergiquement la surabondance de modèles violents au cinéma et à la télévision. La recherche semble d'ailleurs leur donner raison. Comme nous le verrons au chapitre 7, des expériences ont démontré que les enfants qui regardent des films violents ont un comportement plus agressif que les enfants qui n'ont pas été exposés à ce genre de films (Bandura, 1969, 1973; Huesman et Eron, 1986; Wood et coll., 1991).

ÉVALUATION DES THÉORIES DE L'APPRENTISSAGE

Les théories de l'apprentissage sont séduisantes à plusieurs égards. Vous vous en doutez peut-être, la plupart des psychologues admirent cette façon de définir la personnalité en fonction de l'apprentissage, parce qu'elle répond à la plupart des normes de la recherche scientifique. Les hypothèses avancées sont objectives, vérifiables et formulées en termes opérationnels; en outre, les principes fondamentaux des théories de l'apprentissage reposent sur des données empiriques. Plus encore, ces théories ont été utilisées avec succès pour modifier bon nombre de comportements anormaux ou mésadaptés (voir le chapitre 12).

Les détracteurs des théories de l'apprentissage dénoncent, pour leur part, la vision trop restreinte du behaviorisme, qui s'intéresse aux comportements observables et sous-estime les facteurs génétiques, physiologiques et cognitifs qui définissent la personnalité. Ils reprochent notamment aux théoriciens de l'apprentissage de ne considérer la personne que comme la somme de ce qu'elle a appris, rien de plus. Ils s'en prennent surtout aux behavioristes, qu'ils accusent de négliger la *personne* au profit de la personnalité et de la voir comme un organisme « vide » (Phares, 1984). Notre personnalité, affirment-ils, est également le reflet de nos perceptions individuelles, de nos valeurs, de nos croyances et de notre libre arbitre. Ceux qui insistent sur ces derniers aspects de la personnalité optent habituellement pour une approche humaniste, dont nous parlerons à la section suivante.

RÉSUMÉ

L'approche behaviorale

Les behavioristes n'étudient que des comportements objectivement observables. Tout comportement est considéré comme étant une réaction à un stimulus. La recherche est très bien contrôlée et rigoureuse.

On reproche aux behavioristes leur vision restreinte de l'être humain. Ils négligent la personnalité de l'individu avec ses perceptions, ses valeurs et ses croyances.

QUESTIONS DE RÉVISION

1. En quoi consiste le behaviorisme ?

2. Comment un behavioriste explique-t-il la timidité ?

3. Quels sont les aspects séduisants et les failles des théories qui expliquent la personnalité par l'apprentissage ?

Les réponses aux questions de révision se trouvent en annexe.

L'APPROCHE HUMANISTE

L'orientation humaniste est reconnue comme étant la « troisième voie » en psychologie, car elle s'est développée en réaction à la fois à la théorie psychanalytique et aux théories de l'apprentissage. La conception humaniste de la personnalité se distingue à la fois du pessimisme de psychanalystes tels que Freud et du caractère « mécanique » du behaviorisme (Rogers, 1980).

Carl Rogers, l'une des figures dominantes de la psychologie humaniste, a fortement reproché aux behavioristes d'ignorer totalement des éléments pourtant fort importants qui conditionnent et orientent le comportement humain, notamment les buts et les aspirations de l'être humain, ses valeurs, ses choix, sa perception de soi et des autres, sa vision du monde, etc.

La psychologie humaniste reconnaît l'importance des forces intérieures de l'être humain, de sa conscience et de ses sentiments. Les psychologues humanistes considèrent que la nature humaine est fondamentalement positive, créative et tend naturellement à se réaliser pleinement si elle n'est pas entravée. Forts de cette vision optimiste, les thérapeutes humanistes encouragent leurs « clients », et non pas leurs « patients », à exprimer leurs sentiments et les aident à trouver eux-mêmes les solutions à leurs problèmes.

Alors que les behavioristes décrivent le comportement comme une réponse à des stimuli, les humanistes proclament que l'être humain est capable d'exercer son libre arbitre dans ses choix et dans ses comportements. Chaque personne est donc perçue comme unique.

La théorie humaniste de la personnalité est souvent décrite comme une conception phénoménologique. Cela signifie que la personnalité de chacun se forge à partir de la manière dont chacun perçoit et interprète le monde. C'est cette perception de la réalité qui oriente le comportement, et non pas les traits de personnalité, les pulsions inconscientes, ou les récompenses et les punitions. Pour comprendre un autre être humain, vous devez savoir comment il perçoit le monde.

L'APPORT DE CARL ROGERS

Pour le psychologue humaniste Carl Rogers (1902-1987), l'élément le plus important de la personnalité est le *soi*, cette forme d'expérience qu'une personne définit rapidement comme étant son « je » ou son « moi ». Ce concept est connu aujourd'hui sous le nom de concept de soi et fait référence à l'ensemble des perceptions qu'une personne peut avoir de sa propre nature, de ses qualités et de ses comportements typiques. Rogers s'intéressait tout particulièrement à l'accord qui règne chez un individu entre son *concept de soi* et ses expériences de vie réelles.

Selon Rogers, il existe un lien étroit entre la santé mentale, la congruence et l'estime de soi, c'est-à-dire l'appréciation que nous faisons de nous-même. S'il y a correspondance ou congruence entre cette conception de nous-même et nos expériences de vie, nous avons une forte estime de nous-même, nous sommes généralement en bonne santé mentale et bien adaptés au monde qui nous entoure. Tout naturellement, nous apprécions les personnes et les expériences qui favorisent

▲ *En quoi la psychologie humaniste est-elle nouvelle ?*

Psychologie humaniste : Théorie psychologique centrée sur l'importance des forces intérieures subjectives et qui propose une vision optimiste de la nature humaine.

Conception phénoménologique : Conception voulant que pour comprendre une autre personne, il faille d'abord savoir comment cette personne perçoit le monde. Le terme est emprunté à la philosophie qui définit un phénomène comme étant la perception mentale de l'environnement, et la phénoménologie comme l'étude de la manière dont chaque personne fait l'expérience de la réalité.

Concept de soi : Dans la théorie de Rogers, ensemble des convictions que les individus entretiennent au sujet de leur propre nature, de leurs qualités et de leur comportement.

Estime de soi : Selon Rogers, ensemble des sentiments que nous éprouvons à l'égard de nous-même, qu'ils soient bons ou mauvais.

Carl Rogers, à droite, est l'une des figures dominantes des théories humanistes de la personnalité.

notre croissance et notre épanouissement et nous cherchons à éviter celles qui leur sont contraires. Ce qui faisait dire à Rogers que nous pouvons et *devrions* nous laisser guider par nos sentiments intérieurs pour atteindre l'équilibre mental et la joie de vivre.

Si tout le monde tend naturellement vers l'épanouissement personnel, pourquoi certaines personnes ont-elles une piètre estime de soi et une santé mentale fragile ? Selon Rogers, c'est l'*incongruence* ou l'écart entre le concept de soi et les expériences réelles qui est à l'origine de la maladie mentale et de la mésadaptation sociale (voir la figure 2.3). Il attribue généralement ces problèmes aux rapports que ces personnes ont eus, étant enfants, avec des parents et d'autres adultes qui les ont aimées de manière conditionnelle. Lorsque tel est le cas, les enfants découvrent qu'ils doivent se comporter d'une certaine façon et n'exprimer que certains sentiments s'ils veulent se sentir acceptés. Lorsque l'affection et l'amour semblent être conditionnels, les enfants évitent d'exprimer des désirs et des sentiments négatifs (qualifiés de « mauvais » par les autres). Afin d'obtenir l'approbation de ses parents et d'autres individus, l'enfant pourra par exemple étouffer sa colère et taire ses véritables sentiments. Cette incongruence ébranlera son estime de soi et son concept de soi.

Cher journal, je m'excuse de te déranger encore.

PIÈTRE ESTIME DE SOI

Figure 2.3 **Concept de soi et équilibre.** Selon Rogers, notre santé mentale est directement reliée au degré de congruence entre notre concept de soi et nos expériences de vie. Une personne est « équilibrée » dans la mesure où il règne un accord, ou congruence, entre son soi réel et ses expériences de vie. Si, par contre, il y a incongruence, la personne est en état de déséquilibre.

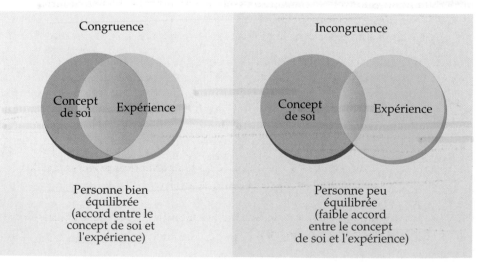

L'APPORT D'ABRAHAM MASLOW

Tout comme Rogers, Maslow affirmait que l'être humain était fondamentalement bon et qu'il était naturellement enclin à la réalisation de soi ou actualisation de soi. Selon lui, la personnalité est l'expression de cette tendance.

Que faut-il entendre au juste par « réalisation de soi » ? D'après Maslow, la réalisation de soi ou actualisation de soi est le besoin inné qu'a l'être humain d'exploiter pleinement ses talents et ses aptitudes. La réalisation de soi tient davantage du processus de croissance permanente que d'un accomplissement — comme remporter un trophée ou obtenir un diplôme. Pour combler ce besoin, l'être humain doit connaître son propre potentiel, s'accepter lui-même, accepter les autres en tant que personnes uniques et aborder les situations de la vie en se centrant sur les problèmes à résoudre plutôt que sur lui-même (Maslow, 1970). Le tableau 2.3 résume les caractéristiques des personnes parvenues à la réalisation de soi.

Bien que Maslow estimait que seules quelques rares personnes, telles qu'Abraham Lincoln, Albert Einstein et Eleonor Roosevelt, réussissent à se réaliser pleinement, il inscrivait le besoin de réalisation de soi au rang des besoins fondamentaux de tout être humain. Comme nous le verrons dans le chapitre sur la motivation et l'émotion, Maslow perçoit la réalisation de soi ou actualisation de soi comme une quête ou une façon de vivre plutôt que comme un but définitif.

Réalisation de soi (actualisation de soi) : Selon Maslow, la tendance innée de l'être humain à s'épanouir, tendance qui oriente son comportement et se traduit par une pleine réalisation de tout son potentiel.

ÉVALUATION DE L'APPROCHE HUMANISTE

La psychologie humaniste a été extrêmement populaire dans les années soixante et soixante-dix. Venue après l'approche psychanalytique, qui se caractérise par son déterminisme négatif, et les théories de l'apprentissage, plutôt mécaniques, l'approche humaniste phénoménologique apportait une vision nouvelle de la personnalité. Quoique un peu moins populaire aujourd'hui, plusieurs idées humanistes ont été intégrées à des approches utilisées en counseling et en psychothérapie (Wertz, 1998).

Tableau 2.3   Caractéristiques des personnes parvenues à la réalisation de soi.

1. Perçoivent clairement la réalité et peuvent s'accommoder de l'incertitude.
2. S'acceptent elles-mêmes et acceptent les autres comme ils sont.
3. Ont un comportement spontané, motivé par le désir d'être elles-mêmes.
4. Sont centrées sur les problèmes plutôt que sur elles-mêmes et cherchent à se rendre utiles aux autres.
5. Savent profiter de la solitude et sont autonomes.
6. Restent sereines lorsqu'elles traversent des moments difficiles et lorsqu'elles subissent des pressions sociales.
7. Apprécient sans cesse les bienfaits que la vie leur apporte au lieu de les tenir pour acquis.
8. Vivent intensément ou éprouvent des sentiments de transcendance et de joie profonde dans les expériences fondamentales de la vie.
9. Établissent des liens affectueux avec d'autres personnes.
10. Établissent des relations profondes et satisfaisantes avec quelques personnes seulement plutôt qu'avec un grande nombre de personnes.
11. Ont un esprit démocratique et n'entretiennent pas de préjugés envers les autres.
12. Font preuve d'un grand sens moral dans leurs comportements et leurs attitudes.
13. Ont un sens de l'humour spontané et dénué de malice.
14. Sont créatrices.
15. Opposent une résistance à l'assimilation culturelle sans pour autant transgresser délibérément les conventions établies.

Source : Maslow (1970).

En dépit de leurs contributions positives, les théories humanistes ont fait l'objet de critiques vigoureuses. Les trois principaux reproches qu'on leur fait sont les suivants :

1. *Des hypothèses naïves.* Certains critiques ont laissé entendre que les humanistes avaient une vision irréaliste, romantique et même naïve de la nature humaine. Selon eux, l'histoire de l'humanité, jalonnée comme elle l'est de meurtres, de guerres et d'autres actes d'agression reflète peu cette bonté intrinsèque que les humanistes attribuent à la nature humaine.

2. *Testabilité restreinte et preuves insuffisantes.* À l'instar de nombreux termes et concepts psychanalytiques, des idées humanistes telles que la considération positive inconditionnelle et l'actualisation de soi sont difficiles à définir de manière opérationnelle et à vérifier scientifiquement.

3. *Portée restreinte.* On a reproché aux théories humanistes de se contenter de décrire la personnalité plutôt que de l'expliquer. Par exemple, d'où vient le désir de réalisation de soi ? L'affirmation qu'il s'agit là d'une « tendance innée » ne satisfait pas ceux qui préfèrent étudier la personnalité à l'aide de la recherche expérimentale et de données précises.

RÉSUMÉ

L'approche humaniste

Les théories humanistes mettent l'accent sur les activités internes, les pensées et les sentiments dont découlent le concept de soi d'un individu. Carl Rogers a insisté sur les concepts d'estime de soi et de considération positive inconditionnelle. Abraham Maslow a mis l'accent sur les possibilités d'actualisation de soi.

Les critiques de l'approche humaniste affirment que ses théories sont fondées sur des hypothèses naïves, et qu'elles ne sont pas vérifiables par des méthodes scientifiques, ni étayées par des données empiriques. De plus, selon leurs détracteurs, les théories humanistes manquent d'envergure parce qu'elles sont centrées sur la description, et non l'explication, de phénomènes.

QUESTIONS DE RÉVISION

1. Si vous optez pour l'approche _____ de la personnalité, vous mettrez l'accent sur les expériences intérieures, comme les pensées et les sentiments, et sur la valeur fondamentale des individus. a) humaniste b) psychodynamique c) personnaliste d) motivationnelle

2. En quoi consiste le « concept de soi » proposé par Carl Rogers ?

3. Abraham Maslow croit que tous les êtres humains tendent naturellement vers l'épanouissement personnel; cette tendance innée est connue sous le nom de _____.

4. Donnez les trois principales critiques à l'endroit des théories humanistes.
_____, _____, _____.

Les réponses aux questions de révision se trouvent en annexe.

L'APPROCHE COGNITIVE

▲ *Quelles sont les caractéristiques des théories cognitives de la personnalité ?*

La psychologie cognitive met l'accent sur le traitement mental de l'information. Les psychologues qui se rallient à cette approche s'intéressent à la manière dont les individus acquièrent des connaissances, les emmagasinent et les utilisent, que ces connaissances concernent le fractionnement de l'atome ou le changement d'un pneu crevé. Ils étudient comment nous recueillons, codons et conservons l'information en provenance de l'environnement en nous servant de processus mentaux tels que la perception, la mémoire, la visualisation, la formation de concepts, la résolution de problèmes, le raisonnement, la prise de décisions et le langage.

Jean Piaget, le plus célèbre des premiers cognitivistes, a étudié le fonctionnement et le développement des processus mentaux et a proposé une théorie sur le développement de l'intelligence dans laquelle il expose comment les processus mentaux évoluent durant l'enfance (voir le chapitre 9). Supposons que vous écoutez un ami vous raconter une descente en eaux vives; un psychologue de l'approche cognitive s'intéresserait à la manière dont vous décodez le sens des mots que cet ami utilise, à la manière dont vous vous représentez mentalement les eaux turbulentes, à la façon dont vous intégrez les impressions suscitées par le récit de votre ami à votre propre conception de ce sport, etc.

Albert Ellis utilise l'approche cognitive à des fins thérapeutiques (voir les chapitres 11 et 12). Des psychologues cognitivistes contemporains comme Sternberg (voir le chapitre 9) ont recours à la méthode du traitement de l'information dans leurs études. Cette approche, dérivée de l'informatique, se fonde sur l'idée que les êtres humains traitent l'information de façon hiérarchique, à la manière des ordinateurs. En fait, les psychologues de cette école utilisent souvent la terminologie de l'informatique pour décrire les processus mentaux humains.

LES THÉORIES DE BANDURA ET DE ROTTER

Selon l'approche cognitive, chaque être humain a une personnalité unique parce que chaque humain a une vision du monde qui lui est propre. En effet, chacun conçoit le monde et interprète les choses qui lui arrivent d'une manière distincte et unique. Albert Bandura et Julian Rotter figurent parmi les psychologues dont les recherches ont le plus contribué à améliorer notre compréhension du rôle de la cognition dans la formation de la personnalité.

La théorie cognitive de l'apprentissage social de Bandura

Même si Albert Bandura est peut-être davantage célèbre pour ses travaux sur l'apprentissage par observation, ou l'apprentissage social (voir le chapitre 7), il s'est également illustré en réintroduisant les processus cognitifs dans la théorie de la personnalité. La cognition occupe une place centrale dans son concept de sentiment d'efficacité personnelle, qui désigne l'évaluation que fait une personne de ses chances de réussite (Bandura, 1977, 1997). De manière générale, comment évaluez-vous votre capacité de choisir les circonstances de votre vie et d'agir sur elles ? Selon Bandura, si votre sentiment d'efficacité personnelle est très développé, vous croyez généralement en votre propre réussite, peu importe les échecs du passé et les obstacles actuels. Cette conviction aura à son tour des effets sur les responsabilités que vous accepterez ainsi que sur les efforts que vous déploierez pour atteindre les buts que vous vous êtes fixés (Bandura, 1997; Cervone, 1997).

Votre sentiment d'efficacité personnelle n'influe-t-il pas également sur la manière dont les autres réagissent face à vous et, par conséquent, sur vos chances de réussite ? Tout à fait ! Ce type d'interactions et d'influences mutuelles est au cœur d'un autre concept majeur de Bandura : le déterminisme réciproque. Selon Bandura, il existe une relation d'interdépendance et des interactions entre nos pensées, nos comportements et notre environnement (voir la figure 2.4). Ainsi, la pensée (« Je peux réussir ») influe sur le comportement (« Je vais demander une promotion »), qui influe à son tour sur l'environnement (« Je peux devenir cadre »), qui influe alors sur la pensée (« J'ai réussi »), et ainsi de suite.

Le lieu de contrôle de Rotter

La théorie de Julian Rotter présente des similitudes avec celle de Bandura dans la mesure où elle laisse sous-entendre que l'apprentissage crée des *attentes* qui, elles,

Psychologie cognitive : Théorie psychologique centrée sur le raisonnement et sur le traitement mental de l'information.

Traitement de l'information : Ensemble des processus mentaux par lesquels les individus acquièrent, codent, emmagasinent, transforment et utilisent l'information pour s'adapter à leur environnement.

Sentiment d'efficacité personnelle : Selon Bandura, évaluation que fait une personne de ses chances d'atteindre ses objectifs personnels.

Déterminisme réciproque : Théorie de Bandura selon laquelle la personnalité résulte de l'interaction entre la pensée et le comportement d'un individu et le milieu d'apprentissage.

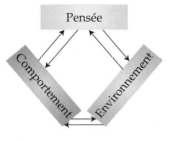

Figure 2.4 **La théorie du déterminisme réciproque de Bandura.** Selon Bandura, c'est l'interaction de la pensée, du comportement et de l'environnement qui crée la personnalité.

orientent le comportement et influent sur l'environnement (Rotter, 1954, 1990). Selon Rotter, notre comportement ou notre personnalité est déterminé d'une part par le résultat que nous *attendons* d'une action précise, et d'autre part, par la *valeur de renforcement* que nous accordons à certains résultats, c'est-à-dire la mesure dans laquelle nous préférons un renforcement à un autre.

Pour comprendre votre personnalité et votre comportement, Rotter chercherait à connaître vos attentes; il vous demanderait aussi de lui dire d'où, selon vous, viendront les récompenses et les punitions. Pour ce faire, il vous proposerait de répondre à son test de personnalité pour établir si votre lieu de contrôle est interne ou externe.

Les 32 questions du test de Rotter sont fort efficaces pour déterminer votre lieu de contrôle. À plusieurs reprises, nous avons demandé à nos étudiants d'y répondre. Les étudiants qui répondent affirmativement à quatre questions ou plus ont un lieu de contrôle externe, sur l'échelle de Rotter, tandis que ceux qui répondent négativement à quatre questions ou plus ont un lieu de contrôle interne. Vous vous en doutez : les premiers estiment que l'environnement et des facteurs extérieurs jouent un rôle déterminant dans leur vie, alors que les seconds croient pouvoir dominer les événements grâce à leurs efforts personnels. De nombreuses études ont montré qu'il existe une relation positive entre l'internalité du contrôle d'une part et le bon fonctionnement psychologique et la santé mentale d'autre part (Smith et coll., 1997).

Lieu de contrôle : Selon Rotter, ensemble des convictions et des attentes d'une personne eu égard à sa capacité d'exercer une action déterminante sur les événements. Les individus orientés *de l'intérieur* se sentent maîtres de leur destinée, tandis que ceux qui sont orientés *de l'extérieur* sont convaincus que les résultats dépendent de l'environnement, de la chance ou du destin.

À vous les commandes

Avant d'approfondir la notion de lieu de contrôle, répondez par « oui » ou par « non » aux questions suivantes.

1. Croyez-vous que les gens réussissent dans la vie parce qu'ils ont de la chance ou de bons contacts ou plutôt parce qu'ils s'appliquent et sont persévérants ?
2. Si quelqu'un ne vous aime pas, avez-vous le sentiment que vous n'y pouvez rien ?
3. Avez-vous l'impression que, même si vous étudiez très fort, vous ne réussirez pas à obtenir de bonnes notes dans la plupart de vos cours ?
4. Avez-vous déjà conservé une patte de lapin ou tout autre objet fétiche en guise de porte-bonheur ?
5. Avez-vous déjà refusé de voter parce que vous aviez l'impression qu'il n'y avait pas grand-chose à faire pour orienter les actions des hommes politiques ?

Quels sont vos résultats ? ■

ÉVALUATION DE L'APPROCHE COGNITIVE

La perspective cognitive comporte de nombreux points intéressants. Premièrement, elle met en lumière l'influence de l'environnement sur l'individu, et vice versa. Deuxièmement, elle respecte la majorité des normes de la recherche scientifique : elle propose des hypothèses objectives, vérifiables, de même que des termes définis de manière opérationnelle, et ses principes fondamentaux reposent sur des données empiriques.

Les critiques pensent néanmoins que la théorie cognitive manque d'envergure. Ils lui reprochent de ne pas tenir compte des composantes inconscientes et émotionnelles de la personnalité, et de négliger les aspects ayant trait au développement (Carducci, 1998; Westen, 1998). Les théories de Bandura et de Rotter insistent toutes deux sur la cognition et l'apprentissage social, mais elles sont fort éloignées des véritables théories behavioristes, selon lesquelles les facteurs environnementaux déterminent entièrement le comportement. Elles s'éloignent également des théories biologiques, qui affirment que les qualités innées déterminent le comportement et la personnalité. Les théories biologiques font l'objet de la prochaine section.

RÉSUMÉ

L'approche cognitive

Les théoriciens de la perspective cognitive soulignent l'importance des événements extérieurs et des processus mentaux, c'est-à-dire de la manière dont un individu interprète les événements extérieurs et y réagit. La théorie cognitive de l'apprentissage social de Bandura met l'accent sur le sentiment d'efficacité personnelle et le déterminisme réciproque, tandis que la théorie du lieu de contrôle de Rotter considère que la nature interne ou externe des croyances d'un individu constitue l'un des principaux déterminants de la personnalité.

On reconnaît généralement que la théorie cognitive tient compte des facteurs environnementaux et qu'elle respecte les normes scientifiques. Cependant, on lui reproche son manque d'envergure et le peu d'importance qu'elle accorde aux composantes inconscientes et émotionnelles de la personnalité, de même qu'aux aspects reliés au développement de celle-ci.

QUESTIONS DE RÉVISION

1. Comment la théorie cognitiviste explique-t-elle la personnalité ?

2. Albert Bandura utilise l'expression _____ pour décrire le degré de succès qu'une personne espère obtenir.

3. Comment Julian Rotter explique-t-il la personnalité ?

4. Selon le concept du lieu de contrôle de Rotter, les individus dont le lieu de contrôle est _____ croient que l'environnement et des facteurs externes déterminent les événements, tandis que ceux dont le lieu de contrôle est _____ croient en leur pouvoir personnel.

Les réponses aux questions de révision se trouvent en annexe.

L'APPROCHE PSYCHOBIOLOGIQUE

Au cours des dernières décennies, notre connaissance des structures et des fonctions du cerveau et du système nerveux a beaucoup progressé. Ce savoir nouveau a donné naissance à une approche psychologique de plus en plus importante connue sous le nom de psychologie physiologique ou de psychobiologie. Les psychobiologistes décrivent le comportement comme étant le résultat d'activités chimiques et biologiques complexes à l'intérieur du cerveau. Dans des recherches récentes, on a exploré le rôle de facteurs biologiques tels que la sensation, la perception, l'apprentissage, la mémoire, le langage, le comportement sexuel et la schizophrénie.

Les origines de la psychobiologie remontent aux débuts de la physiologie expérimentale et à Johannes Müller, dont la contribution la plus importante est sa théorie des énergies nerveuses spécifiques, selon laquelle tous les nerfs transmettent le même message de base, une impulsion électrique. Parmi les autres physiologistes et anatomistes importants du XIXe siècle ayant fait des découvertes en ce domaine, mentionnons Paul Broca, un chirurgien français célèbre qui a localisé des centres cérébraux de la parole; Luigi Galvani, qui fut le premier à utiliser la stimulation électrique pour étudier le fonctionnement du cerveau; Hermann von Helmholtz, qui a tenté de mesurer, pour la première fois de l'histoire de la psychologie, la vitesse de l'influx nerveux; et Charles Darwin, dont la théorie de l'évolution a inspiré de nombreuses recherches en physiologie comparée. Contrairement à leurs prédécesseurs, les psychobiologistes d'aujourd'hui disposent d'un équipement technique moderne pour étudier le fonctionnement des cellules nerveuses, le rôle des différentes parties du cerveau, les effets des drogues sur les fonctions cérébrales et bien d'autres questions. Le chapitre 3 est entièrement consacré aux

▲ *Comment la psychobiologie explique-t-elle la personnalité ?*

Psychobiologie : Étude des corrélats biologiques du comportement et des activités mentales.

recherches récentes sur les fondements biologiques du comportement. Comme vous pourrez le constater, la biologie du comportement est bien souvent partie inhérente des discussions sur les différents types de comportement.

LA PERSONNALITÉ SELON LES THÉORIES BIOLOGIQUES

Alors que les théoriciens de l'approche cognitive considèrent que les croyances et les attentes de l'individu constituent le fondement de sa personnalité, les *théories biologiques* mettent l'accent sur le cerveau, la neurochimie et la génétique.

Durant votre enfance, vous avez probablement entendu des commentaires du genre : « Tu es bien comme ton père » ou « Tu es tout à fait le portrait de ta mère ». Cela implique-t-il que les facteurs biologiques que vous ont transmis vos parents sont les principaux déterminants de votre personnalité ? Nous commençons l'exploration des facteurs biologiques par un survol du cerveau.

Le cerveau

Les phrénologues du XIXe siècle dont il a été question en début de chapitre interprétaient les bosses du crâne parce qu'ils pensaient que des régions données du cerveau étaient associées à des traits particuliers de la personnalité. On sait aujourd'hui que les structures du cerveau ne sont pas visibles à la surface du crâne. Cependant, il est intéressant de noter que les recherches contemporaines en biologie indiquent que certaines régions du cerveau intervenant dans les réactions émotionnelles sont peut-être responsables de traits particuliers de la personnalité.

Ainsi, Auke Tellegen (1985) a élaboré l'hypothèse que l'extraversion a comme fondement des émotions positives (comme la joie et l'amour), tandis que les tendances à la névrose proviennent d'émotions négatives (comme l'angoisse et la dépression). Des recherches sur les émotions et les structures du cerveau qui leur sont associées semblent étayer l'hypothèse de Tellegen. Par exemple, l'expression d'émotions positives, comme le fait de sourire, est associée à l'activation du lobe frontal gauche et du cerveau antérieur (Davidson, 1992). De même, les « centres du plaisir » du système limbique, découverts par Olds et Milner (1954), sont associés à la fois à des émotions positives et négatives.

La difficulté de déterminer quelles structures du cerveau sont associées exclusivement à des traits donnés de la personnalité limite de façon importante la recherche sur les structures du cerveau. La création d'une lésion d'une structure a généralement de nombreux effets. La neurochirurgie est susceptible de fournir des données plus précises. Jerome Kagan (1998), l'un des principaux chercheurs dans le domaine de la personnalité, pense que la majorité des différences attribuables à des facteurs biologiques sont d'origine neurochimique et non anatomique (p. 59).

La neurochimie

Aimez-vous faire du parachutisme et, en général, prendre des risques ? La neurochimie propose une explication de ce type de comportement. Des études ont montré l'existence d'une relation entre la recherche de sensations fortes et la monoamine oxydase (MAO), une enzyme qui régularise le niveau de neurotransmetteurs tels la dopamine (Zuckerman, 1994, 1995). La dopamine semble également reliée à l'extraversion (Depue et coll., 1994).

De quelle façon des traits comme la recherche de sensations fortes et l'extraversion sont-ils reliés à des facteurs neurochimiques ? Des études indiquent que chez les personnes extraverties, avides de sensations fortes, l'excitation physiologique est en général plus faible que chez les personnes introverties (Bullock et Gilliland, 1993; Dellu et coll., 1993). C'est ce qui expliquerait pourquoi les premières recherchent les situations susceptibles d'augmenter le degré d'excitation. On pense par ailleurs qu'un faible seuil d'excitabilité est un trait génétique. En d'autres mots, des caractéristiques de la personnalité comme le fait de rechercher les sensations fortes et l'extraversion pourraient être d'origine génétique. (Nous reviendrons sur l'excitabilité et la recherche de sensations fortes au chapitre 10.)

La génétique

Les psychologues n'ont découvert que récemment l'importance et le rôle des facteurs génétiques (Finkel et McGue, 1997; Wright, 1998). Ce domaine d'étude relativement nouveau, appelé génétique du comportement, tente de déterminer dans quelle mesure les différences de comportement entre les personnes sont dues à l'hérédité ou à l'environnement.

Les chercheurs utilisent principalement deux catégories de données pour mesurer l'influence des deux types de facteurs. Premièrement, ils déterminent les similitudes entre des vrais jumeaux et des faux jumeaux. Par exemple, les résultats d'études sur l'héritabilité des « cinq grands » traits de personnalité varient d'environ 0,41 à 0,51 (Bouchard, 1994; Eysenck, 1967, 1991; Loehlin, 1992; Rowe, 1997). Autrement dit, la contribution des facteurs génétiques varierait approximativement entre 40 % et 50 %.

Deuxièmement, les chercheurs comparent la personnalité des parents, de leurs enfants biologiques et de leurs enfants adoptifs. Des études portant sur les « cinq grands » traits relatifs à l'extraversion et à la tendance à la névrose ont montré que les traits des parents sont modérément corrélés aux traits de leurs enfants biologiques, et très faiblement corrélés aux traits de leurs enfants adoptifs (Heath et coll., 1992, Loehlin, 1992; Viken et coll., 1994).

En général, les études montrent une influence importante des facteurs héréditaires sur la personnalité. Cependant, les chercheurs prennent garde d'exagérer le rôle des déterminants génétiques (Bratko et Marusic, 1997; Plomin, 1997; Zuckerman, 1999). Certains pensent que la contribution de l'*environnement non partagé* (c'est-à-dire les aspects de l'environnement qui diffèrent d'un individu à l'autre, même à l'intérieur d'une famille) a peut-être été sous-estimée (Saudino, 1997). D'autres craignent que la recherche sur le « déterminisme génétique » ne serve à « prouver » l'infériorité d'un groupe ethnique ou racial, le caractère naturel de la domination des hommes ou l'impossibilité du progrès social. Les études en génétique ont sans aucun doute fourni certains des résultats les plus excitants et les plus controversés, mais il est également évident qu'il faudra poursuivre les recherches si on veut formuler une théorie biologique de la personnalité qui soit cohérente.

ÉVALUATION DE L'APPROCHE PSYCHOBIOLOGIQUE

Dans le domaine de la personnalité, aucune théorie n'est plus valable que les autres. Chaque théorie ouvre une perspective particulière et offre une explication différente de la formation de l'ensemble des traits distinctifs d'un individu que l'on appelle « personnalité ». En fait, plusieurs psychologues n'adoptent pas une théorie unique, mais se disent adeptes de l'interactionnisme : l'hypothèse selon laquelle plusieurs facteurs entrent en jeu dans la formation de la personnalité (voir la figure 2.5). Même des psychologues ayant réalisé des recherches importantes dans

Génétique du comportement : Étude de l'influence des gènes sur le comportement.

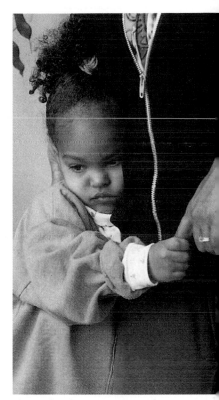

Des recherches montrent que la timidité compte parmi les traits de la personnalité les plus persistants et les plus stables. Des études indiquent en outre que la timidité pourrait bien être un trait hérité (Kagan, 1998).

Interactionnisme : Hypothèse selon laquelle plusieurs facteurs se chevauchent et plusieurs théories contribuent à l'explication de la personnalité.

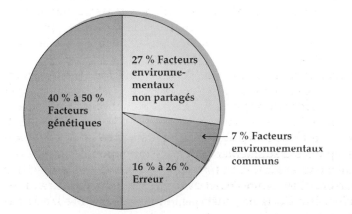

Figure 2.5 **Facteurs influant sur la personnalité.** Les chercheurs en sont venus à la conclusion qu'on peut diviser la personnalité en quatre grands facteurs : les traits *génétiques* ou hérités (40 % à 50 %), les *facteurs environnementaux non partagés*, c'est-à-dire la réaction des facteurs génétiques de chaque individu et leur adaptation à un environnement donné (27 %), les *facteurs environnementaux communs*, qui incluent les modèles parentaux et les expériences familiales communes (7 %), et l'*erreur*, due à des facteurs inconnus ou à des problèmes d'expérimentation (16 % à 26 %) (Bouchard, 1994; Plomin, 1997; Rowe, 1997; Wright, 1998).

une branche de la théorie de la personnalité optent pour l'interactionnisme (Johnson, 1997 ; Mischel et Shoda, 1998).

Hans Eysenck (1990), l'un des principaux théoriciens de la personnalité adepte de l'interactionnisme, pense que certains traits (comme l'introversion et l'extraversion) refléteraient des modèles hérités de l'excitation du cortex, de même que de l'apprentissage social, des processus cognitifs et de l'environnement. Une personne introvertie, chez qui le niveau d'excitation du cortex est donc élevé, n'évite-t-elle pas de recevoir un excès de stimulation en recherchant la compagnie d'amis et une forme de travail ne procurant qu'un faible niveau de stimulation ?

Eysenck a démontré qu'en combinant la théorie de la personnalité et des théories biologiques et cognitives, on obtient une explication plus satisfaisante de la personnalité. Cette tendance vers l'intégration et l'interactionnisme est de plus en plus présente dans la littérature spécialisée, et elle est reflétée par la dépolarisation de certaines questions, notamment du débat visant à trancher entre deux possibilités exclusives, qui a opposé les théoriciens de la personnalité et les adeptes du déterminisme circonstanciel, et dont il a été question dans le présent chapitre.

RÉSUMÉ

L'approche psychobiologique

Les théories biologiques mettent l'accent sur les structures du cerveau, la neurochimie, et les composantes génétiques héritées de la personnalité. Les études sur des traits donnés, tels que la recherche de sensations fortes et l'extraversion, constituent une base solide de l'approche biologique.

Selon l'approche interactionniste, les principales théories se chevauchent et chacune contribue à l'explication de la personnalité.

La majorité des théories de la personnalité reflètent la conception du « soi » propre à la culture individualiste occidentale. Il est important de reconnaître et de comprendre ce biais pour situer l'étude de la personnalité dans son contexte.

QUESTIONS DE RÉVISION

1. Les théories _____ mettent l'accent sur le rôle du cerveau, de la neurochimie et des facteurs génétiques dans le développement de la personnalité. a) évolutionnistes b) phénoménologiques c) généalogiques d) biologiques

2. Quelles inquiétudes l'explication génétique de la personnalité suscite-t-elle ?

3. L'approche _____ est une combinaison de plusieurs théories de la personnalité. a) unificatrice b) associationniste c) interactionniste d) phénoménologique

Les réponses aux questions de révision se trouvent en annexe.

Les uns et les autres

LES CONCEPTS CULTURELS DU « MOI »

Le concept du « moi » est au cœur de l'étude de la personnalité. Tous les grands théoriciens décrivent un moi unique, propre à chaque individu, et toutes les méthodes d'évaluation de la personnalité s'intéressent aux éléments constitutifs de la personne. Mais si vous faites appel à votre sens critique et si vous avez conscience de la diversité des êtres humains, n'avez-vous pas l'impression que les différentes théories énoncées et les instruments d'évaluation proposés sont propres à la culture occidentale ? Voyez-vous comment des concepts tels que le *conscient*, le *pré-conscient*, l'*inconscient*, le *ça*, le *moi*, le *surmoi*, le *concept de soi*, l'*estime de soi*, l'*actualisation de soi* et bien d'autres supposent tous l'existence d'un « moi » composé de traits, de motivations et d'aptitudes tous très individuels ? La vision occidentale du monde est une vision individualiste : la personnalité est le résultat de traits et de motifs individuels, et le moi est un individu fini, séparé et indépendant des autres (Berry et coll., 1992).

Mais en jetant un coup d'œil sur les autres cultures, nous découvrons que les concepts de personne et d'individualité sont des constructions culturelles. Ainsi, les cultures collectivistes de l'Asie ne considèrent pas le soi comme une entité discrète, mais plutôt comme un élément relié aux autres de manière inhérente. Les relations avec les autres et l'interdépendance sont valorisées, et les personnes ne sont pas décrites à l'aide de traits permanents, mais plutôt en fonction des rapports sociaux (Markus et Kitayama, 1991). Pour cerner et comprendre une personne, il faut d'abord considérer la place qu'elle occupe au sein de la société.

Si vous appartenez à une culture individualiste, telle que la culture occidentale, vous pensez peut-être qu'il est contradictoire de définir le soi en fonction des autres. Si tel est le cas, vous vous situez à une extrémité de l'éventail psychologique — vous êtes fort probablement un homme de race blanche —, car même au sein des cultures individualistes, les femmes et les personnes appartenant à des minorités se perçoivent elles-mêmes comme étroitement liées aux autres (Triandis, 1989).

En somme, la plupart des théories et des méthodes courantes d'évaluation de la personnalité sont le reflet des réalités occidentales, des cultures individualistes et d'une perception du « moi » comme une entité indépendante. Ces présuppositions, non seulement limitent la compréhension que nous pouvons avoir de la personnalité dans d'autres cultures, mais expliquent aussi pourquoi certaines théories ne peuvent s'appliquer à tous les groupes, et elles rappellent l'importance des recherches interculturelles. ■

APPROCHES NOUVELLES

Nous vous avons présenté séparément chacune des cinq grandes approches psychologiques, en précisant en quoi leurs philosophies de base et leurs méthodes se distinguent. Aujourd'hui, bien que la plupart des psychologues reconnaissent la valeur de chacune de ces orientations, ils soulignent généralement du même souffle qu'aucune d'entre elles n'offre de réponses à toutes les questions. La complexité des comportements humains justifie en quelque sorte la diversité des méthodes utilisées pour l'étudier. C'est pourquoi nous voyons émerger également d'autres théories psychologiques qui ne font pas partie des cinq grandes approches. Nous allons mentionner ici la perspective évolutionniste et la psychologie culturaliste.

▲ *Qu'est-ce que l'approche éclectique?*

LA PERSPECTIVE ÉVOLUTIONNISTE : LA SÉLECTION NATURELLE ET LE COMPORTEMENT HUMAIN

La perspective évolutionniste découle de la théorie de l'évolution par la sélection naturelle. Ses adeptes affirment que, même si le comportement est déterminé à la fois par des facteurs environnementaux et génétiques, certaines caractéristiques du comportement ont évolué, sur plusieurs générations, par le processus de sélection naturelle. Autrement dit, les individus qui ont des comportements favorables à la survie transmettent ceux-ci à leurs enfants, qui les transmettent à leur tour à leurs propres enfants.

Par exemple, la phobie des hauteurs est sans aucun doute acquise, au moins partiellement. Quel parent n'a pas crié : « Ne t'approche pas du bord » en voyant

Perspective évolutionniste : Hypothèse selon laquelle l'évolution de certaines caractéristiques du comportement est attribuable au processus de sélection naturelle.

[annotation manuscrite : Seule approche à pouvoir définir éclectique P 65]

son enfant se pencher au-dessus d'une rampe ? Mais la peur des hauteurs est-elle *principalement* acquise ou *principalement* innée (c'est-à-dire d'origine héréditaire) ? Les psychologues évolutionnistes affirment que la peur des hauteurs est, dans une large mesure, inscrite dans nos gènes. Si vous vous engagez avec une fillette sur le pont suspendu surplombant le canyon Capilano et que, une fois rendu au milieu du pont, vous la tenez au-dessus du vide, croyez-vous que la fillette aura peur ? La réponse est vraisemblablement oui, si la fillette est assez âgée pour voir le fond du gouffre. Il semble que la peur des hauteurs soit innée chez les humains parce que ceux qui éprouvaient cette peur ont eu plus de chances de survivre. (Il est question au chapitre 5 de la recherche sur la peur des hauteurs et la falaise visuelle.)

Éthologie : Étude du comportement animal d'un point de vue évolutionniste.

L'éthologie, la sociobiologie et la psychologie évolutionniste sont trois branches de la perspective évolutionniste. L'éthologie est l'étude du comportement humain du point de vue évolutionniste. Konrad Lorenz (1937, 1981), reconnu comme l'un des fondateurs de l'éthologie, a étudié l'influence des facteurs biologiques sur le comportement de jeunes oiseaux. Au cours d'une expérience célèbre, il a montré que les oisons suivent instinctivement le premier gros objet mobile qu'ils aperçoivent après l'éclosion. Dans la nature, ce gros objet est immanquablement un parent, et le fait de suivre ce parent accroît évidemment les chances de survie du nouveau-né.

Sociobiologie : Étude des fondements évolutionnistes et biologiques du comportement social.

La sociobiologie, fondée par E. O. Wilson (1975), et la psychologie évolutionniste, qui est une discipline connexe, explorent les fondements évolutionnistes et biologiques du comportement social. Les sociobiologistes affirment que les parents transmettent à leurs enfants non seulement des caractéristiques physiques susceptibles d'optimiser leurs chances de survie, comme une faible tension artérielle, mais aussi des traits émotionnels et cognitifs, comme la confiance en soi et une grande intelligence. La réussite sociale contribue à son tour à la survie et augmente les chances de se reproduire. La sociobiologie suscite la controverse parce qu'elle a servi à affirmer la supériorité d'un sexe sur l'autre, et d'une race sur les autres. Mais aujourd'hui ses adeptes soutiennent que la sociobiologie rejette toute notion de supériorité et qu'elle met en fait l'accent sur l'histoire commune de l'évolution de tous les humains.

De nombreux psychologues reconnaissent que le processus évolutif influe considérablement sur l'apprentissage, les émotions et la pensée, comme l'affirme la perspective évolutionniste. Ils pensent que l'unicité de l'individu est attribuable à l'interaction de facteurs biologiques évolutifs, ou innés, et de l'environnement.

LA PSYCHOLOGIE CULTURALISTE : L'INFLUENCE DE LA CULTURE ET DES COUTUMES ETHNIQUES SUR LE COMPORTEMENT

Psychologie culturaliste : Étude de l'influence de la culture et des coutumes ethniques sur le comportement humain.

La branche de la psychologie appelée psychologie culturaliste acquiert de l'importance au moment où les liens se resserrent entre les humains de toute la planète. John Berry est l'un des chefs de file dans ce domaine. Les psychologues culturalistes étudient l'influence de la culture et des coutumes ethniques sur le comportement humain. Ils essaient de déterminer quels comportements sont communs à tous les humains, et lesquels sont propres à des cultures données. Leur but est en définitive d'aider les gens présentant des attitudes et des habitudes différentes à vivre ensemble paisiblement et à collaborer dans un monde en voie de devenir un village planétaire. (Voir Copper et Denner, 1998, pour une revue des théories qui établissent des liens entre la culture et la psychologie.)

L'APPROCHE ÉCLECTIQUE

La majorité des psychologues parlent maintenant des « perspectives » de la psychologie plutôt que des « théories psychologiques ». Ils entendent par perspective une approche qui détermine les sujets étudiés aujourd'hui par les psychologues, les méthodes de recherche utilisées et le type d'informations retenu. Les psychologues peuvent adopter une perspective psychanalytique, behavioriste ou humaniste, ou encore une perspective cognitive, biologique, évolutionniste ou culturaliste. Au cours de la lecture de ce manuel et d'autres livres de psychologie, vous constaterez qu'on se rapporte souvent à ces perspectives.

Dans la revue des perspectives de la psychologie, nous avons dû les examiner séparément et montrer en quoi leurs philosophies et leurs méthodes respectives se distinguent. La majorité des psychologues reconnaissent la valeur de chaque orientation et le fait qu'aucune approche en particulier ne fournit de réponses à toutes les questions. À cause de leur complexité, les comportements humains exigent des explications complexes. C'est pourquoi la plupart des psychologues optent actuellement pour une approche éclectique : ils appliquent les principes et les techniques de différentes perspectives selon la situation à l'étude.

Approche éclectique : En psychothérapie, démarche du thérapeute qui emprunte des éléments aux diverses théories pour déterminer le traitement le plus approprié à son patient.

L'une de ces approches est-elle « supérieure » aux autres ?   La plupart des étudiants se rallient, dans un premier temps, à une école de pensée, puis à une autre, et à une autre encore, à mesure qu'ils découvrent chacune davantage. C'est en cherchant à appliquer les concepts psychologiques dans leur vie quotidienne que la majorité des étudiants se rendent compte de l'utilité des différentes orientations. Par exemple, ils constatent la valeur du behaviorisme en apprenant à leur chien à ne pas sauter sur les gens ou en essayant d'arrêter de fumer, ou encore la valeur de l'approche humaniste en acquérant le sens des responsabilités dans leur propre vie.

Rappelez-vous également que le milieu socioculturel influence le comportement humain et cela va des valeurs morales à la forme des maisons. À preuve, ces parents interrogés sur les principales valeurs que la prématernelle devrait transmettre à leurs enfants. Les parents japonais ont majoritairement opté pour la sympathie, l'empathie et le souci des autres, tandis que les parents américains ont placé en tête l'autonomie et la confiance en soi (Tobin, Wu et Davidson, 1989). Les premiers sont d'une culture à orientation collectiviste, les autres, individualiste. Quant à la forme des maisons, vous serez peut-être étonnés d'apprendre que les individus qui vivent dans des maisons rectilignes ne réagissent pas de la même manière à certaines illusions d'optique que ceux qui habitent des maisons circulaires, car leur perception du monde est différente (voir le chapitre 5). En étant conscient des influences de la culture sur le comportement, le psychologue qui sommeille en chacun de nous peut mieux décrire, expliquer, prédire et modifier son propre comportement.

Une dernière remarque

Vous n'en êtes qu'au début de vos études en psychologie. Vous apprendrez beaucoup de choses sur le fonctionnement psychologique de l'être humain, mais demeurez prudent : ne surestimez pas vos nouvelles compétences. En apprenant que vous suivez un cours de psychologie, il se peut que des parents et des amis vous demandent d'interpréter leurs rêves, de les aider à éduquer leurs enfants, ou même qu'ils vous consultent sur l'opportunité de rompre une relation amoureuse. N'oubliez pas que les idées, les théories et même les découvertes expérimentales de la psychologie sont constamment révisées. David L. Cole, récipiendaire de l'APA *Distinguished Teaching in Psychology Award*, a affirmé : « Les cours de psychologie du niveau du baccalauréat peuvent, et devraient il me semble, libérer les étudiants de l'ignorance, et aussi de l'arrogance qui consiste à croire que nous en savons plus à notre sujet et au sujet des autres que ce n'est le cas en réalité » (1982). Par ailleurs, les résultats des recherches psychologiques peuvent avoir d'importantes répercussions dans nos vies. Comme le disait un jour Albert Einstein : « La vie m'a appris une chose : face à la réalité, nos connaissances scientifiques sont primitives et puériles — c'est quand même ce que nous possédons de plus précieux. »

PENSÉE CRITIQUE • Psychologie en direct

Pourquoi les pseudo-tests de personnalité sont-ils si populaires ?

Profil Vous recherchez l'amour et l'admiration des autres. Vous êtes critique envers vous-même. Vous êtes doué de nombreuses habiletés dont vous ne tirez pas profit. Par contre, vous réussissez bien à compenser certaines faiblesses de caractère. Vous êtes fier d'être un esprit libre et n'adhérez aux opinions d'autrui qu'après mûr examen. Vous donnez l'impression d'être discipliné et maître de vous-même, mais intérieurement vous êtes souvent inquiet et manquez d'assurance. Il vous arrive de douter sérieusement de vos choix.

Sagittaire (22 nov. - 21 déc.) : Vous êtes un esprit libre et aventureux. Gare à ceux qui se mettent en travers de votre route ou qui veulent vous ramener sur terre en faisant appel à votre sens des responsabilités. Ils risquent de faire les frais de vos remarques acerbes et de vos regards meurtriers. Heureusement votre vivacité d'esprit et votre charmante nature viennent généralement contrebalancer votre malheureuse promptitude à décocher vos flèches.

Cancer (22 juin - 22 juillet) : On admire votre force de caractère et votre opiniâtreté, et votre prudence naturelle vous rapportera monétairement. Comme tous les cancers, vous êtes bien dans le confort de votre carapace. Pour vous, il n'est de soirée romantique qu'à la maison, portes closes, devant le feu, un verre de vin à la main et enveloppé d'un doux édredon. Bien que votre partenaire puisse apprécier votre belle prudence, ne soyez pas pusillanime. Desserrez les cordons de la bourse : payez-vous du bon vin de temps en temps !

Vous êtes sagittaire ou cancer ? Vous êtes-vous reconnu(e) ? Au risque d'offenser les fervents d'astrologie, nous croyons qu'il faut relever les erreurs de logique des horoscopes et des pseudo-tests de personnalité. Même si on ne lit son horoscope que pour s'amuser, cela peut avoir des conséquences insidieuses, car on finit par oublier la source de ses souvenirs.

La pensée critique permet de *reconnaître ses préjugés et d'analyser la valeur et la substance des données qui sont portées à notre attention.* En évaluant bien les faits et la crédibilité de la source, les adeptes de la pensée critique peuvent déjouer les manipulations émotives et les erreurs de logique. L'exemple ci-dessus contient au moins trois types d'erreurs : l'effet Barnum, les illusions fondées sur des faits confirmatifs et le biais visant à la conservation de l'image de soi.

L'effet Barnum

La première raison pour laquelle les horoscopes et les pseudo-tests de personnalité peuvent gagner no-tre adhésion, c'est qu'ils nous semblent exacts. En réalité, ils ne contiennent que des énoncés vagues, ambigus et applicables à quasiment n'importe qui. La prédisposition à accepter des généralisations de ce type est appelé *effet Barnum*, à cause de P. T. Barnum, le célèbre directeur de cirque, qui avait pour son dire qu'il « faut toujours donner un petit quelque chose à chacun » et « qu'à chaque minute une bonne dupe vient au monde ». Relisez les horoscopes présentés ci-contre, et notez les énoncés généraux et ambigus.

Les illusions fondées sur des faits confirmatifs

Relisez ces horoscopes et profil, et comptez combien de fois on nomme les deux aspects contraires d'un même trait de la personnalité (« Vous recherchez l'amour et l'admiration des autres » et « Vous êtes fier d'être un esprit libre »). Selon le principe des *illusions fondées sur des faits confirmatifs,* chacun a tendance à remarquer et à retenir les événements conformes à ses attentes, et à ignorer les événements qui contredisent celles-ci. Par exemple, si une personne considère qu'elle est un esprit libre, elle ne retiendra pas l'élément relatif au besoin d'être aimé. De même, les lecteurs des chroniques d'astrologie découvrent facilement des caractéristiques des sagittaires dans les horoscopes de ce signe, mais ils ne prêtent pas attention aux prédictions qui ne se réalisent pas, ou au fait qu'on attribue des traits identiques aux scorpions ou aux lions, par exemple.

Le biais dû à la conservation de l'image de soi

Évaluez maintenant ces mêmes horoscopes et profil en fonction du ton général. Les descriptions sont-elles plutôt flatteuses ou négatives ? On entend par *biais dû à la conservation de l'image de soi* la tendance à retenir uniquement les informations qui contribuent à maintenir une image de soi positive (Brown, 1991; Diener, 1993). Comme on l'a souligné, la majorité des tests de personnalité non scientifiques portent sur des caractéristiques flatteuses ou neutres. En fait, des recherches ont montré que plus une description de la personnalité est louangeuse, plus les gens ont tendance à la trouver exacte et à croire qu'elle ne s'adresse qu'à eux (Guastello et coll., 1989).

Les trois types d'erreurs de logique décrits ci-haut concourent à perpétuer la croyance dans les horoscopes et les tests de personnalité de la « psycho pop ». Les auteurs offrent « quelque chose à chacun » (l'effet Barnum); les lecteurs prêtent attention uniquement à ce qui confirme leurs attentes (l'illusion fondée sur des faits confirmatifs) et ils aiment les descriptions flatteuses (le biais dû à la conservation de l'image de soi).

RÉSUMÉ

Les théories psychologiques

Freud a élaboré la théorie psychanalytique pour expliquer les problèmes psychologiques attribués à des conflits inconscients. Les gestaltistes ont étudié les principes organisationnels des processus de la perception.

Le behaviorisme s'intéresse aux comportements observables et à leur apprentissage. La psychologie humaniste met l'accent sur les processus internes; elle a une vision optimiste de la nature humaine et affirme que chaque individu tend à s'épanouir. La psychologie cognitive étudie le raisonnement et les processus mentaux.

La psychobiologie se propose d'expliquer le comportement en fonction de phénomènes chimiques et biologiques complexes dont le siège est le cerveau. La perspective évolutionniste affirme que l'évolution de certaines caractéristiques du comportement sont attribuables à la sélection naturelle. La psychologie culturaliste étudie l'influence de la culture et des coutumes ethniques sur le comportement humain. L'approche éclectique considère la personne comme un tout et elle utilise n'importe quelle technique convenant à la situation à l'étude.

QUESTIONS DE RÉVISION

1. Qu'est-ce que la perspective évolutionniste ?

2. Y a-t-il une approche psychologique qui soit supérieure aux autres ?

3. Comment votre milieu socioculturel a-t-il influé sur ce que vous êtes devenu ?

4. Qu'est-ce que l'approche éclectique ?

Les réponses aux questions de révision se trouvent en annexe.

LE CHAPITRE **2** EN UN CLIN D'ŒIL

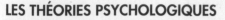

LES THÉORIES PSYCHOLOGIQUES

Les premières écoles

Le **structuralisme** s'intéressait aux sensations et aux expériences perceptives. Sa principale méthode était l'**introspection**.	Le **fonctionnalisme** étudiait la fonction des processus mentaux dans l'adaptation à l'environnement.	Le **gestaltisme** se concentrait sur la perception et avançait que l'expérience était un tout (**gestalt**), différent de la somme de ses parties.

La psychologie moderne

Les principales approches

1. L'**approche psychanalytique** est axée sur l'**inconscient**.

2. L'**approche behaviorale** est axée sur les comportements objectivement observables. Elle considère tout comportement comme une réaction à un **stimulus**.

3. L'**approche humaniste** est centrée sur les forces intérieures subjectives et considère que la nature humaine est fondamentalement positive.

4. L'**approche cognitive** met l'accent sur le traitement mental de l'information et recourt à la **méthode du traitement de l'information** dans ses études.

5. L'**approche psychobiologique** considère le comportement comme le résultat de phénomènes chimiques et biologiques complexes à l'intérieur du cerveau.

Les approches nouvelles

1. La **perspective évolutionniste** affirme que certaines caractéristiques du comportement ont évolué par suite de la sélection naturelle. La **sociobiologie**, une discipline connexe, étudie les fondements évolutionnistes et biologiques du comportement.

2. La **psychologie culturaliste** étudie l'influence de la **culture** et des coutumes ethniques sur le comportement.

3. L'**approche éclectique** applique les principes et les techniques de différentes perspectives selon la situation à l'étude.

THÉORICIENS ET CONCEPTS-CLÉS

Approche psychanalytique

- **FREUD**

  Niveaux de conscience

▶ conscient	▶ préconscient	▶ inconscient

  Structure de la personnalité

▶ *ça* (principe du plaisir)	▶ *moi* (principe de réalité)	▶ *surmoi* (conscience morale).

  Mécanismes de défense

▶ déplacement	▶ négation	▶ refoulement
▶ formation réactionnelle	▶ projection	▶ régression
▶ isolation	▶ rationalisation	▶ sublimation

Approche behaviorale

- WATSON
Conditionnement répondant (tout comportement est le résultat d'un stimulus).
- SKINNER
Conditionnement opérant (tout comportement est déterminé par une récompense ou par une punition).
- BANDURA
Apprentissage social (nous imitons les comportements de nos modèles).

Approche humaniste

Conception phénoménologique
- ROGERS
Concept de soi, **estime de soi** et congruence.
- MASLOW
Réalisation de soi.

Approche cognitive

- BANDURA
Sentiment d'efficacité personnelle et **déterminisme réciproque.**
- ROTTER
Attentes cognitives et **lieu de contrôle.**

Approche psychobiologique

- Influence possible des structures cérébrales comme le lobe frontal gauche, le cerveau antérieur et le système limbique.
- Influence possible de la neurochimie (dopamine, MAO et autres substances).
- Importance des facteurs génétiques. **Génétique du comportement :** étude de l'influence des gènes sur le comportement.

Les fondements biologiques du comportement

PLAN DU CHAPITRE

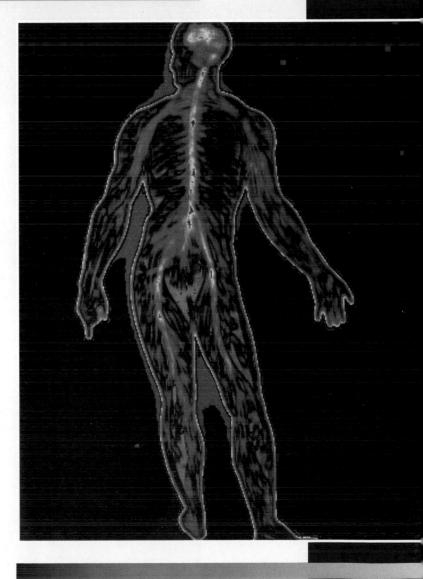

OBJECTIFS

Au fil de votre lecture, gardez à l'esprit les questions guides suivantes et tentez d'y répondre dans vos propres mots.

▲ Qu'est-ce qu'un neurone et comment les neurones transmettent-ils l'information électrochimique dans l'organisme ?

▲ Comment les substances produites par le système nerveux et par le système endocrinien régissent-elles le fonctionnement de l'organisme ?

▲ Quelles sont les fonctions des deux subdivisions du système nerveux périphérique ?

▲ Quelle est la raison d'être de la moelle épinière ? Quelles sont les principales structures du cerveau et quels rôles jouent-elles dans le comportement ?

▲ Comment les chercheurs étudient-ils le cerveau et quelles découvertes ont-ils faites ?

En 1848, la société Rutland and Burlington Railroad installait de nouvelles voies de chemin de fer au Vermont et Phineas P. Gage, 25 ans, était le contremaître chargé de dynamiter le terrain rocheux. Dynamiter un bloc de roc pour le réduire en gravats transportables était un travail dangereux, mais pas très compliqué : d'abord, on perçait un trou dans le rocher et on le remplissait en partie de poudre explosive; une mèche était ensuite insérée dans la poudre soigneusement tassée, puis le trou était rempli avec du sable. On compactait à l'aide d'une tige de métal pour éliminer les poches d'air pouvant réduire la déflagration, on allumait la mèche, et tous couraient se mettre à l'abri.

Gage avait répété ces opérations des centaines de fois, mais le 13 septembre 1848, il ne s'aperçut pas que le sable n'était pas encore dans le trou lorsqu'il y enfonça le bourroir. Il racla donc le roc, ce qui provoqua une étincelle qui mit le feu à la poudre. Au lieu de fragmenter le rocher, la déflagration transforma le bourroir en missile : la tige de six kilos, mesurant trois centimètres de diamètre et près d'un mètre de long, fut violemment éjectée du trou. Elle atteignit Phineas au visage, lui défonça le cerveau et s'éleva dans les airs jusqu'à vingt-cinq mètres. Gage fut assommé et pris de convulsions pendant un moment, mais il put ensuite parler et même quitter les lieux avec l'aide de ses hommes (Harlow 1848, 1868; Macmillan, 1986).

Phineas se remit complètement de ses blessures physiques, à l'exception de la perte de l'usage d'un œil, mais psychologiquement, il n'avait pas survécu. Avant l'accident, Gage était un travailleur efficace et responsable et, de façon générale, un garçon sociable et agréable. Après, il devint grossier, insolent, impulsif, obstiné et égoïste; on ne pouvait plus compter sur lui. C'était comme si l'accident avait fait disparaître son sens moral, son sens des responsabilités et sa loyauté. Aux dires de ses amis et connaissances, « Gage n'était plus lui-même » (Harlow, 1868). Incapable désormais de conserver un emploi, Gage commença une vie d'errance qui s'acheva par son décès 12 ans plus tard, à San Francisco.

N'eût été de John Harlow, le médecin qui avait rédigé le rapport d'accident en 1848, l'histoire de Phineas Gage se serait terminée là. Mais il n'en fut rien, car Harlow demanda la permission d'exhumer le corps pour conserver le crâne de Phineas Gage aux fins d'archives médicales. Ce crâne et le bourroir de fer, qui avait été enterré avec Gage, sont encore exposés au Warren Anatomical Medical Museum de l'université de Harvard.

Et le croiriez-vous ? Cette histoire de Phineas Gage a une suite ! Récemment, une équipe de chercheurs dirigée par Hanna Damasio s'est à nouveau penchée sur son cas et a reconstitué l'accident à l'aide de techniques de mesurage des crânes et de neuro-imagerie. C'est ainsi qu'on a pu établir que les régions de droite et de gauche situées tout à fait à l'avant du cerveau – les régions responsables de la prise de décisions volontaires et du contrôle des émotions – avaient été endommagées chez Phineas (Damasio, Grabowski, Frank, Galaburda et Damasio, 1994). Cela expliquerait pourquoi, après l'accident, ce dernier était incapable de mener des projets à bonne fin ou de contrôler ses émotions.

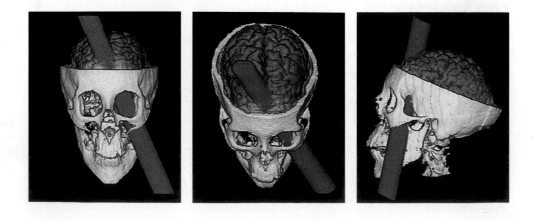

Au milieu du XIXᵉ siècle, lorsque John Harlow soigna Gage, les recherches sur le cerveau étaient encore rudimentaires; les chercheurs et les médecins commençaient seulement à présumer que le cerveau gouverne notre comportement. Aujourd'hui, nous avons compris qu'il est essentiellement responsable de tout ce que nous faisons, ressentons et pensons.

Dans ce chapitre, nous nous pencherons sur les découvertes majeures des *psychobiologistes*, des psychologues qui étudient l'anatomie du cerveau et le reste du système nerveux afin de découvrir comment ils affectent notre comportement. Nous passerons également en revue leurs techniques de recherche. Au cours de cette étude, nous examinerons les deux principales divisions du système nerveux : le système nerveux central (SNC), composé du cerveau et de la moelle épinière, et le système nerveux périphérique (SNP), formé de tous les nerfs du corps à l'exception du SNC (voir la figure 3.1). Nous étudierons également le système endocrinien, dont les glandes aident à régulariser notre comportement en sécrétant des produits chimiques appelés hormones.

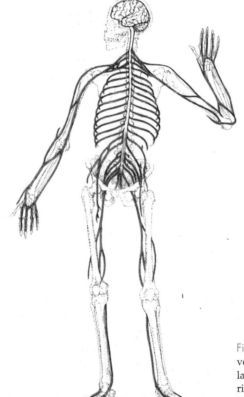

13

Figure 3.1 **Système nerveux.** Le système nerveux central (SNC) est composé du cerveau et de la moelle épinière. Le système nerveux périphérique (SNP) est formé des nerfs extérieurs au système nerveux central.

LE NEURONE

Le système nerveux, cerveau y compris, est essentiellement formé de neurones. Un neurone est une cellule qui transmet l'information dans l'organisme. Tous nos comportements, toutes nos actions, toutes nos pensées et toutes nos sensations résultent de l'activité neuronale. Chacun de nos mouvements, chacune de nos pensées et chacun des battements de notre cœur prennent leur source dans des neurones. Un neurone est un minuscule système de traitement de l'information relié à d'autres neurones par des milliers de connexions. Bien que les scientifiques ignorent le nombre exact de neurones, certains estiment que le cerveau à lui seul en contient 100 milliards environ (Fischbach, 1992). Si l'on plaçait bout à bout les neurones d'un individu, on formerait une chaîne deux fois plus longue que la distance entre la Terre et la Lune.

▲ *Qu'est-ce qu'un neurone et comment les neurones transmettent-ils l'information électrochimique dans l'organisme ?*

Neurone : Cellule nerveuse qui transmet l'information dans l'organisme.

LA STRUCTURE DU NEURONE : TROIS COMPOSANTES DE BASE

Comme il n'y a pas deux personnes identiques, il n'y a pas deux neurones exactement pareils. Cependant, la plupart des neurones ont trois composantes fondamentales : des dendrites, un corps cellulaire et un axone (voir la figure 3.2). Normalement, l'information entre dans le neurone par les dendrites, traverse le corps cellulaire et est transmise à d'autres neurones par l'axone. Les dendrites sont des prolongements ramifiés qui reçoivent l'information émise par les autres neurones. Un neurone peut comprendre des centaines, voire des milliers de dendrites. Le corps cellulaire remplit plusieurs fonctions : il intègre l'information électrique reçue par les dendrites, il absorbe les nutriments et, comme il contient le noyau, il produit la majeure partie des protéines nécessaires au bon fonctionnement de la cellule. L'axone est une longue structure tubulaire spécialisée pour la transmission de l'information nerveuse. Il est très sensible aux variations de la charge électrique de sa membrane. Si la variation est suffisamment prononcée, un influx nerveux (une impulsion électrochimique) naît à la jonction du corps cellulaire et de l'axone. L'influx nerveux parvient jusqu'à l'extrémité de l'axone, dont les ramifications sont appelées terminaisons axonales. Les terminaisons axonales libèrent des substances qui activent les neurones et les muscles auxquels elles sont reliées.

Quelle est la différence entre un nerf et un neurone ? Un neurone est une cellule composée de trois parties. Un nerf est un faisceau d'axones qui ont la même fonction (voir la figure 3.3). La différence entre un nerf et un neurone est la même qu'entre un fil de téléphone et un câble formé de milliers de fils. Par exemple, le simple fait de regarder cette page sollicite l'action de plusieurs milliers de neurones individuels. Leurs messages sont transmis à votre cerveau au moyen de milliers d'axones reliés en faisceau pour former les deux nerfs optiques, un pour chaque œil. Donc, la perte d'un seul neurone serait négligeable comparée à la perte d'un nerf entier.

Dendrites : Prolongements ramifiés du neurone qui reçoivent les influx nerveux des autres neurones et les transmettent jusqu'au corps cellulaire.

Corps cellulaire : Partie du neurone qui intègre l'information reçue par les dendrites, absorbe les nutriments et produit la majeure partie des protéines nécessaires au neurone.

Axone : Longue structure tubulaire rattachée au corps cellulaire qui transmet les influx à d'autres neurones ou aux muscles et aux organes.

Influx nerveux : Impulsion électrochimique qui parcourt l'axone jusqu'aux terminaisons axonales.

Terminaisons axonales : Petites structures situées à l'extrémité de l'axone qui libèrent les neurotransmetteurs.

Nerf : Faisceau d'axones ayant la même fonction.

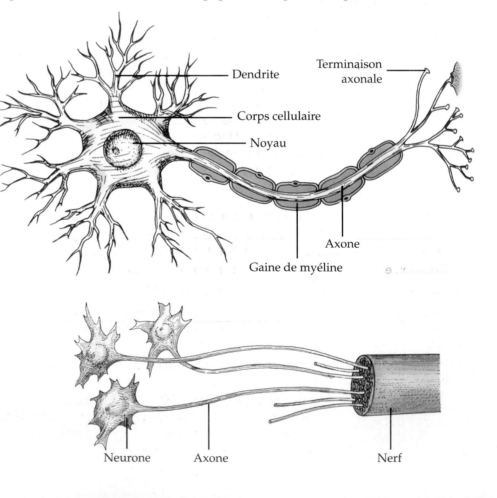

Figure 3.2 **Structure du neurone.** Les dendrites reçoivent l'information, le corps cellulaire l'intègre et l'axone la transmet à d'autres neurones. La gaine de myéline est un isolant lipidique qui accélère la transmission de l'information dans l'axone. Les terminaisons axonales emmagasinent et libèrent les neurotransmetteurs.

Dendrite

Terminaison axonale

Corps cellulaire

Noyau

Axone

Gaine de myéline

Figure 3.3 **Nerf.** Un nerf est un faisceau d'axones appartenant à différents neurones.

Neurone

Axone

Nerf

À quelle vitesse les influx nerveux se propagent-ils ?   Les influx nerveux se propagent plutôt lentement, beaucoup plus lentement en tout cas que le courant dans un fil. L'électricité étant un phénomène purement physique, le courant se déplace à la vitesse de la lumière, soit environ à 300 millions de mètres par seconde. Les influx nerveux, quant à eux, parcourent les axones dénudés à la vitesse de 10 mètres par seconde. Certains axones sont enveloppés dans un isolant lipidique, la myéline, qui accélère considérablement la transmission des influx nerveux. La gaine de myéline s'amincit ou s'interrompt à intervalles réguliers (voir la figure 3.2). Par conséquent, l'influx nerveux saute d'un point dénudé à l'autre plutôt que de parcourir toute la membrane. Les influx nerveux se propagent environ 10 fois plus vite dans un axone myélinisé que dans un axone amyélinisé, soit à la vitesse de plus de 100 mètres par seconde (Kalat, 1992, p. 49).

Myéline : Isolant lipidique qui accélère la transmission des influx nerveux dans les axones.

Chez l'être humain, la myélinisation se termine vers l'âge de douze ans. C'est pourquoi les enfants apprennent et réagissent différemment des adultes. Ainsi, il est impossible de montrer à lire et à écrire à la plupart des enfants de deux ans. Leur cerveau n'est tout simplement pas assez développé pour traiter l'information correctement. Même les enfants de six ou sept ans ne sont pas prêts à effectuer les exercices d'écriture et de lecture qui leur sont traditionnellement imposés dans les premières années d'école. Les pédagogues tentent donc d'élaborer des techniques et du matériel mieux adaptés au niveau de développement des écoliers. Par ailleurs, il existe des maladies qui, telle la sclérose en plaques, détruisent la gaine de myéline. La vitesse de conduction des influx nerveux s'en trouve grandement réduite, et les mouvements deviennent difficiles.

Beaucoup de tâches cognitives ou motrices complexes, telles la lecture et la pratique de la bicyclette, sont impossibles tant que le cerveau et le système nerveux n'ont pas atteint un certain niveau de développement.

RÉSUMÉ

Le neurone

Les neurones sont des cellules qui transmettent l'information dans l'organisme. Ils sont formés de trois composantes principales : les dendrites, qui captent l'information émise par les autres neurones; le corps cellulaire, ou soma; et l'axone, qui émet l'information neuronale. À l'extrémité de l'axone se trouvent de petites structures appelées terminaisons axonales, lesquelles sécrètent des substances chimiques appelées neurotransmetteurs.

L'axone sert essentiellement à transmettre des influx nerveux, c'est-à-dire des potentiels d'action. Lorsqu'aucun influx nerveux ne parcourt l'axone, ce dernier est au repos. Puis un nouvel influx surgit lorsqu'un stimulus provoque le déplacement des ions sodium et potassium le long de la membrane de l'axone. Les influx nerveux se propagent plus rapidement le long des axones myélinisés.

QUESTIONS DE RÉVISION

1. Le système nerveux se divise en deux parties, soit le système nerveux _central_, formé du _cerveau_ et de la _moelle épinière_, et le système nerveux _périphérique_, composé des _nerfs extérieur_

2. Dessinez et nommez les cinq principales parties du neurone.

3. Quelle est la différence entre un neurone et un nerf ?

4. Lisa, âgée de quatorze ans, joue ses gammes deux fois plus vite que sa sœur de six ans. Expliquez pourquoi il en est ainsi du point de vue de l'anatomie des neurones.

Les chercheurs en pédagogie ont constaté que les jeunes enfants n'apprennent pas par le travail écrit, car leur système nerveux n'est pas assez développé. Les psychologues recommandent donc de proposer aux jeunes enfants des activités de manipulation à caractère ludique.

5. Un influx nerveux se propage à travers les structures d'un neurone dans l'ordre suivant :

   a) corps cellulaire, axone, dendrites   b) corps cellulaire, dendrites, axone   c) dendrites, corps cellulaire, axone   d) axone, corps cellulaire, dendrites

Les réponses aux questions de révision se trouvent en annexe.

LES MESSAGERS CHIMIQUES

Avant d'avoir lu la section précédente, vous ne vous rendiez peut-être pas compte de l'importance des processus électriques et chimiques dans votre organisme. Mais si vous vous arrêtez quelques instants pour y songer, vous admettrez que votre corps est en fait un assemblage de substances chimiques. Vous pensez, vous bougez, vous avez des sensations parce que des substances chimiques transportent de l'information dans votre organisme. Ces substances messagères sont les neurotransmetteurs et les hormones; les premiers, produits par le système nerveux, passent d'un neurone à l'autre; les secondes, produites par le système endocrinien, sont sécrétées dans la circulation sanguine.

LES MESSAGERS DU SYSTÈME NERVEUX : LES NEUROTRANSMETTEURS

L'information provenant des récepteurs sensoriels, du cerveau ou de la moelle épinière se propage de neurone en neurone dans l'organisme. Lorsque vous lisez les mots de cette page, les neurones situés dans vos rétines ont été stimulés. À leur tour, ils ont stimulé les neurones de vos nerfs optiques, qui ont stimulé des neurones de votre cerveau, qui ont stimulé d'autres neurones de votre cerveau, et ainsi de suite. Cette chaîne de stimulations, ce relais de l'information d'un neurone à un autre, débute à la jonction entre deux neurones, la synapse. La figure 3.4 montre les principales parties de la synapse.

Lorsque l'influx nerveux atteint les terminaisons axonales d'un neurone, il provoque la libération d'une infime quantité de neurotransmetteurs dans la *fente synaptique*, qui est l'espace entre deux neurones. Les neurotransmetteurs traversent la fente synaptique et stimulent le neurone adjacent à celui qui les a émis en se liant aux récepteurs situés sur la membrane du second neurone. Les récepteurs sont très sensibles aux neurotransmetteurs. À la suite de la liaison, la charge électrique de la membrane du second neurone change légèrement. Si un nombre suffisant de récepteurs sont liés, la variation de la charge déclenche un influx nerveux dans la cellule réceptrice.

La liaison d'un neurotransmetteur aux récepteurs ne provoque pas toujours un influx nerveux, car certains neurotransmetteurs empêchent la production des influx nerveux. En effet, les neurotransmetteurs ont soit un effet excitateur, soit un

▲ *Comment les substances produites par le système nerveux et par le système endocrinien régissent-elles le fonctionnement de l'organisme ?*

Système endocrinien : Ensemble de glandes dont les produits, libérés dans la circulation sanguine, transmettent dans l'organisme l'information chimique à l'origine des modifications du comportement et de l'accomplissement des fonctions organiques.

Synapse : Jonction entre deux neurones, où les neurotransmetteurs passent de l'axone d'un neurone au dendrite ou au corps cellulaire de l'autre.

Neurotransmetteur : Substance qui, libérée par les terminaisons axonales d'un neurone, traverse la fente synaptique et se lie aux récepteurs de la membrane d'un autre neurone.

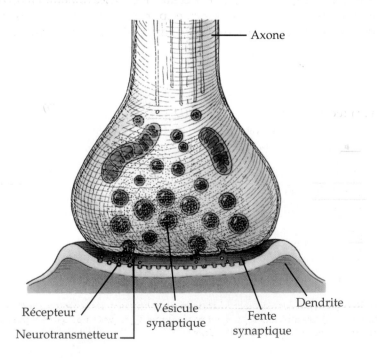

Figure 3.4 **Synapse.** Les neurotransmetteurs sont contenus dans des vésicules synaptiques situées dans la terminaison axonale. Lorsqu'un influx nerveux atteint la terminaison axonale, les vésicules déversent le neurotransmetteur dans la fente synaptique. Le neurotransmetteur diffuse ensuite dans la fente synaptique et stimule les récepteurs du dendrite.

Axone

Récepteur

Neurotransmetteur

Vésicule synaptique

Fente synaptique

Dendrite

effet inhibiteur sur leurs cellules cibles. Ils favorisent la production d'un influx nerveux dans le premier cas et l'entravent dans le second. Les neurotransmetteurs excitateurs sont notamment l'acétylcholine, la noradrénaline, la sérotonine et la dopamine. La dopamine est associée dans le cerveau aux centres du plaisir et de la gratification. En effet, les études démontrent que les niveaux de dopamine augmentent dans certaines régions du cerveau lors d'activités agréables — par exemple, lorsqu'un animal reçoit une récompense ou encore qu'il décèle de nouveaux stimuli dans son environnement (Schultz, Dayan et Montague, 1997; Wickelgren, 1997). L'endorphine est l'un des principaux neurotransmetteurs inhibiteurs, et elle bloque les influx nerveux dans les voies de la douleur. « L'euphorie du coureur » est une sensation de

Comment fonctionne le cerveau.

bien-être naturel due à l'endorphine. Lors d'une longue course, les muscles se fatiguent et les centres de la douleur sont activés. Pour contrer cette douleur, le cerveau libère des endorphines qui se fixent à certains sites récepteurs et ralentissent les signaux de douleur. Et comme les endorphines se lient d'ailleurs aux mêmes sites récepteurs que les drogues opiacées (dérivées de l'opium) comme la morphine et l'héroïne, on comprend que dès qu'une quantité suffisante d'endorphine se libère dans des conditions appropriées, elle produit cet état d'euphorie, très semblable à celui que procurent l'héroïne et la morphine. Les scientifiques croient qu'il existe des dizaines de neurotransmetteurs dans le cerveau, et ils en découvrent de nouveaux chaque année (Kalat, 1992, p. 68). Ils ont aussi constaté qu'un neurotransmetteur qui a un effet excitateur dans une partie du cerveau peut avoir un effet inhibiteur dans une autre.

Comment les neurotransmetteurs déclenchent-ils les influx nerveux ?   Les neurotransmetteurs se lient aux récepteurs comme une clé entre dans une serrure. Comme les clés, les molécules des neurotransmetteurs ont une forme tridimensionnelle distinctive. Si un neurotransmetteur a la forme appropriée, il se lie au récepteur (voir la figure 3.5a) et il influe sur l'activité de la cellule réceptrice (Bloom, 1983; S.H. Snyder, 1984). Les molécules qui n'ont pas la forme appropriée ne s'ajustent pas au récepteur et, par conséquent, n'ont aucune influence sur la cellule (voir la figure 3.5b).

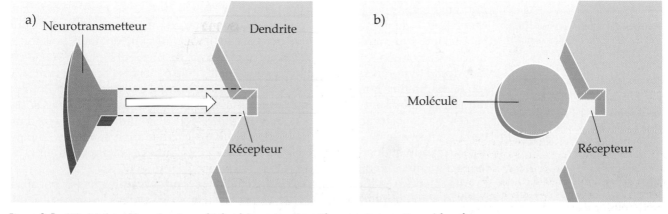

Figure 3.5   **Récepteurs.** a) Les récepteurs du dendrite reconnaissent les neurotransmetteurs à leur forme tridimensionnelle. b) Les molécules qui n'ont pas la forme appropriée ne s'ajustent pas aux récepteurs et, par le fait même, ne stimulent pas le dendrite.

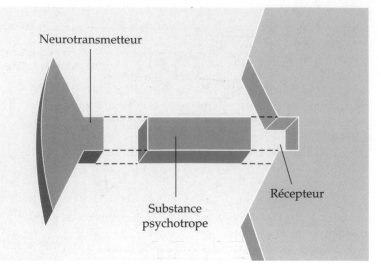

Figure 3.6 **Action possible des substances psychotropes.** Les substances psychotropes comblent un récepteur et empêchent les neurotransmetteurs de le stimuler.

Les substances psychotropes

Substances psychotropes : Substances qui agissent sur le système nerveux et qui modifient la perception ou l'humeur.

Tout ce qui provoque ou empêche la libération des neurotransmetteurs dans les synapses influe sur les perceptions ou sur l'humeur. Les substances qui, comme l'alcool et la caféine, agissent sur le système nerveux, sont appelées substances psychotropes; elles diminuent ou augmentent la quantité de neurotransmetteurs déversée dans les synapses.

Les stimulants, comme les amphétamines, la cocaïne et la caféine, augmentent la quantité de certains neurotransmetteurs libérée dans les synapses. Comme ils ont une forme semblable à celle des neurotransmetteurs, ils peuvent aussi activer directement les récepteurs des dendrites. À l'opposé, les barbituriques et l'alcool font cesser la libération de certains neurotransmetteurs, augmentent la sécrétion de neurotransmetteurs inhibiteurs ou disputent aux neurotransmetteurs les récepteurs des dendrites (Carlson, 1992, p. 126). Pour continuer avec notre analogie, ces « fausses clés » n'actionnent pas les serrures, mais empêchent les « vraies clés » d'y entrer (voir la figure 3.6). Par conséquent, elles ralentissent l'activité du système nerveux. Nous étudierons les substances psychotropes en de plus amples détails au chapitre 6.

LES MESSAGERS DU SYSTÈME ENDOCRINIEN : LES HORMONES

Hormones : Substances qui, libérées dans la circulation sanguine par les glandes endocrines, provoquent des modifications physiologiques ou assurent le bon fonctionnement de l'organisme.

Homéostasie : État d'équilibre d'un organisme qui fonctionne normalement.

Le système nerveux et le système endocrinien travaillent de pair pour régir le comportement et assurer le bon fonctionnement de l'organisme. Le système endocrinien est composé de glandes qui produisent des substances appelées hormones. Sous l'effet d'une stimulation provenant du cerveau, les glandes libèrent leurs hormones dans la circulation sanguine. La principale fonction de plusieurs glandes endocrines, dont l'hypophyse, la thyroïde, les surrénales et le pancréas (voir la figure 3.7), est de maintenir l'homéostasie, le fonctionnement normal de l'organisme. Pour ce faire, elles stabilisent les concentrations tissulaires et sanguines de certaines substances. La concentration de sucre, par exemple, doit demeurer à l'intérieur d'un certain intervalle. Si un excès de sucre entre dans la circulation sanguine, le pancréas (glande endocrine) sécrète de l'insuline pour ramener la concentration de sucre à un niveau normal.

Les glandes endocrines, et particulièrement les ovaires et les testicules, ont aussi pour fonction importante de réguler la reproduction et d'activer les gènes qui déterminent le développement des caractères sexuels secondaires, comme les seins et la barbe. Le tableau 3.1 présente les principales glandes endocrines, les hormones qu'elles sécrètent et leurs fonctions.

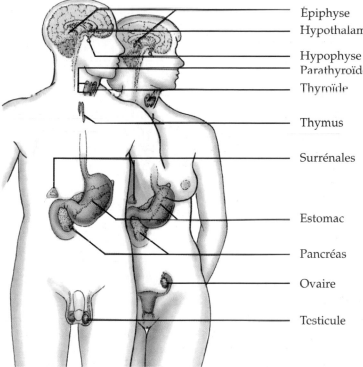

Épiphyse
Hypothalamus

Hypophyse
Parathyroïdes

Thyroïde

Thymus

Surrénales

Estomac

Pancréas

Ovaire

Testicule

Figure 3.7 **Système endocrinien.** Les principales glandes endocrines et les organes internes près desquels elles se situent sont représentés en couleurs.

Tableau 3.1   Système endocrinien.

Glandes endocrines	Hormones	Fonctions
Lobe antérieur de l'hypophyse	Hormone folliculo-stimulante Hormone lutéinisante Thyréotrophine Corticotrophine Hormone de croissance Prolactine	Production des ovules et des spermatozoïdes Ovulation et production de testostérone Sécrétion de thyroxine Sécrétion des corticostéroïdes Sécrétion des somatomédines Synthèse des protéines Croissance et lactation
Lobe postérieur de l'hypophyse	Vasopressine Ocytocine	Rétention de l'eau Augmentation de la pression artérielle Contractions de l'utérus et lactation
Ovaires	Œstrogènes Progestérone	Caractères sexuels secondaires féminins, libido féminine et ovulation Maintien de la grossesse
Testicules	Androgènes	Caractères sexuels secondaires masculins, libido masculine et production de spermatozoïdes
Thyroïde	Thyroxine	Augmentation de la vitesse du métabolisme
Parathyroïdes	Calcitonine	Rétention du calcium
Corticosurrénales	Corticostéroïdes Aldostérone Androgènes Œstrogènes	Utilisation des sources d'énergie Inhibition de la formation d'anticorps et de l'inflammation Rétention du sodium Caractères sexuels secondaires masculins Caractères sexuels secondaires féminins
Médullosurrénales	Adrénaline Noradrénaline	Activation du système nerveux sympathique
Pancréas	Insuline Glucagon	Diminution de la glycémie et mise en réserve du glucose sous forme de graisse Augmentation de la glycémie et conversion des réserves de graisse en glucose

Hypothalamus : Groupe de corps cellulaires de neurones qui commande le système endocrinien et qui régit des pulsions comme la faim, la soif, la libido et l'agressivité.

L'hypothalamus

Le principal lien entre le système nerveux et le système endocrinien est l'hypothalamus, structure minuscule située au-dessus de l'hypophyse, dans le cerveau. Comme les hormones hypophysaires activent les autres glandes endocrines, l'hypophyse était autrefois considérée comme la glande maîtresse. Or, on sait aujourd'hui que l'hypophyse est elle-même régie par l'hypothalamus, auquel elle est unie par des connexions nerveuses et des vaisseaux sanguins. La véritable glande maîtresse est donc l'hypothalamus. Nous décrirons les fonctions endocrines de l'hypothalamus dans les chapitres qui portent sur la faim et le comportement alimentaire (chapitre 10) ainsi que sur la psychologie de la santé (chapitre 11).

Nous venons de voir que les neurones et les glandes transmettent de l'information dans l'organisme, les uns au moyen de neurotransmetteurs, les autres au moyen d'hormones. Dans la section suivante, nous expliquerons que les neurones et les glandes forment un ensemble coordonné qui détermine les mouvements et les fonctions de l'organisme.

RÉSUMÉ

Les messagers chimiques

L'information passe d'un neurone à un autre dans les synapses par l'intermédiaire de substances chimiques appelées neurotransmetteurs. Ceux-ci se lient aux sites récepteurs à la manière de clés actionnant des serrures, et ils peuvent provoquer un effet d'excitation ou d'inhibition. La plupart des substances psychotropes agissent ainsi sur le système nerveux, en augmentant ou en diminuant la quantité de neurotransmetteurs qui traversent la synapse.

Le système endocrinien est étroitement associé au système nerveux. Les glandes dont il est formé libèrent dans la circulation sanguine des hormones qui régulent les concentrations de substances chimiques indispensables à l'organisme. Le principal lien entre le système endocrinien et le système nerveux est l'hypothalamus.

QUESTIONS DE RÉVISION

1. Les neurotransmetteurs sont des substances libérées dans les _____.

2. Lorsque vous vous brûlez, vous ressentez une douleur constante, car les neurones de vos voies de la douleur libèrent des neurotransmetteurs qui ont des effets _____ sur les neurones récepteurs. Quand vous faites de l'exercice, votre organisme sécrète des endorphines, des neurotransmetteurs qui bloquent les influx dans les voies de la douleur; les endorphines ont donc des effets _____.

3. Expliquez le fonctionnement du système endocrinien.

4. Qu'est-ce que l'homéostasie ?

Les réponses aux questions de révision se trouvent en annexe.

LE SYSTÈME NERVEUX PÉRIPHÉRIQUE

▲ *Quelles sont les fonctions des deux subdivisions du système nerveux périphérique ?*

Système nerveux périphérique (SNP) : Partie du système nerveux formée par les nerfs qui unissent le système nerveux central au reste de l'organisme.

Le système nerveux périphérique (SNP) est composé des nerfs qui relient le cerveau et la moelle épinière au reste de l'organisme. Il comprend deux subdivisions : le système nerveux somatique et le système nerveux autonome. Le SNP travaille de concert avec le système nerveux central et le système endocrinien à l'exécution de leurs fonctions. Le système nerveux somatique transmet l'information sensorielle et l'information motrice; le système nerveux autonome régit les fonctions involontaires comme les battements du cœur et la respiration (voir la figure 3.8).

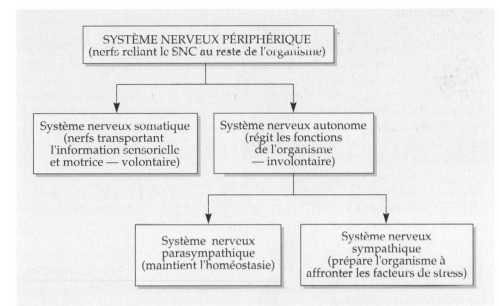

Figure 3.8   **Subdivisions du système nerveux périphérique (SNP).**

LE SYSTÈME NERVEUX SOMATIQUE : UN RÉSEAU POUR LES MESSAGES SENSORIELS ET MOTEURS

Le système nerveux somatique est formé des nerfs qui transmettent l'information sensorielle et l'information motrice. L'information sensorielle (afférences) porte sur les stimulations externes ainsi que sur la position des muscles squelettiques et des membres; elle va des récepteurs sensoriels et des muscles vers la moelle épinière et le cerveau. L'information motrice (efférences) va du cerveau et de la moelle épinière aux muscles squelettiques et provoque leur contraction ou leur relâchement. Si vous lisez ces mots à voix haute, les afférences vont de vos yeux à votre cerveau, et les efférences vont de votre cerveau à votre bouche et à vos cordes vocales.

Selon son origine et sa complexité, l'information nerveuse emprunte des trajets différents dans le système nerveux somatique. Premièrement, l'information relative au visage et à la tête entre dans le cerveau et en sort par les douze paires de nerfs crâniens. Deuxièmement, l'information relative aux réflexes simples est traitée uniquement dans la moelle épinière. (Un réflexe est une réaction involontaire produite à la suite d'un stimulus sans l'intervention du cerveau.) Dans le cas des comportements complexes, enfin, l'information afférente passe dans la moelle épinière avant d'être analysée dans le cerveau; ensuite, l'information efférente fait le trajet inverse jusqu'aux muscles cibles.

Le système nerveux somatique est la subdivision du système nerveux périphérique qui réagit aux stimuli externes et qui commande les actions volontaires. La subdivision du système nerveux périphérique qui régit les actions involontaires, comme les battements du cœur, la digestion et la respiration, est le système nerveux autonome.

LE SYSTÈME NERVEUX AUTONOME : PRÉPARATION À LA LUTTE OU À LA FUITE

La principale fonction du système nerveux autonome (SNA) est le maintien de l'homéostasie, l'état d'équilibre de l'organisme normal. Pour accomplir cette fonction, il régit les glandes endocrines, le muscle cardiaque ainsi que les muscles lisses des vaisseaux sanguins et des organes internes. Le système nerveux autonome est divisé en deux parties, le système nerveux parasympathique et le système nerveux sympathique, qui ont des effets antagonistes sur des organes comme le cœur, l'intestin et les poumons (voir la figure 3.9).

Système nerveux somatique : Subdivision du système nerveux périphérique composée des nerfs qui transmettent l'information sensorielle au système nerveux central et l'information motrice aux muscles squelettiques.

Afférences : Influx nerveux qui vont des récepteurs sensoriels au système nerveux central.

Efférences : Influx nerveux qui vont du système nerveux central aux muscles squelettiques.

Système nerveux autonome (SNA) : Subdivision du système nerveux périphérique qui régit les glandes, le muscle cardiaque ainsi que les muscles lisses des vaisseaux sanguins et des organes internes.

L'information nerveuse nécessaire à la coordination emprunte les nerfs afférents et efférents du système nerveux somatique.

Figure 3.9 **Actions du système nerveux autonome (SNA).** La figure montre quelques-unes des actions du système nerveux sympathique et du système nerveux parasympathique.

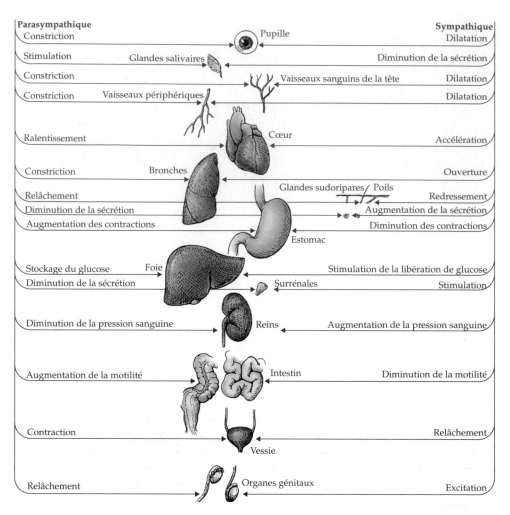

Parasympathique		Sympathique
Constriction	Pupille	Dilatation
Stimulation	Glandes salivaires	Diminution de la sécrétion
Constriction	Vaisseaux sanguins de la tête	Dilatation
Constriction	Vaisseaux périphériques	Dilatation
Ralentissement	Cœur	Accélération
Constriction	Bronches	Ouverture
Relâchement	Glandes sudoripares / Poils	Redressement
Diminution de la sécrétion		Augmentation de la sécrétion
Augmentation des contractions	Estomac	Diminution des contractions
Stockage du glucose	Foie	Stimulation de la libération de glucose
Diminution de la sécrétion	Surrénales	Stimulation
Diminution de la pression sanguine	Reins	Augmentation de la pression sanguine
Augmentation de la motilité	Intestin	Diminution de la motilité
Contraction	Vessie	Relâchement
Relâchement	Organes génitaux	Excitation

Système nerveux parasympathique : Subdivision du système nerveux autonome qui s'active en l'absence de facteurs physiques et mentaux de stress.

Système nerveux sympathique : Subdivision du système nerveux autonome qui s'active en présence de facteurs physiques et mentaux de stress.

Le système nerveux parasympathique s'active normalement en l'absence de facteurs physiques et mentaux de stress. Il ralentit la fréquence cardiaque, abaisse la pression artérielle et accélère la digestion et l'élimination. Bref, il assure l'entretien courant de l'organisme. À vrai dire, c'est une chance pour la santé que ce soit le système nerveux parasympathique qui domine le système nerveux sympathique.

En effet, le système nerveux sympathique, lui, s'active en présence de facteurs physiques et mentaux de stress. Il interrompt la digestion et l'élimination, accélère la respiration, augmente la fréquence cardiaque, élève la pression artérielle et provoque la libération de certaines hormones dans la circulation sanguine. Son activation a pour résultat d'envoyer un surcroît de sang oxygéné aux muscles squelettiques et de favoriser l'émergence des comportements appropriés face aux facteurs de stress. L'activation du système nerveux sympathique est parfois appelée *réaction de lutte ou de fuite* : elle prépare l'organisme à combattre ou à fuir tout facteur de stress.

À vous les commandes

Si vous désirez voir comment fonctionne votre système nerveux sympathique, demandez à quelqu'un de vous surprendre pendant que votre système nerveux parasympathique sera pleinement activé, lorsque vous serez absorbé dans une lecture par exemple. Planifiez l'expérience quelques jours à l'avance. Demandez à la personne de s'approcher de vous à pas feutrés et de produire soudainement un bruit retentissant. Il y a fort à parier que votre rythme respiratoire, votre fréquence cardiaque, votre pression artérielle et vos concentrations hormonales augmenteront tout d'un coup. Activez-vous un peu avant de retourner à votre lecture, afin de ne pas laisser un excès d'hormones dans votre circulation sanguine. (Vous apprendrez au chapitre 11 que ces hormones peuvent causer l'hypertension.) ■

Ces deux animaux ont été préparés à la lutte ou à la fuite par leur système nerveux sympathique.

RÉSUMÉ

Le système nerveux périphérique

Le système nerveux périphérique est composé des nerfs qui relient le cerveau et la moelle épinière au reste de l'organisme. Ses deux subdivisions sont le système nerveux somatique et le système nerveux autonome.

Le système nerveux somatique est formé d'une part des nerfs qui transmettent l'information afférente des récepteurs sensoriels et des muscles jusqu'au système nerveux central et, d'autre part, des nerfs qui transmettent l'information efférente du système nerveux central aux muscles squelettiques.

Le système nerveux autonome comprend les nerfs qui régissent les glandes, le muscle cardiaque et les muscles lisses des vaisseaux sanguins et des organes internes. Ses deux subdivisions, le système nerveux parasympathique et le système nerveux sympathique, ont des actions antagonistes.

Le système nerveux parasympathique s'active normalement en l'absence de facteurs physiques ou mentaux de stress. Il ralentit la fréquence cardiaque, abaisse la pression artérielle et accélère la digestion et l'élimination.

Le système nerveux sympathique s'active normalement en présence de facteurs physiques et mentaux de stress. Il augmente la fréquence cardiaque, élève la pression artérielle et ralentit la digestion pour préparer l'organisme à la lutte ou à la fuite.

QUESTIONS DE RÉVISION

1. Nommez les deux parties du système nerveux périphérique et expliquez leurs principales fonctions.

2. Vrai ou faux. Les nerfs afférents transmettent l'information au cerveau et à la moelle épinière; les nerfs efférents transmettent l'information en provenance du cerveau et de la moelle épinière. _____

3. Une gazelle qui broutait tranquillement dans la savane africaine est attaquée par une lionne. Quelle partie du système nerveux autonome de la gazelle était activée avant que la lionne n'apparaisse ? Laquelle est activée après l'attaque ?

4. Les deux subdivisions du système nerveux autonome sont : a) les systèmes automatique et semi-automatique b) les systèmes nerveux somatique et nerveux périphérique c) les systèmes afférent et efférent d) les systèmes nerveux sympathique et parasympathique

Les réponses aux questions de révision se trouvent en annexe.

LE SYSTÈME NERVEUX CENTRAL

▲ *Quelle est la raison d'être de la moelle épinière ? Quelles sont les principales structures du cerveau et quels rôles jouent-elles dans le comportement ?*

Système nerveux central (SNC) : Partie du système nerveux formée du cerveau et de la moelle épinière.

Cerveau : Masse extrêmement complexe de tissu nerveux logée dans le crâne et organisée en structures qui régissent toutes les actions volontaires et la majeure partie des actions involontaires.

Moelle épinière : Partie du système nerveux située dans la colonne vertébrale qui intervient dans les réflexes et dans la transmission de l'information entre le cerveau et le reste de l'organisme.

Le système nerveux central (SNC) est composé du cerveau et de la moelle épinière. Le cerveau est le centre de commande des actions volontaires (comme celle de conduire une voiture) et de certaines actions involontaires (comme la respiration). La moelle épinière contient les structures qui produisent les réflexes et les fibres nerveuses qui relient le cerveau aux autres parties de l'organisme.

La figure 3.10 présente la composition du système nerveux central; consultez-la au fil de votre lecture.

LA MOELLE ÉPINIÈRE : LE LIEN ENTRE LE CERVEAU ET LE CORPS

La moelle épinière commence à la base du cerveau et se termine dans le bas du dos; elle est entourée et protégée par les vertèbres de la colonne vertébrale. La moelle épinière intervient dans toutes les actions volontaires et réflexes des parties du corps situées au-dessous du cou. C'est le lien qui relaie l'information afférente du corps au cerveau et l'information efférente du cerveau aux muscles.

Le centre de la moelle épinière est formé de substance grise, tandis que la périphérie est constituée de substance blanche (voir la figure 3.11). La substance grise contient surtout des corps cellulaires de neurones. C'est là que l'information est traitée. La substance blanche contient principalement des axones myélinisés qui transmettent l'information provenant du cerveau ou dirigée vers lui.

Imaginez que vous êtes un enfant qui aperçoit un glaçon pour la première fois. Émerveillé, vous le brisez et vous le portez à votre bouche. Bientôt, cependant, vous avez froid à la main, car les récepteurs du froid, dans votre peau, sont stimulés et produisent des influx nerveux. Cette information afférente voyage de neurone en neurone jusqu'à la substance grise de votre moelle épinière. De là, elle

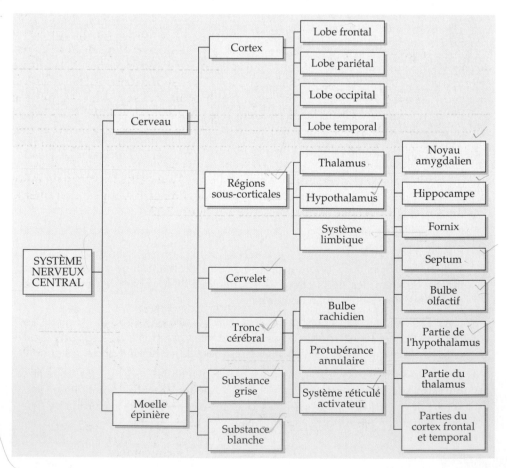

Figure 3.10 **Système nerveux central (SNC).** Le diagramme présente les principales subdivisions du système nerveux central.

Important

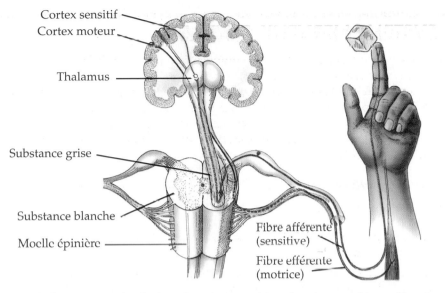

Figure 3.11 **Moelle épinière**. La moelle épinière et les voies afférentes (dirigées vers le cerveau) et efférentes (provenant du cerveau).

emprunte des axones situés dans la substance blanche et se rend jusqu'à votre cerveau. En un processus que les scientifiques n'ont pas encore complètement élucidé, le cerveau analyse l'information sensorielle et déclenche un mouvement volontaire, laisser tomber le glaçon ou mettre une mitaine par exemple. L'information motrice parcourt des axones situés dans la substance blanche et atteint les corps cellulaires des neurones moteurs appropriés, dans la substance grise. L'information motrice parvient ensuite jusqu'aux muscles, qui se contractent pour vous permettre de lâcher le glaçon ou de passer une mitaine.

Une lésion de la moelle épinière entraîne la paralysie des muscles desservis par les segments situés au-dessous du site de la blessure.

Est-ce à dire que les personnes dont la moelle épinière a été endommagée ne peuvent pas bouger du tout ? Pas tout à fait. Les personnes dont la moelle épinière a été endommagée sont capables de mouvoir les parties de leur corps desservies par des nerfs situés au-dessus de la lésion, et il se peut que d'autres parties de la moelle épinière puissent leur assurer les réflexes. Un réflexe est une réaction instantanée à un stimulus potentiellement dangereux ou douloureux, qui se produit sans que le cerveau n'intervienne. Les réflexes revêtent une importance capitale. Si les influx douloureux devaient passer par votre cerveau lorsque vous posez la main sur une casserole brûlante, le délai serait tel que vos tissus pourraient être gravement brûlés. Mais en décrivant un arc réflexe qui court-circuite le cerveau, les influx douloureux parviennent directement aux muscles du bras. Vous retirez votre main automatiquement, et vous évitez une brûlure profonde. Prenez le temps d'examiner le diagramme de l'arc réflexe simple présenté à la figure 3.12.

Réflexe : Réaction à un stimulus externe qui se produit sans intervention du cerveau.

Arc réflexe : Trajet qu'un influx nerveux parcourt pour déclencher un réflexe.

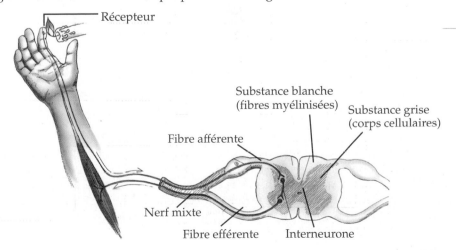

Figure 3.12 **Arc réflexe.** Dans un arc réflexe simple, un récepteur sensoriel envoie un influx nerveux dans une fibre sensitive afférente. L'influx parcourt la fibre afférente jusqu'à la moelle épinière. Dans la substance grise, la fibre afférente fait synapse avec un interneurone, lequel fait synapse à son tour avec une fibre motrice efférente. Le signal efférent chemine jusqu'au muscle approprié et provoque sa contraction. Comparez cette figure avec la figure 3.11. L'action est immédiate dans un arc réflexe, car le signal ne se rend pas jusqu'au cerveau : il s'arrête à la moelle épinière.

important

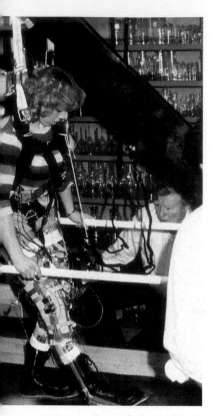

Après une lésion de la moelle épinière, le cortex moteur ne peut plus envoyer d'influx nerveux aux muscles desservis par les nerfs situés en deçà de la blessure. Les chercheurs de l'université Wright, en Ohio, aident une paraplégique à marcher au moyen d'un ordinateur qui stimule directement les muscles des jambes.

Cortex cérébral : Surface plissée du cerveau, qui contient les aires sensitives, les aires motrices et aires associatives, centres des fonctions mentales les plus complexes.

Lobes frontaux : Lobes corticaux situés dans la partie antérieure du cerveau, dont dépendent la motricité, le langage, la planification des actions, l'anticipation, la prise de décision, la conscience de soi et le contrôle des émotions et des pulsions.

À vous les commandes

Vous pouvez déclencher le réflexe de clignement chez un ami. Vous avez simplement besoin d'une paille. Dites à votre ami de rester immobile. Placez l'extrémité de la paille à 12 cm au moins de son œil et soufflez énergiquement dans la paille. Votre ami clignera de manière involontaire. Vous pouvez aussi provoquer le réflexe de grattement chez votre chien. Si vous lui grattez le tronc juste au bon endroit, une de ses pattes aura un mouvement réflexe de grattement. ■

Les lésions de la moelle épinière empêchent la transmission de l'information entre le cerveau et les muscles, mais elles laissent plusieurs réflexes intacts. Ainsi, certaines personnes devenues paraplégiques à la suite d'un traumatisme de la moelle épinière présentent encore le réflexe rotulien, c'est-à-dire que leurs jambes se soulèvent lorsqu'on donne un coup de marteau au-dessous de leurs rotules.

Une lueur d'espoir brille pour les personnes qui ont perdu l'usage de leurs jambes à la suite d'une lésion de la moelle épinière. Comme Jennifer Smith, qui apparaît dans la photo ci-contre, certaines d'entre elles pourront marcher de nouveau. Jennifer devint paraplégique en 1980, après avoir été atteinte par une balle dans la moelle épinière. À l'aide d'un système électronique de stimulation musculaire inventé par les chercheurs du National Center for Rehabilitation Engineering de l'université Wright, en Ohio, Jennifer a pu participer au marathon de Honolulu, en 1985.

LE CERVEAU : CENTRE DE COMMANDE DU CORPS

Avec ses milliards de neurones et son organisation extrêmement complexe, le cerveau gouverne nos pensées, nos sensations et nos actions. La taille et la complexité du cerveau varient considérablement dans le règne animal. Le cerveau des espèces inférieures, comme les poissons et les reptiles, est plus petit et moins complexe que celui des espèces supérieures, comme les chiens et les chats. Les cerveaux les plus complexes sont ceux des baleines, des dauphins et des primates, comme les chimpanzés, les gorilles et les humains.

Nous décrirons ici la composition et les fonctions du cerveau humain. Les principales structures du cerveau humain sont le cortex cérébral, les régions sous-corticales, le cervelet et le tronc cérébral.

14

Le cortex cérébral

Le cortex cérébral est la surface plissée du cerveau. Il se divise en deux moitiés semblables aux moitiés d'une noix : l'hémisphère droit et l'hémisphère gauche. Chaque hémisphère traite l'information provenant du côté opposé du corps. Quand vous rentrez tard chez vous, vous fouillez dans votre poche ou dans votre sac à main pour trouver votre clé. Si vous touchez la clé avec votre main gauche, les influx parcourent votre moelle épinière et atteignent votre hémisphère droit. Et si vous mettez la clé dans la serrure avec votre main droite, l'information motrice qui fait bouger votre main provient de votre hémisphère gauche.

Chacun des deux hémisphères se divise à son tour en quatre lobes : le lobe frontal, le lobe pariétal, le lobe occipital et le lobe temporal. À mesure que nous exposerons les fonctions des lobes, consultez la figure 3.13.

Les lobes frontaux

De loin les plus volumineux des lobes corticaux, les lobes frontaux sont situés dans la partie antérieure supérieure des deux hémisphères du cerveau. Les lobes frontaux sont le siège de plusieurs des facultés qui différencient l'être humain des animaux, dont la conscience de soi, l'initiative et la capacité de planifier. La recherche démontre que des lésions aux lobes frontaux peuvent gravement limiter les capacités d'une personne, lorsque la résolution d'un problème nécessite un exercice de planification (Damasio, 1979; Pines, 1983). Les recherches montrent également que le cortex frontal contrôle le comportement émotionnel et que des lésions à cette région peuvent gravement perturber l'expression émotionnelle d'un individu (Nauta, 1972).

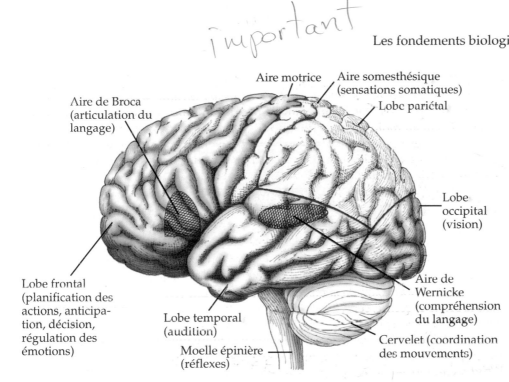

Aire de Broca
(articulation du
langage)

Aire motrice

Aire somesthésique
(sensations somatiques)

Lobe pariétal

Lobe
occipital
(vision)

Aire de
Wernicke
(compréhension
du langage)

Lobe frontal
(planification des
actions, anticipa-
tion, décision,
régulation des
émotions)

Lobe temporal
(audition)

Moelle épinière
(réflexes)

Cervelet (coordination
des mouvements)

Figure 3.13 **Cortex cérébral.** La figure montre les quatre lobes du cortex cérébral (frontal, pariétal, occipital et temporal) et indique leurs principales fonctions.

Ces découvertes expliquent plusieurs des changements de personnalité observés chez Phineas Gage. À l'aide de techniques de recherche avancées, Hanna Damasio et ses collègues (1994) ont reproduit des images informatisées du cerveau de Gage (voir p. 72) démontrant que ses lobes frontaux étaient endommagés – plus spécifiquement les régions corticales régissant le contrôle des émotions, le comportement social et la prise de décisions. Le cas de Phineas Gage et d'autres recherches semblent bien indiquer que notre personnalité et une bonne part de ce qui fait de nous des êtres humains siègent dans les lobes frontaux.

Dans la partie postérieure des lobes frontaux se trouve l'aire motrice. Tous les influx nerveux qui déclenchent les mouvements volontaires y prennent leur source. Ainsi, quand vous tendez le bras pour appuyer sur les boutons d'une machine distributrice, c'est votre aire motrice qui guide votre main. La partie inférieure du lobe frontal *gauche* contient une aire spécialisée, l'aire de Broca, qui commande les muscles utilisés pour la parole. Lorsque vous avez lu à haute voix la liste de Stroop, votre aire de Broca a envoyé des influx à vos lèvres, à votre langue, à vos mâchoires et à vos cordes vocales pour leur faire prononcer les mots.

Aire motrice : Aire située dans la partie postérieure des lobes frontaux, qui commande les mouvements volontaires.

Aire de Broca : Aire située dans le lobe frontal gauche, qui commande les muscles utilisés pour la parole.

Les aires associatives du cortex cérébral organisent l'information sensorielle provenant des autres aires. Par conséquent, elles nous permettent d'accomplir des tâches complexes, comme la création d'une sculpture détaillée.

Farworks Inc., © 1988.

Hé ! En voilà un bon ! Essaie, mon vieux. Enfonce ton doigt à la même place que le mien dans son cerveau.

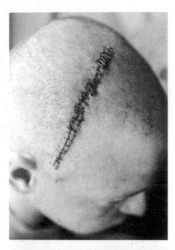

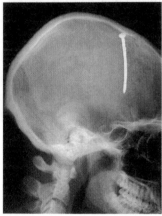

Travis Bogumill, après l'opération pratiquée pour lui retirer un clou de 8 cm du cerveau. Le rayon X révèle le clou dans son lobe frontal.

Le reste des lobes frontaux est occupé par les aires associatives. Ces aires n'ont pas de fonction motrice ou sensitive précise, mais elles participent aux fonctions mentales comme la perception, l'émotion, la mémoire, le langage et la pensée (Luria, 1973, 1980). Ces aires s'activent lorsque nous résolvons un problème de mathématiques compliqué, planifions un week-end de camping ou façonnons une sculpture. Elles intègrent l'information sensorielle provenant des autres aires corticales. Certaines recherches (Goldman-Rakic, 1992), de même qu'un cas récent semblable à celui de Phineas Gage, suggèrent en outre que la mémoire immédiate ou mémoire de travail d'une personne est située tout à fait à l'avant des lobes frontaux. Ainsi, en 1998, un travailleur de la construction nommé Travis Bogumill fut accidentellement blessé à la tête par un pistolet à clous; le clou pénétra le côté droit de son cerveau, près de l'arrière du lobe frontal. Tout comme Gage, Bogumill fut capable de marcher et de parler après l'accident. Le clou fut retiré et aux dernières nouvelles, Travis se porte bien. En fait, seule sa capacité à effectuer mentalement des opérations mathématiques complexes a été altérée. Avant l'accident, Bogumill multipliait mentalement des nombres à deux chiffres avec facilité; depuis, il y arrive à peine, même muni d'un papier et d'un crayon.

Les lobes pariétaux

Les lobes pariétaux sont situés dans la partie supérieure du cerveau, à l'arrière des lobes frontaux; là sont produites les sensations somatiques et entreposés les souvenirs relatifs au milieu de vie. La partie antérieure des lobes pariétaux contient l'aire somesthésique, qui reçoit l'information provenant des récepteurs cutanés du toucher, de la douleur et de la chaleur (voir la figure 3.14). Lorsque l'on met le pied sur une punaise, par exemple, on ne commence à sentir la douleur qu'au moment où les influx envoyés par les récepteurs de la douleur et de la pression atteignent l'aire somesthésique.

Le reste des lobes pariétaux contient des aires associatives qui intègrent l'information provenant du milieu extérieur et qui concilient l'information tactile avec l'information visuelle et auditive. Ce sont donc ces aires qui s'activent lorsque nous utilisons notre mémoire pour nous orienter dans l'espace et pour identifier les objets. Quelque chose touche notre épaule; pour déterminer si c'est la main d'un ami ou un cône tombé d'un pin, nous avons besoin de l'information provenant non seulement de notre aire somesthésique, mais aussi de nos aires auditives et visuelles. Si nous voyons un visage amical et entendons une voix familière, nous concluons que c'est la main de notre ami et non pas une pomme de pin qui s'est posée sur notre épaule.

Les lobes occipitaux

La partie postérieure du cerveau est occupée par les lobes occipitaux, qui sont entièrement consacrés à la vision et à la perception visuelle. On trouve dans les lobes occipitaux deux zones de la taille d'une fève, responsables de la perception des

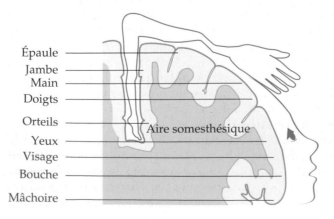

Épaule
Jambe
Main
Doigts
Orteils
Yeux
Visage
Bouche
Mâchoire

Aire somesthésique

Figure 3.14 **Proportions de l'aire somesthésique consacrées aux différentes parties du corps.** Les parties du corps sont représentées en bleu au-dessus des parties de l'aire somesthésique consacrées au traitement de l'information sensorielle qui en provient.

couleurs. Souvenez-vous du cas de Monsieur I. au chapitre 1 (p. 24) : des lésions à ces mêmes endroits de son cerveau avaient causé son daltonisme, mais également d'autres troubles. Sa perception de la couleur, son souvenir d'elle et sa capacité à imaginer ou à rêver en couleurs étaient également détruits.

Est-ce parce que l'aire visuelle est située dans le lobe occipital que l'on voit des étoiles quand on reçoit un coup à l'arrière de la tête ?   Absolument. Les coups reçus à l'arrière de la tête activent les neurones des lobes occipitaux. Comme cette forme de stimulation ne provient pas des voies nerveuses normales, on voit des éclats de lumière, des « étoiles », et non pas une image précise.

David Hubel et Torsten Wiesel (1962, 1968) ont beaucoup étudié le lobe occipital. Ils ont implanté des électrodes (de petits fils électriques) dans les lobes occipitaux de chats, et ils ont compté les neurones qui s'y activaient quand ils présentaient aux animaux un stimulus simple, un trait horizontal par exemple. Leur recherche a révélé que les lobes occipitaux sont formés de colonnes de neurones perpendiculaires à la surface du cortex. Les neurones d'une même colonne tendent à réagir seulement à un type particulier de stimuli visuels. Il semble que le reste du cortex soit organisé de la même manière.

David Hubel et Torsten Wiesel ont reçu le prix Nobel pour leur travail de localisation des aires visuelles dans le cortex occipital.

Les lobes temporaux

Les quatrièmes lobes, les lobes temporaux, sont situés sur les côtés du cerveau. Leurs principales fonctions sont la perception auditive, le langage, la mémoire et certains aspects de l'émotivité. Les aires auditives sont situées dans la partie antérieure des lobes temporaux. Elles traitent l'information sensorielle provenant des oreilles et la transmettent aux lobes pariétaux, qui la combinent à l'information provenant d'autres récepteurs sensoriels.

L'aire de Wernicke se trouve au sommet du lobe temporal gauche, près de sa jonction avec le lobe pariétal. C'est le siège de la pensée verbale et de la compréhension du langage. Les personnes qui ont subi des lésions de l'aire de Wernicke ont de graves difficultés de communication; elles sont incapables de lire, d'écrire, de parler et de comprendre le langage sous toutes ses formes, qu'il soit parlé, écrit ou gestuel.

Est-ce que la dyslexie résulte d'une anomalie de l'aire de Wernicke ?   Les personnes atteintes de dyslexie n'ont pas de déficit intellectuel; elles parlent et comprennent le langage parlé normalement, mais elles ont de la difficulté à lire. Elles omettent ou inversent les lettres dans les mots. Ainsi, elles lisent « mode » au lieu de « monde » ou « son » au lieu de « nos ». Bien entendu, cela leur cause des problèmes considérables.

Bien qu'il existe de nombreuses théories à propos de la dyslexie, ses causes, vraisemblablement multiples, demeurent incertaines (Bloom, Lazerson et Hofstadter, 1988). Faute d'une intégration adéquate de l'information visuelle et auditive, la personne n'associe pas correctement les combinaisons de lettres aux sons qu'elles représentent. Pour répondre à la question, finalement, il a été prouvé que la dyslexie peut résulter d'anomalies de l'aire de Wernicke (Galaburda et Kemper, 1979). En effet, les neurones ne sont pas disposés en colonnes dans le cerveau des dyslexiques. Bonne nouvelle, cependant, la plupart des dyslexiques peuvent apprendre, à force d'entraînement, à traiter l'information de manière à lire normalement.

Les lobes temporaux interviennent aussi dans la formation des concepts et des souvenirs. La capacité de former des concepts simples, par exemple de trouver parmi des stimuli celui qui est différent des autres, est gravement entravée par les lésions étendues des lobes temporaux (Mishkin et Pribram, 1954).

Les lobes temporaux semblent enfin participer, avec quelques autres structures cérébrales, au comportement émotionnel (Klyucharev, Bekhtereva et Dan'ko, 1998). Des recherches effectuées avec des chats et des singes ont en effet démontré que les lésions du *noyau amygdalien* et de l'*hippocampe*, structures du système limbique reliées aux lobes temporaux, perturbent considérablement l'émotivité. Les singes auxquels Kluver et Bucy (1939) enlevaient les lobes temporaux, le noyau amygdalien

Lobes temporaux : Lobes corticaux dont dépendent la perception auditive, la compréhension du langage, la mémoire et, en partie, l'émotivité.

Aire de Wernicke : Aire du cortex cérébral dont dépendent la pensée verbale et la compréhension du langage.

Dyslexie : Trouble de la lecture.

important

et l'hippocampe ne manifestaient plus d'émotions. Par exemple, ils devenaient indifférents aux serpents, qui leur inspiraient pourtant une terreur extrême avant l'intervention. Les humains dont les lobes temporaux ont été endommagés par la maladie présentent des comportements semblables (Marlowe, Mancall et Thomas, 1975). Les lobes temporaux, de même que les autres lobes corticaux, sont reliés à différentes régions du cerveau, dont les régions sous-corticales.

Les régions sous-corticales

Qu'est-ce qui nous donne envie de frapper quand nous sommes en colère ? Comment notre organisme conserve-t-il une température de 37°C ? Dans quelle partie de notre cerveau naît notre libido ? L'explication de ces mécanismes réside au milieu de notre cerveau, sous le cortex. Les *régions sous-corticales* sont le corps calleux, le thalamus, l'hypothalamus et le système limbique (voir la figure 3.15).

Le corps calleux est le pont qui relie les deux hémisphères cérébraux et qui leur permet de communiquer. Comme nous le verrons plus loin en étudiant la recherche sur la déconnexion interhémisphérique, le sectionnement du corps calleux donne deux cerveaux qui fonctionnent indépendamment.

Le thalamus est situé sous le corps calleux. Les deux masses jumelles dont il est formé, semblables à deux ballons de football accolés, sont réunies par un mince faisceau de fibres nerveuses (voir la figure 3.15). Principal relais sur le trajet de l'information sensorielle, le thalamus reçoit les influx provenant de presque tous les récepteurs sensoriels, puis il les transmet aux aires corticales appropriées. Le thalamus relaie aussi l'information provenant des aires sensitives vers d'autres parties du cortex.

Corps calleux : Pont de fibres nerveuses qui relie les deux hémisphères cérébraux.

Thalamus : Région sous-corticale située sous le corps calleux, qui relaie l'information sensorielle.

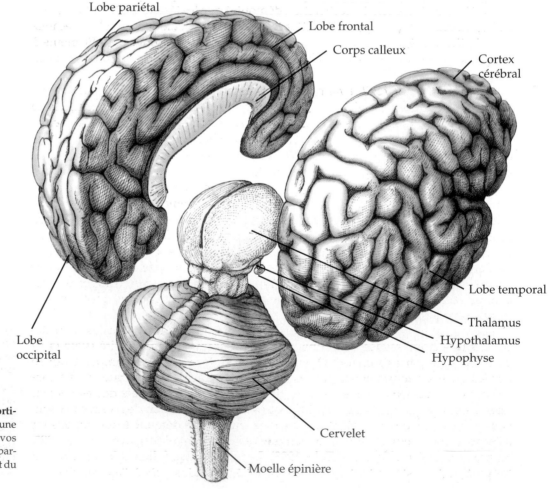

Figure 3.15 **Régions sous-corticales et cervelet.** Si l'on faisait une incision longitudinale entre vos deux hémisphères, la majeure partie des régions sous-corticales et du cervelet apparaîtrait.

Lobe pariétal

Lobe frontal

Corps calleux

Cortex cérébral

Lobe temporal

Thalamus

Hypothalamus

Hypophyse

Lobe occipital

Cervelet

Moelle épinière

L'on croit que le thalamus intervient aussi dans l'apprentissage et dans la mémoire, car ses lésions entraînent des troubles de la mémoire. La littérature médicale fait état du cas d'un escrimeur qui devint incapable d'apprendre les numéros de téléphone et de se rappeler les nouveaux visages après que la pointe d'un fleuret lui eut pénétré dans le nez et dans le thalamus (Bloom, Lazerson et Hofstadter, 1988).

Tout récemment, Courtney, Ungerleider, Kell et Haxby (1998) ont démontré que le thalamus pouvait être impliqué dans la mémoire de travail. À l'aide d'une technique d'imagerie du cerveau appelée tomographie par émission de positons (la TEP est décrite en détails à la page 102 et la mémoire de travail ou mémoire immédiate, au chapitre 8), ils ont découvert que le thalamus fait partie des régions du cerveau affichant une augmentation du flux sanguin lorsqu'on demande aux participants de se souvenir d'un visage pendant un court laps de temps. D'autres recherches utilisant des techniques modernes d'imagerie du cerveau établissent une relation entre les anomalies du thalamus et la schizophrénie (Andreasen et coll., 1994). Comme le thalamus est la principale zone de relais sensoriel vers le cortex cérébral, des anomalies à ce niveau pourraient induire le cortex à interpréter les données de façon erronée ou l'empêcher de recevoir de l'information sensorielle vitale. Un thalamus déficient pourrait également surcharger le cortex cérébral d'informations sensorielles. L'une ou l'autre de ces conditions se traduit par une difficulté à comprendre les codes sociaux, à contrôler ses propos et à interpréter les données sensorielles du monde extérieur. En somme, plusieurs des symptômes de la schizophrénie, tel que le fait d'entendre des voix, pourraient s'expliquer par des anomalies du thalamus.

L'hypothalamus est un groupe de corps cellulaires de neurones situé sous le thalamus. Sa fonction primordiale est le maintien de l'homéostasie, et notamment la régulation de la température corporelle, ce dont il s'acquitte par l'intermédiaire du système endocrinien. La recherche a démontré que les lésions ou la déconnexion à l'hypothalamus font disparaître chez les mammifères et les oiseaux les mécanismes de thermorégulation comme la transpiration et le grelottement. Et même à température externe constante, la température interne des animaux fluctue considérablement (Satinoff, 1974; Satinoff, Liran et Clapman, 1982).

L'hypothalamus régit la faim, la soif, la libido et l'agressivité. Il le fait directement, en produisant certains comportements lui-même, ou indirectement, par le truchement du système nerveux autonome. Les animaux qui ont subi une atteinte à l'hypothalamus présentent, selon la partie touchée, une augmentation ou une diminution de la faim et de la soif. Nous traiterons des fonctions de l'hypothalamus en de plus amples détails au chapitre 10.

Si l'on déconnectait ou détruisait chez des animaux toutes les parties du cerveau situées au-dessus de l'hypothalamus, les comportements de survie subsisteraient, mais ils seraient primitifs et désorientés. En effet, les mécanismes qui poussent à respirer, à manger, à boire, à grelotter quand il fait froid, à haleter quand il fait chaud, à s'accoupler, à dormir et à se réveiller resteraient intacts. Les animaux garderaient la capacité de se mouvoir de manière coordonnée. Enfin, ils seraient encore capables de réactions émotionnelles comme la peur et de comportements agressifs comme l'attaque; cependant, ces actions ne seraient plus dirigées vers un stimulus particulier (Bard, 1934).

Le système limbique est un ensemble de structures sous-corticales dont dépendent de nombreuses émotions, et particulièrement l'agressivité (voir la figure 3.16). Ces structures sont l'hypothalamus, le fornix, l'hippocampe, le noyau amygdalien, le septum et des parties des lobes frontaux et temporaux. Nous connaissons encore peu de choses sur le fornix et l'hippocampe, mais des recherches récentes suggèrent qu'ils seraient impliqués dans la formation des nouveaux souvenirs. Plusieurs de ces projets de recherche ont en effet démontré que des lésions à l'hippocampe peuvent altérer la mémoire (Alvarez, Zola-Morgan et Squire, 1995; Squire et Zola, 1996; Squire et Zola, 1998). Le noyau amygdalien et le septum sont les parties du système limbique qui sont reliées de plus près à l'agressivité. Les

La taille des parties du corps de ce modèle est proportionnelle à la quantité de tissu cortical consacrée au traitement de l'information sensorielle qui en provient.

Système limbique : Ensemble de structures sous-corticales liées aux émotions, à l'apprentissage et à la formation de souvenirs.

Fornix : Structure du système limbique située dans le prolongement de l'hippocampe et qui jouerait un rôle dans la formation des souvenirs.

Hippocampe : Structure du système limbique essentielle à la formation des nouveaux souvenirs.

Important

Noyau amygdalien : Structure du système limbique liée à l'expression de la peur et de l'agressivité.

Septum : Structure du système limbique qui semble moduler l'expression du noyau amygdalien.

chats et les chiens dont on stimule le noyau amygdalien présentent une augmentation de l'agressivité (Egger et Flynn, 1967). Le noyau amygdalien est également associé chez les humains à la capacité de manifester de la peur et de la reconnaître sur le visage d'autrui (Adophs, Tranel et Damiso, 1998; Morris, Frith, Perrett, Rowland et coll., 1996; Oaks et Coover, 1997). Évidemment, dans la vie courante, les agressions et la peur sont souvent étroitement liées. Le septum, en revanche, semble tempérer l'agressivité. Après une ablation de l'aire septale du thalamus, en effet, les animaux tendent à attaquer tout ce qui s'approche d'eux. L'hypothalamus influe sur l'agressivité en régulant l'hypophyse, la glande qui provoque la sécrétion de testostérone. Chez de nombreuses espèces, cette hormone mâle est reliée à l'agressivité; plus sa concentration sanguine est élevée, plus les animaux sont agressifs. N'oubliez pas que, même si les structures du système limbique comme l'hypothalamus et le noyau amygdalien contribuent au comportement émotionnel, chez les humains, les émotions sont tempérées par le cortex cérébral, en particulier les lobes frontaux. Il est clair, d'après le cas de Phineas Gage, que les lésions aux lobes frontaux, qui possèdent des connections neuronales avec le noyau amygdalien et l'hypothalamus, peuvent affecter de façon permanente le comportement social et émotionnel d'une personne, laquelle deviendra alors plus ou moins émotive, craintive ou agressive.

Les uns et les autres

L'HYPOTHALAMUS ET L'ORIENTATION SEXUELLE

D'intéressantes recherches ont été effectuées sur les rapports entre l'hypothalamus, le sexe et l'orientation sexuelle. En 1989, Allen, Hines, Shryne et Gorski constatèrent que les noyaux interstitiels de la partie antérieure de l'hypothalamus sont deux fois plus volumineux chez les hommes que chez les femmes. En 1991, Simon LeVay, neurophysiologiste du Salk Institute de San Diego, en Californie, trouva la même différence entre les hommes hétérosexuels et les hommes homosexuels.

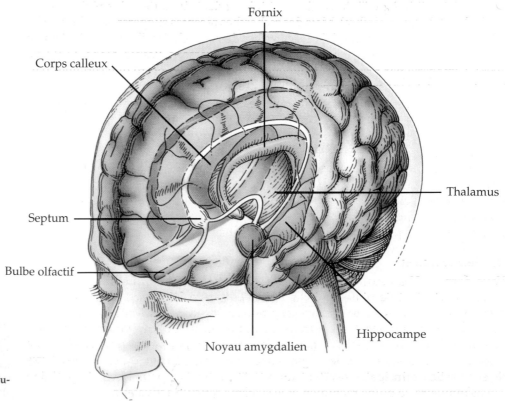

Figure 3.16   Principales structures du système limbique.

important

LeVay a étudié le tissu cérébral de 41 sujets qui étaient décédés dans sept centres hospitaliers de New York et de la Californie. Dix-neuf de ces sujets étaient des hommes homosexuels morts du SIDA, seize étaient des hommes hétérosexuels et six étaient des femmes hétérosexuelles. LeVay observa que la partie antérieure de l'hypothalamus était deux fois plus volumineuse chez les hommes hétérosexuels que chez les hommes homosexuels et les femmes hétérosexuelles. De là à conclure que la taille de la partie antérieure de l'hypothalamus *détermine* l'orientation sexuelle, il y a un pas qu'il ne faut pas franchir trop vite. En effet, la taille de l'hypothalamus peut tout aussi bien *résulter* de l'orientation sexuelle ou même d'une *troisième variable encore inconnue*. Par exemple, il y a tout lieu de croire que les hormones prénatales peuvent influencer la taille et l'organisation du cerveau. On pense en effet que l'exposition prénatale du cerveau en développement aux androgènes (hormones mâles) peut engendrer un cerveau « masculinisé », alors que le défaut d'exposition prénatale à ces mêmes hormones produirait plutôt un cerveau « féminisé » (Gladue, 1994). Les résultats des recherches de LeVay sont fascinants et importants car ils inspirent de nouvelles avenues de recherche, mais ils ne sont pas pour autant concluants (voir aussi Adler, 1991; Barinaga, 1991; Gibbons, 1991; Gladue, 1994; Swaab et Hoffman, 1995; et Swaab, Gooren et Hoffman, 1995). ■

Grâce à l'activité de son cervelet, ce charpentier peut garder son équilibre et exécuter des mouvements coordonnés.

Le cervelet

Le cervelet est logé à la base du cerveau, à l'arrière du tronc cérébral (voir les figures 3.15 et 3.17). Du point de vue de l'évolution, cette structure est très ancienne. (En règle générale, les structures inférieures du cerveau sont plus anciennes et plus primitives que les structures supérieures.) Le cervelet synchronise les mouvements et coordonne l'activité motrice. Les commandes des mouvements volontaires proviennent de l'aire motrice, dans le lobe frontal, mais c'est le cervelet qui assure la fluidité, la coordination et la précision des gestes. Lorsque nous dactylographions un texte, notre cervelet nous permet d'appuyer dans l'ordre sur les bonnes touches.

Le cervelet corrige automatiquement notre position pour nous éviter de tituber lorsque nous marchons et de tomber de nos chaises lorsque nous assistons à un cours. Pour ce faire, il intègre l'information qui lui parvient du cortex, des régions sous-corticales et du tronc cérébral. Mais des recherches récentes suggèrent que le cervelet fait beaucoup plus que nous éviter de tomber de notre chaise. Il jouerait également un rôle dans la perception et la connaissance (Gao, Parsons, Bower, Xiong, Li et Fox, 1996). L'imagerie par résonance magnétique (RMN) a démontré que certaines parties du cervelet sont très actives durant les performances motrices, perceptives et cognitives nécessitant le traitement de données sensorielles, par exemple lorsque vous tentez d'apporter une réponse motrice, comme enfoncer un bouton, au cours d'une tâche faisant appel à de la discrimination visuelle, auditive ou tactile.

Le cervelet pourrait également être directement impliqué dans l'apprentissage moteur. Jennifer Raymond, Stephen Lisberger et Michael Mauk (1996) ont effectué des recherches physiologiques sur la façon dont une personne apprend à cligner des yeux lorsqu'elle entend un certain son (ce type d'apprentissage, appelé conditionnement classique, est abordé au chapitre 7). Leurs résultats suggèrent que le cervelet est impliqué dans l'évaluation du juste moment pour cligner des yeux.

Cervelet : Partie du cerveau qui coordonne l'activité motrice et qui jouerait un rôle dans l'apprentissage moteur.

Le tronc cérébral

Vous dormez. Vos yeux vont et viennent sous vos paupières. Le dernier rêve de votre nuit devient de plus en plus palpitant, et votre fréquence cardiaque, votre pression artérielle et votre rythme respiratoire augmentent. Mais la sonnerie de votre réveille-matin retentit et votre rêve s'évanouit. Tout ce que votre organisme a accompli dans cette situation a été régi ou influencé par votre tronc cérébral. Le tronc cérébral est situé sous les régions sous-corticales, à l'avant du cervelet. Trois de ses parties principales revêtent un intérêt particulier pour nous : la protubérance annulaire, le bulbe rachidien et le système réticulé activateur.

Tronc cérébral : Partie du cerveau, située sous les régions sous-corticales et à l'avant du cervelet, qui comprend la protubérance annulaire, le bulbe rachidien et le système réticulé activateur.

Important

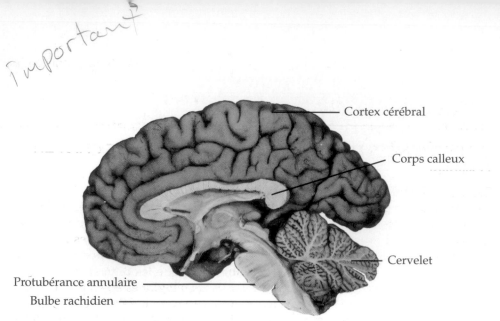

Cortex cérébral

Corps calleux

Cervelet

Protubérance annulaire

Bulbe rachidien

Figure 3.17 **Cerveau.** Cette coupe longitudinale d'un cerveau humain révèle le cortex, les régions sous-corticales, le tronc cérébral et le cervelet. La partie plissée qui apparaît au haut de la photo est l'hémisphère droit du cortex cérébral. La matière jaunâtre, au centre, est le corps calleux. La protubérance annulaire et le bulbe rachidien apparaissent au bas de la photo, et ils sont de couleur jaunâtre. La partie qui a l'apparence d'une feuille, à droite, est le cervelet.

Protubérance annulaire : Structure cérébrale située au sommet du tronc cérébral, qui intervient dans le sommeil, le rêve et la vigilance.

Bulbe rachidien : Structure cérébrale qui régit des fonctions involontaires, comme la respiration, la déglutition, les battements cardiaques.

Système réticulé activateur : Ensemble diffus de cellules, organisées en réseau, situées dans le bulbe rachidien, la protubérance annulaire, l'hypothalamus et le thalamus, qui filtrent l'information sensorielle.

formation réticulée même chose

La protubérance annulaire est comprise dans la partie supérieure du tronc cérébral. Certaines des fibres qu'elle contient relient les deux lobes du cervelet et d'autres transmettent l'information visuelle et auditive au cortex ou au cervelet. D'autres encore sont associées à la respiration, aux mouvements, à l'expression du visage et au sommeil, notamment aux mouvements rapides des yeux qui caractérisent le sommeil paradoxal (voir le chapitre 6).

Le bulbe rachidien se trouve sous la protubérance annulaire, dans la partie inférieure du tronc cérébral. Ses fonctions sont semblables à celles de la protubérance annulaire. Comme le bulbe rachidien est ni plus ni moins qu'un prolongement de la moelle épinière, un grand nombre des fibres qui le traversent sont porteuses d'informations qui proviennent du cerveau ou qui sont dirigées vers lui. Le bulbe rachidien contient aussi des fibres qui régissent les fonctions involontaires, comme la respiration (Smith, Ellenberger, Ballanyi, Richter et Feldman, 1991). Les lésions du bulbe rachidien peuvent faire cesser les fonctions vitales et entraîner la mort.

Le système réticulé activateur est un ensemble diffus de cellules situées dans le bulbe rachidien, la protubérance annulaire, l'hypothalamus et le thalamus. Sa fonction est de filtrer l'information sensorielle dirigée vers le cortex. Il reçoit les influx provenant des récepteurs sensoriels et il bloque le passage à ceux qui n'ont pas d'importance. Avez-vous déjà essayé d'entretenir une conversation au milieu de l'agitation d'une fête ? Dans une telle situation, votre système réticulé activateur laisse l'information sensorielle relative à votre interlocuteur accéder aux autres parties du cerveau et rejette l'information liée aux autres conversations. En tant que filtre sensoriel, le système réticulé activateur intervient aussi dans l'attention et dans la vigilance. Si un invité prononce votre nom à l'autre bout de la pièce, votre système réticulé activateur laisse parvenir cette information jusqu'à votre cortex; vous prêtez alors attention à la voix et essayez d'entendre ce qu'on dit à votre sujet.

Jusqu'ici, nous avons isolé les principales structures du cerveau pour présenter leurs fonctions. Or, chaque partie d'un cerveau normal est reliée aux autres; ainsi, les régions corticales sont unies entre elles et avec les régions sous-corticales. Donc, même si une région spécifique du cerveau peut être principalement responsable d'un certain type de comportement, plusieurs autres parties interviennent, directement ou indirectement, dans la production de ce comportement.

De plus, lorsqu'une région du cerveau est détruite, il arrive parfois qu'une autre partie prenne la relève pour assumer la fonction perdue. Par exemple, souvenez-vous du cas de Monsieur I., mentionné au chapitre 1 (p. 24). À un moment, Oliver Sacks suggérait à Monsieur I. la possibilité de « rééduquer » une autre partie de son cerveau à percevoir les couleurs. Monsieur I. déclina pourtant son offre car il considérait s'être plutôt bien adapté à son nouveau monde et, en outre, ses nouvelles peintures en noir et blanc connaissaient autant de succès que les précédentes, riches en couleurs.

Les uns et les autres

LES DIFFÉRENCES ENTRE LE CERVEAU MASCULIN ET LE CERVEAU FÉMININ

Beaucoup de différences entre le comportement des hommes et celui des femmes sont attribuées à des facteurs sociaux. Ainsi, l'on explique par l'influence des parents le fait que les filles jouent avec des poupées et les garçons, avec des voitures miniatures. On dit que c'est à cause des attentes de la société que les filles sont douées pour la lecture et les garçons, pour les mathématiques. Bien que ces influences sociales soient indéniables, il semble aussi que les différences entre les hommes et les femmes soient dues à des facteurs biologiques et, en particulier, à des influences hormonales qui s'exercent sur le cerveau au début du développement (Kimura, 1992; Kimura et Hampson, 1994; Reinisch, Ziemba et Sanders, 1991).

Regardez les figures 3.18 et 3.19. Elles montrent quelques-unes des épreuves que l'on fait subir à des hommes et à des femmes pour comparer leurs aptitudes cognitives. Comme vous pouvez le constater, les hommes réussissent mieux que les femmes les tâches qui font appel au raisonnement mathématique, à la structuration spatiale et à la précision perceptivo-motrice. Les femmes, en revanche, obtiennent de meilleurs scores que les hommes pour les tâches qui font appel au calcul mental, à la vitesse de perception et à la dextérité manuelle.

Qu'est-ce qui explique ces différences ? D'après les dernières recherches, ce sont les hormones qui agissent sur le cerveau au début du développement. Dans les jours qui suivent la conception, tous les embryons possèdent des caractères sexuels féminins. Six semaines après la conception, les testicules apparaissent chez les embryons mâles et commencent à sécréter des androgènes, hormones masculinisantes dont la principale est la testostérone. Non seulement les androgènes provoquent-ils le développement des organes génitaux masculins, mais ils semblent aussi influer sur celui du cerveau et modifier à tout jamais le fonctionnement cérébral. Les recherches que Christine Vito et Thomas Fox (1981) ont menées sur des rats laissent croire que les hormones agissent sur le cerveau pendant une période critique qui précède et suit de peu la naissance. Administrées plus tard au cours de la vie, ces hormones n'ont pas le même effet.

Les études portant sur des enfants qui ont été exposés à des quantités excessives d'hormones peu avant leur naissance révèlent l'étendue de l'influence hormonale. Reinisch et Sanders (1992), par exemple, ont observé des garçons de 9 ans à 21 ans qui avaient été exposés à un œstrogène (une hormone féminine) avant leur naissance. L'habileté spatiale était moins développée chez ces garçons que chez leurs frères qui n'avaient pas été exposés aux hormones féminines. D'autres chercheurs ont étudié des filles atteintes d'hyperplasie surrénalienne congénitale, anomalie génétique qui cause une sécrétion excessive d'androgènes dans la période qui précède ou qui suit immédiatement la naissance. Les manifestations physiologiques de la maladie, soit la masculinisation des organes génitaux et la surproduction d'androgènes, peuvent être corrigées par la chirurgie ou la médication. Cependant, l'influence exercée par les hormones sur le cerveau est irréversible. Les filles atteintes de la maladie sont plus turbulentes et plus agressives que les filles normales, et elles préfèrent les camions et les cubes de construction aux poupées et aux services de vaisselle miniatures. En fait, elles passent autant de temps que les garçons à jouer avec des voitures (Kimura, 1992). En outre, elles réussissent mieux que les filles normales les épreuves d'habileté spatiale, et notamment la tâche qui consiste à effectuer mentalement des rotations de figures (voir la figure 3.19; Nass et Baker, 1991). Si l'on suppose que les parents ont encouragé les comportements féminins autant chez les filles atteintes de la maladie que chez leurs sœurs, on est amené à conclure que le comportement des filles atteintes est dû à l'influence des androgènes.

Vitesse de perception
Trouvez le plus rapidement possible l'objet identique à celui de gauche.

Objets déplacés
Regardez la figure du centre et dites quel objet manque dans la figure de droite.

Fluidité verbale
Donnez des mots qui commencent par la même lettre. (Les femmes obtiennent aussi de meilleurs scores aux épreuves de fluidité mentale qui consistent, par exemple, à nommer des objets de même couleur.)

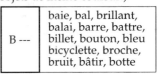

| B --- | baie, bal, brillant, balai, barre, battre, billet, bouton, bleu bicyclette, broche, bruit, bâtir, botte |

Dextérité manuelle
Placez les tiges dans les trous le plus rapidement possible.

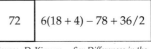

Arithmétique
Trouvez la réponse.

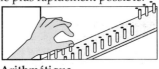

| 72 | $6(18 + 4) - 78 + 36/2$ |

Source : D. Kimura, « *Sex Differences in the Brain* », dans *Scientific American*, © 1992.

Figure 3.18   **Tâches que les femmes réussissent mieux que les hommes.**

Bien des différences entre les hommes et les femmes ont leur source dans le cerveau.

Déplacements d'objets dans l'espace
Trouvez l'objet identique à celui de gauche.

Déplacements d'objets dans l'espace
Indiquez où se trouvent les trous dans la feuille de papier dépliée.

Lancer de projectiles en direction d'une cible
Lancez la fléchette dans le mille.

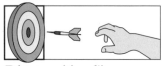

Décomposition d'images
Trouvez la forme identique à celle de gauche dans les figures complexes.

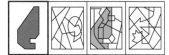

Raisonnement mathématique
Trouvez la réponse.

5 1/2	Si vous parcourez 24 kilomètres par jour à bicyclette, combien vous faudra-t-il de jours pour parcourir 132 kilomètres?

Source : D. Kimura, « *Sex Differences in the Brain* », dans *Scientific American*, © 1992.

Figure 3.19 **Tâches que les hommes réussissent mieux que les femmes.**

Il est probable que les concentrations hormonales influent sur la performance cognitive tout au long de la vie (Collaer et Hines, 1995; Diamond, Binstock et Kohl, 1996). Chez les femmes, par exemple, la forte concentration d'œstrogènes caractéristique du début du cycle menstruel est associée à une amélioration de l'articulation et de la dextérité et à une diminution de l'habileté spatiale (Hampson, 1990; Kimura et Hampson, 1994). Chez les hommes, par ailleurs, l'habileté spatiale varie selon les saisons (Kimura, 1992). Les scores obtenus par les hommes aux épreuves d'habileté spatiale ont tendance à monter au printemps, époque où les concentrations de testostérone sont faibles.

Les hommes et les femmes se distinguent par leur comportement, mais aussi par l'anatomie de leur cerveau. La plupart des chercheurs conviennent que les fonctions du langage sont moins latéralisées chez les femmes que chez les hommes. Plusieurs chercheurs ont aussi observé que la partie postérieure du corps calleux des femmes est plus volumineuse que celle des hommes (Allen et coll., 1991). Cette différence indique peut-être qu'il y a plus de fibres et, partant, une meilleure communication entre les hémisphères cérébraux des femmes.

Il a aussi été démontré que le cerveau des hommes et celui des femmes sont organisés différemment. Au cours d'études sur les aphasies (troubles du langage) et les apraxies (troubles du choix des mouvements), les chercheurs ont constaté que les deux types de troubles résultent chez les femmes de lésions de la partie antérieure du cerveau et, chez les hommes, de lésions de la partie postérieure. Par conséquent, le centre de la praxie, c'est-à-dire du choix des mouvements, est voisin du cortex moteur chez les femmes, et cette proximité explique peut-être la dextérité des femmes. De même, la proximité du centre de la praxie et du cortex visuel chez les hommes explique peut-être la précision perceptivo-motrice des hommes (Kimura, 1992).

Il semble donc que, sous l'influence des hormones, le cerveau de l'homme et le cerveau de la femme commencent à se différencier dès les premiers instants de la vie. Bien que les hommes et les femmes semblent avoir la même intelligence, ils présentent des différences du point de vue du fonctionnement cognitif. Certes, il existe des exceptions : beaucoup d'hommes sont très habiles aux tâches qui avantagent normalement les femmes, et vice versa. Mais même ces exceptions peuvent s'expliquer par l'influence hormonale. Les nouveau-nés privés d'influence hormonale pendant la période critique deviennent des hommes qui ont des comportements de femmes et des femmes qui ont des comportements d'hommes.

Il est important de se rappeler que la recherche effectuée sur l'influence hormonale révèle seulement des corrélations; les causes réelles de certains comportements adultes restent encore à déterminer. Ce type de recherche a néanmoins le mérite de montrer l'importance des processus biologiques du début de la vie et le rôle qu'ils jouent dans les différences cognitives entre les hommes et les femmes. ■

RÉSUMÉ

Le système nerveux central

Le système nerveux central est composé du cerveau et de la moelle épinière. Celle-ci sert de lien de communication entre le cerveau et le reste de l'organisme. Elle intervient dans toutes les actions volontaires et réflexes des parties du corps situées au-dessous du cou.

Les divisions principales du cerveau sont le cortex cérébral, les régions sous-corticales, le cervelet et le tronc cérébral.

Le cortex cérébral est divisé en quatre lobes : les lobes frontaux contrôlent la motricité et la parole, et ils sont le siège de la conscience de soi et de la capacité de planification; les lobes pariétaux servent à recevoir les informations sensorielles; les lobes occipitaux sont consacrés à la vision et au traitement des informations visuelles; les lobes temporaux interviennent dans l'audition et le langage.

Les structures les plus importantes des régions sous-corticales sont le corps calleux, le thalamus, l'hypothalamus et le système limbique. Le corps calleux est un pont d'axones reliant les deux hémisphères cérébraux. Le thalamus sert de relais principal aux informations sensorielles afférentes. L'hypothalamus régit le système endocrinien, et il régule la température du corps, la soif, la faim, la libido et le comportement agressif. Le système limbique est un ensemble de structures du cerveau responsables du comportement émotionnel.

Les recherches font apparaître certaines relations entre l'hypothalamus, le sexe et l'orientation sexuelle, mais elles n'établissent pas de causalités définitives. Des recherches récentes semblent également indiquer que les différences entre hommes et femmes pourraient finalement provenir d'une influence hormonale en début de vie et de différences de l'anatomie cérébrale.

Le cervelet, situé à la base du cerveau derrière le tronc cérébral, assure la fluidité des mouvements et coordonne l'activité motrice. Le tronc cérébral est composé de la protubérance annulaire, du bulbe rachidien et du système réticulé activateur (SRA). La protubérance annulaire est associée à la respiration, au mouvement, à l'expression du visage et au sommeil. Le bulbe rachidien sert essentiellement à réguler la respiration. Le SRA est un ensemble diffus de neurones associés à l'attention et à la vigilance.

QUESTIONS DE RÉVISION

1. Qu'est-ce qu'un réflexe ? Pourquoi les réflexes sont-ils importants ?
2. La surface plissée du cerveau est appelée _cortex cérébral_
3. Vous donnez un exposé oral. Nommez les lobes corticaux qui s'activent lorsque vous :
   a) pensez à la prochaine phrase que vous direz; _frontaux_
   b) reconnaissez des visages dans l'auditoire; _occipitaux_
   c) entendez les questions de votre auditoire et y répondez; _temporaux_
   d) vous rappelez l'endroit où vous avez garé votre voiture. _pariétaux et frontaux_
4. Le pont qui met les deux hémisphères en communication est appelé _corps calleux_
5. La structure sous-corticale qui relaie l'information sensorielle à d'autres régions du cerveau est appelée _talamus_ .
6. La principale fonction de l'hypothalamus est le maintien de l' _homéostasie_.
7. Nommez les trois principales structures du tronc cérébral. _Protubérance annulaire, bulbe rachidien, syst. réticulé activateur._
8. Le cas de Phineas Gage suggère que les lobes _frontal_ déterminent notre personnalité et qu'ils sont en grande partie responsables de ce qui fait de nous des êtres humains uniques.

   a) frontaux b) temporaux c) pariétaux d) occipitaux

   Les réponses aux questions de révision se trouvent en annexe.

L'ÉTUDE DU CERVEAU

Les connaissances que nous possédons au sujet du cerveau ont été acquises grâce à diverses techniques : les études anatomiques, les techniques traumatisantes, l'enregistrement électrique, la stimulation électrique, la déconnexion interhémisphérique, la tomodensitométrie (TDM), la tomographie par émission de positons (TEP) et la résonance magnétique nucléaire (RMN).

▲ *Comment les chercheurs étudient-ils le cerveau et quelles découvertes ont-ils faites ?*

LES ÉTUDES ANATOMIQUES : DU CADAVRE À L'ORDINATEUR

Les premières données relatives à la structure et au fonctionnement du système nerveux provinrent d'études anatomiques et particulièrement de la dissection de

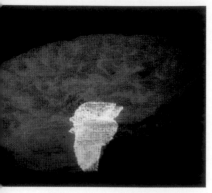

Les images produites par ordinateur fournissent beaucoup de renseignements sur la structure du cerveau humain.

cadavres. Au milieu du XIXe siècle, la technique avait donné aux scientifiques une connaissance rudimentaire de l'anatomie du système nerveux périphérique et du cerveau. Un chirurgien de l'époque, Paul Broca (1861), localisa l'aire cérébrale (l'aire de Broca), dont les lésions provoquent une perte totale ou partielle de la capacité d'utiliser le langage. Broca découvrit cette aire en disséquant des cerveaux de patients qui, de leur vivant, étaient atteints de troubles du langage.

De nos jours, les chercheurs utilisent des microscopes et des ordinateurs perfectionnés pour étudier les détails de cerveaux de cadavres. Vous voyez ci-contre un bon exemple des résultats obtenus avec l'ordinateur. Cette image du cerveau humain a été produite par Robert Livingston, à l'université de la Californie à San Diego. Livingston et ses collègues ont fourni à l'ordinateur des centaines de clichés de coupes fines de tissu cérébral. À l'aide d'un logiciel d'infographie, Livingston a colorié et même animé certaines parties de l'image.

Tout comme on ne peut comprendre le fonctionnement d'une machine complexe à l'arrêt, on ne peut étudier le fonctionnement cérébral en observant des tissus morts. C'est pourquoi les chercheurs ont inventé diverses techniques pour examiner le cerveau vivant.

LES TECHNIQUES TRAUMATISANTES : L'ÉTUDE DU CERVEAU PAR LA DÉSACTIVATION SYSTÉMATIQUE

Techniques traumatisantes : Techniques de recherche qui consistent à détruire systématiquement du tissu cérébral et à observer l'effet de l'intervention sur le comportement.

Les premières techniques d'examen du cerveau vivant consistaient à endommager chirurgicalement des cerveaux d'animaux et à observer l'effet de l'intervention sur le comportement. Ces techniques sont appelées techniques traumatisantes. Dans les premières expériences menées avec cette méthode, on a détruit de petites et de grandes quantités de tissus pour mieux comprendre le fonctionnement du cerveau.

Les techniques traumatisantes ont aidé les chercheurs à déterminer les fonctions de certaines parties du cerveau, mais leur emploi comporte deux graves inconvénients : 1) les chercheurs causent des dommages permanents au cerveau d'un animal vivant; 2) une fois qu'un chercheur a partiellement détruit le cerveau d'un animal, il n'observe plus un animal normal. Aujourd'hui, les chercheurs préfèrent utiliser des techniques qui n'ont pas ces désavantages, notamment l'enregistrement électrique et la stimulation électrique.

L'ENREGISTREMENT ÉLECTRIQUE : LA MESURE DES CHANGEMENTS ÉLECTRIQUES DANS LE CERVEAU

Électrodes : Petits dispositifs (généralement des fils) qui conduisent un courant électrique provenant du tissu cérébral ou dirigé vers lui.

Comme l'influx nerveux qui se propage dans l'axone engendre un faible courant électrique, il est possible de mesurer l'activité électrique d'un neurone, d'un groupe de neurones ou d'un nerf intact. Pour ce faire, on a besoin d'une électrode, d'un amplificateur et d'un appareil d'enregistrement (voir la figure 3.20). Une électrode est un petit dispositif qui conduit le courant électrique. Les électrodes ont des formes et des tailles diverses, mais la plupart de celles qui servent à enregistrer l'activité électrique cérébrale sont de minces fils. L'amplificateur convertit le courant amené par l'électrode en signaux qui apparaissent sur un écran (dans le cas de l'oscilloscope) ou sur une feuille de papier (dans le cas du polygraphe).

Figure 3.20 **Système d'enregistrement électrique.** Ce système sert à enregistrer l'activité de neurones ou de groupes de neurones dans une région du cerveau.

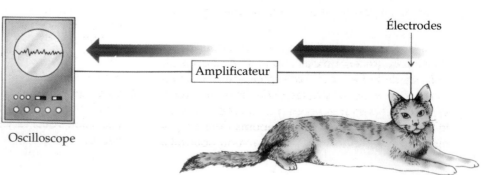

Électrodes

Amplificateur

Oscilloscope

Est-il nécessaire de placer des électrodes à l'intérieur du cerveau pour enregistrer l'activité cérébrale ? Non. On peut enregistrer les grandes variations de l'activité cérébrale au moyen d'électrodes reliées d'une part à la peau ou au cuir chevelu et, d'autre part, à un appareil appelé électroencéphalographe. Cette méthode est largement utilisée auprès des humains, car elle ne nécessite pas d'intervention chirurgicale. Elle sert à étudier les états de conscience, et notamment le sommeil et le rêve (voir le chapitre 6).

Électroencéphalographe : Appareil qui enregistre les grandes variations de l'activité cérébrale au moyen d'électrodes attachées au cuir chevelu.

LA STIMULATION ÉLECTRIQUE : SOLLICITER L'ACTIVITÉ DU CERVEAU

Un chercheur peut activer certaines parties du cerveau en leur appliquant de faibles courants électriques au moyen d'électrodes. Les courants provoquent des mouvements, produisent des sensations ou font émerger des souvenirs. La stimulation

PENSÉE CRITIQUE • Psychologie en direct

Des termes et des concepts clairs

Pour comprendre la structure et le fonctionnement du cerveau

Être capable de définir un terme ou un concept, ce n'est pas nécessairement le comprendre. Les adeptes de la pensée critique abordent les termes importants sous divers angles. Ils ne se contentent pas de demander : « Qu'est-ce que ce terme signifie ? », mais laissent libre cours à leur curiosité et se demandent : « Qu'est-ce qui arriverait si… ? Supposons que ceci est différent, alors… ? ». Cette souplesse mentale favorise non seulement la compréhension des termes, mais aussi le développement de la pensée critique.

L'exercice suivant vous aidera à comprendre le fonctionnement du cerveau et la terminologie qui sert à le décrire. En outre, il vous donne des exemples de questions propices à l'essor de la pensée critique.

Situation 1

Un neurochirurgien s'apprête à pratiquer une intervention. Avec une électrode, il stimule un point du cerveau du patient, et l'index droit du patient bouge. Le chirurgien prend note de la réaction, puis il stimule un point voisin du premier; le pouce droit du patient remue.

Questions

1. Quelle partie du cerveau le chirurgien a-t-il stimulée ? Dans quel lobe cette partie est-elle située ?
2. Quel hémisphère le chirurgien a-t-il touché ?
3. Est-ce que le patient a éprouvé de la douleur ? Pourquoi ?
4. Étant donné la spécialisation de certaines parties du cerveau (réception de l'information sensorielle, maîtrise de la motricité, etc.), qu'est-ce qui arriverait si le cerveau était détaché du reste du corps ? Est-ce que le cerveau a besoin pour fonctionner de la rétroaction des récepteurs répartis dans l'organisme ? Quelles fonctions votre cerveau pourrait-il accomplir si on le maintenait en vie à l'extérieur de votre organisme ? Sans influx sensoriels et moteurs, serait-il capable de penser ?

Situation 2

La scène : Une salle d'urgence dans un hôpital. On vient d'admettre une victime d'un accident de la circulation. Deux internes parlent de son cas.
Premier interne : Doux Jésus ! Tout le cortex cérébral est gravement endommagé; nous devrons l'enlever au complet.
Deuxième interne : Pas question. Si nous enlevons tout ce tissu, le patient mourra quelques minutes plus tard.
Premier interne : Mais où as-tu fait tes études — chez toi en regardant « Hôpital général » ? Le patient ne mourra pas si on lui enlève tout le cortex cérébral.
Deuxième interne : Tes insinuations sont déplaisantes. J'ai fréquenté l'une des meilleures facultés de médecine, et je te dis que le patient *mourra* si on lui enlève tout le cortex cérébral.

Questions

1. Est-ce que le patient mourra si on lui enlève la totalité du cortex cérébral ? Expliquez votre réponse.
2. Si le patient privé de cortex cérébral est maintenu en vie, quels seront les comportements et les réactions qu'il conservera ? Que deviendront sa personnalité, sa mémoire et ses émotions ?
3. Quels comportements le patient présentera-t-il s'il ne lui reste que les régions sous-corticales, le bulbe rachidien et la moelle épinière ? Si seuls son bulbe rachidien et sa moelle épinière sont intacts ? Si seulement sa moelle épinière est intacte ?
4. Est-ce qu'il vaut la peine de vivre sans cortex cérébral ? Nommez les parties du cerveau sans lesquelles, selon vous, la vie vaut encore la peine d'être vécue.

très

électrique est généralement employée auprès d'humains, car les animaux ne peuvent pas communiquer beaucoup d'informations. Un rat dont on stimule l'aire visuelle, par exemple, ne peut pas s'exclamer : « Quel bleu magnifique ! » La plupart des recherches effectuées au moyen de la stimulation électrique l'ont été pendant des interventions chirurgicales au cerveau. Les chirurgiens qui cherchaient à déterminer les fonctions de la partie à détruire ou à enlever exploraient ce faisant la région avoisinante.

Le neurochirurgien canadien Wilder Penfield employait la stimulation électrique pour étudier le cerveau de ses patients. Puisque le cerveau est insensible à la douleur, ceux-ci pouvaient rester conscients et vigilants pendant les interventions. Quand Penfield stimulait certaines régions cérébrales, ses patients disaient éprouver diverses sensations, voir des images, entendre des passages musicaux, se rappeler des souvenirs, etc. L'une de ses patientes lui dit qu'elle avait l'impression de se trouver dans sa cuisine et d'entendre la voix de son petit garçon provenant du jardin. Un autre dit qu'il était en train de regarder un match de baseball dans une petite ville et qu'il voyait un jeune garçon se faufiler sous la clôture du stade (1975, p. 21 et 22).

James Olds, lui, utilisait la stimulation électrique auprès d'animaux. Au début des années cinquante, Olds conçut une expérience qui lui permit de déterminer si des rats aimaient ou non une stimulation particulière (Olds et Milner, 1954). Il implantait dans le cerveau des rats une électrode permanente reliée à un stimulateur. Ensuite, il enseignait aux rats à appuyer sur un levier pour obtenir une stimulation électrique. Olds constata que les rats appuyaient très fréquemment sur le levier si l'électrode était placée dans certaines régions du cerveau qui reçurent le nom de centres du plaisir. Bien entendu, les sensations éprouvées par les rats et les raisons de leur comportement nous sont inconnues. Chose certaine, la stimulation semblait très gratifiante. Certains rats, même affamés, se passaient de manger pour actionner le stimulateur.

LA DÉCONNEXION INTERHÉMISPHÉRIQUE : DEUX CERVEAUX PLUTÔT QU'UN

Les expériences de déconnexion interhémisphérique (ou *split-brain*, « cerveau divisé ») ont révélé des aspects fascinants du fonctionnement du cerveau. Ce type de recherche commença en 1961, quand le neurochirurgien Joseph Bogen sectionna le corps calleux d'un patient atteint d'épilepsie grave. L'épilepsie est une maladie chronique du système nerveux caractérisée par des crises convulsives. L'intervention était radicale, mais Bogen était enclin à croire qu'elle réduirait ou éliminerait les crises du patient. Sans corps calleux pour les relier, les deux hémisphères sont privés de toute communication et fonctionnent indépendamment. Bien que l'intervention n'ait pas été pratiquée plus de 100 fois depuis 1961, la recherche à laquelle elle a donné lieu a considérablement augmenté nos connaissances sur l'interaction des deux moitiés du cerveau.

Les patients qui ont subi une déconnexion interhémisphérique ne présentent pas de changement manifeste de comportement. Ils parlent, marchent, jouent à la balle et accomplissent des tâches mentales complexes. Leur personnalité ne montre aucun signe de division. Mais comme l'information ne peut plus passer d'un côté de leur cerveau à l'autre, les tâches qui nécessitent justement un transfert d'information leur deviennent difficiles ou impossibles, comme en témoigne l'exemple suivant.

On bande les yeux de deux personnes ayant subi une déconnexion interhémisphérique. Le sujet G prend une clé dans sa main gauche. L'information relative à la clé est traitée dans l'hémisphère droit (voir la figure 3.21). Le sujet D, lui, prend une clé dans sa main droite; l'information est reçue et traitée dans l'hémisphère gauche. Chez les deux sujets, l'information sensorielle parvient à l'hémisphère approprié, mais elle ne peut pas traverser dans l'autre hémisphère.

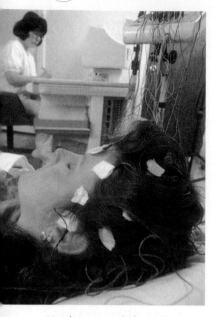

Un électroencéphalographe est un appareil qui enregistre l'activité électrique du cerveau. Les variations du courant que captent les électrodes attachées au cuir chevelu du patient apparaissent sur un écran ou s'inscrivent sur un rouleau de papier.

Centres du plaisir : Régions cérébrales dont la stimulation provoque une sensation très agréable.

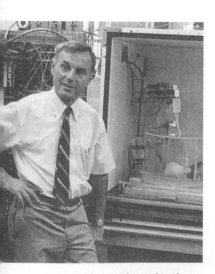

James Olds a implanté des électrodes dans le cerveau de rats pour étudier les centres du plaisir.

On demande ensuite aux sujets ce qu'ils ont dans les mains. Le sujet G est incapable de dire que c'est une clé, mais le sujet D est capable. Si on retire les bandeaux et qu'on demande aux sujets de désigner l'objet qu'ils tenaient parmi un assortiment d'objets, tous deux montrent la clé. L'hémisphère droit (qui reçoit l'information provenant de la main gauche) reconnaît la clé, mais il est incapable de produire le mot. L'hémisphère gauche reconnaît la clé aussi, et il est *capable* de la nommer. En effet, les centres du langage sont situés dans l'hémisphère gauche; l'hémisphère gauche est capable de parler, mais l'hémisphère droit est muet.

La spécialisation des hémisphères

La recherche sur la déconnexion interhémisphérique (Gazzaniga, 1976; Sperry, 1968; Zaidel, 1975) a fait clairement apparaître les différences entre les deux hémisphères (qui sont résumées à la figure 3.22). L'hémisphère gauche est spécialisé dans les fonctions du langage, la parole, la lecture, l'écriture et la compréhension, et dans les fonctions analytiques telles que les mathématiques. L'hémisphère droit est spécialisé dans les habiletés non verbales, comme la musique, les habiletés perceptivomotrices, le dessin, la construction de formes géométriques, la résolution de casse-tête, la peinture et la reconnaissance des visages (Springer et Deutsch, 1981). La recherche sur la déconnexion interhémisphérique a aussi révélé l'interdépendance des deux hémisphères. Ainsi, les sujets capables de réussir l'épreuve du motif géométrique dans l'échelle d'intelligence de Wechsler (voir le chapitre 9) mettent plus de temps à résoudre le problème après une déconnexion interhémisphérique. Il semble donc que la réussite de la tâche repose sur l'intégration de l'information parvenant aux deux hémisphères (Gazzaniga, 1989).

La spécialisation des hémisphères est-elle inversée chez les gauchers ? Pas nécessairement. Chez la plupart des gens qui utilisent leur main gauche pour écrire, manipuler un marteau et lancer une balle, les centres du langage sont situés dans l'hémisphère gauche. Springer et Deutsch (1981) ont constaté que les centres du langage étaient situés dans l'hémisphère gauche chez 95 % de leurs sujets droitiers et chez 70 % de leurs sujets gauchers. Ce résultat laisse supposer que même si l'hémisphère droit est dominant pour la motricité chez les gauchers, les autres habiletés résident souvent dans le même hémisphère que chez les droitiers.

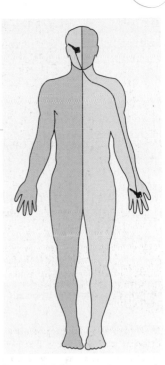

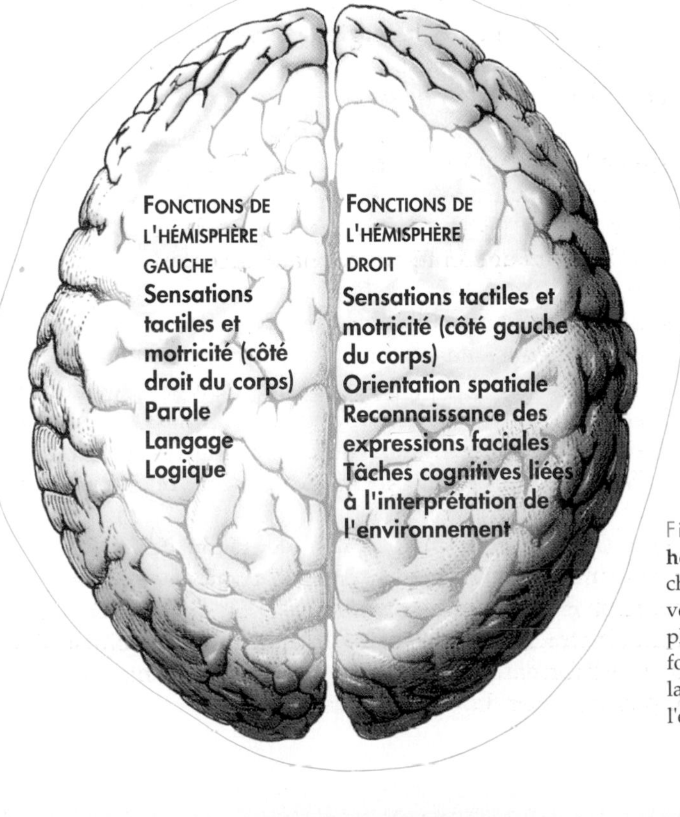

Figure 3.21 Enjambement de l'information. L'information provenant du côté gauche du corps est traitée dans l'hémisphère droit.

FONCTIONS DE L'HÉMISPHÈRE GAUCHE
Sensations tactiles et motricité (côté droit du corps)
Parole
Langage
Logique

FONCTIONS DE L'HÉMISPHÈRE DROIT
Sensations tactiles et motricité (côté gauche du corps)
Orientation spatiale
Reconnaissance des expressions faciales
Tâches cognitives liées à l'interprétation de l'environnement

Figure 3.22 Fonctions des hémisphères. L'hémisphère gauche *tend* à accomplir les fonctions verbales et analytiques. L'hémisphère droit *tend* à s'acquitter des fonctions non verbales telles que la manipulation des objets dans l'espace et la musique.

Il est vrai que le monde est fait pour les droitiers, mais les gauchers n'en possèdent pas moins certains avantages. Les statistiques révèlent que les gauchers se rétablissent mieux que les droitiers des accidents vasculaires cérébraux qui endommagent les centres du langage (Seamon et Gazzaniga, 1973). L'hémisphère muet des gauchers réussit peut-être mieux que celui des droitiers à s'acquitter des fonctions du langage si les centres principaux du langage sont endommagés.

LES TECHNIQUES D'IMAGERIE MÉDICALE   *pas important*

Les progrès de la recherche sur le cerveau reposent non seulement sur la créativité des chercheurs, mais aussi sur la technologie dont ils disposent. Les techniques d'imagerie médicale modernes permettent aux chercheurs d'étudier des cerveaux vivants et intacts. Ces techniques sont la tomodensitométrie, la tomographie par émission de positons et la résonance magnétique nucléaire.

La tomodensitométrie fournit des images radiographiques des organes internes, et notamment du cerveau. Ces images sont plus révélatrices que les radiographies traditionnelles, car elles indiquent clairement et précisément l'emplacement des tumeurs et des autres anomalies. La tomodensitométrie peut révéler des anomalies structurales du cerveau, mais elle ne renseigne en rien sur son fonctionnement.

La tomographie par émission de positons, en revanche, permet aux chercheurs de visualiser le fonctionnement du cerveau. On injecte dans la circulation sanguine du sujet du glucose radioactif qui émet des particules positivement chargées appelées positons. Les positons réagissent avec d'autres particules et produisent des rayons gamma que capte le tomographe (Li et Shen, 1985). La quantité de rayons gamma émise par une région du cerveau est proportionnelle à la quantité de glucose qui y est utilisée et, partant, à l'activité neuronale qui y prend place (Phelps et Mazziotta, 1985; voir photo de gauche de la page suivante). La technique est particulièrement utile pour l'étude des troubles mentaux et des séquelles des accidents vasculaires cérébraux (Andreasen, 1988). Richard Haier, de l'université de Californie à Irvine, utilisa la tomographie par émission de positons (TEP) afin d'étudier la façon dont le cerveau utilise l'énergie pour résoudre des problèmes. Sa découverte la plus intéressante indique que les cerveaux de personnes très intelligentes sont plus efficaces et utilisent moins de glucose que les cerveaux de personnes d'intelligence moindre, telle que mesurée d'après les tests de QI (Haier, 1993; Haier et coll., 1988, 1995).

La résonance magnétique nucléaire (RMN) montre la structure du cerveau vivant beaucoup plus clairement encore que ne le font les deux autres techniques (voir photo de droite de la page suivante). Fondée sur les propriétés magnétiques des noyaux atomiques, la résonance magnétique nucléaire révèle, au moyen d'ondes radio, la répartition de certains atomes dans le cerveau. L'utilisation de l'imagerie à échos planars a beaucoup diminué la durée de l'examen, de telle sorte qu'il est maintenant possible d'obtenir une image en une fraction de seconde (Stehling, Turner et Mansfield, 1991). Dernièrement, les chercheurs ont raffiné les techniques de RMN grâce auxquelles ils mesurent l'activité cérébrale d'une région précise, au moment où une personne effectue des tâches spécifiques comme lire ou résoudre un problème mathématique. Appelée *résonance magnétique nucléaire fonctionnelle (RMNf)*, cette technique mesure les taux d'oxygénation du sang dans le cerveau; plus la quantité d'oxygène utilisée dans une région est élevée, plus cette région est active. Tout comme la RMN standard, l'avantage de la RMNf sur la TEP est la suppression des indicateurs de glucose radioactif (Barinaga, 1994; Crease, 1993). Les physiopsychologues sont emballés par la capacité de la RMN d'augmenter rapidement notre connaissance du fonctionnement du cerveau lors de divers types de tâches cognitives et motrices, et ce, tant chez les personnes normales que chez celles qui souffrent de troubles émotifs (Liddle, 1997; Nadeau et Crosson, 1995).

Comme nous l'avons démontré dans le chapitre, les comportements sont des processus complexes qui prennent leur source dans le système nerveux et dans le

Tomodensitométrie (TDM) : Technique d'imagerie médicale qui fournit des clichés radiographiques plus clairs et plus précis que la radiographie traditionnelle.

Tomographie par émission de positons (TEP) : Technique d'imagerie médicale qui révèle l'activité d'un cerveau vivant et intact au moyen de glucose radioactif.

Résonance magnétique nucléaire (RMN) : Technique d'imagerie médicale qui révèle les structures du cerveau au moyen d'ondes radio.

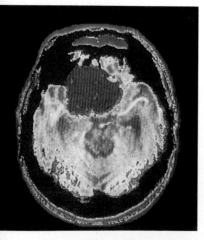

Cette tomodensitométrie a servi à localiser une tumeur, qui apparaît dans la partie antérieure gauche du cerveau sous la forme d'une masse violette.

système endocrinien. Lentement, ces systèmes révèlent leurs secrets aux psychologues, aux physiologistes et aux médecins. Plus nous en saurons sur le cerveau et le système nerveux, mieux nous comprendrons le comportement des humains et des animaux.

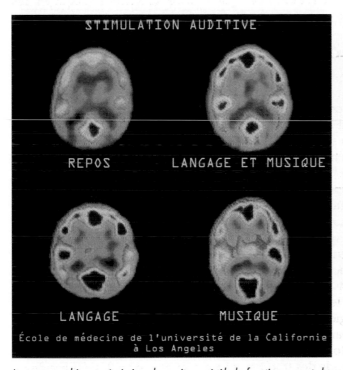

La tomographie par émission de positons révèle le fonctionnement des régions du cerveau. Comme le montrent ces quatre clichés, l'hémisphère droit s'active lorsque nous écoutons de la musique, tandis que le gauche s'active quand nous interprétons le langage. Les deux hémisphères s'activent lorsque nous entendons des paroles et de la musique en même temps.

La résonance magnétique nucléaire permet aux chercheurs de voir les structures du cerveau. Ce cliché montre clairement les fissures et la structure interne du cortex cérébral, de même que le cervelet et le tronc cérébral. La gorge, les voies respiratoires et le liquide céphalo-rachidien qui entoure le cerveau apparaissent en noir.

RÉSUMÉ

L'étude du cerveau

Les techniques de recherche anatomique sur les structures du cerveau se font au moyen d'observations directes effectuées au cours de la dissection de cadavres ou d'examens microscopiques de tissu cérébral.

Les techniques traumatisantes consistent à détruire une partie du cerveau d'un animal pour étudier les modifications du comportement qui en résultent.

Les techniques d'enregistrement électrique consistent à implanter des électrodes dans le cerveau ou à sa surface, pour en étudier l'activité électrique.

Les techniques de stimulation électrique permettent aux chercheurs d'activer les neurones d'une région spécifique du cerveau.

La recherche sur la déconnexion interhémisphérique est menée sur des patients dont le corps calleux a été endommagé. Ses résultats révèlent que l'hémisphère gauche est spécialisé dans le langage et les fonctions analytiques, tandis que l'hémisphère droit gère les habiletés non verbales, y compris la musique et les habiletés perceptivo-motrices.

La TDM, la TEP et la RMN sont des techniques sophistiquées permettant l'étude de cerveaux intacts et vivants.

QUESTIONS DE RÉVISION

1. La dissection du cerveau d'un cadavre est un exemple d'étude _anatomique_

2. Quels sont les inconvénients des techniques traumatisantes ? _irréversible_

3. Les petits fils que l'on insère dans le cerveau pour enregistrer l'activité électrique des différentes structures cérébrales sont appelés _électrodes_ .

4. Comment procède-t-on à la stimulation électrique ?

5. Le sectionnement du corps calleux produit une _____.

6. La recherche menée sur les patients ayant subi une déconnexion inter-hémisphérique indique que nous utilisons l'hémisphère _____ pour converser et pour résoudre un problème de calcul; en revanche, nous utilisons l'hémisphère _____ pour jouer du violon et dessiner des plans.

7. Les trois principales techniques d'imagerie médicale sont la _____, la _____ et la _____; celle qui fournit les images les plus claires est la _____.

Les réponses aux questions de révision se trouvent en annexe.

LE CHAPITRE **3** EN UN CLIN D'ŒIL

LE NEURONE

Neurone : cellule nerveuse qui transmet l'information dans l'organisme.

Nerf : faisceau d'axones ayant la même fonction.

La structure du neurone

Dendrites : prolongements du neurone qui reçoivent les influx nerveux des autres neurones et les transmettent jusqu'au corps cellulaire.

Corps cellulaire : partie du neurone qui intègre l'information reçue et nourrit le reste de la cellule.

Axone : prolongement du neurone qui transmet les influx nerveux à d'autres neurones.

Myéline : isolant lipidique qui accélère la transmission des influx nerveux dans les axones.

Terminaisons axonales : petites structures qui libèrent les neurotransmetteurs.

LES MESSAGERS CHIMIQUES

Les messagers du système nerveux

Neurotransmetteur : substance qui transmet l'information entre les neurones. A un effet excitateur ou inhibiteur.

Synapse : jonction entre deux neurones, où les neurotransmetteurs passent de l'un à l'autre.

Les messagers du système endocrinien

Les glandes du **système endocrinien** produisent des **hormones** et les libèrent dans la circulation sanguine. La majorité des glandes ont pour fonction de maintenir l'**homéostasie**, le fonctionnement normal de l'organisme. **Hypothalamus** (glande maîtresse) : minuscule structure située dans le cerveau qui fait le lien entre le système nerveux et le système endocrinien et régit des pulsions comme la faim, la soif, la libido et l'agressivité.

LE SYSTÈME NERVEUX PÉRIPHÉRIQUE

Formé par les nerfs qui unissent le cerveau et la moelle épinière au reste de l'organisme.

Le système nerveux périphérique

Système nerveux somatique : transmet l'information **afférente** (sensorielle) au système nerveux central et l'information **efférente** (motrice) aux muscles squelettiques.

Système nerveux autonome : régit les activités automatiques de l'organisme (comme la fréquence cardiaque et la respiration).

Système nerveux parasympathique : s'active en l'absence de facteurs de stress.

Système nerveux sympathique : s'active en présence de facteurs de stress.

LE SYSTÈME NERVEUX CENTRAL

Cerveau et moelle épinière

Cerveau : centre de commande des actions volontaires (comme la conduite automobile) et de la plupart des actions involontaires (comme la respiration).

Moelle épinière : intervient dans les **réflexes** et dans la transmission de l'information entre le cerveau et le reste de l'organisme.

Cortex cérébral : surface plissée du cerveau, divisée en deux hémisphères. Chaque hémisphère est divisé en quatre lobes et traite l'information provenant du côté opposé du corps.

Lobes frontaux

Régissent la motricité, le langage, la planification des actions, l'initiative et la conscience de soi.

Lobes pariétaux

Reçoivent l'information sensorielle (toucher, douleur, chaleur, etc.,) et contiennent les souvenirs reliés au milieu de vie.

Lobes occipitaux

Entièrement consacrés à la vision et à la perception visuelle.

Lobes temporaux

Régissent l'ouïe, le langage, la mémoire et, en partie, l'émotivité.

Les régions sous-corticales

Corps calleux : pont qui relie les deux hémisphères cérébraux et leur permet de communiquer.

Thalamus : relais pour l'information sensorielle dirigée vers le cortex cérébral.

Hypothalamus : maintient l'homéostasie et régit la faim, la soif, la libido et l'agressivité.

Système limbique : groupe de structures dont dépendent de nombreuses émotions et particulièrement l'agressivité.

Cervelet : coordonne l'activité motrice.

Tronc cérébral : comprend la **protubérance annulaire** (respiration, mouvements, expression du visage et sommeil), le **bulbe rachidien** (respiration) et le **système réticulé activateur** (attention et vigilance).

L'ÉTUDE DU CERVEAU

Études anatomiques

Observation directe du cerveau au moyen de la dissection de cadavres ou de l'examen microscopique.

Techniques traumatisantes

Destruction systématique du tissu cérébral et étude de l'effet sur le comportement.

Enregistrement électrique

Implantation d'électrodes mesurant l'activité électrique du cerveau.

Stimulation électrique

Activation de certains neurones au moyen de courants électriques.

Déconnexion interhémisphérique

Observation de patients ayant subi un sectionnement du corps calleux et étude du fonctionnement des hémisphères cérébraux.

Techniques d'imagerie médicale

Étude de la structure et du fonctionnement de cerveaux vivants et intacts.

Sensation

PLAN DU CHAPITRE

OBJECTIFS

Au fil de votre lecture, gardez les questions guides suivantes à l'esprit et tentez d'y répondre dans vos propres mots.

▲ Comment les organes sensoriels captent-ils l'information sensorielle et la convertissent-ils en signaux appropriés au cerveau ?

▲ Qu'est-ce que la lumière et comment les structures de l'œil fonctionnent-elles ?

▲ Qu'est-ce que le son et comment les structures de l'oreille fonctionnent-elles ?

▲ Comment sentons-nous les odeurs et goûtons-nous les saveurs ?

▲ Comment sentons-nous la pression, la chaleur, le froid et la douleur ? Comment gardons-nous notre équilibre ? Pourquoi n'avons-nous pas besoin de regarder notre corps pour en connaître la position ?

▲ Qu'arrive-t-il lorsque nous sommes privés de toute information sensorielle ?

« Je viens de toucher à mon chien. Il se roulait dans l'herbe, s'abandonnant tout entier au plaisir. Je voulais me faire une image de lui avec les doigts, et je l'ai touché aussi délicatement que je l'aurais fait pour une toile d'araignée. [...] Il s'est blotti contre moi comme s'il voulait tenir tout entier dans ma main. Les mouvements de sa queue, de ses pattes, de sa langue traduisaient son contentement. S'il pouvait parler, je crois qu'il dirait comme moi que le toucher est la clé du paradis » (p. 3 et 4).

Ainsi commence le livre de Helen Keller, *The World I Live In*. Le monde dans lequel vivait Helen Keller n'avait rien de comparable avec celui que connaissent la plupart des gens. En effet, Helen Keller était aveugle et sourde, et elle avait tout appris par le sens du toucher. Malgré son handicap, elle avait autant, sinon plus, de capacités et d'enthousiasme qu'une personne dotée des cinq sens, car elle exploitait pleinement les sens qu'elle possédait. Dans son livre, elle décrit l'utilisation qu'elle faisait de ces sens :

« Par le toucher je découvre le visage de mes amis, l'infinie variété des lignes droites ou courbes, toutes les surfaces, l'exubérance de la terre, les formes délicates des fleurs, les formes nobles des arbres et la puissance des vents. En plus des objets, des surfaces et des changements atmosphériques, je perçois d'innombrables vibrations. [...] Le toucher m'apprend que le bruit des pas varie selon l'âge, le sexe et les manières du marcheur. [...] Lorsqu'un charpentier travaille dans la maison ou dans la grange, à côté, je sais, selon que je capte des vibrations obliques, oscillantes et dentelées ou des secousses éclatantes et répétées, qu'il manie la scie ou le marteau. [...]

Dans le calme du soir, les vibrations sont moins nombreuses que pendant le jour, et je me fie davantage à mon odorat. [...] Parfois, quand il n'y a pas de vent, les odeurs sont si concentrées que le paysage m'apparaît et que je puis situer un champ de foin, un magasin général, un jardin, une grange, un bosquet de pins, une maison de ferme aux fenêtres ouvertes. [...] Je sais, grâce à mon odorat, dans quel genre de maison je pénètre. Je reconnais une vieille maison de campagne aux couches d'odeurs qu'y a laissées la succession des familles, des plantes, des parfums et des tentures » (p. 43 et 44, 46, 68 et 69).

Helen Keller n'était pas sourde et aveugle de naissance. À l'âge de 19 mois, elle contracta une fièvre qui lui ôta la vue et l'ouïe et qui, à toutes fins utiles, l'isola du monde. Enfant, Helen apprit à substituer les sens qui lui restaient à ceux qu'elle avait

perdus. Elle découvrit les traits de son père non pas en les regardant mais en les palpant; elle savait qu'une porte claquait non pas parce qu'elle entendait le bruit mais parce qu'elle sentait les vibrations; elle retrouvait son chemin non pas en jetant un regard autour d'elle mais en reniflant les odeurs.

Bien qu'elle réussissait à manœuvrer dans son univers de silence, Helen n'en était pas moins privée de toute communication avec autrui. Frustrée par son isolement, elle avait de violentes crises de colère. Elle écrit : « Enfin, le besoin de communiquer avec mes semblables devint si poignant que je ne passais pas de jour, presque pas d'heure, sans voir se renouveler mes crises » (1902, p. 32).

Les parents de Helen se rendirent compte que leur fille avait besoin d'aide et, après de longues recherches, ils rencontrèrent Anne Sullivan. Cette jeune enseignante parvint à briser l'isolement de

Helen par le toucher. Dès son arrivée, Anne entreprit d'enseigner l'alphabet des sourds-muets à Helen; elle plaçait sa main dans celle de Helen et elle épelait des mots. Helen apprit ainsi à épeler beaucoup de mots, mais sans comprendre que les mouvements de ses doigts correspondaient à des noms d'objets. Un jour, Anne amena Helen à la fontaine. Voici comment elle décrit ce qui se produisit alors (1902) :

> « J'actionnai la pompe et je demandai à Helen de tenir son gobelet sous le bec. Pendant que l'eau froide jaillissait et remplissait le gobelet, j'épelai "e-a-u" dans la main libre de Helen. L'association immédiate entre le mot et la sensation de l'eau froide qui giclait sur sa main sembla la sidérer. Elle laissa tomber le gobelet et resta clouée sur place. Une lumière nouvelle éclaira son visage » (p. 257).

À compter de cet instant, Helen fut animée d'un désir insatiable de nommer les choses et les êtres, d'interagir et de communiquer. Dès le moment où elle sentit l'eau froide sur sa main, Helen ne cessa plus d'étudier, d'analyser et d'apprécier le monde par le truchement des sens qui lui restaient. Elle fit ses études à Radcliffe, prestigieuse université pour jeunes filles, et elle reçut son diplôme en 1904; par la suite, elle mena une brillante carrière d'auteure et de conférencière, et elle répandit l'espoir parmi les personnes handicapées du monde entier.

Helen Keller est devenue une figure exemplaire, car elle a prouvé qu'une personne peut surmonter ses déficits sensoriels en exploitant pleinement ses sens intacts. Dans le présent chapitre, nous étudierons en détail les sens et leur fonctionnement. Nous verrons par exemple comment les stimuli externes — la lumière d'une lampe de poche, l'odeur d'une mouffette, la chaleur d'un feu de camp — sont captés par les récepteurs sensoriels et transmis au cerveau après avoir été traduits en un langage approprié. Le processus de réception, de conversion et de transmission de l'information provenant du monde extérieur (extérieur au cerveau, mais pas nécessairement à l'organisme) est appelé sensation. Notre étude portera non seulement sur ce qu'il est convenu d'appeler les cinq sens — la vue, l'ouïe, le goût, l'odorat et le toucher — mais aussi sur les sens qui fournissent au cerveau les données provenant de l'intérieur de l'organisme, le sens de l'équilibre et le sens kinesthésique (le sens de la position et des mouvements du corps).

Sensation : Processus de détection, de traduction et de transmission au cerveau de l'information provenant du milieu externe et du milieu interne.

LA PERCEPTION DES SENSATIONS

Pour éprouver des sensations, nous devons posséder un moyen de détecter les stimuli et un moyen de les traduire en un langage que le cerveau comprend. Étant donné leur constitution, les organes sensoriels cumulent les deux fonctions. Ils détectent les stimuli comme la lumière, le son, les saveurs, les odeurs et la chaleur, et ils les convertissent en signaux destinés au cerveau.

▲ *Comment les organes sensoriels captent-ils l'information sensorielle et la convertissent-ils en signaux appropriés au cerveau ?*

LE TRAITEMENT SENSORIEL : TRANSDUCTION, RÉDUCTION, CODAGE

Les organes sensoriels contiennent des cellules spécialisées appelées récepteurs qui reçoivent et traitent l'information sensorielle provenant du milieu. Les récepteurs compris dans chaque organe sensoriel réagissent à une forme de stimulation particulière, telles les ondes sonores et les molécules odorantes. En un processus appelé transduction, les récepteurs convertissent les stimuli en influx nerveux. Ainsi, les récepteurs de l'oreille interne effectuent la transduction des vibrations mécaniques (des ondes sonores) en signaux électrochimiques. Ensuite, des neurones acheminent ces signaux au cerveau. Chaque type de récepteur détecte des stimuli de nature et d'intensité très diverses. Cependant, les systèmes sensoriels ont aussi la faculté de réduire la quantité de stimuli que nous détectons.

Récepteurs : Cellules spécialisées qui détectent l'énergie des stimuli et y réagissent.

Transduction : Conversion en influx nerveux de l'énergie qui stimule un récepteur.

Pourquoi la quantité d'information sensorielle que nous recevons doit-elle être réduite ?   Imaginez un peu ce qui arriverait si rien ne filtrait les stimuli susceptibles de vous atteindre. Sans cesse, vous entendriez le sang circuler dans vos veines et vous sentiriez le frottement des vêtements contre votre peau. Manifestement, une certaine partie des stimuli doit être filtrée, autrement le cerveau serait encombré de données inutiles et n'aurait pas la liberté de réagir à celles qui ont une importance vitale. Par conséquent, chacun des sens réagit à un intervalle précis de stimuli. L'évolution a donné à toutes les espèces des récepteurs sélectifs qui, en supprimant ou en amplifiant l'information, favorisent la survie. Par exemple, les faucons ont une vue aiguisée mais un piètre odorat. L'être humain, lui, est insensible à de nombreux stimuli (telle la lumière ultraviolette et infrarouge), mais il a la capacité de voir la lumière d'une chandelle à 50 km par une nuit sombre, d'entendre le tic-tac d'une montre à 7 m en l'absence d'autres bruits et de sentir une goutte de parfum dans un appartement de six pièces (Galanter, 1962).

Non seulement l'organisme filtre-t-il l'information sensorielle, mais il l'analyse avant qu'un influx nerveux (ou potentiel d'action) ne soit envoyé au cortex cérébral. Cette analyse est effectuée par les cellules du système réticulé activateur, dans le tronc cérébral (voir le chapitre 3). Le système réticulé activateur détermine si l'information sensorielle est importante ou non. Si elle l'est, il la transmet au cortex cérébral. Grâce à ce contrôle, les parents d'un nouveau-né ne sont réveillés ni par les hurlements des sirènes ni par les éclats de musique, mais ils ouvrent l'œil au moindre pleur de leur enfant.

Comment le cerveau fait-il la distinction entre les diverses sensations, entre les sensations auditives et les sensations olfactives par exemple ?   Le cerveau distingue les diverses sensations grâce à un processus appelé codage. La production d'une sensation particulière dépend du nombre et du type de récepteurs activés, du nerf stimulé et, en bout de ligne, de la partie du cerveau que le nerf stimule. Autrement dit, le cerveau différencie les sensations auditives des sensations olfactives non pas à cause des stimuli externes qui les provoquent, mais parce

Codage : Processus en trois étapes de conversion d'une information sensorielle en une sensation précise.

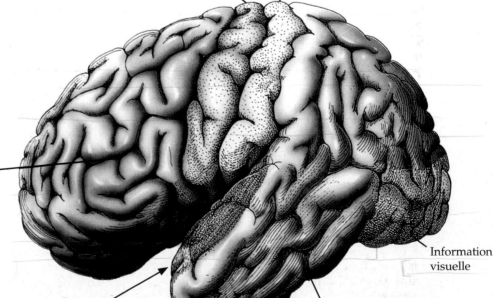

Motricité   Sensibilité corporelle

Planification des mouvements

Information visuelle

Information olfactive

Lobe temporal (déplié pour faire apparaître sa face interne)

Figure 4.1 **Aires sensitives du cortex cérébral.** Les influx nerveux sont transportés des récepteurs sensoriels aux diverses parties du cortex cérébral.

que les influx nerveux empruntent des trajets différents et parviennent à des parties différentes du cerveau. La figure 4.1 illustre les aires primaires du cerveau pour les sens cutanés, la vision et l'audition. Le cerveau encode aussi le goût, l'olfaction et l'équilibre, mais ces systèmes plus complexes ne sont pas représentés par des aires primaires. Nous en verrons le fonctionnement plus loin.

À vous les commandes

Pour faire personnellement l'expérience du codage, fermez les yeux et, du bout des doigts, appuyez *légèrement* sur vos paupières pendant environ 30 secondes. Vous verrez des cercles et des traînées de lumière. En effet, les récepteurs situés au fond de vos yeux sont préparés à coder toute forme de stimulation, la pression y compris, en sensations visuelles. Même si vous ne regardez rien, vous « voyez » quelque chose, car vos récepteurs visuels ont été stimulés.   ■

LES SEUILS DE SENSATION : MESURER NOS LIMITES SENSORIELLES

Imaginez que vous avez une fille d'âge scolaire qui, comme Helen Keller, a souffert d'une maladie grave accompagnée d'une forte fièvre. Pendant sa convalescence, vous remarquez qu'elle semble entendre moins bien qu'avant. Vous l'amenez chez un audiologiste, qui lui fait passer une batterie de tests fondés sur les principes de la psychophysique, c'est-à-dire l'étude des relations entre les stimulations physiques et les sensations qu'elles provoquent.

Pour vérifier si votre fille a subi une perte auditive, l'audiologiste utilise un générateur acoustique, appareil qui produit des sons de hauteurs et d'intensités différentes. Votre fille coiffe un casque d'écoute et fait un signe dès l'instant où elle commence à entendre un son. Elle indique ainsi son seuil absolu, la plus petite intensité sonore qu'elle est capable de détecter. Pour mesurer le seuil différentiel de votre fille, l'examinateur modifie un peu le volume du son et demande à l'enfant de faire un signe lorsqu'elle perçoit une différence. En comparant les seuils de votre fille avec ceux des personnes ayant une ouïe normale, l'audiologiste détermine si l'enfant a subi une perte auditive et, le cas échéant, en évalue la gravité.

Il existe des seuils de sensation pour l'ouïe mais aussi pour la vue, le goût, l'odorat et les sens cutanés. De fait, la recherche portant sur la sensation en général

Psychophysique : Étude des relations entre les stimulations physiques et les sensations qu'elles provoquent.

Seuil absolu : Plus petite intensité de stimulation susceptible de produire une sensation.

Seuil différentiel : Plus petite différence d'intensité susceptible d'être détectée entre deux stimuli.

ex : on soulève 100 kl on enlève 2 kl on ne remarque pas, on enlève 5 kl on va s'en rendre compte.

Les épreuves audiométriques visent principalement à mesurer le seuil absolu d'audition.

Les personnes exposées à un bruit constant s'y adaptent rapidement.

a pris naissance dans l'étude des seuils.

Les seuils de sensation varient-ils d'une personne à l'autre ? Chez les personnes atteintes de déficits sensoriels, les seuils sont manifestement hors de la norme. Mais même parmi les personnes qui n'ont pas de déficits sensoriels, la sensibilité varie considérablement. Qui plus est, la sensibilité d'une personne varie dans le temps, en fonction de l'état physiologique. Le jeûne et certaines substances, par exemple, peuvent modifier le seuil normal d'une personne. En outre, la privation sensorielle (l'absence de stimulations sensorielles) abaisse les seuils. (Nous traiterons de la privation sensorielle plus loin dans le chapitre.)

Privation sensorielle : Élimination la plus totale possible des stimulations sensorielles.

L'ADAPTATION SENSORIELLE : RÉDUIRE L'INFORMATION SENSORIELLE

Un phénomène intéressant se produit lorsqu'une personne reçoit pendant un certain temps un stimulus constant : la sensation s'atténue. Le processus est appelé adaptation sensorielle. Si, par exemple, vous entendiez un son constant pendant une longue période, la fréquence des influx produits par vos récepteurs auditifs diminuerait, et le son vous paraîtrait moins fort. Vous deviendriez en quelque sorte sourd à ce son.

Adaptation sensorielle : Réduction de l'excitabilité des récepteurs sensoriels consécutive à une stimulation uniforme et continue.

Tous les récepteurs sensoriels sont capables d'adaptation; certains, tels les récepteurs olfactifs et gustatifs, s'adaptent rapidement, tandis que d'autres s'adaptent lentement. En bloquant l'information répétitive, l'adaptation sensorielle nous permet de tolérer des stimulations d'intensités très variables et nous rend attentifs aux stimuli nouveaux. Entrez dans une boulangerie : l'arôme des biscuits chauds vous envahira; le boulanger, lui, ne remarque même plus l'odeur de ses pâtisseries.

À vous les commandes

Dans certains cas, l'adaptation déforme les sensations. Pour vous en rendre compte, plongez la main gauche dans de l'eau glacée et la main droite dans de l'eau très chaude. Attendez quelques instants, puis plongez les deux mains dans de l'eau tiède. Si vous êtes comme la plupart des gens, vous aurez une sensation de chaleur dans la main gauche et une sensation de froid dans la main droite. Tous les sens, et pas seulement le toucher, s'adaptent. La voix d'un ami nous semble forte si elle s'élève après une période de silence, mais faible après le concert d'un groupe rock. Nos expériences sensorielles sont relatives, et elles dépendent de notre niveau d'adaptation. ■

Les explications que nous venons de donner sur la réduction, la transduction, le codage, les seuils et l'adaptation valent pour tous les sens. Pourtant, chaque sens est unique, comme nous le verrons dans le reste du chapitre.

RÉSUMÉ

La perception des sensations

Le traitement sensoriel comprend la réduction, la transduction et le codage. La transduction, ou conversion des stimuli physiques en influx nerveux, se produit dans les récepteurs de nos organes sensoriels. Chaque système sensoriel code les stimuli qu'il reçoit en des ensembles particuliers d'influx nerveux que le cerveau interprète, comme la lumière, le son, le toucher et ainsi de suite.

Le seuil absolu est la plus faible intensité de stimulation détectable. Le seuil différentiel est la plus petite différence d'intensité perceptible. Le processus d'adaptation sensorielle réduit la sensibilité aux stimuli constants et invariables.

QUESTIONS DE RÉVISION

1. Le processus de réception, de traduction et de transmission de l'information provenant de l'extérieur du cerveau est appelé _____sensation_____.

2. Qu'est-ce que la transduction ? *Le convertissement du stimuli en influx nerveux*

3. Quelle partie de votre cerveau vous alerte lorsqu'un professeur prononce votre nom au milieu d'un ennuyeux monologue ?

4. Un chercheur qui tente de déterminer la plus faible intensité lumineuse qu'un sujet peut détecter mesure le _seuil absolu_.

5. Vous ne sentez plus votre parfum quelques minutes après l'avoir appliqué. Ce phénomène est appelé *adaptation sensorielle*

6. Les cellules particulièrement stimulées par l'énergie de l'environnement sont appelées : a) transducteurs   b) transmetteurs   c) effecteurs   (d) récepteurs

Les réponses aux questions de révision se trouvent en annexe.

LA VUE

À l'âge de six ans, Helen Keller fit un long voyage en train en compagnie de ses parents et de sa tante. Cette dernière fabriqua une poupée rudimentaire avec des serviettes. La poupée n'avait ni nez, ni bouche, ni yeux, ni oreilles, rien qui pût évoquer un visage. Helen fut déroutée, particulièrement par l'absence des yeux. Elle s'agita. Elle ne se calma qu'après que sa tante eut cousu des perles à la poupée pour lui faire des yeux.

Bien qu'ignorante de la myriade de sensations que nos yeux nous procurent, la petite Helen semblait comprendre l'importance de la vue. Avez-vous déjà songé aux fantastiques possibilités de ce sens ? À un match de hockey, vous pouvez suivre l'action qui se déroule sur la glace et, l'instant d'après, consulter le programme posé sur vos genoux. Vous voyez toutes sortes de brillances, du blanc pur au noir de jais, et toutes les couleurs de l'arc-en-ciel, à moins, bien entendu, que vous ne soyez daltonien.

Pour apprécier pleinement les merveilles de la vue, nous devons commencer par étudier les propriétés de la lumière, puisque la lumière est essentielle à la vision. Ensuite, nous examinerons l'anatomie et la physiologie de l'œil. Enfin, nous nous pencherons sur le traitement de l'information visuelle.

▲ *Qu'est-ce que la lumière et comment les structures de l'œil fonctionnent-elles ?*

17

LA LUMIÈRE : L'ÉNERGIE ÉLECTROMAGNÉTIQUE

La lumière est une forme d'énergie électromagnétique. L'énergie électromagnétique est formée de particules appelées photons qui, à la manière des vagues de la mer, se propagent sous forme d'ondes plus ou moins longues. L'ensemble des ondes

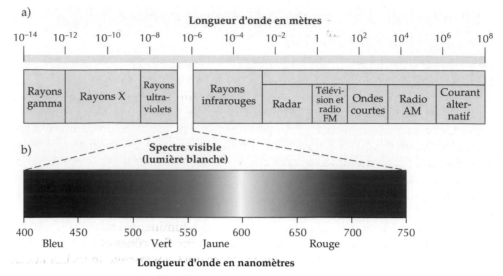

Figure 4.2　**Spectre électromagnétique.** a) La longueur d'onde des rayons gamma et des rayons X est courte, celle de la lumière visible est moyenne et celle des ondes de la télévision et du courant alternatif est longue. b) L'œil humain ne voit qu'une petite partie du spectre électromagnétique, celle de la lumière visible. Les ondes lumineuses courtes correspondent au bleu, les ondes lumineuses moyennes correspondent au vert et au jaune, et les ondes lumineuses longues correspondent au rouge.

Spectre électromagnétique : Ensemble des radiations émises par le Soleil, dont la lumière visible ne constitue qu'une petite partie.

Longueur d'onde : Distance entre les crêtes d'ondes consécutives.

Tonalité : Dimension de la sensation visuelle correspondant à une couleur particulière et déterminée par la longueur de l'onde lumineuse.

Amplitude : Hauteur d'une onde. L'amplitude des ondes lumineuses détermine la brillance.

Rétine : Membrane contenant les cônes et les bâtonnets.

électromagnétiques constitue le spectre électromagnétique (voir la figure 4.2). La plupart des longueurs d'ondes sont invisibles à l'œil humain; les récepteurs visuels ne peuvent détecter qu'une petite partie du spectre, appelée lumière visible. La lumière visible est soit émise par une source comme le Soleil ou une ampoule à incandescence, soit réfléchie par un objet. Dans la plupart des cas, la lumière qui parvient à nos yeux est réfléchie.

L'effet des ondes lumineuses sur la vision dépend de leur longueur et de leur hauteur (voir la figure 4.3). La longueur d'onde (la distance entre la crête d'une onde et celle de l'onde suivante) détermine la tonalité, c'est-à-dire la couleur. La lumière blanche qui frappe un prisme ou des gouttes d'eau se décompose et produit les couleurs du spectre visible. L'amplitude, ou la hauteur, d'une onde lumineuse détermine la brillance; plus une onde est haute, plus elle a d'amplitude et plus la couleur est éclatante.

L'ŒIL : L'ANATOMIE DE LA VISION

L'œil est conçu de façon à capter la lumière et à la focaliser sur les récepteurs de la rétine, membrane qui tapisse le fond de l'œil. Ces récepteurs convertissent le rayonnement lumineux en influx nerveux que le cerveau peut interpréter.

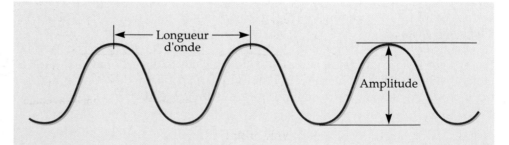

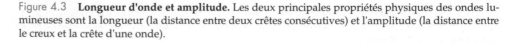

Figure 4.3　**Longueur d'onde et amplitude.** Les deux principales propriétés physiques des ondes lumineuses sont la longueur (la distance entre deux crêtes consécutives) et l'amplitude (la distance entre le creux et la crête d'une onde).

Plusieurs structures du globe oculaire entrent en jeu dans le processus de la vision. Pour comprendre comment la lumière est convertie en influx nerveux, examinons la figure 4.4. On y voit les rayons lumineux entrer dans l'œil en traversant une membrane transparente et rigide nommée la cornée. Sa forme bombée lui permet de réfracter la lumière. La cornée est entourée de la sclérotique, enveloppe blanche, opaque et résistante qui protège le globe oculaire. Sous la cornée, l'ouverture qui permet à la lumière de passer s'appelle la pupille. Cette ouverture se contracte pour réduire la quantité de lumière dans l'œil et se dilate pour l'augmenter. Ces contractions et ces dilatations s'opèrent sous l'action d'une membrane musculaire appelée l'iris, qui est la partie colorée de l'œil. Après être entrée par l'iris, la lumière passe par le cristallin, structure élastique et transparente qui bombe ou s'aplatit pour focaliser la lumière sur le fond de l'œil.

Après avoir traversé le globe oculaire, les ondes lumineuses frappent la rétine. Cette membrane contient les récepteurs de la lumière (les cônes et les bâtonnets), des vaisseaux sanguins et un réseau de neurones qui transmettent leurs influx aux lobes occipitaux du cortex cérébral. Au centre de la rétine se trouve la fossette centrale, minuscule dépression où sont concentrés des récepteurs spécialisés appelés cônes. La fossette centrale est le point de la rétine où l'acuité visuelle est la plus grande. La rétine comprend aussi une région dépourvue de récepteurs visuels, la tache aveugle, où les vaisseaux sanguins et les voies nerveuses sont reliés au globe oculaire.

Normalement, nous n'avons pas conscience de l'existence de la tache aveugle, car nos yeux bougent sans cesse; nous comblons les lacunes produites par la tache aveugle d'un œil avec l'information parvenant aux zones adjacentes de la rétine ou à l'autre œil. Les récepteurs de la rétine convertissent les ondes lumineuses en influx nerveux que le nerf optique transmet au cerveau. (Nous traiterons de l'interprétation des influx visuels au chapitre suivant.)

Cornée : Membrane transparente qui fait saillie à l'avant de l'œil et laisse pénétrer la lumière.

Sclérotique : Enveloppe blanche et opaque de l'œil.

Pupille : Ouverture de l'iris par laquelle la lumière entre dans l'œil.

Iris : Partie colorée de l'œil, composée de muscles régissant l'ouverture de la pupille.

Cristallin : Structure élastique et transparente de l'œil qui bombe et s'aplatit pour focaliser la lumière sur la rétine.

Fossette centrale : Point de la rétine qui contient seulement des cônes et où converge la lumière provenant du centre du champ visuel; point où l'acuité visuelle est la plus grande.

Tache aveugle : Partie de la rétine qui ne contient pas de récepteurs et par où le nerf optique sort de l'œil.

Nerf optique : Nerf crânien qui transporte l'information visuelle de la rétine au cerveau.

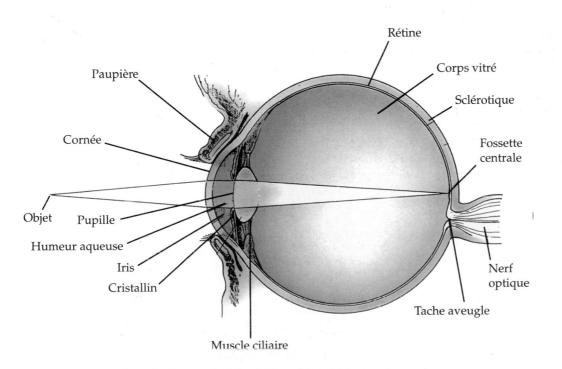

Figure 4.4 **Anatomie de l'œil.** La lumière entre dans l'œil par la cornée, traverse la pupille et le cristallin puis atteint la rétine, où elle est convertie en influx nerveux. Les influx nerveux sont transportés au cerveau par le nerf optique.

À vous les commandes

Pour faire l'expérience de votre tache aveugle, tenez votre livre à environ 30 cm de votre visage, fermez l'œil droit et fixez le X avec votre œil gauche. Très lentement, approchez le livre de votre visage. Le ver devrait disparaître, et la pomme devrait vous sembler intacte. ■

Photorécepteurs : Récepteurs visuels (cônes et bâtonnets).

La lumière qui atteint la rétine stimule les photorécepteurs. À cause de leurs formes, ces cellules sensibles à la lumière sont appelées cônes ou bâtonnets (voir les figures 4.5 et 4.6). Elles sont remplies de substances chimiques qui réagissent aux caractéristiques de la lumière (Schoelein, Peteanu, Mathies et Shank, 1991). Il y a environ 6 millions de cônes et 120 millions de bâtonnets dans le fond de l'œil (Carlson, 1992).

Bâtonnets : Récepteurs rétiniens très sensibles à la lumière; ils détectent les variations de luminosité et les mouvements.

Non seulement les bâtonnets sont-ils beaucoup plus nombreux que les cônes, mais ils sont aussi plus sensibles à la lumière. Ce sont eux qui nous permettent de voir dans la pénombre. Mais cette sensibilité a son prix : les bâtonnets fournissent des images floues et incolores. Vous avez sûrement remarqué qu'il est difficile de jouer au tennis ou au basket-ball après le coucher du soleil. Au crépuscule, la vision repose sur les bâtonnets. Or, la transmission du message entre les bâtonnets et le cerveau s'effectue en un temps mesurable, et la localisation des objets en mouvement est alors imprécise. Ce n'est pas parce que les bâtonnets sont insensibles au mouvement, bien au contraire, mais simplement parce qu'ils en détectent mal les détails. Pour vous en rendre compte, tendez les bras à la hauteur des épaules, regardez droit devant vous et remuez les doigts. Sans avoir à bouger la tête, vous détectez sans difficulté le mouvement de vos doigts, mais vous voyez peu de détails et vous ne distinguez pas les couleurs. La périphérie de votre rétine, en effet, contient seulement des bâtonnets.

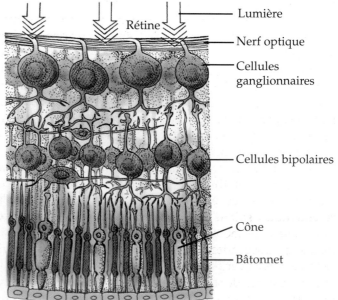

Figure 4.5 **Rétine.** La rétine est une membrane complexe qui contient plusieurs types de cellules. Les plus importantes sont les cônes et les bâtonnets.

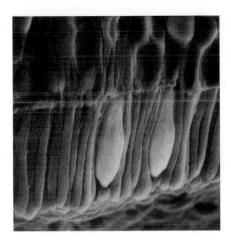

Figure 4.6   **Cônes et bâtonnets.** Les deux grosses cellules coniques apparaissant en jaune dans cette photomicrographie sont des cônes, et les longues cellules rougeâtres sont des bâtonnets. Les cellules bipolaires sont situées juste au-dessus des cônes et des bâtonnets.

De la périphérie vers le centre de la rétine, les cônes sont de plus en plus nombreux. Le centre de la rétine, c'est-à-dire la fossette centrale, contient seulement des cônes. Si, pendant que vous lisez, vous détectez un mouvement dans la périphérie de votre champ visuel, vous tournez immédiatement la tête pour focaliser l'image sur votre fossette centrale et ainsi apercevoir les détails. Activés par la lumière et inactivés par l'obscurité, les cônes sont sensibles non seulement aux détails, mais aussi aux couleurs. Tous détectent de nombreuses longueurs d'ondes mais, selon le pigment qu'ils contiennent, ils réagissent principalement au rouge, au vert ou au bleu (Boynton, 1988). Nous traiterons de la vision des couleurs au chapitre 5.

Quand l'intensité lumineuse change soudainement, comment les bâtonnets prennent-ils la relève des cônes et vice versa ?   Quand on entre dans un cinéma par un après-midi ensoleillé, on n'y voit rien pendant quelques instants. En pleine clarté, le pigment contenu dans les bâtonnets est décoloré et seuls les cônes fonctionnent. Après un passage dans l'obscurité, il s'écoule quelques secondes avant que les bâtonnets ne prennent la relève des cônes. Ils atteignent leur sensibilité maximale après plus d'une demi-heure. Le processus est appelé adaptation à l'obscurité (Hecht, Haig et Wald, 1935). Puis, quand on sort du cinéma, les cônes se remettent au travail. Ce processus, l'adaptation à la lumière, dure environ sept minutes. C'est un phénomène dont on doit tenir compte quand, au volant d'une voiture, on passe d'un garage bien éclairé à une rue sombre.

Vous avez sûrement entendu dire que l'œil est comme un appareil photo. La comparaison n'est pas mauvaise. Comme un appareil photo, l'œil admet la lumière à travers une ouverture qui s'ajuste à l'intensité lumineuse. Comme un appareil photo aussi, l'œil fait passer la lumière à travers une lentille qui focalise une image sur une surface photosensible. Mais, tandis que la lentille d'un appareil photo avance ou recule pour faire le point, le cristallin bombe ou s'aplatit. De plus, l'œil ne forme pas véritablement une « image » sur la rétine : il envoie l'information au cerveau sous forme d'influx électriques. De ce point de vue, l'œil ressemble plus à une caméra vidéo qu'à un appareil photo.

Contrairement à un appareil photo, l'œil n'a pas besoin de rester immobile pour capter les images. De fait, le globe oculaire bouge sans cesse. Ce mouvement prévient la fatigue des récepteurs rétiniens qui, comme tous les neurones, perdent leur réceptivité à la suite d'une stimulation continue (ce qui constitue un processus d'adaptation). Sans les mouvements de l'œil, les images que nous regardons pendant plus de quelques secondes parviendraient aux mêmes cellules, les fatigueraient et disparaîtraient. Pour vérifier cette affirmation, placez un doigt dans le coin de chaque œil et appuyez très délicatement sur vos globes oculaires pendant quelques secondes pour empêcher vos yeux de bouger. Votre champ visuel aura tôt fait de s'obscurcir.

Cônes : Récepteurs rétiniens sensibles à la couleur et aux détails des objets.

Adaptation à l'obscurité : Augmentation de la sensibilité des bâtonnets au cours du passage de la clarté à l'obscurité.

Adaptation à la lumière : Diminution de la sensibilité des bâtonnets au cours du passage de l'obscurité à la clarté.

RÉSUMÉ

La vue

La lumière est une forme d'énergie électromagnétique. La longueur d'onde de la lumière détermine la tonalité, ou couleur, alors que l'amplitude, ou hauteur des ondes lumineuses, détermine la brillance.

La fonction de l'œil est de capter la lumière et de la faire converger dans des récepteurs visuels qui convertissent l'énergie lumineuse en influx nerveux. La cornée est une protubérance transparente, à l'avant de l'œil, par où pénètre la lumière. La sclérotique est l'enveloppe blanche extérieure qui recouvre l'œil; la pupille est l'ouverture par laquelle la lumière entre dans l'œil; l'iris est formé de muscles colorés entourant la pupille; le cristallin est la structure élastique qui bombe et s'aplatit pour focaliser les images sur la rétine, qui contient les récepteurs visuels. Ceux-ci, appelés photorécepteurs, sont les bâtonnets et les cônes. Les bâtonnets permettent de voir dans l'obscurité, tandis que les cônes sont sensibles aux couleurs et aux détails précis.

QUESTIONS DE RÉVISION

1. Quelle est la différence entre la longueur d'onde et l'amplitude de la lumière ?

2. Les ondes lumineuses traversent une membrane transparente appelée _____ et une ouverture appelée _____. Ensuite, le _____ les focalise sur la _____.

3. Le cristallin _____ et _____ pour focaliser la lumière.

4. Lequel des deux types de photorécepteurs rétiniens utilisez-vous pour lire ? Pourquoi ? Lequel utilisez-vous après le coucher du soleil ? Pourquoi ?

5. L'augmentation de la sensibilité à la lumière qui se produit après un séjour dans l'obscurité est appelée _____.

Les réponses aux questions de révision se trouvent en annexe.

L'OUÏE

▲ *Qu'est-ce que le son et comment les structures de l'oreille fonctionnent-elles ?*

Audition : Fonction du sens de l'ouïe.

La présente section porte sur l'audition, la fonction du sens de l'ouïe. Nous utilisons notre ouïe presque autant que notre vue. Du reste, l'ouïe n'est pas moins extraordinaire que la vue. En effet, nous sommes capables de distinguer les instruments d'un orchestre aux subtiles différences de leurs timbres. Nos récepteurs auditifs captent aussi bien le son d'une souris qui grignote une graine de tournesol que les aboiements d'un chien assis à nos pieds.

Helen Keller n'entendait pas ces sons, mais elle raconte qu'elle sentait la porte se fermer et qu'elle montait dans sa chambre pour changer de tenue, présumant que des visiteurs arrivaient. Comment pouvait-elle savoir que la porte se fermait ? Qu'y a-t-il dans le son qui permet aux personnes entendantes de distinguer une flûte d'un violon, et aux personnes non entendantes de déterminer qu'une porte s'est fermée ?

LE SON : LE MOUVEMENT DES MOLÉCULES DE L'AIR

Ondes sonores : Mouvement des molécules d'air produit par les objets vibrants.

Le son est une variation de la pression de l'air engendrée par les vibrations des objets, comme les cordes vocales et les cordes de guitare. Cette variation déclenche un mouvement des molécules d'air appelé ondes sonores. Ce sont les différences entre les vibrations qui permettaient à Helen Keller d'« entendre » les portes se fermer.

Les vibrations des cordes vocales et des instruments de musique produisent dans l'air des mouvements semblables aux ronds qu'un hameçon fait dans l'eau. Les ondes sonores se propagent dans l'air, tout comme les ronds se propagent sur la surface d'un étang.

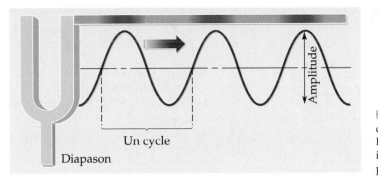

Figure 4.7   **Son.** Le son est causé par la vibration des objets, qui produit des ondes de fréquence et d'amplitude variables. Le nombre de cycles par seconde correspond à la fréquence, et il détermine la hauteur des sons; la hauteur des ondes correspond à l'amplitude, et elle détermine l'intensité.

Comme les ondes lumineuses, les ondes sonores ont une fréquence et une amplitude, et ces caractéristiques fondamentales produisent des effets sensoriels distincts (voir la figure 4.7). La fréquence correspond au nombre d'ondes sonores émises par seconde, et elle détermine la hauteur des sons. Plus une corde vocale vibre rapidement, par exemple (plus elle émet d'ondes par seconde), plus la voix est haute. La fréquence se mesure en cycles par seconde, ou *hertz*. Tout comme l'œil réagit uniquement aux ondes lumineuses comprises dans un certain intervalle, l'oreille réagit seulement aux fréquences comprises entre 15 et 20 000 hertz (Kalat, 1992, p. 194). Les chiens détectent les fréquences jusqu'à 30 000 hertz, tandis que les chauves-souris et les dauphins sont réceptifs aux fréquences de 100 000 hertz. L'être humain est sensible surtout aux sons qui, comme le langage, ont une fréquence variant entre 500 et 3000 hertz.

L'amplitude correspond à la hauteur des ondes sonores. Elle détermine l'intensité des sons, laquelle se mesure en décibels. La figure 4.8 donne l'intensité en décibels de quelques sons.

Fréquence : Nombre d'ondes sonores par seconde. La fréquence détermine la hauteur des sons (de grave à aigu).

Hauteur : Degré d'acuité ou de gravité des sons, déterminé par la fréquence (de faible à fort).

Amplitude : Hauteur d'une onde. L'amplitude des ondes sonores détermine l'intensité des sons.

180 dB	
170 dB	Navette spatiale au décollage
160 dB	
Danger immédiat 150 dB	
140 dB	Avion à réaction (pleins gaz)
130 dB	Seuil de la douleur
120 dB	
Exposition prolongée dangereuse 110 dB	
100 dB	Métro, train
90 dB	
80 dB	Circulation intense
70 dB	Voiture moyenne
60 dB	Conversation normale
50 dB	Voiture silencieuse
40 dB	Bureau silencieux
30 dB	
20 dB	Murmure à 1,5 m
10 dB	Bruissement des feuilles agitées par une brise légère
0 dB	

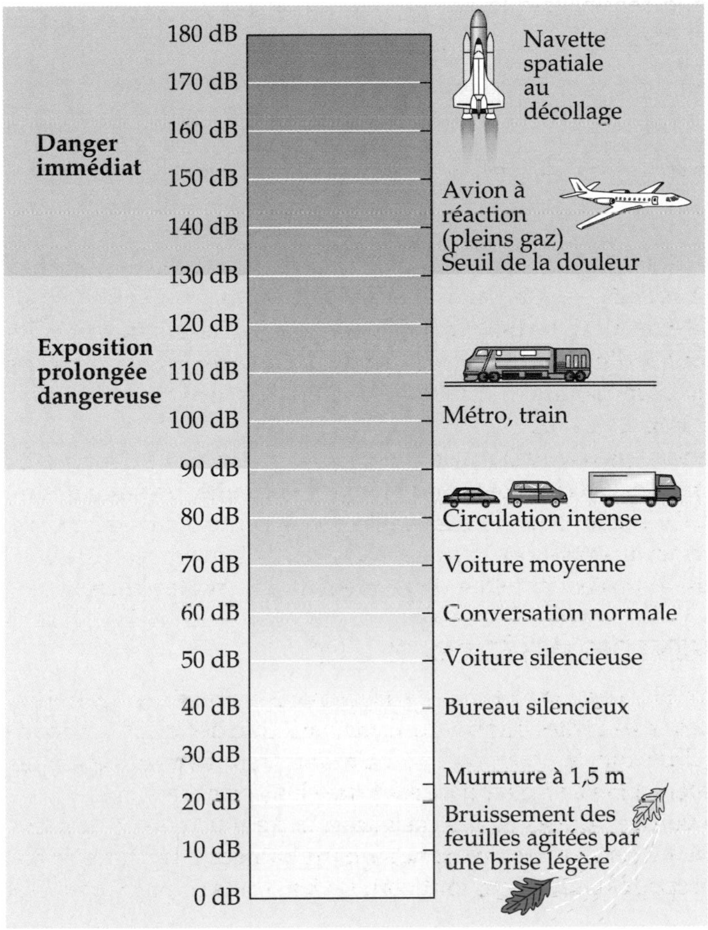

Figure 4.8   **Intensité sonore.** L'intensité des sons se mesure en décibels. La figure présente l'intensité en décibels de quelques sons familiers. Un décibel correspond au son le plus faible qu'un auditeur normal peut entendre. Le son d'une conversation a ordinairement une intensité d'environ 60 décibels. Les bruits constants de plus de 90 décibels peuvent causer des dommages permanents aux structures nerveuses de l'oreille.

L'OREILLE : L'ANATOMIE DE L'AUDITION

L'oreille se compose de trois grandes parties : l'oreille externe, l'oreille moyenne et l'oreille interne. L'oreille externe capte les ondes sonores et les focalise. L'oreille moyenne amplifie et concentre les sons. L'oreille interne contient les cellules réceptrices qui transforment l'énergie mécanique des sons en influx nerveux.

À l'aide de la figure 4.9, examinons le trajet suivi par les ondes sonores dans les structures de l'oreille. Les ondes sonores sont d'abord captées par le pavillon, c'est-à-dire la partie charnue et visible de l'oreille externe qu'on appelle communément l'oreille. Le pavillon oriente ensuite les ondes vers le conduit auditif, qui aboutit au tympan, membrane très mince qui vibre quand elle est frappée par les ondes sonores. La vibration de cette membrane entraîne la vibration des osselets (les trois os les plus petits du corps). Pendant ce processus, le son est amplifié et concentré. La vibration du dernier osselet, l'étrier, exerce une pression sur la fenêtre ovale, membrane semblable au tympan, qui se met elle aussi à vibrer.

La fenêtre ovale sépare l'oreille moyenne de l'oreille interne. Ses vibrations provoquent des vagues dans le liquide que renferme la cochlée. Structure en forme d'escargot, la cochlée est appelée « la rétine de l'oreille » parce qu'elle contient les récepteurs auditifs. En traversant le liquide de la cochlée, les ondes sonores déplacent la membrane basilaire, ce qui met en mouvement les cellules ciliées. C'est à ce moment que l'énergie mécanique des ondes sonores est transformée en influx nerveux, lesquels sont conduits au cerveau par le nerf auditif.

Pavillon : Partie charnue de l'oreille externe appelée communément « oreille ».

Conduit auditif : Conduit où entrent les sons recueillis par le pavillon.

Tympan : Membrane qui, située entre le conduit auditif et l'oreille moyenne, vibre sous l'effet des ondes sonores.

Osselets : Les trois petits os de l'oreille moyenne : le marteau, l'enclume et l'étrier.

Étrier : Dernier osselet, rattaché à l'enclume et à la fenêtre ovale.

Fenêtre ovale : Membrane de la cochlée dont les vibrations sont déclenchées par l'étrier.

Cochlée : Structure de l'oreille interne contenant les récepteurs auditifs.

Membrane basilaire : Membrane qui, située dans la cochlée, contient les récepteurs auditifs.

Cellules ciliées : Récepteurs auditifs situés dans la cochlée.

Nerf auditif : Nerf crânien qui transporte l'information auditive des cellules ciliées au cerveau.

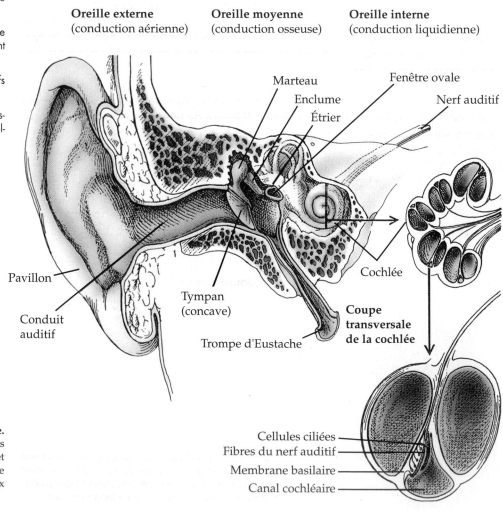

Oreille externe
(conduction aérienne)

Oreille moyenne
(conduction osseuse)

Oreille interne
(conduction liquidienne)

Marteau
Enclume
Étrier
Fenêtre ovale
Nerf auditif
Cochlée
Pavillon
Conduit auditif
Tympan (concave)
Trompe d'Eustache
Coupe transversale de la cochlée
Cellules ciliées
Fibres du nerf auditif
Membrane basilaire
Canal cochléaire

Figure 4.9 **Anatomie de l'oreille.** Les ondes sonores pénètrent dans l'oreille externe, sont amplifiées et concentrées dans l'oreille moyenne et converties en influx nerveux dans l'oreille interne.

Hauteur et intensité des sons

Nous entendons différentes hauteurs et intensités de sons grâce à une combinaison de mécanismes variant selon la fréquence du son. Voyons d'abord de quelle façon nous percevons diverses hauteurs de sons. Il semble que les sons aigus soient perçus en fonction de l'endroit où la membrane basilaire est la plus stimulée; lorsque nous entendons un son particulier, il fait vibrer le tympan, les osselets et la membrane ovale, produisant ainsi une « onde progressive » à travers le liquide que renferme la cochlée; cette onde fait ployer les cellules ciliées tout au long de la membrane basilaire, mais jusqu'à un point maximal précis pour chaque hauteur de son distincte. Ce seuil maximal de flexion est décrit dans la théorie de la localisation cochléaire, qui explique de quelle manière nous percevons les sons aigus (Carlson, 1992, p.183).

La façon dont nous percevons les sons graves s'explique par la théorie téléphonique de l'audition. Selon cette théorie, nous entendons un son particulièrement grave parce qu'il fait ployer les cellules ciliées le long de la membrane basilaire et déclenche des potentiels d'action au même rythme que la fréquence du son grave (Carlson, 1992, p.183). Par exemple, un son ayant une fréquence de 90 hertz produirait 90 potentiels d'action par seconde dans le nerf auditif.

La façon dont nous décelons les niveaux d'intensité diffère également selon la fréquence des sons; lorsqu'un son est aigu, nous l'entendons aussi fort parce que les neurones réagissent à un rythme plus rapide; les sons plus forts produisent des vibrations plus intenses, entraînant un fléchissement plus important des cellules ciliées, une plus grande libération de neurotransmetteurs et, par conséquent, un taux de déclenchement de potentiels d'action plus élevé. Toutefois, il doit y avoir une autre explication à la perception de l'intensité des sons graves puisque, comme nous venons de le décrire, le taux de déclenchement explique la manière dont nous entendons la hauteur d'un son grave. La plupart des chercheurs croient que l'intensité des sons graves est décelée par le nombre d'axones réagissant tous à un moment précis (Carlson, 1992).

Comment localisons-nous les sons ?   Les sons n'atteignent pas les deux oreilles tout à fait simultanément, et cette infime différence de temps nous permet de localiser les sons dans l'espace (Spitzer et Semple, 1991). Lorsqu'une cloche sonne à notre droite, le son atteint notre oreille droite avant notre oreille gauche (voir la figure 4.10). En outre, le son qui parvient à notre oreille droite est un peu plus fort que celui qui atteint notre oreille gauche. Nous avons de la difficulté à localiser les sons qui proviennent d'une source située directement devant ou derrière nous, car ces sons entrent dans nos oreilles simultanément. Mais si nous tournons la tête, nous provoquons un écart temporel et une différence d'intensité qui nous permettent de déterminer si le son provient de l'avant ou de l'arrière.

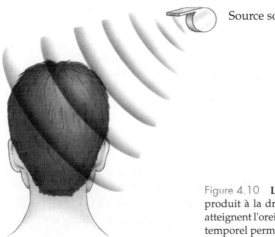

Source sonore

Figure 4.10 **Localisation des sons.** Lorsqu'un son est produit à la droite d'une personne, les ondes sonores atteignent l'oreille droite avant l'oreille gauche. Cet écart temporel permet à la personne de localiser le son.

Théorie de la localisation cochléaire : Théorie expliquant la façon dont nous entendons les sons aigus : à chaque son aigu distinct, les cellules ciliées se ploient sur la membrane basilaire jusqu'à un point maximal précis.

Théorie téléphonique de l'audition : Théorie expliquant la façon dont nous entendons les sons graves : les cellules ciliées se ploient et déclenchent des potentiels d'action au même rythme que la fréquence du son grave.

LES TROUBLES AUDITIFS

Les causes et les sièges des troubles auditifs varient. Ainsi, les personnes atteintes d'une anomalie du tympan ou de l'oreille moyenne (surdité de conduction) vous demanderont de « parler plus fort ». Les personnes atteintes d'un trouble de l'oreille interne (surdité neurosensorielle) vous prieront de « parler plus distinctement ». Et les personnes atteintes de lésions des aires auditives sont soit complètement sourdes, soit incapables d'interpréter l'information auditive envoyée au cortex cérébral.

Est-il vrai que la musique forte peut nuire à l'audition ?   Oui. L'une des causes les plus répandues de la surdité neurosensorielle est la détérioration des cellules ciliées provoquée par l'exposition continue à des sons forts. L'exposition, même brève, à un bruit de 150 décibels ou plus (comme celui de la musique amplifiée ou d'un moteur d'avion à réaction) peut causer une surdité permanente. L'exposition quotidienne à des bruits d'environ 85 décibels (comme ceux de la circulation automobile ou des motocyclettes) peut entraîner une perte auditive permanente.

Vous avez probablement remarqué que les personnes âgées ont souvent de la difficulté à entendre. Par contre, vous ignorez peut-être que les hommes commencent à perdre l'ouïe plus de 30 ans avant les femmes. Jay Pearson a étudié plus de 1 000 hommes et femmes pendant 23 ans, vérifiant leurs facultés auditives tous les deux ans (1995; Morrell, Gordon-Salant, Pearson, Brant et Fozard, 1996). Il a découvert que la plupart des hommes commencent à perdre leur capacité à entendre des sons dans la vingtaine, tandis que les femmes ne présentent pas de problèmes avant la soixantaine. Cette différence est vraisemblablement due au fait que les hommes sont plus susceptibles que les femmes d'être en contact avec de la machinerie bruyante.

Étant donné que la surdité neurosensorielle est causée par des lésions irréversibles du nerf auditif ou des récepteurs, le seul recours possible est la prévention. Il faut donc éviter les bruits exceptionnellement intenses comme ceux des concerts rock, des marteaux-pilons et des casques d'écoute réglés à plein volume, porter des bouche-oreilles lorsqu'on est mis en présence de bruits forts et écouter les avertissements de son corps. Ces avertissements prennent la forme de changements du seuil d'audition habituel ou d'acouphènes, c'est-à-dire de tintements et de bourdonnements d'oreille.

Il existe maintenant un instrument électronique susceptible de rétablir l'audition des personnes souffrant de surdité profonde pour qui les appareils auditifs traditionnels ne sont d'aucun secours. Cette oreille « bionique » reproduit

Surdité de conduction : Surdité due au fait que les ondes sonores ne peuvent atteindre l'oreille interne. Les otites non traitées en sont la cause la plus répandue. L'acuité auditive peut être améliorée par des prothèses.

Surdité neurosensorielle : Surdité résultant d'une détérioration des cellules nerveuses de la cochlée. Ses causes les plus fréquentes sont la maladie, des malformations congénitales, l'exposition prolongée à des sons intenses et le vieillissement. Cette surdité est irrémédiable.

Les sons intenses peuvent endommager les cellules ciliées de l'oreille interne. a) Une partie de la cochlée d'un cobaye normal où apparaissent trois rangées de cellules ciliées externes et une rangée de cellules ciliées internes. b) Une partie de la cochlée après une exposition de 24 heures à un niveau sonore comparable à celui qu'atteint la musique rock amplifiée. Notez que certaines cellules ciliées ont été détruites et remplacées par des cicatrices.

a)   b)

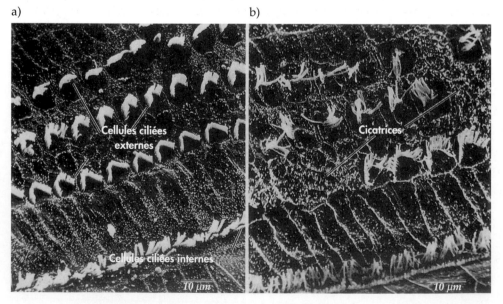

Ces musiciens et leur auditoire sont des victimes potentielles de la surdité neurosensorielle que cause l'exposition prolongée aux bruits très forts.

électroniquement le fonctionnement de la cochlée. Un petit microphone placé autour du pavillon recueille les sons et les transmet à un microprocesseur attaché à la taille. Le microprocesseur convertit l'information en impulsions électriques qui sont ensuite transmises à de petites électrodes implantées dans la cochlée. Grâce à cet appareil, certains patients sont capables d'entendre les paroles, bien qu'ils ne puissent comprendre plus d'une voix à la fois.

À la recherche du gène de la surdité

Certains individus souffrent de déficit auditif parce qu'ils ont eu une maladie (comme dans le cas d'Helen Keller), un accident, ou qu'ils ont été exposés à des bruits extrêmement forts. D'autres naissent avec un gène qui cause leur surdité. Ainsi, certaines personnes naissent sourdes alors que d'autres perdent la capacité de sentir ou de percevoir l'information auditive plus tard dans la vie. L'étude des différents types de surdité a permis aux chercheurs d'établir une distinction entre les surdités physiologique (due à un trouble fonctionnel) et génétique (innée, causée par mutation génétique). Mais les progrès récents de la génétique ont incité plusieurs chercheurs à suivre cette voie, et les résultats sont prometteurs.

Les chercheurs qui tentent de trouver les gènes responsables de la surdité choisissent en général l'une des deux approches suivantes : l'utilisation d'animaux, comme des souris, présentant certaines mutations génétiques connues survenues naturellement ou provoquées par les chercheurs eux-mêmes (Hughs, Legan, Steel et Richardson, 1998; Self, Mahony, Flemming, Walsh, Brown et Steel, 1998; Steel, 1998; Wang et coll., 1998); ou, l'étude de la génétique de familles d'humains dont un large pourcentage des membres sont nés sourds ou le sont devenus au cours de leur vie (Denoyelle et coll., 1997; Kessel et coll., 1997; Lynch et coll., 1997).

En se basant sur les résultats des deux approches, on a localisé avec précision la source de plusieurs mutations génétiques humaines entraînant la perte de l'audition (Pennisi, 1997). Les gènes impliqués produisent une sorte de protéine appelée *myosine*. Celle-ci contribue au développement des cellules ciliées auditives de la cochlée. La mutation altère la structure des cellules ciliées, provoquant la surdité à la naissance ou plusieurs années plus tard. Mais les troubles reliés à la myosine ne peuvent être la seule cause de la surdité. On s'attend à découvrir d'ici quelques années plusieurs autres mutations génétiques causant la perte de l'audition.

RÉSUMÉ

L'ouïe

Le sens de l'ouïe est communément appelé l'audition. Nous entendons les sons par l'entremise d'ondes sonores produites par les variations rapides de la pression de l'air que causent les objets en vibrant. La fréquence des ondes sonores détermine la hauteur du son, alors que l'amplitude des ondes en définit l'intensité.

L'oreille externe conduit les ondes sonores au tympan, qui vibre et active les osselets dans l'oreille moyenne, lesquels transmettent à leur tour la vibration à la fenêtre ovale. Celle-ci est située à l'entrée de la cochlée, structure interne contenant les récepteurs auditifs, appelés cellules ciliées.

QUESTIONS DE RÉVISION

1. Le _____ est une variation de la pression de l'air engendrée par les objets vibrants.

2. Un son de 20 000 hertz est _____, tandis qu'un son de 100 hertz est _____.

3. L'intensité sonore est reliée à l' _____ d'une onde sonore.

4. Donnez le trajet que parcourt une onde sonore de sa source, un avertisseur, aux structures de l'oreille et au cerveau.

5. Les récepteurs auditifs sont les _____, situées dans la _____.

6. Que pouvez-vous faire pour prévenir la surdité neurosensorielle ?

Les réponses aux questions de révision se trouvent en annexe.

L'ODORAT ET LE GOÛT

▲ *Comment sentons-nous les odeurs et goûtons-nous les saveurs ?*

L'odorat et le goût sont parfois appelés sens chimiques, car ils font intervenir des chimiorécepteurs, c'est-à-dire des récepteurs sensibles à des molécules plutôt qu'à l'énergie électromagnétique ou mécanique. La stimulation des chimiorécepteurs produit des influx nerveux qui sont transmis au cerveau.

Les récepteurs olfactifs et gustatifs sont proches les uns des autres et, souvent, ils interagissent si étroitement que nous avons de la difficulté à distinguer les sensations olfactives des sensations gustatives. Les aliments vous semblent-ils insipides lorsque vous souffrez de congestion nasale ? L'interaction entre le goût et l'odorat est influencée par la température des aliments. La pizza et les crêpes sont beaucoup plus savoureuses chaudes que froides. En effet, la vapeur qui se dégage des aliments chauds stimule les récepteurs olfactifs et aiguise le goût.

À vous les commandes

Pour vous faire une idée de l'influence de l'odorat sur le goût, fermez les yeux, pincez-vous le nez et mordez dans un oignon, dans une pomme et dans une pomme de terre. Vous constaterez qu'il est difficile de différencier ces aliments sans utiliser les récepteurs olfactifs. ■

Olfaction : Fonction du sens de l'odorat.

Épithélium olfactif : Membrane recouverte de mucus qui tapisse le plafond des fosses nasales et contient les récepteurs olfactifs.

L'OLFACTION : LE SENS DE L'ODORAT

L'olfaction, la fonction du sens de l'odorat, repose sur la stimulation de récepteurs situés à l'intérieur du nez (voir la figure 4.11). Ces récepteurs sont enchâssés dans une membrane recouverte de mucus appelée épithélium olfactif. Comme l'épithélium olfactif communique avec la bouche par le pharynx, l'olfaction est étroitement

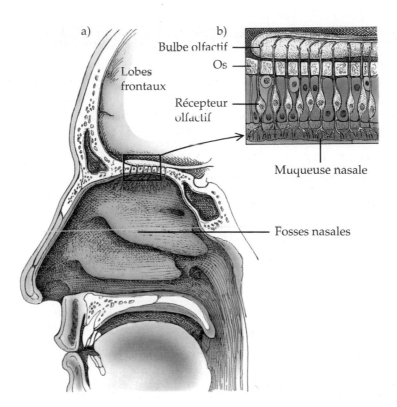

Figure 4.11 **Anatomie de l'olfaction.** a) Situation des récepteurs olfactifs dans les fosses nasales. b) Récepteurs olfactifs.

reliée à la gustation. Les récepteurs olfactifs sont des neurones modifiés dont les dendrites ramifiés émergent de l'épithélium. En entrant en contact avec les dendrites, les molécules portées par l'air inspiré déclenchent un influx nerveux. L'influx parcourt l'axone d'un neurone et parvient directement au bulbe olfactif situé juste en dessous des lobes frontaux. La majeure partie de l'information olfactive est traitée dans le bulbe olfactif avant d'être envoyée dans d'autres parties du cerveau.

Pevsner, Reed, Feinstein et Snyder (1988) ont découvert dans l'épithélium olfactif de plusieurs animaux une protéine qui se lie aux molécules odorantes et qui les transporte jusqu'aux récepteurs olfactifs. Puisque la principale fonction de cette protéine est de concentrer les molécules odorantes, c'est probablement à cause d'elle que nous pouvons sentir certaines odeurs à des concentrations extrêmement faibles.

La discrimination des odeurs

La discrimination des odeurs a fait l'objet de nombreuses tentatives d'explications, parmi lesquelles nous retiendrons deux théories. La théorie de la spécificité des récepteurs olfactifs veut que toutes les odeurs complexes soient composées de 6 à 32 odeurs primaires, dont l'odeur camphrée (naphtaline), florale, mentholée, éthérée (liquide de nettoyage à sec), musquée, piquante (épices), putride (œufs pourris) ainsi que l'odeur du poisson, du malt et de la sueur (Amoore, Johnston et Rubin, 1964; Amoore, 1977). Les molécules complexes à l'origine de chacune de ces odeurs diffèrent par la forme et par la taille et se lient seulement à un certain type de récepteurs, comme une clé qui ne peut entrer que dans une serrure. Certaines molécules, celles de l'oxyde de carbone notamment, n'épousent la forme d'aucun récepteur et sont par conséquent inodores.

La seconde théorie relative à la discrimination des odeurs suppose que l'ensemble des récepteurs contribue à la détection de toutes les odeurs. Même si un récepteur réagit plus fortement à certaines odeurs qu'à d'autres, la plupart des récepteurs réagissent à des degrés divers à une vaste gamme d'odeurs (Tanabe, Iino et Takagi, 1975). Selon cette théorie, nous percevons une odeur parce qu'elle déclenche un certain *mode* d'activité dans tous les récepteurs olfactifs.

Théorie de la spécificité des récepteurs olfactifs : Théorie selon laquelle chaque molécule odorante épouse la forme d'un seul type de récepteurs olfactifs.

Il semblerait aussi, d'après des recherches récentes, que non seulement chaque récepteur encode un seul type d'odeur, mais que les différents types de récepteurs sont répartis au hasard sur l'épithélium olfactif. Ainsi, les axones des cellules réceptrices munies de récepteurs similaires rejoindraient les mêmes régions du bulbe olfactif (Ngai et coll., 1993; Vassar, Ngai et Axel, 1993). Par exemple, le parfum d'une rose stimule uniquement les cellules des récepteurs floraux, répartis au hasard sur l'épithélium olfactif; toutes les cellules réceptrices florales stimulées envoient alors des messages neuraux à la même partie du bulbe olfactif, puis au cerveau.

Les uns et les autres

LA SENSIBILITÉ OLFACTIVE DIFFÈRE-T-ELLE SELON LES PEUPLES ?

C'est ce qu'a voulu mesurer C.E. Barber (1997). À partir de données internationales tirées d'un sondage effectué en 1986 — le National Geographic Smell Survey — ce dernier a pu comparer l'acuité olfactive au sein de plusieurs groupes différents. Il a comparé des hommes à des femmes, des répondants jeunes à des plus âgés, et des Africains à des Américains, pour connaître leur perception d'une odeur en particulier : l'androsténone. Celle-ci, produite par des bactéries sur le corps humain, est une composante de la sueur. Les répondants à ce sondage comprenaient 19 219 Américains et 3 204 Africains, des deux sexes et d'âges variés.

Les résultats sont très intéressants. Barber a découvert qu'en général, l'acuité olfactive diminue avec l'âge; ce résultat n'est pas surprenant, mais cette diminution n'était pas aussi importante que dans les études précédentes. Cependant, les répondants plus âgés identifiaient plus facilement une odeur lorsqu'ils arrivaient à la déceler. Dans une autre étude, les adultes ont démontré plus de facilité à identifier les odeurs que les enfants, même si ces derniers étaient aussi sensibles à ces odeurs (Cain et coll., 1995). Les femmes étaient en général plus sensibles aux odeurs que les hommes. Mais le résultat le plus intéressant était que la sensibilité à l'androsténone variait entre les répondants d'Afrique et ceux d'Amérique. Les répondants africains (hommes et femmes) présentaient un niveau de détection significativement plus élevé que leurs homologues américains. Plusieurs facteurs peuvent expliquer ces différences d'acuité, y compris le processus de vieillissement, la génétique et l'incidence environnementale. Mais comme il s'agissait ici d'un sondage de recherche, aucune cause particulière n'a pu être identifiée avec certitude. ■

L'adaptation

Quel que soit le mécanisme de la discrimination des odeurs, il est clair que les récepteurs olfactifs s'adaptent rapidement. Même les odeurs les plus fortes semblent s'atténuer après un court laps de temps. En outre, certaines personnes s'adaptent particulièrement vite aux odeurs. (Dommage que quelques-uns d'entre nous l'aient ignoré quand ils ont commencé à utiliser de l'eau de Cologne.) Bien que variable, l'odorat humain est généralement fin et détecte jusqu'à des dizaines de milliers d'odeurs. Quelques personnes sont totalement incapables de percevoir certaines odeurs, comme celles du musc et de la sueur, et certaines personnes âgées perdent complètement l'odorat (Cohen, 1981). Les raisons de ces variations sont obscures, et la recherche actuelle examine l'influence de l'hérédité, des hormones et de l'apprentissage.

Est-il vrai que l'odorat est relié à l'attirance sexuelle ?   Depuis la nuit des temps, l'être humain cherche à augmenter son attrait sexuel et utilise pour ce faire toutes sortes de substances odoriférantes. Y a-t-il un fondement scientifique à cette pratique ? C'est ce que révélera peut-être la recherche sur les phéromones, substances sécrétées par l'organisme et susceptibles d'influer sur le comportement des autres, notamment sur le comportement sexuel.

Phéromones : Substances sécrétées par un organisme qui influent sur le comportement sexuel d'un autre membre de la même espèce.

Les chercheurs ont découvert que de nombreuses espèces animales émettent des phéromones. Ainsi, Michael et Keverne (1970) ont constaté que les guenons sécrètent des copulines, substances chimiques qui attirent les mâles. Dans le même ordre d'idées, Morris et Udry (1978) ont demandé à des femmes d'appliquer sur leur poitrine un parfum contenant des copulines; ils ont observé une intensification marquée du comportement sexuel, tant chez les femmes que chez leurs partenaires. Les chercheurs qui tentent de vérifier l'existence de copulines mâles ont noté que les femmes en période d'ovulation détectent beaucoup mieux que les hommes et les enfants l'odeur musquée de l'exaltone, substance synthétique qui s'apparente chimiquement à une substance contenue dans l'urine humaine. L'urine des hommes contient deux fois plus d'exaltone que l'urine des femmes, et l'urine des enfants n'en contient pas. L'exaltone est peut-être une phéromone mâle qui attire les femmes au moment même où elles sont le plus aptes à concevoir (Hassett, 1978).

Dans une étude plus récente, Winnifred Cutler, Erika Friedmann et Norma McCoy (1998) ont découvert que le comportement socio-sexuel de 17 des hommes hétérosexuels de leur groupe de recherche était affecté par l'utilisation de phéromones humaines mâles de synthèse. Elles ont noté chez le groupe qui recevait des phéromones une propension plus élevée aux caresses, baisers et autres démonstrations d'affection que dans le groupe placebo. Elles ont conclu que le groupe d'utilisateurs de phéromones démontrait une augmentation significative des comportements socio-sexuels mâles, surtout lorsque ceux-ci impliquaient une collaboration féminine. Évidemment, les parfumeurs sont très intéressés par les recherches sur les phéromones, mais des études concluantes restent encore à valider.

LA GUSTATION

De nos jours, le goût, dont la fonction est la gustation, est peut-être le moins vital de nos sens. Cependant, il a probablement contribué à notre survie dans les temps préhistoriques. Son rôle principal, facilité par l'odorat, est de fournir de l'information sur les substances qui entrent dans le système digestif et de détecter celles qui sont potentiellement nuisibles.

Gustation : Fonction du sens du goût.

En l'absence de sensations olfactives, toutes les saveurs se décomposent en quatre saveurs fondamentales : le sucré, l'acide, le salé et l'amer. Comme les récepteurs olfactifs (si la théorie relative à leur spécificité est fondée), les récepteurs gustatifs réagissent à la forme des molécules des aliments solides et liquides. Certains chercheurs ont découvert que des substituts artificiels imitent les quatre saveurs fondamentales. L'aspartame, par exemple, est un dérivé de l'artichaut qui imite la forme moléculaire des substances sucrées. Le Nutrasweet et la saccharine sont utilisés comme édulcorants artificiels dans de nombreux aliments hypocaloriques, car leur forme moléculaire ressemble suffisamment à celle du sucre pour stimuler les récepteurs du sucré.

La carte de la langue

Contrairement aux récepteurs olfactifs, les récepteurs gustatifs sensibles à chaque saveur fondamentale sont situés en une région précise de la langue (voir

Surface de la langue humaine grossie 47 fois. Les cercles mauves sont les papilles, structures qui contiennent les bourgeons du goût.

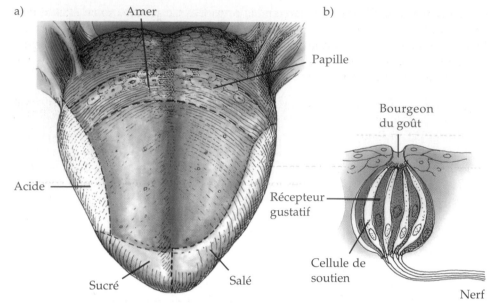

a) Amer

Papille

Bourgeon
du goût

Récepteur
gustatif

Acide

Cellule de
soutien

Sucré   Salé

Nerf

b)

Figure 4.12 **Langue.** a) Régions de sensibilité gustative de la langue. La partie antérieure de la langue est surtout sensible au sucré et au salé, les côtés sont surtout sensibles à l'acide, et la partie postérieure est surtout sensible à l'amer. b) Bourgeon du goût.

Papilles : Éminences de la surface de la langue qui contiennent les récepteurs gustatifs.

la figure 4.12). En règle générale, nous n'avons pas conscience de la répartition des récepteurs gustatifs, car les aliments se répandent sur toute la surface de la langue. Mais pour éviter de goûter un comprimé, placez-le à l'arrière de votre langue s'il est salé et au centre s'il est amer. Et pour déguster une friandise, laissez-la fondre au bout de votre langue. La figure 4.12 montre que les principaux bourgeons du goût sont regroupés à l'intérieur de petites éminences de la surface de la langue, les papilles. Les aliments liquéfiés par la mastication et les liquides pénètrent dans les pores des papilles et atteignent les bourgeons du goût. Voilà pourquoi nous devons mastiquer nos aliments lentement pour en apprécier toute la saveur.

Pourquoi les enfants sont-ils si « difficiles » ? Chez les enfants, les bourgeons du goût sont remplacés tous les sept jours environ. Avec l'âge, cependant, les bourgeons se renouvellent moins fréquemment, et les sensations gustatives s'atténuent. Par conséquent, les enfants n'aiment pas les aliments aux saveurs fortes (comme le foie et les épinards), mais en viennent à les apprécier à mesure qu'ils vieillissent et perdent une partie de leurs bourgeons du goût.

L'aversion pour certains aliments est liée au fait que le sens du goût permet aux humains et aux animaux de distinguer les aliments comestibles des aliments toxiques. Étant donné que la plupart des plantes au goût amer contiennent des substances toxiques, un animal augmente ses chances de survie en évitant toutes les plantes au goût amer (Akabas, Dodd et Al-Awqati, 1988; Guinard et coll., 1996). Par ailleurs, les humains et les animaux ont un penchant pour les aliments sucrés, car ces aliments sont généralement sûrs et constituent de bonnes sources d'énergie.

Les préférences alimentaires sont reliées à l'apprentissage, et plus particulièrement aux expériences de l'enfance et aux influences culturelles. Les petits Canadiens trouvent répugnants le poisson cru dont se délectent les petits Japonais et les pattes de poulets que mangent les petits Chinois. On peut même apprendre aux

Les préférences alimentaires découlent en grande partie des expériences de l'enfance et des influences culturelles. Les petits Japonais se délectent de pieuvre, tandis que les jeunes Québécois préfèrent les saucisses sur bâtonnets. Il y a fort à parier qu'aucun ne voudrait des délices de l'autre.

Crédit photo : Odile Martinez

nouveaux-nés à préférer le lait parfumé à la vanille. Ce sera le cas en effet si leur mère, avant de les nourrir au sein, a ingéré de la vanille (Mennella et Beauchamp, 1996). De même, nous apprenons selon les critères de notre culture à aimer ou à détester certaines odeurs; on n'a, pour s'en rendre compte, qu'à songer à tout le mal que se donnent les Canadiens pour masquer leurs odeurs corporelles.

RÉSUMÉ

L'odorat et le goût

Le sens de l'odorat (olfaction) et le sens du goût (gustation), appelés sens chimiques, sont étroitement liés. Les récepteurs olfactifs sont situés dans l'épithélium olfactif, qui tapisse le plafond des fosses nasales. Selon la théorie de la spécificité des récepteurs olfactifs, nous pouvons sentir différentes odeurs parce que chaque molécule d'odeur tridimensionnelle s'adapte à un seul type de récepteur. Les récepteurs gustatifs sont sensibles à quatre saveurs de base : le salé, le sucré, l'acide et l'amer.

QUESTIONS DE RÉVISION

1. Les sens chimiques sont l'_____ et le _____, et leurs fonctions sont l'_____ et la _____.

2. Expliquez la théorie de la spécificité des récepteurs olfactifs.

3. L'organisme sécrète des substances appelées _____ qui, croit-on, influent sur le comportement d'autrui.

4. Les quatre saveurs fondamentales sont le _____, le _____, l'_____ et l'_____.

5. Décrivez ce qui se produit lorsque vous goûtez du jus d'orange.

Les réponses aux questions de révision se trouvent en annexe.

LA SOMESTHÉSIE

Imaginez que vous êtes un skieur olympique. Au sommet de la piste de slalom géant, vous attendez nerveusement le signal de départ pour l'épreuve qui peut vous valoir la médaille d'or. Quels sens vous permettront de garder votre équilibre tout au long d'une descente aussi rapide que difficile ? Comment trouverez-vous le trajet le plus court entre le départ et l'arrivée ? Qu'est-ce qui vous permettra de coordonner parfaitement les mouvements de vos bras, de vos jambes et de votre tronc et d'effectuer le parcours en un temps record ? Ce sera la somesthésie.

La somesthésie est la faculté de détecter les contacts, l'orientation, les mouvements et la position de l'organisme. Elle repose sur les sens cutanés, le sens de l'équilibre et le sens kinesthésique.

LES SENS CUTANÉS : PLUS QUE LE SIMPLE TOUCHER

Les sens cutanés revêtent une importance capitale. La peau fait plus que protéger les organes internes : elle fournit au cerveau des renseignements essentiels à la survie. Par l'intermédiaire des terminaisons nerveuses qui parcourent les couches de la peau, les sens cutanés nous indiquent qu'une casserole est brûlante, que le temps est glacial ou que nous avons subi une blessure. Helen Keller a émergé de sa solitude grâce à ses sens cutanés. La sensation de l'eau froide sur sa main l'a amenée à associer les objets aux mots et lui a ainsi révélé le « mystère du langage ».

Les chercheurs ont « cartographié » la peau en appliquant des sondes sur toutes les parties du corps. Ils ont ainsi découvert qu'il existe cinq sensations cutanées fondamentales : le tact, la pression, la chaleur, le froid et la douleur. Les récepteurs à l'origine

▲ *Comment sentons-nous la pression, la chaleur, le froid et la douleur ? Comment gardons-nous notre équilibre ? Pourquoi n'avons-nous pas besoin de regarder notre corps pour en connaître la position ?*

Somesthésie : Sensibilité fournie par les sens cutanés (tact, pression, chaleur, froid et douleur), le sens de l'équilibre et le sens kinesthésique (position et mouvements de l'organisme).

Sens cutanés : Sens qui détectent le tact, la pression, la chaleur, le froid et la douleur.

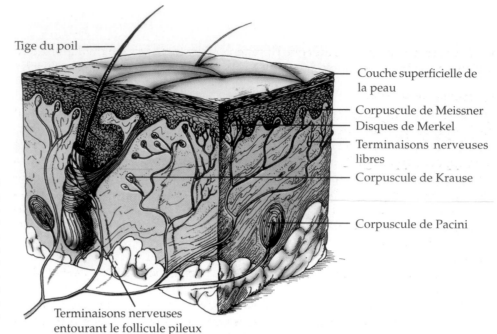

Tige du poil

Couche superficielle de la peau

Corpuscule de Meissner

Disques de Merkel

Terminaisons nerveuses libres

Corpuscule de Krause

Corpuscule de Pacini

Terminaisons nerveuses entourant le follicule pileux

Figure 4.13 Sens cutanés. Les récepteurs des sens cutanés sont les terminaisons nerveuses libres (sensibles à la pression et à la douleur et, pour certaines, au toucher) ainsi que les corpuscules de Pacini, les corpuscules de Meissner et les disques de Merkel (sensibles au toucher et à la pression); les récepteurs de la chaleur et du froid sont des axones myélinisés situés dans les couches supérieures de la peau.

de ces sensations sont situés à différentes profondeurs dans la peau, et ils sont reliés à des neurones qui transmettent l'information sensorielle aux parties appropriées du cerveau (voir la figure 4.13). La relation entre les types de récepteurs et les différentes sensations est encore obscure. L'on croyait autrefois que chaque type de récepteurs réagissait à un seul type de stimulations, mais des études récentes ont démontré que tel n'est pas le cas. Ainsi, les récepteurs de la pression réagissent aussi à certaines ondes sonores (Green, 1977), et il semble qu'une stimulation légère des récepteurs de la pression et de la douleur produise des sensations de démangeaison, de picotement et de vibration. Quoi qu'il en soit, les scientifiques ont étudié chacun des cinq sens cutanés isolément, et ils ont découvert des faits intéressants à leur sujet.

La pression

Les récepteurs de la pression, ou barorécepteurs, ne sont pas répartis uniformément dans la peau. Les bouts des doigts, les lèvres, le bout de la langue, la face interne de l'avant-bras et les organes génitaux en contiennent beaucoup et sont extrêmement sensibles à la pression et au toucher, tandis que certaines parties du dos sont relativement insensibles. Comme Helen Keller, beaucoup de personnes aveugles « voient » les objets en les palpant du bout des doigts. Elles reconnaissent les êtres et les choses par le toucher et lisent des livres écrits en braille.

Fait intéressant, il semble que les filles et les garçons nouveau-nés aient la même sensibilité tactile; quel que soit leur sexe, les bébés se calment au contact d'une couverture douce (Richmond-Abbott, 1983). Cependant, les hommes et les femmes ont tendance à toucher et à parler aux petites filles plus qu'aux petits garçons; à l'âge adulte, les femmes se révèlent plus sensibles que les hommes au toucher (Tavris et Offir, 1984).

Le toucher est-il vraiment nécessaire à l'attachement entre un enfant et ses parents ? La presse populaire fait grand état des recherches menées sur le rôle du toucher dans l'attachement entre un enfant et ses parents (Minde, 1986; Montagu, 1979). Certains chercheurs, en effet, estiment que le contact de la peau au cours des premières heures de la vie peut, entre autres choses, prolonger les périodes que les mères passent avec leurs bébés, faciliter l'allaitement, favoriser le développement intellectuel des enfants, etc. D'autres chercheurs disent qu'il n'en est rien. Ils affirment que l'attachement résulte non pas d'un contact suivant immédiatement la naissance, mais de rapprochements continus pendant l'enfance (Lamb, 1982; Reed et Leiderman, 1983). Voilà de quoi soulager la mauvaise conscience des parents adoptifs, des mères qui ont accouché par césarienne et des gens qui ont eu leurs enfants avant que ces recherches ne soient effectuées. Nous l'avons dit au chapitre 1, la

Le contact continuel est un important facteur de l'attachement entre l'enfant et ses parents.

recherche en psychologie a beaucoup de répercussions sur l'opinion publique. Il faut toujours considérer l'ensemble des résultats obtenus dans un domaine de recherche.

La chaleur et le froid

Un centimètre carré de peau renferme en moyenne six points sensibles seulement au froid et un ou deux points sensibles seulement à la chaleur modérée. Les chercheurs n'ont pas trouvé de récepteurs sensibles à la chaleur extrême mais, à l'aide d'un appareil appelé grille calorifique (voir la figure 4.14), ils ont découvert que la sensation de chaleur extrême est produite par la stimulation simultanée des récepteurs de la chaleur modérée et des récepteurs du froid (Craig et Bushnell, 1994). Récemment des chercheurs ont utilisé la tomographie par émission de positons (TEP) pour localiser la région du cerveau activée par la grille calorifique. Le contact avec la grille stimule une région du cortex qui ne réagit pas si l'on touche seulement quelque chose de chaud ou froid (Craig, Reimand, Evans, Bushnell, 1996). Apparemment, cette partie du cortex est uniquement associée à la perception de la douleur thermique.

Comme nous le disions plus tôt, la peau s'adapte rapidement aux variations de température, de telle sorte que, selon la température de notre peau, nous trouvons chaude ou froide l'eau d'un même récipient. En d'autres termes, nous pouvons dire qu'un objet est plus chaud ou plus froid que notre peau, mais nous ne pouvons pas exprimer sa température en termes absolus. Par conséquent, les chercheurs qui effectuent des études sur les récepteurs de la chaleur et du froid doivent déterminer la température normale de la région de la peau étudiée chez le sujet. À partir de cette température de base, appelée *zéro physiologique*, les chercheurs peuvent ensuite mesurer les réactions sensorielles.

La douleur

Toutes sortes de stimuli peuvent provoquer la douleur : les égratignures, les coupures, les brûlures, les abcès dentaires, la faim même. La douleur résulte d'une stimulation excessive des récepteurs sensoriels (comme dans le cas où nous nous brûlons la bouche en mordant dans une pizza fumante) ou de la stimulation de récepteurs de la douleur particuliers (comme lorsque nous nous piquons le doigt avec une aiguille). Bien que le sens de la douleur soit considéré comme un sens cutané, ses récepteurs, les nocicepteurs, ne se trouvent pas uniquement dans la peau. Ceux qui sont situés dans les organes internes et dans les couches profondes de la peau produisent une douleur sourde, tandis que ceux des couches superficielles de la peau engendrent une douleur vive.

Tous les types de douleur ont la même fonction : nous avertir que nos tissus sont exposés à un danger réel ou potentiel. Nous aimerions bien être débarrassés de notre sens de la douleur lorsque nous souffrons d'un mal de tête tenace, mais il est heureux que notre souhait ne soit pas exaucé. Les personnes atteintes de maladies ou de blessures qui réduisent ou éliminent la perception de la douleur courent un grand danger. Certaines subissent des brûlures étendues ou des coupures

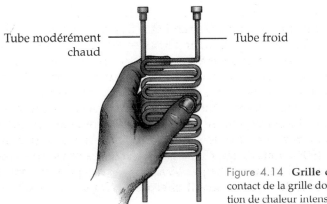

Tube modérément chaud

Tube froid

Figure 4.14 **Grille calorifique.** Le contact de la grille donne une sensation de chaleur intense.

profondes sans même s'en apercevoir. La recherche fait même état du cas d'une femme qui s'est sectionné le bout de la langue en mastiquant et qui n'a rien ressenti (Cohen et coll., 1955; McMurray, 1950).

À l'autre extrême se trouvent les gens qui souffrent d'une douleur chronique due notamment au cancer ou à l'arthrite. La douleur chronique est la principale raison qui amène les gens à consulter un médecin ou à prendre des médicaments. Pourtant, l'enseignement de la médecine et la recherche lui consacrent assez peu d'attention.

Contrairement à l'odorat et au goût, le sens de la douleur ne s'adapte pas. L'information douloureuse est transmise au cerveau par des fibres rapides et par des fibres lentes de la moelle épinière. Par conséquent, nous tendons à ressentir une « douleur primaire » et une « douleur secondaire » (Sternbach, 1978). La douleur que nous éprouvons tout de suite après avoir touché un objet brûlant est une sensation claire et localisée qui est produite par l'activation des fibres rapides. Cette douleur d'avertissement se calme rapidement. Mais elle est suivie par une douleur secondaire qui, elle, est diffuse et durable, car elle est produite par l'activation des fibres lentes. Il est heureux que nous ne nous adaptions pas à la douleur : la douleur nous rappelle de soigner nos blessures, d'appliquer de la glace sur nos brûlures par exemple.

Si nous ne nous adaptons pas à la douleur, comment se fait-il que les blessures n'arrêtent ni les athlètes ni les soldats ? Dans certaines situations, le cerveau sécrète des analgésiques naturels appelés endorphines. Comme la morphine, ces substances inhibent la perception de la douleur. Une blessure extrêmement douloureuse peut provoquer la libération d'endorphines et la fermeture des voies de la douleur en situation de compétition ou de danger.

De nombreuses théories expliquent la transmission et la perception de la douleur, mais aucune ne rend compte de façon satisfaisante de tous les types de douleur. La théorie du portillon, élaborée par Ronald Melzack et Patrick Wall (1965), est l'une des plus reconnues et aussi des plus utiles, car elle s'applique au soulagement de la douleur (voir la figure 4.15). Comme nous l'avons déjà indiqué, l'information sensorielle est transmise des récepteurs à la moelle épinière et au cerveau par des fibres nerveuses grosses et rapides ainsi que par des fibres petites et lentes. Les premières sont à l'origine des sensations de toucher, de pression et de douleur sourde; les secondes interviennent uniquement dans les sensations douloureuses. Selon la théorie du portillon, les petites fibres transportent jusqu'à la moelle épinière les influx créés par la stimulation douloureuse (par une piqûre d'abeille par exemple); là, elles ouvrent un « portillon » qui laisse parvenir l'information au cerveau. Si une autre stimulation survient (tels une pression ou un frottement exercés

Endorphines : Substances chimiques similaires à la morphine, naturellement présente dans le cerveau et susceptibles de réduire la perception de la douleur.

Théorie du portillon : Théorie selon laquelle les influx douloureux sont traités et modifiés par des mécanismes situés dans la moelle épinière.

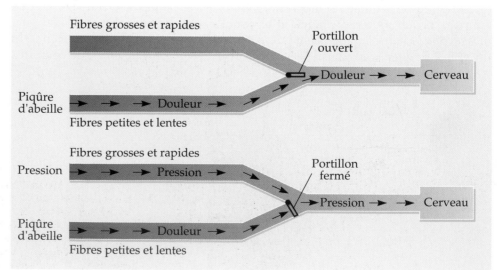

Figure 4.15 **Théorie du portillon.** Les influx produits par les récepteurs de la douleur sont transportés au cerveau par les fibres petites et lentes. Toutefois, si les fibres grosses et rapides sont activées par une pression, elles ferment le portillon de la douleur et seuls leurs influx parviennent au cerveau.

sur la piqûre), l'information transportée par les fibres grosses et rapides arrive à la moelle épinière avant celle qu'acheminent les fibres petites et lentes. Cela ferme le portillon et réduit la quantité d'influx douloureux transmis au cerveau (Warga, 1987).

Une expérience récente a démontré que le fait d'appliquer une pression locale pendant 10 secondes avant une injection intramusculaire réduit de façon significative la douleur de l'injection (Barnhill, Holbert, Jackson et Erickson, 1996). Une autre recherche récente suggère que le portillon serait contrôlé chimiquement : un neurotransmetteur appelé substance P agirait en ouvrant le portillon de la douleur, alors que les endorphines le fermeraient (Bachiocco, Gentili et Bortoluzzi, 1995; Cesaro et Ollat, 1997; Liu, Mantyh et Basbaum, 1997). Bien que la théorie du portillon soit fort controversée, elle explique l'efficacité de certaines techniques d'élimination de la douleur, tels les massages, l'application de chaleur, l'acupuncture et la stimulation électrique. Ces interventions stimuleraient les fibres du toucher et de la pression et provoqueraient la fermeture du portillon.

LE SENS DE L'ÉQUILIBRE

Le sens de l'équilibre détecte l'orientation de l'organisme par rapport à la gravité ainsi que sa position dans l'espace. Les activités les plus banales, la bicyclette, la marche, la station debout, même, seraient impossibles sans le sens de l'équilibre. Les récepteurs de l'équilibre sont situés dans l'oreille interne, plus précisément dans l'appareil vestibulaire. Cet appareil se compose des canaux semi-circulaires et de deux vésicules, le saccule et l'utricule (voir la figure 4.16).

Les canaux semi-circulaires sont trois tubes recourbés situés au-dessus de la cochlée et rattachés à son entrée. Ils transmettent au cerveau l'information relative à l'équilibre, et plus particulièrement à la rotation de la tête. Étant donné que les mouvements s'effectuent dans les trois dimensions de l'espace, longueur, largeur et hauteur, les canaux semi-circulaires occupent chacun un de ces trois plans. Quand la tête bouge, le liquide contenu dans les canaux s'agite et fait ployer les cils des cellules réceptrices. Le saccule et l'utricule, par ailleurs, contiennent des cellules ciliées sensibles à l'angle de la tête. L'information captée par les canaux semi-circulaires, le saccule et l'utricule, est convertie en influx nerveux et transportée sous cette forme jusque dans la partie appropriée du cerveau.

Sens de l'équilibre : Sens qui détecte l'orientation de l'organisme par rapport à la gravité.

Canaux semi-circulaires : Tubes recourbés de l'oreille interne contenant les cellules ciliées qui détectent les mouvements de la tête.

Saccule et utricule : Vésicules du vestibule contenant les cellules ciliées qui détectent l'angle de la tête.

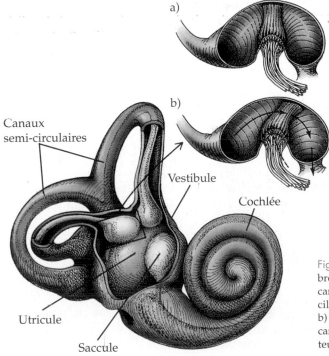

a)

b)

Canaux
semi-circulaires

Vestibule

Cochlée

Utricule

Saccule

Figure 4.16   **Appareil vestibulaire.** Les récepteurs de l'équilibre sont situés dans le saccule et l'utricule ainsi que dans les canaux semi-circulaires. a) Position que prennent les cellules ciliées des canaux semi-circulaires quand la tête est droite. b) Lorsque nous inclinons la tête, le liquide contenu dans les canaux semi-circulaires s'agite et fait ployer les cils des récepteurs; nous déterminons ainsi le sens de l'inclinaison.

L'interaction du sens de l'équilibre et du sens kinesthésique facilite les mouvements et le maintien de l'équilibre. Les skieurs d'élite poussent ces deux sens à la limite.

Les mouvements erratiques et imprévisibles peuvent causer le mal des transports.

Kinesthésie : Sens qui détecte la position et les mouvements de l'organisme.

Qu'est-ce qui cause le mal des transports ? L'information fournie par le sens de l'équilibre facilite la fixation du regard et les changements de position du corps. Les mouvements d'un bateau, d'un avion ou d'une voiture peuvent surcharger ou perturber le sens de l'équilibre et provoquer ainsi des étourdissements et des nausées. Les chercheurs ont découvert que les mouvements inattendus sont plus propices que les mouvements prévisibles au mal des transports (Geeze et Pierson, 1986). Les mouvements inattendus provoquent des conflits perceptuels entre les systèmes visuel et vestibulaire : un système indique à la personne qu'elle se déplace dans une direction tandis que l'autre lui dit qu'elle va dans une direction différente (Eyeson-Annan, Peterken, Brown et Atchison, 1996; Takahashi, Ogata et Miura, 1997). Comme les conducteurs sont en mesure de prévoir les mouvements de leur véhicule, ils sont moins sujets que les passagers aux nausées. Il semble que le mal des transports ait un rapport avec l'âge : la plupart des nourrissons n'en souffrent pas, les enfants de deux ans à douze ans sont les plus vulnérables et les adultes en sont généralement épargnés.

Le mal des transports n'est pas sans poser certains problèmes aux astronautes (Kohl, 1987). Dans l'espace, il est causé par l'apesanteur, les changements rapides d'altitude et l'absence de références visuelles comme le sol et l'horizon. Les recherches effectuées par la NASA ainsi que par l'aviation et la marine américaines ont cependant mené à l'élaboration de traitements préventifs. Ainsi, les timbres transdermiques que l'on colle à l'arrière de l'oreille libèrent des médicaments antinauséeux qui réduisent la sensibilité des canaux semi-circulaires. Les personnes atteintes du mal des transports peuvent aussi fermer les yeux et imaginer qu'elles fixent un objet stable. Enfin, il semble que les techniques de relaxation telles que les contractions rythmiques des muscles et la respiration buccale profonde aient une certaine efficacité (Fromer, 1983).

LE SENS KINESTHÉSIQUE : LE SENS DU MOUVEMENT

La kinesthésie (de deux mots grecs qui signifient respectivement « mouvement » et « sensibilité ») est le sens qui détecte la position, l'orientation et les mouvements de l'organisme. Contrairement aux récepteurs de la vue, de l'ouïe, de l'odorat, du goût et de l'équilibre, qui sont regroupés dans un organe ou dans une région, les récepteurs kinesthésiques sont répartis dans les muscles, les tendons et les articulations. Ils réagissent aux déplacements, aux flexions et aux rotations et envoient des influx au cerveau. Ils lui indiquent l'état des muscles, la distribution de la masse corporelle et la position des bras et des jambes par rapport au reste du corps. Si nous n'avions pas de sens kinesthésique, nous serions littéralement incapables de mettre un pied devant l'autre sans une attention soutenue.

Le sens kinesthésique passe bien souvent inaperçu. Chose certaine, Helen Keller n'en faisait pas de cas. Elle se félicitait de compenser sa cécité et sa surdité par son odorat, son goût et son toucher, mais elle n'a jamais fait mention de son sens kinesthésique. Pourtant, elle ne manquait pas de l'utiliser pour grimper aux arbres (une de ses occupations préférées), pour faire de l'aviron (la résistance de l'eau lui indiquait qu'elle tenait les avirons correctement) et pour dactylographier ses textes, bref pour accomplir n'importe quel mouvement.

Les personnes voyantes et entendantes aussi utilisent leur sens kinesthésique sans répit, et elles ne s'en rendent pas plus compte que Helen Keller. En effet, le sens kinesthésique est rarement perturbé. Un chercheur a déjà appliqué des vibrations aux récepteurs contenus dans les tendons des poignets de ses sujets. Certains d'entre eux affirmaient avoir l'impression de posséder plusieurs avant-bras ou d'avoir l'avant-bras dans des positions impossibles (Craske, 1977). Mais nous n'avons pas à nous prêter à des expériences pour apprécier notre sens kinesthésique. Il suffit d'observer des enfants et de nous rappeler l'époque où nous apprenions, comme eux, à faire de la bicyclette, à sauter à la corde et à jouer au football. Les mouvements que nous devons accomplir consciemment en cours d'apprentissage deviennent vite automatiques. Tout comme les œnologues doivent apprendre à reconnaître les odeurs et les saveurs, notre sens kinesthésique doit apprendre à reconnaître les sensations associées aux positions et aux mouvements.

RÉSUMÉ

La somesthésie

La somesthésie repose sur les sens cutanés, le sens de l'équilibre et le sens kinesthésique. Les sens cutanés détectent la pression, la température et la douleur; ils protègent les organes internes et fournissent une information essentielle à la survie. Le sens de l'équilibre est régi par l'appareil vestibulaire, situé dans l'oreille interne. Le sens kinesthésique fournit au cerveau des renseignements sur la position, l'orientation et les mouvements du corps. Les récepteurs kinesthésiques sont répartis dans les muscles, les articulations et les tendons de tout l'organisme.

QUESTIONS DE RÉVISION

1. Définissez la somesthésie et décrivez brièvement les sens qui la composent.

2. Les cinq types de sensations cutanées sont le _____, la _____, la _____, le _____ et la _____.

3. Selon la théorie _____, l'information relative à la douleur parvient au cerveau si les fibres petites et lentes sont stimulées, mais elle ne l'atteint pas si les fibres grosses et rapides sont stimulées.

4. Quel est le rôle de la douleur ?

5. Les endorphines _____ le portillon de la douleur, tandis que la substance P l'_____.

6. Les _____, situés dans l'oreille interne, envoient au cerveau l'information relative à l'équilibre.

Les réponses aux questions de révision se trouvent en annexe.

LA PRIVATION SENSORIELLE

▲ *Qu'arrive-t-il lorsque nous sommes privés de toute information sensorielle ?*

Helen Keller était privée de deux sens importants, mais elle compensait ses déficits avec ses autres sens, et elle a mené une vie heureuse et bien remplie. Qu'arriverait-il, cependant, si nous étions privés de tous nos sens ? En 1954, Bexton, Heron et Scott entreprirent une étude devenue classique sur la privation sensorielle. Ils offrirent 20 $ par jour (une excellente rémunération à cette époque) à des étudiants de l'Université McGill pour qu'ils s'étendent sur des lits confortables, à l'abri de tout stress et de toute distraction. Les chercheurs réduisirent au minimum les stimulations extérieures. Les sujets portaient des visières de plastique translucide qui les empêchaient de reconnaître les formes. La tête posée sur un oreiller en forme de U, ils n'entendaient que le bourdonnement continuel d'un climatiseur. Enfin, ils avaient les mains gantées et les bras recouverts de manchons de carton.

Au bout de seulement quelques heures, les étudiants commencèrent à s'ennuyer et à s'impatienter; ils connurent pour la plupart des « passages à vide », des périodes pendant lesquelles ils ne parvenaient à se concentrer sur rien. Quelques-uns eurent des hallucinations visuelles, tactiles et auditives. Les hallucinations visuelles prenaient surtout la forme de figures géométriques simples ou de points de lumière. Un sujet vit des petits hommes jaunes coiffés de casquettes noires qui défilaient devant lui la bouche ouverte; un autre vit des lunettes tordues qui marchaient dans une rue; un autre enfin aperçut des écureuils qui couraient, un sac sur l'épaule.

Plusieurs sujets abandonnèrent dès le premier jour, et peu demeurèrent plus de deux jours, en dépit de la généreuse rémunération. Apparemment, l'organisme a besoin de stimulation sensorielle pour fonctionner normalement; il semble que l'absence prolongée de stimuli soit désagréable et nuisible.

LA PRIVATION SENSORIELLE VOLONTAIRE : LES BIENFAITS DE L'ENNUI

Étant donné l'extrême ennui, les hallucinations et la panique éprouvés par les sujets des premières études sur la privation sensorielle, il est étonnant que les chercheurs aient trouvé des bienfaits à l'absence de stimulation sensorielle. Au début des années soixante, un psychiatre nommé John C. Lilly entreprit de faire personnellement l'expérience de la privation sensorielle. Il coiffa un casque de scaphandrier et s'immergea dans l'eau salée d'un caisson insonorisé. Lilly dit avoir eu la sensation de sortir de son corps, d'entrer par l'esprit dans des dimensions inconnues et de naître une seconde fois (Lilly, 1972). D'autres adeptes du caisson d'isolation soutiennent que l'expérience procure un état de bien-être et de détente ainsi que des hallucinations vives et plaisantes.

Pourquoi la privation sensorielle fut-elle désagréable pour les sujets de Bexton, Heron et Scott alors qu'elle est si plaisante pour d'autres ? La différence s'explique probablement par la puissance de la suggestion. Dans les études de Bexton, Heron et Scott, les sujets furent inopinément amenés à craindre une expérience désagréable, car on leur demanda de signer des formulaires de consentement et on leur indiqua d'appuyer sur des boutons si jamais le stress devenait insupportable. La durée de l'isolement a sûrement un rôle à jouer aussi. Les étudiants de McGill étaient privés de sensations pendant des heures ou des jours, tandis que les adeptes du caisson ne demeurent isolés que pendant quelques heures au plus.

Il semble que le séjour en caisson d'isolation procure un état de bien-être et de détente.

À vous les commandes

On peut obtenir des effets semblables à ceux de la privation sensorielle au moyen de la méditation. Isolez-vous dans une pièce tranquille où, idéalement, rien ne vous distraira. Asseyez-vous confortablement, détendez-vous, fermez les yeux. Respirez régulièrement et profondément. Ne touchez à rien d'autre qu'à votre siège. Tentez l'expérience à un moment où vous ne risquez pas de vous endormir et où vous avez du temps devant vous (pendant une longue fin de semaine ou en vacances). Comparez vos impressions avec celles de Lilly et des étudiants de McGill. ■

La privation sensorielle a certes des effets variables, mais elle s'est révélée efficace dans certaines situations cliniques. De nombreux psychologues ont employé un traitement fondé sur la privation sensorielle, la *restriction des stimulations extérieures*, auprès de clients atteints de phobie, d'hyperphagie, de tabagisme ou d'alcoolisme (Suedfeld, 1975; Suedfeld et Baker-Brown, 1986). La technique trouve une application particulièrement intéressante auprès des enfants autistes. L'autisme est un grave trouble psychologique de l'enfance. Il se caractérise par un repli sur soi, des troubles du langage, un déficit intellectuel, une résistance au changement et un comportement violent et autodestructeur. L'enfant autiste s'isole dans un monde qui n'appartient qu'à lui et semble n'avoir aucun besoin d'affection et de communication. La cause et le traitement de l'autisme font l'objet de débats animés. Les tenants de la restriction des stimulations extérieures croient qu'il résulte d'une surcharge sensorielle; selon eux, les enfants autistes sont incapables d'opérer une sélection parmi les stimuli sensoriels qui les atteignent. De nombreux thérapeutes ont réussi à traiter les violentes colères et les autres comportements mésadaptés des enfants autistes par deux ou trois jours de privation sensorielle (Suedfeld, 1977).

En matière de traitement de l'autisme, la théorie de la surcharge sensorielle a mené à l'élaboration d'un appareil appelé oreille phonique. Il s'agit essentiellement d'un poste de radio FM auquel sont reliés un casque d'écoute, d'une part, et un microphone sans fil, d'autre part (Smith et coll., 1981). L'enfant autiste coiffe le casque d'écoute, règle le volume et pointe le microphone en direction des sons qu'il désire entendre. L'oreille phonique a soulevé l'enthousiasme des enfants autistes, de leurs parents et de leurs enseignants. Dans certains cas, l'utilisation de l'appareil a entraîné une diminution radicale des comportements regrettables et une augmentation considérable de la communication verbale spontanée. Il semble que ces bénéfices soient dus au fait que l'enfant régit la stimulation sensorielle qui lui parvient. La privation sensorielle, on le voit, a des avantages pour certaines personnes.

Les uns et les autres

À LA RECHERCHE DE LA PRIVATION SENSORIELLE

Les membres de certaines sociétés utilisent la privation sensorielle et les états altérés de conscience qu'elle provoque pour accéder à la dimension surnaturelle. Dès l'âge de cinq ans, les enfants ojibways partaient méditer et jeûner dans la forêt afin d'avoir le rêve ou la vision qui les mettrait en contact avec leur esprit protecteur. À l'approche de la puberté, les garçons se construisaient une plate-forme dans un arbre ou erraient seuls dans les bois, sans provisions, en quête d'une expérience surnaturelle. Ils espéraient que leur esprit protecteur leur prédirait l'avenir et leur révélerait des secrets chamaniques (le chaman cumule les fonctions du prêtre et du médecin et il est doté de pouvoirs surnaturels [Barnouw, 1985, p. 390]).

Dans les Antilles, un groupe religieux appelé Shakers of St. Vincent se livre à une forme ritualisée de privation sensorielle. Pour devenir un « aîné » de ce groupe, il faut se prêter à une cérémonie appelée *deuil*. (Les aînés ne sont pas nécessairement âgés, et le deuil est celui des péchés.) Le deuil consiste en une ou deux semaines d'isolement au cours desquelles le candidat se couche, les yeux bandés, sur un grabat et confie ses expériences spirituelles à un maître. Il est possible que certaines de ces expériences soient analogues à celles que connurent John C. Lilly et les sujets de l'étude menée à l'Université McGill par Bexton, Heron et Scott. ■

Une Amérindienne ojibway.

LA SUBSTITUTION SENSORIELLE : COMPENSATION NATURELLE ET ARTIFICIELLE

La recherche sur la privation sensorielle a montré que l'organisme compense la perte d'un sens en augmentant la sensibilité des autres. Bross, Harper et Sicz (1980) ont observé que la sensibilité visuelle de sujets artificiellement privés de stimulation auditive diminue dans un premier temps, puis remonte au-dessus des niveaux initiaux. Les chercheurs ont aussi mis au point des appareils qui comblent les déficits sensoriels par l'application de vibrations sur la peau (Lechet, 1986).

Helen Keller, de même, a appris à « voir » et à « entendre » avec son toucher, et elle reconnaissait les visiteurs à leur odeur ou aux vibrations produites par leurs pas. Néanmoins, en dépit de l'extraordinaire sensibilité des sens qui lui restaient, elle a souhaité toute sa vie recouvrer la vue et l'ouïe. Elle donna le conseil suivant à ceux dont les sens sont « normaux » :

> « *Moi qui suis aveugle, j'ai un conseil à donner à ceux qui voient : utilisez votre vue comme si vous deviez la perdre demain. Faites de même avec vos autres sens. Écoutez la musique des voix, le chant des oiseaux, les envolées puissantes des orchestres comme si c'était la dernière fois. Touchez les objets comme si vous deviez être privé demain de votre sens tactile. Humez le parfum des fleurs, savourez chaque bouchée comme si vous ne deviez plus jamais ni sentir ni goûter. Profitez de chacun de vos sens, imprégnez-vous des plaisirs et des beautés que le monde vous offre par l'entremise de vos sens* » (1962, p. 23).

RÉSUMÉ

La privation sensorielle

La privation sensorielle est une réduction ou une élimination des stimulations sensorielles extérieures. Des recherches ont démontré que l'absence de stimuli peut être désagréable ou agréable et qu'elle peut même, dans certaines situations, avoir des effets bénéfiques.

QUESTIONS DE RÉVISION

1. Qu'est-ce que la privation sensorielle ? Pouvez-vous en donner les effets ?

2. La technique de la restriction des stimulations extérieures, qui se fonde sur la privation sensorielle, est utilisée dans le traitement de l'_____, qui est un trouble psychologique grave de l'enfance.

3. Qu'entend-on par l'expression *substitution sensorielle* ?

Les réponses aux questions de révision se trouvent en annexe.

LE CHAPITRE 4 EN UN CLIN D'ŒIL

LA PERCEPTION DES SENSATIONS

Sensation : réception de l'information sensorielle.

Perception : interprétation de l'information sensorielle

Le traitement sensoriel

Récepteurs : cellules spécialisées qui détectent l'énergie des stimuli et qui y réagissent.

Transduction : conversion en influx nerveux de l'énergie qui stimule un récepteur.

Codage : processus en trois étapes de conversion d'une information sensorielle en une sensation précise.

Les seuils de sensation

Seuil absolu : plus petite intensité de stimulation susceptible de produire une sensation.

Seuil différentiel : plus petite différence d'intensité susceptible d'être détectée entre deux stimuli.

L'adaptation sensorielle

Adaptation sensorielle : réduction de l'excitabilité des récepteurs sensoriels consécutive à une stimulation uniforme et continue.

LES SENS

La vue

Principes fondamentaux

Lumière : forme d'énergie appartenant au **spectre électromagnétique**. La **longueur d'onde** de la lumière détermine la **tonalité**, c'est-à-dire la couleur. L'**amplitude** (hauteur) des ondes lumineuses détermine la brillance.

Fonction de l'œil : capter la lumière et la focaliser sur les récepteurs visuels, qui convertissent le rayonnement lumineux en influx nerveux.

Parties de l'œil

Cornée : membrane transparente qui fait saillie à l'avant de l'œil et laisse pénétrer la lumière.

Sclérotique : enveloppe blanche et opaque de l'œil.

Pupille : ouverture de l'iris par laquelle la lumière entre dans l'œil.

Iris : partie colorée de l'œil, composée de muscles régissant l'ouverture de la pupille.

Cristallin : structure élastique et transparente qui bombe et s'aplatit pour focaliser la lumière sur la rétine.

Rétine : membrane contenant les cônes et les bâtonnets.

Fossette centrale : point de la rétine qui contient seulement des cônes et où l'acuité visuelle est la plus grande.

Tache aveugle : partie de la rétine qui ne contient pas de récepteurs visuels.

Photorécepteurs : récepteurs visuels (cônes et bâtonnets).

Bâtonnets : récepteurs rétiniens très sensibles à la lumière.

Cônes : récepteurs rétiniens sensibles à la couleur et aux détails.

L'ouïe

L'**ouïe** (audition) est la sensibilité aux **ondes sonores**, c'est-à-dire aux mouvements des molécules d'air produits par les objets vibrants.

La **fréquence** des ondes sonores détermine la **hauteur** des sons.

L'**amplitude** des ondes sonores détermine l'intensité des sons.

Fonctions des structures de l'oreille : l'oreille externe transmet les ondes sonores au tympan. Le tympan fait vibrer les osselets de l'oreille moyenne. La vibration des osselets se transmet à la fenêtre ovale. Les vibrations de la **fenêtre ovale** se transmettent au liquide de la **cochlée**, qui contient des **cellules ciliées** (récepteurs auditifs).

L'odorat

L'**odorat** (olfaction) est un sens chimique. Les récepteurs olfactifs sont situés dans l'épithélium olfactif, dans le haut de la cavité nasale. **Théorie de la spécificité des récepteurs olfactifs :** théorie selon laquelle chaque molécule odorante épouse la forme d'un seul type de récepteurs olfactifs.

Le goût

Le **goût** (gustation) est aussi un sens chimique. Les récepteurs gustatifs sont situés dans les papilles et appelés bourgeons du goût. Les quatre saveurs fondamentales sont le salé, le sucré, l'acide et l'amer.

La somesthésie

Les **sens cutanés** détectent le tact, la pression, la température et la douleur; la peau protège les organes internes et fournit au cerveau des renseignements essentiels à la survie.

Théorie du portillon : théorie selon laquelle les influx douloureux sont traités dans la moelle épinière.

Sens de l'équilibre : sens qui détecte l'orientation de l'organisme par rapport à la gravité.

Le **saccule** et l'**utricule**, situés dans l'oreille interne, détectent l'angle de la tête et transmettent au cerveau l'information relative à l'équilibre.

Le **sens kinesthésique** détecte la position, l'orientation et les mouvements du corps.

Les **récepteurs kinesthésiques** sont situés dans les muscles, les tendons et les articulations.

Perception

PLAN DU CHAPITRE

Au fil de votre lecture, gardez à l'esprit les questions guides suivantes et tentez d'y répondre dans vos propres mots.

▲ Quelle est la différence entre sensation et perception ?

▲ Comment choisissons-nous ce sur quoi nous fixons notre attention dans notre milieu ?

▲ Comment organisons-nous les stimuli de manière à percevoir les formes, la profondeur, les couleurs et le mouvement ?

▲ Quels facteurs influent sur l'interprétation des sensations ?

Imaginez que l'on vous fait porter des lunettes qui inversent tout ce que vous voyez, de telle sorte que le monde vous apparaît comme dans la photo ci-contre. Comment réagiriez-vous ? Pourriez-vous encore marcher ? Écrire ? Aller à bicyclette ? Prendre une douche ? Pensez-vous que vous pourriez vous habituer à votre nouvelle vision ? Pourriez-vous vous adapter ?

Le psychologue George Stratton (1896) se posait les mêmes questions. Pendant huit jours, il se couvrit un œil d'un bandeau et porta devant l'autre un verre inverseur. Chaque fois qu'il enlevait le verre, il se couvrait les deux yeux. Les deux premiers jours, Stratton eut énormément de difficulté à circuler et à vaquer à ses occupations. Ses bras et ses jambes lui semblaient placés aux mauvais endroits, et tout lui paraissait irréel. Mais, le troisième jour, il nota ce qui suit :

« Marcher dans les étroits espaces qui séparent les meubles me fut beaucoup moins ardu aujourd'hui. J'ai pu observer mes mains pendant que j'écrivais, sans que cela me cause d'hésitation ni d'embarras. »

Le cinquième jour, Stratton était presque complètement adapté à son étrange milieu perceptif, et il pouvait se déplacer aisément dans sa maison. Lorsqu'il retira le verre, le huitième jour, les choses lui paraissaient quelque peu étranges, même s'il voyait normalement à nouveau. Il écrivit :

« [...] la scène était étrangement familière. Je reconnus immédiatement dans la disposition visuelle celle des jours qui avaient précédé l'expérience. Pourtant, l'inversion complète de l'ordre auquel j'avais fini par m'habituer au cours de la semaine passée donnait à la scène un aspect déconcertant qu'elle conserva pendant quelques heures. Pourtant, je n'avais pas l'impression que les choses étaient à l'envers. »

L'expérience de Stratton est devenue classique, car elle fut la première à démontrer le rôle capital que joue l'apprentissage dans la perception. Pour vous faire une idée de ce que Stratton a vécu, regardez la photo ci-dessus, qui montre ce que vous verriez si votre champ de vision était inversé, et essayez de lire le passage suivant.

« Voici l'apparence qu'avait l'écriture pour George Stratton. Vous êtes probablement capable, bien que difficilement, de lire ce texte. Si on vous avait enseigné à lire les mots à l'envers et les phrases à rebours, ce texte vous paraîtrait normal. »

Péniblement, ou à l'aide d'un miroir, vous êtes capable de déchiffrer l'image et de lire le passage. Mais pouvez-vous lire le texte qui apparaît à gauche ?

Pour comprendre ce texte, vous devez connaître la langue japonaise. Si tel est le cas, vous avez compris que le texte dit la même chose que le paragraphe inversé écrit ci-dessus en français. Sans apprentissage et sans expérience, les données sensorielles brutes, comme ces caractères japonais, ne sont que des gribouillis incohérents que le cerveau est incapable de *percevoir*.

Dans le présent chapitre, vous apprendrez la différence entre la sensation et la perception, c'est-à-dire entre la simple réception de l'information sensorielle et son interprétation. Vous découvrirez que, pour entendre des ondes sonores, voir des points lumineux et sentir des odeurs, nous devons non seulement prêter attention aux stimuli, mais aussi organiser les données sensorielles, puis interpréter les signaux nerveux envoyés à notre cerveau. Vous apprendrez comment nous percevons la distance, le mouvement et les couleurs, et vous verrez s'il existe des preuves scientifiques à l'appui de la perception extrasensorielle.

ジョージ・ストラットン氏が
眼鏡を掛けていた時
文書が氏には
こんな風に
見えたでしょう。たとえ
難しくても、おそらく
読むことができます。
もし文字をさかさまや
逆から読むように
習えば、たぶんこれは
普通と思われる
でしょう。

LA SENSATION ET LA PERCEPTION

← examen

La sensation et la perception sont étroitement reliées, mais il existe entre elles une différence que la figure 5.1 vous aidera à comprendre. La sensation est le processus de détection et de transduction de l'information sensorielle brute, tandis que la perception est le processus de sélection, d'organisation et d'interprétation des données sensorielles en représentations mentales utilisables.

Afin de mieux saisir la différence entre la perception et la sensation, regardez la figure 5.2a). Qu'y voyez-vous ? La plupart des gens y voient des taches sombres et claires mais n'en perçoivent pas le sens. Si vous y regardez assez longtemps, votre cerveau tentera d'organiser les éléments de la photographie en formes ou objets reconnaissables, tout comme il le fait, lorsque vous contemplez les nuages, étendu sur le dos, par un beau jour d'été. Ça y est, vous avez trouvé ce que représente la figure ? Sinon, allez voir la figure 5.2 b) de la page suivante.

Vous devriez maintenant comprendre la différence entre la sensation et la perception. Avant de percevoir la vache, vous aviez simplement la sensation de zones sombres et claires; ce n'est qu'après avoir *sélectionné* les zones pertinentes et les avoir *organisées* en un ensemble cohérent que vous avez pu les *interpréter* comme étant une tête de vache.

▲ *Quelle est la différence entre sensation et perception ?*

Sensation : Processus de détection, de traduction et de transmission au cerveau de l'information provenant du milieu externe et du milieu interne.

Perception : Processus de sélection, d'organisation et d'interprétation des données sensorielles en représentations mentales utilisables.

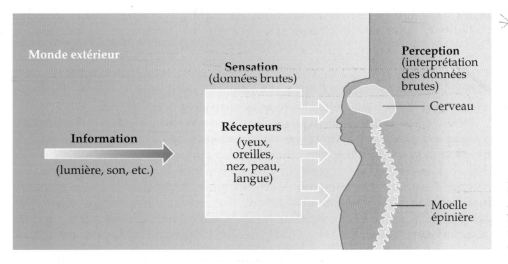

Figure 5.1 **Sensation et perception.** La sensation correspond au codage des données sensorielles brutes dans le cerveau. La perception est l'interprétation cognitive de ces données.

a)

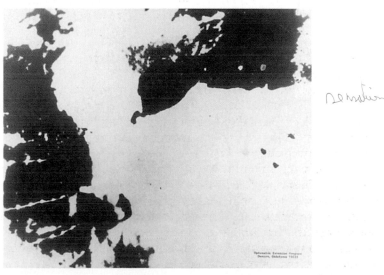

Figure 5.2   a) Qu'est-ce que c'est ?

b)

Figure 5.2   b) C'est une vache !
Regardez à nouveau la figure 5.2a)
et vous pourrez maintenant percevoir une vache.

Figure 5.3   **Une spirale ?** Est-ce
que vous voyez une spirale ou une
série de cercles concentriques ?

Pour mieux comprendre la distinction entre sensation et perception, regardez la figure 5.3. Y voyez-vous une spirale descendante ? Posez le doigt sur le cercle extérieur et suivez lentement la « spirale ». Vous constaterez alors qu'il n'y a pas de spirale, mais seulement des cercles concentriques. Vos sens n'ont pas menti : ils ont fidèlement rendu compte de l'information disponible. Ce qui a fait défaut, c'est votre perception de l'information sensorielle. Vous venez de rencontrer l'une des nombreuses *illusions* que nous examinerons dans le présent chapitre.

Une illusion est une fausse impression produite lorsque, exceptionnellement, nos perceptions ne coïncident pas avec nos sensations. Les illusions peuvent être dues à une déformation physique des stimuli, comme dans le cas des mirages créés dans le désert par la réfraction de la lumière. Les illusions peuvent aussi être causées par des perturbations du processus perceptif, comme dans le cas de la spirale (voir la figure 5.3) ou des gravures de M.C. Escher. L'analyse des illusions permet aux psychologues d'étudier indirectement les modes normaux de perception. En observant où et comment le système perceptif fait défaut, ils obtiennent de précieux renseignements sur son fonctionnement.

Illusion : Fausse impression.

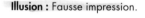

illusion :
mauvaise
perception.

Dans ses gravures, M.C. Escher joue sur les illusions pour créer des « images impossibles ».

Odile Martinez

Au volant d'une voiture, les lignes peintes sur la chaussée nous paraissent beaucoup plus courtes qu'elles ne le sont en réalité.

Les psychologues étudient aussi les illusions produites dans les situations banales. Ainsi, ils ont constaté que les gens sous-estiment la longueur des lignes discontinues peintes sur la chaussée. La plupart des gens estiment en effet que ces lignes mesurent de 0,6 m à 1,5 m, alors que leur longueur réelle est de plus de 3 m, voire de 5 m (Harte, 1975). Les résultats de recherches de ce genre trouvent des applications dans notre vie quotidienne. Dans ce cas-ci, ils peuvent servir à améliorer la signalisation, et notamment à déterminer la hauteur optimale des inscriptions peintes sur le recouvrement des routes.

À vous les commandes

La plupart des illusions que nous verrons dans le présent chapitre sont des illusions visuelles. Or, tous les sens peuvent être dupés. Pour faire l'expérience d'une illusion tactile, *rétractez* la pointe d'un stylo-bille, tournez vers votre visage la paume d'une de vos mains et tracez-y une lettre ou un chiffre. Tournez la paume de votre main en sens opposé et demandez à un ami d'y faire le même tracé. Si vous êtes comme un grand nombre de sujets, le second caractère vous semblera tracé à l'envers (Kaufman, 1974). ■

Quel que soit le sens sollicité, la perception comprend trois processus fondamentaux : 1) la sélection, c'est-à-dire le choix des stimuli à considérer à l'exclusion de tous les autres; 2) l'organisation, c'est-à-dire l'assemblage des sensations sélectionnées en structures et en formes usuelles; 3) l'interprétation, c'est-à-dire la tentative d'explication des sensations sélectionnées et organisées, et la formulation de jugements raisonnables à leur propos.

Prenons l'exemple d'un joueur de baseball professionnel pour illustrer ces trois processus. La première chose que fait un joueur lorsque vient son tour de frapper est de *sélectionner* l'information sensorielle : il fixe son attention sur les joueurs de champ et non sur la foule; il écoute les directives de son entraîneur et non les exclamations des partisans. En se préparant à frapper, il *organise* l'information sensorielle : il note la position des joueurs des deux équipes et repère les brèches dans la défensive de l'adversaire. Au moment de prendre son élan, il *interprète* l'information qu'il a sélectionnée et organisée afin de déterminer où et avec quelle force il devrait envoyer la balle.

Dans le reste du chapitre, nous examinerons chacune des étapes de la perception (la sélection, l'organisation et l'interprétation). Nous nous pencherons sur les modalités de la perception et nous verrons pourquoi nous n'avons pas tous la même vision du monde.

Crédit photo : Publiphoto, Ted Romer.

La joueuse de tennis Patricia Hy sélectionne, organise et interprète l'information relative à la balle qui lui est envoyée à plus de 160 km/h.

LA SÉLECTION

La première étape de la perception est la *sélection*, le choix des stimuli auxquels nous prêterons attention. Imaginez que vous êtes au cirque; des ours et des clowns évoluent dans la première arène, des trapézistes voltigent au-dessus de la deuxième et un dompteur de lions fait son numéro dans la troisième. Devant tant de stimuli, comment évitez-vous la confusion totale ? Presque toutes les situations comportent un excès d'informations sensorielles, mais le cerveau réussit à retenir les messages importants et à rejeter les autres. Ce processus est appelé attention sélective. Au cirque, par exemple, vous dirigez votre attention vers l'une des trois arènes et vous vous détournez des deux autres. Vous pouvez aussi, bien que difficilement, écouter vos voisins tout en regardant les clowns. Mais il est presque impossible de regarder simultanément les clowns et les trapézistes. Bien qu'il soit possible de passer outre à l'information fournie par un sens et de s'occuper de celle qui provient d'un autre, les messages multiples s'embrouillent lorsqu'ils entrent par le même appareil sensoriel.

Attention sélective : Processus par lequel le cerveau trie les messages sensoriels et ne s'occupe que de ceux qui sont importants pour lui à cet instant.

Pourquoi le cerveau décide-t-il de prêter attention à certains stimuli plutôt qu'à d'autres ? Trois catégories de facteurs influent sur la sélection : des facteurs physiologiques, des facteurs reliés aux stimuli et des facteurs psychologiques.

LES FACTEURS PHYSIOLOGIQUES : LES INFLUENCES BIOLOGIQUES

Détecteurs de caractéristiques : Cellules cérébrales spécialisées qui réagissent seulement à un certain type d'information sensorielle.

L'un des principaux facteurs physiologiques de la sélection est la présence dans le cerveau de cellules spécialisées appelées détecteurs de caractéristiques, qui réagissent uniquement à un certain type d'information sensorielle. En 1959, des chercheurs découvrirent dans le nerf optique des grenouilles des neurones spécialisés, les « détecteurs d'insectes », qui réagissaient seulement aux insectes en mouvement (Lettvin, Maturana, McCullough et Pitts, 1959). Au début des années soixante, David Hubel et Torsten Wiesel trouvèrent dans le système visuel des chats des détecteurs de caractéristiques qui réagissaient à des lignes et à des angles particuliers (Hubel, 1963; Hubel et Wiesel, 1965). En plus des cellules spécialisées qui détectent le mouvement et les formes, il existe dans l'aire auditive des animaux des cellules qui réagissent aux variations de la hauteur des sons (Whitfield et Evans, 1965).

La privation visuelle

Les principaux mécanismes de la sélection perceptive sont donc situés dans le cerveau, mais il semble qu'une certaine quantité de stimulations soit nécessaire au développement normal des détecteurs de caractéristiques. Une étude célèbre a révélé que les jeunes chimpanzés privés de stimulation subissaient une dégénérescence de la rétine (Riesen, 1950). Une autre étude a démontré que les chatons élevés dans un cylindre dont les parois portent des rayures verticales ou horizontales présentent des déficits comportementaux et neurologiques graves (Blakemore et Cooper, 1970). Lorsqu'on libère les chats qui n'ont vu que des rayures horizontales, ils sautent facilement sur les surfaces horizontales, mais ils ont énormément de difficulté à se déplacer autour des objets ayant des lignes verticales, telles les pattes de chaises. L'inverse se produit chez les chats qui n'ont vu que des rayures verticales : ils évitent facilement les pattes de chaises et de tables, mais ils ne tentent jamais de sauter sur des plans horizontaux. L'examen du cortex visuel de ces chats révèle que les détecteurs des angles et des lignes horizontales ou verticales ne se sont pas développés, faute de stimulation. George Stratton, lui, a pu s'adapter à son nouveau milieu parce que, au cours de son développement, son cerveau s'était organisé suivant des principes qui s'appliquaient tant au milieu normal qu'au milieu déformé.

La recherche sur la privation visuelle comporte plusieurs applications pratiques. Premièrement, elle confirme scientifiquement ce que les pédiatres et les psychologues ont longtemps pensé, c'est-à-dire que les bébés ont besoin dès leurs premiers jours d'une certaine quantité de stimulations sensorielles. Deuxièmement, elle mène à conclure que certaines anomalies de la vue, telles que le strabisme et l'astigmatisme, doivent être corrigées précocement. Si le traitement est trop tardif, les anomalies peuvent devenir incurables, car les mécanismes perceptifs du cerveau, et non les mécanismes sensoriels de l'œil, seront à tout jamais perturbés.

L'habituation

L'habituation, la tendance à passer outre aux stimulations répétitives, est un autre des facteurs physiologiques qui influent sur la sélection des données sensorielles. Le cerveau semble programmé pour accorder davantage d'attention aux *changements* qu'aux stimuli invariables. Au bout de quelques jours, nous n'entendons plus le tic-tac d'une horloge que nous trouvions pourtant bruyante. En effet, nous nous *habituons* à la régularité du son. Mais si le son changeait fréquemment, nous remarquerions toutes les variations, car nous n'aurions pas le temps de nous habituer à chacune d'elles. Les plus récents systèmes d'alarme pour automobiles fonctionnent selon ce principe : une fois l'alarme déclenchée, on entend alternativement une sirène et un klaxon, de sorte qu'il est impossible de s'habituer au bruit et de l'ignorer. Ce type de système d'alarme est agaçant, mais très efficace.

L'habituation est-elle la même chose que l'adaptation sensorielle ?   Non. Les deux phénomènes sont des réactions adaptatives, mais le premier est lié à la perception et le second, à la sensation. Quand les récepteurs sensoriels diminuent la fréquence de leurs influx en présence d'un stimulus constant, le processus est appelé *adaptation*. Le processus par lequel le cerveau « décide » de ne plus prêter attention à un stimulus constant est appelé *habituation*. Pour comprendre la différence, imaginez que vous entrez dans une pièce où tout le monde fume. L'odeur de la fumée vous envahit mais, au bout d'un certain temps, vos récepteurs olfactifs *s'adaptent*. La fumée continue, bien que de façon décroissante, à vous irriter les yeux et à gêner votre respiration. Mais si vous vous joignez à une conversation animée, votre cerveau ne tiendra plus compte de l'inconfort produit par la fumée : vous vous y serez habitué.

LES FACTEURS RELIÉS AUX STIMULI : LES INFLUENCES DU MILIEU

Lorsque nous sommes en présence de stimuli très variés, nous sélectionnons automatiquement ceux qui sont intenses, nouveaux, mouvants, contrastants ou répétitifs. Les parents et les enseignants savent bien que ces stimuli sont les plus aptes à capter l'attention, mais nul ne le sait mieux que les publicitaires.

À vous les commandes

La prochaine fois que vous regarderez la télévision, attardez-vous aux techniques que les publicitaires exploitent pour attirer votre attention. Est-ce que les messages publicitaires sont plus colorés et plus sonores que l'émission qu'ils interrompent ? Vous montrent-ils des chats qui dansent, des raisins qui chantent ou quelque autre effet inusité ? Sont-ils répétitifs au point de vous donner envie de lancer quelque chose dans l'écran ? ■

Fait étonnant, la publicité irritante ne dissuade pas les consommateurs d'acheter les produits annoncés. Les publicitaires sont bien conscients qu'ils courent le risque d'agacer l'auditoire, mais ils savent que la clé du succès en matière de vente est d'attirer l'attention des gens. Pour qu'un produit se vende, il n'est pas important que le public *aime* ou non le message publicitaire. Ce qui compte, c'est qu'il *remarque* le produit annoncé.

LES FACTEURS PSYCHOLOGIQUES : LES INFLUENCES INTRAPSYCHIQUES

En plus des facteurs physiologiques et des facteurs reliés aux stimuli, certains facteurs psychologiques influent sur la sélection de l'information sensorielle. La motivation et les besoins personnels sont deux de ces facteurs. Ce que vous choisissez de percevoir est largement déterminé par votre degré de satisfaction ou

Habituation : Tendance du cerveau à passer outre aux stimulations répétitives connues.

d'insatisfaction. Les téléspectateurs affamés remarquent bien plus les réclames de beignets, de hambourgeois et de pizzas que les messages qui présentent des voitures ou des détergents. Quand vous êtes seul, de même, vos perceptions sont telles qu'il vous semble que tout le monde sauf vous est heureux en amour.

La personnalité et l'intérêt conditionnent aussi la sélection perceptive. Ainsi, un ancien gardien de but qui assiste à un match de hockey va se concentrer sur le jeu des meilleurs marqueurs, tandis qu'un musicien écoute attentivement la performance de l'organiste et qu'un étudiant en communication s'attachera à la diction de l'annonceur des informations télévisées.

Les stimuli subliminaux

[annotation manuscrite : pas dans l'examen]

Est-il possible de percevoir une chose sans y prêter attention, les messages publicitaires cachés ou les passages enregistrés à l'envers sur les disques, par exemple ? Les stimuli subliminaux (qui sont inférieurs au seuil de la conscience) peuvent-ils nous faire faire des choses sans que nous en soyons conscients ? De très nombreux chercheurs se sont penchés sur le sujet (Zanot, Pincus et Lamp, 1983). Selon Lloyd Silverman (1980 ; Silverman et Lachmann, 1985), les messages subliminaux sont perçus par notre inconscient et peuvent influer sur notre personnalité et notre comportement. Cependant, la recherche n'a pas fourni de preuves à l'appui de cette opinion.

[note en marge : Subliminal : Se dit d'un stimulus qui est inférieur au seuil de la détection consciente.]

[annotation manuscrite : Jamais prouvé]

Que les messages subliminaux soient perçus ou non par notre inconscient, la recherche montre clairement que leur influence sur le comportement des consommateurs est faible, voire nulle. On raconte qu'en 1956 les directeurs d'un cinéma du New Jersey projetèrent toutes les cinq secondes les messages « Drink Coca-Cola » (Buvez Coca-Cola) et « Hungry ? Eat popcorn » (Affamé ? Mangez du maïs soufflé). Les messages restaient si peu longtemps sur l'écran que les gens ne les « voyaient » pas. Pourtant, les directeurs affirmèrent que leurs ventes de Coca-Cola et de maïs soufflé avaient augmenté. Cela ne fut jamais prouvé, et les recherches menées ultérieurement n'ont pas révélé de changement notable dans le comportement des consommateurs (Moore, 1982).

Depuis quelques années, on trouve sur le marché des cassettes subliminales de croissance personnelle. Bien que les psychologues qui s'intéressent à la question des stimuli subliminaux admettent pour la plupart que certaines perceptions ne parviennent pas à la conscience (Kent, 1991 ; Merikle et Reingold, 1990), ils estiment quasi unanimement aussi que les cassettes subliminales n'ont aucune influence sur le comportement (Greenwald, Spangenberg, Pratkanis et Eskenazi, 1991 ; Kent, 1991). Dans une étude à double insu, Greenwald et ses collègues demandèrent à leurs sujets d'écouter deux cassettes subliminales de croissance personnelle offertes sur le marché. L'une des cassettes était censée accroître l'estime de soi et l'autre, améliorer la mémoire. L'expérience donna des résultats très intéressants. Les cassettes ne produisirent pas les effets promis, mais elles eurent un effet placebo. Les cassettes sur lesquelles les chercheurs avaient inscrit « mémoire » amélioraient légèrement la mémoire, même si elles contenaient des messages censément conçus pour augmenter l'estime de soi, et vice versa.

On arrive à des résultats semblables lorsque les messages sont noyés dans du bruit blanc : les sujets sont incapables d'identifier des mots-cibles (Harris, Salus, Rerecich et Larsen, 1996). Les messages subliminaux n'ont donc aucun effet. Il est préférable de formuler son message d'une façon claire, originale et intéressante si l'on veut être entendu.

RÉSUMÉ

La sensation et la perception

La sensation est le processus de détection et de transduction de l'information sensorielle brute, alors que la perception est le processus de sélection, d'organisation et d'interprétation des données sensorielles en représentations mentales utilisables.

Le processus de sélection permet de choisir, parmi les milliards de messages sensoriels, ceux qui seront éventuellement traités. L'attention sélective permet de diriger notre attention sur les aspects les plus immédiatement importants de notre environnement. Les détecteurs de caractéristiques sont des cellules cérébrales spécialisées dans la reconnaissance de certaines données sensorielles. Le processus de sélection est très sensible aux variations du milieu : en effet, on porte une attention plus grande aux stimuli dont l'intensité, l'originalité ou la situation varient. La motivation, de même que l'intérêt et les besoins, jouent également un rôle clé dans le processus de sélection.

QUESTIONS DE RÉVISION

1. Qu'est-ce que la perception ?

2. Qu'est-ce qu'une illusion ?

3. Vous êtes couché dans l'herbe et vous regardez passer les nuages. Lequel des trois processus fondamentaux de la perception est à l'œuvre lorsque vous :

   a) reconnaissez la forme d'un bateau ? _____

   b) vous concentrez sur les nuages et ne tenez aucun compte des oiseaux qui volent dans le ciel ? _____

   c) voyez des formes blanches sur un arrière-plan bleu ? _____

4. Le processus par lequel nous distinguons l'information sensorielle importante de l'information sensorielle insignifiante est appelé _____.

5. Les cellules cérébrales spécialisées appelées _____ réagissent seulement à certains types d'informations sensorielles.

6. Vous écrivez la date et l'heure d'un rendez-vous sur un feuillet autocollant que vous apposez sur une porte pour le voir chaque jour. Un mois plus tard, vous oubliez votre rendez-vous, à cause de l'_____, c'est-à-dire la tendance à passer outre aux stimuli constants.

Les réponses aux questions de révision se trouvent en annexe.

L'ORGANISATION

Une fois que nous avons sélectionné l'information sensorielle, nous devons l'organiser selon des structures et des principes qui nous aideront à comprendre le monde qui nous entoure. Les données sensorielles brutes sont analogues aux pièces d'une montre : elles doivent être assemblées de manière cohérente pour avoir une utilité. L'*organisation* des données sensorielles comporte cinq aspects : la perception des formes, les constances perceptives, la perception de la profondeur, la perception des couleurs et la perception du mouvement.

▲ *Comment organisons-nous les stimuli de manière à percevoir les formes, la profondeur, les couleurs et le mouvement ?*

LA PERCEPTION DES FORMES : L'ORGANISATION DES STIMULI

Les psychologues gestaltistes furent parmi les premiers à étudier la manière dont le cerveau organise les impressions sensorielles. Le mot allemand *gestalt* signifie « tout organisé » ou « forme ». Pour les gestaltistes, l'organisation et la structuration sont telles que nous percevons le stimulus dans sa *totalité* et non pas ses composants séparément. D'après eux, nous organisons nos sensations et percevons les formes suivant une série de principes, que vous trouverez résumés à la figure 5.4. Bien que les exemples donnés dans la figure relèvent de la vision, tous les principes gestaltistes s'appliquent aussi aux autres modes de perception.

Gestalt : Mot allemand signifiant « forme » ou « structure ».

Figure et fond
Le fond paraît toujours plus éloigné de nous que la figure.

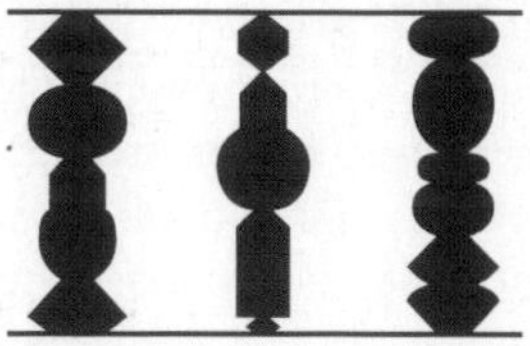

Proximité
Nous regroupons les objets rapprochés dans l'espace.

Continuité
Nous regroupons les objets qui s'étendent dans une direction.

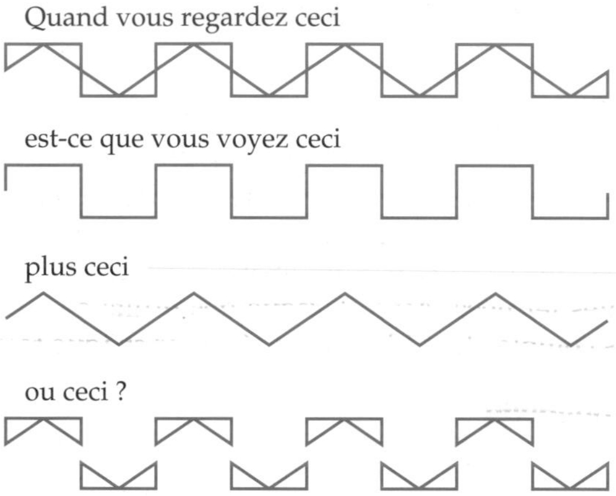

Fermeture
Nous percevons les entités disjointes comme des entités fermées.

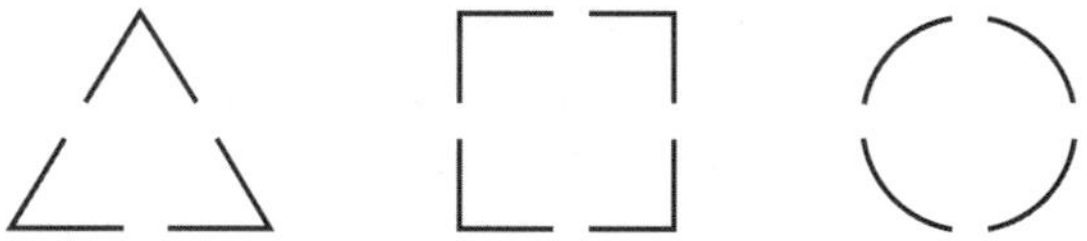

Similitude
Nous regroupons les objets semblables.

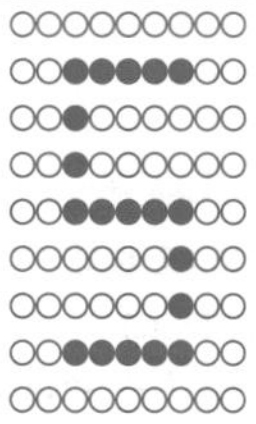

Figure 5.4 **Quelques principes gestaltistes de l'organisation perceptive :** figure et fond, proximité, continuité, fermeture et similitude. Le principe de la contiguïté ne peut être représenté, car il suppose un rapprochement dans le temps et non dans l'espace.

Figure et fond : Principe gestaltiste selon lequel nous faisons une distinction entre la figure, qui se détache et qui possède un contour défini, et le fond, moins distinct.

Figure réversible : Image ambiguë dans laquelle la figure peut être perçue comme le fond et vice versa.

La figure et le fond

Le principe gestaltiste fondamental veut que nous ayons tendance à faire une distinction entre figure et fond. Lorsque vous lisez, par exemple, vos yeux détectent des caractères noirs et du papier blanc, mais votre cerveau organise ces stimuli en lettres et en mots qu'il vous fait percevoir sur l'arrière-plan de la page blanche. Les lettres sont la figure et la page, le fond. La distinction entre figure et fond est parfois si vague que nous avons de la difficulté à la voir, comme le révèle la photo dans la marge en page 170. Cette photo est un exemple de figure réversible. En outre, il est possible de « voir » une figure et un fond là où il n'y en a pas en réalité. D'ailleurs l'usage du maquillage repose sur le principe figure et fond. Le maquillage accentue les traits du visage et fait ressortir les sourcils, les yeux, les joues et les lèvres sur l'arrière-plan de la peau. Le principe explique aussi le phénomène du camouflage. La ressemblance de couleurs et de formes entre la figure et son arrière-plan rend le contour de la figure presque indiscernable, et les animaux ou les objets se fondent dans leur cadre. Étant donné que le camouflage est souvent produit par une similitude de couleurs, on confiait à des soldats daltoniens la tâche de repérer les cibles ennemies camouflées pendant la Deuxième Guerre mondiale. (Nous traiterons du daltonisme plus loin dans le chapitre.)

La proximité

Selon le principe de proximité, nous regroupons les éléments physiquement rapprochés et les percevons comme une seule réalité. Beaucoup d'enfants apprennent l'alphabet en le récitant sur l'air de *Ah ! vous dirai-je, maman*. À cause du principe de proximité, nombre d'enfants pensent que L, M, N, O et P ne sont qu'une seule et unique lettre. Dans la chanson, en effet, ces lettres sont prononcées à la suite et semblent former le nom d'une lettre, « éléménopé ».

Proximité : Principe gestaltiste selon lequel nous regroupons les éléments physiquement rapprochés et les percevons comme une seule réalité.

La continuité et la fermeture

Selon le principe de continuité, nous regroupons en une réalité unique les formes et les objets qui s'étendent dans une direction, même si leur succession est interrompue. Le contour d'une chaîne de montagnes lointaine nous apparaît comme continu même s'il est masqué çà et là par des arbres et des édifices. Les sons que nous entendons à la radio nous semblent appartenir à une même chanson, même s'ils sont interrompus par les bruits de la rue. Le principe de fermeture, dans le même ordre d'idées, veut que nous percevions les réalités disjointes comme des réalités fermées. Ainsi, lorsque des bruits couvrent des passages d'une chanson, vous comblez les vides sans présumer chaque fois que la chanson se termine.

Continuité : Principe gestaltiste selon lequel nous regroupons en une seule réalité les formes et les objets qui s'étendent dans une direction, même si leur succession est interrompue.

Fermeture : Principe gestaltiste selon lequel nous percevons les réalités disjointes comme des réalités fermées.

La contiguïté

Plusieurs principes gestaltistes portent sur des perceptions autres que visuelles. Selon le principe de contiguïté, par exemple, nous percevons deux événements rapprochés dans le temps et dans l'espace comme unis par un lien de causalité. Par exemple, une enfant de trois ans qui joue dans le magasin de sa mère constate qu'un client entre chaque fois que son chien aboie. L'enfant pourrait fort bien conclure que les aboiements du chien *causent* l'entrée d'un client.

Contiguïté : Principe gestaltiste selon lequel nous percevons deux événements rapprochés dans le temps et dans l'espace comme unis par un lien de causalité.

La similitude

Les principes gestaltistes s'appliquent aussi aux perceptions que nous avons à propos d'autrui. Ainsi, le principe de similitude amène bien des gens à considérer et à traiter les immigrants, les femmes, les personnes âgées et les autochtones comme des membres d'un groupe et non comme des individus. Par ailleurs, le principe figure et fond explique pourquoi une personne blanche se démarque dans un groupe de personnes noires. Enfin, c'est à cause du principe de proximité que nous avons tendance à juger les autres d'après les gens dont ils s'entourent. Les principes de l'organisation des stimuli nous aident à comprendre non seulement les modalités physiques de la perception, mais aussi toutes sortes d'autres aspects du comportement humain.

Similitude : Principe gestaltiste selon lequel nous percevons comme identiques les objets dont l'apparence ou le fonctionnement sont semblables.

Les uns et les autres

LES PRINCIPES GESTALTISTES SONT-ILS UNIVERSELS ?

Les principes gestaltistes de la perception sont-ils valables pour tout le monde ? Les psychologues gestaltistes étudiaient principalement des sujets instruits issus de sociétés urbaines d'Europe. A.R. Luria (1976) s'est demandé si leurs principes s'appliquaient à tous les sujets, quels que soient leur niveau d'instruction et leur milieu social. Dans une étude devenue classique, Luria recruta ses sujets dans l'ancienne Union soviétique. Il rassembla toutes sortes de gens, des villageoises analphabètes, des activistes semi-analphabètes des fermes collectives et des étudiantes d'une école normale.

Figure 5.5 **Formes de Luria.** Les sujets instruits perçoivent les formes montrées ici comme des figures géométriques, tandis que les sujets analphabètes les associent aux objets qu'elles évoquent.

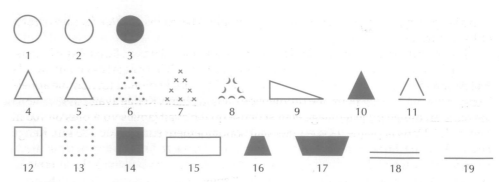

Source : A.R. Luria, *Cognitive Development : Its Cultural and Social Foundations*, Harvard University Press. The President and Fellows of Harvard College, © 1976.

Luria constata que les étudiantes étaient les seules à désigner les formes présentées à la figure 5.5 par des termes géométriques. Autrement dit, elles appelaient triangles toutes les formes à trois côtés, qu'elles soient constituées de lignes pleines, de lignes pointillées ou de X. Les autres sujets donnaient aux formes les noms des objets auxquels elles ressemblaient. Ils appelaient un cercle « montre », « assiette » ou « lune », et un carré « miroir », « maison » ou « séchoir à abricots ». Luria demanda à ses sujets de classer les formes. Comme l'on pouvait s'y attendre, les étudiantes regroupaient les formes semblables en catégories géométriques, tandis que les villageoises analphabètes les classaient suivant les objets qu'elles évoquaient. Luria demanda à une femme si les formes numérotées 12 et 13 étaient semblables, et la femme répondit : « Non. Celle-ci n'est pas comme une montre, mais celle-là est une montre parce qu'il y a des points » (p. 37).

Luria conclut donc que les principes gestaltistes de l'organisation perceptive sont valables pour les gens qui ont appris les concepts géométriques, mais non pour les personnes analphabètes qui perçoivent et classent les formes d'après les objets qu'elles leur semblent représenter. ■

LES CONSTANCES PERCEPTIVES : LA STABILISATION D'UN MILIEU CHANGEANT

Constance perceptive : Invariabilité d'une perception, maintenue en dépit des variations de l'information sensorielle.

Bien que nous soyons particulièrement sensibles aux variations de l'information sensorielle, nous réussissons aussi, grâce aux constances perceptives, à trouver énormément de stabilité dans notre milieu. Le verre que portait George Stratton modifiait profondément l'information visuelle, mais Stratton n'était pas complètement dérouté, car il pouvait transposer des constances perceptives à son nouvel univers. Sans les constances perceptives, notre monde serait totalement chaotique. Les objets nous sembleraient grossir lorsque nous nous en approchons, se déformer lorsque notre angle de vision se modifie et changer de couleur lorsque l'intensité lumineuse varie.

La constance de la taille

Constance de la taille : Invariabilité de la taille perçue des objets, maintenue en dépit des variations de la taille des images rétiniennes.

La plupart des constances perceptives sont fondées sur l'expérience et l'apprentissage. Les enfants d'âge préscolaire, par exemple, s'étonnent que la voiture garée au bout de la rue ne soit « pas plus haute que ça » (soit, d'après la position de leurs doigts, 5 cm) alors que la voiture à côté de laquelle ils se tiennent est plus haute qu'eux. Faute d'une expérience suffisante, ils n'ont pas encore appris à percevoir comme constante la taille des objets plus ou moins éloignés. La constance de la taille est l'invariabilité de la taille perçue d'un objet, maintenue en dépit des variations de la taille des images rétiniennes. Dans les études, les adultes réussissent toujours mieux que les enfants les épreuves axées sur la constance de la taille. Vers l'âge de six ou sept ans, cependant, les enfants ont acquis suffisamment d'expérience en matière de taille relative, et leurs évaluations de la taille ne sont plus faussées par la distance. Leurs scores égalent alors ceux des adultes (Teghtsoonian et Beckwith, 1976).

L'anthropologue Colin Turnbull (1961) fit la rencontre d'un adulte chez qui la constance de la taille n'était jamais apparue. Alors qu'il étudiait les pygmées vivant dans la forêt tropicale de la vallée du Congo, en Afrique, Turnbull fit monter un homme appelé Kenge à bord de sa jeep pour une promenade dans la plaine. Kenge avait passé toute sa vie dans un milieu où le feuillage était si dense qu'il n'avait jamais vu à plus de 100 m devant lui. Dans la plaine, la vue s'étendait soudainement sur plus de 100 km. Kenge eut la plus grande difficulté à juger des tailles. La première fois qu'il aperçut un troupeau de buffles, au loin, il crut que c'étaient des insectes. Turnbull tenta de le convaincre qu'il s'agissait de buffles dans le lointain. Kenge se vexa et demanda : « Est-ce que tu me prends pour un ignorant ? » Turnbull s'approcha des « insectes » et, à la surprise de Kenge, ils semblèrent se transformer en buffles. Il conclut qu'on avait employé la sorcellerie pour le méprendre. Lorsque Turnbull lui montra un lac si vaste qu'on ne pouvait en voir la rive opposée, Kenge demanda à être ramené dans sa forêt.

La constance de la forme

Lorsque vous regardez une chaise directement de face ou de derrière, elle a une forme rectangulaire. Lorsque vous regardez une chaise directement de côté, elle a la forme d'un H. Pourtant, vous savez que la chaise a une seule forme. Votre cerveau se rappelle que les changements de forme subis par les objets au cours de vos déplacements ne sont que des *apparences*. Ce phénomène est appelé constance de la forme. Sans la constance de la forme et de la taille, un baiser romantique serait un cauchemar : le nez et les yeux de votre partenaire vous paraîtraient grossir et se déformer.

> **Constance de la forme :** Invariabilité de la forme perçue des objets, maintenue en dépit des variations des images rétiniennes.

Pièce illusoire d'Ames. La femme semble beaucoup plus grande que le garçon dans la photo du haut, mais plus petite dans la photo du bas. En réalité, la femme est plus grande que le garçon. Vous trouverez l'explication de cette illusion à la figure 5.6.

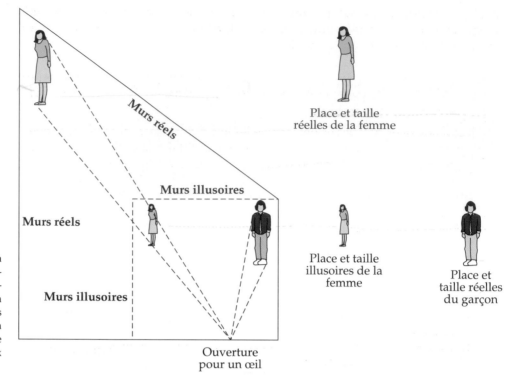

Place et taille réelles de la femme

Murs illusoires

Murs réels

Murs réels

Murs illusoires

Place et taille illusoires de la femme

Place et taille réelles du garçon

Ouverture
pour un œil

Figure 5.6 **Explication de la pièce illusoire d'Ames.** Le diagramme montre pourquoi le garçon semble plus grand que la femme dans la photo du bas. Nous supposons que le garçon et la femme sont à égale distance de nous. En réalité, la femme est deux fois plus loin que le garçon.

Adelbert Ames, psychologue spécialiste de la perception, démontra la puissance de ces constances au moyen de ce que nous appelons aujourd'hui la *pièce illusoire d'Ames* (voir la photo, page précédente). La photo laisse croire que la personne de gauche est minuscule et que celle de droite est gigantesque. Or, l'illusion repose sur la construction inusitée de la pièce. Comme le montre la figure 5.6, la perspective linéaire amène l'observateur à percevoir la pièce comme si elle était carrée alors qu'elle est en réalité trapézoïdale. L'illusion est si forte que l'observateur a l'impression de voir grandir une personne qui marche du coin gauche vers le coin droit.

Pourquoi l'illusion persiste-t-elle même quand nous en connaissons l'explication ? Notre cerveau a toujours connu des pièces normalement construites, et notre désir de percevoir la pièce conformément à notre expérience est si pressant que nous méconnaissons la vérité. Nos processus perceptifs fonctionnent correctement, mais nous essayons de les appliquer à une situation inhabituelle. Nous *pouvons* apprendre à vaincre les illusions de ce genre, mais il nous faut pour cela être très fréquemment mis en présence de milieux déformés.

Stratton n'avait pas rencontré d'illusions semblables, mais il a dû s'adapter à un milieu déformé, et il y est parvenu en quelques jours seulement. De même, les plongeurs finissent par s'adapter aux distorsions que produisent leurs masques (Vernoy, 1990 ; Vernoy et Luria, 1977).

La constance de la couleur et de la clarté

Constance de la couleur : Invariabilité de la couleur perçue des objets, maintenue en dépit des variations de l'illumination.

Constance de la clarté : Invariabilité de la clarté perçue des objets, maintenue en dépit des variations de l'illumination.

La constance de la couleur et la constance de la clarté sont l'invariabilité de la couleur et de la clarté perçues, maintenue en dépit des variations de l'illumination. Si vous placez un morceau de papier gris en plein soleil et un morceau de papier blanc à l'ombre, le blanc vous paraîtra quand même plus pâle que le gris et ce, quelle que soit la quantité de lumière réellement réfléchie par les surfaces. Vous vous attendez d'un objet connu qu'il garde sa couleur dans la clarté comme dans la pénombre. Autrement dit, vous vous attendez qu'il ait la « bonne » couleur.

Comme la constance de la forme et de la taille, la constance de la couleur naît de l'expérience et de l'apprentissage et s'applique surtout aux objets familiers. La couleur que prend un objet inconnu à nos yeux est déterminée uniquement par la longueur d'onde *réelle* de la lumière réfléchie; la perception que nous en avons n'est aucunement influencée par l'expérience.

RÉSUMÉ

La perception des formes

Les psychologues gestaltistes ont formulé les lois d'après lesquelles les gens perçoivent les formes. Le principe fondamental est la distinction entre la figure et le fond; les autres principes sont la proximité, la continuité, la fermeture, la contiguïté et la similitude. Grâce aux constances perceptives (constance de la taille, de la forme, de la couleur et de la clarté), nos perceptions du milieu restent stables, en dépit des variations continuelles de l'information sensorielle. Ces constances reposent sur l'expérience et l'apprentissage.

QUESTIONS DE RÉVISION

1. Qu'est-ce que le principe gestaltiste figure et fond ?

2. Nommez le principe gestaltiste illustré par chacun des exemples suivants.

   a) Vous voyez un trait noir sur le béton et vous vous rendez compte qu'il s'agit d'une colonne de fourmis. _____

   b) Vous êtes capable de lire une phrase sur un tableau d'affichage même s'il y a des gens devant le tableau. _____

   c) Vous voyez un cercle même si la courbe est effacée en trois points. _____

3. C'est à cause de la _____ que vous ne pensez pas que votre frère rétrécit lorsqu'il s'éloigne de vous.

4. La _____ nous procure la perception qu'une blouse blanche est blanche dans la clarté comme dans l'ombre.

Les réponses aux questions de révision se trouvent en annexe.

LA PERCEPTION DE LA PROFONDEUR : VOIR LE MONDE EN TROIS DIMENSIONS

Le rôle que jouent l'expérience et l'apprentissage dans l'organisation des perceptions est particulièrement manifeste dans la perception de la profondeur, c'est-à-dire la faculté de juger précisément de la distance des objets et, par conséquent, de percevoir l'espace en trois dimensions. Presque tous les sens concourent à la perception de la distance. Si vous vous trouviez dans une pièce sombre, vous pourriez percevoir l'approche d'une autre personne à des indices auditifs (le son de sa voix s'amplifierait), olfactifs (l'odeur de son parfum s'intensifierait) et, dans l'obscurité totale, à des indices tactiles (vous pourriez tendre le bras pour mesurer la distance qui vous sépare d'elle) (Chan et Turvey, 1991). Néanmoins, nous utilisons surtout la vision pour percevoir la distance. La capacité de percevoir la distance se superposant à la capacité d'évaluer la hauteur et la largeur des objets, nous sommes capables de percevoir l'espace en trois dimensions. Quel que soit le sens que nous utilisons pour percevoir l'espace en trois dimensions, nous acquérons cette capacité par l'apprentissage.

Perception de la profondeur : Faculté de percevoir la distance et, par conséquent, de percevoir l'espace en trois dimensions.

Un homme connu seulement par ses initiales, S. B., rendu aveugle à l'âge de 10 mois par des cataractes, recouvrit la vue à 52 ans, après une intervention chirurgicale. S. B. eut beaucoup de difficulté à faire l'apprentissage de la distance et de la profondeur. On le trouva un jour en train d'enjamber la fenêtre de sa chambre d'hôpital. Il croyait pouvoir atteindre le sol en se tenant au rebord par les mains. Pourtant, sa chambre était située au quatrième étage !

Falaise visuelle. *Les nourrissons en âge de ramper refusent de s'aventurer au-delà du bord de la falaise visuelle, même si leurs parents les y incitent.* Source : Drugs Affecting The Central Nervous System, A. Burger (Éd.), Marcel Dekker Inc., New York, 1968, p. 184-185.

La perception de la profondeur et de la distance n'est-elle pas innée ? On ne le sait trop. La question fait l'objet d'un débat qui dure depuis des années entre les *nativistes*, ceux qui croient que la perception de la profondeur est innée, et les *empiristes*, ceux qui prétendent qu'elle est apprise. Comme c'est souvent le cas, la plupart des psychologues ont conclu que les deux points de vue contiennent une part de vérité.

Les nativistes s'appuient sur une intéressante série d'expériences menées à l'aide d'un appareil appelé *falaise visuelle* (voir la photo ci-contre). L'appareil est composé d'une table qu'on recouvre d'une nappe à carreaux rouges et blancs tombant jusqu'au sol. On pose sur la table une plaque de verre qui double sa surface et, au milieu de la plaque, on installe une plate-forme légèrement surélevée. On place un nourrisson sur la plate-forme. Invité par sa mère à avancer, le nourrisson rampe volontiers du côté horizontal, mais refuse de s'aventurer du côté qui donne l'illusion du vide (Gibson et Walk, 1960). Les nativistes en concluent que la perception de la profondeur est innée et attribuent l'hésitation ou le refus du nourrisson à la crainte de tomber.

Les empiristes rétorquent que les nourrissons en âge de ramper ont déjà *appris* à percevoir la profondeur. Or, les animaux qui, comme les poussins, les chevreaux et les agneaux, marchent dès la naissance hésitent à franchir la plate-forme, ce qui tend à démontrer que la perception de la profondeur est innée. Pour y voir plus clair, Campos et ses collègues ont effectué deux fois l'expérience avec des bébés de deux mois qu'ils couchaient sur le ventre d'un côté puis de l'autre de l'appareil. Dans l'une des études (Campos et coll., 1978), la fréquence cardiaque des bébés changea seulement lorsqu'ils furent placés du côté du vide, tandis que dans l'autre (Campos et coll., 1982), les résultats furent ambigus.

Bien que le débat entre nativistes et empiristes reste ouvert, il ne fait pas de doute que la capacité de percevoir la profondeur et la distance est essentielle dans notre monde en trois dimensions. Mais comment pouvons-nous percevoir trois dimensions avec un système de récepteurs en deux dimensions ? Les cônes et les bâtonnets ne réagissent ni à la profondeur ni à la distance, c'est vrai, mais deux mécanismes nous fournissent des indices à ce propos. Il s'agit de l'interaction des deux yeux, qui fournit des indices *binoculaires*, et de l'action indépendante de chaque œil, qui fournit des indices *monoculaires*.

Les indices binoculaires

La disparité binoculaire est l'un des principaux indices de la profondeur et de la distance. Étant donné la distance entre les deux yeux, les rétines reçoivent des images quelque peu différentes. Si vous en doutez, tendez un bras et pointez vers un objet situé loin de vous dans la pièce. Fermez successivement l'œil gauche et l'œil droit. Vous remarquerez que votre doigt semble sautiller de droite à gauche par rapport à la pièce (Kaufman, 1974).

Disparité binoculaire : Production d'images différentes sur les rétines, due à la distance entre les deux yeux.

Figure 5.7 **La disparité binoculaire.** a) À cause de la disparité binoculaire, les images des objets situés à des distances différentes se forment sur des parties différentes de la rétine : les images des objets éloignés se forment sur la partie de la rétine située près du nez, tandis que les images des objets rapprochés se forment sur la partie de la rétine située près des oreilles.

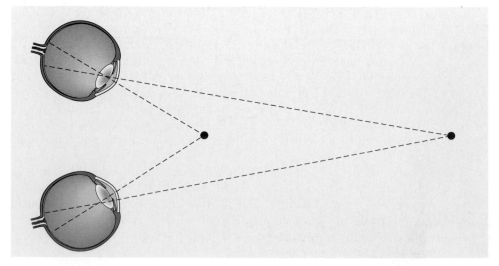

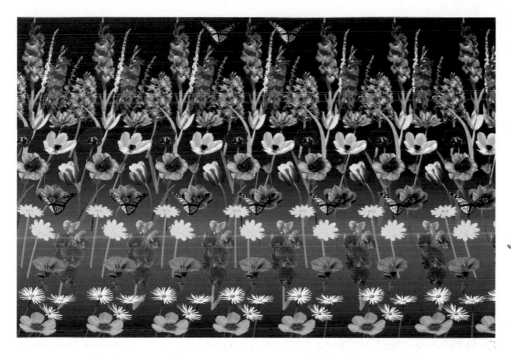

Le cerveau fusionne les images différentes reçues par les yeux, de sorte que nous percevons correctement la profondeur (voir la figure 5.7). Ce phénomène, la vision du relief, nous donne un net avantage sur les animaux qui ont les yeux placés sur les côtés de la tête et qui reçoivent seulement des indices monoculaires de la profondeur. Notre système visuel est sensible aux plus infimes changements de position sur les rétines : il peut percevoir des différences de l'ordre du millième de millimètre (Yellott, 1981). En revanche, ces animaux, tels les chevaux, les cerfs et les poissons, ont un champ de vision de près de 360°, ce qui facilite le repérage des prédateurs. Les prédateurs, pour leur part, ont les yeux sur le devant de la tête, comme nous, et leur vision du relief leur permet de distinguer les proies camouflées dans la nature.

Vision du relief : Vision en trois dimensions qui résulte de la fusion par le cerveau des deux images différentes reçues par les yeux.

À vous les commandes

Lorsque nous nous approchons d'un objet, un autre indice binoculaire nous aide à juger de la profondeur et de la distance. Plus l'objet est proche, plus les globes oculaires se tournent vers l'intérieur, en direction du nez (voir la figure 5.8). Tendez un bras devant vous; fixez le bout de votre index et approchez-le lentement de votre nez. La convergence, c'est-à-dire la rotation interne des globes oculaires, demande un effort musculaire dont l'intensité sert d'indice de la distance à votre cerveau. ■

Convergence : Rotation interne des globes oculaires, qui constitue un indice binoculaire de la profondeur.

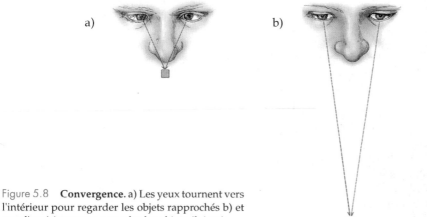

Figure 5.8 **Convergence.** a) Les yeux tournent vers l'intérieur pour regarder les objets rapprochés b) et vers l'extérieur pour regarder les objets éloignés.

Dessin de *Chase*.

Connaissant le fonctionnement de la convergence, vous pouvez améliorer vos performances sportives. Allen Souchek (1986) a découvert que nous percevons mieux la profondeur lorsque nous regardons directement les objets que lorsque nous les regardons du coin de l'œil. Par conséquent, si vous tournez le corps ou la tête de manière à regarder directement votre adversaire de tennis ou le lanceur, vous jugerez mieux de la distance de la balle et vous améliorerez vos chances de la frapper au bon moment.

Les indices monoculaires

La disparité binoculaire et la convergence ne sont plus d'aucune utilité lorsqu'il s'agit d'estimer des distances supérieures à la longueur d'un terrain de football. Selon R.L. Gregory (1969), « nous n'avons plus qu'un œil pour ce qui est des distances supérieures à environ 100 m » (p. 67). Heureusement, nous pouvons encore nous fier dans ces cas-là aux indices *monoculaires* que nous fournit indépendamment chacun de nos yeux. Les artistes, d'ailleurs, se fondent sur les indices monoculaires pour donner l'illusion de la profondeur sur une toile plane, autrement dit pour recréer un monde tridimensionnel sur une surface bidimensionnelle. Les indices monoculaires, représentés à la figure 5.9, sont les suivants :

Perspective linéaire : Phénomène selon lequel les lignes parallèles semblent converger à l'horizon.

1. **Perspective linéaire.** Deux lignes parallèles semblent converger à l'horizon. Cet indice vous est donné chaque fois que vous apercevez un grand boulevard, un édifice très haut, une voie ferrée, bref toute structure délimitée par deux lignes parallèles (voir la figure 5.9a). L'illusion de Ponzo, montrée à la figure 5.10, repose sur la perspective linéaire.

Perspective aérienne : Phénomène selon lequel la poussière et le brouillard font paraître les objets éloignés moins distincts que les objets rapprochés.

2. **Perspective aérienne.** Les objets éloignés semblent embrouillés comparativement aux objets rapprochés, car ils sont séparés de nous par un écran de poussière, de brouillard ou de fumée. Lorsque le temps est très clair, les gratte-ciel, les silos et les montagnes qui nous paraissent normalement éloignés nous semblent étonnamment proches.

a) Perspective

b) Interposition

c) Taille relative

Figure 5.9 **Indices monoculaires.** La photographie montre plusieurs indices monoculaires. a) La perspective linéaire correspond à la convergence apparente des lignes parallèles. b) Il y a interposition lorsqu'un objet rapproché cache une partie d'un objet éloigné. c) La taille relative résulte du fait que l'image rétinienne des objets rapprochés est plus grande que celle des objets éloignés. d) Les gradients de texture sont les variations apparentes de la texture en rapport avec la distance.

d) Gradient de texture

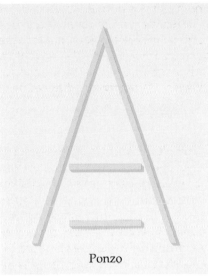

Ponzo

Figure 5.10 **Illusion de Ponzo.** La ligne horizontale du haut semble plus éloignée, donc plus longue que celle du bas à cause de la perspective linéaire créée par les lignes convergentes.

3. **Gradients de texture.** Les objets rapprochés semblent avoir une texture rugueuse et détaillée; à mesure qu'augmente la distance, la texture paraît de plus en plus fine (voir la figure 5.9d). Remarquez cet effet la prochaine fois que vous conduirez sur une route de gravier. La partie éloignée de la route vous semblera beaucoup plus lisse que la partie située juste devant vous.

4. **Interposition.** Un objet qui en cache partiellement un autre nous paraît plus gros que lui (voir la figure 5.9b). Quand votre professeur passe derrière le bureau, une partie de son corps est cachée à votre vue, mais vous ne pensez pas qu'une partie de votre professeur disparaît; vous percevez simplement le bureau comme plus proche de vous que le professeur.

5. **Taille relative.** Les objets éloignés paraissent plus petits que les objets rapprochés de même taille (voir la figure 5.9c). La pièce illusoire d'Ames est fondée sur ce principe.

6. **Ombre et lumière.** Les objets clairs semblent rapprochés, tandis que les objets sombres paraissent éloignés. Les variations de lumière produites par les surfaces irrégulières fournissent aussi des indices de la profondeur, de la distance et des formes (Ramachandran, 1988).

L'accommodation et la parallaxe de mouvement sont deux indices monoculaires que les artistes ne peuvent exploiter. L'accommodation est la modification de la courbure du cristallin qui a pour effet de focaliser les images sur la rétine. Le cristallin bombe quand nous regardons des objets rapprochés, et il s'aplatit quand nous regardons des objets éloignés. D'après l'information provenant des muscles du cristallin, le cerveau perçoit la distance de l'objet.

La parallaxe de mouvement (aussi appelée mouvement relatif) est le phénomène selon lequel l'observateur en mouvement voit les objets se déplacer à différentes vitesses, en fonction de leur distance. Les objets rapprochés semblent filer devant lui, les objets éloignés paraissent avancer lentement et les objets très lointains semblent immobiles. Quand vous voyagez en voiture ou en train, les poteaux de téléphone et les piquets de clôture qui bordent la route ou la voie ferrée semblent se déplacer très rapidement, les maisons et les arbres semblent se déplacer lentement et les montagnes, au loin, paraissent immobiles.

L'*illusion de la lune* est une distorsion de la perception bien connue qui résulte d'un usage inopportun des indices monoculaires (Baird, 1982; Baird et Wagner, 1982). Vous avez peut-être remarqué que la pleine lune semble beaucoup plus grosse à l'horizon qu'au zénith. Pourtant, la distance physique entre la Lune et la Terre ainsi que la taille de l'image ne changent pas.

Gradients de texture : Phénomène selon lequel la finesse apparente des textures augmente avec la distance des objets.

Interposition : Phénomène selon lequel un objet qui en cache partiellement un autre paraît plus grand que lui.

Taille relative : Phénomène selon lequel les petits objets semblent plus éloignés que les gros.

Ombre et lumière : Phénomène selon lequel les objets clairs paraissent proches et les objets sombres, éloignés.

Accommodation : Modification de la courbure du cristallin qui a pour effet de focaliser les images sur la rétine.

Parallaxe de mouvement : Phénomène selon lequel l'observateur en mouvement voit les objets se déplacer à différentes vitesses, en fonction de leur distance.

Odile Martinez

*✳ **Illusion de la lune.** À cause des indices de la distance, la lune nous semble plus grosse à l'horizon qu'au zénith.*

Pourquoi, alors, la lune semble-t-elle plus grosse à l'horizon ? Voici l'une des nombreuses explications données à la question. Lorsque nous regardons la lune à l'horizon, nous utilisons l'indice monoculaire d'interposition, donc nous jugeons que les objets interposés, tels les maisons, les arbres et les montagnes, sont rapprochés par rapport à la lune, que nous percevons comme très éloignée. Étant donné que la lune nous paraît très lointaine par rapport aux objets interposés, notre cerveau suppose qu'elle est très grosse. Mais lorsque nous regardons la lune au zénith, nous n'avons plus d'indices monoculaires de la profondeur, et nous ne la percevons plus comme aussi lointaine (c'est-à-dire que nous la mettons à sa place habituelle); par conséquent, nous ne la voyons plus aussi grosse. Constatez vous-même la différence en regardant la lune à l'horizon à travers un tube de carton. Sans indices de profondeur, la lune vous semblera rétrécir.

Les indices de la distance et de la profondeur expliquent les illusions visuelles appelées figures impossibles (voir la figure 5.11). Au premier coup d'œil, ces figures nous semblent cohérentes mais, à bien les examiner, nous constatons qu'elles sont irréelles. Pouvez-vous expliquer les figures impossibles ci-dessous d'après les indices que nous venons d'étudier ?

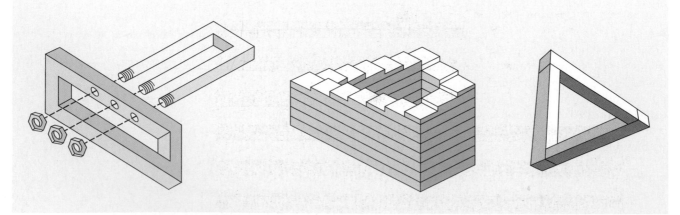

Figure 5.11 **Quelques figures impossibles.**

LA PERCEPTION DES COULEURS : LA DISCRIMINATION DES TEINTES

L'être humain est probablement capable de distinguer sept millions de teintes différentes (Indow, 1991). La perception des couleurs semble innée. La recherche a démontré que les nourrissons aptes à focaliser et à bouger volontairement les yeux voient les couleurs aussi bien que le font les adultes (Teller, Peeples et Sekel, 1978; Werner et Wooten, 1979). Dès notre naissance, pratiquement, nous sommes capables de voir les verts, les orangés, les bleus, les rouges, les jaunes et les violets.

Comme nous le disions au chapitre 4, la couleur est produite par les longueurs d'ondes de la lumière. Les courtes longueurs d'ondes correspondent au violet et au bleu, et les longues, à l'orangé et au rouge. Quant à la manière dont nous percevons les couleurs, elle a longtemps fait l'objet d'un débat scientifique. Jusqu'au milieu des années soixante, il existait deux théories de la vision des couleurs : la théorie trichromatique (des trois couleurs) et la théorie des processus antagonistes. La théorie trichromatique fut formulée par Thomas Young au début du XIXe siècle et reprise par Hermann von Helmholtz et d'autres scientifiques. Selon cette théorie, il existe trois systèmes de détection des couleurs, l'un surtout sensible au rouge, l'autre au vert et le troisième, au bleu (Young, 1802). Les tenants de cette théorie ont démontré que le mélange de lumières de ces trois couleurs produit la totalité du spectre que nous percevons. Or, la théorie a deux importantes lacunes : elle n'explique ni le daltonisme ni les images consécutives.

Selon la théorie des processus antagonistes, avancée par Ewald Hering plus tard au XIXe siècle, il existe trois systèmes de détection des couleurs, mais chacun est sensible, alternativement, à deux couleurs : le bleu et le jaune, le rouge et le vert, le noir et le blanc. Autrement dit, certains récepteurs de la couleur réagissent au bleu *ou* au jaune, d'autres réagissent au rouge *ou* au vert et d'autres, enfin, réagissent aux variations de l'intensité lumineuse, c'est-à-dire au blanc et au noir. Cette théorie est fort plausible, puisque les gens ne voient pas de verts rougeâtres ni de jaunes bleuâtres quand on mélange des lumières de couleurs différentes. De fait, le mélange égal de lumière rouge et de lumière verte et le mélange égal de lumière bleue et de lumière jaune produisent du blanc. En outre, la théorie des processus antagonistes explique le phénomène des images consécutives, c'est-à-dire les images que nous percevons après avoir fixé longuement un motif composé de certaines couleurs.

Théorie trichromatique : Théorie de la vision des couleurs formulée par Thomas Young, selon laquelle il existe trois systèmes de détection des couleurs, l'un sensible au rouge, l'autre au vert et le troisième, au bleu.

Théorie des processus antagonistes : Théorie de la vision des couleurs formulée par Ewald Hering, selon laquelle il existe trois systèmes de détection des couleurs : l'un sensible au bleu ou au jaune, l'autre sensible au rouge ou au vert et le troisième sensible au blanc ou au noir.

Images consécutives : Images en couleurs qui apparaissent après la fixation prolongée d'un motif composé de certaines couleurs.

À vous les commandes

Le dessin ci-dessous vous rappelle-t-il le drapeau américain ? Fixez-le pendant quelques minutes. Ensuite, posez les yeux sur une feuille blanche. Vous verrez une image consécutive où le vert sera remplacé par le rouge, le jaune par le bleu, et le noir par le blanc. En somme, vous apercevrez un « vrai » drapeau américain. Que s'est-il produit ? Les rayures vertes ont stimulé seulement la voie du vert dans le

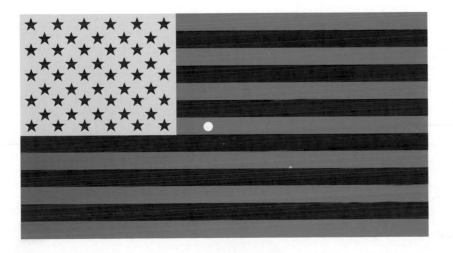

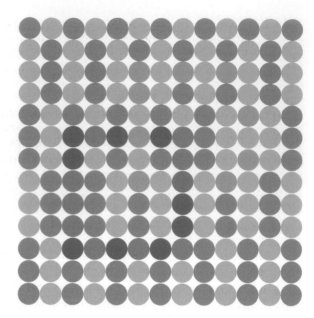

Figure 5.12 **Test de la vision des couleurs.** Les gens atteints de daltonisme rouge-vert voient seulement le carré du haut. Les gens atteints de daltonisme jaune-bleu voient seulement le carré du bas. Si votre vision des couleurs est normale, vous voyez deux carrés emboîtés.

Source : Commanding Officer, Naval Submarine Medical Research Laboratory, U.S. Navy, 1958.

système de détection du rouge et du vert. Quelques minutes de stimulation continuelle ont fatigué la voie du vert, mais non celle du rouge.

Lorsque vous avez regardé la feuille blanche, le blanc a stimulé également la voie du vert et celle du rouge. Dans des conditions normales, l'activité de la voie du rouge et celle de la voie du vert se seraient équilibrées, et vous auriez vu du blanc. Mais comme la voie du vert était fatiguée, celle du rouge a connu un surcroît d'activité, et vous avez vu une image consécutive rouge. ■

La théorie des processus antagonistes explique aussi les anomalies de la vision des couleurs, car ces troubles se traduisent par l'incapacité de percevoir *soit* le vert et le rouge, *soit* le bleu et le jaune. Votre vision des couleurs est-elle normale ? Regardez la figure 5.12 pour le savoir.

Deux théories valables

À en juger par les propos que nous avons tenus jusqu'ici, la théorie des processus antagonistes est la bonne. En réalité, les deux théories sont valables. En 1964, George Wald démontra que les cônes de la rétine contiennent différents photopigments et se divisent effectivement en trois types. Certains cônes sont sensibles à la lumière bleue, d'autres à la lumière verte et d'autres, enfin, à la lumière rouge (voir la figure 5.13). Pendant que Wald étudiait les cônes, R.L. DeValois (1965) enregistrait l'activité électrique des neurones des voies optiques menant au cerveau.

Figure 5.13 **Réaction des cônes.** Les trois types de cônes présents dans la rétine humaine absorbent des longueurs d'ondes différentes. Les cônes « bleus » sont sensibles surtout à la lumière bleue; par conséquent, ils absorbent très peu de lumière verte et n'absorbent aucunement la lumière rouge. Les cônes « verts » sont sensibles surtout à la lumière verte, mais ils absorbent aussi un peu de lumière bleue et de lumière rouge. Les cônes « rouges », enfin, absorbent principalement la lumière rouge et la lumière verte, et ils sont relativement insensibles à la lumière bleue.

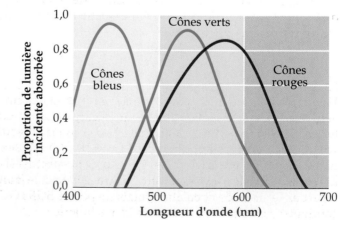

DeValois découvrit dans le thalamus des cellules qui réagissaient à la couleur de manière *antagoniste*. Par conséquent, Young et Hering avaient tous deux raison. La couleur est traitée de manière trichromatique dans la rétine (dans les cônes) et de manière antagoniste dans le nerf optique et le thalamus (dans le cerveau).

Vous avez dit que le mélange de lumière jaune et de lumière bleue produit de la lumière blanche. Ne serait-ce pas plutôt de la lumière verte ? Le mélange de pigment bleu et de pigment jaune produit effectivement du vert. Or, le mélange de lumières ne donne pas le même résultat que le mélange de pigments. Nous percevons le rouge d'un feu de circulation parce qu'une lumière à ondes longues (la lumière rouge) est projetée dans nos yeux. Et nous percevons le rouge d'un panneau d'arrêt obligatoire parce que les pigments de la peinture rouge réfléchissent le rouge vers nos yeux et absorbent toutes les autres couleurs. La vision de la lumière de couleur est donc un processus *additif* : notre système visuel additionne les couleurs. La vision des pigments est un processus *soustractif* : les objets réfléchissent certaines couleurs mais en soustraient, ou en absorbent, d'autres.

Vous le savez sans doute, certaines personnes ne voient pas les couleurs. Les anomalies de la vision des couleurs portent le nom générique de daltonisme. Plus précisément, l'incapacité totale de voir les couleurs est appelée achromatopsie (ce qui signifie « aucune vision des couleurs »), et elle est causée par l'absence de cônes; les personnes qui en sont atteintes voient tout en noir, blanc et gris, comme dans un film en noir et blanc. L'achromatopsie est beaucoup plus rare que la dichromasie (ce qui signifie « vision de deux couleurs »), l'absence d'un des types de cônes; cette anomalie se traduit par l'incapacité de distinguer le rouge du vert ou, moins fréquemment, le bleu du jaune (Nathans, 1989; Nathans et coll., 1986). Faute de percevoir la longueur d'onde (la tonalité), les personnes dichromates doivent distinguer les couleurs d'après leur brillance. À une intersection, elles avancent lorsque le feu le plus clair (le vert) s'allume, ou bien elles se fient à la position des feux.

Les problèmes de perception des couleurs sont presque toujours d'origine génétique, plutôt que le résultat d'un traumatisme. Des recherches récentes menées par Maureen et Jay Neitz (1995) démontrent que la génétique de la vision en couleur est assez complexe; il semble que la combinaison d'un grand nombre de gènes détermine si la perception des couleurs sera normale ou défectueuse chez une personne. En général, 10% de la population mâle et moins de 1% de la population femelle éprouvent de la difficulté à percevoir les couleurs.

L'achromatopsie et la dichromasie sont sources de problèmes dans la vie quotidienne. Dans l'armée, par exemple, les personnes incapables de distinguer le rouge et le vert sont limitées à certains rangs et à certains postes. La nuit, en effet, elles seraient incapables de déterminer la direction des avions et des navires d'après leurs feux de position (les feux verts indiquant le côté droit et les feux rouges, le côté gauche). En outre, vous imaginez sans peine que les dichromates ont de la difficulté à assortir leurs vêtements et à choisir des tomates mûres au supermarché.

Achromatopsie : Incapacité de voir les couleurs due à l'absence de cônes dans la rétine.

Dichromasie : Anomalie de la vision des couleurs due à l'absence d'un des trois types de cônes.

À vous les commandes

Vous pouvez simuler un problème de perception des couleurs en regardant à travers une pellicule de cellophane rouge. Remplacez les verres d'une vieille paire de lunettes par une pellicule cellophane rouge foncé (si vous portez déjà des verres, vous n'avez qu'à les recouvrir de cette pellicule). Mettez les lunettes et regardez différents objets autour de vous. En quoi leur aspect est-il différent ? Voyez-vous la différence entre le rouge et le vert ? Entre le bleu et le jaune ? Allez faire un tour et regardez les feux de circulation, mais ne portez SURTOUT PAS ces lunettes pour conduire une voiture ou opérer de la machinerie ! ■

Les études sur la perception des couleurs

Les résultats de la recherche sur la perception des couleurs ont trouvé d'importantes applications. À quelle couleur pensez-vous quand vous entendez l'expression « voiture d'incendie » ? La plupart des gens pensent au rouge. Or, on peint de plus en plus de voitures d'incendie en vert pâle, en jaune ou en blanc, car une recherche a démontré que ces couleurs se voient aussi bien la nuit que le jour. Une autre étude a révélé qu'il est plus facile d'estimer la distance de feux de couleurs différentes que celle de deux feux de même couleur (Berkhout, 1979). C'est pourquoi les véhicules d'urgence portent maintenant un feu rouge et un feu bleu. Il y a une autre raison à cela : le rouge se voit bien dans la pénombre, tandis que le bleu ressort mieux en pleine lumière. Par ailleurs, les recherches effectuées sur la couleur des écrans d'ordinateurs ont démontré que, contrairement à ce que pensent beaucoup de gens, les caractères ambre et verts sur fond noir, et blancs sur fond bleu sont plus lisibles que les caractères noirs sur fond blanc. Ces études, comme bien d'autres recherches sur la perception, ont permis d'améliorer notre sécurité et notre confort.

LA PERCEPTION DU MOUVEMENT : DISTINGUER LE MOUVEMENT RÉEL ET LE MOUVEMENT APPARENT

La perception du mouvement est un autre aspect de l'organisation perceptive qui joue un rôle important pour la survie. Chaque jour, nous évitons la catastrophe en réagissant au mouvement : nous nous écartons des camions en marche, nous contournons les acheteurs pressés dans les centres commerciaux, etc. Mais il arrive que nos processus perceptifs soient leurrés par des objets qui semblent se déplacer alors qu'ils sont immobiles. Par conséquent, il est important de faire la distinction entre le mouvement réel et le mouvement apparent.

Le mouvement réel

La perception du mouvement réel résulte d'une modification de la position des objets dans l'espace. Fondamentalement, la perception du mouvement réel repose sur deux phénomènes : 1) une image se déplace sur la rétine; 2) les globes oculaires se déplacent dans les orbites pour suivre le trajet d'un objet mobile (voir la figure 5.14).

Hubel et Wiesel (1968) ont expliqué en grande partie la perception du mouvement réel. Leur recherche a montré que le cortex visuel contient non seulement des détecteurs de lignes et d'angles, mais aussi des détecteurs de mouvement qui réagissent spécifiquement au déplacement des objets dans le champ de vision. Kasamatsu (1976) croit pour sa part que le cerveau envoie des signaux aux muscles des yeux pour garder sur la fossette centrale l'image des objets que nous suivons du regard. Par conséquent, le mouvement des yeux fournirait des indices supplémentaires pour la perception du mouvement.

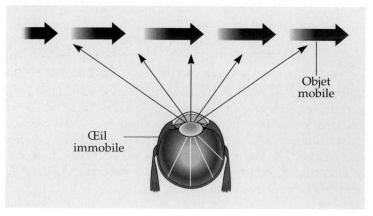

Figure 5.14 **Perception du mouvement.** Nous percevons le mouvement réel lorsque les objets traversent le champ de vision et que différents points de la rétine sont stimulés.

Vous êtes-vous déjà demandé pourquoi il y a tant de collisions entre des trains et des voitures, alors qu'on trouve une signalisation à presque tous les passages à niveau ? Vous pensez peut-être que les gens n'entendent pas les sifflements du train et ne voient pas les feux clignotants. Or, l'analyse des accidents a démontré que la plupart des conducteurs ont probablement vu les trains et capté les signaux, mais qu'ils ont choisi d'avancer quand même. Leibowitz (1985) croit que certains aspects de la perception du mouvement expliquent les accidents qui surviennent aux passages à niveau. Selon lui, les gros objets nous paraissent se déplacer plus lentement que les petits; de plus, les objets nous semblent se mouvoir plus lentement lorsque nous les suivons des yeux que lorsque nous gardons la tête et les yeux immobiles. Par conséquent, les victimes des accidents sous-estimeraient la vitesse des trains. Fatale erreur de perception.

Le mouvement apparent

Il est possible de percevoir un mouvement là où il n'y en a pas en réalité. Si vous êtes assis dans une pièce obscure et que vous regardez deux lumières adjacentes alternativement allumées, vous voyez une seule lumière animée d'un mouvement de va-et-vient. L'illusion est appelée mouvement stroboscopique, ou phénomène phi. Elle produit le « déplacement » des flèches sur les panneaux électriques et le mouvement dans les films. Ce que vous voyez sur un écran de cinéma est en fait une série d'images fixes projetées en succession rapide. Les mouvements sont souvent saccadés dans les vieux films en noir et blanc et dans les films d'amateurs, car les images défilent au rythme de 16 par seconde, au lieu de 24, comme dans les films modernes. Et même les projecteurs qui fonctionnent à 24 images par seconde sont munis d'un obturateur à trois lames qui tourne devant la source de lumière. Chaque image étant projetée trois fois, la vitesse de projection passe à 72 images par seconde, et les mouvements semblent tout à fait continus.

Mouvement stroboscopique : Illusion qui fait apparaître deux sources de lumières alternativement allumées comme une seule source de lumière.

L'effet autocinétique est le mouvement apparent des lumières et des objets immobiles. Pour faire l'expérience de cette illusion, fixez pendant quelques secondes une faible lumière (celle d'un bâton phosphorescent, par exemple) émise au fond d'une pièce plongée dans l'obscurité totale. La lumière vous semblera se déplacer. En effet, aucun indice ne vous indique que la lumière est véritablement immobile, et les légers mouvements de vos yeux (dont nous avons traité au chapitre 4) lui donnent l'apparence du mouvement. Selon une autre explication de l'effet autocinétique, les muscles de l'œil se fatiguent à force d'obéir au cerveau qui leur commande de rester fixés sur la tache de lumière (Gregory, 1977).

Effet autocinétique : Mouvement apparent d'une lumière immobile dans l'obscurité.

Autrefois, l'effet autocinétique causait des difficultés aux pilotes de nuit qui tentaient d'estimer la position des phares ou des feux de position des autres avions. Pour éliminer l'effet autocinétique, les feux des avions et des phares modernes sont clignotants. L'effet autocinétique pourrait aussi expliquer certaines apparitions d'OVNI. D'après les gens qui disent avoir vu des OVNI, ces engins ont des mouvements de voltige aussi imprévisibles qu'étranges. Comprenez-vous comment la lumière d'un phare peut, dans une nuit sombre, se transformer en OVNI ?

RÉSUMÉ

La perception de la profondeur, de la couleur et du mouvement

Il existe deux principaux types d'indices de la taille et de la distance : les indices binoculaires, fournis par l'interaction des deux yeux, et les indices monoculaires, fournis par l'action indépendante de chaque œil. Les indices binoculaires sont la disparité binoculaire et la convergence. Les indices monoculaires sont la perspective linéaire, la perspective aérienne, les gradients de texture, l'interposition, l'ombre et la lumière, la taille relative, l'accommodation et la parallaxe de mouvement.

La perception de la couleur s'explique par la combinaison des deux théories traditionnelles sur la couleur. Selon la théorie trichromatique, il existe trois systèmes de détection des couleurs, l'un sensible surtout au bleu, l'autre au vert et le troisième, au rouge. La théorie des processus antagonistes propose aussi trois systèmes de détection des couleurs, mais soutient que chacun est sensible à deux couleurs opposées : bleu ou jaune, rouge ou vert et noir ou blanc. Il semble que la couleur soit traitée de manière trichromatique dans les cônes de la rétine, et de manière antagoniste dans le nerf optique et le thalamus.

La perception du mouvement réel est due aux déplacements des images sur la rétine et aux mouvements qu'accomplissent les yeux pour suivre les objets mobiles. La perception du mouvement apparent est due au mouvement stroboscopique, où deux stimuli apparaissent en succession rapide, et à l'effet autocinétique, c'est-à-dire le mouvement apparent d'un point de lumière dans une pièce obscure.

QUESTIONS DE RÉVISION

1. Les indices binoculaires de la distance sont fournis par un œil ou les deux yeux ? _____ Les indices monoculaires sont fournis par un œil ou les deux yeux ? _____

2. Comparez la disparité binoculaire et la convergence.

3. Nommez les huit indices monoculaires de la distance.

4. La théorie selon laquelle il existe trois systèmes de détection des couleurs, l'un sensible au rouge, l'autre au vert et le troisième, au bleu, est appelée théorie _____.

5. La théorie selon laquelle il existe trois systèmes de détection des couleurs, l'un sensible au rouge ou au vert, l'autre sensible au bleu ou au jaune et le troisième sensible au noir ou au blanc, est appelée théorie _____.

6. Laquelle des deux théories est exacte ? Expliquez votre réponse.

7. Au cinéma, l'illusion du mouvement est due au mouvement _____.

8. L'indice monoculaire de perception de la profondeur ne pouvant être utilisé par les artistes dans leurs toiles est : a) l'interposition   b) l'accommodation   c) la perspective linéaire   d) la perspective aérienne

9. Si on regarde un fond blanc après avoir fixé un rectangle rouge vif pendant un certain temps, on verra un _____ ; ce phénomène est appelé _____.

   a) rectangle vert; image consécutive
   b) rectangle blanc; accommodation
   c) rectangle jaune; image consécutive
   d) rectangle bleu; accommodation

Les réponses aux questions de révision se trouvent en annexe.

L'INTERPRÉTATION

▲ *Quels facteurs influent sur l'interprétation des sensations ?*

À partir de l'information sensorielle qu'il a sélectionnée et organisée, le cerveau élabore des explications et des jugements à propos du monde extérieur. La dernière étape de la perception, l'*interprétation*, subit l'influence de plusieurs facteurs, dont les expériences vécues au début du développement, les attentes perceptives, la culture, la motivation et le contexte des stimulations.

Les deux chats reçoivent la même stimulation visuelle, mais seul le chat actif acquiert une perception normale de la profondeur.

LES EXPÉRIENCES VÉCUES AU DÉBUT DU DÉVELOPPEMENT : LES EFFETS DE L'INTERACTION AVEC LE MILIEU

Comme nous l'avons vu dans la section qui portait sur la sélection, les expériences du début de la vie peuvent avoir un effet considérable sur le développement biologique des systèmes perceptifs. De même, ces expériences influent sur l'interprétation. Dans une expérience célèbre, Held et Hein (1963) ont brillamment démontré l'influence de l'apprentissage sur le développement perceptif. Les chercheurs ont étudié vingt chatons qu'ils ne sortaient de l'obscurité totale qu'une heure par jour. Pendant cette heure, ils attachaient un groupe de chatons à un dispositif rotatif parcouru de rayures autour duquel ils pouvaient tourner. Les chercheurs suspendaient un autre groupe de chatons au-dessus du plancher du « carrousel », dans une nacelle qui pouvait être mue par les mouvements des animaux actifs (voir la photo ci-haut). Une fois libérés, les chatons actifs avaient une vision normale : ils évitaient le bord de la falaise visuelle, cillaient devant les objets qui s'approchaient d'eux, etc. Les chats qui avaient tourné passivement dans la nacelle n'avaient aucun de ces comportements. Après quelques jours de liberté, cependant, ils rattrapaient leurs congénères actifs.

L'expérience de George Stratton révèle aussi à quel point il est important d'explorer activement son milieu. Le premier jour, Stratton était incapable d'accomplir une action aussi simple que se verser un verre de lait; le troisième jour, cependant, il est parvenu à s'asseoir à table et à prendre un repas complet.

LES ATTENTES PERCEPTIVES : LES EFFETS DES EXPÉRIENCES ANTÉRIEURES

Imaginez ce que George Stratton a vécu au début de son expérience. Il a été obligé, pour s'y retrouver, de se fier à son expérience et de recréer l'apparence qu'*auraient dû* avoir les objets. Même dans notre monde quotidien, il arrive fréquemment que nos attentes faussent nos perceptions. Si un frappeur reçoit trois balles rapides de suite, il s'attend à en recevoir une quatrième et ne se prépare pas à frapper une balle courbe. Et même si la quatrième est courbe, il peut la percevoir comme une balle rapide. L'information sensorielle qui lui parvient est exacte, mais la perception qu'il en a est faussée par ses *attentes perceptives*.

Que voyez-vous : un vase ou les profils de la reine Elizabeth et du prince Philip ? Selon vos attentes perceptives, le vase vous apparaît soit comme la figure, soit comme le fond.

Est-ce qu'une de ces photos de Julia Roberts vous paraît bizarre ? Vous vous dites que les deux photos ont été imprimées à l'envers et vous vous attendez qu'elles soient identiques une fois tournées à l'endroit. Tournez votre livre et vous constaterez que vos attentes ont faussé vos perceptions.

À vous les commandes

Vérifiez la force de vos attentes perceptives en regardant les photos ci-dessous. Y voyez-vous quelque chose d'inhabituel ? Tous les traits du visage de Julia Roberts semblent occuper la position qu'ils devraient normalement avoir dans une photo à l'envers. Tournez votre livre : vous constaterez que vos attentes vous ont dupé. L'influence des attentes perceptives est particulièrement notable devant les figures ambiguës. Si quelqu'un venait de vous parler de la famille royale et vous montrait la photo ci-contre, vous verriez probablement les profils de la reine Elizabeth et du prince Philip avant d'apercevoir le vase. ■

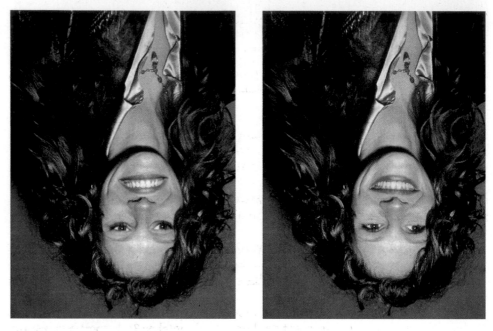

Les uns et les autres

LES ILLUSIONS SONT-ELLES UNIVERSELLES ?

Chaque société a ses fêtes, ses coutumes, ses religions, son organisation, ses rôles et ses institutions économiques. Mais que l'on vienne d'une forêt tropicale, d'un village russe isolé ou de Montréal, une illusion visuelle est une illusion visuelle. Vraiment ? Beaucoup de psychologues, justement, croient que non. D'après eux, les facteurs culturels exercent une influence marquée sur la perception du monde, et même sur celle des illusions visuelles (Segall, Dasen, Berry et Poortinga, 1990).

Regardez les figures 5.15, 5.16 et 5.17. Elles présentent des illusions visuelles bien connues. Dans l'illusion de Sander, les deux diagonales qui relient la

Figure 5.15 **Illusion de Sander.** Laquelle des diagonales partant de la base du parallélogramme est la plus longue, *a* ou *b* ? Les gens qui vivent dans les milieux où l'architecture existe, associent les angles aigus et obtus à des édifices et sont portés à croire que la ligne *a* est plus longue que la ligne *b*.

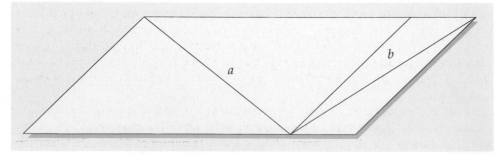

Les gens qui ont grandi dans un monde où, comme à Paris, on trouve beaucoup d'édifices carrés et rectangulaires et de rues rectilignes, sont sujets aux illusions qui exploitent leurs attentes perceptives. Les gens élevés dans un milieu où il existe très peu de lignes droites, tel ce village africain, sont peu sensibles aux illusions qui déjouent les perceptions des citadins.

base du parallélogramme aux angles supérieurs ont exactement la même longueur, mais la plupart des gens perçoivent celle de gauche comme plus longue. Dans l'illusion de la verticale, la plupart des gens perçoivent la ligne verticale comme plus longue que la ligne horizontale, alors que les deux lignes sont en réalité de longueur égale. Dans l'illusion de Müller-Lyer, enfin, les lignes verticales sont d'égale longueur, mais la majorité des gens perçoit celle de droite comme plus longue.

Segall, Dasen, Berry et Poortinga (1990) ont étudié l'influence de la culture sur la perception des illusions. Ils ont constaté que les sujets issus de sociétés urbaines étaient plus enclins à ces illusions que les sujets issus de sociétés rurales d'Afrique et des Philippines. Segall et ses collègues expliquèrent leurs résultats par trois hypothèses antérieurement formulées (1966) : 1) l'hypothèse de la charpenterie; 2) l'hypothèse du raccourcissement des lignes horizontales; 3) l'hypothèse des supports bidimensionnels.

L'hypothèse de la charpenterie explique la force de l'illusion de Sander auprès des citadins. Pour les gens qui grandissent dans les villes, entourés de lignes horizontales, de lignes verticales et d'angles droits, les angles aigus et obtus représentent des objets réels (des intersections, des édifices rectangulaires, etc.) qu'ils voient tout le temps de plusieurs points de vue. Mais pour les gens qui sont élevés dans un monde où les constructions sont rares, les angles obtus et aigus ne sont rien de plus que des lignes dans un dessin abstrait. Ils ne perçoivent pas une diagonale comme plus longue que l'autre, parce qu'ils n'ont pas la même expérience perceptuelle que les citadins.

Segall et ses collègues expliquent par l'hypothèse du raccourcissement des lignes horizontales l'erreur de perception des citadins devant l'illusion de la verticale. Les citadins qui voient souvent de longues lignes droites sur le sol (des lignes peintes sur la chaussée ou des panoramas montrés à la télévision et dans les magazines) ont appris que même les lignes verticales courtes peuvent représenter des lignes extrêmement longues. Par conséquent, l'image rétinienne d'une ligne qui s'étend devant eux sur le sol est fortement rallongée par rapport à la ligne réelle et ils tendent donc à percevoir une ligne verticale comme plus longue qu'une ligne horizontale d'une longueur égale. Ils sont plus sensibles à l'illusion de la verticale que les habitants des forêts tropicales et des canyons.

Selon la troisième hypothèse, les citadins sont sujets à l'illusion de Müller-Lyer (voir la figure 5.17) parce que, dans leur milieu, les objets tridimensionnels sont souvent représentés sur des supports plats, comme le papier et l'écran de télévision.

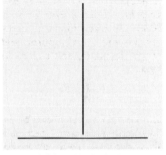

Figure 5.16   **Illusion de la verticale.** Quelle ligne est la plus longue, l'horizontale ou la verticale ? À cause de l'effet de raccourcissement des lignes horizontales, les gens habitués à voir de longues lignes droites sur le sol, comme les routes et les ombres des poteaux de téléphone, perçoivent la ligne horizontale comme la plus courte.

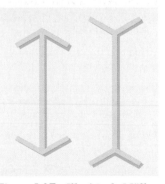

Figure 5.17   **Illusion de Müller-Lyer.** Laquelle des lignes verticales est la plus longue ? Les deux lignes sont en réalité de la même longueur, mais les citadins croient que la ligne de droite est plus longue que celle de gauche. En effet, ils sont habitués à juger de la taille et de la distance des objets d'après la perspective créée par les angles droits et les lignes des édifices et des rues.

L'illusion de Müller-Lyer rappelle aux citadins la manière dont les angles sont représentés sur les surfaces planes. Pour eux, la figure de gauche évoque un angle saillant (formé par des murs qui s'éloignent de l'observateur) et celle de droite, un angle rentrant (formé par des murs orientés en direction de l'observateur). Étant donné que, dans les dessins, les figures rapprochées sont généralement plus grosses que les figures éloignées et que les deux angles de cette illusion produisent la même image sur la rétine, les citadins perçoivent l'arête « éloignée » de droite comme plus longue que l'arête « rapprochée » de gauche. En outre, plus une personne est habituée à voir des dessins et des photos, plus elle est sujette aux illusions comme celle de Müller-Lyer. ■

LES AUTRES DÉTERMINANTS DE L'INTERPRÉTATION : LA MOTIVATION ET LE CONTEXTE

Nos intérêts et nos besoins influent non seulement sur la sélection de l'information, mais aussi sur l'interprétation de l'information choisie. Stephan, Berscheid et Walster (1977) ont découvert que les hommes en état d'excitation sexuelle trouvaient plus d'attrait que les hommes non excités à des photos de femmes; la réaction était particulièrement forte chez les hommes qui s'attendaient à avoir effectivement un rendez-vous avec ces femmes. La perspective d'un rendez-vous stimulait les besoins sexuels des hommes, piquait leur intérêt et leur faisait percevoir les photos encore plus favorablement.

Le contexte dans lequel les êtres, les objets et les situations nous apparaissent conditionne aussi les jugements que nous formulons à leur sujet. Ainsi, un homme à qui l'on présenterait la photo d'une femme pourrait fort bien trouver cette femme attirante. Il n'est pas dit que son opinion resterait la même si on lui présentait la photo de cette même femme à côté de celle d'une reine de beauté.

LA PERCEPTION EXTRASENSORIELLE

Interpréter les stimuli, c'est tenter de comprendre le monde où nous vivons. Mais qu'en est-il des choses qui ne s'expliquent pas ? Certaines personnes ont tellement besoin de comprendre les événements qu'elles croient à la perception extrasensorielle, la supposée capacité de percevoir des choses qui échappent aux cinq sens connus. Les gens qui se disent doués de pouvoirs parapsychiques affirment qu'ils communiquent par la pensée (télépathie), qu'ils perçoivent les objets ou les événements inaccessibles aux sens connus (clairvoyance), qu'ils prédisent l'avenir (précognition) ou qu'ils déplacent ou déforment les objets sans les toucher (télékinésie). Les journaux à sensation sont remplis de reportages sur des médiums qui prétendent être capables de retrouver les enfants disparus et de prédire les assassinats.

Les personnes soi-disant dotées de pouvoirs parapsychiques recourent à la prestidigitation ou aux illusions perceptives pour tromper le public, y compris les observateurs scientifiques. Le magicien James Randi, qui se présentait lui-même comme un « charlatan professionnel », a offert 10 000 $ à quiconque ferait la démonstration de ses capacités parapsychiques dans des conditions contrôlées préalablement convenues. Après vingt ans de travail et plus de 600 enquêtes, Randi ne s'est pas encore délesté de son argent (Morris, 1980; Randi, 1980).

La recherche sur la perception extrasensorielle

La recherche scientifique sur la perception extrasensorielle a commencé au début du siècle, avec les expériences de Joseph B. Rhine. Rhine, comme beaucoup d'autres chercheurs après lui, utilisait les *cartes de Zener*, un jeu de 25 cartes portant un symbole d'addition, un carré, une étoile, un cercle ou des traits ondulés. Pour étudier la télépathie, par exemple, on demande à l'« émetteur » de se concentrer sur une carte et au « récepteur » de « lire les pensées » de l'émetteur. La probabilité statistique de

---

Perception extrasensorielle : Perception indépendante des sens connus et qui prend la forme de la télépathie, de la clairvoyance, de la précognition et de la télékinésie.

Télépathie : Capacité de communiquer par la pensée.

Clairvoyance : Capacité de percevoir des objets ou des événements qui échappent aux sens connus.

Précognition : Capacité de prédire l'avenir.

Télékinésie : Capacité de déplacer ou de déformer les objets sans les toucher.

PENSÉE CRITIQUE • Psychologie en direct

RECONNAÎTRE LES ERREURS DE RAISONNEMENT
Pourquoi on ne peut croire à la perception extrasensorielle

Le sujet de la perception extrasensorielle suscite autant d'intérêt que d'émotion. Or, les gens qui adhèrent très fortement à une idée ont quelquefois de la difficulté à reconnaître les failles du raisonnement qui sous-tend leur croyance. Beaucoup d'arguments présentés en faveur de la perception extrasensorielle reposent sur une pensée illogique contraire à la pensée critique.

Le présent exercice réunit quelques cas mettant prétendument en cause des perceptions extrasensorielles. Il s'agit de déceler dans chaque cas la faute de raisonnement qui mène à conclure à l'existence des perceptions extrasensorielles. Voici d'abord une liste d'erreurs de raisonnement fréquemment commises par les défenseurs de la perception extrasensorielle.

1. **Sélection des cas effectifs.** Retenir les cas qui confirment ses attentes et ses croyances et passer outre aux preuves du contraire.

2. **Méconnaissance des lois de la statistique.** Incapacité de reconnaître les événements fortuits comme tels, à cause d'un manque de connaissance de la statistique et des probabilités. Les événements inhabituels sont perçus comme statistiquement impossibles et attribués à des causes extraordinaires, comme la perception extrasensorielle.

3. **Crédulité consentie.** Refus de recourir à la pensée critique, en raison d'un besoin de puissance et de maîtrise. Des gens qui refuseraient de croire que les pays se procurent des renseignements ultrasecrets par la perception extrasensorielle sont disposés à croire qu'un médium peut les aider à retrouver leur enfant disparu.

4. **Prégnance de la vivacité.** Chez l'être humain, le traitement de l'information ainsi que le stockage et la récupération des souvenirs reposent souvent sur la vivacité de l'information captée. Comme les témoignages sincères, les démonstrations théâtrales

et les anecdotes détaillées captent facilement l'attention, les gens tendent à se les rappeler plus facilement que les descriptions rationnelles et scientifiques.

Lisez maintenant les comptes rendus suivants et trouvez l'erreur qui entache chaque raisonnement. Essayez de ne mentionner qu'une erreur par cas, même si vous en décelez plusieurs. Dans chaque cas, écrivez le numéro qui correspond à l'erreur commise et comparez vos réponses avec celles de vos camarades. La comparaison des réponses aiguisera votre pensée critique.

- Jean n'avait pas pensé à Paule, la petite amie qu'il avait au collège, depuis des années. Un matin, pourtant, il s'éveilla en pensant à elle. Il se demandait ce qu'elle était devenue. Soudain, le téléphone sonna. Étrangement, Jean était certain que c'était Paule qui l'appelait. Il avait raison. Jean prétend qu'il a eu ce jour-là une expérience de perception extrasensorielle.

- Un clairvoyant est invité dans un cours d'introduction à la psychologie. Il prédit que deux des 23 étudiants de la classe ont leur anniversaire le même jour. On note les dates d'anniversaire, et la prédiction se vérifie. Beaucoup d'étudiants sortent du cours convaincus de l'existence de la perception extrasensorielle.

- Un joueur de baseball de la ligue nationale rêve qu'il frappe un grand chelem. Deux mois plus tard, pendant le dernier match des séries mondiales, son rêve se réalise et il remporte la victoire. Il raconte son rêve aux journalistes en faisant allusion à la perception extrasensorielle.

- Une mère est seule dans son bureau lorsque soudain lui apparaît très clairement l'image de sa maison en flammes. Aussitôt, elle appelle chez elle. Elle réveille la gardienne qui, bouleversée, lui dit voir de la fumée s'infiltrer sous la porte. La gardienne éteint le feu, et la mère attribue sa vision à la perception extrasensorielle.

bonne réponse est de 20 % environ. Les chercheurs admettent qu'un sujet qui obtient régulièrement un score supérieur à un sur cinq est doté de pouvoirs extrasensoriels.

Rhine obtint des résultats impressionnants, mais ses détracteurs découvrirent des lacunes dans sa méthode, et particulièrement dans ses contrôles expérimentaux. Dans les premières expériences, par exemple, les cartes de Zener étaient si mal imprimées que le contour des symboles transparaissait au verso. Et comme les expérimentateurs voyaient les cartes, l'expression de leur visage pouvait renseigner les sujets. Les expériences menées par la suite avec les moyens de contrôle nécessaires, et notamment selon la méthode à double insu, donnèrent des résultats contradictoires (Hansel, 1980).

On a aussi reproché aux études concluant à l'existence de la perception extrasensorielle de fournir des résultats inconstants. En matière de perception extra-sensorielle, les résultats sont notoirement « fragiles » (Gardner, 1977). Non seule-ment les différents chercheurs obtiennent-ils des résultats divergents, mais le même sujet manifeste des pouvoirs extrasensoriels dans certains laboratoires, mais non dans d'autres. Rhine lui-même affirma qu'il n'avait jamais rencontré de sujet dont les pouvoirs extrasensoriels ne s'étaient pas évanouis avec le temps (Rhine, 1972).

Le besoin de croire

Lorsque les gens sont les témoins ou les acteurs d'un événement inhabituel et diffi-cilement explicable, ils adhèrent à n'importe quelle explication, pour peu qu'elle leur paraisse convaincante. Comme la perception extrasensorielle est par nature subjective et *extra*ordinaire, les gens tendent à en faire l'explication des expériences qui sortent de l'ordinaire. Et, comme nous l'avons vu plus tôt, les motivations et les intérêts influent sur les perceptions. Les gens sont portés à accorder un surcroît d'attention à ce qu'ils désirent voir ou entendre. Souvent, les sujets comme les cher-cheurs sont fortement motivés à croire en la perception extrasensorielle. En règle générale, les gens ont de la difficulté à comprendre et à juger l'information scienti-fique complexe. Il est particulièrement difficile de reconnaître la part du hasard et des coïncidences dans la multitude des événements de la vie quotidienne. Mais la principale raison qui pousse les gens à croire en la perception extrasensorielle est qu'ils *veulent* y croire. Les contes de fées, les bandes dessinées et les films populai-res sont remplis de personnages surhumains qui défient les lois de la physique. Il semble que s'affranchir des lois naturelles soit l'un des fantasmes les plus répandus et les plus satisfaisants (Moss et Butler, 1978). Face à la perception extrasensorielle, les gens se laissent aller à une crédulité consentie. Notre finitude, semble-t-il, est difficile à accepter, et la croyance aux phénomènes extrasensoriels nous confère des sentiments de puissance et de maîtrise.

Outre la motivation, plusieurs facteurs sociaux expliquent la croyance à la perception extrasensorielle. Singer et Benassi (1981) soulignent que le public tend généralement à croire ce qu'il lit dans les journaux ou voit à la télévision. Pour-tant, rares sont les journalistes qui exigent des preuves scientifiques à l'appui des cas de perception extrasensorielle qu'ils rapportent. L'adhésion du public est par-ticulièrement forte lorsqu'il perçoit la source comme « scientifique » ou « docu-mentaire ». Or, Singer et Benassi ont découvert que beaucoup d'étudiants du col-légial rangeaient des publications comme *Sélection du Reader's Digest* et *National Enquirer* ainsi que des films comme *La Guerre des étoiles* dans la catégorie des sour-ces scientifiques. Devant le rythme effréné du progrès technique et scientifique, beaucoup de gens croient que presque tout est possible, et possible prend sou-vent le sens de « probable ».

Dans ce chapitre, nous avons vu que des facteurs internes et externes influent sur les trois étapes de la perception, soit la sélection, l'organisation et l'interpréta-tion. Mais notre étude de la perception ne s'arrête pas ici. En effet, nous examine-rons plus loin (au chapitre 8) le traitement de l'information sensorielle dans les différentes mémoires.

RÉSUMÉ

L'interprétation

L'interprétation, la dernière étape de la perception, est influencée par les expé-riences du début de la vie, les attentes perceptives, les facteurs culturels, les besoins, les intérêts et le contexte des stimulations.

La perception extrasensorielle (PES) est la capacité supposée de percevoir des choses qui échappent aux cinq sens connus. La recherche sur le sujet a donné des résultats « fragiles » et ses détracteurs en contestent la valeur scientifique à cause de son manque de rigueur et de l'inconstance de ses résultats.

QUESTIONS DE RÉVISION

1. Pourquoi l'expérience de Held et Hein est-elle si importante ?

2. Les attentes _____ faussent la perception qu'on a des choses.

3. Selon vous, est-ce qu'une personne élevée à Montréal perçoit les illusions visuelles de la même façon qu'une personne élevée dans la savane africaine ?

4. Quelle expérience scientifique contrôlée confirme l'existence de la perception extrasensorielle ? _____

Les réponses aux questions de révision se trouvent en annexe.

LE CHAPITRE **5** EN UN CLIN D'ŒIL

PERCEPTION

Processus de *sélection*, d'*organisation* et d'*interprétation* des données sensorielles en représentations mentales utilisables. **Illusion :** fausse impression.

La sélection

Attention sélective : processus par lequel le cerveau s'occupe seulement des messages sensoriels les plus importants.

Détecteurs de caractéristiques : cellules cérébrales spécialisées qui réagissent seulement à un certain type d'information sensorielle.

Habituation : tendance du cerveau à passer outre aux stimulations constantes.

Subliminal : se dit d'un stimulus qui n'atteint pas le seuil de la conscience.

L'organisation (cinq aspects)

1. *La perception des formes* : les grands principes **gestaltistes** de l'organisation perceptive sont la **figure et le fond**, la **proximité**, la **continuité**, la **fermeture**, la **contiguïté** et la **similitude**.

2. *Les constances perceptives* : les constances perceptives nous permettent de trouver de la stabilité dans notre milieu, même si l'information sensorielle varie constamment. Il s'agit de la **constance de la taille**, de la **constance de la forme**, de la **constance de la couleur** et de la **constance de la clarté**. La plupart des constances perceptives sont fondées sur l'expérience et l'apprentissage.

3. *La perception de la profondeur* : les indices binoculaires (fournis simultanément par les deux yeux) sont la **disparité binoculaire**, la **vision du relief** et la **convergence**. Les indices monoculaires (fournis par chaque œil) sont la **perspective linéaire**, la **perspective aérienne**, les **gradients de texture**, l'**interposition**, l'**ombre et la lumière**, la **taille relative**, l'**accommodation** et la **parallaxe de mouvement**.

4. *La perception des couleurs* : deux théories. **Théorie trichromatique :** théorie selon laquelle il existe trois systèmes de détection des couleurs, l'un sensible au rouge, l'autre au vert et le troisième au bleu; la couleur est traitée dans les cônes de la rétine. **Théorie des processus antagonistes :** théorie selon laquelle il existe trois systèmes de détection des couleurs, l'un sensible au bleu ou au jaune, l'autre au rouge ou au vert et le troisième au blanc ou au noir; la couleur est traitée dans le nerf optique et dans le thalamus.

5. *La perception du mouvement* : la perception du mouvement réel résulte d'une modification de la position des objets dans l'espace. Il est possible de percevoir un mouvement là où il n'y en a pas en réalité, à cause du **mouvement stroboscopique** et de l'**effet autocinétique**.

L'interprétation

L'interprétation subit l'influence des expériences vécues au début du développement, des attentes perceptives, de la culture, de la motivation et du contexte des stimulations.

La **perception extrasensorielle** est la supposée capacité de percevoir des choses qui échappent aux cinq sens connus. La recherche sur le sujet est discutable car les résultats sont inconstants, les contrôles expérimentaux insuffisants et les possibilités de répétition faibles.

Conscience

PLAN DU CHAPITRE

OBJECTIFS

Au fil de votre lecture, gardez à l'esprit les questions guides suivantes et tentez d'y répondre dans vos propres mots.

▲ Qu'est-ce que la conscience ? Qu'est-ce qui distingue les états altérés de conscience de la conscience normale ?

▲ Quelles sont les fonctions du sommeil et du rêve ?

▲ Quels sont les effets des substances psychotropes sur la conscience ?

▲ Quels sont les effets, de l'hypnose et de la méditation sur la conscience ?

George Carillo sut que quelque chose n'allait pas dès qu'il se fut injecté l'héroïne. Une sensation de brûlure parcourait son bras, comme si du plomb en fusion s'écoulait dans ses veines. Il avait un « high » incroyable, le meilleur depuis des années. Puis il eut des hallucinations bizarres, et se mit à essayer de passer des portes inexistantes, se blessant chaque fois qu'il heurtait un mur. George s'interrogea vaguement sur les quatre sachets qu'il avait achetés sur la rue dans Mountain View, puis il sombra dans un sommeil agité.

Le matin suivant, George s'éveilla avec l'impression que son corps s'était changé en pierre. Son amie Juanita dormait paisiblement sur son épaule, mais lorsqu'il essaya de déplacer son bras droit, il en fut incapable. Il était coincé, refermé sur le corps de Juanita. Celle-ci réussit à se déprendre et aida George à sortir du lit. Tout ce que George fit ce jour-là se passait au ralenti – aller à la salle de bain, s'habiller, faire le petit déjeuner… Jour après jour, cette rigidité empirait : le quatrième jour, il pouvait à peine bouger les bras; le sixième jour, il ne pouvait plus parler. Il voyait les gens et les entendait, il sentait si quelqu'un le bousculait, mais il ne pouvait tourner la tête ou répondre si quelqu'un l'appelait. Il était terrifié.

Langson et Palfreman, 1995, pp.3-4.

Karen Ann Quinlan avait bu des gin tonic avec ses amis le soir du 14 avril 1975. Elle avait également pris un tranquillisant, du Valium, et un médicament analgésique, du Darvon. Le mélange drogue-alcool arrêta son cœur, de même que sa respiration… Même si les techniciens médicaux d'urgence la réanimèrent en moins d'une heure, le manque d'oxygène avait endommagé son cerveau de façon permanente. Suivant un ordre de la Cour, le médecin débrancha le ventilateur de Karen. Étonnemment, elle continua de respirer sans support mécanique, et son cœur continua de battre. Son corps suivait même les cycles normaux d'éveil et de sommeil : le matin, elle « s'éveillait », ouvrait les yeux, mais l'environnement ne suscitait chez elle aucune réaction; la partie de son cerveau responsable de la pensée, du langage et des émotions ne répondait plus. Karen Ann Quinlan vivait à un niveau de conscience différent – un état végétatif permanent. Dix ans après son accident, elle décéda d'infections multiples, sans avoir jamais repris conscience.

Adaptation de Fackelmann, 1994, p.10.

Ce sont là deux récits d'états altérés de conscience reliés à la drogue. Comparez ces expériences avec celle de Peter Tripp, un animateur de radio de New York qui resta 200 heures sans dormir lors d'une « veille marathon » organisée au profit d'œuvres charitables.

Après un peu plus de deux jours [sans sommeil], alors qu'il changeait de chaussures à l'hôtel, il signala [à un psychiatre] une vision très intéressante. Il disait voir des toiles d'araignée dans ses chaussures. […] Des grains de poussière sur la table lui apparaissaient comme des insectes. […] Il commençait à avoir des trous de mémoire. Après 110 heures, il présentait des signes de délire. […] Un médecin entra dans la régie vêtu d'un costume de tweed qui, aux yeux de Tripp, paraissait fait de vers poilus. Le matin du dernier jour, un neurologue célèbre arriva pour l'examiner. […] [Tripp] parvint à la sinistre conclusion que l'homme était un croque-mort venu pour l'inhumer; il s'élança vers la porte, les médecins à ses trousses.

Luce et Segal, 1966, p. 91.

Arrêtez-vous un instant et imaginez-vous dans le corps de George. Comment vous sentiriez-vous si vous étiez pleinement éveillé et conscient, mais incapable de bouger ou de communiquer avec le monde autour de vous ? Ou encore mettez-vous dans la peau de Peter Tripp, qui manquait de sommeil au point de voir des toiles d'araignées dans ses chaussures et des gens portant des habits faits de vers poilus. L'expérience la plus difficile à imaginer est probablement celle de Karen Ann Quinlan : voudriez-vous vivre pendant des années éveillé, mais sans avoir conscience de vos pensées et de vos sentiments, et en ne reconnaissant rien ni personne de votre environnement extérieur ? Que serait la vie sans la *conscience* ?

On définit généralement la conscience comme un état de vigilance et de sensibilité aux stimuli externes et internes. En ce moment, par exemple, vous êtes conscient des stimuli externes, comme les mots imprimés sur cette page et, peut-être, le son d'une radio ou d'un téléviseur ouvert dans une autre pièce. Votre conscience englobe aussi les stimuli internes, tels la faim, la fatigue ou la pensée que votre professeur vous interrogera sur le contenu de ce chapitre. Selon la définition psychologique de la conscience, on considère que vous êtes conscient même durant votre sommeil (alors que votre esprit recèle un contenu conscient sous forme de rêves et que vous êtes capable de vous réveiller pour réagir à une vessie pleine). Le coma profond de Karen Ann Quinlan, cependant, indique une absence de conscience.

Les récits de tragédies reliées à la drogue (comme ceux de George et Karen) et à l'état de privation de sommeil extrême comme Peter Tripp, sont fascinants non seulement du point de vue de leur contribution aux données psychologiques scientifiques, mais en ce qu'ils nous rappellent implacablement la fragilité de notre existence – de notre conscience. Dans ce chapitre, nous présenterons d'abord un bref aperçu des études sur la conscience; puis nous examinerons les modifications qui surviennent quotidiennement dans notre conscience éveillée, alors dite *altérée* ou états altérés de conscience (EAC). Ces EAC comprennent le sommeil et les rêves, les effets des substances psychotropes, l'hypnose et la méditation. Nous conclurons ce chapitre par une exploration des raisons qui ont poussé les humains, au cours de l'histoire et dans toutes les cultures, à rechercher ces états altérés de conscience.

Conscience : État de vigilance et de sensibilité aux stimuli internes et externes.

États altérés de conscience : État mental différent de la vigilance habituelle survenant lors du sommeil, du rêve, de la consommation de drogues, de l'hypnose et de la méditation.

L'ÉTUDE DE LA CONSCIENCE

À la fin du XIXe siècle, la psychologie se sépara de la philosophie pour devenir une discipline scientifique à part entière; elle se définissait alors comme « l'étude de la conscience humaine ». Cependant, les difficultés posées par l'étude *scientifique* de la conscience découragèrent bien des psychologues. Les behavioristes en particulier, John Watson à leur tête, croyaient que la psychologie devait se détourner de l'étude de la conscience. « Il semble, déclara Watson, que le moment soit venu pour la psychologie d'éliminer toute référence à la conscience; elle n'a plus besoin de se faire croire qu'elle fait des états mentaux l'objet de son observation » (1913, p. 164). La psychologie continua de privilégier l'approche behavioriste jusqu'au milieu du XXe siècle, et les psychologues renoncèrent pratiquement à établir une science de la conscience (Crick et Koch, 1992).

Depuis quelque temps, la psychologie se remet sans tambour ni trompette à l'étude de la conscience. Ce regain d'intérêt est en partie attribuable aux progrès de la technologie scientifique, qui fournissent aux chercheurs des moyens objectifs de mesurer les états de conscience (l'enregistrement des ondes cérébrales notamment). L'essor de la psychologie humaniste et les travaux des psychologues cognitivistes ont aussi contribué à raviver l'intérêt scientifique porté à la conscience (Baars et Banks, 1992; Hilgard, 1992).

▲ *Qu'est-ce que la conscience ? Qu'est-ce qui distingue les états altérés de conscience de la conscience normale ?*

LES NIVEAUX DE CONSCIENCE : UN COURANT CONTINU DE VIGILANCE

La conscience n'est pas un phénomène qui obéit au principe du tout ou rien. Elle varie de manière continue de la vigilance extrême au coma et à la mort (voir le tableau 6.1). Le *niveau de conscience* est aussi influencé par des facteurs internes comme l'intérêt et la fatigue et par des facteurs externes tels que les stimulants (la caféine, les amphétamines et la cocaïne) et les dépresseurs (l'alcool et les barbituriques).

Logiquement, l'inconscience devrait être le contraire de la conscience, soit l'absence de sensibilité aux stimuli externes et internes. Qu'en est-il alors des conflits et des désirs qui influent sur notre comportement à notre insu et que nous qualifions « d'inconscients » ? Freud fut le premier à étudier la partie du psychisme qui échappe à la conscience immédiate, comme nous l'avons vu au chapitre 2. Cependant, les plus bas niveaux de conscience, au sens biologique, se produisent lorsqu'une personne perd connaissance en raison d'une blessure à la tête ou qu'elle est anesthésiée durant une chirurgie.

Karen et George, deux des trois individus décrits dans notre introduction, sont de bons exemples des extrémités de ce courant de conscience. L'état végétatif permanent de Karen Ann Quinlan démontre le plus bas niveau de conscience, près de

Tableau 6.1   Les niveaux de conscience.

La conscience n'est pas un phénomène qui obéit au principe du tout ou rien. Elle forme plutôt un courant continu, de la vigilance extrême à un niveau de conscience minimal ou à la mort.				
Niveau de conscience extrême	Traitements volontaires	Niveau de vigilance extrême, capacité d'attention importante requise		Cette professionnelle a recours à des traitements volontaires nécessitant une concentration intense.
Niveau de conscience moyen	Traitements automatiques	Vigilance, mais attention minimale requise		Cette femme peut parler au téléphone tout en faisant la vaisselle, car ses habiletés à laver de la vaisselle sont automatiques, n'exigeant qu'un niveau de vigilance minimal.
	Rêve éveillé	Niveau de vigilance et effort conscient réduits, entre la conscience active et le rêve durant le sommeil		Nos rêves éveillés se produisent souvent de façon spontanée, lorsque notre tâche ne requiert pas toute notre attention.
Niveau minimal ou absence de conscience	Rêve	Suspension temporaire de la vigilance		On enregistre les manifestations des rêves de ce dormeur à l'aide de l'électroencéphalographe.
	Inconscient (au sens biologique)	Le plus bas niveau de conscience, causé par une blessure à la tête, la maladie, l'anesthésie chirurgicale ou le coma		La perte de conscience peut résulter d'une blessure comme un coup à la tête.

la mort. Elle était totalement inconsciente et insensible aux stimuli tant de son monde intérieur que de l'environnement extérieur.

Il est intéressant de noter que les patients sévèrement atteints au cerveau ne démontrent généralement pas de vigilance ou de conscience en raison de lésions au cortex cérébral – le centre des pensées conscientes, des émotions et des mouvements volontaires (voir le chapitre 3). Dans le cas de Karen, toutefois, la dissection anatomique a révélé des lésions majeures au thalamus, alors que le cortex cérébral était étonnamment intact (Kinney et coll., 1994). Le cas de Karen procure de nouvelles données importantes sur le rôle du thalamus dans la conscience humaine.

Dans son état comateux, Karen Ann Quilan subsistait au plus bas niveau de conscience, tandis que George Carillo était près ou au plus haut niveau. En dépit de son état de « rigidité » apparente, George était totalement lucide et conscient. Tandis que les médecins médusés lui écorchaient la plante des pieds avec le bout effilé du marteau à réflexe et cassaient des capsules de sulfate d'ammonium (sels volatils) sous son nez, George hurlait à l'intérieur et avait des nausées d'avoir humé les sels. Vu de l'extérieur, il demeurait absolument muet et immobile, tandis qu'il ressentait intérieurement frustration et douleur extrêmes.

L'héroïne synthétique consommée par George (et cinq autre drogués) avait endommagé la partie de son cerveau responsable de la production de dopamine et son état de « rigidité » reproduisait très précisément les symptômes de la maladie de Parkinson – un trouble résultant d'une déficience en dopamine. Lorsqu'on administra par la suite de la lévodopa à George (le traitement habituel de la maladie de Parkinson), les cellules de son cerveau s'activèrent à produire plus de dopamine. Il put alors réagir et fut capable de décrire chaque moment de son expérience terrifiante.

Traitements volontaire et automatique

En plus de l'état de veille que nous avons décrit au paragraphe précédent, il existe deux états de conscience normaux appelés traitement volontaire et traitement automatique (Logan, 1988; Posner et Snyder, 1975). Le traitement volontaire nécessite une grande vigilance et une maîtrise rigoureuse du comportement. Lorsque George passait des tests et qu'il avait peine à communiquer, ou lorsque vous subissez un examen, jouez un important match de soccer ou apprenez à conduire, votre concentration intense mobilise une part importante de votre capacité d'attention. Par conséquent, vous ne pouvez généralement accomplir simultanément deux tâches qui nécessitent un traitement volontaire. Vous trouveriez difficile, par exemple, d'écouter la radio pendant un examen.

Le traitement automatique, au contraire, nécessite peu de vigilance, et il peut porter simultanément sur plusieurs activités. Quelques semaines après votre cours de conduite, par exemple, vous êtes si à l'aise au volant que vous conduisez presque machinalement. Vous pouvez écouter de la musique, réfléchir à vos cours ou bavarder avec des amis tout en traversant la ville.

Cette diminution de la vigilance ne peut-elle pas poser des problèmes ? Bien que vous puissiez occasionnellement oublier de vérifier votre vitesse, votre *attention sélective* vous protège généralement contre les dangers graves et vous évite d'entrer en collision avec les voitures qui vous précèdent. Comme nous l'avons vu au chapitre 5, l'attention sélective permet à votre cerveau de trier les messages envoyés par vos sens et de ne retenir que les plus importants.

Le traitement automatique et inconscient ne nous expose pas à des risques sérieux, mais il arrive que nous agissions mécaniquement alors que nous ne le devrions pas. Vous arrive-t-il de vous ronger les ongles « inconsciemment » ou de vous servir une seconde portion « automatiquement » ? Le romancier Colin Wilson (1967) a jeté un regard humoristique sur ce qu'il appelle son « robot intérieur » :

> *« L'apprentissage de la dactylographie fut un processus douloureux qui mit mon système nerveux à rude épreuve. Mais soudainement, un miracle s'est produit, et*

Traitement volontaire : Activités mentales se trouvant tout en haut du courant de conscience; elles nécessitent une concentration intense et empêchent habituellement d'accomplir d'autres activités au même moment.

Traitement automatique : Activités mentales ne requérant qu'une attention minimale; les autres activités en cours au même moment n'en sont généralement pas affectées.

le robot que je dissimule dans mon subconscient "apprit" cette opération complexe. Maintenant, je n'ai plus qu'à penser à ce que je veux dire; mon robot secrétaire s'occupe de dactylographier. Il est vraiment très utile. Il conduit ma voiture, il parle français (pas très bien) et, à l'occasion, il donne des conférences dans des universités américaines. [Mon robot] m'embête surtout lorsque je suis fatigué parce qu'alors il a tendance à s'emparer de toutes mes fonctions sans m'en demander la permission. Je l'ai même surpris en train de faire l'amour à ma femme » (p. 98).

Au chapitre 7, nous verrons quelques moyens de renvoyer ou de mater notre « robot intérieur ».

LE RÊVE ÉVEILLÉ ET LES FANTASMES : UN NIVEAU DE CONSCIENCE « ENTRE-DEUX »

Les rêves éveillés et les fantasmes sont d'autres formes de conscience pouvant prendre place dans notre courant de conscience. Comme vous pouvez le voir au tableau 6.1, le rêve éveillé implique un niveau de conscience moins élevé que le traitement automatique. Le rêve éveillé est une forme personnelle de rêverie – l'évasion dans un monde de fantasmes. Les scientifiques ont découvert que durant une période normale de 24 heures, nous passons plus du tiers de nos heures d'éveil à rêver éveillés (Foulkes et Fleisher, 1975; Webb et Cartwright, 1978). En outre, plus de 95 pour cent des hommes et des femmes admettent avoir eu des fantasmes sexuels. Alors que les hommes ont tendance à avoir des fantasmes explicites et visuels, les femmes évoquent plutôt des situations émotives et romantiques (Leitenberg et Henning, 1995). Les acteurs Elizabeth Shue et Brad Pitt sont les personnages préférés des fantasmes sexuels tant des étudiants que des étudiantes du collégial (Elliot et Brantley, 1997).

Rêve éveillé : État altéré de conscience caractérisé par la rêverie et par le libre enchaînement des pensées.

Les rêves éveillés et les fantasmes sont-ils une perte de temps ? En fait, ces activités sont plutôt adaptatives et positives. La plupart des gens s'évadent dans des rêveries lors de moments paisibles et privés, quand les événements extérieurs sont ennuyants ou machinaux, par exemple en attendant l'autobus ou en lavant la vaisselle. Il semble que notre conscience réagit à un environnement externe statique en se créant un monde intérieur de pensées et d'images intéressantes. Rêver éveillé pendant une conférence ou au volant d'une voiture peut être absurde ou dangereux, mais dans d'autres circonstances, cela peut s'avérer utile. Le rêve éveillé permet non seulement de s'évader et de faire face à des tâches ennuyantes ou à des situations difficiles, mais il semble également favoriser la détente mentale, améliorer le fonctionnement intellectuel et libérer les talents créatifs (Klinger, 1987; Starker, 1982).

Les fantasmes sexuels ont également leur utilité : ils permettent de baiser avec des partenaires inaccessibles (Elisabeth Shue ou Brad Pitt) et procurent une excitation sécuritaire et pratique (pas de gêne, de grossesse ou de maladies transmises sexuellement) (McCammon, Knox et Schacht, 1998).

Un dernier mot

Karen Ann Quinlan et George Carillo représentent les deux extrémités opposées du courant de conscience, tandis que les rêves éveillés et les fantasmes se situent au milieu. Il est important de noter que différents niveaux de conscience existent également au sein des états altérés de conscience (EAC). Durant l'état altéré de sommeil, par exemple, nous passons par cinq différents stades qualitatifs allant du plus profond, près de l'inconscience, au moins profond, près du niveau normal de vigilance à l'état d'éveil. L'histoire de Peter Tripp et de son manque extrême de sommeil présentée en introduction démontre aussi comment un état altéré de conscience peut parfois créer des niveaux de conscience inhabituels, bizarres et parfois même effrayants. La majeure partie de ce chapitre portera sur les états altérés de conscience – le sommeil, le rêve, les drogues, l'hypnose et la méditation.

RÉSUMÉ

L'étude de la conscience

La conscience est un état général de vigilance et de sensibilité aux stimuli et événements de l'environnement interne et externe. Les états altérés de conscience (EAC) sont des états mentaux autres que l'état de veille normal; ils comprennent le sommeil, le rêve, les drogues, l'hypnose et la méditation.

La conscience erre sans cesse en un mouvement continu appellé courant de la conscience. Les traitements volontaires nécessitent une concentration de l'attention et constituent le niveau le plus élevé de conscience. Les traitements automatiques, le rêve éveillé et les fantasmes n'exigent qu'un minimum d'attention et se retrouvent au milieu du courant de la conscience. La perte de conscience et le coma sont les plus bas niveaux de conscience.

QUESTIONS DE RÉVISION

1. Donnez une brève définition de la conscience.

2. Pourquoi les premiers psychologues étaient-ils si réfractaires à l'étude de la conscience ?

3. Le traitement volontaire requiert _____ , tandis que le traitement automatique requiert _____ .

    a) la sensibilité aux stimuli externes, la sensibilité aux stimuli internes
    b) l'intervention du conscient, l'intervention de l'inconscient
    c) une grande vigilance, peu de vigilance
    d) la prédominance d'ondes bêta, la prédominance d'ondes delta

4. Quelles sont les fonctions du rêve éveillé et des fantasmes ?

Les réponses aux questions de révision se trouvent en annexe.

LE SOMMEIL ET LE RÊVE

Le sommeil a toujours joué dans notre vie le rôle d'un ami énigmatique et capricieux. Les Grecs croyaient que le dieu Morphée accordait ou refusait le sommeil aux mortels. Autrement dit, ils considéraient le sommeil comme un don. Bien que nous consacrions près de 25 ans de notre vie au sommeil et au rêve (Dement, 1981, 1992), ces deux états de conscience restent encore bien mystérieux.

▲ *Quelles sont les fonctions du sommeil et du rêve ?*

À vous les commandes

Avant d'aller plus loin, mettez à jour vos connaissances sur le sommeil et le rêve en lisant l'encadré suivant. Prenez-vous certains mythes pour des réalités ?

MYTHE : Tout le monde a besoin de 8 heures de sommeil par nuit pour rester en bonne santé physique et mentale.

Les gens dorment en moyenne 7,6 heures par nuit. Cependant, certains s'accommodent de 15 à 30 minutes de sommeil, tandis que d'autres ont besoin de dormir jusqu'à 11 heures par nuit (Ellman et coll., 1991; Maas, 1998).

MYTHE : On peut apprendre facilement des choses compliquées, une langue étrangère par exemple, en dormant.

Bien qu'un *certain* apprentissage soit possible pendant les stades de sommeil léger (les stades 1 et 2), le traitement et la rétention sont minimaux (Aarons, 1976; Ogilvie, Wilkinson et Allison, 1989). L'apprentissage effectué en état de veille est beaucoup plus efficace. (Vous trouverez de plus amples détails sur le sujet au chapitre 8.)

MYTHE : Certaines personnes ne rêvent jamais.

Dans de rares cas, des adultes présentant certaines lésions ou troubles du cerveau ne rêvent pas (Solms, 1997), mais autrement, les adultes rêvent régulièrement. Même ceux qui croient fermement qu'ils ne rêvent jamais peuvent s'en souvenir s'ils sont réveillés plusieurs fois par nuit au cours d'une étude en laboratoire. Les enfants rêvent aussi régulièrement : par exemple, les enfants de 3 à 8 ans rêvent environ 20 à 28 pour cent de leur temps de sommeil (Foulkes, 1982, 1993). Il semble que tout le monde rêve, mais que certaines personnes ne s'en rappellent pas.

MYTHE : Les rêves ne durent pas plus que quelques secondes.

La recherche a démontré que les rêves se déroulent « en temps réel ». Autrement dit, un rêve qui paraît long est effectivement un rêve long (Dement et Wolpert, 1958).

MYTHE : L'excitation génitale pendant le sommeil est le signe d'un rêve à contenu sexuel.

Les sujets qu'on réveille pendant qu'ils sont en état d'excitation génitale ne mentionnent pas plus de rêves à contenu sexuel que quand on les réveille à d'autres moments (Shaffon, 1995; Pivik, 1991).

MYTHE : Il peut être fatal de rêver qu'on meurt.

Voilà une bonne occasion d'exercer votre pensée critique. Prenez le temps d'évaluer critiquement cette croyance populaire. Quelle est son origine ? Est-ce que quelqu'un est déjà revenu de l'au-delà pour raconter qu'il a rêvé à sa mort ? Est-il possible de prouver ou de réfuter scientifiquement cette croyance ? ■

LE SOMMEIL ET LA CHRONOBIOLOGIE

Vous êtes-vous déjà demandé pourquoi certaines personnes aiment veiller et se lever tard tandis que d'autres se lèvent à l'aurore fraîches et disposes, mais cognent des clous à 21 h ? Vous êtes-vous déjà demandé si le pilote de votre avion souffre du décalage horaire et somnole aux commandes ? Si oui, la chronobiologie, l'étude des rythmes biologiques, vous intéressera.

Chronobiologie : Étude des rythmes biologiques.

La chronobiologie a fait de fascinantes découvertes, et elle a notamment révélé que le comportement humain suit quatre rythmes biologiques fondamentaux : 1) le cycle annuel ou saisonnier, auquel sont reliés l'activité sexuelle et certains types de dépression; 2) le cycle mensuel ou lunaire de 28 jours, qui correspond au cycle menstruel de la femme; 3) le cycle quotidien de 24 heures, qui comprend le cycle veille-sommeil; 4) le cycle de repos et d'activité de 90 minutes, qui est constitué des variations de la vigilance. De ces quatre rythmes, le cycle quotidien de 24 heures (aussi appelé *rythme circadien*) est celui qui a l'effet le plus manifeste sur le comportement humain.

Les rythmes circadiens

Les fonctions biologiques de la plupart des animaux sont synchronisées avec l'alternance du jour et de la nuit. Autrement dit, ce sont des rythmes circadiens (qui durent presque une journée).

Rythmes circadiens : Rythmes biologiques qui s'étalent sur une période de 24 heures.

L'être humain est un animal diurne, c'est-à-dire qu'il est actif pendant le jour et inactif pendant la nuit. En outre, sa pression artérielle, son pouls, sa température corporelle, sa glycémie et sa croissance cellulaire fluctuent au cours des 24 heures d'une journée (Boivan et coll., 1997; Kay, 1997). Voilà pourquoi la plupart des gens dorment à heures relativement régulières et sont irritables, affamés, apathiques ou énergiques à différents moments de la journée. Les rythmes circadiens varient d'une personne à l'autre, et nos humeurs, notre vigilance et notre capacité d'apprendre en dépendent aussi (Moore, 1997; Webb, 1995). La température corporelle, la vigilance et l'efficacité atteignent leur point culminant au milieu de l'avant-midi chez les « matinaux » et dans la soirée chez les « oiseaux de nuit » (Luce, 1971).

À vous les commandes

Pour déterminer si vous êtes un « matinal » ou un « oiseau de nuit », encerclez les réponses qui s'appliquent le mieux à vous (adapté de Coren, 1996) :

1. Je suis le plus alerte et énergique.	**le matin**	**le soir**
2. Je me souviens plus facilement de ce que je lis ou entend.	**le matin**	**le soir**
3. Mes meilleures idées surviennent .	**le matin**	**le soir**
4. Si j'avais la pleine liberté de planifier mes journées, je me lèverais.	**avant 8 h 00**	**après 8 h 00**
5. Si j'avais la pleine liberté de planifier mes journées, je me coucherais.	**avant 22 h 00**	**après 22 h 00**

Selon Stanley Coren, un psychologue de l'University of British Columbia, vous avez tendance à être « matinal » si vous choisissez plus de réponses dans la co lonne matin, et avez tendance à être un « oiseau de nuit » si vous choisissez plus de réponses de la colonne soir.   ■

Les perturbations des rythmes circadiens

Dans des conditions normales, les perturbations des rythmes circadiens n'ont pas de conséquences graves. Si vous êtes un étudiant typique, vos séances d'étude tardives, vos cours du matin et votre travail à temps plein ou partiel dérèglent fréquemment votre horloge biologique. Il vous arrive peut-être d'avoir sommeil pendant le jour, d'avoir de la difficulté à vous endormir le soir et de dormir tard le week-end. Mais vous n'avez qu'à adapter votre horaire de travail et votre vie sociale pour surmonter ces petits ennuis. Les « matinaux » et les « oiseaux de nuit » peuvent toujours tenter de faire correspondre leurs horaires aux fluctuations quotidiennes de leur humeur et de leur énergie pour améliorer leur rendement global.

Dans certaines circonstances, cependant, il nous est impossible de contrer les effets des perturbations des rythmes circadiens. En Amérique du Nord, par exemple, environ 20 % des travailleurs ont des horaires de travail variables qui les obligent à changer régulièrement leurs cycles veille-sommeil (Moorcroft, 1989). Les études démontrent que ces personnes souffrent de fatigue et de troubles du sommeil et qu'elles sont moins productives et plus vulnérables aux accidents de travail que les autres travailleurs (Boivan et coll., 1997; Campbell, 1995). Fait notable, l'explosion de l'usine Union Carbide à Bhopal, en Inde, l'accident de la centrale nucléaire de Tchernobyl, en Ukraine, et le naufrage de l'*Exxon Valdez*, en Alaska, eurent tous lieu pendant le quart de nuit. Il s'agit peut-être d'une simple coïncidence, mais l'on est justifié de penser que les travailleurs avaient sommeil alors qu'ils auraient dû être pleinement vigilants.

Les longs voyages en avion sont un autre facteur de perturbation des rythmes circadiens. Vous êtes-vous déjà senti fatigué, amorphe et irritable après avoir traversé en avion plusieurs fuseaux horaires ? Si oui, vous avez souffert de ce qu'on appelle communément le *décalage horaire*. Comme les horaires de travail variables, le décalage horaire est corrélé avec une diminution de la vigilance, de l'agilité mentale et du rendement global (Hilts, 1984). Depuis qu'on a découvert cette corrélation, les compagnies aériennes ont allongé les périodes de repos qu'elles laissent aux pilotes des lignes internationales (Moorcroft, 1993; Petrie et Dawson, 1997).

Est-ce vrai qu'il est plus facile de voyager vers l'ouest que vers l'est ?   Oui. Des études ont révélé qu'il est plus difficile de s'adapter aux *avances de phase* (aux accélérations des rythmes circadiens) qu'aux *retards de phase* (aux décélérations des rythmes circadiens). La plupart des gens mettent plus de temps à s'adapter aux déplacements vers l'est et aux changements d'horaire qui leur demandent de se lever avant l'heure habituelle.

La raison pour laquelle notre corps réagit différemment aux avances de phases et aux retards de phases demeure un mystère. Les chercheurs ne peuvent que citer une recherche effectuée sur de jeunes adultes ayant été isolés de la lumière du jour et sans horloges, dont le cycle s'était généralement modifié en journée de 25 heures (une avance de phase) (Moore, 1997). Les études démontrent également que les avances de phases perturbent moins les femmes, les noctambules, les personnes extraverties et les jeunes (Kiester, 1997); mais là encore, les raisons demeurent obscures.

À vous les commandes

Que vous voyagiez vers l'est ou vers l'ouest, voici ce que vous suggère le Dr Stanley Coren pour atténuer les effets du décalage horaire (Coren, 1996) :

1. Planifiez vos déplacements de manière à arriver à destination en fin d'après-midi ou en soirée; cela vous permettra de prendre un repas léger et d'aller au lit avant 23 heures. Essayez aussi de prendre une bonne nuit de repos avant le voyage.
2. En montant dans l'avion, réglez votre montre à l'heure de votre destination. Mangez et dormez aux heures normales pour la région de destination.
3. Dans l'avion et rendu à destination, évitez l'alcool. Prenez un déjeuner et un dîner riches en protéines et un souper riche en glucides.
4. Rendu à destination, couchez-vous tôt, à l'heure normale pour la région.

Au réveil, faites un peu d'exercice et sortez à la lumière; les mouvements d'aérobie et la lumière du soleil aident à rétablir votre horloge biologique. ■

Qu'en est-il de la mélatonine pour contrer l'effet de décalage ?   La publicité prétend que les suppléments de mélatonine peuvent « éliminer les effets du décalage, réduire les risques de cancer et de maladies cardiaques, combattre le vieillissement, améliorer l'activité sexuelle et le sommeil » (*The breathtaking promises of melatonine*, 1996). Les recherches préliminaires suggèrent que la mélatonine *peut* réduire les effets du décalage et des horaires de travail variables, de même que faciliter le sommeil (Arendt et Deacon, 1997; Hughes et Badia, 1997; Zhadanova et coll., 1996). C'est toutefois une hormone puissante qui ne doit pas être prise à la légère.

La mélatonine est sécrétée par la glande pinéale dans le cerveau et aiderait apparemment à régler les rythmes biologiques. Au Canada, en Grande-Bretagne et dans plusieurs autres pays, la mélatonine est un médicament vendu sur ordonnance. Aux États-Unis, cependant, elle est en vente libre comme supplément diététique dans les magasins d'alimentation naturelle. Certains suppléments contiennent 2,5 ou 3 milligrammes de mélatonine, ce qui est 10 fois plus élevé que la dose nécessaire pour rétablir l'horloge biologique de quiconque (Zhadanova et Wurtman, 1996). Pire encore, aucune recherche n'est disponible sur les conséquences pour la santé de la prise de telles quantités de mélatonine, sur la façon dont elle interagit avec d'autres médicaments ou même sur sa sécurité en général (Arendt et Deacon, 1997; Hughes et Badia, 1997).

L'ÉTUDE DU SOMMEIL

Comment les scientifiques s'y prennent-ils pour étudier des phénomènes aussi intimes que le sommeil et le rêve ? Les enquêtes et les entrevues les éclairent

Dans un laboratoire du sommeil, les chercheurs utilisent un matériel perfectionné pour enregistrer les changements physiologiques associés au sommeil. L'électroencéphalographe enregistre les ondes cérébrales au moyen d'électrodes placées sur le cuir chevelu. L'électromyographe mesure l'activité musculaire au moyen d'électrodes placées sur le menton et la bouche. L'électro-oculographe enregistre les mouvements des yeux au moyen d'électrodes placées autour des paupières. D'autres appareils, qui n'apparaissent pas sur la photo, servent à mesurer la fréquence cardiaque, la fréquence respiratoire et l'excitation génitale.

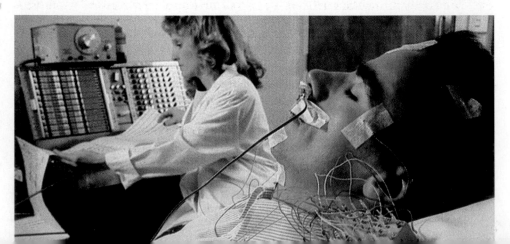

beaucoup sur la nature du sommeil (Antrobus et coll., 1991), mais rien n'a autant fait progresser la recherche sur le sommeil que l'*électroencéphalographie* (EEG). À mesure qu'une personne passe de l'état de veille à un sommeil profond, l'activité électrique de son cerveau change de manière prévisible. L'électroencéphalographe est un appareil qui enregistre les variations des ondes cérébrales au moyen de petites électrodes circulaires placées sur le cuir chevelu. En outre, les chercheurs enregistrent l'activité musculaire à l'aide de l'*électromyographe*, les mouvements des yeux à l'aide de l'*électro-oculographe* et les battements du cœur à l'aide de l'*électrocardiographe*. D'autres appareils leur permettent de mesurer aussi la fréquence respiratoire, la pression artérielle et même le degré d'excitation génitale.

Les stades du sommeil

Le meilleur moyen d'apprécier les méthodes et les découvertes des spécialistes du sommeil est peut-être d'imaginer que vous participez en tant que sujet à une expérience sur le sommeil. À votre arrivée au laboratoire, on vous assigne une « chambre ». Un chercheur vous relie à divers appareils d'enregistrement, tels un électroencéphalographe, un électromyographe et un électro-oculographe (voir la photo de la page précédente). Si vous êtes comme les autres sujets, il vous faut une nuit ou deux pour vous adapter à tout ce matériel et pour dormir comme vous le faites d'habitude (Browman et Cartwright, 1980).

Une fois passée la période d'adaptation, vous devenez apte à être étudié. Vous fermez les yeux et commencez à vous détendre. Dans la pièce d'à côté, un chercheur observe votre électroencéphalogramme et remarque que les *ondes bêta*, associées à l'état de veille normal, ont été remplacées par les *ondes alpha*, qui indiquent un état de détente somnolente (voir la figure 6.1). Cet état, l'état hypnagogique, est considéré comme un état altéré de conscience. Vous pouvez alors voir des images (comme des éclats de lumière ou des couleurs) exécuter des mouvements brusques et saccadés et éprouver la sensation de glisser ou de tomber. Des expériences hypnagogiques s'insèrent parfois dans des fragments de rêves et nous reviennent au réveil. Elles pourraient expliquer les histoires d'enlèvements par des extra-terrestres : ces présumés enlèvements se produisent habituellement au moment où la victime s'endort, et plusieurs récits mentionnent « d'étranges éclairs de lumière » et la sensation de « flotter au-dessus du lit ».

Vous vous détendez de plus en plus, et l'activité électrique de votre cerveau ralentit; les *ondes thêta* apparaissent dans votre électroencéphalogramme. Vous êtes maintenant au *stade 1* du sommeil; votre respiration est régulière, votre fréquence cardiaque ralentit et votre pression artérielle diminue. Il serait encore facile de vous réveiller. Mais on vous laisse dormir, et vous glissez lentement dans le *stade 2* du sommeil. Des volées d'ondes rapides et de forte amplitude, appelées *fuseaux du sommeil*, s'inscrivent sur votre électroencéphalogramme. Vous devenez insensible au milieu externe. Les *stades 3* et *4* sont les stades de sommeil profond. Comme le montre la figure 6.1, ces stades se caractérisent par des ondes lentes de forte amplitude, les *ondes delta*. Il est très difficile d'éveiller une personne qui se trouve à un stade de sommeil profond, même en criant ou en la secouant. (Vous voyez pourquoi il est très difficile d'apprendre une langue étrangère ou tout autre matériel enregistré lorsque vous êtes profondément endormi [Wyatt et Bootzin, 1994].) C'est également au stade 4 que les enfants sont le plus enclins à mouiller leur lit et que l'on est somnambule.

Il vous faut environ une heure pour traverser les quatre stades. À la fin du stade 4, l'enchaînement s'inverse. La figure 6.2 montre qu'une nuit de sommeil comprend généralement quatre ou cinq cycles de 90 minutes. Le sommeil est donc un exemple de rythme biologique de 90 minutes.

La figure 6.2 révèle aussi un intéressant phénomène qui se produit à la fin du premier cycle. Vous revenez au stade 3, puis au stade 2 mais, au lieu de repasser par le stade 1, votre cerveau émet des ondes rapides et de faible amplitude analogues à celles de l'état de veille (voir la figure 6.1). Votre respiration et votre pouls deviennent rapides et irréguliers, et vous présentez des signes d'excitation génitale

État hypnagogique : État de conscience associé à l'endormissement, comprenant des sensations visuelles, auditives et kinesthésiques.

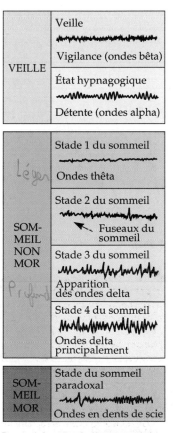

Figure 6.1 **Tracés électroencéphalographiques pendant le sommeil.** À mesure que l'on passe de l'état de veille à un sommeil profond, la fréquence (cycles par seconde) des ondes cérébrales diminue et leur amplitude (hauteur) augmente.

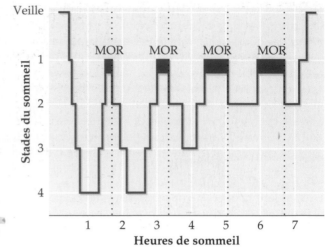

Figure 6.2 **Schéma d'une nuit de sommeil typique.** Pendant une nuit de sommeil typique, le dormeur va et vient entre divers stades. Il passe graduellement de la vigilance au stade 1, puis aux stades 2, 3 et 4. Le cycle s'inverse alors. Cependant, plutôt que de revenir au stade 1, le dormeur connaît une période de sommeil MOR ou paradoxal, puis le cycle recommence. Il se répète quatre ou cinq fois pendant la nuit. (Les lignes pointillées indiquent la fin des cycles.) Notez que les stades 3 et 4 disparaissent au cours de la nuit et que les périodes de sommeil MOR ou paradoxal s'allongent.

(érection ou lubrification vaginale). Néanmoins, vos muscles sont inactifs et profondément détendus. On appelle souvent ce stade le *sommeil paradoxal* parce qu'il est, par certains aspects, le stade de sommeil le plus profond, et par d'autres, le plus léger (le terme *paradoxal* signifie « apparemment contradictoire »).

Le sommeil paradoxal (MOR)

Sommeil paradoxal (MOR) : Stade du sommeil caractérisé par des mouvements oculaires rapides, par des ondes cérébrales à haute fréquence et par le rêve.

Pendant le sommeil paradoxal, vos yeux bougent rapidement sous vos paupières. C'est pourquoi ce stade du sommeil est aussi appelé sommeil MOR (pour « mouvements oculaires rapides »). Les mouvements rapides des yeux indiquent que le dormeur rêve. Lorsque les chercheurs réveillent systématiquement les sujets pour leur demander s'ils ont rêvé, les personnes que l'on tire du sommeil MOR se souviennent de leurs rêves dans environ 80 à 90 pour cent des cas, alors qu'on se souvient moins des rêves survenus pendant les autres stades du sommeil (Hirshkowitz et coll., 1997). La « paralysie » musculaire qui accompagne le sommeil MOR pourrait être apparue chez les humains afin qu'ils ne passent pas du rêve à l'acte en courant, se battant ou se blessant (Pressman et Orr, 1997).

Le sommeil MOR et son lien avec le rêve furent découverts par hasard dans les années cinquante par Eugene Aserinsky, un étudiant des cycles supérieurs qui travaillait au laboratoire de Nathaniel Kleitman à l'université de Chicago (Aserinsky et Kleitman, 1953; Dement et Kleitman, 1957).

Quelle est la fonction du sommeil MOR ?   Même si la fonction exacte du sommeil MOR demeure inconnue, nous savons qu'il joue un rôle important dans la consolidation des nouveaux souvenirs (Karni et coll., 1994; Walsh et Londblom, 1997). Il jouerait également un rôle dans l'apprentissage, puisque les animaux présentent une augmentation de leur sommeil MOR après des périodes d'apprentissage (Hennevin et coll., 1995; Langella et coll., 1992). Un élément additionnel prouvant l'importance du sommeil MOR dans les fonctions complexes du cerveau est le fait qu'il survient uniquement chez les mammifères d'intelligence supérieure, et non chez les autres espèces, comme les reptiles (Beatty, 1995). Les chercheurs conviennent généralement que le sommeil MOR comble un important besoin biologique. Les sujets qu'on prive systématiquement de sommeil MOR (en les réveillant chaque fois qu'ils entrent dans ce stade) présentent pour la plupart un *rebond de sommeil MOR*. Autrement dit, ils « rattrapent » le sommeil MOR perdu en passant plus de temps que d'habitude dans cet état au cours des nuits qui suivent (Brunner et coll., 1990).

Le sommeil à ondes lentes (non MOR)

Sommeil à ondes lentes (non MOR) : Stades 1 à 4 du sommeil, caractérisés par l'absence de mouvements oculaires rapides, une faible fréquence des rêves et une activité cérébrale variable.

Le sommeil à ondes lentes, appelé aussi sommeil non MOR, ne s'accompagne pas de mouvements oculaires rapides. Constitué des stades 1 à 4, le sommeil non MOR est peut-être encore plus nécessaire biologiquement que le sommeil MOR. En effet,

Durant le sommeil non MOR, les chats dorment souvent en position verticale; lorsqu'ils entrent dans un sommeil MOR, leurs muscles se relâchent et ils roulent alors sur le côté.

la proportion de sommeil non MOR augmente au cours de la première nuit ininterrompue des sujets qui ont été privés *complètement* de sommeil et non pas seulement de sommeil MOR (Borbely, 1982). Comme le montre la figure 6.2, le sommeil non MOR est concentré au début de la nuit. Une fois que le besoin de sommeil non MOR a été satisfait, le sommeil MOR peut s'allonger.

La notion selon laquelle la nature satisfait le besoin de sommeil non MOR avant de passer au sommeil MOR est étayée expérimentalement. Des études démontrent que les adultes qui dorment cinq heures ou moins par nuit passent moins de temps en sommeil MOR que les adultes qui dorment neuf heures ou plus par nuit. Chez les enfants, de même, qui dorment plus longtemps que les adultes, la proportion de sommeil MOR est plus forte que chez les adultes (voir la figure 6.3). Il semble que plus la durée totale du sommeil est longue, plus le pourcentage de sommeil MOR est élevé,

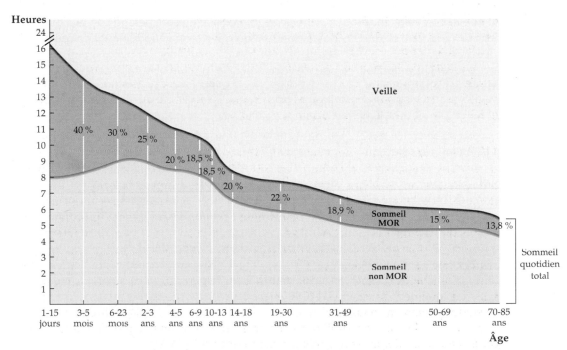

Figure 6.3 **Sommeil et rêve au cours de la vie.** La durée quotidienne du sommeil et la proportion de sommeil MOR ou paradoxal diminuent avec l'âge. Les changements les plus marqués se produisent durant les deux ou trois premières années de la vie. Un nourrisson passe presque huit heures par jour en sommeil MOR, tandis qu'une personne de 70 ans passe moins d'une heure dans cet état. (*Adapté de : Electroencephalography (EEG) of Human Sleep : Clinical Applications*, R. L. Williams et I. Karacan et C. J. Hursch, John Wiley and Sons, 1974.)

RECHERCHE ET DÉCOUVERTES

Le sommeil et la privation de sommeil

Vous éveillez-vous habituellement à l'aide d'un réveille-matin ? Vous sentez-vous souvent fatigué et somnolent au cours de la journée ? Plusieurs experts du sommeil croient qu'une grande partie de la population souffre de manque de sommeil chronique partiel à cause de l'éclairage électrique et du stress lié à la vie moderne. En 1910, les adolescents dormaient en moyenne 9 heures et demie par nuit, tandis que la moyenne actuelle est de 7 heures et demie à 8 heures (Maas, 1998). Les chercheurs ont découvert que les adolescents requièrent davantage d'heures de sommeil que les adultes (environ 10 heures) et que leur rythme circadien les pousse à se coucher et à se lever plus tard (Allen et Mirabile, 1997). Malgré ces découvertes, la plupart des systèmes scolaires aujourd'hui sont établis en fonction des horaires d'autobus, de sorte que les cours débutent à 7 h 30. Les adolescents « matinaux » dont les cours débutent à 7 h 30 ou 8 heures tendent à avoir de moins bonnes notes que ceux dont l'horaire débute plus tard, à 9 h 30 par exemple (Lamberg, 1995). De la même façon, un sondage effectué en 1992 auprès d'étudiants du niveau collégial a démontré qu'ils dormaient moins et moins bien que les étudiants interrogés en 1978 (Hicks, Johnson et Pellegrini, 1992). William Dement, un chercheur éminent dans le domaine du sommeil, signale que « la plupart des Américains ont oublié comment on se sent lorsqu'on est pleinement reposé » (Dement et Vaughan, 1999).

Combien de temps les gens peuvent-ils manquer de sommeil sans tomber malades ? Les effets du manque important de sommeil sont difficiles à étudier car ce dernier augmente le niveau de stress, ce qui rend malaisée la distinction entre la cause et l'effet. De plus, après environ 72 heures sans sommeil, les sujets ont plusieurs périodes de « microsommeil » de quelques secondes à la fois. Néanmoins, les chercheurs ont découvert plusieurs problèmes reliés au manque de sommeil : immunité diminuée, altération de l'humeur, concentration et motivation réduites, augmentation de l'irritabilité, manque d'attention, habiletés motrices réduites, et même augmentation des niveaux de corti-sol (un signe de stress) (Lenne et coll., 1998; Leproult et coll., 1997; Pilcher et Huffcutt, 1997). Les expériences sur la privation extrême de sommeil effectuées sur des rats démontrent des effets encore plus graves menant parfois même à la mort (Rechtschaffen, 1997; Rechtschaffen et Bergmann, 1995).

Il est toutefois intéressant de noter que d'autres études ont démontré que plusieurs fonctions physiologiques ne sont pas affectées de façon significative par des périodes de privation de sommeil (Walsh et Lindblom, 1997). En 1965, un étudiant de 17 ans nommé Randy Gardner, qui voulait inscrire son nom dans le *Livre des records Guinness*, a passé 264 heures consécutives sans dormir. Il était passablement irritable et devait demeurer actif pour rester éveillé, mais il n'est devenu ni incohérent ni psychotique (Coren, 1996; Spinweber, 1993). Par la suite, Randy a dormi pendant près de 14 heures, puis il est revenu à son cycle de sommeil habituel de 8 heures (Dement, 1992). Même si la « veille-marathon » de 200 heures de Peter Tripp, décrite dans l'introduction, l'avait mené à une forme temporaire de psychose due au manque de sommeil (par exemple, l'hallucination du « manteau de vers poilus »), ni lui ni Randy Gardner n'ont semblé subir de séquelles physiques ou physiologiques suite à leur manque important de sommeil.

Bien que le manque de sommeil ne soit pas aussi dommageable qu'on le croit généralement, la recherche démontre que la somnolence provoque une large part des accidents de la route et qu'elle cause de graves problèmes en milieu de travail (Dement et Vaughan, 1999; Lenne et coll., 1998; Rodgers et coll., 1995). Les accidents nucléaires de Three Mile Island et de Tchernobyl, de même que le déversement de pétrole de l'*Exxon Valdez* en Alaska, étaient dus en partie à un manque de sommeil. Lors d'un vol le 4 septembre 1974, le capitaine James Reeves de la compagnie Eastern Airlines répétait « Du repos. J'ai besoin de repos ». Trente minutes plus tard, son avion s'écrasait, tuant tous les membres d'équipage, lui compris, et 68 passagers (Moorcroft, 1993).

À vous les commandes

Manquez-vous de sommeil ? Accordez-vous un point chaque fois que vous répondez « oui » à l'une des questions suivantes :

Vous endormez-vous souvent

• en regardant la télévision ?

• durant des réunions ou des conférences, ou dans des pièces surchauffées ?

• après un repas copieux ou une faible dose d'alcool ?

- en relaxant après un repas ?
- moins de cinq minutes après vous être mis au lit ?

Le matin, avez-vous

- besoin d'un réveille-matin pour vous éveiller ?
- du mal à sortir du lit ?
- l'habitude d'appuyer plusieurs fois sur le bouton de rappel du réveille-matin pour gagner quelques minutes de sommeil ?

Au cours de la journée

- vous sentez-vous fatigué, irritable et stressé ?
- avez-vous des problèmes de concentration et de mémoire ?
- manquez-vous de vivacité d'esprit ?
- vous sentez-vous somnolent en voiture ?
- avez-vous besoin de faire un petit somme au milieu de la journée ?
- avez-vous des cernes sombres autour des yeux ?

Selon le psychologue James Maas (1998) de l'université Cornell, si vous avez répondu oui à trois réponses ou plus, vous souffrez probablement de manque de sommeil. (Test adapté et reproduit avec autorisation). ■

Les théories du sommeil

Il est évident que nous avons tous besoin de sommeil. Mais pourquoi ? Il existe deux théories principales. La théorie de la restauration stipule que le sommeil remplit une fonction de récupération importante. Les activités quotidiennes épuisent des éléments essentiels du cerveau et du corps qui sont réparés ou réapprovisionnés durant le sommeil. Celui-ci permet de récupérer non seulement de la fatigue physique, mais également des efforts émotifs et intellectuels (Born et coll., 1997; Webb, 1992).

La théorie évolutive du rythme circadien insiste sur les relations entre le sommeil et les rythmes circadiens. De ce point de vue, le sommeil aurait évolué de manière à ce que les animaux puissent économiser leur énergie pour la recherche de nourriture ou de partenaires. Le sommeil servirait également à les maintenir immobiles au moment où leurs prédateurs sont actifs (Hirshkowitz et coll., 1997; Hobson, 1989).

Cette dernière théorie aide à comprendre les différences entre les espèces en matière de sommeil (voir la figure 6.4). Les opossums dorment plusieurs heures par jour parce qu'ils sont en relative sécurité dans leur milieu et qu'ils trouvent sans peine leur nourriture et leur gîte. Par contre, les chevaux et les moutons dorment très peu car leur régime alimentaire exige qu'ils cherchent constamment leur nourriture. En outre, leur seul moyen d'échapper aux prédateurs est de rester vigilants et de fuir.

Théorie de la restauration : Théorie selon laquelle le sommeil permet aux organismes de rétablir l'équilibre corporel et peut-être aussi affectif et intellectuel.

Théorie évolutive du rythme circadien : Théorie selon laquelle le sommeil est un rythme circadien apparu au cours de l'évolution comme un moyen d'économiser l'énergie et d'échapper aux prédateurs.

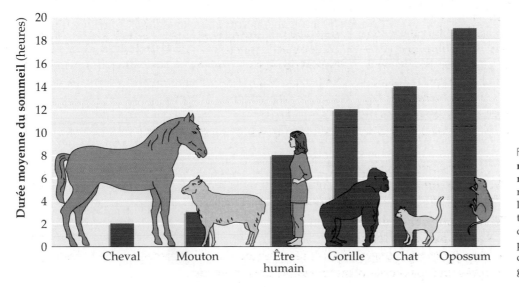

Figure 6.4 **Durée quotidienne moyenne du sommeil de différents mammifères.** Selon la théorie évolutive du rythme circadien, les animaux qui passent le plus de temps à dormir sont ceux qui, comme le chat et l'opossum, ont peu de prédateurs et trouvent facilement leur nourriture et leur gîte.

Quelle théorie est juste ?   Les deux théories sont valables. De toute évidence, nous devons réparer et restaurer notre corps après une dure journée. Mais les ours n'hibernent pas tout l'hiver simplement pour récupérer d'un été harassant; comme les humains et d'autres espèces, ils doivent également économiser leur énergie lorsque l'environnement est menaçant. Il se pourrait que le sommeil ait d'abord servi à conserver l'énergie et à assurer notre sécurité, puis qu'il ait évolué pour nous permettre de mieux récupérer et de restaurer nos forces.

Existe-t-il une cause biologique au sommeil ?   Certains chercheurs ont tenté d'identifier un neurotransmetteur spécifique, mais vous pensez bien que la réponse n'est pas si simple. Par exemple, l'acétylcholine joue un rôle complexe dans le réveil. Avez-vous déjà remarqué combien le café, le thé ou le cola vous stimulent lorsque vous vous sentez fatigué ? La caféine contenue dans ces boissons augmente la vigilance en bloquant les substances chimiques qui inhibent l'acétylcholine (Rainnie et coll., 1994). Autrement dit, le fait d'inhiber un inhibiteur entraîne l'augmentation de la vigilance. L'acétylcholine et d'autres neurotransmetteurs, comme la sérotonine et la noradrénaline, affectent le sommeil (Hobson et Silvestri, 1999). De plus, les parties du cerveau contribuant à l'état d'éveil utilisent l'histamine comme neurotransmetteur, ce qui explique pourquoi les personnes souffrant d'allergies se sentent somnolentes lorsqu'elles prennent des antihistaminiques (Lin et coll., 1996). Bref, aucun neurotransmetteur unique ne sert de « somnifère ».

D'autres chercheurs étudient le rôle du cerveau pendant le sommeil. On a découvert que plusieurs parties du cerveau concourent à induire ou à maintenir le sommeil, notamment le noyau ventrolatéral préoptique, la protubérance annulaire, le système réticulé activateur ascendant, le cerveau antérieur basal, le bulbe rachidien, le thalamus, l'hypothalamus et le système limbique (Hobson et Silvestri, 1999; Sherin et coll., 1996; Szymusiak, 1995).

RÉSUMÉ
La chronobiologie et l'étude du sommeil

Les rythmes circadiens affectent notre cycle veille-sommeil, de sorte que les perturbations dues aux horaires de travail variables et au décalage horaire peuvent entraîner des malaises sérieux. Une nuit de sommeil typique comprend quatre ou cinq cycles de 90 minutes. Le cycle débute au stade 1, puis passe aux stades 2, 3 et 4. Après avoir atteint le niveau de sommeil le plus profond, le cycle s'inverse jusqu'au sommeil paradoxal (MOR), où nous sommes généralement en train de rêver.

On ne connaît pas la fonction exacte du sommeil, mais on croit qu'il sert à la restauration physique et psychologique. Le sommeil a aussi des fonctions adaptatives nées de l'évolution. Il semble que le sommeil soit régi par un ensemble de structures cérébrales et de neurotransmetteurs.

QUESTIONS DE RÉVISION

1. Quels sont les quatre rythmes biologiques fondamentaux de l'être humain ?
2. Les rythmes biologiques qui se déroulent en une période de 24 heures sont appelés rythmes _____.
3. L'appareil qui enregistre les ondes cérébrales est appelé _____.
4. Quand une personne se détend avant de s'endormir, les ondes _____, associées à l'état de veille, sont remplacées par les ondes _____, caractéristiques de la somnolence.
5. Les rêves se produisent surtout pendant le sommeil _____.
6. Faites la distinction entre la théorie de la restauration et la théorie évolutive du rythme circadien.

Les réponses aux questions de révision se trouvent en annexe.

LES FONCTIONS DU RÊVE : TROIS APPROCHES

Quelle est la signification des rêves ? Pourquoi faisons-nous des cauchemars ? Ces questions fascinent les écrivains et les poètes depuis longtemps. Les psychologues se sont également intéressés aux rêves. Dans cette section, nous discuterons des trois principales théories qui expliquent pourquoi nous rêvons : les théories psychanalytique, biologique et cognitive. Nous poursuivrons ensuite notre exploration en abordant le sujet des cauchemars et autres troubles du sommeil.

L'approche psychanalytique

L'une des explications les plus anciennes et les plus controversées du rêve est celle de Freud, appelée théorie de l'accomplissement des désirs, selon laquelle les rêves sont l'expression symbolique des désirs refoulés. Dans l'un de ses premiers livres, *L'interprétation des rêves* (1900), Freud a dit du rêve qu'il était « la voie royale vers l'inconscient », car il laisse émerger à la surface de la conscience les désirs interdits et inacceptables.

Selon Freud, les rêves nous offrent un aperçu direct sur l'inconscient, comme une personne seule rêvant d'une histoire d'amour ou un enfant furieux qui rêve de se venger du tyran de la classe. Parfois, le contenu de nos rêves est si menaçant et angoissant qu'il doit s'exprimer sous forme de symboles. Un voyage, par exemple, peut être le symbole d'un décès et une promenade à cheval ou une danse seraient des symboles de relations sexuelles. Freud désignait ces symboles (le voyage ou la promenade à cheval) comme étant le contenu manifeste des rêves, tandis que leur signification, leur sens véritable (mort ou relation sexuelle) correspondait au contenu latent.

Il est important de noter que les idées de Freud sur le pourquoi et le comment des rêves n'ont reçu que peu ou pas d'appui scientifique (Fisher et Greenberg, 1977, 1996). Après avoir été confronté à la nature symbolique de ses chers cigares, Freud lui-même aurait finalement admis que « parfois, un cigare est juste un cigare. »

Théorie de l'accomplissement des désirs : Théorie freudienne selon laquelle les rêves ont pour fonction de satisfaire partiellement et de façon symbolique des désirs inconscients.

Contenu manifeste : Dans la théorie freudienne, contenu superficiel des rêves, fait de symboles qui recouvrent un sens plus profond.

Contenu latent : Dans la théorie freudienne, signification profonde et inconsciente des rêves.

L'approche biologique

À l'opposé de la théorie freudienne, on trouve l'hypothèse de l'activation-synthèse, avancée par J. Alan Hobson et Robert W. McCarley (1977), de la faculté de médecine de Harvard. Cette hypothèse veut que les rêves n'aient pas de signification réelle. S'appuyant sur les résultats obtenus lors d'une recherche sur l'activité cérébrale des chats pendant le sommeil MOR, Hobson et McCarley soutiennent que le rêve résulte simplement de la stimulation aléatoire de cellules du tronc cérébral. Selon eux, le cerveau s'efforce de synthétiser cette stimulation; il fouille dans le stock de souvenirs et produit les rêves.

Avez-vous déjà rêvé que vous tentiez de fuir une situation effrayante, mais étiez incapable de bouger ? L'hypothèse de l'activation-synthèse expliquerait ce rêve par une stimulation aléatoire du noyau amygdalien et une paralysie majeure des muscles de posture durant le sommeil MOR. Le noyau amygdalien est la région spécifique du cerveau reliée aux émotions fortes, particulièrement à la peur, et la recherche démontre une activité importante du noyau amygdalien durant le sommeil MOR (Maquet et coll., 1996). Lorsque le noyau amygdalien est stimulé de façon aléatoire et que le dormeur éprouve de la peur, le cerveau peut tenter d'envoyer des messages aux muscles pour les activer, mais il n'y aura aucun mouvement en raison de la paralysie; le rêveur tâche alors de donner un sens à cette information réduite et conflictuelle en fabriquant un rêve où il tentera de fuir sans y arriver. Cela ne signifie pas que les rêves sont totalement dépourvus de sens. Hobson (1988, 1989) suggère que, même si les rêves débutent par une activité plus ou moins aléatoire des diverses régions du cerveau, l'interprétation que fait le rêveur de cette activité dépend de sa personnalité, de ses motivations, de ses souvenirs et de ses expériences.

Hypothèse de l'activation-synthèse : Hypothèse selon laquelle les rêves n'ont pas de signification réelle, mais résultent simplement de la stimulation aléatoire de cellules cérébrales.

Voyez-vous des images semblables à celle-ci dans vos rêves ? Dans ce tableau intitulé Moi et le village, *le peintre Marc Chagall rend l'atmosphère propre au rêve.*

L'approche cognitive

Plutôt que de voir dans les rêves de mystérieux messages de l'inconscient ou des stimulations aléatoires du cerveau, l'approche cognitive les perçoit plutôt comme du traitement de l'information : ils nous aideraient à trier et à approfondir nos expériences quotidiennes, à résoudre des problèmes et à penser de façon créative. La recherche démontre des similitudes importantes entre le contenu des rêves et les pensées, problèmes et inquiétudes de la vie réelle (Domhoff, 1996; Hill et coll., 1997). Les gens rêvent souvent qu'ils tombent, sont poursuivis, sont nus ou court vêtus en public, ou encore sont incapables d'accomplir une tâche essentielle. L'émotion la plus commune dans les rêves est la peur; on rêve plus souvent d'avoir de la malchance que de la chance; le rêveur est plus souvent victime d'agressions qu'agresseur (Domhoff, 1996; Hall et Van De Castle, 1996). Si vous vous inquiétez au sujet de l'examen de demain, vous rêverez probablement cette nuit que vous allez à l'école, mais êtes incapable de trouver votre salle de classe, ou encore que quelqu'un est assis à votre place préférée. Selon l'approche cognitive du traitement de l'information, les rêves sont le prolongement de la journée – une sorte de réflexion durant le sommeil.

Ces théories psychanalytique, biologique et cognitive ne sont que trois des multiples perpectives. En dépit d'un siècle de recherches, aucune théorie sur le rêve n'a pu être vérifiée correctement ou prouver sa supériorité sur une autre. L'un des problèmes majeurs est que le même rêve peut être expliqué par plusieurs théories.

Traitement de l'information : L'approche cognitive stipulant que les rêves nous aident à trier et à approfondir nos expériences, à résoudre des problèmes et à penser de façon créative.

LES TROUBLES DU SOMMEIL

Pour environ 5 millions de Canadiens, le sommeil est un ennemi. Ces gens ne dorment pas assez (insomnie), dorment trop (hypersomnie) ou dorment d'un sommeil troublé (cauchemars et terreurs nocturnes).

L'insomnie

Insomnie : Trouble du sommeil caractérisé par une difficulté à s'endormir, des réveils pendant la nuit ou des réveils précoces.

Les gens qui souffrent d'insomnie ont de la difficulté à s'endormir (il leur faut plus de vingt minutes pour trouver le sommeil), se réveillent pendant la nuit ou se

---

PENSÉE CRITIQUE • Psychologie en direct

L'interprétation des rêves

La télévision, le cinéma et autres médias populaires décrivent souvent les rêves comme très significatifs et faciles à interpréter. Toutefois, les chercheurs sont profondément divisés quant à la signification des rêves et à leur importance relative. Les divergences d'opinions scientifiques vous fournissent une excellente occasion d'exercer votre capacité critique de *tolérance à l'ambiguïté*.

Pour améliorer votre tolérance à l'ambiguïté (et en apprendre un peu plus sur vos propres rêves), commencez par noter le dernier rêve qui vous a marqué. Essayez d'écrire au moins trois ou quatre paragraphes. Analysez maintenant votre rêve d'après les perspectives suivantes :

1. Selon l'approche psychanalytique, ou théorie de l'accomplissement des désirs, quels seraient les impulsions ou désirs interdits ou inconscients représentés par votre rêve ? Pouvez-vous différencier le contenu manifeste du contenu latent ?

2. Comment l'approche biologique, l'hypothèse de l'activation-synthèse, pourrait-elle expliquer votre rêve ?

Pouvez-vous identifier une pensée spécifique qui aurait pu être stimulée et mener à ce rêve particulier ?

3. Les psychologues de l'approche cognitive croient que les rêvent nous aident à traiter l'information, à apporter des changements nécessaires dans notre vie, et même à suggérer des solutions à nos problèmes réels. Êtes-vous d'accord ou non ? Votre rêve vous fournit-il des indices sur un problème auquel vous êtes confronté ?

Après avoir analysé votre rêve selon chaque approche, voyez-vous à quel point il est difficile de trouver la réponse exacte ? Les analystes de haut niveau reconnaissent qu'essayer de comparer ces théories s'apparente à l'histoire des quatre aveugles explorant chacun une partie différente d'un éléphant : en écoutant leurs descriptions de la trompe, de la queue, des jambes, et ainsi de suite, les analystes peuvent synthétiser l'information et se faire une meilleure idée de la bête, mais aucune description partielle – ou théorie unique – ne peut en donner une vue d'ensemble.

réveillent trop tôt le matin. Bien des gens se croient insomniaques parce qu'ils dorment moins de huit heures par nuit ou parce qu'ils ont l'impression de ne pas dormir. Néanmoins, un fort pourcentage de la population (jusqu'à 30 %) est effectivement atteint d'insomnie et presque tout le monde fait de l'insomnie de temps en temps (Ince, 1995). Toutefois la plupart de ceux qui souffrent d'insomnie grave souffrent aussi de troubles de santé susceptibles d'être causés par la consommation d'alcool ou de drogues, ou par des perturbations émotionnelles comme l'anxiété et la dépression (Ohayon, 1997). Malheureusement, le traitement le plus répandu de l'insomnie est l'usage de médicaments, qu'il s'agisse de comprimés en vente libre, comme Sominex et Sleep-eze, ou de médicaments délivrés sur ordonnance, comme les tranquillisants et les barbituriques. Les comprimés en vente libre ont ceci de problématique qu'ils sont généralement inefficaces (Kales et Kales, 1973). Les médicaments délivrés sur ordonnance, eux, peuvent aider à dormir, mais ils raccourcissent le stade 4 et le sommeil MOR, affectant ainsi fortement la qualité du sommeil. Les médicament prescrits couramment, tels que le Dalmane, le Xanax et l'Halcion, sont souvent efficaces pour traiter les troubles du sommeil reliés à l'anxiété et à des situations particulièrement angoissantes, comme la perte d'un être cher (Kuffer et Reynolds, 1997). Les gens qui prennent régulièrement des somnifères s'exposent aussi à la dépendance psychologique et physique (Jacobs, 1999; Rybacki et Long, 1999).

Que recommande-t-on au lieu des médicaments ?   Si vous avez de la difficulté à vous endormir le soir, essayez la bonne vieille relaxation. Plutôt que de jeter des regards désespérés à votre réveille-matin et d'attendre nerveusement le sommeil, fermez les yeux et tentez de détendre systématiquement chaque partie de votre corps. Vous pouvez aussi employer quelques-unes des techniques présentées au tableau 6.2.

Tableau 6.2   Méthodes pour favoriser le sommeil.

Pendant le jour	Au lit
Faites de l'exercice. L'activité physique quotidienne élimine la tension. Toutefois, ne faites pas d'exercices vigoureux tard le soir, car cela vous stimulerait.	**Faites de la relaxation.** Contractez et relâchez chacun de vos groupes musculaires.
Ayez un horaire régulier. Un horaire irrégulier peut dérégler les rythmes biologiques. Levez-vous à la même heure chaque jour.	**Faites du yoga.** Le yoga favorise la détente.

Imaginez une chandelle allumée. Concentrez-vous sur la flamme d'une chandelle imaginaire pour vous débarrasser des distractions. |
| **Évitez les stimulants.** Le café, le thé, les boissons gazeuses, le chocolat et certains médicaments contiennent de la caféine. La nicotine peut être encore plus stimulante que la caféine. | **Prenez un somnifère naturel.** Les œufs, le thon, le poulet, la dinde et les fèves de soja contiennent du tryptophane, acide aminé qui favorise le sommeil. |
| **Évitez de manger lourdement avant de vous coucher.** Si vous avez faim avant de vous mettre au lit, prenez une collation légère. Évitez les aliments lourds ou épicés. | **Prenez une boisson chaude.** Le lait chaud et certaines tisanes facilitent l'endormissement.

Faites travailler votre imagination. Imaginez que vous vous trouvez dans un cadre tranquille. Laissez-vous aller à la détente. |
| **Buvez modérément.** La consommation excessive d'alcool peut perturber le sommeil. | **Respirez profondément.** Prenez de grandes respirations en vous disant que vous vous assoupissez. |
| **Arrêtez de vous inquiéter.** Pensez à vos problèmes à heure fixe, au début de la journée. Si vous ne pouvez vous empêcher de ressasser vos problèmes au lit, dites-vous que vous les résoudrez demain. | **Barbotez.** Un bain chaud favorise le sommeil, car la chaleur dilate les vaisseaux sanguins de la peau et diminue l'irrigation du cerveau. |
| **Créez-vous des rituels.** Suivez la même routine chaque soir : écoutez de la musique, écrivez votre journal, méditez. | **Occupez votre esprit.** Imaginez que vous écrivez des chiffres hauts de 2 m. Comptez à rebours à partir de 100.

Comptez des moutons. La technique détend les deux hémisphères cérébraux. |

Source : Better Sleep Council, Burtonsville, Maryland; propos repris dans « Can't get Enough Shut-eye ? There's Help », K. Peterson, *USA Today*, © 1984.

L'apnée du sommeil

L'une des nombreuses causes possibles de l'insomnie est l'apnée du sommeil. *Apnée* signifie littéralement « suspension de la respiration ». Bien des gens ont une respiration irrégulière ou cessent de respirer pendant des périodes occasionnelles de 10 secondes ou moins durant leur sommeil. Les gens qui souffrent d'apnée du sommeil, toutefois, peuvent cesser de respirer pendant une minute ou plus, puis s'éveillent en cherchant leur souffle. De plus, ils ronflent souvent lorsqu'ils respirent en dormant. L'apnée du sommeil, interruption temporaire de la respiration pendant le sommeil, est plus grave et plus difficile à traiter que l'insomnie. C'est l'une des causes du ronflement et, peut-être, de la *mort subite du nourrisson* (Carlson, 1992; Guilleminault, 1979; Harper, 1983). L'apnée du sommeil semble provoquée par une obstruction des voies respiratoires supérieures ou par une interruption de la stimulation automatique du diaphragme. Pour traiter l'obstruction des voies respiratoires, on recommande un régime amaigrissant aux personnes obèses et la chirurgie aux autres. Si vous avez des amis qui ronflent bruyamment, conseillez-leur de consulter un médecin, car ils souffrent peut-être d'apnée du sommeil et, le cas échéant, ils s'exposent à des troubles cardiaques. Les bébés prédisposés à la mort subite du nourrisson peuvent être surveillés à l'aide d'un appareil qui, installé au-dessus du berceau, émet un signal d'alarme en cas de ralentissement de la respiration (Naeye, 1980). Beaucoup d'adultes ignorent que leurs troubles du sommeil sont dus à l'apnée, et ils prennent des médicaments qui les aident à dormir profondément. Or, ces médicaments, de même que l'alcool et les autres dépresseurs, sont potentiellement dangereux pour ces personnes, car ils suppriment les réflexes qui provoquent normalement le réveil en cas d'interruption de la respiration (Kalat, 1992).

La narcolepsie

À l'opposé de l'insomnie, la narcolepsie est un trouble du sommeil qui se caractérise par des accès soudains et irrésistibles de sommeil pendant le jour. Le narcoleptique se détend soudainement et sombre directement dans le sommeil paradoxal. La narcolepsie peut avoir de très graves conséquences. Lors d'une attaque, une période de sommeil de type MOR s'insère soudainement dans l'état d'éveil. Les victimes peuvent éprouver brusquement un état de faiblesse musculaire ou de paralysie (cataplexie). Imaginez que vous conduisez sur l'autoroute ou que vous traversez le campus et que, tout d'un coup, vous tombez endormi. Bien que les stimulants et les antidépresseurs puissent réduire la fréquence des accès, les causes et le traitement de la narcolepsie sont encore inconnus (Mindel, 1997). On suppose que le trouble résulte de facteurs génétiques, car les chercheurs de la clinique du sommeil de l'université Stanford, en Californie, ont produit une lignée de chiens narcoleptiques. Chose certaine, l'hypothèse génétique ouvre d'intéressantes avenues à la recherche sur la narcolepsie (Dement, 1983).

Les cauchemars et les terreurs nocturnes

Les cauchemars, appelés mauvais rêves dans le langage courant, se produisent à la fin du cycle de sommeil, pendant le sommeil MOR ou paradoxal. Ils surviennent principalement à la fin de la nuit, moment où la période de sommeil paradoxal est la plus longue. Les cauchemars sont plus courants chez les enfants que chez les adultes. Les terreurs nocturnes, moins fréquentes mais plus effrayantes que les cauchemars, surviennent pendant le stade 4 du sommeil non MOR. Le dormeur se réveille soudainement, en proie à la panique, et ne se rappelle pas avoir rêvé (Dement et Vaughan, 1999). Les terreurs nocturnes touchent surtout les enfants d'âge préscolaire, mais elles s'observent aussi chez des adultes (Hartmann, 1983; Kahn, Fisher et Edwards, 1991). Comme elles ont lieu pendant le sommeil non MOR, les terreurs nocturnes s'accompagnent de somnambulisme et de somniloquie (parler pendant le sommeil). Il arrive même que l'on puisse entretenir avec certains dormeurs une conversation, limitée bien sûr.

Apnée du sommeil : Interruption temporaire de la respiration pendant le sommeil; l'une des causes du ronflement et, peut-être, de la mort subite du nourrisson.

Narcolepsie : Trouble du sommeil caractérisé par des accès soudains et irrésistibles de sommeil pendant les heures de veille normales.

Cauchemars : Rêves angoissants qui se produisent généralement à la fin du cycle de sommeil, pendant le sommeil paradoxal (MOR).

Terreurs nocturnes : Réveils soudains survenant pendant le sommeil à ondes lentes (non MOR), accompagnés d'une activité physiologique intense et de sentiments de panique.

Les cauchemars, les terreurs nocturnes, le somnambulisme et la somniloquie se manifestent surtout chez les jeunes enfants et chez les adultes en état de stress (Hobson et Silvestri, 1999; Masand et coll., 1995). Le traitement généralement recommandé se limite donc à rassurer et à calmer patiemment la personne (Arkin, 1991).

RÉSUMÉ

Les fonctions du rêve et les troubles du sommeil

Trois théories principales tentent d'expliquer pourquoi nous rêvons : l'approche psychanalytique stipule que les rêves sont des symboles déguisés de désirs et d'angoisses refoulés. La perspective biologique (activation-synthèse) veut que les rêves soient simplement le produit de stimulations aléatoires des cellules du cerveau. L'approche cognitive suggère que les rêves constituent une part importante du traitement de l'information tirée de nos expériences quotidiennes.

Bien des gens souffrent de troubles du sommeil. Les gens qui éprouvent des difficultés répétées à s'endormir ou à rester endormis, ou encore qui s'éveillent prématurément, sont victimes d'insomnie. Une personne qui souffre d'apnée du sommeil cesse temporairement de respirer pendant son sommeil, causant ainsi un ronflement bruyant ou un sommeil de mauvaise qualité. La narcolepsie, un état de fatigue extrême ressentie pendant la journée, se caractérise par des accès soudains de sommeil. Les cauchemars sont des rêves angoissants se produisant pendant le sommeil MOR. Les terreurs nocturnes sont des réveils soudains accompagnés d'un sentiment de panique qui surviennent pendant le sommeil non MOR.

QUESTIONS DE RÉVISION

1. Freud croyait que le rêve était « la voie royale vers _____ ».

2. Quelle théorie veut que les rêves résultent de la stimulation aléatoire de cellules cérébrales ?

3. Selon l'approche _____, les rêves jouent un rôle dans le traitement de l'information; ils aident à passer au crible et à classer les expériences de la vie quotidienne et les pensées. a) de l'apprentissage social b) de la réalisation des rêves c) cognitive d) de la dynamique de l'information

4. Indiquez le trouble du sommeil décrit dans chacun des cas suivants.

   a) Pendant son sommeil, Johanne ronfle bruyamment, et elle cesse de respirer pendant de courtes périodes. _____
   b) Amélie, âgée de cinq ans, se réveille fréquemment en proie à la panique, et elle ne parvient pas à décrire ce qui s'est passé. Ces réveils surviennent principalement pendant le sommeil à ondes lentes. _____
   c) Georges dit à son médecin qu'il a des accès soudains et incoercibles de sommeil pendant sa journée de travail. _____

Les réponses aux questions de révision se trouvent en annexe.

LES SUBSTANCES PSYCHOTROPES

Depuis le début de la civilisation, toutes les sociétés ont fait usage — parfois abusivement — de substances psychotropes (Doweiko, 1999; Hanson et Venturelli, 1998; Weil et Rosen, 1993). Les substances psychotropes agissent sur le système nerveux et modifient le comportement, les fonctions mentales et l'état de conscience. Vous-même en faites usage si vous consommez de la caféine (contenue dans le café, le thé, le chocolat et le cola), de la nicotine (contenue dans les produits du tabac) pour vous stimuler ou de l'alcool (contenu dans la bière, le vin et les spiritueux) pour vous détendre et chasser vos inhibitions. La psychologie s'intéresse beaucoup aux

▲ *Quels sont les effets des substances psychotropes sur la conscience ?*

29

Substances psychotropes : Substances qui agissent sur le système nerveux et qui modifient le comportement, les fonctions mentales et l'état de conscience.

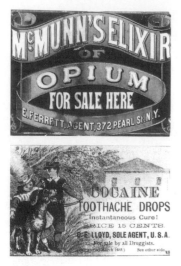

Au XIXe siècle, l'héroïne, l'opium, la cocaïne et les substances semblables étaient considérés comme des médicaments et se vendaient librement.

effets physiques et psychologiques des substances psychotropes ainsi qu'à la limite qui sépare l'usage de l'usage abusif. Nous examinerons ici les modes d'action et les effets des substances psychotropes, et nous découvrirons le sens de quelques termes employés dans ce domaine d'étude.

LES EFFETS DES SUBSTANCES PSYCHOTROPES SUR LA CONSCIENCE

Avez-vous déjà remarqué combien il est difficile de discuter des substances psychotropes de manière logique et rationnelle ? L'usage de la caféine, du tabac et de l'alcool éthylique est fort répandu dans notre société, et beaucoup de gens s'offusquent que l'on range ces substances dans la même catégorie que les drogues illégales comme la marijuana et l'héroïne. De même, les consommateurs de marijuana déplorent que leur substance favorite soit classée avec les drogues « dures » comme l'héroïne. Les psychologues admettent généralement que toutes les substances psychotropes peuvent faire l'objet d'une consommation abusive. Mêmes les drogues créant une dépendance, comme les amphétamines et la cocaïne, ont des applications médicales légales. Pour faciliter notre étude, il faut d'abord expliquer trois concepts : les modes d'action des substances psychotropes, la différence entre consommation abusive et assuétude et les effets des substances psychotropes.

La consommation abusive et l'assuétude

Est-ce que *consommation abusive* est synonyme d'*assuétude* ? On emploie généralement le terme *consommation abusive* pour désigner une consommation compulsive, fréquente et abondante qui cause des torts psychiques ou physiques à l'utilisateur et à son entourage. À l'origine, le terme *assuétude* désignait aussi une consommation abondante et compulsive de substances psychotropes; depuis quelque temps, cependant, il se rapporte pratiquement à toutes les formes d'activité compulsive. Le psychologue Stanton Peele (1984), par exemple, pense que la télévision, le travail et l'exercice physique comme la course à pied, la musculation et l'aérobique peuvent faire l'objet d'une assuétude. S.B. Blume (1992), pour sa part, estime que l'amour romantique et le jeu créent deux des assuétudes les plus profondes.

Étant donné les difficultés posées par un terme aussi général, les chercheurs l'ont abandonné. Ils emploient aujourd'hui l'expression dépendance psychologique pour désigner le désir ou le besoin pressant de ressentir les effets d'une substance psychotrope, et le terme dépendance physique pour désigner une modification des fonctions physiologiques si profonde que la consommation de la substance est nécessaire au fonctionnement quotidien minimal. La dépendance physique se manifeste le plus clairement lorsque la consommation de la substance est interrompue, ce qui cause une série de réactions physiques désagréables appelée sevrage.

Bien que certains estiment que la dépendance psychologique est moins grave que la dépendance physique, ses conséquences peuvent être aussi néfastes. Le besoin de la substance peut être si pressant que l'utilisateur la consomme régulièrement et se trouve constamment sous son influence. En outre, la dépendance psychologique est parfois si forte qu'elle peut occasionner une rechute, même après la disparition des signes de dépendance physique. La dépendance physique et la dépendance psychologique ne sont pas toujours associées, comme le montre le tableau 6.3.

L'*assuétude* est souvent confondue avec la tolérance, qui est une diminution de la sensibilité à une substance psychotrope. Étant donné qu'il est moins sensible à la substance, l'utilisateur doit consommer des doses de plus en plus importantes et fréquentes pour obtenir l'effet désiré. L'usage répété d'une substance, en effet, amène l'organisme à s'adapter à des concentrations croissantes (Poulos et Cappell, 1991). L'utilisateur peut alors ingérer des quantités bien supérieures à la dose normalement mortelle, sans ressentir d'effet agréable ou désagréable. La tolérance est le phénomène qui amène beaucoup d'utilisateurs à augmenter leur consommation et à faire l'essai de diverses substances pour obtenir à nouveau un effet agréable.

Dépendance psychologique : Désir ou besoin pressant de ressentir les effets d'une substance psychotrope.

Dépendance physique : Modification profonde des fonctions physiologiques résultant de l'usage répété d'une substance psychotrope, et se traduisant par des symptômes de sevrage en cas d'interruption de la consommation.

Sevrage : Ensemble de réactions physiques désagréables ou douloureuses résultant de la suppression d'une substance psychotrope.

Tolérance : Diminution de la sensibilité à une substance psychotrope, telle que l'utilisateur doit augmenter la fréquence et l'abondance de sa consommation pour obtenir l'effet désiré.

Tableau 6.3   Effets des principales substances psychotropes.

Catégorie	Effets désirés	Effets indésirables	Dépendance physique	Dépendance psychologique	Tolérance
Dépresseurs (sédatifs)					
Alcool, barbituriques, anxiolytiques (Valium), GHB, PCP	Réduction de la tension, euphorie, élimination des inhibitions, somnolence	Anxiété, nausées, désorientation, perturbation des réflexes et de la motricité, inconscience, respiration superficielle, convulsions, coma, mort	Oui	Oui	Oui
Stimulants					
Cocaïne, amphétamines	Exaltation, euphorie, augmentation de l'énergie physique et mentale, impression de puissance et de sociabilité, diminution de l'appétit	Irritabilité, anxiété, paranoïa, hallucinations, psychose, convulsions, mort	Oui	Oui	Oui
Caféine	Accroissement de la vigilance	Insomnie, agitation, accélération du pouls, troubles du sommeil, délire léger, acouphènes, tachycardie	Oui	Oui	Légère
Nicotine	Détente, accroissement de la vigilance et de la sociabilité	Irritabilité, augmentation de la pression artérielle, douleurs gastriques, vomissements, étourdissements, cancer, cardiopathie, emphysème, mort	Oui	Oui	Légère
Ecstasy (MDMA)	Détente, diminution de la vigilance, augmentation de la sensualité et de l'énergie	Déshydratation, danger d'hypothermie, arythmie cardiaque, risque de mort	Non	Oui	Oui
Narcotiques (opiacés)					
Morphine, héroïne, codéine	Euphorie, montée de plaisir soudaine et intense, soulagement de la douleur, prévention des symptômes de sevrage	Nausées, vomissements, constipation, sevrage difficile, respiration superficielle, convulsions, coma, mort	Oui	Oui	Oui
Hallucinogènes (psychodysleptiques)					
LSD (diéthylamide de l'acide lysergique)	Idées délirantes, hallucinations, déformation des perceptions et des sensations	Idées délirantes durables et extrêmes, hallucinations, déformation des perceptions ou « bad trips », psychose, mort	Non	Non	Oui
Marijuana et haschich	Détente, légère euphorie, augmentation de l'appétit	Déformation des perceptions et des sensations, hallucinations, fatigue, apathie, paranoïa, psychose possible	Non	Oui	Oui

Sources : Doweiko (1999); Hanson et Venturelli (1998); Julien (1997).

À vous les commandes

Avant de poursuivre, vous voudrez peut-être faire le test suivant pour déterminer si vous (ou un ami) êtes physiquement ou psychologiquement dépendant de l'alcool ou d'autres drogues.

1. Avez-vous déjà éprouvé des difficultés financières dues à la consommation d'alcool ou de drogues ?
2. Le fait de boire de l'alcool ou de consommer des drogues vous a-t-il déjà fait perdre un emploi ?
3. Votre efficacité ou votre ambition ont-elles diminué depuis que vous consommez de l'alcool ou des drogues ?
4. Est-ce que votre consommation d'alcool ou de drogues compromet votre rendement académique ?
5. Le fait de boire de l'alcool ou de consommer de la drogue vous empêche-t-il de bien dormir ?
6. Avez-vous déjà regretté d'avoir bu de l'alcool ou consommé des drogues ?
7. Avez-vous des envies soudaines d'alcool ou de drogues à des moments précis de la journée ou avez-vous envie de prendre un verre ou de consommer des drogues le lendemain matin ?
8. Avez-vous déjà subi une perte de mémoire totale ou partielle suite à la consommation d'alcool ou de drogues ?
9. Avez-vous déjà été hospitalisé suite à la consommation d'alcool ou de drogues ?

Si vous avez répondu oui à ces questions, vous êtes plus susceptible d'être dépendant d'une substance que ceux qui ont répondu par la négative.

*Tiré de Bennet et coll., « *Identifying Young Adult Substance Abusers : The Rutgers Collegiate Substance Abuse Screening Test* » dans Journal of Studies on Alcohol, 54:522-527. Tous droits réservés 1993 Alcohol Research Documentation, Inc., Piscataway, NJ. Reproduit avec autorisation. Le RCSAST doit être utilisé uniquement comme complément à une batterie complète de mesures d'évaluation, car cet instrument de mesure nécessite des recherches additionnelles. ■

LES MODES D'ACTION DES SUBSTANCES PSYCHOTROPES

Les substances psychotropes agissent de plusieurs façons sur le système nerveux. L'alcool, par exemple, a un effet diffus sur les membranes de tous les neurones du système nerveux central. La plupart des substances psychotropes, cependant, ont un mode d'action plus spécifique, relié à celui des neurotransmetteurs.

Les substances psychotropes imitent ou entravent l'action des neurotransmetteurs. Les substances psychotropes qui imitent l'action d'un neurotransmetteur et qui augmentent ainsi l'efficacité de la transmission synaptique sont dites agonistes. À l'opposé, les substances psychotropes qui entravent l'action d'un neurotransmetteur sont appelées antagonistes. Comme le montre la figure 6.5, les substances psychotropes interviennent à l'une des quatre étapes de la transmission synaptique : 1) elles modifient la production des neurotransmetteurs; 2) elles modifient la quantité de neurotransmetteurs emmagasinée ou libérée par un neurone; 3) elles se lient aux récepteurs des neurotransmetteurs; 4) elles empêchent l'inactivation des neurotransmetteurs dans les synapses.

Quelques exemples nous aideront à mieux comprendre les modes d'action des substances psychotropes durant ces quatre étapes.

Étape 1 **Production des neurotransmetteurs.** La maladie de Parkinson est causée par une sécrétion insuffisante de dopamine. On traite généralement cette maladie au moyen de la lévodopa, médicament qui est converti en dopamine dans le cerveau et qui réduit les tremblements et la rigidité musculaire. La lévodopa peut procurer des années supplémentaires de vie quasi normale, mais cette maladie est progressive et les bienfaits du médicament diminuent avec le temps. (L'histoire de

Agoniste : Substance qui imite l'action d'un neurotransmetteur.

Antagoniste : Substance qui entrave l'action d'un neurotransmetteur.

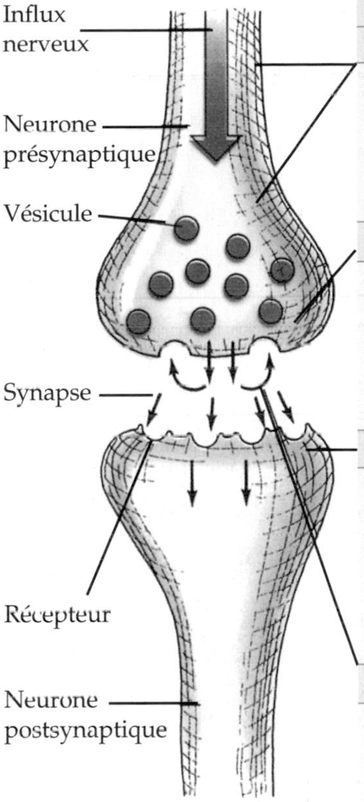

Non

Processus normal	Action des substances agonistes (imitant l'action des neurotransmetteurs)	Action des substances antagonistes (empêchant l'action des neurotransmetteurs)
Étape 1 Production		
1) Le neurotransmetteur est produit.	La substance sert de précurseur au neurotransmetteur (p. ex., la lévodopa est utilisée pour faire la dopamine).	La substance empêche la production du neurotransmetteur.
Étape 2 Stockage et libération		
2) Le neurotransmetteur est enfermé dans des vésicules. À l'arrivée de l'influx, le neurotransmetteur est libéré.	La substance intensifie la libération d'un neurotransmetteur (p. ex., le venin de la veuve noire accroît la libération d'acétylcholine).	La substance empêche le stockage ou la libération du neurotransmetteur.
Étape 3 Liaison		
3) Le neurotransmetteur se lie aux récepteurs postsynaptiques et les active.	La substance se lie aux récepteurs et les active (p. ex., la nicotine active les récepteurs de l'acétylcholine).	La substance se lie aux récepteurs, mais ne les active pas (p. ex., les médicaments contre la schizophrénie bloquent les récepteurs de la dopamine).
Étape 4 Inactivation		
4) L'excès de neurotransmetteurs est réabsorbé ou dégradé par des enzymes.	La substance empêche l'inactivation du neurotransmetteur. Celui-ci demeure dans la synapse et continue de stimuler les récepteurs (p. ex., la cocaïne empêche la réabsorption de la dopamine et de la noradrénaline).	

Figure 6.5   **Modes d'action des substances psychotropes.** La plupart des substances psychotropes produisent leurs effets en modifiant la transmission synaptique. Elles peuvent modifier la production des neurotransmetteurs (étape 1), modifier le stockage et la libération des neurotransmetteurs (étape 2), perturber la liaison des neurotransmetteurs aux récepteurs (étape 3) ou empêcher l'inactivation des neurotransmetteurs en excès dans les synapses (étape 4).

George et de son exposition à l'héroïne contaminée, présentée en introduction, apporte un nouvel espoir aux patients atteints de la maladie de Parkinson. Le fait de découvrir dès leur apparition des symptômes similaires à la maladie de Parkinson chez des sujets jeunes procure de nouveaux indices de recherche importants pour cette maladie dégénérative très répandue dans notre population vieillissante.)

Étape 2   Stockage et libération des neurotransmetteurs. Le venin de l'araignée appelée veuve noire augmente la sécrétion d'acétylcholine et a par conséquent un effet stimulant. Une augmentation de la quantité d'acétylcholine disponible au niveau des neurones récepteurs provoque un effet stimulant excessif : un état de vigilance extrême, une élévation du niveau d'anxiété et une augmentation dangereuse de la tension artérielle et du rythme cardiaque.

Étape 3   Liaison aux récepteurs des neurotransmetteurs. Certaines substances, les *agonistes* dont nous parlions plus haut, ont une structure moléculaire très semblable à celle d'un neurotransmetteur (voir la figure 6.6). La nicotine, par exemple, est semblable à l'acétylcholine, et sa liaison aux récepteurs de l'acétylcholine a un effet stimulant analogue à celui du neurotransmetteur. D'autres substances, les *antagonistes*, ressemblent à un neurotransmetteur au point d'occuper ses récepteurs, mais pas

Figure 6.6 **Agonistes et antagonistes.** a) Normalement, le neurotransmetteur épouse la forme du récepteur et stimule le neurone. b) Un *agoniste* est une substance qui a la même forme moléculaire que le neurotransmetteur naturel et qui imite son action. c) Un *antagoniste* est une substance qui ressemble à un neurotransmetteur au point de combler les mêmes récepteurs, mais pas au point de stimuler le neurone. Par conséquent, les antagonistes inhibent l'action des neurotransmetteurs.

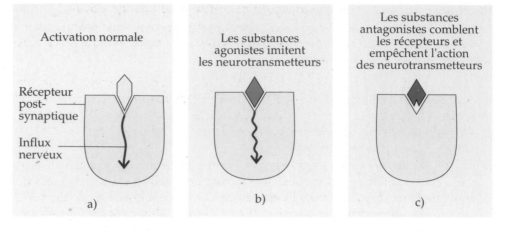

au point d'engendrer une réaction dans le neurone. Tant qu'elles restent attachées aux récepteurs, elles empêchent le « vrai » neurotransmetteur de livrer son message. Beaucoup de médecins croient que la schizophrénie est causée par un excès de dopamine et traitent cette maladie au moyen d'antagonistes de la dopamine.

Étape 4 Inactivation des neurotransmetteurs. Une fois qu'un neurotransmetteur a traversé la synapse, le neurone émetteur réabsorbe la quantité en excès ou la dégrade avec des enzymes. Si l'excès de neurotransmetteurs demeure dans la synapse, le neurone récepteur continue de réagir comme s'il recevait de nouveaux messages. La cocaïne, par exemple, empêche la réabsorption de la dopamine et de la noradrénaline dans les synapses. Par conséquent, elle intensifie les effets stimulants de ces deux neurotransmetteurs.

PENSÉE CRITIQUE • Psychologie en direct

Distinguer les faits des opinions — La drogue

Le sujet de la drogue fait souvent l'objet de débats animés. Or, il est utile de faire une distinction entre les *faits* et les *opinions* quand on aborde un sujet controversé. Un fait est une affirmation dont on peut démontrer la fausseté ou la véracité. Une opinion est un énoncé qui exprime le point de vue ou les croyances d'une personne. Pour vérifier si vous êtes capable de faire la distinction entre les deux, lisez les énoncés suivants et marquez d'un F ceux que vous estimez être des faits et d'un O ceux que vous jugez être des opinions. (Bien entendu, il est important aussi de déterminer si les faits sont vrais ou faux.)

1. À l'heure actuelle, le cannabis est l'une des principales cultures commerciales en Amérique.

2. On ne laisse pas ses amis conduire en état d'ébriété.

3. Les gens qui consomment des drogues ne font de mal qu'à eux-mêmes.

4. Si la cocaïne, la marijuana et l'héroïne étaient légalisées, elles causeraient autant de problèmes à la société que l'alcool et le tabac.

5. Le nombre de cocaïnomanes est faible comparativement au nombre d'alcooliques.

6. L'Association médicale du Québec considère l'alcool comme la plus dangereuse des substances psychotropes.

7. On est en droit de faire subir des tests de dépistage au hasard aux travailleurs responsables de la sécurité publique (les contrôleurs aériens, les policiers, etc.).

8. Les enfants de parents toxicomanes sont plus vulnérables que les autres à la toxicomanie.

9. Les mères qui accouchent de bébés ayant une dépendance à la cocaïne sont coupables de mauvais traitements à l'égard de leurs enfants.

10. L'alcoolisme des femmes enceintes est l'un des principaux facteurs de la déficience mentale chez les enfants.

RÉPONSES : 1. F ; 2. O ; 3. O ; 4. O ; 5. Plutôt que de fournir des réponses précises à cette question et aux suivantes, nous vous suggérons d'en discuter avec vos camarades de classe et vos amis. Écoutez les raisons que les autres donneront à l'appui de leurs réponses. Cela vous aidera beaucoup à distinguer les faits des opinions. (Adapté de Bach, 1988.)

Pourquoi consomme-t-on des drogues et en fait-on un usage abusif ?

Les gens consomment des drogues et en font un usage abusif principalement pour quatre raisons : l'association positive, la dépendance, l'état de manque, et des facteurs personnels ou socioculturels.

1. **L'association positive.** Le cinéma, la télévision et la publicité présentent souvent la consommation de drogues comme un élément essentiel du plaisir : elle est indispensable en vacances, durant une soirée et lors de fêtes. On montre des vedettes de cinéma, des athlètes et des collégiens en train de boire de l'alcool, de fumer et, parfois, d'aspirer de la cocaïne.

   Non seulement les consommateurs de drogues voient des images positives de la consommation de drogues, où interviennent souvent des personnes qui constituent des modèles, mais ils apprennent également que leur drogue préférée provoque des émotions positives. La consommation de cocaïne entraîne un sentiment intense de puissance, de sécurité et d'entrain; l'alcool et la nicotine réduisent le stress et l'anxiété; les amphétamines accroissent l'état d'excitation et d'éveil.

   Il existe aussi une association positive entre les drogues les plus susceptibles de faire l'objet d'une consommation abusive (comme la cocaïne et l'alcool) et l'excitation et l'intensité des expériences sexuelles. De tout temps, les gens se sont donné beaucoup de mal pour trouver des *aphrodisiaques*, c'est-à-dire des substances qui accroissent le désir sexuel. En fait, l'alcool et la cocaïne diminuent la puissance sexuelle (Allgeir et Allgeir, 1998). Si ces drogues continuent de passer pour des aphrodisiaques, c'est qu'elles réduisent initialement les inhibitions. De plus, si un consommateur croit que la cocaïne ou l'alcool augmentera sa puissance sexuelle et son plaisir, il agira peut-être de manière que cette croyance se réalise, du moins au début.

2. **La dépendance.** Les gens commencent généralement à consommer une drogue à cause d'une association positive, mais ils continuent à en faire usage en raison : a) de ses effets sur le système de récompense du cerveau; b) de facteurs génétiques; c) d'influences extérieures. Tous les renforçateurs primaires (la nourriture, les boissons et les activités sexuelles) ont une chose en commun avec les drogues qui créent une dépendance : ils stimulent le système de récompense du cerveau (voir la rubrique *Recherche et découvertes* à la page 206).

   Des facteurs génétiques sont également responsables des différences de prédisposition à la dépendance. Par exemple, une différence dans les gènes peut expliquer un « syndrome de manque de récompense », qui consiste à retirer moins de plaisir de la vie quotidienne que la moyenne des gens (Blum et coll., 1996). Au cours des 30 dernières années, un nombre croissant de données indiquent que certaines personnes seraient biologiquement prédisposées à la dépendance à l'alcool et aux drogues en général (Cardoret et coll., 1995; Cloninger et coll., 1981, 1996; Kendler et coll., 1997). Cependant, d'autres recherches font plutôt ressortir l'importance des facteurs environnementaux et de l'apprentissage (Hill, 1995; Kender et coll., 1992).

   Des facteurs externes, tels la pression des pairs, les influences culturelles et la manière de consommer une drogue jouent également un rôle dans la dépendance. Par exemple, les substances inhalées ou injectées directement dans le système circulatoire créent beaucoup plus une dépendance que les substances ingérées par voie buccale.

3. **La prévention de l'état de manque.** Une fois qu'une personne a développé une dépendance à une drogue, elle en consomme continuellement parce que le fait d'arrêter ou de diminuer sa consommation provoque des symptômes pénibles d'état de manque, tant physiques que psychologiques. Un individu qui cesse de prendre de l'opium après en avoir consommé pendant une longue période ressent habituellement des symptômes physiques comme l'accélération de la

respiration, la transpiration, des tremblements, des contractions musculaires et des pleurs.

Le cerveau produit des substances chimiques, les endorphines, qui ressemblent énormément aux opiacés, et il renferme des récepteurs spécifiques à ces substances (voir le chapitre 3). Étant donné que la consommation régulière d'opiacés surcharge les récepteurs d'endorphines, le cerveau cesse rapidement de produire celles-ci. Lorsqu'une personne cesse de consommer de la drogue, il n'y a plus ni opiacé ni endorphine pour régulariser la douleur et l'inconfort, ce qui explique que le sevrage s'accompagne de douleurs extrêmement pénibles. Les problèmes dus aux symptômes de l'état de manque constituent la principale cause pour laquelle les fumeurs ne réussissent pas à mettre fin à leur consommation de tabac (voir le chapitre 11).

Le sevrage s'accompagne aussi de symptômes psychologiques. Par exemple, les sentiments de bien-être et d'euphorie associés à la consommation de cocaïne sont suivis de sentiments tout aussi intenses de dépression. L'euphorie initiale s'explique par la prolongation des effets des neurotransmetteurs et les sentiments subséquents de dépression, à la déplétion des mêmes neurotransmetteurs.

La majorité des gens ne comprennent pas ce qui cause la dépression qui accompagne inévitablement une consommation abusive de stimulants. Ils ne se rendent pas compte que les sentiments d'euphorie résultent de l'utilisation des réserves d'énergie de l'organisme, jusqu'à épuisement de celles-ci; ils attribuent à tort l'excès d'énergie à un pouvoir magique de la drogue. Tout comme on peut considérer une carte de crédit comme une somme supplémentaire d'argent, on peut considérer un stimulant comme une source supplémentaire d'énergie. Mais en réalité, si on en fait un usage prolongé, il faudra « payer la facture » : irritabilité, anxiété, paranoïa, et hallucinations auditives et visuelles. Le consommateur a alors de bonnes raisons de regagner l'état d'euphorie en ingérant de nouveau de la drogue, et parfois en augmentant la dose. Après avoir fait l'expérience de plusieurs « voyages » et de déprimes de plus en plus prononcées, l'utilisateur peut-être tenté de prendre une drogue plus forte. Il peut en arriver à consommer éventuellement plusieurs drogues à la fois, ce qui comporte des risques élevés, sinon mortels. Il s'agit là sans contredit d'une consommation nocive et abusive.

4. **Les facteurs personnels et socioculturels.** Des raisons personnelles et socioculturelles expliquent également que certaines personnes consomment des drogues et en font un usage abusif. Au nombre de ces raisons, on note la disponibilité de drogues, la misère économique, de mauvais résultats scolaires (particulièrement au secondaire), le fait de commencer tôt à consommer de la drogue, le peu d'importance accordée à la réalisation de soi, un soutien inadéquat des parents ou le manque de relations chaleureuses avec ces derniers, l'absence de croyances religieuses, les conflits familiaux, une faible capacité à faire face aux événements et la difficulté à établir des relations sociales satisfaisantes (Kendler et coll., 1997; Newcomb, 1997; Segal et Stewart, 1996; Stephenson et coll., 1996; Thompson et coll., 1996).

Les uns et les autres

LA MARIJUANA ET LA COCAÏNE : APERÇU CULTUREL

Un bref examen des mœurs des autres sociétés en matière de substances psychotropes démontrera l'importance de la forme et de la voie d'administration ainsi que celle de la disposition et de l'environnement. Des études anthropologiques portant sur l'usage de la cocaïne ont indiqué que les variations culturelles de la forme et de la voie d'administration ont des effets considérables sur le processus physiologique de l'assuétude (Allen, 1989; Davis, 1990; Hamid, 1990). De nombreux

En Amérique du Nord et en Europe de l'Ouest, beaucoup de gens éprouvent une douce sensation de détente après avoir fumé de la marijuana. Dans d'autres sociétés, cependant, les gens affirment que la marijuana leur donne de l'énergie et améliore leur rendement au travail.

autochtones du Pérou, par exemple, chiquent des feuilles de coca aromatisées à la lime pendant leur journée de travail, et cela toute leur vie durant. Pourtant, rares sont ceux qui présentent des signes d'assuétude. Par contre, l'assuétude est répandue dans les sociétés où la cocaïne est fumée ou inhalée sous forme de poudre. Une forte proportion de la dose atteint alors le système nerveux central, et la réaction physiologique est entièrement différente.

Une étude transculturelle commanditée par les National Institutes of Mental Health, aux États-Unis, a démontré que la consommation et les effets du cannabis (marijuana) variaient suivant les attentes culturelles (Nanda, 1991). Un des chercheurs de l'équipe, William Partridge, a constaté que les Colombiens fument de la marijuana pendant leur travail et qu'ils croient que la drogue améliore leur rendement. En Jamaïque, de même, le cannabis est perçu comme une substance énergisante.

En Amérique du Nord et en Europe de l'Ouest, au contraire, les utilisateurs de marijuana estiment généralement que la drogue diminue l'énergie et la motivation. Son usage chronique entraîne chez certaines personnes une apathie extrême, qui porte le nom de *syndrome amotivationnel*.

L'on comprend facilement pourquoi la recherche dans le domaine de la psychologie culturelle connaît un essor depuis quelques années. L'étude des mœurs et des croyances des autres sociétés nous aide non seulement à mieux les comprendre, mais encore à jeter un regard neuf sur la nôtre. ■

RECHERCHE ET DÉCOUVERTES

Les drogues qui créent une dépendance : des « maîtres diaboliques » du cerveau

Comment expliquer que les alcooliques et autres toxicomanes consomment de la drogue bien que cela détruise leur vie ? C'est peut-être que le cerveau « apprend » à être dépendant. Les scientifiques savent depuis longtemps que divers neurotransmetteurs sont la clé de toutes les formes normales d'apprentissage. Des données indiquent aujourd'hui que les drogues qui créent une dépendance (en agissant sur certains neurotransmetteurs) enseignent au cerveau à vouloir une quantité toujours plus grande de la substance destructrice. La drogue devient le « maître diabolique » du cerveau (Wickelgren, 1998, p. 2045).

Comment cela se fait-il ?   La recherche sur la dépendance s'est d'abord concentrée sur un neurotransmetteur, la dopamine, parce qu'on en connaît les effets sur la partie du système de récompense du cerveau appelée *nucleus accumbens* (DiChiara, 1997; Giros et coll., 1996; Pontieri et coll., 1996; Pich et coll., 1997). La nicotine et les amphétamines, par exemple, stimulent la libération de dopamine, et la cocaïne en inhibe le cours.

Cependant, des recherches récentes ont mis en évidence l'importance d'un autre neurotransmetteur : le glutamate. Alors que le cerveau, et en particulier le système de récompense, semble sensible à l'afflux de dopamine causé par la consommation de drogue, le glutamate est peut-être responsable de la consommation compulsive de drogues. Même après que les premiers effets de la drogue se sont estompés, l'apprentissage relié au glutamate incite la personne intoxiquée à vouloir une quantité toujours plus grande de la drogue et porte l'organisme à s'en procurer. Il semble que le glutamate ait comme effet la mémorisation durable de l'utilisation de la drogue en modifiant la nature des « échanges » entre les neurones. Il se produit en effet des changements dans les communications entre neurones lorsqu'on fait un apprentissage quelconque ou qu'on mémorise celui-ci. Dans le cas de la consommation de drogue, le glutamate « apprend » au cerveau à devenir dépendant.

On oublie rarement une leçon enseignée par le glutamate. Les changements qu'il provoque dans le cerveau empêchent des toxicomanes pourtant très motivés de rompre la dépendance. En plus du besoin maladif de drogue et de la souffrance associée au sevrage, le cerveau intoxiqué crée un besoin à la seule vue d'objets reliés à la drogue. Lorsqu'on a projeté à 13 cocaïnomanes et à cinq personnes témoins un film montrant des objets neutres et d'autres associés à la drogue (comme des pailles et des lames de rasoir), les premiers ont dit avoir ressenti un besoin intense de cocaïne. Pendant la projection, la tomographie par émission de positons (TEP) du cerveau des cocaïnomanes a montré une activité neurale importante dans les régions du cerveau qui libèrent du glutamate (Grant et coll., 1996). Apparemment, l'activation du système du glutamate, par la consommation de drogue ou un objet qui l'évoque, crée un besoin maladif, ce qui explique la fréquence des rechutes.

Exercez votre esprit critique et demandez-vous comment les plus récents résultats de recherche pourraient contribuer à résoudre les problèmes de dépendance et de rechute. À la lumière de ce que vous savez des agonistes et des antagonistes, pensez-vous qu'un antagoniste du glutamate pourrait être utile ? Vous avez raison : ça l'est. En effet, des toxicomanes de longue date à qui on a administré cet antagoniste ont ensuite affirmé ressentir beaucoup moins intensément le besoin de consommer et de se procurer de la drogue lorsqu'on leur présente des objets associés à la consommation de psychotropes (Herman et O'Brien, 1997). On procède de plus à des essais sur les drogues influant sur la transmission du glutamate dans le cadre du traitement de la dépendance en général (Wickelgren, 1998).

RÉSUMÉ

Les substances psychotropes

Les substances psychotropes modifient le niveau de conscience ou la perception. La surconsommation de drogues s'applique à la consommation causant des dommages émotifs ou physiques à l'individu ou à son entourage, alors que la dépendance provient de la consommation répétée de drogues et conduit à une tolérance accrue et à des symptômes de manque. La tolérance est un processus physiologique poussant l'utilisateur à consommer des doses de drogue de plus en plus élevées et fréquentes pour obtenir l'effet désiré.

Les substances psychotropes peuvent entraîner une dépendance psychologique et une dépendance physique. La dépendance psychologique est le désir ou le besoin pressant d'obtenir les effets d'une substance psychotrope. La dépendance physique est une modification des fonctions physiologiques qui se traduit par des symptômes de sevrage en cas d'interruption de la consommation.

Les principales catégories de substances psychotropes sont les dépresseurs, les stimulants, les narcotiques et les hallucinogènes. Les dépresseurs ralentissent l'activité du système nerveux central, tandis que les stimulants l'accélèrent. Les narcotiques soulagent la douleur. Les hallucinogènes, ou psychodysleptiques, modifient les perceptions.

Les drogues agissent principalement en modifiant les effets des neurotransmetteurs dans le cerveau. Les drogues dites agonistes imitent les neurotransmetteurs, tandis que les antagonistes entravent le fonctionnement normal des neurotransmetteurs.

Quatre raisons principales expliquent la consommation et l'abus de drogues : les associations positives, l'accoutumance, la peur du manque et les influences personnelles ou socio-culturelles.

QUESTIONS DE RÉVISION

1. Les substances qui modifient l'état de conscience ou les perceptions sont appelées _____ .

2. Quels sont les quatre principaux modes d'action des substances psychotropes ?

3. La consommation de substances psychotropes qui cause des torts psychiques ou physiques à l'utilisateur et à son entourage est appelée _____ .

4. Quelle est la différence entre la dépendance physique et la dépendance psychologique ?

5. La _____ et l'_____ sont deux des principaux déterminants des effets d'une substance psychotrope.

Les réponses aux questions de révision se trouvent en annexe.

AUTRES ÉTATS ALTÉRÉS : L'HYPNOSE ET LA MÉDITATION

Nous avons vu jusqu'ici que l'on peut atteindre un état altéré de conscience de façon naturelle, soit par le sommeil et le rêve, ou encore par la consommation de substances psychotropes. Dans cette section, nous étudierons deux autres moyens de modifier l'état de conscience : l'hypnose et la méditation.

▲ *Quels sont les effets de l'hypnose et de la méditation sur la conscience ?*

L'HYPNOSE

Beaucoup d'étudiants s'étonnent qu'un manuel sérieux traite de l'hypnose. L'hypnose, en effet, est souvent dénigrée à cause de son passé « brumeux » et de ses rapports avec le charlatanisme. Pourtant, c'est un phénomène psychologique digne d'intérêt et une technique médicale utile.

Hypnose : mythes et applications thérapeutiques

« Détendez-vous… votre corps est très fatigué… vos paupières sont extrêmement lourdes… vos muscles se détendent de plus en plus… votre respiration est toujours plus profonde… détendez-vous… vos yeux se ferment et votre corps tout entier devient lourd comme du plomb… laissez-vous aller… détendez-vous. » C'est là le type de suggestions dont la plupart des hypnotiseurs se servent au début d'une séance d'hypnotisme, en adoptant une voix douce et grave. Une fois hypnotisées, certaines personnes peuvent être persuadées qu'elles se trouvent au bord de l'océan, entendent le bruit des vagues et ressentent les embruns sur leur visage. Invitée à déguster une délicieuse pomme qui est en fait un oignon, la personne hypnotisée pourra en savourer le goût. Si on lui dit qu'elle regarde un film très triste ou très drôle, elle peut se mettre à rire ou à pleurer devant ses propres visions.

Qu'est-ce que l'hypnose exactement ?   L'hypnose est un état altéré de conscience qui présente une ou plusieurs des caractéristiques suivantes : 1) augmentation de la suggestibilité (de la disposition à accepter les changements de perception proposés, par exemple à prendre un oignon pour une pomme sur la foi de l'affirmation de l'hypnotiseur); 2) fixation de l'attention (le sujet est peu réceptif aux autres stimuli sensoriels); 3) libre cours laissé à l'imagination et aux hallucinations (les sujets

Hypnose : État altéré de conscience correspondant à une augmentation de la suggestibilité et caractérisé par la relaxation et la fixation de l'attention.

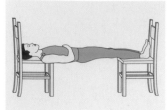

Figure 6.7 **Tour de magicien ou hypnose ?** Le tour représenté ici est un classique de la magie. L'hypnotiseur cherche à convaincre l'auditoire que l'hypnose confère une force surhumaine. Si vous faites l'expérience avec un ami, cependant, vous verrez que l'hypnose n'est nullement nécessaire à la réussite du tour.

Regard fixe
Catalepsie
Dilatation pupille
+ anfantile

peuvent voir des objets qui n'existent pas ou passer outre à des objets qui existent) ; 4) attitude passive et réceptive ; 5) diminution de la sensibilité à la douleur (Hilgard, 1986, 1992 ; Plotnick, Payne et O'Grady, 1991).

L'hypnotisme a fait l'objet de plusieurs recherches ; pourtant il subsiste encore bien des mythes et des controverses. Nous tenterons de faire un peu de lumière sur cet imbroglio à la section suivante.

Cinq mythes tenaces

1. **L'hypnose forcée.** L'une des idées fausses les plus répandues au sujet de l'hypnose veut qu'il soit possible d'hypnotiser quelqu'un contre son gré. Or, le sujet doit prendre lucidement la décision de céder les guides de sa conscience à une autre personne, et il est virtuellement impossible d'hypnotiser une personne qui s'y refuse. Au demeurant, 9 % environ des gens sont totalement réfractaires à l'hypnose, en dépit de leur désir et de leurs efforts en ce sens. Et l'idée voulant que les gens sous hypnose puissent subir un lavage de cerveau et être transformés en robots irresponsables est fausse (Baker, 1998). Les sujets les plus facilement hypnotisables sont les personnes imaginatives, capables de fixer leur attention et ouvertes aux nouvelles expériences (Nadon et coll., 1991 ; Nickell, 1996).

2. **Les comportements inacceptables.** Beaucoup de gens croient que l'hypnose peut amener une personne à se conduire de manière immorale ou à prendre des risques contre son gré. Les sujets gardent le contrôle de leur comportement durant l'hypnose. Ils sont conscients de leur environnement et peuvent refuser de se soumettre aux suggestions de l'hypnotiseur (Kirsch et Lynn, 1995).

3. **Une force surhumaine.** Il est faux que les gens sous hypnose soient capables de déployer une force surhumaine. Dans les épreuves visant à mesurer la force physique, les sujets non hypnotisés à qui l'on demande simplement de donner leur maximum sont généralement capables de faire tout ce qu'un sujet hypnotisé peut faire (Druckman et Bjork, 1994).

4. **Une mémoire exceptionnelle.** En de rares occasions, la détente engendrée par l'hypnose a permis à des témoins et à des victimes de crimes violents de se remémorer des faits cruciaux. La part jouée par l'hypnose dans la résolution d'affaires criminelles demeure incertaine. Les témoins et les victimes ne se seraient-ils pas rappelé les faits de toute manière ? Chose certaine, l'utilisation de l'hypnose complique le processus judiciaire. D'ailleurs, les déclarations et les renseignements obtenus par hypnose ne sont pas admis comme preuves au Canada.

Contrairement à ce que beaucoup de gens pensent, il est pratiquement impossible d'hypnotiser quelqu'un contre son gré. Les hypnotiseurs du monde du spectacle font appel à des volontaires qui désirent ardemment coopérer et être hypnotisés.

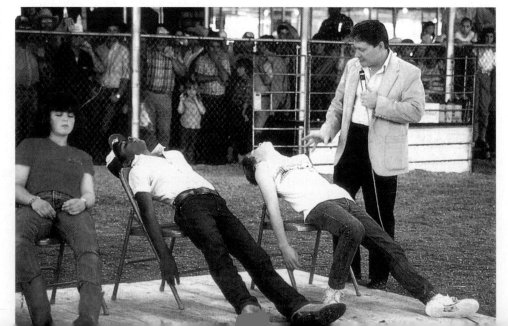

Les souvenirs sont en effet des constructions personnelles et imparfaites (Loftus, 1980, 1992; voir aussi le chapitre 8). Les chercheurs ont découvert que certains aspects du rappel s'améliorent sous hypnose parce que le sujet est alors capable de se détendre et de se concentrer, mais ils ont aussi constaté que le nombre d'erreurs augmente. Les sujets hypnotisés que l'on presse de donner des détails ont de la difficulté à séparer les faits réels des faits imaginés, et ils sont portés à fabuler (Perry et coll., 1996).

Comme vous pourrez le voir au chapitre 8, tout souvenir est en fait une reconstruction plutôt qu'une reproduction. Par conséquent, comme un souvenir est normalement rempli d'inventions et de distorsions, l'hypnose augmente en général les risques d'erreurs (Baker, 1998; Perry, 1997).

5. **Une imposture.**   Les sujets font-ils semblant et jouent-ils la comédie, de connivence avec l'hypnotiseur, ou se trouvent-ils réellement dans un état de conscience particulier qui modifie leur conscience et leur perception habituelles ? Alors que la plupart des sujets ne feignent pas délibérément l'hypnose, certains chercheurs croient que ses effets sont dus à un mélange de conformisme, de détente, d'obéissance, de suggestion et de jeu de rôle (Baker, 1996; Kirsch et Lynn, 1995; Lynn, 1997). Selon cette *théorie du jeu de rôle*/de la relaxation, l'hypnose serait un état mental normal où des personnes totalement détendues et influençables permettraient à l'hypnotiseur de diriger leurs fantasmes et se comporteraient en conséquence.

Par opposition, l'effet hypnotique résulterait, selon la *théorie de l'état altéré*, d'un état de conscience spécial, altéré (Bowers et Woody, 1996; Hilgard, 1978, 1992). Les chercheurs adeptes de cette théorie doutent que la relaxation, le jeu de rôle et la suggestion puissent expliquer les cas où des patients supportent des chirurgies complexes sans anesthésie. À l'instar d'autres domaines controversés de la psychologie, un groupe de théoriciens « unifiés » suggère que l'hypnose serait une combinaison de relaxation/jeu de rôle et d'un état de conscience altérée particulier.

Applications thérapeutiques

Du XVIIIe siècle jusqu'aux temps modernes, l'hypnose a été utilisée (souvent à mauvais escient) par des artistes de cabaret et des charlatans, tout en constituant un outil clinique respecté des médecins, des dentistes et des thérapeutes. Cette curieuse double fonction a débuté avec Franz Anton Mesmer (1734-1815). Mesmer croyait que tous les corps vivants sont chargés d'énergie magnétique et prétendait utiliser cette « connaissance » pour guérir les maladies. Après avoir amené ses patients à un état de profonde relaxation et les avoir totalement convaincus de ses pouvoirs guérisseurs, Mesmer promenait des aimants au-dessus de leurs corps en leur disant que leurs problèmes allaient disparaître. Chez certaines personnes, cela fonctionnait.

Les théories de Mesmer ont ensuite été discréditées, mais James Braid, un médecin écossais, réussit à amener ses patients dans un état de transe similaire lors de chirurgies. Toutefois, comme les médicaments anesthésiques puissants et fiables avaient été découverts, l'intérêt pour la technique de Braid s'étiola. C'est Braid qui a créé le terme *hypnose* en 1843, à partir du mot grec désignant le sommeil.

L'hypnose est fréquemment utilisée à des fins médicales et psychothérapeutiques (Kirsch et coll., 1995). Malgré les anesthésiants à notre disposition, on l'utilise à l'occasion en chirurgie et dans le traitement de douleurs chroniques et de brûlures graves (Holyroyd, 1996; Patterson et Ptacek, 1997). L'hypnose est particulièrement utile auprès des patients craintifs et mal informés, dans le domaine de la médecine dentaire et de l'obstétrique notamment. Comme la tension et l'anxiété augmentent la douleur, toute technique qui détend le patient a une valeur médicale.

En psychothérapie, l'hypnose peut aider les patients à se détendre, à se rappeler des souvenirs ou à se calmer (Kluft, 1997). Elle a une efficacité limitée dans le traitement des phobies, de l'obésité, du tabagisme et du manque de concentration

(Gibson et Heap, 1991). Beaucoup d'athlètes utilisent des techniques d'autohypnose comme l'imagerie mentale et la concentration pour améliorer leurs performances. Le coureur de fond Steve Ortiz, par exemple, se remémore ses meilleures courses avant une épreuve importante. Sur la ligne de départ, il se dit : « Je suis presque en état d'autohypnose. Je flotte sur la piste » (cité par Kiester, 1984, p. 23).

LA MÉDITATION

Méditation : Ensemble de techniques visant à fixer l'attention et à augmenter la lucidité.

La méditation est un ensemble de techniques visant à fixer l'attention et à augmenter la lucidité. Le méditant doit réprimer la tendance naturelle de l'esprit à errer.

Certaines techniques de méditation, tels le taï-chi et le hatha yoga, reposent sur des enchaînements de mouvements et de positions. D'autres consistent à rester immobile, à se concentrer sur un point (comme la flamme d'une chandelle), à observer sa respiration et à répéter mentalement un mantra (un son, un mot ou une phrase qui favorise la concentration ou le recueillement).

Depuis quelques années, la méditation gagne de nombreux adeptes en Amérique du Nord, principalement à cause de ses propriétés calmantes. Dans d'autres parties du monde, en revanche, elle est pratiquée depuis des siècles, surtout à des fins spirituelles. Ses adeptes prétendent qu'elle produit un état de conscience éclairé, supérieur à tous les autres, et qu'elle confère une remarquable maîtrise des fonctions physiologiques (Epstein, 1998; Shapiro, 1994).

Que procure la méditation ? Selon les méditants, la pratique de la méditation procure au début une détente sereine, suivie d'une légère euphorie. Les méditants avancés disent éprouver une extase profonde, une joie extrême ou de vives hallucinations (Smith, 1982). Gopi Krishna dépeint ainsi son expérience (1971) :

> « *Soudain, j'ai senti un courant de lumière liquide entrer dans mon cerveau par ma moelle épinière avec un rugissement semblable à celui d'une chute. La lumière devint de plus en plus éblouissante, le rugissement de plus en plus sonore. J'ai eu la sensation de chanceler, puis de glisser hors de mon corps, enveloppé dans un halo de lumière. J'ai senti le point de conscience que je formais se dilater, au milieu de vagues de lumière* » (p. 12 et 13).

À l'aide d'un matériel électronique perfectionné, les chercheurs ont prouvé que la méditation peut modifier radicalement des processus physiologiques comme l'activité cérébrale, la fréquence cardiaque, la consommation d'oxygène et l'activité des glandes sudoripares (Benson, 1988; Pagano et Warrenberg, 1983). Les 25 % de Canadiens qui souffrent d'hypertension artérielle seront peut-être heureux d'apprendre que la méditation réduit le stress et abaisse la pression artérielle (Alexander et coll., 1989; Gaylord, Orme-Johnson et Travis, 1989).

À vous les commandes

Vous pouvez faire l'expérience des bienfaits de la méditation en utilisant la technique de relaxation élaborée par Herbert Benson (1977).

1. Choisissez un mot ou une courte phrase qui reflète vos valeurs personnelles les plus profondes (comme « amour », « paix », « un », « shalom » ou « bonheur »).
2. Asseyez-vous confortablement, fermez les yeux et relâchez vos muscles.
3. Concentrez-vous sur votre souffle et respirez par le nez. En expirant, dites silencieusement les mots que vous avez choisis. Procédez de cette façon pendant dix à vingt minutes. Vous pouvez ouvrir les yeux pour regarder l'heure, mais n'utilisez pas la sonnerie de votre réveille-matin. À la fin de la séance, restez assis pendant quelques minutes encore, les yeux fermés d'abord, puis les yeux ouverts.
4. Gardez une attitude passive pendant toute la séance. Laissez la détente suivre librement son cours. Si vous avez des distractions, n'en tenez pas compte et continuez à répéter les mots choisis.

5. Pratiquez la technique une ou deux fois par jour, au moins deux heures après les repas. Il semble en effet que la digestion entrave la relaxation. ■

Source : H. Benson, « Systematic Hypertension and Relaxation Response », *New England Journal of Medecine*, 1977, p. 296.

Les uns et les autres

LA CONSCIENCE ET LA CULTURE

L'être humain cherche à modifier son état de conscience depuis la nuit des temps. Dès 2500 av. J.-C., les Sumériens exprimaient les réactions produites par l'opium à l'aide d'un symbole que les archéologues traduisent par « joie » ou « réjouissance » (Davis, 1990). Le plus ancien code de lois, celui d'Hammourabi, roi de Babylone qui vécut aux alentours de 1700 av. J.-C., contenait des dispositions relatives à la vente de vin.

E. Bourguignon (1973) a étudié 488 sociétés de toutes les régions du monde et a découvert que 90 % d'entre elles pratiquaient des méthodes institutionnalisées de modification de la conscience. Ces méthodes comprenaient l'usage de drogues, le jeûne ritualisé, la danse, le chant et la transe. Dans presque toutes les sociétés, de très jeunes enfants s'adonnaient à des comportements visant à l'altération de la conscience. Andrew Weil (1972), médecin et chercheur à Harvard, a écrit : « Des enfants de trois et quatre ans tournent sur eux-mêmes jusqu'à la stupeur, pratiquent l'hyperventilation et demandent à des camarades de leur comprimer la poitrine jusqu'à ce qu'ils s'évanouissent. Ils s'étouffent les uns les autres pour provoquer l'évanouissement » (p. 19). Puisque la recherche des états altérés de conscience est si répandue dans l'histoire et dans le monde, certains chercheurs avancent que l'être humain a un besoin inné d'accéder à une réalité hors de l'ordinaire (Siegel, 1989; Weil et Rosen, 1993).

Le kava est une boisson dérivée d'une plante qui servait autrefois, en Polynésie, à communiquer avec les dieux. Aujourd'hui, de nombreux Polynésiens visitent des débits de kava pour se détendre après une dure journée de travail.

Pourquoi les états altérés de conscience sont-ils si recherchés ?

Une étude récente portant sur le kava fournit trois réponses à la question (« Hawaï high », 1998, Merlin, Lebot et Lindstrom, 1992). (Le kava est une boisson qui, dérivée des racines séchées d'une plante de la Polynésie, produit un état altéré de conscience.) Bien que les moyens utilisés varient d'une société à l'autre, les fonctions des modifications de la conscience sont les mêmes partout.

1. **Les rituels sacrés.**   Dans de nombreuses sociétés, les gens recherchent les états altérés de conscience pour accéder à la dimension spirituelle. À l'origine, la consommation de kava était un moyen de communiquer avec les dieux. Les gens croyaient qu'ils pouvaient entendre les voix de leurs ancêtres pendant qu'ils étaient sous l'influence du kava. La consommation de substances psychotropes à des fins spirituelles a une longue histoire partout dans le monde. Le tabac, par exemple, a toujours fait partie intégrante des rituels religieux des autochtones

La méditation, les chants religieux, l'alcool et certains jeux enfantins sont des moyens répandus d'atteindre un état altéré de conscience.

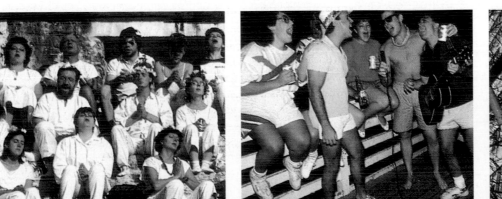

d'Amérique (Robicsek, 1992). Il sert d'encens, d'offrande, de sacrifice et de sacrement. Dans bien des sociétés, le jeûne prolongé, la réclusion, le chant, la danse et la privation sensorielle accompagnent la consommation de drogues à des fins spirituelles (Barnouw, 1985; Kehoe, 1992).

2. **Les fonctions sociales et politiques.** Les états altérés de conscience s'intègrent aux mœurs sociales et politiques de la plupart des sociétés. En Polynésie, on s'échange de grands plants de kava richement décorés lors des fêtes et des mariages, et les réunions politiques commencent souvent par la consommation rituelle d'une tasse de kava. Prise en petites quantités, la boisson détend les muscles et produit une légère euphorie, sans pour autant diminuer la lucidité (« Hawaï high », 1998). Par conséquent, le kava convient aussi bien à la fête qu'à la réduction des tensions de la vie sociale (Fackelmann, 1992).

Dans la société nord-américaine, l'alcool occupe une place importante dans bien des situations à caractère social. Les gens célèbrent les mariages, les naissances et la nouvelle année en sablant le champagne. Dans les déjeuners d'affaires et les réunions politiques, il n'est pas rare que l'on boive de l'alcool.

3. **La gratification personnelle.** L'être humain recherche les états altérés de conscience non seulement dans ses activités spirituelles, sociales et politiques mais aussi dans sa vie personnelle, pour se donner du plaisir et calmer son anxiété. En Nouvelle-Guinée et à Fidji, les gens ont coutume de fréquenter des débits de kava pour se détendre après leur travail. Les tensions de la journée cèdent alors la place à un sentiment de bien-être. L'alcool joue le même rôle que le kava dans les sociétés occidentales. ■

RÉSUMÉ

Autres états altérés

L'hypnose est un état altéré de conscience correspondant à une augmentation de la suggestibilité et caractérisé par la relaxation et la fixation de l'attention. L'hypnose est utilisée pour soulager la douleur et augmenter la concentration; on s'en sert aussi comme un complément en psychothérapie.

La méditation est un ensemble de techniques qui visent à fixer l'attention et à augmenter la lucidité. La méditation peut modifier radicalement les processus physiologiques comme la fréquence cardiaque et respiratoire.

Alors que les études sur la conscience ont intéressé les psychologues à des degrés variables selon les époques, elles ont toujours captivé le grand public – particulièrement les états altérés de conscience. Chez les peuples de toutes cultures, les EAC 1) font partie de rituels sacrés, 2) répondent à un besoin social d'interaction, et 3) procurent une gratification personnelle.

QUESTIONS DE RÉVISION

1. _____ est un état altéré de suggestibilité élevée caractérisé par une relaxation profonde et une concentration intense.
   a) La méditation   b) La psychose causée par les amphétamines   c) L'hypnose   d) Le rêve éveillé

2. Dressez la liste des cinq mythes et controverses principaux entourant l'hypnose.

3. Pourquoi est-il quasi impossible d'hypnotiser quelqu'un contre son gré ?

4. Contrairement à l'hypnose, la _____ produit des changements mesurables des fonctions physiologiques.

5. Décrivez les trois fonctions principales des états altérés de conscience présentes dans toutes les cultures.

Les réponses aux questions de révision se trouvent en annexe.

LE CHAPITRE 6 EN UN CLIN D'ŒIL

L'ÉTUDE DE LA CONSCIENCE

Conscience : état de vigilance et de sensibilité aux stimuli internes et externes.

États altérés de conscience : états différents de la vigilance habituelle survenant lors du sommeil, du rêve, de la consommation de drogues, de l'hypnose et de la méditation.

Les niveaux de conscience

Les niveaux de conscience	Exemples
Extrême : **traitements volontaires** nécessitant une capacité d'attention importante.	Subir un examen.
Moyen : **traitements automatiques** nécessitant une attention minimale.	Se brosser les dents. Rêve éveillé et fantasmes.
Minimal ou absence de conscience.	Rêve, inconscience et coma.

LE SOMMEIL ET LE RÊVE

Sommeil et chronobiologie : un cycle quotidien de 24 heures (**rythme circadien**) influe sur le sommeil. Les perturbations des rythmes circadiens dues aux horaires de travail variables et au décalage horaire peuvent avoir des conséquences graves.

Causes biologiques du sommeil : il semble que le sommeil soit régi par certains neurotransmetteurs et par différentes régions du cerveau.

Stades du sommeil : une nuit de sommeil typique comprend de quatre à cinq cycles de 90 minutes. Les stades 1 à 4 sont constitués de sommeil non MOR. Ensuite, le cycle s'inverse et le stade 1 est remplacé par une période de sommeil MOR.

Le sommeil à ondes lentes (non MOR) (stades 1 à 4)

Fonction : nécessaire à l'accomplissement des fonctions biologiques.

Le sommeil paradoxal (MOR)

Fonction : important pour la mémoire, l'apprentissage et l'accomplissement des fonctions biologiques. Les mouvements oculaires rapides sont associés au rêve.

Les théories du sommeil

1. **Théorie de la restauration :** théorie selon laquelle le sommeil permet aux organismes de remédier aux tensions physiques, affectives et intellectuelles.

2. **Théorie évolutive du rythme circadien :** théorie selon laquelle le sommeil est un rythme circadien apparu au cours de l'évolution comme un moyen d'économiser l'énergie et d'échapper aux prédateurs.

Les fonctions du rêve

1. **Approche psychanalytique :** les rêves sont l'expression symbolique (**contenu manifeste** et **contenu latent**) de désirs et de tensions refoulés (**théorie** freudienne **de l'accomplissement des désirs**).

2. **Approche biologique :** le rêve résulte de la stimulation aléatoire de cellules cérébrales (**hypothèse de l'activation-synthèse**).

3. **Approche cognitive :** le rêve nous aide à trier et à approfondir nos expériences quotidiennes (**traitement de l'information**).

Les troubles du sommeil

Insomnie Difficulté à s'endormir ou à rester endormi, réveils pendant la nuit ou réveils précoces.	**Apnée du sommeil** Interruption temporaire de la respiration pendant le sommeil; cause présumée de la mort subite du nourrisson.	**Narcolepsie** Accès soudains et irrésistibles de sommeil pendant les heures de veille normales.	**Cauchemars** Rêves angoissants se produisant généralement pendant le sommeil paradoxal (MOR).	**Terreurs nocturnes** Réveils soudains pendant le sommeil à ondes lentes (non MOR), accompagnés de sentiments de panique.

LES SUBSTANCES PSYCHOTROPES

Substances psychotropes : substances chimique qui modifient le comportement et l'état de conscience ou la perception.

Termes importants

Consommation abusive : consommation qui cause des torts psychiques ou physiques à l'utilisateur et à son entourage.

Assuétude : consommation fréquente qui entraîne une augmentation de la tolérance et, lorsque interrompue, des symptômes de sevrage.

Tolérance : diminution de la sensibilité à une substance psychotrope, telle que l'utilisateur doit augmenter la fréquence et l'abondance de sa consommation pour obtenir l'effet désiré.

Dépendance psychologique : désir ou besoin pressant de ressentir les effets d'une substance psychotrope.

Dépendance physique : modification des fonctions physiologiques résultant de l'usage répété d'une substance psychotrope et se traduisant par des symptômes de sevrage en cas d'interruption de la consommation.

La consommation des drogues

Modes d'action des substances psychotropes : les substances psychotropes **agonistes** imitent l'action d'un neurotransmetteur, tandis que les substances psychotropes **antagonistes** entravent l'action d'un neurotransmetteur.

Pourquoi consomme-t-on des drogues ? Pour quatre raisons : l'association positive, la dépendance, la prévention de l'état de manque et les facteurs personnels et socioculturels.

AUTRES ÉTATS ALTÉRÉS

	Mythes tenaces	Applications thérapeutiques
Hypnose : état altéré de conscience correspondant à une augmentation de la suggestibilité et caractérisé par la relaxation et la fixation de l'attention.	1. hypnose forcée; 2. comportements inacceptables; 3. force surhumaine; 4. mémoire exceptionnelle; 5. imposture.	Réduction de la douleur et de l'anxiété, augmentation de la concentration, adjuvant à la psychothérapie.
Méditation : ensemble de techniques visant à fixer l'attention et à augmenter la lucidité.		Modification radicale des processus physiologiques comme la fréquence cardiaque et la consommation d'oxygène.

La conscience et la culture : les états altérés de conscience ont les mêmes fonctions partout au monde : 1. rituels sacrés; 2. fonctions sociales et politiques; 3. gratification personnelle.

L'apprentissage

PLAN DU CHAPITRE

OBJECTIFS

Au fil de votre lecture, gardez les questions guides suivantes à l'esprit et tentez d'y répondre dans vos propres mots.

▲ Quelles sont les différentes formes d'apprentissage ?

▲ Comment l'association d'un stimulus qui provoque une réponse réflexe et d'un stimulus neutre conduit-elle à la forme d'apprentissage appelée conditionnement répondant ? Comment l'extinction, le recouvrement spontané, la généralisation et la discrimination se produisent-ils ?

▲ Comment l'association d'un comportement volontaire et d'un changement dans le milieu conduit-elle à la forme d'apprentissage appelée conditionnement opérant ? Comment l'extinction, le recouvrement spontané, la généralisation et la discrimination se produisent-ils ?

▲ Qu'est-ce que la théorie de l'apprentissage cognitif ?

▲ Pouvons-nous apprendre simplement en observant les autres ?

Au jardin zoologique, avez-vous l'impression que les gorilles, les orangs-outans et les chimpanzés vous observent autant que vous les observez ? Est-ce que leurs comportements vous semblent étrangement humains ? Avez-vous déjà eu envie de franchir la clôture et d'essayer de communiquer avec eux ? Francine (Penny) Patterson, elle, l'a fait. Par l'intermédiaire du jardin zoologique de San Francisco, elle a adopté un gorille femelle nommée Koko à qui elle a appris à communiquer par le langage gestuel. Après moins d'un mois d'observation et seulement deux jours d'exercices systématiques, Koko a formé son premier mot. Patterson décrit comme suit son expérience :

> « Chaque fois que j'offrais des morceaux de fruits à Koko, elle ébauchait le geste qui signifie "nourriture". La plupart du temps, elle portait son index à sa bouche, mais elle exécutait aussi le geste correctement, c'est-à-dire qu'elle approchait tous les doigts d'une main, paume tournée vers l'intérieur, de sa bouche. Lorsque je me suis rendu compte que ses gestes étaient conséquents et volontaires, j'ai eu envie de sauter de joie. Koko semblait enfin avoir établi le lien entre le geste et l'apport de nourriture, avoir découvert que son comportement pouvait modifier le mien. »

F. Patterson et E. Linden, *The Education of Koko*, Holt, Rinehart and Winston, 1981, p. 28.

Koko a réussi à associer un geste à l'objet qu'il représentait. Comment y est-elle parvenue ? Comment un singe a-t-il pu apprendre à utiliser des gestes pour exprimer ses besoins ? Dans l'extrait qui suit, Patterson explique la méthode qu'elle a employée pour enseigner à Koko le geste qui signifie « nourriture » :

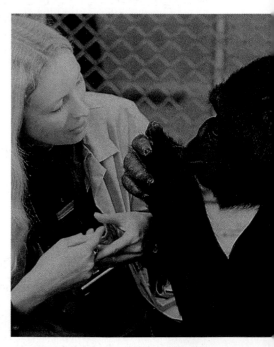

> « Ne ménageant ni les félicitations ni les friandises, je saisissais toutes les occasions de lui faire faire le geste. Quand elle quémandait de la nourriture, je faisais le geste, et elle m'imitait presque tout le temps. Pour bien lui montrer qu'elle devait nommer ce qu'elle voulait, je repoussais sa main et je faisais le geste "non" si elle n'utilisait pas le geste approprié. Il est arrivé quelquefois que Koko fasse le geste "nourriture" spontanément. Après la sieste, je donnais à Koko une vingtaine d'occasions de faire le geste "nourriture", et elle ne s'y refusait que vers la fin de l'après-midi, moment où, gavée, elle n'avait plus aucun intérêt pour la nourriture. »

F. Patterson et E. Linden, *The Education of Koko*, Holt, Rinehart and Winston, 1981, p. 28.

Au début, Patterson donnait des morceaux de fruits à Koko dès qu'elle faisait, même maladroitement, le geste approprié. Ensuite, Patterson ne récompensa plus que les gestes correctement formés. Ce système de renforcement a été efficace puisque la guenon connaît aujourd'hui plus de 600 gestes et continue d'en apprendre.

Il ne fait pas de doute que Koko a appris à communiquer avec les humains. Cela ne signifie pas, cependant, que les habiletés langagières des gorilles soient comparables à celles des humains. Le langage humain est une forme de communication extrêmement complexe, qui comprend bien plus que des associations de symboles et d'objets. De même, l'*apprentissage* du langage humain est un processus extrêmement compliqué. L'être humain n'apprend pas le langage aussi simplement que Koko a appris le langage gestuel. Néanmoins, le système de récompenses et de punitions est efficace tant auprès des humains que des animaux. On enseigne aux otaries à lancer des ballons pour des morceaux de poisson, aux étudiants à travailler pour obtenir de bonnes notes à leurs examens de fin d'année et aux conducteurs à respecter les limites de vitesse pour éviter les contraventions.

Dans le présent chapitre, nous traiterons des principales théories de l'apprentissage, celles qui veulent que l'apprentissage repose sur des associations, sur des opérations mentales et sur l'observation. Nous décrirons les techniques que des psychologues comme Pavlov et Skinner ont utilisées pour étudier l'apprentissage. Nous examinerons les nombreux facteurs qui influent sur le déroulement de l'apprentissage. Enfin, nous vous indiquerons comment mettre en pratique les connaissances que vous acquerrez sur l'apprentissage.

LES COMPORTEMENTS INNÉS ET APPRIS

31

Les comportements animaux ne sont pas tous appris. Certains, en effet, sont innés, et prennent ainsi la forme de réflexes ou d'instincts. Quoique à des degrés divers, tous les animaux sont « programmés » à manifester certains comportements à des moments précis de leur maturation. Beaucoup de comportements innés, les réflexes par exemple, sont provoqués par des stimuli extérieurs. Si une mouche s'approche de vos yeux, vous cillez automatiquement. Si vous touchez une casserole brûlante, vous retirez instantanément la main. Si on touche la joue d'un nourrisson, celui-ci tourne la tête du côté stimulé et cherche le sein. Les réflexes sont des réponses fixes et automatiques à des stimuli précis, et ils ont pour fonction de favoriser la survie.

L'être humain présente des réflexes, mais on admet généralement qu'il n'a pas de comportements instinctifs. Un réflexe est une réponse simple, tandis qu'un instinct est une série complexe de réponses, tels la parade nuptiale compliquée de certains oiseaux et les mouvements de nage des chiens jetés en eau profonde. On a longtemps cru que les instincts étaient uniquement déterminés par les gènes et qu'ils ne subissaient aucune influence du milieu. Or, on a récemment découvert que de nombreux comportements, et notamment le chant des oiseaux, résultent à la fois de facteurs génétiques et d'influences du milieu (Gordon, 1989; Marler et Mundinger, 1971).

LE COMPORTEMENT APPRIS : RÉSULTAT DE L'EXPÉRIENCE

Contrairement au comportement inné, qui est génétiquement programmé, le comportement appris résulte de l'influence du milieu. Nous apprenons en agissant, en faisant des associations et en observant autrui. Autrement dit, l'apprentissage naît de nos rapports avec les êtres, les événements et les objets de notre milieu.

▲ *Quelles sont les différentes formes d'apprentissage ?*

Inné : Se dit d'un comportement qui apparaît au cours d'une période prédéterminée de la vie d'un organisme, à la suite de la maturation et non de l'apprentissage.

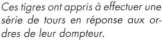

Ces tigres ont appris à effectuer une série de tours en réponse aux ordres de leur dompteur.

Apprentissage : Modification relativement permanente du comportement ou du potentiel comportemental résultant de l'exercice ou de l'expérience vécue.

L'apprentissage est une modification relativement permanente du comportement ou du potentiel comportemental résultant de l'exercice ou de l'expérience. La modification peut être immédiate (votre entraîneur de natation vous donne un conseil et vous modifiez aussitôt votre technique de brasse) ou survenir après un certain délai, à la suite de l'expérience (vous modifiez votre technique après avoir observé les mouvements d'une championne de natation à la télévision). La modification peut même rester à l'état potentiel et ne jamais se réaliser, faute d'occasion (vous observez la championne, vous savez comment améliorer votre technique, mais vous ne retournez jamais nager).

La définition précise que l'apprentissage est *relativement* permanent. En effet, un comportement appris est susceptible de disparaître. La définition dit enfin que l'apprentissage *résulte de l'exercice ou de l'expérience*. En d'autres termes, l'apprentissage vient soit de la réalisation concrète d'un comportement, soit de l'observation ou de l'écoute d'une personne ou d'une chose.

COMMENT APPREND-ON ?

Bien que certains théoriciens soutiennent qu'il n'existe qu'une manière d'apprendre, la plupart des psychologues et des éducateurs croient que nous apprenons la myriade de nos comportements de diverses façons. Au fil de votre lecture, ayez à l'esprit que ces diverses formes d'apprentissage font partie de l'une ou l'autre des deux catégories suivantes : elles seront soit un conditionnement, soit un apprentissage cognitif. Le conditionnement suppose l'acquisition de nouvelles habiletés ou habitudes (Walker, 1996; Wasserman et Miller, 1997), tandis que l'apprentissage cognitif repose sur l'acquisition de connaissances et d'informations (Petri et Mishkin, 1994).

Conditionnement : Forme d'apprentissage qui repose sur l'association d'un comportement à une condition présente dans l'environnement.

Selon la théorie du conditionnement, l'apprentissage repose sur la création d'un lien, d'une association auparavant inexistante, entre des éléments. L'association d'un stimulus qui provoque une réponse involontaire (ou réflexe) à un stimulus qui, normalement, ne la provoque pas correspond au conditionnement répondant. Par ailleurs, l'association d'un comportement volontaire et de sa conséquence (établie au moyen du renforcement) est appelée conditionnement opérant.

Conditionnement répondant : Forme d'apprentissage qui repose sur l'association d'un stimulus neutre et d'un stimulus qui provoque une réponse réflexe.

Conditionnement opérant : Forme d'apprentissage qui résulte de l'association entre un comportement et sa conséquence.

Selon la théorie de l'apprentissage cognitif, l'apprentissage est plus qu'une réponse observable à un stimulus, et il comporte un élément subjectif qui ne peut pas toujours être observé ou mesuré. Les partisans de cette théorie étudient les opérations mentales qui sous-tendent les comportements observables de leurs sujets.

La théorie de l'apprentissage par observation combine des éléments de la théorie de l'apprentissage par conditionnement et de la théorie de l'apprentissage cognitif. Elle veut que nous apprenions certains comportements en observant autrui. Suivant l'estime que nous portons au modèle ou les conséquences du comportement observé, nous imitons le comportement ou nous nous en abstenons.

Théorie de l'apprentissage cognitif : Théorie selon laquelle l'apprentissage est plus qu'une réponse observable et fait intervenir des opérations mentales qui ne sont pas nécessairement observables ni mesurables.

Après ce bref aperçu, examinons en détail chacune des théories. Rappelez-vous, en lisant, que peu de psychologues adhèrent exclusivement à l'une d'entre elles.

Théorie de l'apprentissage par observation : Théorie selon laquelle nous apprenons certains comportements en observant les autres.

RÉSUMÉ

Les comportements innés et appris

L'apprentissage est une modification relativement permanente du comportement ou du potentiel comportemental, résultant de l'exercice ou de l'expérience. Un comportement appris est l'opposé d'un comportement inné, ou instinctif, lequel est affecté par la maturation seulement et non par la pratique.

Le conditionnement met en évidence la relation entre un stimulus et une réponse. Le conditionnement peut être de type répondant (apprentissage d'une réponse involontaire à un stimulus qui, normalement, ne la provoque pas) ou opérant (apprentissage d'une réponse volontaire associée à sa conséquence).

Selon la théorie de l'apprentissage cognitif, l'apprentissage fait intervenir des opérations mentales.

Selon la théorie de l'apprentissage par observation, les êtres humains et les animaux apprennent certains comportements en observant des modèles.

QUESTIONS DE RÉVISION

1. Faites la distinction entre un réflexe et un instinct.

2. Une modification du comportement qui est relativement permanente, qui naît de l'exercice ou de l'expérience et qui résulte *uniquement* d'influences du milieu est appelée _____.

3. Est-ce que nous faisons tous nos apprentissages d'une seule façon ? Expliquez votre réponse.

Les réponses aux questions de révision se trouvent en annexe.

LE CONDITIONNEMENT

Un *conditionnement* est une forme d'apprentissage qui repose sur un principe d'association. On dit donc des conditionnements qu'ils sont des apprentissages associatifs. Les deux principaux types de conditionnement sont le conditionnement répondant, appelé aussi conditionnement classique, et le conditionnement opérant.

LE CONDITIONNEMENT RÉPONDANT : L'APPRENTISSAGE PAR ASSOCIATION DE STIMULI

Avez-vous déjà remarqué que l'eau vous vient à la bouche lorsque vous avez faim et que vous voyez un gros morceau de gâteau au chocolat ou un steak bien juteux ? Nous salivons quand nous prenons une bouchée, c'est évident, mais pourquoi salivons-nous à la vue, voire à la simple pensée, de la nourriture ? Le physiologiste russe Ivan Pavlov, qui étudiait le système digestif, s'est posé la question au début du siècle. Il fut le premier scientifique russe à recevoir le prix Nobel de physiologie et de médecine.

L'une des expériences de Pavlov portait sur la salivation chez les chiens. Pour étudier les réactions des glandes salivaires à différents aliments, Pavlov recueillait et mesurait la salive des chiens à l'aide d'un entonnoir. Il constata ainsi que les aliments secs nécessitaient plus de salive que les aliments humides et que les objets autres que des aliments provoquaient la sécrétion de quantités variables de salive, suivant la difficulté qu'avaient les chiens à les recracher. En cours de recherche, Pavlov constata que plusieurs de ses chiens commençaient à saliver dès qu'ils entraient dans le laboratoire ou dès qu'ils voyaient les gens qui avaient l'habitude de les nourrir. Au début, cette salivation « inopinée » dérangeait Pavlov, car elle entravait le déroulement de sa recherche. Pavlov résolut pourtant d'en découvrir les causes au moyen d'une recherche systématique.

Pavlov conçut une expérience (voir la figure 7.1) qui lui permettait de mesurer la quantité de salive produite lorsqu'il associait un stimulus neutre (SN) avec la nourriture. Il choisit une cloche comme stimulus neutre, car le son d'une cloche ne provoque pas la salivation en temps ordinaire. Il associa le son de la cloche à de la viande en poudre, stimulus qui produit *normalement* le réflexe de salivation chez les chiens. La démarche expérimentale de Pavlov était la suivante :

1. Son de la cloche (stimulus neutre).

2. Apport de viande en poudre (stimulus qui provoque un réflexe).

3. Salivation (réflexe).

▲ *Comment l'association d'un stimulus qui provoque un réflexe et d'un stimulus neutre conduit-elle à la forme d'apprentissage appelée conditionnement répondant ? Comment l'extinction, le recouvrement spontané, la généralisation et la discrimination se produisent-ils ?*

Stimulus neutre (SN) : Stimulus externe qui, d'ordinaire, ne provoque pas de réponse réflexe ou émotionnelle qui pourrait être conditionnée.

Figure 7.1 **Chien de Pavlov.** La figure illustre l'appareil que Pavlov a utilisé pour conditionner la salivation chez un chien.

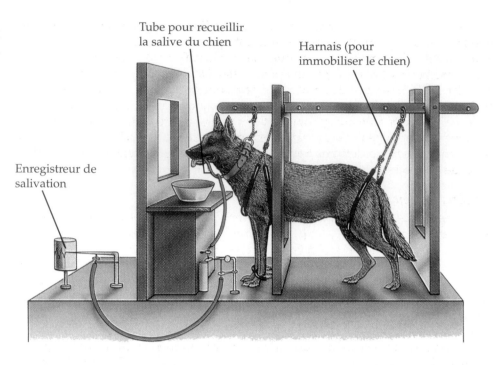

Tube pour recueillir la salive du chien

Harnais (pour immobiliser le chien)

Enregistreur de salivation

Dessin de *John Chase.*

Stimulus inconditionnel (SI) : Stimulus qui provoque un réflexe ou une réponse émotionnelle sans qu'il y ait eu d'apprentissage ou de conditionnement.

Réponse inconditionnelle (RI) : Réponse réflexe provoquée par un stimulus sans qu'il y ait eu d'apprentissage.

Pavlov s'aperçut que, après quelques essais, le son de la cloche suffisait à lui seul à provoquer la salivation. Le chien avait été *conditionné* (il avait *appris*) à saliver dès qu'il entendait le son de la cloche. L'apprentissage qu'ont fait les chiens de Pavlov est appelé *conditionnement répondant*, car les chiens ont associé le son de la cloche à l'apport de viande. Aussi, le son, seul, de la cloche pouvait les faire saliver. Lors de l'apprentissage par conditionnement répondant, le sujet est d'abord soumis à un stimulus neutre, comme le son d'une cloche. On appelle stimulus neutre un élément de l'environnement qui ne provoque pas normalement de réponse réflexe ou émotionnelle particulière chez le sujet. Les chiens, par exemple, n'ont pas l'habitude de saliver quand ils entendent une cloche; les chiens de Pavlov ont été conditionnés à le faire. Immédiatement après sa présentation, le stimulus neutre est couplé à un stimulus qui, lui, provoque une réponse réflexe ou émotionnelle, le stimulus inconditionnel (SI). La réponse réflexe, *non apprise*, que le stimulus inconditionnel provoque est appelée réponse inconditionnelle (RI). La figure 7.2 présente les grandes lignes du conditionnement répondant. Consultez-la à mesure que vous poursuivrez votre lecture.

Après quelques couplages, le stimulus neutre (la cloche) et le stimulus inconditionnel (la viande en poudre) deviennent indissociables, et le premier provoque la même réponse que le second. Le stimulus neutre prend alors le nom de

Figure 7.2 **Conditionnement répondant.** Avant le conditionnement, le stimulus neutre ne provoque aucune réponse, tandis que le stimulus inconditionnel suscite toujours la réponse inconditionnelle. Pendant le conditionnement, le stimulus neutre est associé au stimulus inconditionnel. Après le conditionnement, le stimulus, qui était neutre à l'origine, devient un stimulus conditionné, et il provoque une réponse conditionnée.

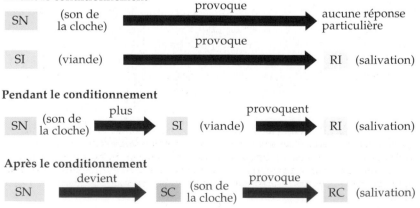

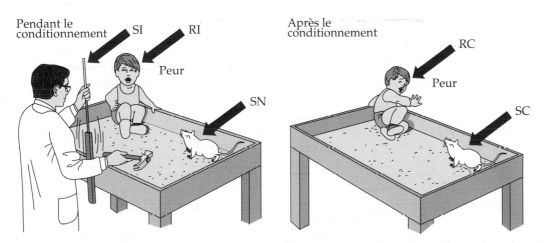

stimulus conditionné (SC), car le sujet a été conditionné à y répondre; la réponse que le sujet a été conditionné à donner est appelée réponse conditionnée (RC). Normalement, la réponse conditionnée (la salivation) est identique ou analogue à la réponse inconditionnelle (la salivation aussi). On fait cependant une distinction entre les deux parce que le stimulus qui provoque la réponse conditionnée (la cloche) a été appris, ou conditionné. Le conditionnement répondant est la manière principale dont les animaux, y compris les humains, apprennent de nouveaux comportements. Vous ne salivez probablement pas au son d'une cloche, mais vous avez été soumis à de très nombreux apprentissages par conditionnement répondant au cours de votre vie.

Stimulus conditionné (SC) : Stimulus neutre à l'origine qui, à la suite du pairage répété avec un stimulus inconditionnel, provoque une réponse conditionnée.

Réponse conditionnée (RC) : Réponse apprise déclenchée par un stimulus conditionné.

Les réponses émotionnelles conditionnées

Cela n'est peut-être pas évident, mais le conditionnement répondant trouve de nombreuses applications. Les publicitaires, notamment, l'utilisent depuis des années. Souvent, ils associent les produits (SN) à des individus qui, comme par hasard, sont des célébrités ou des beautés rares (SI). Ces individus déclenchent automatiquement des réponses favorables chez les lecteurs ou les auditeurs (RI). Les publicitaires espèrent qu'après une série de visionnements, les produits (SC) provoqueront, à eux seuls, ces mêmes réponses favorables chez les consommateurs (RC).

À l'inverse, un bon nombre de comportements problématiques, dont les peurs, résultent d'un conditionnement répondant involontaire. John B. Watson (Watson et Rayner, 1920) a démontré, avec un enfant de onze mois nommé Albert, que les peurs peuvent naître d'un conditionnement répondant. Watson savait que les petits enfants sont généralement confiants et qu'ils ne craignent pas grand chose, si ce n'est les bruits forts et les chutes. Il donna comme jouet à Albert un petit rat blanc. Quelques minutes plus tard, Watson produisit un bruit fort qui effraya Albert et qui le fit pleurer. Il continua d'associer le bruit avec le rat et, malheureusement pour Albert, il réussit à lui inculquer une peur bleue des rats blancs.

La figure 7.3 présente la démarche expérimentale de Watson. Premièrement, Albert est mis en présence du stimulus neutre (SN), le rat blanc. Deuxièmement, le stimulus neutre est associé au stimulus inconditionnel (SI), le bruit, lequel provoque la réponse inconditionnelle (RI), les pleurs. Après quelques répétitions, la présence du rat devient le stimulus conditionné (SC), et les pleurs qu'elle déclenche deviennent la réponse conditionnée (RC).

Pendant le conditionnement — SI — RI — Peur — SN

Après le conditionnement — RC — Peur — SC

Figure 7.3   Le petit Albert et le rat blanc. Au moyen du conditionnement répondant, John Watson a appris au petit Albert à craindre les rats. Avant le conditionnement, le rat était un stimulus neutre qui n'effrayait nullement le petit Albert. Pendant le conditionnement, Watson a associé le rat blanc (stimulus neutre) à un bruit fort (stimulus inconditionnel) qui a effrayé (réponse inconditionnelle) Albert. Après le conditionnement, le rat (stimulus conditionné) provoquait la peur (réponse conditionnée) chez Albert.

Les publicitaires s'efforcent d'associer leurs produits à des individus qui, comme Jean-Luc Brassard, déclenchent automatiquement des réponses favorables chez les consommateurs.

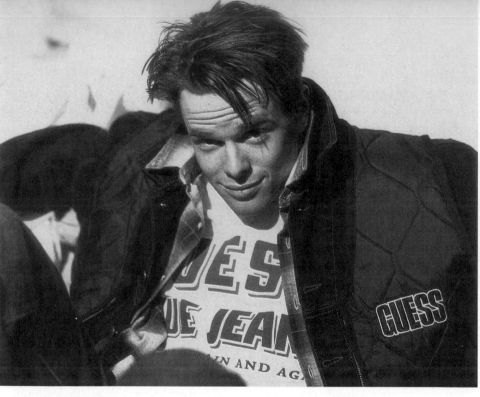

Guess Jeans

Réponse émotionnelle conditionnée : Émotion provoquée par un stimulus conditionné.

Phobie : Peur excessive et irrationnelle de certains objets ou de certaines situations.

La peur des rats chez le petit Albert est un exemple de réponse émotionnelle conditionnée. Beaucoup de phobies (peurs excessives et irrationnelles de certains objets ou de certaines situations) s'assimilent à des réponses émotionnelles conditionnées. Chaque fois qu'une personne phobique est mise en présence, parfois même en pensée seulement, de l'objet qu'elle craint, elle éprouve une anxiété extrême. L'une de nos anciennes étudiantes avait la phobie des rats et des souris. Enfant, elle avait été mordue par un gros rat et, depuis ce jour, les rongeurs lui inspiraient une véritable terreur. Au collège, elle refusait d'ouvrir ses livres de psychologie parce qu'il y était question de rats. Chaque fois que l'on prononçait le mot *rat*, elle sortait de la salle de cours.

Les réponses émotionnelles conditionnées ne sont pas toutes aussi extrêmes que les phobies. Michael, par exemple, le fils d'un des auteurs, a passé des années sans toucher aux fleurs du jardin parce que, petit, il avait cueilli une fleur où se cachait une abeille et avait été piqué. Pour Michael, la fleur était le stimulus conditionné, la piqûre d'abeille correspondait au stimulus inconditionnel, la douleur et la peur formaient la réponse inconditionnelle, et la peur des fleurs constituait la réponse conditionnée.

À vous les commandes

Certains mots provoquent chez chacun d'entre nous des réponses émotionnelles conditionnées. Ces réponses sont uniques, car elles s'enracinent dans notre expérience personnelle. Lisez la liste de mots suivante.

assisté social	noir	Jean Chrétien	fête de la Reine
libéral	examen final	mère	communiste
père	conservateur	Hitler	père Noël
vacances	souveraineté	sexiste	bombe atomique

Qu'avez-vous *ressenti* en lisant les mots ? De la colère, de la tristesse ou de la gêne dans certains cas et de la joie, de la chaleur et du bien-être dans d'autres ? Vos réactions, qu'elles soient favorables ou défavorables, sont liées à vos antécédents et aux conditionnements répondants que vous avez subis. ■

Le conditionnement d'ordre supérieur

Conditionnement d'ordre supérieur : Association d'un stimulus neutre et d'un stimulus déjà conditionné.

Le type de conditionnement à l'œuvre dans la démonstration que nous venons de faire est appelé conditionnement d'ordre supérieur. Plutôt que d'être associé, comme

RECHERCHE ET DÉCOUVERTES

Explorer le cerveau pour apprendre

Les chercheurs utilisent depuis un certain temps déjà la tomographie par émission de positons (TEP) et l'imagerie par résonance magnétique nucléaire fonctionnelle (RMNf) pour étudier les divers processus cognitifs (voir le chapitre 3, p. 102). De nos jours, ils se servent également de scanners informatisés pour tenter d'en savoir plus sur l'apprentissage. Les sujets sont placés en situation d'apprentissage avec expérience de conditionnement répondant ou au moyen d'un stimulus conditionné déjà appris; puis la TEP ou la RMNf permettent de déterminer les modifications du débit sanguin dans les diverses zones du cerveau des sujets.

Dans un projet de recherche, des mots neutres (sans conditionnement) ou des mots à contenu très menaçant (conditionnement d'ordre supérieur) ont été présentés à des sujets (Maddock et Buonocore, 1997).

En comparant les images de la RMNf des deux situations d'apprentissage, les chercheurs ont découvert que les mots menaçants et les mots neutres activaient chacun une partie différente du cerveau. En Norvège, Kenneth Hugdahl (1998) a associé un son (stimulus neutre) à un choc au poignet (stimulus conditionné) et utilisé la TEP pour déterminer quelles parties du cerveau étaient activées durant l'acquisition d'une réponse conditionnée. Il a enregistré une activation significative de certaines parties du lobe frontal de l'hémisphère droit. D'autres recherches ont démontré que le conditionnement répondant d'une réponse à un choc léger activait d'autres régions du cerveau – le thalamus, l'hypothalamus, le noyau amygdalien et le cortex (Fredrikson, Wik, Fisher et Anderson, 1995; Furmark, Fischer, Wik, Larsson et Fredrikson, 1997).

---

dans le conditionnement répondant, à un stimulus inconditionnel, le stimulus neutre est associé, dans le conditionnement d'ordre supérieur, à un stimulus déjà *conditionné*. Si Pavlov avait voulu étudier le conditionnement d'ordre supérieur, il aurait pu entraîner ses chiens à saliver dès l'audition du mot *cloche*. Pour ce faire, il aurait premièrement conditionné les chiens à saliver au son de la cloche, puis il aurait associé le mot *cloche* au son de la cloche. Les chiens auraient alors salivé en entendant le mot.

Dans une étude classique sur les réponses émotionnelles conditionnées, Arthur et Carolyn Staats (1958) ont conditionné des sujets à manifester des réponses émotionnelles aux noms *Tom* et *Bill*. Ils ont associé un mot neutre (le nom *Tom*) à un stimulus (comme le mot *méchant*) que les sujets avaient déjà appris à associer à des sensations désagréables. Les sujets avaient une réponse émotionnelle apprise (un sentiment défavorable) face au mot neutre. La distinction entre le conditionnement répondant et le conditionnement d'ordre supérieur peut être importante. Essayez de déterminer le type de conditionnement illustré dans les exemples que nous présenterons dans le reste de la section.

Est-il possible de provoquer des réponses autres que la salivation et les émotions au moyen du conditionnement répondant ?   Oui, à condition que les réponses qu'on désire obtenir soient provoquées par des stimuli inconditionnels. Les réponses conditionnées sont généralement des réflexes (produits par le système nerveux périphérique ou par le système nerveux autonome) ou des émotions. Les *aversions gustatives* constituent un exemple intéressant de réponse physique conditionnée. Certaines personnes détestent tellement un aliment qu'elles sont malades rien qu'à le sentir ou à y penser. Souvent, une aversion alimentaire résulte d'un conditionnement répondant (indigestion causée par l'aliment). On trouve, par exemple, des gens qui sont incapables de tolérer le goût ou l'odeur de la bière depuis le jour où, participant à un concours de buveurs, ils ont bu jusqu'à devenir très malades.

Forts de leurs connaissances sur les aversions gustatives, Gustavson et Garcia (1974) ont résolu le problème que causaient les coyotes aux éleveurs de moutons de l'Ouest. Il n'était pas question de tuer les coyotes, car cela aurait perturbé l'équilibre écologique et favorisé la multiplication des rongeurs qui disputent les plantes comestibles aux moutons. Il valait mieux enseigner aux coyotes à laisser les moutons tranquilles. Les chercheurs ont réussi à dégoûter les coyotes des moutons : ils

Les coyotes qui ont acquis une aversion à l'égard des moutons cherchent d'autres proies, même si cela leur demande plus d'énergie.

ont aspergé les cadavres de moutons d'un produit chimique qui rendait les coyotes malades. Leur stratagème a si bien fonctionné que la vue ou l'odeur d'un mouton suffisaient à éloigner les coyotes.

L'extinction

Les résultats du conditionnement répondant sont relativement permanents. Toutefois, la plupart des réponses et des comportements appris par suite d'un conditionnement répondant peuvent disparaître, selon un processus appelé extinction. L'extinction a lieu lorsque le stimulus conditionné est régulièrement présenté sans le stimulus inconditionnel (celui qui cause le comportement réflexe). L'association entre le stimulus conditionné et le stimulus inconditionnel est alors rompue. Pavlov (1927) fit la démonstration de l'extinction. Il fit sonner la cloche, mais ne présenta pas la viande aux chiens déjà conditionnés. La salivation disparut peu à peu (voir la figure 7.4).

Supposons que, quand vous étiez enfant, vous avez mangé huit hot-dogs à un pique-nique, que vous avez été malade et que vous n'avez pas pu manger de hot-dogs pendant des années. Comment se fait-il que, maintenant, vous puissiez en manger ? Voyons ce qui s'est passé. Avant le pique-nique, le goût des hot-dogs était un stimulus neutre (SN), la distension gastrique était un stimulus inconditionnel (SI) et les nausées étaient une réponse inconditionnelle (RI). Après votre indigestion, le goût des hot-dogs est devenu un stimulus conditionné (SC) qui provoquait une réponse conditionnée (RC), les nausées. Pour faire subsister une réponse conditionnée, il faut de temps en temps réintroduire le stimulus inconditionnel. Si ce stimulus ne se reproduit pas, l'intensité de la réponse conditionnée diminuera avec le temps. Par conséquent, si, des années après le pique-nique, vous n'avez pas eu de violentes nausées en reprenant une bouchée de hot-dog, c'est que le stimulus inconditionnel ne cause plus de réponse désagréable. Il y a donc eu extinction, et les hot-dogs sont redevenus un stimulus neutre.

Pourquoi, alors, ne pas simplement parler d'oubli ? Il existe une importante différence entre l'extinction et l'oubli. L'extinction se produit seulement lorsque le stimulus conditionné est présenté seul, sans le stimulus inconditionnel. L'oubli, lui, est le plus souvent consécutif à l'absence prolongée du stimulus conditionné et du stimulus inconditionnel. Précisons la distinction au moyen d'un exemple. Supposons que votre cheval tombe la première fois que vous faites de l'équitation, qu'il essaie de vous mordre la deuxième fois et qu'il vous jette par terre la troisième. Étant donné ces expériences, l'équitation ne vous dit rien de bon; vous avez peut-être

Extinction : Disparition graduelle d'un comportement ou d'une réponse à la suite de la présentation répétée du stimulus conditionné sans le stimulus inconditionnel.

Oubli : Disparition d'un comportement consécutive à l'absence prolongée du stimulus conditionné et du stimulus inconditionnel.

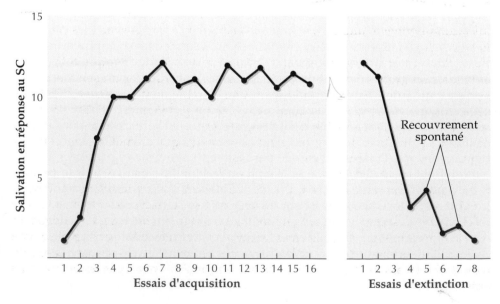

Figure 7.4 **Acquisition et extinction dans l'expérience de Pavlov.** Le graphique de gauche représente la phase d'acquisition du conditionnement répondant, au cours de laquelle Pavlov a compté les gouttes de salive produites en réponse au stimulus conditionné. Il a indiqué le nombre de gouttes sur l'axe vertical et le nombre d'essais sur l'axe horizontal. Après seize essais d'acquisition, Pavlov commença les essais d'extinction, représentés par le graphique de droite. Notez les pics aigus de l'intensité de la réponse, caractéristiques du recouvrement spontané. (D'après Pavlov, 1927.)

même une peur conditionnée des chevaux. Si vous décidez de renoncer à l'équitation, vous aurez probablement *oublié* vos mésaventures dans quelques années. Si vous choisissez de persévérer, vous courez la chance que le cheval s'habitue à vous et cesse ses frasques. Votre peur des chevaux *s'éteindra* graduellement. (Dans l'oubli, quel stimulus conditionné et quel stimulus inconditionnel sont absents ? Dans l'extinction, quel stimulus inconditionnel est absent ?)

Le recouvrement spontané

Il arrive souvent qu'une réponse conditionnée qui avait disparu réapparaisse d'elle-même, par un phénomène appelé recouvrement spontané. Reprenons notre exemple « équestre ». Un jour, vous montez à cheval sans connaître de mésaventures; à la fin de la promenade, votre peur des chevaux a beaucoup diminué. L'extinction est amorcée. À votre sortie de la semaine suivante, cependant, la peur qui s'était évanouie revient : elle fait l'objet d'un recouvrement. Elle est moindre qu'au début de la promenade précédente, mais plus grande qu'à la fin (voir la figure 7.4). Le cycle se répétera plusieurs fois : votre réaction de peur réapparaîtra spontanément, mais de moins en moins forte, à chaque essai.

> **Recouvrement spontané :** Réapparition d'une réponse conditionnée qui avait disparu.

Le recouvrement spontané se produit après un laps de temps appréciable. C'est pourquoi il est si difficile d'éliminer une réponse établie au moyen du conditionnement répondant. Pour être efficaces, les essais d'extinction doivent s'étaler sur des jours ou même des semaines, suivant la réponse à faire disparaître. Et le second apprentissage d'une réponse disparue, même complètement, est plus rapide que le premier.

La généralisation et la discrimination

En utilisant un bruit fort comme stimulus inconditionnel, Watson a conditionné le petit Albert à craindre un rat blanc. Après l'expérience, Albert craignait non seulement les rats mais aussi les lapins blancs, l'ouate et même les masques de père Noël ornés d'une barbe blanche. Le processus par lequel un stimulus semblable au stimulus conditionné provoque la réponse conditionnée est appelé généralisation. Plus le stimulus ressemble au stimulus conditionné, plus la réponse est prononcée. Par conséquent, les lapins blancs causaient plus de peur à Albert que les masques de père Noël (Watson et Rayner, 1920).

> **Généralisation :** Tendance à répondre de la même façon aux stimuli extérieurs semblables.

Est-ce que le petit Albert a eu peur du père Noël toute sa vie ?   Probablement pas, car il dû apprendre qu'il existe une différence entre les rats et les gens, grâce à un processus appelé discrimination. Normalement, le conditionnement répondant s'accompagne au début d'une généralisation. Mais à mesure que le conditionnement se poursuit, le sujet distingue les stimuli si un seul d'entre eux est associé au stimulus inconditionnel. L'une de nos amies a vécu de nombreuses années dans une municipalité située au-dessus d'une faille géologique. Craignant les tremblements de terre par-dessus tout, elle était prise de panique chaque fois qu'elle entendait un grondement sourd, que le son soit produit par un séisme, le tonnerre ou un avion. Survint un jour un vrai tremblement de terre qui fut précédé, comme ses secousses secondaires, par un grondement distinctif. Notre amie est maintenant capable de distinguer le son d'un tremblement de terre des sons semblables. Elle reste calme lorsque les grondements sont ceux du tonnerre ou d'un avion à réaction.

> **Discrimination :** Processus par lequel un sujet apprend à distinguer un stimulus de stimuli semblables, du fait que ce stimulus est le seul à être associé au stimulus inconditionnel.

Pour qu'il y ait discrimination, il faut que le stimulus cible soit le *seul* stimulus conditionné à être associé au stimulus inconditionnel. Dans l'expérience de Pavlov, le chien recevait de la viande en poudre chaque fois que la cloche retentissait. Il ne recevait aucun stimulus inconditionnel lorsqu'un autre son, même analogue, se faisait entendre. Peu à peu, le chien a appris à distinguer les sons, et il salivait seulement à l'audition du son cible. De même, les coyotes ont opéré une discrimination : ils ont associé les moutons aux nausées, mais ils n'ont pas renoncé à leurs autres proies.

RÉSUMÉ

Le conditionnement répondant

Le conditionnement répondant, étudié par Watson et Pavlov, consiste en un stimulus neutre (SN) associé à un autre stimulus, le stimulus inconditionnel (SI), qui provoque un réflexe ou une réponse émotive particuliers. Après plusieurs couplages, le stimulus neutre provoquera une réponse inconditionnelle (RI). Lorsque, après un certain temps, le SN provoque la même réponse, on l'appelle alors stimulus conditionné (SC).

Dans le conditionnement d'ordre supérieur, le SN est couplé à un stimulus auquel le sujet a déjà été conditionné (SC), plutôt qu'à un SI.

Dans le conditionnement répondant, l'extinction se produit lorsque le SI est régulièrement supprimé et que l'association entre le SC et le SI est rompue. Le recouvrement spontané se produit lorsqu'une réponse conditionnée (RC) qui avait disparu réapparaît spontanément.

Il y a généralisation lorsque des stimuli semblables au SC provoquent la RC. Il y a discrimination lorsque seul le SC provoque la RC.

QUESTIONS DE RÉVISION

1. Dans le conditionnement répondant, un _____ est associé à un _____.

2. Après le conditionnement, le _____ provoque la _____.

3. Expliquez comment John Watson a produit une réponse émotionnelle conditionnée chez le petit Albert.

4. L'association d'un stimulus neutre et d'un stimulus déjà conditionné est appelée _____.

5. Quelle est la différence entre l'extinction et l'oubli ?

6. Supposez que John Watson ait voulu provoquer l'extinction de la peur des rats blancs chez le petit Albert et qu'il y soit parvenu à la fin de sa première journée d'essais. Imaginez aussi que la réponse émotionnelle conditionnée d'Albert soit réapparue le lendemain matin. Watson aurait alors été en présence d'un cas de _____.

7. Il y a _____ lorsque des stimuli semblables au stimulus conditionné provoquent la réponse conditionnée.

8. La généralisation est en fait le contraire de la _____.

Les réponses aux questions de révision se trouvent en annexe.

LE CONDITIONNEMENT OPÉRANT : L'APPRENTISSAGE PAR ASSOCIATION D'UN COMPORTEMENT À SA CONSÉQUENCE

▲ *Comment l'association d'un comportement volontaire et d'un changement dans le milieu conduit-elle à la forme d'apprentissage appelée conditionnement opérant ? Comment l'extinction, le recouvrement spontané, la généralisation et la discrimination se produisent-ils ?*

Dans le conditionnement répondant, un stimulus neutre est associé à un stimulus qui produit naturellement une réponse involontaire. Le conditionnement opérant est aussi un apprentissage associatif, mais il rapproche un comportement *volontaire* d'un *changement* du milieu. Nous réagissons volontairement à un objet, à un son ou à une situation, et nous constatons que notre réponse produit un changement. Suivant que ce changement est favorable ou défavorable, nous répétons ou non la réponse.

C'est par le conditionnement opérant que nous apprenons à dactylographier, que les enfants s'habituent à dire « merci » et que les étudiants acquièrent une discipline de travail. C'est par le conditionnement opérant aussi que Koko a appris le langage gestuel. Koko a volontairement fait le geste qui signifiait « nourriture », puis elle l'a répété parce qu'elle recevait un morceau de fruit chaque fois qu'elle l'exécutait. De fait, l'apprentissage des habiletés motrices et des comportements sociaux repose, du moins en partie, sur le conditionnement opérant (Gordon, 1989). En *opérant* dans notre milieu et en observant les effets de notre conduite, nous découvrons les comportements qui donnent les résultats désirés.

Parallèle entre le conditionnement opérant et le conditionnement répondant

Trois facteurs distinguent le conditionnement opérant du conditionnement répondant. 1) Dans le conditionnement opérant, le stimulus est simplement un signe; il ne *provoque* pas la réponse de la même façon qu'un stimulus inconditionnel produit une réponse inconditionnelle. 2) Dans le conditionnement opérant, la réponse est *volontaire*, et non pas réflexe comme dans le conditionnement répondant. 3) L'événement déclencheur qui détermine l'apprentissage est appelé stimulus inconditionnel dans le cas du conditionnement répondant et renforcement dans le cas du conditionnement opérant. En outre, le stimulus inconditionnel survient avant le comportement dans le conditionnement répondant, et le renforcement survient après dans le conditionnement opérant.

Le conditionnement opérant se caractérise aussi par la rétroaction, processus par lequel le sujet est informé des résultats d'un comportement. La rétroaction qui suit une réponse détermine si elle sera répétée ou non. Pendant sa formation, Koko recevait une rétroaction immédiate : Patterson lui donnait des félicitations et des friandises quand elle avait les réponses appropriées, mais elle lui faisait le geste signifiant « non » quand ses réponses étaient incorrectes.

Edward Thorndike fut le premier psychologue à étudier le conditionnement opérant. Son expérience la plus célèbre consistait à placer un chat dans une « boîte-problème » (voir la figure 7.5). Pour sortir de la boîte, le chat devait tirer sur une corde ou appuyer sur un levier; alors la porte s'ouvrait, et le chat pouvait sortir et manger la nourriture placée à l'extérieur. Bien entendu, le chat allait et venait pendant quelque temps dans la boîte mais, à force d'essais répétés, il trouvait le moyen d'ouvrir la porte. La durée des tâtonnements diminuait à chaque séance, tant et si bien que le chat finissait par ouvrir la porte dès qu'il était placé dans la boîte. Thorndike conclut que la probabilité de répétition d'une réponse était reliée à l'effet de la réponse sur l'animal ou le milieu. C'est la *loi de l'effet* (Thorndike, 1931).

Le renforcement et la punition

L'effet dont parlait Thorndike prend la forme d'un renforcement ou d'une punition. Un renforcement est un procédé qui augmente la probabilité d'une réponse; inversement, une punition est un procédé qui diminue la probabilité d'une réponse. La distinction entre un renforcement et une punition est très importante, tant pour votre compréhension de la section que pour vos relations interpersonnelles. Vous est-il déjà arrivé de punir une personne et de vous apercevoir ensuite que son comportement n'avait fait qu'*empirer* ? Peut-être avez-vous *renforcé* le comportement au lieu de le punir. Il se peut aussi que la personne, mécontente d'avoir été punie, ait intensifié son comportement fâcheux pour se venger de vous.

Rétroaction : Processus par lequel le sujet est informé des résultats d'un comportement.

Renforcement : Procédé qui augmente la probabilité de répétition d'un comportement.

Punition : Procédé qui diminue la probabilité de répétition d'un comportement.

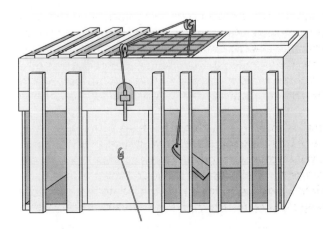

Figure 7.5 **Boîte-problème de Thorndike.** Voici un modèle de la boîte que Thorndike utilisait dans ses expériences avec des chats. Lorsqu'un chat appuyait sur le levier, le pêne glissait et la porte s'ouvrait, entraînée par le poids qui lui était attaché. (D'après Thorndike, 1898.)

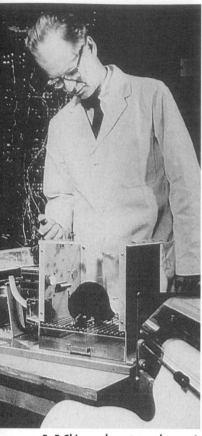

B. F. Skinner devant une de ses célèbres boîtes. *Le rat a été conditionné à appuyer sur le levier pour recevoir un morceau de nourriture.*

Renforçateurs primaires : Stimuli qui augmentent la probabilité d'une réponse et qui, comme la nourriture, l'eau et le sexe, comblent un besoin biologique.

Renforçateurs secondaires : Stimuli qui augmentent la probabilité d'une réponse et qui, comme l'argent et les biens matériels, n'ont pas de valeur biologique intrinsèque.

Renforcement positif : Renforcement qui consiste à donner au sujet un stimulus désirable.

Renforcement négatif : Renforcement qui consiste à supprimer un stimulus douloureux ou désagréable.

Apprentissage d'échappement : Forme de renforcement négatif qui amène le sujet à fuir un stimulus désagréable.

Apprentissage par évitement : Forme de renforcement négatif qui amène le sujet à éviter les stimuli potentiellement désagréables.

B.F. Skinner fut le premier psychologue à étudier systématiquement les effets du renforcement. Bien qu'il ait surtout observé des rats et des pigeons, ses résultats s'appliquent aussi aux êtres humains. L'une de ses expériences classiques consistait à placer un rat dans une boîte où se trouvait un levier relié à un distributeur de nourriture (un appareil de son invention qui reçut le nom de *boîte de Skinner*). Chaque fois que le rat appuyait sur le levier, il recevait un morceau de nourriture. À l'aide de ce montage rudimentaire, Skinner a démontré les principes du conditionnement opérant.

Les modalités de renforcement

Skinner a découvert que la nourriture était un renforçateur efficace chez les rats. Chez l'humain, les renforçateurs sont plus variés; l'eau, le sexe, l'argent, l'attention et les biens matériels ne sont que quelques-uns des renforçateurs les plus puissants. Les renforçateurs qui, comme la nourriture, l'eau et le sexe, comblent normalement des besoins biologiques innés sont appelés renforçateurs primaires. Les renforçateurs qui, comme l'argent, les félicitations et les biens matériels, n'ont pas de valeur *intrinsèque* sont appelés renforçateurs secondaires. Leur pouvoir naît seulement de la valeur qu'on a *appris* à leur donner. Pour un bébé, par exemple, un biberon est un renforçateur bien plus efficace qu'un billet de 100 dollars. Inutile de préciser qu'il préférera l'argent une fois devenu adolescent. Dans notre société, l'argent est de loin le renforçateur secondaire le plus fréquemment utilisé, car nous l'associons à des produits désirables. Patterson employait à la fois des renforçateurs primaires (de la nourriture) et des renforçateurs secondaires (des félicitations) pour enseigner le langage gestuel à Koko. Au demeurant, elle a choisi d'enseigner en premier lieu le geste qui signifie « nourriture », sachant que Koko l'associerait à un renforçateur primaire.

Pour renforcer un comportement, on peut présenter des stimuli au sujet ou lui en retirer. Supposons que vous parlez à une amie et qu'elle vous sourit. Vous avez de grandes chances de lui parler à nouveau, car elle a renforcé votre comportement par son sourire. Supposons par ailleurs que vous apprenez à conduire une voiture à boîte de vitesses manuelle. Vous êtes maladroit, et la voiture avance par saccades. Soudain, vous coordonnez vos pieds sur les pédales, et les à-coups ennuyeux cessent. Leur absence renforce vos mouvements coordonnés. Le sourire est un renforcement positif, tandis que l'élimination des saccades est un renforcement négatif. L'apprentissage d'échappement et l'apprentissage par évitement sont deux exemples de renforcement négatif. Dans l'apprentissage d'échappement, une personne ou un animal apprend à fuir un stimulus désagréable. Ainsi, l'enfant qui s'enfuit pour échapper à une fessée reçoit un renforcement négatif parce que la fessée cesse lorsqu'il s'éloigne. Dans l'apprentissage par évitement, la personne ou l'animal apprend à éviter un stimulus potentiellement désagréable. L'enfant à qui l'on crie par la tête chaque fois qu'il arrive en retard à la maison pourrait bien éviter la confrontation désagréable en ne revenant tout simplement plus.

Un instant ! Je croyais que le renforcement négatif était plutôt une punition. Détrompez-vous. L'expression *renforcement négatif* est l'un des termes les plus mal compris en psychologie. Le renforcement négatif *n'est pas* une punition. Ne vous laissez pas influencer par l'adjectif *négatif*, faites plutôt porter votre attention sur le nom *renforcement*. Un renforcement, c'est tout ce qui favorise la répétition d'un comportement ou d'une réponse. Alors, associez les mots *positif* et *négatif* au fait d'ajouter ou de supprimer et non aux mots *bon* et *mauvais*. Un *renforcement positif* est la présentation ou l'*ajout* d'un élément désirable. Un renforcement négatif est le retrait ou la suppression d'un élément indésirable. Si votre patron vous félicite pour une tâche bien faite, il vous donne un renforcement positif, et ses félicitations constituent un renforçateur secondaire. S'il vous exempte d'une tâche pénible parce que vous vous êtes bien comporté, il utilise alors le renforcement négatif. (Voyez le schéma du conditionnement opérant présenté à la figure 7.6.)

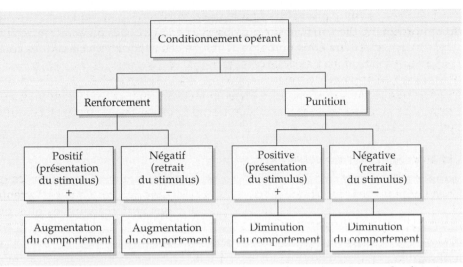

Figure 7.6 **Techniques de conditionnement opérant.** Ce tableau illustre la façon dont un renforcement ou une punition négatifs ou positifs affectent le comportement. Tout type de renforcement entraîne une augmentation du comportement, alors que tout type de punition en favorise la diminution.

Source : K. A. Kiewra et N. F. Dubois, « Using a Spatial System for Teaching Operant Conditioning », dans *Teaching of Psychology*, Laurence Erlbaum Ass. inc., 1992.

Dans les deux exemples que nous venons de donner, la probabilité de répétition du comportement ou de la réponse *augmente* après le renforcement. Dans les deux cas vous essaierez de continuer à bien travailler. Si jamais vous utilisez le renforcement positif ou négatif pour favoriser une réponse chez quelqu'un, sachez que le comportement de cette personne peut avoir aussi une influence sur vous. Si, en tant que patron, vous commencez à féliciter vos employés et que la production augmente, ce résultat constituera pour vous un renforcement positif et vous continuerez vraisemblablement à prodiguer des félicitations.

Cette double portée du renforcement explique aussi pourquoi beaucoup de situations fâcheuses vont de mal en pis. Les deux parties s'enferment dans un cercle vicieux : l'une reçoit un renforcement positif, l'autre un renforcement négatif, et les deux comportements s'intensifient ! Prenons un exemple simple : dans un supermarché, une fillette réclame une sucette à cor et à cri. Embarrassés, ses parents capitulent; les pleurs cessent, et les parents reçoivent un renforcement négatif. Et la petite fille, elle ? Elle reçoit un renforcement positif pour ses cris. Qu'est-ce que chacun a appris dans cette situation ? La fillette criera plus fort et plus tôt la prochaine fois, et les parents résisteront moins longtemps. La morale de cette histoire est la suivante : si vous vous trouvez un jour dans une situation qui dégénère, prenez le temps d'analyser ce qui se passe. Quels sont les renforçateurs ? Comment pouvez-vous les éliminer ? Comment pouvez-vous les modifier ? Bref, essayez de *faire* de la psychologie.

Je vois bien que le renforcement négatif n'est pas une punition. Mais alors qu'est-ce qu'une punition ? C'est un procédé qui diminue la probabilité d'une réponse. Une punition peut être positive ou négative (Gordon, 1989). Vous associez en général le mot punition à un parent qui administre une fessée à son enfant parce qu'il a traversé la rue, ou à un enseignant qui retire à un élève une araignée de plastique dont il se servait pour terroriser ses compagnons de classe. Dans ces deux situations, quel sera le résultat ? L'enfant ne retournera probablement pas dans la rue (du moins pour un certain temps), et l'élève n'effraiera plus ses compagnons avec l'araignée (même s'il peut toujours utiliser autre chose). Dans les deux cas, la punition aura pour effet de faire cesser le comportement. Et c'est ce que visent les punitions. Il y a deux types de punitions : positive et négative. Et, comme dans le cas du renforcement, les mots *positif* et *négatif* ne renvoient pas au fait que ça soit bon ou mauvais, mais plutôt au fait d'ajouter ou de supprimer un élément. Appliquer une punition positive, c'est *donner*, *apporter* un stimulus *indésirable* (douloureux, dégoûtant ou désagréable) en vue de diminuer une réponse. Si votre chien se met à creuser

Punition positive : Présentation d'un stimulus indésirable en vue de diminuer la fréquence d'un comportement.

Cet épaulard reçoit un renforçateur positif.

Punition négative : Suppression d'un stimulus désirable en vue de diminuer la fréquence d'un comportement.

le sol chaque fois qu'il voit un terrier d'écureuil et que vous lui donnez des coups de journal pour faire disparaître ce comportement, vous employez une punition positive. Appliquer une punition négative, à l'opposé, c'est *enlever, supprimer* un stimulus *désirable* en vue de diminuer une réponse. Par exemple, des parents utilisent la punition négative lorsqu'ils retirent les clés de la voiture à leur adolescent qui ne respecte pas l'heure du retour. (Encore une fois, consultez la figure 7.6.)

Les effets secondaires de la punition

La punition peut contribuer à diminuer les comportements inopportuns, mais elle a aussi des effets secondaires importants et, autant que possible, elle devrait être évitée. La punition cause de la frustration, et la frustration peut donner lieu à la colère et à l'agressivité. La recherche a révélé qu'il existe un lien clair et direct entre la punition et l'agressivité chez les animaux (Baenninger, 1974; Cairns, 1972; Hyman, 1981), mais ce n'est pas si simple chez les humains. La plupart d'entre nous ont appris que l'agressivité qu'on dirige vers celui qui nous a punis (qui est généralement plus fort et plus puissant que nous) est généralement suivie d'une punition supplémentaire. Par conséquent, nous avons tendance à maîtriser notre impulsion agressive et à utiliser à la place des techniques plus subtiles, comme la procrastination, la bouderie, l'entêtement et l'inefficacité intentionnelle. Ce comportement est appelé agressivité passive (Coleman, Butcher et Carson, 1984).

Agressivité passive : Forme subtile d'agressivité caractérisée par la bouderie, la procrastination, l'entêtement et l'inefficacité intentionnelle.

Un deuxième effet secondaire de la punition est qu'elle provoque bien souvent une intensification de l'agressivité chez celui qui la donne. Comme la punition diminue généralement le comportement indésirable, momentanément du moins, le punisseur est renforcé pour avoir puni. Un cercle vicieux peut donc s'amorcer, dans lequel les deux protagonistes voient renforcés leurs comportements inappropriés : le punisseur est renforcé d'avoir puni et le puni est renforcé d'adopter des attitudes de soumission ou d'agressivité passive. Est-ce que vous comprenez mieux, maintenant, l'escalade de la violence familiale ? Voyez-vous pourquoi les victimes ont de la difficulté à sortir de la situation ?

Certains chercheurs ont fait remarquer que les cas de mauvais traitements faits aux enfants sont moins nombreux qu'aux États-Unis dans les pays où les châtiments physiques sont moins répandus, en Chine, à Taiwan et à Tahiti, notamment. Selon ces chercheurs, les Américains encouragent malgré eux la violence en faisant de la punition physique une sanction disciplinaire acceptable (Parke et Collmer, 1975).

Un autre effet indésirable de la punition est le comportement d'évitement. Les humains et les animaux n'aiment pas être punis, et ils font tout leur possible pour éviter les punisseurs. Si vos parents, votre conjointe ou votre conjoint se mettait à vous invectiver dès que vous mettez les pieds chez vous, vous chercheriez un autre endroit où aller. Vous percevriez votre foyer comme un lieu de punition. Un autre exemple, les mensonges que les enfants racontent à leurs parents peuvent être un comportement d'évitement. Pour éviter les remontrances, les fessées et l'élimination de leurs privilèges, les enfants fabriquent toutes sortes d'explications ou ils se sauvent de la maison afin d'éviter d'être punis (apprentissage par évitement).

L'impuissance apprise

Faute de moyens d'échapper à la punition, les êtres humains et les animaux se retrouvent en état d'impuissance apprise. Overmeier et Seligman (1967) ont étudié le phénomène chez les chiens. Premièrement, ils ont exposé les chiens du groupe expérimental à une série de secousses électriques, mais ont épargné les chiens du groupe témoin. Deuxièmement, ils ont placé chaque chien dans une boîte divisée en deux par une cloison basse, et ils ont électrifié le sol d'un des deux compartiments. Lorsque les chiens du groupe témoin recevaient des secousses, ils s'agitaient frénétiquement dans la boîte, cherchaient à s'évader et, finalement, sautaient par-dessus la cloison et atteignaient le compartiment non électrifié. Les chiens du groupe expérimental, eux, tournaient en rond pendant quelques secondes, puis ils se couchaient dans un coin en gémissant, sans chercher à s'échapper.

Impuissance apprise : Soumission à une punition à laquelle il est impossible d'échapper.

Cette recherche démontre clairement que les punitions constantes et inévitables amènent les êtres humains et les animaux à capituler et à se soumettre. On a fait de l'impuissance apprise l'explication de nombreux comportements. Huesmann (1978) prétend que c'est la source de problèmes psychologiques tels que le repli sur soi, l'apathie et la dépression grave. Gentile et Monaco (1986) l'ont reliée au faible rendement en mathématiques. Feinberg, Miller et Weiss (1983) ont découvert une forte corrélation entre l'impuissance apprise et la dépression chez les étudiants du collégial.

Greer et Wethered (1984) affirment que l'épuisement professionnel (le « burn-out ») dont sont victimes de nombreux éducateurs spécialisés (ceux qui enseignent à des enfants ayant de graves handicaps mentaux et physiques) est dû à l'impuissance apprise. L'*épuisement professionnel* est un état de fatigue physique et émotionnelle extrême associé à un emploi. L'absence de moyens devant les handicaps des enfants et le manque de renforcement inhérent au fait d'enseigner à des enfants qui font des progrès très lents mènent à l'impuissance apprise et, par le fait même, à l'épuisement professionnel. Greer et Wethered suggèrent aux éducateurs spécialisés : 1) de se fixer des objectifs réalistes; 2) de reconnaître la part de maîtrise qu'ils possèdent; 3) d'analyser de manière réaliste les causes de leurs échecs. Les chercheurs estiment aussi que les éducateurs spécialisés devraient recevoir un surcroît de renforcement positif, qu'il s'agisse de gratifications monétaires ou d'encouragements fréquents de la part de leurs supérieurs.

Résumons : la punition entraîne des comportements inopportuns comme l'agressivité, l'évitement, le mensonge et l'impuissance apprise, et ces comportements entravent l'apprentissage. Les effets de la punition sont temporaires. Généralement, l'individu puni ne cesse ou ne diminue le comportement indésirable qu'en présence du punisseur. Promenez-vous sur une autoroute : si tous les conducteurs respectent la limite de vitesse, c'est probablement parce qu'une voiture de police est en vue.

Sûreté municipale de Sherbrooke

Comme les éducateurs spécialisés, les policiers sont souvent placés dans des situations éprouvantes qui les prédisposent à l'épuisement professionnel.

RÉSUMÉ

Le conditionnement opérant

Le conditionnement opérant, que B.F. Skinner a été le premier à étudier, constitue un type d'apprentissage par lequel les humains et les animaux apprennent en associant à leurs actes les résultats qu'ont pour eux ces actes.

Dans le conditionnement opérant, le comportement est soit renforcé, soit puni. Le renforcement est un procédé qui augmente la probabilité de répétition d'un comportement. La punition est un procédé qui diminue la probabilité de répétition d'un comportement.

Le renforcement positif se produit lorsque qu'un élément désirable est ajouté pour augmenter la fréquence d'un comportement. Le renforcement négatif survient lorsqu'on supprime un élément désagréable pour augmenter la fréquence d'un comportement.

Une punition positive est la présentation d'un stimulus désagréable visant à diminuer la fréquence d'un comportement. Une punition négative est la suppression d'un stimulus désirable en vue de diminuer la fréquence d'un comportement.

QUESTIONS DE RÉVISION

1. Lorsque nous associons une réponse volontaire à un changement du milieu, nous apprenons par _____.

2. Vous devez employer le _____ si vous désirez *augmenter* la probabilité de répétition d'une certaine réponse; vous devez employer la _____ si vous cherchez à *diminuer* la probabilité de répétition d'une certaine réponse.

3. Un éléphant reçoit de la nourriture chaque fois qu'il a un certain comportement. Le dresseur, pour sa part, est payé pour enseigner des tours à l'éléphant. De quels types de renforçateurs s'agit-il ?

4. Comment pourrait-on employer le renforcement positif et la punition négative pour calmer un détenu agressif ?

5. Le renforcement négatif est la _____ d'un stimulus _____ pour une personne ou un animal.

6. Une enseignante donne une retenue à un enfant qui a été turbulent dans la cour d'école. Elle utilise la punition _____.

7. Votre chien a uriné sur le tapis et vous lui donnez des coups de journal. Vous utilisez une punition _____.

8. Une adolescente qui a été régulièrement punie pour son désordre manifeste de l'agressivité passive. Quels sont ses comportements ?

9. Quelle est la cause de l'impuissance apprise ?

Les réponses aux questions de révision se trouvent en annexe.

LES PROGRAMMES DE CONDITIONNEMENT OPÉRANT

L'extinction et le recouvrement spontané

L'*extinction*, la disparition d'une réponse, se produit dans le conditionnement opérant comme dans le conditionnement répondant. Pour faire disparaître une réponse établie par le conditionnement répondant, on présente le stimulus conditionné sans le stimulus inconditionnel. Pour faire disparaître un comportement établi par le conditionnement opérant, on supprime le renforcement à chaque manifestation du comportement appris. Dans l'expérience traditionnelle sur le conditionnement opérant, un rat est conditionné à appuyer sur un levier (comportement) pour obtenir de la nourriture (renforcement positif). Pour éliminer le comportement, l'expérimentateur n'a qu'à fermer le distributeur de nourriture. L'utilisation du levier n'est

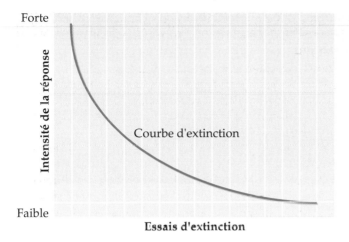

Figure 7.7   **Extinction**. Graphique hypothétique représentant l'extinction dans une expérience typique. L'intensité de la réponse diminue à chaque essai d'extinction.

plus renforcée, et le comportement disparaît graduellement : le rat cessera d'appuyer sur le levier (voir la figure 7.7).

Est-ce que le recouvrement spontané suit l'extinction comme dans le conditionnement répondant ?   Oui. Si le rat qui a subi quelques essais d'extinction fructueux est retiré de la boîte pendant quelques heures, il appuiera sur le levier quand on l'y remettra (voir la figure 7.8). De même, si vous avez toujours rangé vos chaussettes dans le tiroir du haut de votre commode et que vous décidez un jour de les placer dans le tiroir du bas, vous ouvrirez machinalement le tiroir du haut pendant quelques jours. Pour qu'une réponse disparaisse complètement, le processus d'extinction doit s'accomplir en plusieurs séances réparties sur plusieurs jours. La durée de l'extinction d'une réponse établie par le conditionnement opérant est déterminée par le programme de renforcement.

Les programmes de renforcement

Un programme de renforcement est un horaire qui précise les moments où les réponses seront renforcées. Le renforcement peut être continu ou partiel. Le renforcement continu consiste à renforcer toutes les réponses : un rat reçoit de la nourriture chaque fois qu'il appuie sur le levier, et vous marquez des points chaque fois que vous faites la bonne manœuvre dans un jeu vidéo. Le renforcement partiel consiste à renforcer une *partie* seulement des réponses. Par exemple, vous ne serez pas nécessairement renforcé chaque fois que vous direz « Je t'aime » à votre tendre moitié, mais si votre partenaire montre un tant soit peu d'affection, vous serez probablement renforcé assez fréquemment par un baiser ou une caresse.

Quel programme de renforcement accélère le plus l'apprentissage : le renforcement continu ou le renforcement partiel ?   Le renforcement continu. Imaginez que vous apprenez

Programme de renforcement : Programme précisant les moments où une réponse sera renforcée.

Renforcement continu : Renforcement de toutes les réponses.

Renforcement partiel : Renforcement d'une partie seulement des réponses.

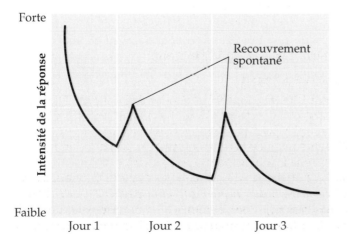

Figure 7.8   **Recouvrement spontané.** Graphique hypothétique représentant le recouvrement spontané d'une réponse qu'on a cessé de renforcer. Au début de chaque journée d'essais, l'intensité de la réponse est plus forte qu'à la fin de la journée précédente.

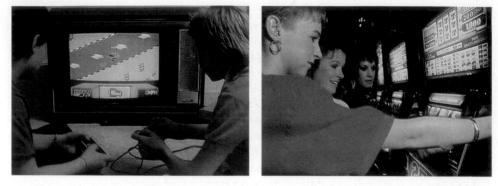

Les jeux vidéo fournissent un renforcement continu et les machines à sous, un renforcement partiel.

à jouer à un jeu vidéo où vous devez diriger un vaisseau spatial avec une manette et appuyer sur un bouton pour détruire les vaisseaux ennemis et marquer des points. Si vous êtes renforcé chaque fois que vous abattez un vaisseau ennemi (renforcement continu), vous apprendrez plus rapidement que si vous êtes récompensé seulement une fois sur trois ou sur quatre (renforcement partiel). Bien que le renforcement continu occasionne initialement un apprentissage rapide, il n'est pas commode à long terme. En effet, il est tout simplement impossible de renforcer un sujet chaque fois qu'il manifeste la réponse appropriée. Les parents ne peuvent pas récompenser leurs adolescents chaque fois qu'ils se lèvent, qu'ils s'habillent, qu'ils font leur lit, qu'ils se brossent les dents, etc. Par conséquent, il est important de passer au renforcement partiel une fois qu'une tâche est bien apprise.

Un comportement établi au moyen d'un programme de renforcement partiel résiste à l'extinction. Avez-vous déjà remarqué à quel point les adeptes des machines à sous sont sérieux et persévérants ? Ils passent des heures à actionner le levier, mus par l'espoir ténu de gagner le gros lot. (Cela ne vous rappelle-t-il pas les rats de Skinner ?) La fréquence de la réponse et la ténacité manifestée en dépit des pertes subies attestent l'efficacité et la résistance à l'extinction d'un programme de renforcement partiel.

Les quatre types de programmes de renforcement partiel

Les programmes de renforcement partiel spécifient le nombre de réponses à donner entre les renforcements (*proportion*) ou *l'intervalle* entre les renforcements. La proportion et l'intervalle peuvent être fixes ou variables. Il existe donc quatre types de programmes de renforcement partiel : à proportion fixe, à proportion variable, à intervalle fixe et à intervalle variable. Un expérimentateur choisit son programme de renforcement selon le comportement qu'il étudie et la vitesse d'extinction qu'il désire obtenir.

Supposons que vous voulez dresser votre chien à s'asseoir sur commande. Au début, vous le renforcez par un biscuit chaque fois qu'il vous obéit. Pour éviter de vous ruiner en biscuits, vous commencez à renforcer votre chien une fois sur deux, sur trois ou sur cinq. Vous employez un programme de renforcement à proportion fixe. L'animal doit manifester un nombre *fixe* de réponses avant de recevoir un renforçateur. Un programme de renforcement à proportion fixe produit une forte fréquence de réponses, particulièrement si la proportion est très élevée (si elle est par exemple de cinq réponses pour un renforçateur).

Les programmes de renforcement influent non seulement sur la fréquence des réponses, mais aussi sur la vitesse d'extinction. Le renforcement continu s'accompagne d'une extinction rapide. Les programmes de renforcement à proportion fixe élevée sont suivis d'une extinction lente, mais le sujet se rend compte peu à peu qu'il ne doit plus attendre de renforçateurs.

Existe-t-il un programme de renforcement qui n'est jamais suivi d'extinction ? *Jamais* est un bien grand mot. Il est possible, toutefois, d'établir un programme de renforcement qui rende un comportement extrêmement résistant à l'extinction.

Programme de renforcement à proportion fixe : Programme de renforcement où le renforçateur est donné après un nombre fixe de réponses.

Avec un programme de renforcement à proportion variable, le sujet est renforcé après un nombre variable de réponses, par exemple après la première, ensuite après la troisième, puis après la vingt-troisième. Il existe une proportion *moyenne* de renforcements (une fois sur cinq par exemple), mais le nombre de réponses exigées à chaque essai varie.

La plupart des machines à sous sont conçues pour renforcer les joueurs selon un programme à proportion variable. Les joueurs peuvent gagner au premier ou au treizième essai; ils ne connaissent pas le moment où le gros lot leur tombera entre les mains. Alors qu'un programme de renforcement à proportion fixe enseigne au sujet qu'un certain nombre de réponses lui vaudra un renforcement, un programme de renforcement à proportion variable laisse le sujet dans l'incertitude. Par conséquent, un comportement établi au moyen d'un programme de renforcement à proportion variable est extrêmement résistant à l'extinction. Un joueur qui s'éloigne d'une machine à sous court toujours le risque de voir le prochain utilisateur remporter le magot. Le renforcement à proportion variable peut également expliquer pourquoi les gens s'accrochent à des relations personnelles qui ont mal tourné. Au début de la plupart des relations, tout va pour le mieux : les renforcements surviennent très souvent (proportion fixe). Au fur et à mesure que la relation s'épanouit, les renforcements se manifestent toujours, mais dans une proportion moindre et de façon variable. Au moment où la relation commence à se dégrader, les deux parties sont renforcées sur une base variable et il devient très difficile de rompre cette relation, même si elle devient violente.

On peut aussi donner un renforcement partiel suivant un programme de renforcement à intervalle fixe. Le sujet est alors renforcé *après* un laps de temps défini. Comment étudiez-vous quand un professeur met un examen de psycho à l'horaire de chaque vendredi et que votre note vous tient à cœur ? Est-ce que vous étudiez modérément au début de la semaine et fort le mercredi et le jeudi, de manière à obtenir un A ? Si oui, vous êtes comme la plupart des animaux (humains y compris). Les individus qui sont soumis à un programme à intervalle fixe répondent faiblement ou modérément pendant la majeure partie de l'intervalle, et fortement à la fin.

Il est relativement facile de provoquer l'extinction d'une réponse établie au moyen d'un programme de renforcement à intervalle fixe. En effet, le sujet est en mesure de prévoir approximativement le moment du renforcement. Si le renforcement ne vient pas, il juge inutile de maintenir le comportement.

Dans un programme de renforcement à intervalle variable, le sujet est renforcé après un laps de temps variable et imprévisible. Imaginez que vous êtes un rat affamé et qu'on vous enferme dans une cage contenant un levier. Après avoir exploré la cage, vous appuyez une fois ou deux sur le levier, et vous recevez un morceau de nourriture. Ayant été renforcé, vous actionnez le levier quelques fois de plus, mais en vain. Vous attendez, puis vous appuyez encore sur le levier à quelques reprises avant d'être renforcé. Après avoir mangé, vous appuyez sur le levier et vous recevez immédiatement une ration supplémentaire de nourriture. Vous avez donc été renforcé après des intervalles variables.

Contrairement aux animaux soumis à un programme de renforcement à intervalle fixe, les animaux soumis à un programme à intervalle variable apprennent que la meilleure façon d'obtenir un renforçateur est de répondre à une fréquence faible et constante. En effet, le facteur déterminant n'est pas le nombre de réponses, mais le laps de temps écoulé. Si vous ne savez jamais à quel moment votre prof de psycho vous assénera un examen, vous aurez tendance à étudier à un rythme constant et à vous tenir à jour dans vos lectures.

Pour les besoins de nos explications, nous avons traité séparément du renforcement partiel et du renforcement continu. Normalement, cependant, l'apprentissage repose sur un mélange des deux. Initialement, nous sommes continuellement renforcés pour une réponse apprise; ensuite, le renforcement devient partiel, ce qui suffit à maintenir le comportement. Patterson souligne par exemple

Programme de renforcement à proportion variable : Programme de renforcement partiel où le renforçateur est donné après un nombre de réponses variable, mais fondé sur une moyenne.

Programme de renforcement à intervalle fixe : Programme de renforcement partiel où le renforçateur est donné après un laps de temps défini.

Programme de renforcement à intervalle variable : Programme de renforcement partiel où le renforçateur est donné après un laps de temps qui varie d'un essai à l'autre.

qu'à la fin d'une séance où elle avait utilisé un renforcement continu, Koko était gavée et se désintéressait de la nourriture. Ce phénomène de satiété se manifeste chez les autres animaux et chez les humains. Un programme de renforcement partiel élimine le problème de la perte d'intérêt. Par conséquent, tout comportement finit toujours par être renforcé partiellement, surtout s'il est bien établi.

Les comportements superstitieux ~Lire~

En 1948, B.F. Skinner modifia le mécanisme des cages de huit pigeons, de manière que les animaux reçoivent des morceaux de nourriture toutes les quinze secondes. Peu importe ce que les pigeons faisaient, ils étaient renforcés à intervalles de quinze secondes. Six des huit pigeons se mirent à répéter inlassablement un comportement singulier qui, pourtant, n'était pas nécessaire à l'obtention de nourriture. Un pigeon tournait en rond vers la gauche et un autre faisait des mouvements de tête saccadés.

Pourquoi les pigeons avaient-ils un comportement aussi répétitif et aussi inutile ? Rappelez-vous que l'administration d'un renforçateur augmente la probabilité de répétition d'une réponse. Bien que Skinner n'ait pas utilisé la nourriture pour renforcer un comportement précis, les pigeons l'ont associée au comportement qu'ils manifestaient au moment où elle est tombée dans leur cage pour la première fois. L'oiseau qui tournait en rond vers la gauche à l'instant où il a reçu la nourriture a continué ce mouvement pour recevoir encore de la nourriture. Il a formé un lien absurde entre la nourriture et le comportement. Il s'agit là d'un comportement superstitieux, d'un comportement que le sujet répète continuellement, même si, en réalité, il n'a aucun lien avec le renforçateur.

Il existe un nombre surprenant de personnes superstitieuses. Dans un sondage mené auprès d'athlètes d'écoles secondaires, de collèges et d'universités, 40 % d'entre eux avouèrent qu'ils avaient des superstitions (Buhrmann et Zaugg, 1981). De fait, beaucoup d'athlètes professionnels et amateurs ont des porte-bonheur ou se livrent à un rituel avant chaque compétition. Le joueur de hockey Phil Esposito, qui fit carrière pendant dix-huit ans avec les Bruins de Boston et les Rangers de New York, accomplissait les mêmes actions superstitieuses avant chaque match. Il portait toujours le même chandail à col roulé noir, et il passait toujours à la même guérite de péage pour se rendre à la patinoire. Dans le vestiaire, il mettait toujours ses vêtements dans le même ordre, et il disposait toujours son équipement de la même façon. Tout cela parce qu'une année où il avait eu ces comportements, il avait terminé au premier rang des marqueurs de son équipe.

Le façonnement

Le façonnement est le processus qui consiste à récompenser les approximations successives du comportement désiré. Penny Patterson a employé le façonnement au cours d'une des premières séances de formation de Koko. Lorsque Koko portait son index à sa bouche, ce qui constituait une approximation du geste signifiant « nourriture », Patterson lui donnait des morceaux de fruits. Par la suite, elle récompensait les approximations de plus en plus exactes du geste, jusqu'à ce que

Comportement superstitieux : Comportement que le sujet répète continuellement, parce qu'il a été associé à un renforçateur qui n'a pas de lien de nécessité avec ce comportement.

Façonnement : Enseignement d'une réponse par le renforcement des étapes de l'apprentissage.

Calvin et Hobbes

Bill Watterson

Koko porte tous les doigts d'une main à sa bouche. Après quoi, Patterson a renforcé uniquement le geste approprié.

Le façonnement du comportement n'est pas toujours volontaire. Le comportement peut en effet être façonné par les circonstances ou par le milieu. L'un des auteurs a un poney qu'il laisse brouter librement dans son jardin. Depuis quelque temps, cependant, le poney croque les pommes du pommier au lieu de brouter l'herbe. La cueillette des pommes n'est pas un comportement inné chez les poneys; c'est un comportement qui a été façonné. Le poney a brouté sous le pommier et trouvé des pommes sur le sol; comme les chevaux adorent les pommes, le comportement a été renforcé. Après avoir mangé toutes les pommes qui se trouvaient par terre, le poney a remarqué les pommes dans les branches basses et les a mangées. Il a appris qu'il y avait des pommes partout dans l'arbre et qu'il pouvait manger toutes celles qui étaient à sa portée. Chez ce poney, la capacité de cueillir des pommes a été façonnée par le milieu.

Par le façonnement, les humains et les animaux apprennent à accomplir des comportements complexes. On voit au cirque des éléphants qui se balancent la tête quand le dresseur leur fait un signe et se relèvent quand le dresseur leur chatouille les côtes. Le façonnement est un moyen d'indiquer au sujet les réponses qui mènent à un comportement désiré, lequel est déclenché par un stimulus du milieu. En présence d'un certain stimulus, une réponse façonnée est susceptible de se manifester. Lorsque le poney voit le pommier (le stimulus), il répond en cherchant des pommes sur le sol et dans l'arbre. Son comportement façonné (la cueillette de pommes) est déclenché par le stimulus (le pommier).

La généralisation et la discrimination   à lire

Le façonnement est analogue à la discrimination qui accompagne le conditionnement répondant. Au demeurant, la généralisation et la discrimination sont associées au conditionnement opérant comme au conditionnement répondant. Un rat qui apprend à actionner un levier pour recevoir un morceau de nourriture peut, au début, appuyer sur le levier avec sa patte, son nez ou toute autre partie de son anatomie. Ce comportement généralisé ne devient discriminant qu'à condition qu'une réponse précise soit renforcée, soit l'utilisation de la patte.

Un épisode de la vie du petit Michael illustre bien la généralisation et la discrimination. Michael, alors âgé de trois ans, mangeait avec sa famille au restaurant. Un nain entra dans l'établissement. Michael s'écria, assez fort pour que tous les clients l'entendent : « Regarde, papa, un hobbit ! » Michael venait de voir le film *Le hobbit*, et il avait été renforcé pour avoir reconnu les hobbits. Au grand embarras de ses parents, il a *généralisé* à une personne en chair et en os le terme qui désigne des personnages fictifs. Fondamentalement, la *généralisation* est une tendance à répondre de la même façon à des stimuli analogues. La *discrimination*, à l'inverse, est la capacité de distinguer les stimuli pertinents des stimuli sans importance.

La discrimination ne se produit que si les réponses données à des stimuli précis sont renforcées, de telle façon que les réponses aux autres stimuli disparaissent. Vous pouvez vous imaginer quelle fut la déception de Michael lorsqu'on l'informa que l'homme n'était pas un hobbit, mais un nain. Les essais de discrimination venaient de commencer : Michael n'a pas été renforcé pour avoir généralisé le terme *hobbit* à toutes les personnes de petite taille, mais il a été renforcé pour avoir utilisé le terme approprié, *nain*.

Pendant la Deuxième Guerre mondiale, B.F. Skinner (1979) a mené une série d'expériences sur la capacité de discrimination des pigeons. Il enseigna à des pigeons à distinguer les vaisseaux ennemis dans l'océan. Il comptait mettre les pigeons dans des missiles et leur faire guider les projectiles par des coups de bec. L'armée américaine n'approuva jamais le « Projet Pigeon », de sorte qu'aucun pigeon n'eut jamais l'occasion de s'illustrer à la guerre. La garde côtière, en revanche, a utilisé des pigeons lors d'opérations de recherche et de sauvetage en mer, après les avoir entraînés à répondre uniquement à l'orangé, la couleur des gilets de sauvetage.

Tableau 7.1   Résumé sur le conditionnement.

	Conditionnement répondant	Conditionnement opérant
Synonymes	Conditionnement classique Conditionnement pavlovien	Conditionnement instrumental Loi de l'effet (Thorndike) Conditionnement skinnérien
Premiers théoriciens	Ivan Pavlov John B. Watson	Edward Thorndike B.F. Skinner
Exemples	Le son d'une cloche (SC) provoque la salivation (RC).	Un enfant crie pour avoir des bonbons et ses parents lui en achètent.
Termes-clés	Stimulus neutre (SN) Stimulus inconditionnel (SI) Stimulus conditionné (SC) Réponse inconditionnelle (RI) Réponse conditionnée (RC) Réponse émotionnelle conditionnée	Renforçateurs (primaire et secondaire) Renforcements (positif et négatif) Punitions (positive et négative) Façonnement Programmes de renforcement (continu et partiel)
Termes communs	Extinction Recouvrement spontané Généralisation Discrimination	Extinction Recouvrement spontané Généralisation Discrimination
Principales différences	Involontaire (sujet passif)	Volontaire (sujet actif)
Conditions	Le stimulus conditionné doit *précéder* le stimulus inconditionnel.	Le renforcement doit *suivre* le comportement.

Nous vous invitons maintenant à étudier le tableau 7.1, qui présente un parallèle entre le conditionnement répondant et le conditionnement opérant.

À vous les commandes

Maintenant que vous avez appris les principes fondamentaux du conditionnement opérant, apprenez à les mettre en pratique.

Le secret est d'utiliser un mélange des principales techniques. *Renforcez* le comportement approprié, provoquez l'*extinction* du comportement indésirable et ne recourez à la *punition* que dans les cas extrêmes (si, par exemple, un enfant de deux ans s'élance dans la rue). Rappelez-vous que vous avez grandi dans une société qui associe souvent le renforcement au fait de « gâter » les gens et qui, étrangement, privilégie la punition. Nous vous encourageons à mettre en pratique la technique du renforcement, vous en serez récompensé ! Voici quelques conseils supplémentaires.

1. **Rétroaction.**   Que vous utilisiez le renforcement ou la punition, assurez-vous de donner une rétroaction claire et immédiate à la personne ou à l'animal dont vous désirez modifier le comportement. Si vous employez la punition, veillez à bien spécifier la réponse que vous voulez obtenir, puisque la punition ne fait qu'indiquer qu'une réponse est indésirable. Autrement dit, montrez à votre sujet la réponse qu'il doit substituer à la réponse punie.

2. **Immédiateté.**   Les renforçateurs et les punitions devraient être donnés le plus tôt possible après la réponse. Le bon vieux « attends que ton père rentre à la

maison » est inopportun pour plusieurs raisons, la principale étant qu'une punition remise à plus tard n'est pas associée à la réponse indésirable. Il en va de même pour le renforcement. Si vous essayez de perdre du poids, ne vous dites pas que vous vous achèterez une nouvelle garde-robe quand vous aurez perdu 15 kilos; faites-vous une petite récompense (achetez-vous un vêtement) chaque fois que vous perdrez quelques kilos.

3. **Constance.**   Que vous recouriez au renforcement ou à la punition, soyez constant. Pensez aux parents qui cèdent aux cris des enfants pour des bonbons. Beaucoup de parents se créent des ennuis en n'étant pas constants. Ils sont fermes une fois, refusent de céder ou punissent la colère de leur enfant. La fois suivante, ils sont si embarrassés ou si excédés qu'ils renoncent et achètent la sucette. Ils feraient mieux d'utiliser l'extinction (de ne pas tenir compte de la colère) tout en essayant de récompenser les bons comportements. Comme la punition nécessite beaucoup de surveillance et de constance, rares sont les parents qui peuvent en faire un usage efficace; la plupart des parents emploient plutôt un programme de renforcement partiel et, de ce fait, ils encouragent en réalité le maintien du comportement.

4. **Présentation du renforcement ou de la punition.**   Pour que le renforcement ou la punition soient efficaces, assurez-vous de les donner *après* le comportement, jamais avant. Comment vous sentiriez-vous si votre professeur présupposait que tous les étudiants trichent quand ils en ont l'occasion et qu'il vous enlevait des points à chaque examen ? Vous avez sans nul doute récolté quelques récompenses imméritées en faisant à vos parents des promesses creuses. Qui n'a pas eu la permission d'utiliser la voiture un vendredi soir en jurant ses grands dieux qu'il tondrait la pelouse le samedi ? Si un jour vous devenez enseignant ou parent, rappelez-vous vos cours de psychologie : punissez vos élèves *après* qu'ils ont triché et récompensez vos enfants *après* qu'ils ont tondu la pelouse. ■

À vous les commandes

Conditionnez-vous au succès

Afin de réussir, au collège comme dans la vie, il est important de maîtriser plusieurs habiletés et comportements. Ces habiletés et comportements sont appris au moyen du conditionnement répondant ou, plus souvent, du conditionnement opérant. Voici qui vous aidera à maîtriser une habileté cruciale à la réussite scolaire : le respect des échéances. Pratiquement chaque cours que vous suivez implique certaines tâches – examens, travaux de session, présentations orales – chacune exigeant le respect d'une échéance spécifique. Comme vous le savez, ces échéances peuvent être extrêmement stressantes et le fait de ne pas les respecter peut nuire à vos notes. L'un des principaux obstacles au respect des échéances est la temporisation (l'habitude de remettre à plus tard). Dianne Tice et Roy Baumeister (1997) ont étudié les effets de ce comportement sur le rendement, le stress et la santé. Les résultats de cette étude sont présentés en détails au chapitre 11, mais disons tout de suite que ces chercheurs ont découvert que la temporisation entraîne une augmentation du stress et une diminution des résultats. Par conséquent, si vous apprenez à éviter ce comportement, vous réduirez le stress dans votre vie et produirez un travail de meilleure qualité. Alors de quelle façon le conditionnement opérant peut-il vous aider à éviter cette attitude ?

Examinez d'abord votre comportement et déterminez si vous avez tendance à remettre les choses à plus tard et pourquoi. Si c'est le cas, vous devez trouver les renforcements qui vous amènent à agir ainsi : c'est peut-être de passer plus de temps avec vos amis, de conserver votre emploi à temps partiel, de vous entraîner au gymnase, ou encore de vous consacrer davantage aux matières que vous préférez.

Il s'agit là de renforcements positifs. On peut aussi remettre à plus tard pour éviter d'étudier une matière que l'on déteste, ou échapper temporairement à la rédaction de travaux particulièrement difficiles ou stressants. Ce sont là des renforcements négatifs. Après avoir identifié les raisons qui vous poussent à maintenir ce comportement, vous devez éliminer les renforcements, surtout positifs, et les subordonner à l'étude plutôt qu'à la temporisation. Établissez un contrat avec vous-même, stipulant que vous refuserez d'aller à une fête ou d'inviter des amis tant que vous n'aurez pas terminé les lectures de la semaine ou rédigé trois pages du devoir à remettre dans trois semaines. Après cet effort, renforcez-vous pour votre bon travail – sortez avec des amis, regardez la télé ou dégustez une crème glacée. Pour que ce procédé fonctionne, vous devez persister un bon moment, sinon votre ancien comportement réapparaîtra spontanément dès que vous vous relâcherez et trahirez votre contrat. Mais le fruit de votre changement de comportement se traduira par une meilleure santé, des notes plus élevées et une réussite accrue dans la vie. ■

RÉSUMÉ

Les programmes de conditionnement opérant

Dans le conditionnement opérant, l'extinction se produit lorsque le renforcement est supprimé et que le sujet cesse de répondre au stimulus. Le recouvrement spontané se produit de la même façon que dans le conditionnement répondant. La durée du processus d'extinction est déterminée par le programme de renforcement utilisé.

Un programme de renforcement continu consiste à renforcer chaque réponse appropriée. Un programme de renforcement partiel consiste à renforcer une partie seulement des réponses appropriées.

Un comportement superstitieux est un comportement que le sujet croit, à tort, associé à une récompense.

Pour que le renforcement et la punition soient efficaces, il faut que :

a) la réponse soit suivie immédiatement d'une rétroaction claire;

b) le renforçateur ou la punition soient présentés le plus tôt possible après la réponse;

c) les renforçateurs et les punitions soient présentés de façon constante.

Le façonnement consiste à enseigner une tâche complexe en renforçant les approximations successives de la réponse désirée. Vous pouvez mettre en application ces principes de conditionnement afin de vous aider à devenir un meilleur étudiant, en renforçant vos bonnes habitudes d'étude et en supprimant les renforcements liés à celles qui sont néfastes.

QUESTIONS DE RÉVISION

1. Pour provoquer l'extinction d'une réponse établie par le conditionnement opérant, il faut supprimer le _____.

2. Quand vous mettez de la monnaie dans une distributrice de gomme à mâcher, vous recevez un renforcement _____ ; lorsque vous mettez de la monnaie dans une machine à sous, vous obtenez un renforcement _____. a) continu; continu b) continu; partiel c) partiel; continu d) partiel; partiel

3. Marie-Claire porte le même collier à chacun de ses examens, même si le bijou n'a aucun rapport avec l'épreuve. Comment ce comportement superstitieux a-t-il pu apparaître ?

4. Comment utiliseriez-vous le façonnement pour enseigner à un ami la bonne technique de plongeon ?

5. Le professeur Gendron impose un test une fois par semaine, mais ne prévient jamais ses élèves de la journée où il aura lieu. Cela est un programme de renforcement _____. a) à proportion fixe b) à proportion variable c) à intervalle fixe d) à intervalle variable

6. Pour être efficaces, le renforcement ou la punition doivent être administrés _____ le comportement recherché.

7. Quels sont les renforcements indiqués pour les personnes qui remettent toujours à plus tard leurs obligations ?

Les réponses aux questions de révision se trouvent en annexe.

L'APPRENTISSAGE COGNITIF ET L'APPRENTISSAGE PAR OBSERVATION

Jusqu'ici, nous avons étudié des formes d'apprentissage fondées sur l'association. Nous avons décrit comment l'association se forme entre le son d'une cloche et la salivation, entre les rats blancs et la peur et entre l'exécution d'un geste et l'obtention d'un morceau de fruit. Bien que la plupart des behavioristes soutiennent que tous les apprentissages résultent d'une association stimulus-réponse, beaucoup de psychologues estiment qu'il y a bien plus que des facteurs observables dans l'apprentissage. Selon les *psychologues cognitivistes*, la majorité, sinon la totalité, des apprentissages fait intervenir des opérations mentales. Ils croient que nous commençons à apprendre dès l'instant où nous prêtons attention à un stimulus. Par exemple, un drôle d'insecte se pose sur une branche près de nous. Nous comparons mentalement cet animal à des créatures semblables que nous connaissons déjà et déterminons son degré de conformité à une structure cognitive existante. Nous formons à propos de la créature inconnue un concept que nous rangeons dans notre mémoire, suivant qu'il est plus ou moins conforme à des concepts déjà établis.

▲ *Qu'est-ce que la théorie de l'apprentissage cognitif ?*

Les psychologues cognitivistes considèrent l'apprenant comme un système de traitement de l'information. Par conséquent, ils étudient des opérations mentales ou *cognitives*. Ils s'intéressent à la manière dont nous acquérons l'information et la traitons pour l'emmagasiner dans notre mémoire. Ils étudient les processus perceptifs que sont l'attention, la sélection et l'organisation (voir le chapitre 5). Ils examinent notre capacité de former des images mentales, de conceptualiser, de raisonner et de résoudre des problèmes (voir le chapitre 9). Ils se penchent sur la façon dont nous retenons l'information, et plus particulièrement sur le fonctionnement de la mémoire (voir le chapitre 8). Étant donné que nous abordons ces sujets ailleurs dans l'ouvrage, et notamment dans les chapitres portant sur la perception, la mémoire et la pensée, nous nous attacherons ici à l'étude des origines de la psychologie cognitive de l'apprentissage.

Mon apprentissage scolaire fait-il appel aux traitements mentaux des cognitivistes ?
Une grande partie des apprentissages scolaires résultent de traitements mentaux tels que ceux qu'étudient les psychologues cognitivistes. Songez un instant : durant les cours, vous prêtez attention à certains contenus plus qu'à d'autres. C'est dire que vous sélectionnez l'information et que vous l'organisez selon les principes de la perception. De même, quand vos professeurs vous demandent de raisonner sur des sujets ou de résoudre des problèmes, vous acquérez de nouvelles représentations de la réalité en vous créant de nouvelles images mentales ou de nouveaux concepts. Bien sûr, la mémoire intervient également dans tous ces processus d'apprentissage.

La théorie de l'apprentissage cognitif est relativement récente. En fait, elle n'a été pleinement reconnue que dans les années soixante. Pourtant, la recherche sur les opérations mentales avait commencé bien avant, avec des psychologues comme Wolfgang Köhler et Edward C. Tolman.

L'INSIGHT : LES EXPÉRIENCES DE KÖHLER AVEC DES CHIMPANZÉS

Les théories du conditionnement ont prévalu très longtemps pour deux grandes raisons. Premièrement, il est difficile de concevoir des expériences pour observer et mesurer des processus immatériels comme la pensée et le raisonnement. Deuxièmement, dans la plupart des expériences sur la cognition, les sujets étaient des animaux, dont les capacités intellectuelles sont bien inférieures à celles des humains. Au début du siècle, cependant, Wolfgang Köhler a trouvé le moyen d'étudier la dimension cognitive de l'apprentissage.

Köhler croyait que l'apprentissage ne se ramenait pas simplement à des relations stimulus-réponse isolées. Il jugeait, par exemple, que la résolution d'un problème complexe faisait intervenir plus qu'une série de réponses données par tâtonnement à des stimuli. Il conçut plusieurs expériences pour étudier le rôle de l'insight dans l'apprentissage. L'insight est la compréhension soudaine qui émerge pendant la résolution d'un problème.

Köhler présenta différents problèmes à des chimpanzés. En 1917, il suspendit une banane au plafond de la cage où se trouvait un chimpanzé. Pour atteindre la banane, le chimpanzé devait utiliser un bâton placé près de la cage. Contrairement aux chats de Thorndike, et aux rats et aux pigeons de Skinner, le chimpanzé n'a pas résolu le problème par tâtonnement (essais et erreurs). Il s'est assis et il a paru réfléchir quelques instants à la situation. Puis, soudainement, il a saisi le bâton et a décroché la banane (Köhler, 1925).

Köhler mit dans une situation semblable un autre chimpanzé, un animal intelligent nommé Sultan. Cette fois, il mit deux bâtons de bambou à la portée du singe, et il suspendit la banane à une hauteur impossible à atteindre avec un seul bâton. Sultan joua avec les bâtons et sembla peser le problème pendant quelques semaines. Un jour, il se leva et télescopa les deux bâtons creux. Avec ce long instrument, il parvint à atteindre la banane. Köhler appela cette forme d'apprentissage *apprentissage par insight* parce que, manifestement, quelque chose s'était passé dans la tête du chimpanzé entre le moment où il avait vu la banane et celui où il l'avait atteinte à l'aide du bâton.

L'APPRENTISSAGE LATENT : L'APPRENTISSAGE « CACHÉ » DE TOLMAN

La plupart des théoriciens de l'apprentissage, les behavioristes en tête, croient que le renforcement est nécessaire à l'apprentissage. C'est peut-être le cas pour certains apprentissages, mais n'avez-vous pas la tête remplie de connaissances « inutiles » que vous n'avez jamais mises en application parce que l'occasion ne s'est jamais présentée ? Pensez aux enfants qui sillonnent leur quartier à bicyclette sans raison particulière. Ce faisant, ils découvrent les noms des rues, les culs-de-sac, l'emplacement des boîtes aux lettres, etc. Ils se forment une carte mentale du quartier, sans songer que la mise en œuvre de cette information pourrait un jour leur valoir une récompense.

Selon Edward Tolman, l'apprentissage latent est un apprentissage qui se réalise sans renforcement et qui reste inexprimé tant que son utilisation n'est pas nécessaire. Les enfants qui vont et viennent à bicyclette en apprennent beaucoup sur leur quartier, mais cet apprentissage reste latent jusqu'au jour où ils ont besoin de poster une lettre ou de donner des indications à un passant. Leur apprentissage est manifestement de nature cognitive : ils n'apprennent pas l'emplacement des boîtes aux lettres ou le nom des rues en échange d'une récompense.

Il est facile de voir que nous pouvons apprendre sans être immédiatement renforcés, mais est-ce la même chose pour les animaux ? Tolman a découvert que les animaux sont capables eux aussi d'apprentissage latent. Il plaça deux groupes de

Insight : Compréhension soudaine qui émerge pendant la résolution d'un problème.

Grande, l'un des chimpanzés de Köhler, vient de résoudre un problème par insight.

Apprentissage latent : Apprentissage qui se réalise sans renforcement et qui reste caché tant que son utilisation n'est pas nécessaire.

Exam

Exam

PENSÉE CRITIQUE • Psychologie en direct

Transposer des idées à de nouveaux contextes

Le conditionnement opérant dans la vie quotidienne

L'« apprentissage sur l'apprentissage » a ceci de problématique que les étudiants n'assimilent pas véritablement les termes et les concepts nouveaux. Ils ne se rendent pas compte qu'ils peuvent appliquer les principes élémentaires de l'apprentissage dans leur vie quotidienne. Or, la pensée critique exige que l'on se déleste de ses vieilles habitudes et que l'on utilise ses nouvelles connaissances dans des situations ordinaires. Lorsque nous transposons une idée ou un concept d'un contexte à un autre, nous augmentons notre compréhension de cette idée ou de ce concept.

L'exercice suivant vise à améliorer votre compréhension du conditionnement opérant et votre capacité d'appliquer des concepts nouveaux à votre vie quotidienne.

Situation 1

Supposez que de nombreux élèves arrivent régulièrement en retard à l'un de vos cours. Le professeur est manifestement agacé. Que lui conseilleriez-vous de faire pour régler le problème ? Répondez aux quatre questions suivantes pour élaborer votre plan d'action.

1. Recommanderiez-vous à votre professeur de punir les retardataires ou de renforcer les élèves ponctuels ? Justifiez votre réponse.

2. Si le professeur décide de sévir, quelle punition positive pourrait il employer ? Quelle punition négative ?

3. Quel type de renforcement positif ou négatif pourrait favoriser la ponctualité ?

4. Une fois l'objectif atteint, quel type de programme de renforcement permettrait à votre professeur d'éviter l'extinction du comportement ou l'affaiblissement du renforcement ?

Situation 2

La criminalité augmente dans votre ville, et vous voulez conditionner votre saint-bernard Otto à courir à la porte et à aboyer chaque fois que quelqu'un sonne chez vous. Comme il s'agit là d'un comportement relativement complexe, vous décidez de le façonner au moyen du renforcement positif. Répondez aux questions suivantes pour vous aider à définir votre méthode de dressage.

1. Quel renforçateur utiliserez-vous ?

2. Que considérerez-vous comme des approximations valables du comportement désiré ?

3. Une fois que vous aurez dressé Otto à aboyer, comment éviterez-vous l'extinction de ce comportement si personne ne se présente à votre porte pendant quelques semaines d'affilée ?

4. Comment ferez-vous disparaître le comportement d'Otto si jamais vos voisins se plaignent ?

---

rats dans des labyrinthes. Pendant dix jours, il ne donna aucun renforcement aux rats du groupe expérimental, qui exploraient le labyrinthe de façon désordonnée; il donnait de la nourriture aux rats du groupe témoin chaque fois qu'ils atteignaient la sortie du labyrinthe. Le onzième jour, Tolman plaça de la nourriture à la sortie des deux labyrinthes. Les rats qui n'avaient jamais été récompensés trouvèrent la nourriture aussi rapidement que les autres après seulement un ou deux essais renforcés (Tolman et Honzik, 1930). Tolman supposa donc que les humains et les animaux apprennent à s'orienter dans leur milieu en se formant des cartes cognitives. La carte cognitive est restée latente chez les rats du groupe expérimental jusqu'au moment où ils découvrirent la nourriture à la sortie du labyrinthe. Il semble que les rats, comme les êtres humains, acquièrent de l'information qui reste latente jusqu'à ce que se présente une occasion valable de l'utiliser.

Carte cognitive : Image mentale d'un territoire qu'une personne ou un animal a parcouru.

L'APPRENTISSAGE PAR OBSERVATION

— Par modèle, par imitation

Vous rappelez-vous le moment où, lors de votre première leçon de conduite, vous vous êtes assis au volant d'une voiture ? Avez-vous appuyé sur les boutons, actionné les leviers et enfoncé les pédales *n'importe comment* ? Bien sûr que non. Vous aviez déjà eu d'innombrables occasions d'observer des conducteurs. Au cours des mois qui ont précédé votre première leçon, vous avez sans doute prêté un surcroît d'attention au conducteur chaque fois que vous montiez dans une voiture. Vous

▲ *Pouvons-nous apprendre simplement en observant les autres ?*

appreniez à conduire par observation. Nous apprenons beaucoup de nos comportements, de la conduite automobile au brossage de dents, en observant quelqu'un, en lisant des guides d'utilisation ou en écoutant des consignes. Cette forme d'apprentissage est appelée *apprentissage par observation*. Les premières recherches menées sur des animaux à ce sujet furent peu fructueuses (Thorndike, 1898, 1901). Dans les années soixante, cependant, Albert Bandura fit sa marque avec une série d'études sur l'apprentissage social chez les enfants.

Pour prouver que les enfants apprennent par observation, Bandura constitua deux groupes d'enfants. Il fit voir aux enfants du groupe expérimental un film où quelqu'un malmenait des jouets dans une salle de jeux (Bandura et Walters, 1963). Il ne projeta pas le film devant les enfants du groupe témoin. Ensuite, il donna aux deux groupes l'occasion de jouer avec les mêmes jouets, dans la même salle. Les enfants qui avaient vu le film étaient beaucoup plus agressifs avec les jouets que les enfants du groupe témoin. Ils avaient appris comment se conduire dans une situation donnée en observant une personne placée dans la même situation. Bandura appela cet apprentissage « apprentissage social », ce qui équivaut essentiellement à « apprentissage par observation » (Goodwin, 1999). Sa théorie de l'apprentissage social veut que l'être humain apprenne divers comportements en observant des *modèles*.

Le déroulement de l'apprentissage par observation

Selon Bandura, quatre conditions président à l'apprentissage par observation : 1) nous devons prêter attention au modèle; 2) nous devons utiliser nos processus cognitifs pour comprendre et mémoriser le comportement du modèle; 3) nous devons être capables de mettre en pratique ce que nous avons observé (nous ne pourrions pas imiter un cycliste si nous étions paralysés); 4) nous devons décider d'imiter ou non le comportement observé, suivant que le modèle a été renforcé ou puni et suivant l'estime que nous lui portons.

Ces quatre conditions se sont réalisées chez les sujets de Bandura. Les enfants ont prêté attention au comportement agressif du modèle. Ils ont utilisé leurs processus cognitifs pour comprendre et mémoriser ce qu'ils avaient vu, ce que confirmèrent leurs actions ultérieures. Ils étaient physiquement capables d'exécuter les comportements observés. Et beaucoup d'enfants décidèrent d'imiter les comportements observés (Josephson, 1987).

Nous apprenons toutes sortes de comportements en imitant des modèles. Patterson et ses collègues ont servi de modèles à Koko. Les étudiants qui se

Théorie de l'apprentissage social : Théorie élaborée par Bandura, selon laquelle l'être humain apprend divers comportements en observant des modèles.

Modèles : Personnes de qui on apprend en observant leurs comportements et les conditions dans lesquelles ils se produisent.

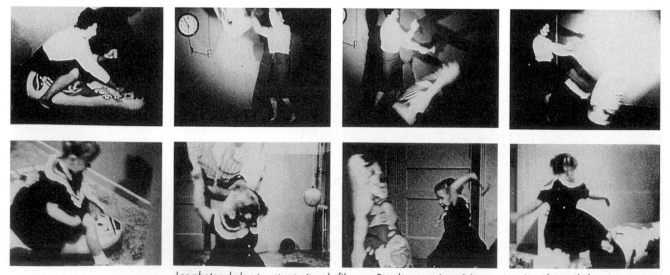

Les photos du haut sont extraites du film que Bandura a présenté à ses sujets. Les photos du bas montrent une petite fille imitant le modèle.

destinent à l'enseignement apprennent la pédagogie en faisant des stages qui leur permettent d'observer des enseignants. Les enfants, comme l'a démontré Bandura, apprennent l'agressivité en observant des modèles agressifs. Si vous donnez une fessée à votre fille parce qu'elle a fait mal à son frère, vous corrigez temporairement le comportement de votre fille, mais vous lui servez en même temps de modèle agressif (Strassberg, Dodge, Pettit et Bates, 1994). Si vous remédiez à la situation de façon calme et pondérée, vous manifestez un comportement conforme à celui que vous attendez de votre fille.

Le conditionnement vicariant *Non*

L'apprentissage par observation peut susciter un conditionnement répondant. Patricia Barnett et David Benedetti (1960) ont appelé ce phénomène conditionnement vicariant. Dans une de leurs expériences, ils demandèrent aux sujets d'observer un modèle qui apprenait à réagir à une sonnerie par conditionnement répondant. Le modèle recevait une secousse électrique quelques secondes après que la sonnerie avait retenti. Chaque fois que la secousse était administrée, le modèle retirait sa main de la plaque électrifiée. Placés dans la même situation, les sujets retiraient eux aussi leur main de la plaque électrifiée dès qu'ils entendaient la sonnerie, même s'ils n'avaient jamais reçu de secousses. Il a été démontré que le conditionnement vicariant peut aussi accompagner le conditionnement opérant (Bandura, 1971).

À vous les commandes

Ne sous-estimez pas le pouvoir des modèles (Chance, 1979). Si, au cours d'une sortie avec un ami ou un enfant, vous voyez quelqu'un agir de façon contraire à vos valeurs morales, assurez-vous de communiquer votre opinion à la personne qui vous accompagne. Autrement, cette personne pourrait croire que vous approuvez le comportement. Les parents, qui désirent que leurs enfants imitent des modèles valables, devraient s'appliquer consciencieusement à faire valoir leur point de vue. Si vous amenez votre enfant voir un film très violent et ne faites aucun commentaire (ou, pire, si vous manifestez une appréciation), votre enfant apprendra que la violence est un comportement acceptable. Par vos paroles et vos actions, indiquez à vos enfants les personnes que vous considérez comme de bons modèles. Face à un comportement inacceptable, le silence équivaut à l'approbation. ■

Nous avons abordé dans ce chapitre quatre grandes théories de l'apprentissage : le conditionnement répondant, le conditionnement opérant, l'apprentissage cognitif et l'apprentissage par observation. Rappelez-vous, cependant, que le comportement humain est très complexe et que, contrairement à ce que pensent certains puristes, aucun apprentissage ne résulte d'une seule méthode. Nous apprenons la plupart de nos comportements au moyen d'un mélange de conditionnement, de cognition et d'observation.

Les uns et les autres

L'ÉTAYAGE COMME TECHNIQUE D'ENSEIGNEMENT DANS DIFFÉRENTES CULTURES

À lire

Les situations d'apprentissage non structurées où un apprenti acquiert des habiletés sous l'égide d'un maître ou d'un mentor montrent avec beaucoup de clarté que l'apprentissage repose dans le monde réel sur un mélange de conditionnement répondant, de conditionnement opérant et d'observation. La méthode d'enseignement idéale dans ces situations est celle de l'*étayage* (Wood, Bruner et Ross, 1976). Elle consiste à guider l'élève ou l'apprenti de manière à lui faire acquérir des habiletés qu'il serait incapable d'apprendre seul. Dans la plupart des cas, l'étayage comprend une part de façonnement et une part d'enseignement par l'exemple. Ainsi,

Nous avons appris beaucoup de nos habiletés en observant et en imitant les autres ou en écoutant leurs directives.

Conditionnement vicariant : Apprentissage effectué à la suite de lectures ou de l'observation d'un modèle.

Une tisserande de Zinacantan enseigne son art à une petite fille par la méthode de l'étayage.

l'enseignant renforce les progrès de l'élève et il exécute devant lui les parties difficiles de la tâche. Patricia Marks Greenfield (1984) a observé deux situations d'étayage très différentes, l'apprentissage du langage à Los Angeles et l'apprentissage du tissage à Zinacantan, au Mexique.

À Los Angeles, Greenfield a étudié la manière dont les enfants apprennent la signification des propositions que leur font les adultes, comme « Veux-tu un biscuit ? » et « Veux-tu que je te promène sur mon dos ? ». Selon Greenfield, il existe trois conditions à la réussite de cet apprentissage. Premièrement, l'adulte doit faire une proposition à l'enfant (lui offrir verbalement de le prendre sur son dos, par exemple); deuxièmement, l'enfant doit la recevoir (ce qu'il indique en exprimant son accord); troisièmement, l'adulte doit fournir un objet à l'enfant, lui faire subir une action ou lui donner une information (la mère prend l'enfant sur son dos). Si l'enfant est assez grand pour comprendre le langage verbal, la mère façonne sa réponse. Si, par contre, l'enfant est trop petit pour comprendre une offre verbale, la mère a recours à l'étayage. Elle utilise des indications non verbales comme étai, et elle fait la démonstration d'une réponse verbale appropriée. C'est donc par l'étayage que les mères aident leurs enfants à apprendre le langage verbal et non verbal qui sert à accepter les propositions intéressantes.

Le tissage, bien entendu, n'est pas aussi universel que le langage, mais cette habileté s'acquiert aussi par l'étayage. Le tissage constitue un aspect important de la culture des Zinacantecos, qui vivent dans les montagnes du sud du Mexique. Greenfield filma quatorze petites filles qui se trouvaient à différentes étapes de l'apprentissage du tissage. Leurs aptitudes variaient considérablement, mais les chercheurs furent incapables de distinguer les ouvrages finis des tisserandes novices de ceux des tisserandes avancées. Les petites filles inexpérimentées étaient sans cesse placées sous la surveillance d'adultes expertes. Elles ne recevaient pas d'aide pour les tâches qu'elles exécutaient facilement, mais les adultes s'acquittaient à leur place des tâches difficiles. Mais quelle que fût l'habileté de la novice, son ouvrage fini était égal à celui des autres. Les adultes utilisaient comme étai le renforcement des techniques bien exécutées et elles faisaient la démonstration des techniques difficiles. Les adultes prenaient la relève des tisserandes débutantes durant 53 % du temps, et ces dernières observaient les adultes pendant 87 % du temps environ.

Les tâches et les cultures que Greenfield a observées sont différentes, mais le processus d'étayage est le même. Premièrement, l'étai s'adapte au niveau de l'apprenti et s'applique seulement aux tâches que l'apprenti ne peut exécuter seul. Deuxièmement, le degré d'intervention de l'adulte diminue à mesure que l'habileté de l'apprenti augmente. Troisièmement, l'étayage est dans les deux cas un mélange de façonnement et d'enseignement par l'exemple. Dans les deux situations, enfin, les adultes ne semblent pas se rendre compte de la méthode qu'elles utilisent, ni même du fait qu'elles enseignent. En effet, la plupart des femmes de Zinacantan croient que les petites filles apprennent à tisser seules, et beaucoup d'Occidentaux sont convaincus que les enfants apprennent à parler par eux-mêmes. ■

RÉSUMÉ

L'apprentissage cognitif et l'apprentissage par observation

Les psychologues cognitives s'intéressent aux opérations mentales qui sous-tendent l'apprentissage.

En étudiant des chimpanzés, Wolfgang Köhler a démontré que l'apprentissage pouvait prendre la forme de l'insight. Edward Tolman a démontré l'existence de l'apprentissage latent, c'est-à-dire de l'apprentissage qui s'accomplit en l'absence de renforcement et qui reste caché tant que son utilisation n'est pas nécessaire.

L'apprentissage par observation consiste à apprendre un comportement en l'observant ou en lisant à son sujet plutôt qu'en l'exécutant concrètement.

Selon la théorie de l'apprentissage social, avancée par Albert Bandura, nous apprenons en observant des modèles.

L'étayage est une technique d'enseignement répandue dans le monde. Elle est utilisée dans les situations d'apprentissage non structurées qui font intervenir un maître ou un mentor, d'une part, et un élève ou un apprenti, d'autre part. Elle comprend une part de façonnement et une part d'enseignement par l'exemple.

QUESTIONS DE RÉVISION

1. Les psychologues cognitivistes considèrent l'apprenant comme un système de traitement de l'information. Qu'est-ce que cela signifie ?

2. Lorsque vous trouvez soudainement la solution d'un problème, vous faites preuve d'_____.

3. Est-ce que l'apprentissage passe nécessairement par le renforcement ? Expliquez votre réponse.

4. L'apprentissage par _____ consiste à regarder faire les autres.

5. Vous voulez apprendre à votre petit frère à glacer un gâteau. Vous lui dites de s'asseoir et de vous regarder. Vous lui servez donc de _____.

Les réponses aux questions de révision se trouvent en annexe.

LE CHAPITRE **7** EN UN CLIN D'ŒIL

L'APPRENTISSAGE

Apprentissage : modification relativement permanente du comportement ou du potentiel comportemental résultant de l'exercice ou de l'expérience vécue. Le comportement appris est à l'opposé du comportement inné, ou instinctif, qui apparaît à la suite de la maturation et non de l'apprentissage.

Conditionnement : forme d'apprentissage qui repose sur l'association d'un comportement à une condition présente dans l'environnement. Il existe deux grands types de conditionnement :

Conditionnement répondant : apprentissage d'un comportement involontaire associé à un stimulus qui ne provoque pas normalement ce comportement.

Conditionnement opérant : apprentissage d'un comportement volontaire associé à ses conséquences.

La **théorie de l'apprentissage cognitif** est axée sur les opérations mentales reliées à l'apprentissage.
La **théorie de l'apprentissage par observation** veut que l'apprentissage repose sur l'imitation de modèles.

DEUX PRINCIPAUX TYPES DE CONDITIONNEMENT

Conditionnement répondant

Premiers chercheurs : *Pavlov, Watson.*

Processus : *involontaire.*
1. Avant le conditionnement, le **stimulus neutre (SN)** n'entraîne pas de réponse particulière, tandis que le **stimulus inconditionnel (SI)** provoque toujours une **réponse inconditionnelle (RI)**.
2. Pendant le conditionnement, il s'effectue une association entre le SN et la RI.
3. Après le conditionnement, le SN est devenu un **stimulus conditionné (SC)** qui entraîne désormais une **réponse conditionnée (RC)**.

Termes-clés

Conditionnement d'ordre supérieur : association d'un stimulus neutre et d'un stimulus déjà conditionné.

Extinction : disparition graduelle d'un comportement à la suite de la présentation répétée du SC sans le SI (c'est-à-dire d'une dissociation du SC et du SI).

Recouvrement spontané : réapparition d'une RC qui avait disparu.

Généralisation : tendance à présenter la RC à la suite de stimulus semblables au SC.

Discrimination : tendance à présenter la RC seulement à la suite du SC.

Conditionnement opérant

Premiers chercheurs : *Thorndike, Skinner.*

Processus : *volontaire.*

Les êtres humains et les animaux apprennent en associant les comportements à leurs conséquences. Le renforcement augmente la probabilité de répétition d'une réponse, tandis que la punition la diminue.

Termes-clés

Renforcement : procédé qui augmente la probabilité de répétition d'un comportement.

Punition : procédé qui diminue la probabilité de répétition d'un comportement.

Renforcement positif : renforcement qui consiste à donner au sujet un stimulus désirable.

Renforcement négatif : renforcement qui consiste à supprimer un stimulus désagréable.

Punition positive : présentation d'un stimulus indésirable en vue de diminuer la fréquence d'un comportement.

Punition négative : suppression d'un stimulus désirable en vue de diminuer la fréquence d'un comportement.

Extinction : disparition d'un comportement à la suite de la suppression du renforcement qui y était associé.

Recouvrement spontané : réapparition spontanée d'une réponse qui avait disparu.

Généralisation : tendance à présenter la même réponse à des stimuli analogues.

Discrimination : capacité de distinguer les différents stimuli environnementaux à la suite du renforcement de certains d'entre eux seulement.

Renforcement continu : renforcement de toutes les réponses appropriées.

Renforcement partiel : renforcement d'une partie seulement des réponses appropriées.

Façonnement : enseignement d'une tâche complexe fondé sur le renforcement des approximations successives de la réponse désirée.

LES AUTRES TYPES D'APPRENTISSAGE

L'apprentissage cognitif

Les **psychologues cognitivistes** étudient les processus mentaux ou cognitifs qui interviennent dans l'apprentissage.

Köhler : l'apprentissage peut reposer sur l'**insight** (compréhension soudaine).

Tolman : l'apprentissage peut se produire en l'absence de renforcement et rester inexprimé tant que son utilisation n'est pas nécessaire (**apprentissage latent**).

L'apprentissage par observation

Apprentissage par observation : fait d'apprendre un comportement en l'observant chez d'autres ou en lisant à ce sujet plutôt qu'en l'accomplissant soi-même.

Bandura : la **théorie de l'apprentissage social** veut que l'être humain apprenne en observant des **modèles**.

La mémoire

OBJECTIFS

Au fil de votre lecture, gardez à l'esprit les questions guides suivantes et tentez d'y répondre dans vos propres mots.

▲ Quels sont les trois paliers de la mémoire ? Quels facteurs président à l'envoi d'une donnée au palier suivant, à son stockage et à sa récupération ?

▲ Pourquoi oublions-nous ? Quelles sont les causes des troubles de la mémoire ?

▲ Est-ce que tout le monde peut développer sa mémoire ?

En août 1979 se tint aux États-Unis le procès du père Pagano, prêtre catholique poli et affable, qui était inculpé d'une série de vols à main armée. On l'accusait d'être un « gentleman cambrioleur », un voleur qui impressionnait ses victimes par ses manières aimables. Sa condamnation semblait certaine, car sept témoins avaient positivement reconnu en lui l'homme qui les avait détroussés. Étant donné qu'il est souvent difficile d'obtenir une seule identification formelle, tout risque d'erreur semblait écarté : sept personnes ne pouvaient pas se tromper. Et pourtant il y avait de quoi s'étonner. En effet, considérant sa vocation, l'accusé, qui avait d'ailleurs protesté de son innocence dès le moment de son arrestation, avait pour devoir de défendre les pauvres. S'agissait-il d'un Robin des Bois des temps modernes, qui volait les riches pour aider les pauvres ?

Le procès du père Pagano se termina lorsque le véritable voleur, Ronald Clouser, passa aux aveux. Clouser dit qu'il avait été poussé au crime par ses problèmes conjugaux et financiers. Mais, étant foncièrement honnête, il ne voulait pas qu'un innocent soit puni à sa place. L'affaire était classée : erreur sur la personne. Or, Clouser était âgé de 39 ans et il avait d'épais cheveux grisonnants; le père Pagano avait 53 ans et il était chauve (Loftus, 1980).

Comment sept personnes ont-elles pu commettre une telle erreur ? Seraient-elles toutes nées, par hasard, avec une mémoire défaillante ? Mais y a-t-il vraiment des gens qui naissent avec une bonne ou une mauvaise mémoire ? La plupart du temps, vous avez une bonne mémoire : vous vous souvenez comment conduire une voiture; vous vous rappelez l'endroit où vous demeurez; vous retenez la définition du mot « psychologie ». Mais vous oubliez parfois un rendez-vous ou une formule chimique dont vous auriez besoin dans un examen. À ces moments, vous donneriez n'importe quoi pour posséder une mémoire comme celle des concurrents du jeu télévisé « *Jeopardy* ». Ces gens sont-ils nés avec une faculté de mémoire supérieure ou bien maîtrisent-ils des techniques spéciales pour entreposer et récupérer les faits et les chiffres ? Si c'est le cas, tous les gens ne pourraient-ils pas apprendre ces techniques de mémorisation qui fonctionnent à coup sûr ?

Votre expérience personnelle vous a appris que la capacité de se souvenir avec précision de faits et d'événements varie avec les gens. La recherche démontre que les capacités mémorielles diffèrent même chez les jeunes enfants (Fagan et Singer, 1983). Les psychologues ont également découvert que la mémoire n'est pas statique; elle est fortement influencée par des facteurs internes et circonstanciels. Ces facteurs ont sûrement joué chez les sept témoins au procès du père Pagano de la même manière qu'ils influencent les capacités de nos propres mémoires.

Dans le présent chapitre, nous découvrirons que la mémoire s'articule en trois paliers. Le premier retient l'information pendant un bref instant, le deuxième, pendant un certain temps et le troisième, indéfiniment. Nous étudierons les facteurs de la rétention et de l'oubli. Nous verrons que les souvenirs peuvent se déformer au fil du temps et que nous nous rappelons des choses qui ne sont jamais arrivées. Enfin, nous apprendrons des techniques qui aident à développer la mémoire.

LES TROIS PALIERS DE LA MÉMOIRE

Les chercheurs ont découvert que la mémoire s'organise en au moins trois paliers : la mémoire sensorielle, la mémoire à court terme et la mémoire à long terme. La mémoire sensorielle est le maintien éphémère de l'information dans les organes sensoriels. La mémoire à court terme est la mémoire de travail; l'information y est brièvement emmagasinée et traitée. La mémoire à long terme contient les données entreposées en vue d'un usage futur (Atkinson et Schiffrin, 1968).

La figure 8.1 représente la circulation de l'information entre les différents paliers de la mémoire. On y constate que la mémoire sensorielle est essentiellement l'antichambre de la mémoire à court terme. Après être passée dans la mémoire à court terme, l'information peut entrer dans la mémoire à long terme. De là, l'information peut revenir dans la mémoire à court terme, qui est la mémoire de travail. Notons que l'oubli est susceptible de se produire aux trois paliers.

LA MÉMOIRE SENSORIELLE : LE PREMIER PALIER

Tenez une de vos mains à environ 30 cm de votre visage et fixez-la quelques instants. Ensuite, fermez les yeux. Pendant combien de temps gardez-vous une image claire de votre main ? L'image claire d'un objet ne reste qu'une demi-seconde environ dans la mémoire sensorielle après la disparition du stimulus. Tout stimulus enregistré dans la mémoire sensorielle peut faire l'objet d'un processus de sélection et d'attention et accéder à un palier supérieur de la mémoire.

George Sperling (1960) fut l'un des premiers scientifiques à étudier systématiquement la mémoire sensorielle. Il a constaté que ses sujets avaient, pendant un bref laps de temps, un accès quasi illimité à l'information contenue dans les images mentales. Dans l'une de ses premières expériences, il projetait devant ses sujets, pendant quelques millisecondes, neuf lettres disposées en trois rangées et en trois colonnes. Ensuite, il leur demandait de nommer le plus de lettres possible ou encore celles d'une rangée ou d'une colonne précise. En dépit de la brièveté de la projection, les sujets étaient capables de lire plusieurs lettres et ce, peu importe leur disposition dans l'espace. Les résultats de Sperling laissaient supposer que la mémoire sensorielle enregistre *tous* les objets contenus dans le champ de vision, pourvu qu'ils puissent être appréhendés rapidement. Se fondant notamment sur cette étude, les chercheurs supposèrent que la mémoire sensorielle avait une capacité illimitée. Cependant, des recherches ultérieures démontrèrent que la mémoire sensorielle a une capacité considérable mais limitée, et que les images qu'elle contient sont plus embrouillées qu'on ne l'avait cru (Best, 1992, p. 144). Attention, gardez en tête que c'est l'information sensorielle de tous les sens (le goût, l'odorat, le toucher, l'audition et la vision) qui se retrouve dans la mémoire sensorielle.

▲ *Quels sont les trois paliers de la mémoire ? Quels facteurs président à l'envoi d'une donnée au palier suivant, à son stockage et à sa récupération ?*

Mémoire sensorielle : Maintien éphémère de l'information dans les organes sensoriels.

Mémoire à court terme : Mémoire qui contient les données en cours de traitement. Sa capacité est limitée à sept éléments et sa durée à environ 30 secondes.

Mémoire à long terme : Mémoire relativement permanente, contenant les données entreposées en vue d'un usage futur.

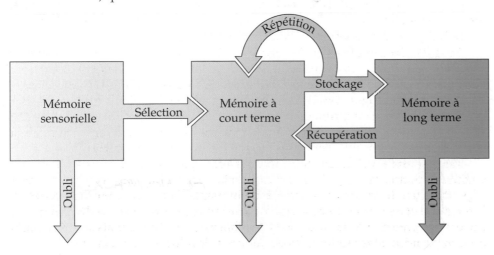

Figure 8.1 **Modèle des trois paliers de la mémoire.** L'information entre dans la mémoire sensorielle, puis elle passe dans la mémoire à court terme, où elle demeure si elle est répétée. L'information accède ensuite à la mémoire à long terme. L'information entreposée dans la mémoire à long terme doit être retournée dans la mémoire à court terme pour être réutilisée. À chaque palier, l'information peut être oubliée.

L'information demeure très peu de temps dans la mémoire sensorielle. Les images, vous l'avez constaté, subsistent de un quart de seconde à une demi-seconde; les sons, un peu plus durables, persistent jusqu'à quatre secondes (Neisser, 1967). Bien que ces durées paraissent très courtes, il suffit généralement de quatre secondes pour analyser une seconde fois et comprendre ce que nous avons entendu. Si vous avez déjà dit « Pardon ? » à une personne et répondu avant qu'elle n'ait eu le temps de répéter sa question, c'est que vous avez alors réutilisé le son enregistré dans votre mémoire auditive pour saisir ce qu'elle vous avait demandé. Les sons et les images réutilisés entrent dans la mémoire à court terme, où ils peuvent recevoir notre attention et être interprétés. Seule l'information sélectionnée pour passer en mémoire à court terme qui reçoit un traitement cognitif a une chance d'être entreposée définitivement.

À vous les commandes

Créez une mémoire sensorielle pour chacun de vos cinq sens : prenez un stimulus bref, comme un toucher léger ou un son faible, et notez combien de temps ces mémoires sensorielles subsistent. Les sens chimiques, le goût et l'odorat, seront les stimuli les plus difficiles à contrôler et à mesurer, car il n'est pas aisé d'introduire un agent chimique, puis de le faire disparaître immédiatement; les agents chimiques persistent plus longtemps dans votre bouche ou votre nez qu'un attouchement ou un éclair de lumière. Vous pouvez toujours essayer avec un bonbon à forte saveur de menthe, suivi d'un grand verre d'eau pour éliminer l'agent chimique. ■

LA MÉMOIRE À COURT TERME : LA SÉLECTION ET LA CONCENTRATION

Levez les yeux de votre livre et prenez note de ce qui se trouve dans votre champ de vision. Que voyez-vous autour de vous ? Essayez ensuite d'énumérer les sensations que vous éprouvez et les pensées qui vous viennent en ce moment. Vous venez de faire l'inventaire de votre mémoire à court terme.

La mémoire à court terme, aussi appelée mémoire de travail (Baddeley, 1992), est l'espace de travail, le « bureau » de l'esprit. Nous gardons un dossier sur notre bureau le temps qu'il faut pour le traiter, puis nous le liquidons ou le classons pour nous en servir plus tard. La mémoire à court terme fait de même. Suivant ce sur quoi nous faisons porter notre attention, nous vidons le contenu de notre mémoire à court terme, nous le remplaçons rapidement (Baddeley, 1981) ou nous le conservons pendant un certain temps. Nous laissons l'information dans notre mémoire à court terme le temps qu'il faut pour l'évaluer, l'organiser, l'associer à des données nouvelles ou la combiner à des données anciennes tirées de la mémoire à long terme (Norman, 1982). La mémoire à court terme, par conséquent, a deux fonctions : sélectionner et traiter l'information courante, et entreposer les souvenirs pendant un bref laps de temps (Johnson et Hasher, 1987). En tant que mémoire de travail, la mémoire à court terme est, en un sens, limitée.

La sélection

Comment décidons-nous de ce que nous laisserons entrer ou non dans notre mémoire à court terme ? Au chapitre 5, rappelez-vous, nous avons vu que le cerveau trie les stimuli selon un processus appelé *attention sélective* (LaBerge, 1990). Au stade de la mémoire sensorielle, nous sélectionnons *automatiquement* ou *délibérément* ce que nous enverrons dans notre mémoire à court terme. Si nous ne prêtons pas intentionnellement attention à certains stimuli, notre système nerveux fait des choix à notre place. Comme l'attention aux stimuli nouveaux a été pendant l'évolution un important facteur de survie, les stimuli inusités sont sélectionnés en priorité. C'est en portant attention aux stimuli nouveaux que les premiers humains arrivaient à échapper aux prédateurs. C'est pourquoi les bruits bizarres et les mouvements ont plus de chances d'entrer dans la mémoire à court terme que les stimuli

Quand vous trouvez un numéro do téléphone dans l'annuaire, vous le répétez pour le conserver dans votre mémoire à court terme. Mais si le numéro ne passe pas dans votre mémoire à long terme, vous l'oubliez après l'avoir composé.

familiers. En plus des stimuli nouveaux, tout stimulus relié à la satisfaction des besoins fondamentaux comme la faim et la soif est automatiquement sélectionné. Il s'agit encore d'un mécanisme de survie. Convenons cependant qu'il peut être très désagréable de remarquer toutes les bonnes odeurs des aliments lorsqu'on est au régime. La meilleure façon d'illustrer l'attention sélective est probablement le « phénomène de la soirée mondaine » (Moray, 1959; Cherry et Bowles, 1960; Wood et Cowan, 1995). Au cours d'une soirée, vous participez à une conversation tandis que plusieurs autres conversations ont lieu autour de vous au même moment. Mais dès que quelqu'un près de vous prononce votre nom, vous portez immédiatement attention à cette conversation pour savoir ce que l'on dit de vous. Cherry (1953) a effectué des recherches sur une situation similaire et a démontré qu'il est impossible d'accorder son attention à plus d'une voix à la fois dans une foule. Les gens n'entendent que les conversations auxquelles ils prennent part. Si leur nom est mentionné mais qu'ils ne le discernent pas, ils ne portent pas attention à cette autre conversation et ne se souviendront que de celle à laquelle ils ont pris part (Shapiro, Caldwell et Sornesen, 1997). La simple mention de votre nom n'est pas suffisante pour attirer votre attention ailleurs; vous devez réellement entendre votre nom et traiter cette information pour prêter attention à la nouvelle conversation.

Heureusement, la sélection du contenu de la mémoire à court terme peut *aussi* être volontaire. En tout temps, vous pouvez utiliser l'information entreposée dans votre mémoire à long terme pour guider votre attention. Si, par exemple, vous êtes déterminé à réussir un cours, vous pouvez diriger votre attention sur les propos du professeur et vous forcer à penser à ce qui arrive en classe plutôt que de remplir votre mémoire à court terme de rêveries.

Une fois qu'une donnée a été sélectionnée et admise dans la mémoire à court terme, la suite de son traitement dépend de deux importantes caractéristiques de la mémoire à court terme : sa durée limitée et sa faible capacité. Ces deux facteurs ont une grande influence sur notre capacité de mémorisation.

La durée de la mémoire à court terme

Les sons et les images restent pendant un maximum de 30 secondes dans la mémoire à court terme (Craik et Lockhart, 1972). Cependant, ils peuvent y rentrer pour subir un plus ample traitement. Regardons encore le modèle montré à la figure 8.1. Trois flèches indiquent les voies que suivent les données pour rentrer dans la mémoire à court terme. La première voie passe par la mémoire sensorielle.

Répétition : Processus consistant à répéter des données de façon à les maintenir dans la mémoire à court terme.

Interférence : Tâche qui empêche la répétition ou le transfert des souvenirs dans la mémoire à long terme.

Si une sensation (un son, une odeur, etc.) se prolonge, elle peut encore entrer dans la mémoire à court terme. La seconde voie est celle de la répétition et elle est représentée par la flèche courbe. Quand vous trouvez un numéro dans l'annuaire, vous le répétez pour le garder dans votre mémoire à court terme jusqu'au moment de le composer. Si vous êtes interrompu pendant plus de 30 secondes, vous devez consulter l'annuaire à nouveau et faire repasser le numéro dans votre mémoire sensorielle.

En laboratoire, on peut empêcher la répétition en soumettant les sujets à l'interférence. Une interférence est une tâche qui sollicite toute l'attention des sujets et qui les empêche d'admettre quoi que ce soit d'autre dans leur mémoire à court terme. Par exemple, on donne aux sujets une liste de mots à mémoriser et, tout de suite après, on les invite à compter à rebours par trois, à partir d'un nombre comme 574 (Peterson et Peterson, 1959). Ce type d'interférence empêche la plupart des sujets de répéter les mots qu'ils s'efforcent de mémoriser. Ils les oublient en moins de 18 secondes (voir la figure 8.2).

La répétition est un bon moyen de compenser la brièveté de la mémoire de travail, car l'information a souvent besoin d'être révisée et réorganisée avant d'être emmagasinée. La répétition a cependant un inconvénient : elle remplit la mémoire à court terme et limite l'entrée d'information nouvelle.

La capacité de la mémoire à court terme

La mémoire à court terme a une capacité d'environ sept éléments. Si vous ne savez pas utiliser efficacement votre mémoire à court terme, sa faible capacité représente un inconvénient majeur.

La capacité de la mémoire à court terme a longtemps confondu les chercheurs. Le psychologue George Miller décrivait le problème dans un article publié en 1957, « The Magical Number Seven, Plus or Minus Two » (Le nombre magique sept, plus ou moins deux).

> « *J'ai un problème : je suis persécuté par un nombre. Pendant sept ans, ce nombre m'a suivi partout, a envahi mes données les plus personnelles et a jailli des pages des journaux les plus lus pour m'assaillir. Ce nombre se cache sous toutes sortes de déguisements. Il grossit un peu, il rapetisse un peu, mais il ne change jamais au point de devenir méconnaissable [...]. Soit que ce nombre a vraiment quelque chose de spécial, soit que je souffre d'un délire de persécution* » (p. 81).

Miller nota que la recherche sur la capacité de la mémoire à court terme donnait des résultats déroutants. Ainsi, les sujets qui mémorisaient des syllabes absurdes composées de trois lettres, comme ZIQ et MUZ, pouvaient généralement en garder trois à la fois dans leur mémoire à court terme. En revanche, les sujets qui mémorisaient des mots pouvaient habituellement en retenir jusqu'à sept.

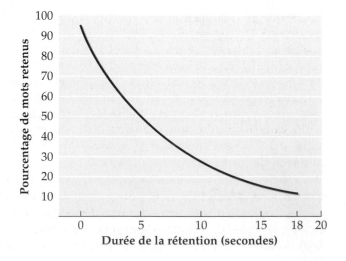

Figure 8.2 **Vitesse d'oubli de l'information contenue dans la mémoire à court terme.** Le graphique représente la vitesse à laquelle l'oubli se produit si une interférence empêche la répétition de mots contenus dans la mémoire à court terme. *Source* : L. Postman et L.W. Phillips, *Short-Term Temporal Changes in Free Recall*, Experimental Psychology Society, 1965.

Pour expliquer cette apparente incohérence, Miller conclut que les données sont regroupées en unités dans la mémoire à court terme et que le nombre d'unités admissibles se situe entre cinq et neuf (le nombre magique sept, plus ou moins deux). Les sujets se rappellent seulement trois syllabes absurdes à la fois parce que la mémoire à court terme traite individuellement les lettres des syllabes absurdes et ne peut donc en admettre plus de neuf. Un mot, cependant, constitue une unité quel que soit son nombre de lettres, si bien que la mémoire à court terme peut contenir jusqu'à neuf mots complets. Les numéros de téléphone sont faciles à « caser » dans la mémoire à court terme, parce qu'ils contiennent sept chiffres. (Les nombres, comme les lettres des syllabes absurdes, sont traités individuellement.)

Peut-on en conclure que la mémoire à court terme est gravement limitée ?   Oui mais, dans des circonstances normales, nous n'avons besoin de retenir que quelques éléments. Par ailleurs, il existe plusieurs moyens d'augmenter le nombre d'éléments admissibles dans la mémoire à court terme. L'un d'entre eux, appelé regroupement, consiste à assembler les éléments en unités. Par exemple, on peut former des mots avec des lettres et considérer l'indicatif régional d'un numéro de téléphone comme une unité. Dans les cours de lecture rapide, on conseille aux gens de grouper les mots en expressions. Les yeux font ainsi moins d'arrêts sur la ligne, et le cerveau traite moins d'*unités*.

Des chercheurs qui comparaient la mémoire des joueurs d'échecs débutants et celle des joueurs experts ont découvert que ces derniers ont recours à la méthode du regroupement (Chase et Simon, 1973). Les chercheurs présentèrent aux sujets des configurations réalistes de pièces. Après avoir regardé l'échiquier pendant cinq secondes, les joueurs débutants se souvenaient de quelques positions, tandis que les experts pouvaient souvent se les rappeler toutes. En effet, ces joueurs voyaient les pièces s'intégrer à des groupements typiques et pourvus d'un sens, tout comme les lecteurs voient des mots au lieu de lettres isolées. Si les chercheurs plaçaient les pièces au hasard sur l'échiquier, les joueurs experts n'avaient pas meilleure mémoire que les débutants.

Regroupement : Assemblage de données en unités en vue d'accroître le contenu de la mémoire à court terme.

L'utilisation efficace de la mémoire à court terme

Tout le monde n'exploite pas sa mémoire à court terme au maximum. Certaines personnes n'utilisent régulièrement que cinq de ses neuf « cases ». La recherche montre que les gens qui semblent à première vue avoir une mémoire à court terme déficiente font tout simplement un usage inefficace de cette faculté. Tout en tenant compte de ses limites, nous pouvons améliorer notre mémoire à court terme (Brown, Campione et Barclay, 1978). À l'occasion d'une étude sur la mémoire, par exemple, un enseignant a montré sept images à des enfants de première année. Ensuite, il a désigné du doigt trois des images et recouvert les sept. Après quinze secondes, l'enseignant demanda aux enfants d'énumérer, dans l'ordre, les trois images qu'il avait désignées. Les enfants qui étaient restés concentrés se rappelaient l'ordre, tandis que ceux qui avaient pensé à autre chose pendant les quinze secondes ne s'en souvenaient pas. Après qu'on eut expliqué à ces enfants comment garder l'information dans leur mémoire à court terme, ils égalèrent les enfants qui avaient spontanément utilisé la stratégie. Dans une expérience ultérieure, seuls les enfants qui, encore une fois, pensèrent à autre chose oublièrent l'ordre (Keeney, Cannizzo et Flavell, 1967). Cette recherche démontre qu'il est important de se concentrer pour apprendre et d'organiser l'information pour se la rappeler.

Si ma mémoire à court terme peut contenir au moins sept unités, pourquoi ai-je tellement de difficulté à me rappeler trois ou quatre noms quand on me présente des gens ?   La capacité et la durée de la mémoire à court terme jouent toutes deux contre vous dans cette situation. Pour retenir un nom que vous venez d'entendre, vous devez y prêter attention et lui accorder la priorité sur les autres données. Si vous voulez vous rappeler un nom assez longtemps pour entretenir une

Les bons joueurs d'échecs sont capables de se rappeler les positions de plusieurs pièces, car ils forment mentalement des regroupements qui ont du sens.

Vous vous rappellerez facilement un nom si vous l'associez à une caractéristique de la personne qu'on vous présente.

conversation, vous devez l'envoyer dans votre mémoire à long terme. Comme le transfert ne peut s'effectuer si autre chose occupe l'espace de votre mémoire à court terme et produit de l'interférence, concentrez-vous sur le nom et répétez-le.

Lorsqu'on vous présente des gens, peut-être utilisez-vous tout l'espace de votre mémoire à court terme pour vous interroger sur votre apparence ou pour concocter des réparties brillantes. Le fait même de penser que vous venez d'oublier un nom remplit votre mémoire à court terme ! Ainsi, les gens qui sont nerveux au moment des présentations comblent tout l'espace de leur mémoire à court terme en se disant qu'ils sont incapables de retenir les noms. Les gens qui, à l'inverse, ont la mémoire des noms, répètent les noms mentalement ou à voix haute pour les conserver dans leur mémoire à court terme. En outre, ils ne se laissent pas distraire tant qu'ils n'ont pas vérifié la permanence de leur souvenir.

Les traitements visuel et verbal

La visualisation – le fait d'observer quelque chose – est une façon extrêmement efficace de traiter certains types d'informations, mais nous avons également une « voie » verbale pour le traitement de l'information contenue dans les mots et les idées. Allen Paivio (1982) qualifie cette division en deux parties de la mémoire à court terme de système de double codage. Voyons de quelle façon fonctionne ce double codage.

Système de double codage : Codage de l'information sous forme visuelle et verbale.

Devant un objet tel qu'un arbre, nous utilisons un codage visuel. Notre mémoire à court terme traite l'information comme une image, et le souvenir que nous gardons de l'arbre prend une forme picturale. Essayez de vous rappeler combien il y a de portes chez vous. Si vous visualisez les pièces, vous pouvez les parcourir mentalement et compter les portes. Beaucoup de gens sont capables de former des images mentales très claires des objets. Par ailleurs, nous utilisons un codage verbal pour traiter les mots, que nous les entendions ou que nous les lisions. Le mot *arbre*, par exemple, entre dans notre mémoire à court terme sous la forme d'une configuration verbale et non sous la forme d'une image de l'objet désigné. Il semble que le codage verbal et le codage visuel soient indépendants.

Comme l'information dirigée vers la mémoire à court terme emprunte une voie visuelle et une voie verbale, utilisez les deux lorsque vous essaierez de mémoriser quelque chose. La recherche révèle que les sujets se rappellent mieux un mot lu ou entendu s'ils évoquent aussi l'image mentale de l'objet que ce mot désigne (Paivio, 1969, 1971).

Les niveaux de traitement

Pour exploiter pleinement notre mémoire à court terme, nous pouvons aussi analyser la signification profonde de l'information plutôt que nous arrêter à ses caractéristiques superficielles (Craik et Tulving, 1975; Morris, Bransford et Franks, 1977). Si, à une soirée, vous ne faites que prêter attention aux noms des gens et à leur apparence, vous effectuez une analyse superficielle. Mais si vous discutez loisirs, religion ou politique avec eux, vous effectuez une analyse approfondie et vous augmentez vos chances de vous rappeler les gens la prochaine fois que vous les rencontrerez.

Niveaux de traitement : Chacun des degrés d'approfondissement du traitement appliqué au contenu de la mémoire à court terme au cours de son transfert dans la mémoire à long terme.

Selon l'hypothèse des niveaux de traitement, l'analyse approfondie favorise l'entrée des données dans la mémoire à long terme et, par le fait même, la rétention (Craik et Lockhart, 1972). Dans les études sur les niveaux de traitement, les sujets à qui l'on demande de regarder les mots d'une liste et de leur trouver des rimes ou de remarquer s'ils sont écrits en majuscules effectuent une analyse superficielle. Les sujets que l'on invite à trouver des synonymes aux mots de la liste font un traitement approfondi, qui intègre efficacement l'information à apprendre à l'organisation de la mémoire à long terme (Hyde et Jenkins, 1969). Par conséquent, lorsque vous pensez à la signification de la matière que vous étudiez, vous effectuez un traitement approfondi, et vous facilitez le transfert de l'information dans votre mémoire à long terme (Jacoby, 1974; Tulving et Thomson, 1973).

RÉSUMÉ

La mémoire sensorielle et la mémoire à court terme

Les humains possèdent au moins trois différents types de mémoire : la mémoire sensorielle, la mémoire à court terme et la mémoire à long terme.

La mémoire sensorielle est celle qui s'inscrit dans nos organes sensoriels lorsque des messages externes sont transmis à notre cerveau.

La mémoire à court terme traite les pensées courantes; elle peut retenir environ sept éléments et les conserver pendant environ 30 secondes; toutefois, sa capacité peut être augmentée par le regroupement de données, et sa durée par la répétition.

Le double codage se rapporte aux voies visuelles et verbales qu'emprunte l'information dans la mémoire à court terme. Durant le processus de transfert de la mémoire à court terme à la mémoire à long terme, les modalités de traitement de l'information influent sur la récupération ultérieure.

QUESTIONS DE RÉVISION

1. Énumérez et décrivez les trois paliers de la mémoire.

2. La mémoire sensorielle a une _____ capacité et une _____ durée. a) grande; courte b) grande; longue c) petite; courte d) petite; longue

3. Lorsque nous retenons un numéro de téléphone le temps qu'il faut pour le composer, nous utilisons notre mémoire _____.

4. Qu'est-ce que la répétition et quel est son effet sur la mémoire à court terme ?

5. Pourquoi est-il plus facile de mémoriser la liste A que la liste B ? (Les deux listes contiennent le même nombre de lettres.)

   Liste A : art fin cru son pin fil but
   Liste B : ar tfi nc rus o npi nf ilb ut

6. Le traitement visuel et verbal de l'information dans la mémoire à court terme est appelé système _____.

Les réponses aux questions de révision se trouvent en annexe.

LA MÉMOIRE À LONG TERME : L'ENTREPÔT DES SOUVENIRS

Contrairement à la mémoire sensorielle et à la mémoire à court terme, la mémoire à long terme a une capacité et une durée illimitées. Elle conserve l'information indéfiniment et elle n'est jamais saturée (Klatzky, 1984). Pour pouvoir être ultérieurement consultée et mise à jour, cependant, l'information rangée dans la mémoire à long terme doit être organisée.

Si vous voulez retrouver facilement et rapidement vos notes de cours, vos disques ou vos outils, vous devez les classer et les ranger de manière appropriée. De même, l'information est « étiquetée », ou encodée, au cours de son transfert de la mémoire à court terme à la mémoire à long terme. Une information mal encodée et mal rangée est une information difficile à retrouver. Le rangement de l'information, comme celui des objets, nécessite du temps et des efforts.

Une partie de ce processus se déroule pendant le sommeil. Certains chercheurs croient que, durant le sommeil MOR, le cerveau révise, retouche et catalogue systématiquement l'information ajoutée pendant la journée dans la mémoire à long terme (Crick et Mitchison, 1983).

Est-ce que je peux apprendre quelque chose en faisant jouer une cassette pendant mon sommeil ?   Absolument pas ! L'encodage et le stockage adéquats d'informations requièrent un esprit alerte et attentif. Vous n'emmagasinez même pas convenablement l'information lorsque vous somnolez. Dans une étude, les sujets qui avaient entendu les cassettes pendant qu'ils étaient somnolents pouvaient répondre à 50 % des questions qu'on leur posait à propos de la matière. Les sujets qui avaient entendu les cassettes alors qu'ils étaient en transition entre la somnolence et le sommeil léger pouvaient répondre à 5 % des questions. Enfin, les sujets qui étaient pleinement endormis au moment où les cassettes jouaient n'ont rien retenu (Simon et Emmons, 1956). Cette recherche prouve par ricochet qu'on ne retiendra pas grand-chose si on somnole pendant un cours ou une séance d'étude. La vigilance est nécessaire à l'encodage et au stockage de l'information.

La fidélité de la mémoire à long terme

Vous êtes certain d'avoir un souvenir fidèle d'un événement, mais une autre personne en a un souvenir différent, et elle est tout aussi certaine que vous de l'exactitude de sa mémoire. Quelle est la cause de ce phénomène ? Notre mémoire à long terme est ainsi faite qu'elle procède à des ajouts, à des retranchements et à des modifications. Nous sommes toujours surpris de constater que nos souvenirs, particulièrement s'ils nous semblent nets, ne sont pas des restitutions exactes des événements. Les témoins au procès du père Pagano ont dû être atterrés de découvrir la dissemblance entre le véritable cambrioleur et l'homme qu'ils avaient identifié. Les psychologues qui étudient la mémoire ont découvert comment les souvenirs se déforment au cours de l'encodage, du classement et du stockage (Kassin, Rigby et Castillo, 1991; Loftus et Hoffman, 1989).

La mémoire sensorielle et la mémoire à court terme, comme les enregistrements et les films, reproduisent généralement l'information avec exactitude, mais le transfert dans la mémoire à long terme modifie les données. Ainsi, les sujets à qui l'on demande de lire des phrases se rappellent la formulation exacte à condition d'être interrogés dans les 30 secondes. L'information qu'ils fournissent alors provient de leur mémoire à court terme. Les sujets que l'on interroge après un délai de plus de 30 secondes et que l'on empêche d'utiliser la répétition produisent des phrases qui ont la même signification (mais non la même formulation) que les phrases lues (Sachs, 1967). La formulation exacte se perd au cours de la consolidation et du stockage de l'information dans la mémoire à long terme.

Pourquoi la version originale n'est-elle pas enregistrée dans la mémoire à long terme ? Il semble que, lors de l'encodage, la signification de l'information prenne plus d'importance que sa forme physique. Avant d'entreposer ou de cataloguer l'information, le cerveau l'analyse pour déterminer la place qu'il lui attribuera parmi les données déjà assimilées. En cours d'analyse, il ajoute, retranche ou réorganise des éléments. La plupart du temps, un souvenir réorganisé est tout aussi utile que sa version originale. Nous n'avons pas besoin de tout nous rappeler avec exactitude, mais nous avons besoin de tout comprendre. Néanmoins, il existe des situations où nous devons garder des souvenirs très exacts. Lorsque nous mémorisons un poème ou des répliques de théâtre, par exemple, nous demandons à notre mémoire de conserver exceptionnellement un duplicata exact. C'est là une tâche difficile, à laquelle la mémoire à long terme n'est pas préparée.

Par ailleurs, nous gardons une version déformée des événements parce que nous faisons des suppositions ou des inférences pendant que nous analysons l'information. Ces suppositions occupent notre mémoire à court terme pendant un temps, puis elles sont rangées avec l'information analysée. Ensuite, nous ne parvenons plus à séparer nos *suppositions* de la réalité. Admettons qu'une de vos amies vous dit, l'air triste : « Fido courait après un chat et il a été heurté par un camion ». Vous pouvez supposer que :

1. Fido est un chien, car Fido est un nom de chien et les chiens courent souvent après les chats.
2. Fido a couru dans la rue.
3. Fido a été blessé ou tué.

Quelques jours plus tard, le souvenir que vous gardez des propos de votre amie est le suivant : « mon chien Fido a couru dans la rue et il a été tué par un camion ».

Il semble que le cerveau ne classe pas très soigneusement les sources de l'information, et cela constitue une autre cause d'erreurs. Vous vous rappelez *ce* que vous avez entendu, mais pas nécessairement la *personne* de qui vous l'avez entendu. Cela peut vous jouer de mauvais tours si vous prêtez attention à des sources fiables autant qu'à des sources douteuses. Supposons par exemple qu'une vedette de cinéma est interviewée à la télévision et donne son opinion sur un régime amaigrissant. Quelque temps plus tard, vous pouvez fort bien vous rappeler que l'information vous a été présentée par une diététiste chevronnée. Dans le même ordre d'idées, un message initialement déconsidéré peut gagner en crédibilité et en persuasion avec le temps. Ce phénomène est appelé effet d'incubation (Pratkanis et coll., 1988). Vous est-il déjà arrivé d'entendre une idée nouvelle, de la rejeter spontanément parce qu'elle était contraire à vos schèmes de pensée puis, à mesure que le temps passait, de la trouver de plus en plus plausible ? Si oui, vous avez été touché par l'effet d'incubation.

La mémoire sémantique et la mémoire épisodique

Pourquoi avons-nous autant de difficulté à nous rappeler la source de l'information alors que nous analysons si bien sa signification ? Les psychologues pensent que nous utilisons un type de mémoire pour trouver la signification d'une donnée, et un autre pour déterminer l'endroit ou le moment où nous avons capté cette

L'obtention d'un diplôme, le mariage, la naissance d'un enfant et l'achat d'une première maison sont des événements marquants, des points de repère dans notre mémoire épisodique.

Mémoire sémantique : Type de mémoire à long terme où sont entreposés les faits (idées, concepts) et les relations qui les unissent.

Mémoire épisodique : Type de mémoire à long terme où est entreposée l'information relative aux événements de notre vie.

Événements marquants : Événements importants, tels la remise d'un diplôme et le mariage, qui servent de points de repère dans la mémoire à long terme.

donnée. Cependant, ils ne savent pas pourquoi l'un est plus facile à utiliser que l'autre (Tulving, 1985).

Dans le premier type de mémoire à long terme, la mémoire sémantique, s'inscrivent les faits et les relations qui les unissent. À la manière d'un dictionnaire ou d'une encyclopédie, la mémoire sémantique contient une grande quantité d'informations factuelles (comme les mois de l'année et les tables d'arithmétique). Une donnée entrée dans la mémoire sémantique est durable et apte à être comparée avec des données nouvelles. Le second type de mémoire à long terme, la mémoire épisodique, a un caractère « autobiographique »; elle recèle l'information relative aux moments et aux endroits où les épisodes de notre vie se sont produits (Tulving, 1972, 1985).

Plusieurs chercheurs ont essayé en vain de séparer expérimentalement les deux types de mémoire à long terme (McKoon et coll., 1986; Neely et Durgunoglu, 1985; Richards et Goldfarb, 1986). Tulving (1985, 1986), pour sa part, pense que la mémoire épisodique est un sous-système de la mémoire sémantique. Quoi qu'il en soit, il est utile de faire la distinction entre les deux lorsqu'on étudie la mémoire humaine.

À vous les commandes

Pensez à ce que vous avez mangé le soir de votre bal de fin d'études. Maintenant, pensez à ce que vous avez mangé pour souper il y a trois jours. Le second repas vous a sans doute laissé un souvenir moins vif que le premier, à moins qu'il n'ait fait partie d'une fête ou d'un rendez-vous amoureux. Les événements qui sont importants pour nous (l'obtention d'un diplôme, le mariage, la naissance d'un enfant) servent de points de repère dans notre mémoire et sont d'ailleurs appelés événements marquants. À partir de ces événements, nous pouvons avancer et reculer dans notre mémoire pour repêcher les circonstances d'événements contemporains. Sans événement marquant, il est difficile d'extraire de notre mémoire épisodique les détails des faits et gestes quotidiens (Lindsey et Norman, 1977). ■

L'organisation de la mémoire à long terme

La figure 8.3 représente l'organisation hypothétique des concepts dans la mémoire à long terme. Les psychologues croient que la mémoire à long terme structure l'information en une hiérarchie de catégories et que plusieurs voies mènent à la récupération d'un élément (Collins et Quillian, 1969).

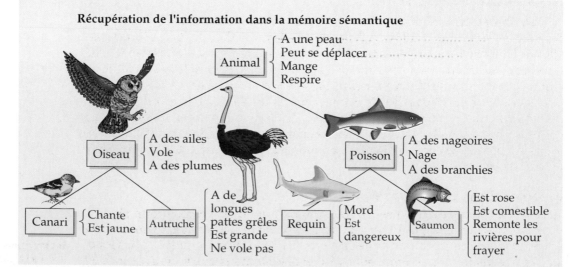

Figure 8.3 **Mémoire sémantique.** On croit que la mémoire sémantique s'articule en une hiérarchie de concepts. *Source :* A.M. Collins et M.R. Quillian, « Retrieval Time from Semantic Memory », *Journal of Verbal Learning and Verbal Behavior*, Academic Press, 1969.

Vous pouvez vous faire une idée des liens qui unissent les éléments de votre mémoire à long terme chaque fois que vous avez un mot sur le bout de la langue (Brown et McNeill, 1966; Read et Bruce, 1982). Ce phénomène courant est un cas particulier d'oubli; même si vous n'arrivez pas à prononcer le mot, vous pouvez dire combien il compte de syllabes, par quelles lettres il commence et finit et avec quoi il rime. Vous savez que les autres mots qui vous viennent à l'esprit ne sont pas les bons parce qu'ils n'ont pas la longueur ni la consonance appropriées. Les renseignements que donnent les sujets à propos des mots qu'ils ont sur le bout de la langue sont utiles pour les psychologues. Ils les aident à déterminer les liens et les associations qui forment les catégories de la mémoire à long terme.

Un autre phénomène courant, la rédintégration, renseigne les chercheurs sur l'organisation de la mémoire à long terme. La rédintégration est le rappel soudain d'une chaîne de souvenirs par un stimulus. L'audition d'un nom ou d'une chanson, par exemple, peut faire surgir un flot de souvenirs et d'émotions. De même, le fait de relire son journal personnel ou de regarder des photos d'événements importants ramène souvent à la surface des groupes de souvenirs associés. Ces pensées et ces émotions semblent reliées par des maillons qui révèlent comment nos souvenirs anciens s'articulent (Bower, 1976).

La récupération

Quel que soit le système que le cerveau utilise pour organiser les souvenirs, le but du stockage est de nous permettre de réutiliser l'information. Le retour du contenu de la mémoire à long terme dans la mémoire à court terme est appelé récupération. Avoir une « bonne » mémoire, c'est pour une bonne part être capable d'accéder à l'information mise en réserve dans la mémoire à long terme.

Hier, je suis allé de la salle de bains à la cuisine pour faire quelque chose. Rendu là, j'avais oublié ce que je venais faire. J'ai dû retourner dans la salle de bains pour me le rappeler. Pourquoi ? Pendant que vous vous rendiez à la cuisine, vous pensiez sans doute à autre chose, ce qui a chassé de votre mémoire à court terme l'idée née dans la salle de bains. En retournant dans la salle de bains, vous avez retrouvé des indices qui ont ramené en vous le souvenir de ce que vous vouliez faire. Un indice est un stimulus qui amorce le processus de récupération d'un élément dans la mémoire à long terme (Klatzky, 1984). Il peut s'agir d'une question ou d'un stimulus plus subtil qui active la mémoire sans que l'on s'en rende compte. Un objet, l'odeur d'un parfum et l'expression d'un visage, par exemple, peuvent raviver des souvenirs.

L'anthropologue Margaret Mead a abordé dans ses recherches l'effet des indices fournis par le milieu (1964). À l'époque où elle vivait dans le sud de l'Australie, elle a appris que les aborigènes transmettaient des aspects importants de leur culture par la tradition orale. Les aborigènes, en effet, mémorisent les récits d'événements importants pour les transmettre à la génération suivante. Quelques-uns de ces récits sont longs et émaillés de détails importants. Mead a découvert que, pour pouvoir raconter correctement un long récit, les conteurs devaient passer par les endroits dont il y était question. Si les conteurs étaient interrogés en laboratoire, loin des indices que leur fournissait d'habitude leur milieu physique, leur mémoire perdait de son exactitude.

La reconnaissance et le rappel

Vous croisez une personne que vous êtes certain d'avoir déjà rencontrée mais dont vous ne vous rappelez pas le nom. Pour vous souvenir de son nom, vous utilisez une stratégie de récupération appelée reconnaissance (Mandler, 1980). Vous fouillez votre mémoire à long terme pour vérifier si le stimulus que vous avez sous les yeux (le visage de la personne) y a déjà laissé une marque. Le résultat que vous obtenez alors est très précis. Par ailleurs, lorsque vous essayez de vous rappeler le nom d'une personne, sans la rencontrer, vous employez une autre stratégie de

Phénomène du mot sur le bout de la langue : Incapacité temporaire de se rappeler un mot pourtant connu.

Rédintégration : Rappel soudain d'une chaîne de souvenirs par un stimulus.

Récupération : Retour du contenu de la mémoire à long terme dans la mémoire à court terme en vue de son utilisation.

Indice : Stimulus qui amorce le processus de récupération d'un élément dans la mémoire à long terme.

Reconnaissance : Association d'un stimulus en particulier à un élément de la mémoire à long terme.

Rappel : Récupération de l'information, à partir d'un stimulus général, dans la mémoire à long terme.

récupération, plus difficile, le rappel (Bransford, 1979). Vous partez d'un indice plus général que la donnée à recouvrer, (ici retrouver un nom plutôt qu'une date) et vous cherchez dans votre mémoire à long terme de l'information *associée* à ce stimulus. La plupart du temps, cet indice ne suffit pas à vous faire repérer le nom parmi tous ceux que recèle votre mémoire à long terme.

Répondre à une question à développement est une tâche de rappel. Si, par exemple, votre professeur vous demande de comparer la reconnaissance et le rappel, vous devez extraire de votre mémoire à long terme les données qui gravitent autour de ces deux termes. Une question à choix multiples, par ailleurs, vous donne des éléments parmi lesquels vous devez repérer ceux qui correspondent à des données déjà emmagasinées. Il s'agit d'une tâche de reconnaissance.

Le réapprentissage

Réapprentissage : Second apprentissage. Il demande généralement moins de temps que le premier.

Pour étudier la mémoire, les chercheurs mesurent non seulement le rappel et la reconnaissance, mais aussi le réapprentissage. Pour ce faire, ils comparent le temps qu'il faut à différents sujets pour apprendre une seconde fois une information qu'ils ne peuvent récupérer ni par le rappel ni par la reconnaissance. Si le réapprentissage demande moins de temps que le premier apprentissage, les chercheurs concluent qu'une partie de l'information a été emmagasinée.

Le concept de réapprentissage fut introduit en psychologie expérimentale en 1885 par Hermann Ebbinghaus. Ce pionnier de la recherche sur la mémoire avait souvent un seul sujet pour ses expériences : lui-même. Il calcula le temps qu'il lui fallait pour apprendre et pour réapprendre une liste de syllabes absurdes comme SIM et RAL. Les syllabes absurdes présentaient un double avantage pour Ebbinghaus : elles constituaient des éléments uniformes et, contrairement aux mots, elles ne véhiculaient ni significations ni associations.

La recherche d'Ebbinghaus révèle que nous gardons un souvenir des choses que nous avons apprises, même quand nous croyons les avoir complètement oubliées. Ce résultat devrait vous encourager si vous avez étudié une langue étrangère il y a des années, mais que ni la reconnaissance ni le rappel ne vous donnent accès au vocabulaire. Si un jour vous deviez subir un examen visant à évaluer vos connaissances de cette langue, dites-vous que vous apprendrez la matière plus rapidement la seconde fois.

Pourquoi m'arrive-t-il de me rappeler une chose que je croyais avoir oubliée, alors que j'ai renoncé à me la remémorer ? La recherche a démontré que le cerveau continue à notre insu de travailler sur un problème laissé en plan, jusqu'à ce qu'il obtienne une réponse. Les psychologues appellent ce phénomène effet Zeigarnik

Effet Zeigarnik : Résolution inconsciente d'un problème dont la solution jaillit soudainement à la conscience.

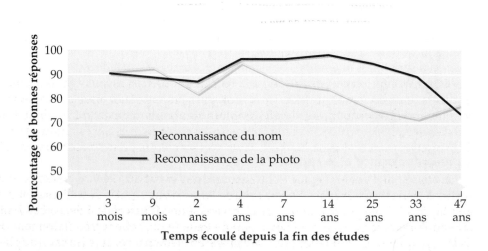

Figure 8.4 **Reconnaissance.** Le graphique présente les résultats d'une étude au cours de laquelle les sujets devaient reconnaître des photos de leurs camarades du secondaire.

Source : H.P. Bahrick, P.O. Bahrick et R.P. Wittlinger, « Those Unforgettable High-School Days », *Psychology Today*, 1975.

(Bonello, 1982; Zeigarnik, 1927). Des recherches récentes suggèrent toutefois que le cerveau ne travaille pas continuellement sur le problème. Lorsque c'est l'impasse, le problème est stocké sous forme de trace mnésique distincte à très faible niveau d'activation. Plus tard, lorsqu'une solution se présente, le souvenir du problème non résolu est réactivé et la solution est jumelée au problème (Seifert et coll., 1994).

Selon la théorie de l'effet Zeigarnik, nous avons probablement tous des tas de souvenirs de problèmes non résolus dans nos cerveaux. Lorsque la solution à l'un de ces problèmes se présente, nous l'identifions rapidement comme étant la réponse à ce problème. Si, par exemple, vous essayez depuis plusieurs jours de vous rappeler la capitale du Sénégal, il se peut que le mot *Dakar* jaillisse dans votre esprit au beau milieu de votre cours de chimie au moment où le professeur vous demande si vous êtes « d'accord ».

La modification des souvenirs

Il n'y a pas si longtemps, les psychologues croyaient que la mémoire à court terme était, tel du ciment frais, malléable et que la mémoire à long terme était, tel du ciment durci, inaltérable (Houston, Bee et Rimm, 1983). Comme nous le verrons plus loin, il est vrai que le contenu de la mémoire à court terme est fragile et qu'il peut être effacé (amnésie) ou modifié avant qu'un souvenir permanent ne se fixe. Or, beaucoup de chercheurs sont convaincus que les souvenirs peuvent se modifier aussi *après* leur incorporation dans la mémoire à long terme (Loftus et Hoffman, 1989; Loftus et Loftus, 1980).

Le psychologue Jean Piaget raconte l'anecdote suivante pour illustrer la plasticité de la mémoire (1951) :

> « L'un de mes premiers souvenirs daterait, s'il était vrai, de ma deuxième année. Je vois encore, très clairement, la scène suivante, à laquelle j'ai cru jusqu'à ce que j'aie environ quinze ans. J'étais assis dans mon landau, que ma gouvernante poussait sur les Champs-Élysées, lorsqu'un homme tenta de me kidnapper. J'étais retenu par la courroie passée autour de moi, et ma gouvernante essayait courageusement de s'interposer entre moi et le ravisseur. Elle reçut plusieurs égratignures, et je vois encore vaguement celles qui marquaient son visage. Puis un attroupement se forma, un gendarme portant une courte cape et un bâton blanc apparut et l'homme prit la fuite. Je vois encore toute la scène, et je peux même la situer près de la station de métro. Quand j'avais environ quinze ans, mes parents reçurent une lettre de mon ancienne gouvernante, qui leur faisait part de son entrée dans l'Armée du salut. Elle désirait confesser ses fautes passées et, en particulier, retourner la montre que mes parents lui avaient offerte pour récompenser son courage. Elle avait inventé toute l'histoire et simulé les égratignures. Moi, par conséquent, j'ai dû entendre, enfant, le récit de ma gouvernante, que mes parents avaient cru, et le projeter dans le passé sous la forme d'un souvenir visuel, le souvenir d'un souvenir, mais faux » (p. 187 et 188).

Comme le montre cet exemple, la clarté d'un souvenir n'est pas nécessairement une preuve de son exactitude. Les psychologues ont étudié de plusieurs façons le sentiment de certitude que nous inspirent les souvenirs. En particulier, ils se sont intéressés aux souvenirs éclairs, les images vives des circonstances entourant des événements surprenants ou bouleversants. Ces souvenirs prennent la forme de clichés instantanés.

Souvenirs éclairs : Images vives des circonstances entourant des événements surprenants ou bouleversants.

La tuerie de l'École polytechnique est un événement qui a laissé des souvenirs éclairs à bien des Québécois. La nouvelle de l'assassinat de treize étudiantes et une employée à l'École polytechnique de l'Université de Montréal, le 6 décembre 1989, fut soudaine et renversante, et beaucoup de gens se rappellent très clairement où ils étaient quand ils l'ont entendue. De fait, les événements comme les catastrophes et les assassinats de personnalités politiques ou religieuses laissent des marques durables dans la mémoire (Brown et Kulik, 1977). Les gens revivent régulièrement

L'explosion de la navette spatiale Challenger et la tuerie de l'École polytechnique ont laissé des souvenirs éclairs à beaucoup de gens.

Publiphoto, Richard Croteau

ces événements en esprit. Ce phénomène de répétition augmente le nombre et la qualité des associations réalisées avec les événements, et il contribue à en conserver la clarté.

La psychologue Marigold Linton (1979) a étudié les souvenirs éclairs de l'assassinat du président américain John F. Kennedy à Dallas, aux États-Unis, en 1963. Elle a constaté que certaines personnes avaient des souvenirs inexacts même si, comme Piaget, elles étaient certaines du contraire. Ainsi, l'une des personnes que Linton a interrogées se rappelait clairement qu'un ami l'avait interrompue pour lui annoncer la nouvelle pendant qu'elle étudiait à la bibliothèque. Pourtant, l'ami en question fréquentait alors une autre école, dans un autre État. Jeffrey Gutkin (1989), pour sa part, a étudié les souvenirs éclairs reliés à l'explosion de la navette spatiale *Challenger*. Il a constaté lui aussi que les souvenirs des gens avaient changé au cours des trois années suivant la catastrophe. Ainsi, même les souvenirs éclairs sont altérables.

Comment les souvenirs se modifient-ils ?   Plusieurs facteurs modifient les souvenirs. Comme nous l'avons indiqué à la section précédente, les souvenirs à long terme (contrairement aux souvenirs sensoriels et aux souvenirs à court terme) ne sont pas des copies exactes de la réalité. En cours de stockage dans la mémoire à long terme, nous changeons l'ordre des faits, coupons des détails et donnons une signification personnelle aux événements afin de pouvoir ranger nos nouveaux souvenirs. De plus, nous avons de la difficulté à séparer nos *suppositions* des faits et à nous rappeler si la source était fiable ou non. Les chercheurs ont aussi découvert que l'information présentée après l'événement initial peut avoir une influence importante sur les mécanismes de la mémorisation.

La recherche sur les souvenirs des témoins oculaires

La prochaine fois que vous lirez un article à propos de témoins oculaires d'un crime, rappelez-vous ce que vous avez appris sur les erreurs de mémoire et la modification des souvenirs. Toutes les études remettent en question la fiabilité des témoins oculaires (Deffenbacher, 1980; Egeth, 1993; Johnson et Seifert, 1994; Loftus, 1993; Wells, 1993; Wipple, 1909). En fait, les juges préviennent maintenant d'office les jurés du manque de fiabilité des témoignages oculaires (Ramirez, Zemba et Geiselman, 1996).

À l'occasion d'une recherche sur les souvenirs des témoins oculaires, les chercheurs présentèrent à deux groupes de sujets un film montrant une voiture sur une route de campagne. Même si on ne voyait pas de grange dans le film, les chercheurs demandèrent aux membres d'un groupe d'estimer la vitesse à laquelle la voiture roulait quand elle est passée devant la *grange*. Ils invitèrent les sujets de l'autre groupe à estimer la vitesse de la voiture, mais sans mentionner de *grange*. Plus tard, ils demandèrent à tous les sujets s'ils avaient vu une grange dans le film. Les sujets qui avaient reçu la fausse information furent six fois plus nombreux que les autres à répondre par l'affirmative (Loftus, 1982).

Il est impossible de déterminer la fréquence des erreurs que commettent les témoins oculaires, mais les résultats expérimentaux laissent croire qu'elle est élevée. Au cours d'une expérience menée à l'université du Nebraska, des comédiens jouèrent un crime devant les sujets. Une heure plus tard environ, on présenta aux sujets des photos de criminels. Une semaine après la représentation, on organisa une séance d'identification de suspects. *Aucun* des comédiens ne figurait dans les photos et à la séance. Pourtant les sujets dirent reconnaître 20 % des visages photographiés et 8 % des individus présents à la séance d'identification (Brown, Deffenbacher et Sturgill, 1977).

Comment les sujets ont-ils pu se tromper autant ? Il semble qu'au moins deux propriétés de la mémoire sont à l'origine des erreurs commises lors de la séance d'identification. Premièrement, un phénomène de reconnaissance se produit lorsque les témoins voient à la séance d'identification des visages qu'on leur a déjà montrés en photo. Deuxièmement, la mémoire épisodique est telle que les témoins ont de la difficulté à se rappeler l'endroit où ils ont déjà vu la personne, ce qui les amène à supposer qu'ils l'ont vue commettre le crime.

Étant donné ces résultats troublants, quelle crédibilité devrait-on accorder aux témoins oculaires ? Si vous aviez été un des jurés au procès du père Pagano, dans quelle mesure auriez-vous été influencé par les témoins oculaires ? Les résultats de la recherche étant ce qu'ils sont, il est alarmant de constater le poids que prennent les dépositions des témoins oculaires dans les tribunaux. Maintes expériences de laboratoire, dont les variables étaient soigneusement contrôlées, ont démontré la puissante influence des témoins oculaires. L'une de ces expériences consistait à simuler un procès pour vol et homicide et à faire jouer aux sujets le rôle des jurés. Dix-huit pour cent seulement des jurés à qui on avait présenté uniquement des preuves indirectes trouvèrent le défendeur coupable. Par contre, 72 % des jurés qui avaient entendu, en plus des preuves indirectes, la déposition d'un témoin oculaire trouvèrent le défendeur coupable (Loftus, 1980).

SOUVENIRS FICTIFS ET SOUVENIRS REFOULÉS : FAIT OU FICTION ?

Les souvenirs fictifs sont des souvenirs qu'une personne croit réels mais qui, pour une raison ou une autre, sont des souvenirs d'événements qui ne se sont jamais produits. Les sujets de l'étude sur les témoins oculaires qui se rappelaient une grange inexistante racontaient des souvenirs fictifs, tout comme Piaget (1951) se rappelant la tentative d'enlèvement. Plusieurs chercheurs dans le domaine de la mémoire ont démontré qu'il est facile de créer des souvenirs d'enfance fictifs (Abhold, 1992; Loftus, 1993; Loftus, 1997; Loftus et Ketcham, 1991; Weeks, Lynn, Green et Brentar, 1992).

Qu'en est-il des souvenirs refoulés et recouvrés ? Sont-ils des souvenirs réels ou fictifs ? Le refoulement des souvenirs est un domaine *très controversé* de la recherche sur la mémoire. Il nous arrive tous de nous souvenir d'événements que nous croyions à jamais enfouis dans notre mémoire, mais ces souvenirs depuis longtemps oubliés ne sont pas nécessairement des souvenirs refoulés.

Le *refoulement* est un mécanisme inconscient qui empêche les pensées susceptibles de créer de l'anxiété de refaire surface. Ainsi, il se peut qu'une personne

Souvenirs fictifs : Souvenirs qu'une personne croit réels, mais qui sont en fait des souvenirs d'événements qui ne se sont jamais produits.

Souvenirs refoulés : Souvenirs inconscients d'un événement traumatisant.

refoule les pensées ou souvenirs terrifiants, comme ceux d'abus sexuels durant l'enfance. Selon certains thérapeutes, ces souvenirs demeurent dans un recoin caché du cerveau de cette personne, mais celle-ci est incapable de les récupérer parce qu'ils seraient psychologiquement trop douloureux. Dans la plupart des cas, une thérapie sera nécessaire pour déverrouiller ces souvenirs cachés (Davis, 1996).

Mais les psychologues ne croient pas tous au concept de refoulement, et ceux qui croient que les gens peuvent refouler, puis récupérer le souvenir complet d'un événement traumatisant, sont encore moins nombreux. En effet, la plupart des gens qui ont été témoins d'un crime violent ou victimes d'agressions sexuelles éprouvent de la difficulté à oublier l'événement, pas à s'en souvenir. Les experts de la mémoire s'entendent également pour dire qu'il est extrêmement rare que des gens se souviennent des années plus tard d'abus survenus dans leur petite enfance, et l'on sait qu'il est possible d'élaborer de faux souvenirs convaincants d'événements qui ne se sont jamais produits (American Psychological Association, 1995).

La réponse à la question énoncée ci-dessus est donc que certains souvenirs récupérés peuvent être vrais; les autres sont probablement faux. Sans l'aide de preuves extérieures démontrant l'authenticité du souvenir récupéré, il est impossible de différencier le vrai du faux.

RÉSUMÉ

La mémoire à long terme

La mémoire à long terme emmagasine l'information et les idées de façon permanente en vue d'un usage éventuel. La mémoire sémantique est le type de mémoire à long terme qui contient les faits et les relations qui les unissent. La mémoire épisodique renferme les souvenirs d'événements spécifiques de notre vie.

L'information est classée en une hiérarchie de catégories dans la mémoire à long terme. Diverses voies donnent accès à un élément, mais la récupération n'est pas toujours possible.

La récupération est le retour du contenu de la mémoire à long terme dans la mémoire à court terme. La récupération prend la forme de la reconnaissance ou du rappel. La recherche sur les dépositions de témoins oculaires a démontré que les souvenirs peuvent se modifier et que le processus de récupération n'est pas toujours fiable.

Il est possible de créer de faux souvenirs relativement à des événements passés, mais tous les souvenirs recouvrés ne sont pas nécessairement des souvenirs fictifs. Il est pratiquement impossible de distinguer un souvenir fictif recouvré d'un souvenir refoulé recouvré.

QUESTIONS DE RÉVISION

1. Qu'est-ce qui se produit au cours du transfert de l'information de la mémoire à court terme à la mémoire à long terme ?

2. Quelle est la différence entre la mémoire sémantique et la mémoire épisodique ?

3. Lorsque nous connaissons la réponse à une question mais que nous ne parvenons pas à l'énoncer, nous sommes aux prises avec le _____.

4. Le renvoi du contenu de la mémoire à long terme dans la mémoire à court terme est appelé _____.

5. Quelle stratégie de récupération, la reconnaissance ou le rappel, utilisons-nous pour trouver la réponse à : a) une question à choix multiples ? b) une question présentée sous forme de phrase à compléter, sans choix de réponses ? c) une question à développement ? d) une question demandant d'associer des éléments ?

6. Les images claires des circonstances entourant des événements surprenants ou bouleversants sont appelées _____.

7. Pourquoi les psychologues estiment-ils que les dépositions des témoins oculaires ne sont pas fiables ?

Les réponses aux questions de révision se trouvent en annexe.

PENSÉE CRITIQUE • Psychologie en direct

La pensée réflexive

À la recherche du temps perdu

La pensée réflexive, aussi appelée métacognition, consiste à analyser nos propres opérations mentales, à « penser à notre pensée ». C'est une importante composante de la pensée critique. Elle vous permet d'examiner vos processus cognitifs et de mesurer leur pertinence et leur exactitude. Nous vous proposons ici d'employer la pensée réflexive pour évaluer vos processus de remémoration.

Voici comment procéder.

1. Prenez une feuille de papier vierge et écrivez tout ce que vous vous rappelez à propos de votre premier cours d'introduction à la psychologie. Qu'avez-vous fait à compter du moment où vous êtes entré dans la salle de cours ? Qu'est-ce que le professeur a dit ou fait ? Écrivez seulement les choses que vous vous rappelez très clairement; ne notez pas les souvenirs que vous présumez avoir.

2. Analysez systématiquement vos souvenirs en les comparant avec ceux de vos camarades. Vos souvenirs sont-ils identiques à ceux des autres ? Quels souvenirs avez-vous en commun avec des camarades ? Lesquels vous sont propres ? Vous rappelez-vous seulement les faits typiques d'un premier cours ou vous souvenez-vous d'événements singuliers ? Vous rappelez-vous vos sentiments ou vos émotions ? Est-ce que d'autres souvenirs sont rattachés à ceux-ci ?

3. En scrutant vos souvenirs et ceux de vos camarades, vous pouvez vous faire une idée de la manière dont vos souvenirs sont classés dans votre mémoire. Comme la plupart des souvenirs sont vagues, vous êtes porté à combler les vides de façon à donner à vos réminiscences l'aspect qu'elles « devraient » avoir.

4. Enfin, essayez de vous rappeler un souvenir de votre enfance. Écrivez le plus de détails possible et tentez de distinguer ceux qui sont exacts de ceux que vous avez reconstruits. Vous devrez peut-être consulter vos parents ou vos vieux amis. Sachez qu'il est peu probable que même vos souvenirs d'enfance les plus clairs soient des restitutions fidèles du passé.

Les uns et les autres

LA MÉMOIRE ET LA CULTURE

Les membres des sociétés de tradition orale ne peuvent se fier qu'à leur mémoire pour évoquer le passé, et notamment pour se remémorer leur histoire et leurs transactions commerciales. Comme ils ne possèdent pas de livres, de documents comptables, de cartes géographiques et d'ordinateurs pour conserver les données, ils en demandent plus à leur mémoire que les membres des sociétés industrialisées. Est-ce que cela signifie que leur mémoire est meilleure ? Cela dépend, semble-t-il, de ce qu'ils ont besoin de se rappeler.

Ross et Millson (1970) se sont demandé si les personnes issues de sociétés sans écriture possédant une riche tradition orale avaient une meilleure mémoire des récits oraux que les gens issus de sociétés alphabétisées. Ils prirent pour sujets des étudiants du collégial des États-Unis et du Ghana. Ils constatèrent que les étudiants ghanéens se rappelaient mieux que les étudiants américains les thèmes des récits oraux. Ils attribuèrent cette différence au fait que les jeunes Ghanéens avaient eu de très nombreuses occasions d'entendre et de raconter des récits oraux.

Wagner (1982) a étudié le taux de reconnaissance chez des étudiants de l'université du Michigan, d'une part, et chez des Marocains, d'autre part. (Son groupe de sujets marocains était composé de garçons instruits de la ville, de garçons illettrés de la campagne et de vendeurs de tapis.) Il présenta à ses sujets des photos de tapis aux motifs divers (les tapis sont des stimuli familiers aux Marocains), interposant des séries de 1, 5, 10 et 25 photos entre les photos de tapis identiques. Il demanda aux sujets s'ils voyaient chaque photo pour la première ou la seconde fois. Les paysans marocains, les vendeurs de tapis et les étudiants américains obtinrent les meilleurs scores. Wagner attribua la performance des étudiants américains à leur talent exceptionnel et celle des paysans et des vendeurs de tapis marocains à leur expérience en matière de tapis et de tissage. Il semble donc que l'expérience contribue à faciliter la reconnaissance.

D'autres études ont révélé que la formation scolaire contribue autant que l'expérience au développement des stratégies de mémorisation. Selon Cole, Gray, Glick et Sharp (1971), la formation scolaire enseigne des stratégies de regroupement qui permettent aux gens de se rappeler des éléments qu'ils ne perçoivent pas initialement comme reliés. Wagner (1982) rend compte d'une étude sur l'effet de position sérielle menée auprès d'enfants marocains et mexicains de la ville et de la campagne. Les chercheurs montrèrent sept cartes une à une aux sujets, puis les posèrent à l'envers devant eux. Ensuite, les chercheurs montrèrent une carte aux sujets et leur demandèrent de trouver son double parmi les sept qui étaient posées devant eux. L'effet de récence (le rappel des derniers éléments présentés) semblait se manifester chez tous les sujets, quels que soient leur culture et leur niveau d'instruction. Cependant, le niveau d'instruction eut un effet marqué sur le rappel global et sur l'effet de primauté (le rappel des premiers éléments présentés). Il semble que l'instruction fasse acquérir aux sujets la stratégie de la répétition verbale, qui consiste à répéter mentalement l'emplacement des premiers éléments présentés.

Dans les sociétés sans écriture, les chefs transmettent une information essentielle dans leurs récits oraux. Les enfants vivant dans ces sociétés retiennent bien les données reliées par la trame de ces récits. Les enfants des sociétés alphabétisées, grâce à la formation scolaire qu'ils reçoivent, mémorisent plus facilement des données morcelées.

En résumé, la recherche indique que les capacités de la mémoire a court terme ne sont pas influencées par la culture. La mémoire à court terme est une faculté innée et universelle. Toutefois, la culture semble influer sur la récupération du contenu de la mémoire à long terme. Dans les sociétés où la communication repose sur la tradition orale, les gens acquièrent de bonnes stratégies pour se rappeler les récits oraux. Dans les sociétés où le tissage et la vente de tapis occupent une place importante, les gens ont une bonne mémoire des motifs des tapis. Dans les sociétés où l'instruction est institutionnalisée, enfin, les gens apprennent des stratégies de mémorisation qui les aident à se souvenir de listes d'éléments. Nous fondant sur les recherches que nous venons de décrire, nous pouvons conclure que chaque société fournit le bagage d'expérience et de stratégies propice à la mémorisation de ses particularités. ■

LE PROBLÈME DE L'OUBLI

Certains chercheurs se sont intéressés de façon particulière aux circonstances entourant l'oubli, phénomène familier tantôt utile tantôt fâcheux (Wixted et Effesen, 1991). Bien que nous ayons tous des souvenirs douloureux ou gênants dont nous aimerions nous débarrasser, l'oubli est la plupart du temps inopportun. Quelles sont les causes de l'oubli ? Comment peut-on le prévenir ?

▲ *Pourquoi oublions-nous ? Quelles sont les causes des troubles de la mémoire ?*

Hermann Ebbinghaus fut le premier, il y a une centaine d'années, à étudier les mécanismes de l'oubli. Après avoir mémorisé parfaitement des listes de syllabes absurdes, Ebbinghaus éprouvait sa mémoire à intervalles réguliers. Il découvrit qu'une heure après avoir appris une liste par cœur, il ne se rappelait plus que 44 % des syllabes. La proportion passait à 35 % après un jour et à 21 % après une semaine. La figure 8.5 présente la célèbre mais décourageante « courbe de l'oubli » d'Ebbinghaus.

Est-ce que tout s'oublie aussi vite ? Si vous oubliiez le contenu de vos manuels et de vos notes de cours aussi rapidement, vous ne réussiriez vos examens qu'à condition de les subir tout de suite après avoir mémorisé l'information. Une heure après avoir étudié, déjà, vous ne vous rappelleriez plus que de la moitié de la matière et vous échoueriez aux examens qui vous seraient administrés. La courbe de l'oubli s'applique à des syllabes absurdes. La rétention de l'information sensée est beaucoup plus longue.

Vous pouvez mémoriser beaucoup plus longtemps la matière que vous étudiez pour un examen si vous faites l'effort de lui donner du sens. Mais, significative ou non, une partie de la matière étudiée sera quand même oubliée.

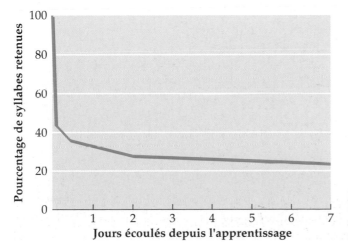

Figure 8.5 **Courbes de l'oubli d'Ebbinghaus.** La courbe montre clairement que l'oubli des syllabes absurdes est rapide au cours des premières heures de l'apprentissage

En fait, l'oubli explique un paradoxe évident que vous avez peut-être remarqué en lisant le passage sur le modèle des trois paliers de la mémoire. Dans ce modèle, la mémoire à long terme est censée être relativement permanente, mais comme vous l'avez tous remarqué, le lendemain d'un examen, vous avez déjà oublié, au moins en partie, ce que vous aviez appris. L'information a été transférée à la mémoire à long terme, mais elle n'y est pas demeurée de façon permanente. Cette perte est due à l'oubli. Malheureusement, le fait de se souvenir entraîne une part d'oubli. Vous n'oubliez pas les éléments indispensables à votre examen, mais l'augmentation de l'interférence causée par le test peut vous faire oublier la matière qui n'était pas requise pour l'examen (Anderson, Bjork et Bjork, 1994).

LA RECHERCHE SUR L'OUBLI : LES FACTEURS QUI AFFECTENT LE SOUVENIR

Effet de position sérielle : Phénomène consistant à se souvenir plus facilement des éléments placés au début et à la fin d'une liste, que des éléments situés au milieu.

Lorsqu'on remet aux sujets d'une étude des listes de mots à apprendre et qu'ils ont le choix de les mémoriser dans l'ordre qu'ils préfèrent, ils se souviennent plus facilement des mots en début et en fin de liste que des mots du milieu (Jones et Roediger, 1995; voir également la figure 8.6. Les mots du milieu de la liste sont très souvent oubliés; cela s'appelle l'effet de position sérielle.

Les premiers mots de la liste sont plus facilement mémorisés parce qu'ils sont traités dans la mémoire à long terme en subissant moins d'interférence que les mots suivants. Comme la plupart des sujets désirent réussir l'épreuve de mémoire, ils se concentrent sur chacun des mots qui apparaît et le répètent. Ainsi, les premiers mots à mémoriser sont traités et transférés dans la mémoire à long terme; mais aux environs de sept mots, les sujets ne peuvent plus tous les répéter. À ce moment, ils font souvent appel à une partie de leur mémoire à court terme pour essayer de trouver une façon de mémoriser plus de mots; pendant ce temps, les mots suivants de la liste ne bénéficient pas d'autant d'analyse et d'attention.

Pourquoi les mots placés à la fin de la liste sont-ils mémorisés ?   Lorsqu'on permet aux sujets de se souvenir des mots en ordre facultatif, ils procèdent souvent par répétition pour retenir les derniers mots de la liste dans leur mémoire à court terme, jusqu'à ce qu'ils puissent les écrire. Donc, ces mots ne sont pas aussi bien mémorisés en fin de compte que les premiers mots de la liste, puisqu'ils n'ont pas été entreposés. Pour déterminer à quel point ces listes de mots sont bien conservées dans la mémoire à long terme, les sujets sont ensuite soumis à de nouveau tests de rappel des mots. Si on ne leur a pas spécifié qu'il serait important de se rappeler plus tard de ces mots, on constate qu'ils n'ont pas transféré tous les derniers mots de la liste dans leur mémoire à long terme, et qu'au moment du test imprévu, ils ne s'en souviennent pas mieux que de ceux du milieu (voir la figure 8.6).

D'autre part, si on prévient les sujets qu'ils seront testés à nouveau avant qu'ils mémorisent la liste de mots, ils se souviennent aussi bien des derniers mots que

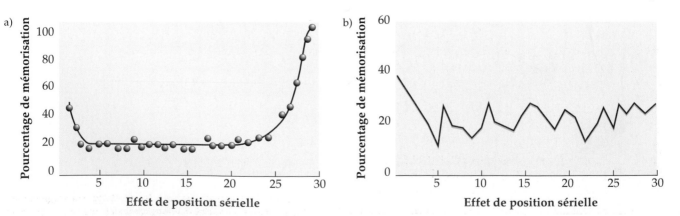

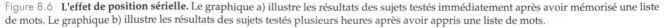

Figure 8.6 **L'effet de position sérielle.** Le graphique a) illustre les résultats des sujets testés immédiatement après avoir mémorisé une liste de mots. Le graphique b) illustre les résultats des sujets testés plusieurs heures après avoir appris une liste de mots.

Le bourrage de crâne en vue d'un examen est une tentative d'apprendre trop de matière à la fois et est donc moins efficace que le fait d'échelonner les périodes d'étude sur plusieurs séances.

des premiers, car ils ont fait un effort pour les transférer dans la mémoire à long terme. Le phénomène de la position sérielle explique également pourquoi les étudiants ont tendance à se souvenir plus facilement de la matière du début et de la fin d'un chapitre, que de celle du milieu.

Stratégies d'étude

Malgré les meilleures intentions du monde, les élèves étudient souvent d'une façon qui favorise l'oubli. En plus d'étudier dans des endroits bruyants où leur attention est facilement détournée, ils tentent souvent d'apprendre trop de matière à la fois en se bourrant le crâne, alors que la seule et unique façon d'améliorer les notes est la répartition du temps d'étude. L'apprentissage échelonné consiste à espacer les périodes d'apprentissage en les entrecoupant de périodes de repos. Le « bourrage de crâne » est appelé apprentissage massé, car le temps passé à étudier est regroupé sans intervalles de repos.

L'une des premières études portant sur les deux stratégies d'apprentissage avait démontré que les participants oubliaient moins de syllabes absurdes lorsqu'on leur accordait une période de repos de 126 secondes entre chaque essai (apprentissage échelonné), plutôt qu'une période de repos de 6 secondes (apprentissage massé) (Hovland, 1938; voir également la figure 8.7). L'apprentissage échelonné est non seulement plus efficace pour retenir la matière écrite, mais également pour acquérir des habiletés motrices comme la dactylographie (Jones et Ellis, 1962).

La recherche démontre également que la matière apprise est moins susceptible d'être oubliée si on la répète à intervalles réguliers (Bahrick, Bahrick, Bahrick et Bahrick, 1993; Demster, 1988). On appelle « surapprentissage » le fait de réviser une matière de façon répétée jusqu'à ce qu'elle soit bien intégrée. *Le meilleur conseil que nous pouvons vous donner est d'étudier, puis de vérifier vos connaissances de façon régulière; n'attendez pas la nuit avant l'examen pour vous bourrer le crâne.*

Apprentissage échelonné : Technique d'apprentissage selon laquelle les séances d'étude sont entrecoupées de périodes de repos.

Apprentissage massé : Technique d'apprentissage consistant à étudier sans intervalles de repos; bourrage de crâne.

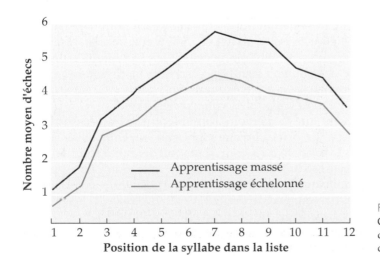

Figure 8.7 **Apprentissage échelonné et apprentissage massé.** Ce graphique démontre que l'apprentissage massé entraîne plus d'erreurs que l'apprentissage échelonné lors de la mémorisation d'une liste de mots.

Mémoire liée à l'état physiologique

Avez-vous déjà été si anxieux durant un examen que vous éprouviez de la difficulté à vous souvenir de la matière que vous croyiez bien maîtriser ? Lorsque vous êtes triste, êtes-vous porté à vous rappeler d'autres événements du passé qui vous avaient attristé ? Ou encore, lorsque vous êtes fâché, avez-vous tendance à vous remémorer des situations passées qui vous ont mis en colère ? De telles expériences sont fréquentes car les systèmes mnémoniques des humains sont reliés au niveau d'activation émotive et aux sentiments. La recherche sur la mémoire démontre que le niveau d'activation du système nerveux – l'état de sérénité ou d'excitation dans lequel on se trouve – et les émotions qui surviennent au cours de l'apprentissage, affectent la façon dont la matière apprise est mémorisée (Kenealy, 1997 ; Miles et Hardman, 1998 ; Schramke et Bauer, 1997). On parle alors de souvenirs liés à l'état physiologique. Nous avons tous vécu des expériences dont nous conservons un vif souvenir, parce que nous étions alors très attentifs et très concentrés sur ce qui se passait. Mais la recherche démontre que les gens se souviennent mieux de quelque chose s'ils sont dans le même état émotionnel au moment où ils tentent de s'en rappeler que lorsqu'ils l'ont appris.

> **Souvenirs liés à l'état physiologique :** Mémoire liée à un état d'activation émotionnelle.

Au cours d'une étude effectuée au Center for the Neurobiology of Learning and Memory de l'université de Californie à Irvine (Cahill, Prins, Weber et McGaugh, 1994), on a lu une histoire émouvante et une histoire peu chargée émotivement à 35 sujets. Une heure avant la lecture, on avait administré à 20 d'entre eux du propanolol, un médicament inhibiteur des récepteurs du système nerveux qui reçoivent les hormones de stress libérées lors de situations émotives. Les 15 autres sujets avaient reçu une injection placebo.

Une semaine plus tard, on vérifia le souvenir que les sujets avaient des histoires. Ceux à qui l'on avait administré du propanolol étaient incapables de se souvenir aussi bien de l'histoire émouvante que les sujets injectés au placebo. D'un point de vue évolutif, ce résultat est très sensé (Ortiz, 1995) : si un individu ou un animal se trouve dans un état émotionnel qui active son système nerveux parasympathique pour le pousser à combattre ou à fuir, et qu'il survit, il sera important qu'il se souvienne de la situation afin de l'éviter à l'avenir. Par conséquent, la mémoire liée à l'état physiologique peut être essentielle à la survie.

LES THÉORIES SUR L'OUBLI

L'oubli a fait l'objet de quatre grandes théories qui mettent en cause soit le processus de mémorisation, soit le traitement de l'information.

Selon la théorie de l'interférence, nous oublions une donnée parce qu'une autre empêche sa récupération (McGeoch, 1942). Le phénomène est semblable à celui qui perturbe le traitement de l'information dans la mémoire à court terme (Dempster, 1985). Si vous avez étudié deux langues étrangères, par exemple, il vous arrive peut-être de vous rappeler des mots de la première quand vous essayez de parler la seconde. Le mécanisme par lequel un apprentissage *ancien* fait oublier un apprentissage récent est appelé interférence proactive. À l'inverse, le mécanisme par lequel un apprentissage *récent* fait oublier un apprentissage antérieur est appelé interférence rétroactive (le préfixe *rétro* signifie « en arrière »). Si vous avez déjà changé de numéro de téléphone, votre nouveau numéro a peut-être constitué une interférence rétroactive qui vous a fait oublier votre ancien numéro.

> **Théorie de l'interférence :** Théorie selon laquelle nous oublions une donnée parce qu'une autre empêche son stockage ou sa récupération.

> **Interférence proactive :** Mécanisme par lequel un apprentissage ancien fait oublier un apprentissage récent.

> **Interférence rétroactive :** Mécanisme par lequel un apprentissage récent fait oublier un apprentissage antérieur.

La théorie du déclin veut que la mémoire, comme tous les processus biologiques, se détériore avec le temps. Si les souvenirs sont traités et emmagasinés sous une forme physique, alors la vivacité de la représentation devrait diminuer à mesure que le temps passe. Aussi séduisante que soit cette explication, elle est probablement erronée, car il semble que les souvenirs à long terme ne se dégradent pas (Waugh et Norman, 1965). Il existe peu de preuves expérimentales à l'appui de la théorie du déclin, car il est difficile de contrôler les effets de l'interférence.

> **Théorie du déclin :** Théorie selon laquelle la trace mnésique, comme tous les processus biologiques, se détériore avec le temps.

La troisième théorie explique l'oubli par notre désir parfois inconscient d'oublier les choses déplaisantes. Selon la théorie de l'oubli motivé, nos mécanismes de

> **Théorie de l'oubli motivé :** Théorie selon laquelle nous oublions les événements douloureux, angoissants ou embarrassants.

défense répriment nos souvenirs douloureux, angoissants ou embarrassants. L'information n'est pas véritablement oubliée; elle subsiste dans la mémoire à long terme et pourrait être récupérée si les mécanismes de défense cédaient. Sigmund Freud affirmait que nos mécanismes de défense empêchent les souvenirs douloureux de parvenir à la conscience et de provoquer de l'anxiété. Nous avons étudié ces théories au chapitre 2. Cependant, comme nous l'avons vu, cette théorie selon laquelle les souvenirs peuvent être réprimés est encore très controversée, car il devient difficile de distinguer les souvenirs réprimés des souvenirs recréés.

Vous est-il déjà arrivé d'avoir un trou de mémoire pendant un examen ou une conversation et de vous rappeler plus tard l'information « oubliée » ? Si oui, vous êtes en mesure de comprendre la théorie de l'entrave à la récupération. Selon cette théorie, les souvenirs rangés dans la mémoire à long terme ne s'oublient jamais vraiment : ils sont momentanément rendus inaccessibles par des entraves comme l'interférence et les états émotionnels.

Théorie de l'entrave à la récupération : Théorie selon laquelle l'oubli est une perturbation de la récupération et non du stockage de l'information.

Comment puis-je garder accès à l'information ? Un moyen d'éviter les entraves à la récupération consiste à utiliser le codage visuel et le codage verbal efficacement en cours d'apprentissage. Vous trouverez aussi quelques autres stratégies de mémorisation dans la dernière section du chapitre.

RÉSUMÉ

Le problème de l'oubli

Pour limiter les oublis lorsque vous étudiez, servez-vous de l'apprentissage échelonné, qui consiste en une série de courtes périodes d'étude entrecoupées de périodes de repos. La pire façon d'étudier est d'essayer d'entreposer des informations par apprentissage massé, c'est-à-dire d'étudier de grandes quantités d'information sans périodes de repos.

Certains souvenirs sont liés à l'état physiologique et sont affectés par les états d'activation. Il est plus facile de se rappeler ces souvenirs si vous êtes dans un état similaire à celui dans lequel vous étiez au moment de l'apprentissage.

Selon la théorie de l'interférence, l'oubli est causé par l'interférence proactive ou rétroactive. L'interférence proactive est le mécanisme par lequel un apprentissage ancien fait oublier un apprentissage récent. L'interférence rétroactive est le mécanisme par lequel un apprentissage récent fait oublier un apprentissage antérieur.

La théorie du déclin veut que la mémoire, comme tous les processus biologiques, se détériore avec le temps.

Selon la théorie de l'oubli motivé, nous oublions les événements douloureux, angoissants ou embarrassants.

Selon la théorie de l'entrave à la récupération, l'information entreposée dans la mémoire à long terme ne s'oublie jamais, mais peut occasionnellement être inaccessible.

QUESTIONS DE RÉVISION

1. Aux examens, les élèves réussissent souvent mieux les problèmes tirés des premiers et des derniers chapitres étudiés. Cela démontre la supériorité de : a) l'apprentissage échelonné b) l'effet Zeigarnik c) la mémoire liée à l'état physiologique d) l'effet de position sérielle

2. Expliquez comment vous étudieriez pour un examen : a) en utilisant l'apprentissage échelonné; b) en utilisant l'apprentissage massé.

3. Les souvenirs associés à un certain degré d'activation émotive s'appellent _____.

4. L'interférence proactive est le mécanisme par lequel un apprentissage _____ fait oublier un apprentissage _____.

5. L'interférence rétroactive est le mécanisme par lequel un apprentissage _____ fait oublier un apprentissage _____.

6. Quelle théorie explique le mieux l'oubli dans chacun des exemples suivants ?

   a) Vous devez faire les présentations à une soirée. Cela vous rend nerveux, et vous oubliez le nom d'une de vos bonnes amies. _____

   b) Vous rencontrez un ami que vous n'avez pas vu depuis 25 ans, et vous n'arrivez pas à vous souvenir de son nom. _____

   c) Vous avez été maltraité pendant votre enfance, mais vous avez complètement oublié l'événement. _____

Les réponses aux questions de révision se trouvent en annexe.

LA BIOLOGIE DE LA MÉMOIRE

▲ *De quelle façon la mémoire peut-elle être expliquée en termes de processus biologiques ? Quels sont les facteurs qui entraînent les troubles de mémoire ?*

Que se passe-t-il dans le système nerveux lorsque nous faisons l'apprentissage d'une notion ? Dans quelle partie du cerveau les souvenirs de la mémoire à long terme sont-ils entreposés ? Plusieurs recherches ont été effectuées en vue de répondre à ces questions, et les psychologues ont développé des théories sur la mémoire basées sur leurs découvertes physiologiques.

LES THÉORIES DE LA MÉMOIRE : MODIFICATIONS DANS LE CERVEAU

Les psychophysiologistes étudient la biologie de la mémoire en se penchant sur les réactions des neurones aux stimuli. Par exemple, après avoir mesuré l'activité électrique du cerveau durant l'apprentissage, Donald Hebb (1949, 1961) a postulé que les neurones s'activent de façon répétitive durant le traitement de la mémoire à court terme.

Pour transférer l'information à la mémoire à long terme, l'activation temporaire des circuits de neurones entraîne un changement permanent dans le système nerveux (Hebb, 1949). En fait, les stimulations répétées produisent une modification chimique ou physique des neurones qui constituent les circuits. L'une des principales théories suggère que cette modification serait l'effet d'un processus appelé *potentialisation à long terme*.

Potentialisation à long terme

Potentialisation à long terme : Processus par lequel les souvenirs de la mémoire à court terme deviennent des souvenirs de la mémoire à long terme après une stimulation répétée de la synapse, ce qui mène à des modifications chimiques et structurales dans les dendrites du neurone récepteur. Ces modifications entraînent une augmentation de la sensibilité du neurone à la stimulation.

La potentialisation à long terme (PLT) est une augmentation continue de l'efficacité d'une synapse qui peut être déclenchée relativement rapidement. Ce changement de sensibilité des neurones est assez permanent (Barnes et McNaughton, 1980; Lynch, 1988; Lynch, Halpin et Baudry, 1983).

Des chercheurs ont découvert que des modifications chimiques et physiques se produisent dans les synapses (Deutsch, 1983; McGaugh, 1990; Malgaroli et coll., 1995; Malinow, 1994). Durant la période de stockage des souvenirs, les membranes des dendrites réceptrices deviennent plus sensibles au neurotransmetteur acétylcholine. (À la section sur la maladie d'Alzheimer, nous décrirons le rôle important que joue ce transmetteur chimique dans le traitement de la mémoire.) D'autres chercheurs ont trouvé des preuves de changements physiques dans la structure même des neurones lors de l'apprentissage d'une notion (Crick, 1982; Lynch, 1984; Sokolov, 1997). Ces modifications de structures ont été démontrées de façon impressionnante lors d'une recherche effectuée sur des rats placés soit dans un environnement riche en stimulations, soit dans un environnement privé de stimulations (Mark Rosenzweig et coll., 1972). Les chercheurs ont découvert que les neurones du cerveau des rats vivant dans des environnements riches en stimulations avaient développé plus de ramifications sur leurs dendrites que les neurones des rats élevés avec moins d'expériences d'apprentissage. Une modification de la structure des neurones signifie que ceux-ci transmettent leurs impulsions de façon différente. La figure 8.8 démontre certains des effets de l'apprentissage sur les neurones.

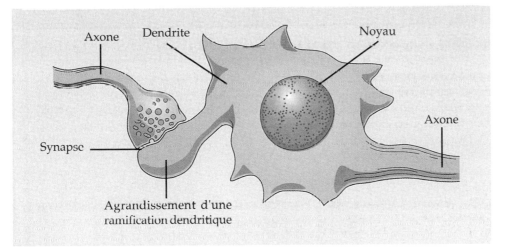

Figure 8.8   **Potentialisation à long terme.** La synapse se modifie physiquement et chimiquement en réponse à la potentialisation à long terme.

L'AMNÉSIE

Une partie de nos connaissances sur la mémoire nous provient d'études portant sur des personnes qui ont souffert de troubles de la mémoire consécutifs à une lésion cérébrale ou à l'administration d'électrochocs. La perte de mémoire qui résulte d'atteintes cérébrales est appelée amnésie. L'amnésie rétrograde est l'incapacité de se rappeler les événements *antérieurs* au traumatisme. L'amnésie antérograde est l'incapacité de mémoriser les faits qui surviennent *après* le traumatisme. Heureusement, l'amnésie est souvent temporaire.

Les traumatismes crâniens graves peuvent empêcher le rappel des événements qui ont précédé et suivi l'accident. Les victimes d'accidents de la route, par exemple, oublient parfois des jours ou des mois entiers, particulièrement si elles sont restées longtemps inconscientes. Généralement, les pertes de mémoire permanentes se limitent à l'information qui était contenue dans la mémoire à court terme au moment du traumatisme (Whitty et Zangwill, 1977). Une agente de bord qui a survécu à l'écrasement d'un avion yougoslave saboté par des terroristes présentait une perte de mémoire à court terme. Elle a souffert de lésions cérébrales et médullaires et elle est devenue paraplégique. Quand elle a repris connaissance, elle se rappelait qu'elle était montée dans l'avion et qu'elle s'était réveillée à l'hôpital, mais elle avait tout oublié des événements qui s'étaient déroulés entre-temps (Loftus, 1980).

On peut provoquer l'amnésie rétrograde chez les rats en leur administrant des électrochocs pendant qu'une information qu'on leur a donnée à apprendre siège dans leur mémoire à court terme (Deutsch, 1969). Les rats qu'on punit chaque fois qu'ils descendent d'une plate-forme apprennent à y demeurer. Si on administre des électrochocs à ces rats avant que leur mémoire à long terme n'ait eu le temps d'enregistrer le souvenir de la punition, ils continuent de descendre de la plate-forme et de recevoir la punition. Mais si on administre les électrochocs *après* le stockage du souvenir de la punition, les rats restent sur la plate-forme pour éviter la punition.

L'ALTÉRATION DE LA MÉMOIRE DUE À DES LÉSIONS CÉRÉBRALES

Les tumeurs cérébrales, les accidents vasculaires cérébraux, l'alcoolisme et les interventions chirurgicales au cerveau peuvent provoquer divers troubles de la mémoire. La littérature médicale fait état du cas d'un patient nommé H. M. qui a subi une ablation partielle des lobes temporaux visant à éliminer ses crises d'épilepsie. L'intervention diminua la fréquence des crises de H. M., mais aussi sa capacité de transférer des données nouvelles dans la mémoire à long terme (Scoville et Milner, 1957).

Amnésie : Perte de la mémoire consécutive à une lésion cérébrale ou à un traumatisme psychologique.

Amnésie rétrograde : Incapacité de se rappeler les événements antérieurs à un traumatisme.

Amnésie antérograde : Incapacité de former de nouveaux souvenirs.

RECHERCHE ET DÉCOUVERTES

De quelle façon les souvenirs parviennent-ils d'abord dans la mémoire ?

Jusqu'à présent, notre discussion a surtout porté sur la formation des souvenirs au niveau cellulaire. Demandons-nous maintenant quelles sont les parties du cerveau qui interviennent dans la formation et le stockage des souvenirs ? La recherche sur des lésions accidentelles, et sur des lésions dues à une chirurgie visant à retirer une tumeur ou à diminuer les effets de l'épilepsie, indique que plusieurs régions du cerveau entrent en jeu dans le stockage des souvenirs. Tel qu'illustré à la figure 8.9, ces régions sont le cortex préfrontal, situé sur le côté des lobes frontaux, et le cortex parahippocampique, que l'on retrouve à l'intérieur des lobes temporaux (Alvarez, Zola-Morgan et Squire, 1995 ; Squire et Zola, 1996 ; Squire et Zola, 1998).

Comme l'étude de ces lésions permet de localiser facilement les régions importantes pour la mémoire, les structures principales du cerveau qui jouent un rôle dans la mémoire sont connues depuis assez longtemps. Toutefois, ce n'est que tout récemment que des techniques plus avancées de recherche ont permis de détecter les modifications qui se produisent dans le cerveau lors de la formation de nouveaux souvenirs. À l'aide de l'imagerie par résonance magnétique fonctionnelle (IRMf), deux groupes de chercheurs ont mesuré l'activité du cerveau pendant la formation de nouveaux souvenirs (Brewer, Zhao, Desmond, Glover et Gabrieli, 1998 ; Wagner et coll., 1998). (Voir le chapitre 3 pour la description de l'IRMf).

James Brewer et son équipe (1998) ont utilisé l'IRMf pour examiner les régions du cerveau responsables de l'encodage des souvenirs d'images. Pour ce faire, ils ont montré 96 images de scènes intérieures et extérieures à six sujets droitiers normaux tout en observant leur cerveau. Par la suite, ils ont testé la capacité des sujets à se souvenir de ces images. Ces derniers se souvenaient clairement à peu près du quart des images, disaient qu'environ un autre quart leur semblaient familières et en avaient oublié la moitié. Les chercheurs ont ensuite établi une corrélation entre l'activité des régions du cerveau mesurée par l'IRMf et le souvenir des images. Ils ont ainsi établi une relation entre certaines régions du cerveau et le niveau

de mémorisation des images, et en ont déduit que ces régions devaient être les plus actives durant l'encodage des souvenirs, même si elles n'étaient pas nécessairement les régions où sont effectivement entreposés les souvenirs. Les régions ayant démontré la corrélation la plus importante avec les éléments mémorisés durant l'encodage étaient le cortex préfrontal droit et le cortex parahippocampique (voir la figure 8.9).

Anthony Wagner et son équipe (1998) ont procédé à une expérience similaire sur la mémoire, mais en utilisant une liste de mots plutôt que des images. Il est reconnu que les mots traités à un niveau sémantique approfondi sont mieux mémorisés que les mots traités à un niveau superficiel (Craik et Lockhart, 1972). Ces chercheurs ont donc observé les cerveaux des sujets à l'aide de l'IRMf pendant que ceux-ci traitaient les mots en énonçant s'il s'agissait de noms abstraits ou concrets (une tâche sémantique) et s'ils étaient imprimés en lettres majuscules ou minuscules (une tâche non sémantique).

La partie de l'expérience portant sur la mémoire a démontré, comme prévu, que les mots traités de façon sémantique étaient mieux retenus que les mots non sémantiques. L'utilisation de l'IRMf, toutefois, révéla l'activité cérébrale associée à la mémorisation : au cours du traitement sémantique, le cortex préfrontal gauche et le cortex parahippocampique démontrèrent une activation plus importante qu'au moment du traitement non sémantique. Ce résultat a mené les chercheurs à conclure que « les processus exigeant une sollicitation plus importante des régions préfontale gauche et parahyppocampique du cerveau tendent à produire davantage d'expériences verbales mémorisées » (Wagner et coll., 1998, p. 1190).

Ces deux expériences indiquent que le cortex préfrontal et le cortex parahippocampique jouent probablement un rôle dans la formation de nouveaux souvenirs. Au fur et à mesure que des recherches de ce genre seront effectuées, nous pourrons déterminer avec plus de précision les structures du cerveau qui interviennent dans la formation de nouveaux souvenirs et quelles régions du cerveau servent à l'entreposage de ces souvenirs.

Comme H. M. ne pouvait plus former de souvenirs permanents, il était difficile de mesurer ses capacités intellectuelles. Premièrement, il oubliait qu'il subissait un test dès que cette information disparaissait de sa mémoire à court terme. Il était capable de se rappeler les noms des psychologues qui l'examinaient et d'entretenir une conversation avec eux tant qu'il utilisait la répétition pour garder les données dans sa mémoire à court terme. Mais dès que la conversation s'interrompait pendant quelques minutes ou que H. M. regardait

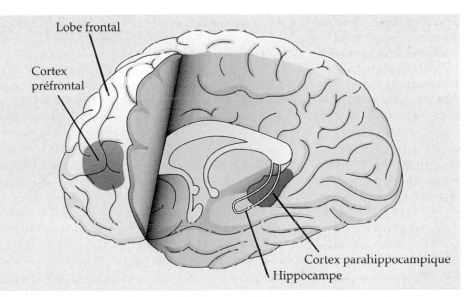

Figure 8.9 **Le cerveau et la formation de souvenirs.** Le lobe frontal, le cortex préfrontal, l'hippocampe et le cortex parahippocampique. Des lésions à l'une de ces régions peuvent affecter la mémoire et la formation de souvenirs.

ailleurs, il oubliait les visages des psychologues et ce qu'il faisait avec eux. Malgré tout, H. M. avait le même quotient intellectuel qu'avant l'opération. Étant donné qu'il conservait les souvenirs des événements antérieurs à l'intervention, il pouvait accomplir aussi bien qu'avant les tâches qui faisaient appel à sa mémoire à long terme.

La pratique de la boxe peut endommager des structures cérébrales et entraîner des troubles de la mémoire. Le coup de poing d'un poids lourd peut s'abattre sur la boîte crânienne de l'adversaire avec une force supérieure à 500 kg. Le choc peut tordre, étirer ou rompre les neurones et les vaisseaux sanguins du fragile tissu cérébral, rendant le boxeur « groggy ». Des autopsies pratiquées sur quinze boxeurs ont révélé chez chacun d'entre eux des lésions cérébrales susceptibles de perturber les processus mnésiques (Corsellis, Bruton et Freeman-Brown, 1973).

LA MALADIE D'ALZHEIMER

La maladie d'Alzheimer, détérioration progressive des facultés mentales touchant principalement les personnes âgées, est un exemple extrême de trouble de la mémoire. Les premiers symptômes les plus notables de la maladie sont des défaillances de la mémoire semblables aux distractions banales que tout le monde connaît de temps en temps. Mais les défaillances s'aggravent jusqu'à ce que, dans les derniers stades de la maladie, la personne atteinte ne reconnaisse plus ses proches et nécessite des soins constants.

Maladie d'Alzheimer : Détérioration progressive des facultés mentales touchant principalement les personnes âgées et se caractérisant par des pertes de mémoire graves.

Au Canada, la maladie d'Alzheimer touche environ 300 000 personnes, soit 5,1 % des gens de 65 ans et plus. Au Québec, environ 70 000 personnes en sont atteintes (30 000 à Montréal), soit 8 % des gens de 65 ans et plus. Bien que la maladie affecte parfois des gens de moins de 65 ans, son incidence augmente radicalement à compter de l'âge mûr et frappe, estime-t-on, environ 12 % des Canadiens de 75 ans et plus et 25 % des 80 ans et plus. Comme les gens vivent de plus en plus vieux, on prévoit qu'en l'an 2021, le nombre de personnes atteintes aura doublé (Société Alzheimer de Montréal, 1993).

Quelle est la différence entre la perte de mémoire « normalement » due au vieillissement et la maladie d'Alzheimer ? Les autopsies de patients atteints de la maladie d'Alzheimer révèlent une atrophie des hémisphères cérébraux et une détérioration des *olives bulbaires*, partie du tronc cérébral située près de l'hippocampe. Les olives bulbaires cessent de produire l'enzyme qui sert à la synthèse de l'*acétylcholine* et, sans cet important neurotransmetteur, le cerveau ne peut fonctionner normalement. Jusqu'à maintenant, la recherche sur les substituts de l'acétylcholine n'a pas donné de résultats concluants.

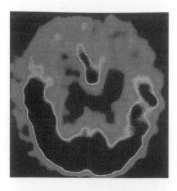

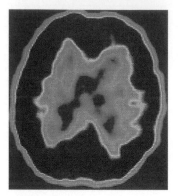

Ces tomographies par émission de positons montrent le cerveau d'une personne atteinte de la maladie d'Alzheimer (photo du haut) et celui d'une personne normale (photo du bas). On constate une diminution de l'irrigation des lobes temporaux et pariétaux, parties du cerveau qui jouent un rôle important dans le stockage des souvenirs.

Les psychologues s'intéressent beaucoup aux caractéristiques de la perte de mémoire associée à la maladie d'Alzheimer. En effet, les types de mémoire ne sont pas touchés également. Bien que les personnes atteintes parviennent presque aussi bien que les personnes saines à utiliser leur mémoire sémantique, elles présentent une diminution extrême de la mémoire épisodique (Nebes et coll., 1984). Il se peut que le problème soit dû à un relâchement de la maîtrise exercée sur la mémoire de travail (Morris et Baddeley, 1988). Comme la récupération des souvenirs épisodiques est plus longue et plus complexe que celle des souvenirs sémantiques, l'opération est particulièrement difficile pour les personnes atteintes de la maladie d'Alzheimer, dont la capacité d'attention est faible.

Les causes possibles de la maladie d'Alzheimer

Les causes de la maladie d'Alzheimer font l'objet de plusieurs théories. Certains chercheurs disent que la maladie est d'origine génétique. D'autres l'attribuent à un virus lent. Comme on a trouvé des quantités inhabituelles d'aluminium dans le cerveau de certaines victimes de la maladie, il se trouve des théoriciens pour supposer que les lésions cérébrales sont causées par l'accumulation de minéraux toxiques dans le tissu cérébral (Heston et White, 1983). À l'heure actuelle, les recherches les plus prometteuses portent sur le rôle de la protéine amyloïde. Certains croient en effet que cette protéine, probablement sécrétée par les neurones et les cellules gliales, s'accumule dans le tissu cérébral en une multitude de plaques diffuses. Ces plaques causent la dégénérescence des neurones environnants et, par le fait même, la perte de neurones caractéristique de la maladie d'Alzheimer (Selkoe, 1991).

Possibilités de traitements pour l'Alzheimer

Jusqu'à présent, les communautés médicale et scientifique ont utilisé deux approches dans le traitement de la maladie d'Alzheimer (Leonard, 1998). La première, une approche préventive, veut prévenir les modifications neurodégénératives qui mènent à la maladie d'Alzheimer en convaiquant les gens de l'importance de l'exercice, de la diète et de certains médicaments qui agissent sur les neurones. La seconde approche prévoit l'utilisation d'autres médicaments susceptibles de ralentir le déclin des fonctions mentales et de la mémoire. Les chercheurs expérimentent également des médicaments qui réduisent la formation des radicaux libres (sous-produits nocifs du métabolisme des cellules), permettant ainsi de ralentir le processus de vieillissement que semble accélérer la maladie d'Alzheimer.

Une combinaison des deux approches paraît toutefois être la meilleure façon de prévenir et traiter la maladie d'Alzheimer. Il arrive ainsi que l'on combine une ou plusieurs des mesures suivantes : augmentation des activités sociales, formation et éducation spécialisées pour aider les victimes à mieux gérer ce qui leur reste de mémoire, thérapies de remplacement des neurotransmetteurs, antioxydants (comme les vitamines B-2 et C) qui combattent les radicaux libres, agents anti-inflammatoires (tels que l'aspirine et l'ibuprofène), œstrogènes, facteur de

Au Canada, plus de 300 000 personnes sont atteintes de la maladie d'Alzheimer. Les premiers symptômes les plus notables de la maladie sont des défaillances de la mémoire.

croissance nerveuse, et médicaments visant à prévenir la formation de la protéine amyloïde dans le cerveau (Cummings, Vinters, Cole et Khachaturian, 1998).

RÉSUMÉ

La biologie de la mémoire

Un souvenir à court terme est traité lorsque les neurones sont activés de façon répétitive. Le processus par lequel les souvenirs à court terme deviennent des souvenirs à long terme est appelé potentialisation à long terme (PlT).

L'étude des personnes atteintes d'amnésie, de lésions au cerveau et de la maladie d'Alzheimer, de même que l'observation de cerveaux normaux, indiquent que des structures du cerveau et des neurotransmetteurs spécifiques jouent un rôle dans le stockage et la récupération des souvenirs. Les structures principales associées à ces régions sont les lobes frontaux, les lobes temporaux et l'hippocampe.

QUESTIONS DE RÉVISION

1. La perte de mémoire consécutive à une lésion cérébrale ou à un traumatisme psychologique est appelée _____.

2. Qu'est-ce que la maladie d'Alzheimer ? Quelles sont ses causes présumées ?

Les réponses aux questions de révision se trouvent en annexe.

MÉMOIRES REMARQUABLES

Certaines personnes sont capables de se remémorer des choses de manière tellement précise qu'on dit qu'ils possèdent une « mémoire photographique ». Le nom scientifique pour cette faculté est l'imagerie eidétique. Les gens qui en sont dotés peuvent visualiser un objet de façon si détaillée que cela semble être une photographie (Klatzky, 1984; Neisser, 1982). Ils peuvent vous dire qu'un fait spécifique se trouve à la quatorzième ligne de la vingtième page d'un livre qu'ils ont lu et citer le texte exact d'un paragraphe. Élizabeth, une enseignante de l'université de Harvard, peut lire un poème dans une langue étrangère puis, des années plus tard, repêcher dans sa mémoire l'image de la page sur laquelle le poème était écrit et le recopier d'un bout à l'autre aussi vite qu'elle est capable d'écrire.

Vous souhaiteriez peut-être être doté de cette faculté d'imagerie eidétique, mais en fait, cela peut être réellement nuisible. Alexander Luria (1968) a étudié le cas d'un journaliste russe qui possédait une imagerie eidétique lui permettant de reproduire parfaitement une formule complexe 15 ans après l'avoir mémorisée, mais qui éprouvait de grandes difficultés à discriminer les détails importants de ceux qui l'étaient moins. Pour lui, lire pouvait être une véritable épreuve lorsque, au fil de sa lecture, les images visuelles d'expériences précédentes s'accumulaient dans son esprit.

La mémoire photographique est une aptitude rare qui semble faire fi des limites de rappel imposées par la mémoire à court terme. Plutôt que d'utiliser un processus de sélection concentré sur les aspects les plus importants de l'information traitée, la personne qui possède une mémoire photographique emmagasine sans discrimination toutes les informations.

AMÉLIORATION DE LA MÉMOIRE : UTILISATION DE PROCÉDÉS MNÉMOTECHNIQUES

Il est impossible d'acquérir une mémoire photographique, mais la plupart des gens peuvent considérablement améliorer leurs capacités mémorielles en étudiant les processus mnémoniques et en les mettant en pratique.

▲ *Les gens peuvent-ils réellement améliorer leur mémoire ?*

Imagerie eidétique : Capacité à se rappeler de souvenirs – particulièrement des souvenirs visuels – en les visualisant de façon très claire; mémoire photographique.

▲ *Peut-on vraiment développer sa mémoire ?*

Procédés mnémotechniques : Stratégies qui consistent à associer l'information à mémoriser à des images mentales ou à des mots.

Vous servez-vous du mot *batterie* pour vous rappeler que *bâbord* et *tribord* désignent respectivement le côté gauche et le côté droit d'un navire ? Si oui, vous utilisez un procédé mnémotechnique, c'est-à-dire une stratégie qui consiste à associer l'information à des images mentales ou à des mots de façon à en faciliter la mémorisation (Glass et Holyoak, 1986). La méthode des lieux, la méthode des mots inducteurs (Bellezza, 1982; Roediger, 1980) et la méthode de la décomposition de mots sont trois procédés mnémotechniques fondés sur la visualisation. Une quatrième méthode, celle des associations verbales, repose, comme son nom l'indique, sur des correspondances entre des mots.

La méthode des lieux

Méthode des lieux : Procédé mnémotechnique qui consiste à associer les idées à retenir à des endroits connus.

La méthode des lieux a été inventée par les orateurs grecs et romains qui devaient mémoriser de longs discours. Elle consiste à imaginer que chaque élément d'un discours est rattaché à un endroit connu. Par exemple, l'orateur qui traitait de la justice dans l'introduction de son discours imaginait un tribunal situé à l'entrée de son jardin. Déambulant en esprit dans son jardin, l'orateur rencontrait ensuite, dans le bon ordre, chacune des idées qu'il désirait développer.

Dans une recherche, des étudiants ont associé les 40 éléments d'une liste à autant de parties du campus de leur collège. Tout de suite après avoir utilisé la méthode, les étudiants se rappelaient 38 éléments en moyenne. Le lendemain, ils se re-mémoraient encore une moyenne de 34 éléments (Ross et Lawrence, 1968).

À vous les commandes

La méthode des lieux vous aidera à vous rappeler des éléments dans un ordre précis. Visualisez d'abord les endroits que vous rencontrez successivement en marchant dans votre maison. Formez-vous ensuite une image mentale du premier élément de votre liste et placez-le en pensée au premier endroit rencontré. Faites de même pour chaque élément. Pour vous souvenir de votre liste, vous n'aurez qu'à imaginer que vous parcourez votre maison. ■

La méthode des mots inducteurs

Méthode des mots inducteurs : Procédé mnémotechnique qui consiste à associer les éléments à retenir à des mots évoquant les nombres.

Pour utiliser la deuxième stratégie de visualisation, la méthode des mots inducteurs, vous devez faire correspondre un mot à chacun des nombres de 1 à 10. Choisissez des mots qui désignent des objets faciles à visualiser et dont la consonance rappelle celle des nombres, par exemple :

un, parfum	six, saucisse
deux, feu	sept, chaussette
trois, roi	huit, huître
quatre, patate	neuf, œuf
cinq, singe	dix, disque.

Reproduit avec la permission de North America Syndicate.

Une fois que vous pourrez visualiser les objets à l'évocation des chiffres, vous pourrez leur raccrocher les éléments de n'importe quelle liste. Supposons que vous voulez mémoriser une liste d'épicerie où figurent du lait, du beurre, du pain et des œufs. Imaginez du lait contenu dans une bouteille de parfum, du beurre qui fond sur le feu, un roi qui mange une tranche de pain et des patates dans une boîte d'œufs. La méthode des mots inducteurs vous permet de vous rappeler toute la liste dans l'ordre ou de trouver un élément d'après son rang. Pour trouver le troisième élément de votre liste d'épicerie, par exemple, vous n'avez qu'à vous rappeler l'image rattachée au mot *roi* (Bransford, 1979).

La méthode de la décomposition de mots

Pour mémoriser les termes désignant des objets impossibles à visualiser, comme *acétylcholine* et *dopamine*, vous pouvez employer la méthode de la décomposition de mots (Lorayne, 1985; Lorayne et Lucas, 1974). Cette stratégie consiste à décomposer le terme à mémoriser en mots faciles à visualiser. Par exemple, vous pouvez décomposer le mot *acétylcholine* en *as*, *sept*, *île* et *colline*. Essayez de décomposer le mot *dopamine* (*dos*, *pas*, *mine*). Avec un peu d'exercice, vous trouverez des images aussi amusantes que mémorables.

Méthode de la décomposition de mots : Procédé mnémotechnique qui consiste à décomposer un terme à retenir en mots désignant des objets faciles à visualiser.

La méthode des associations verbales

La méthode des associations verbales consiste à associer à des mots les éléments à retenir. Supposons par exemple que les membres de votre équipe de travaux pratiques se prénomment Carole, Émilie, Georges, Éric et Pierre. Pour vous rappeler ces noms, vous pouvez former l'acronyme *cégep* avec leurs lettres initiales. De même, pour retenir les chiffres du nombre *pi* (π) jusqu'à la dixième décimale, vous pouvez penser à la phrase « Que j'aime à faire apprendre ce nombre utile aux sages. » Le nombre de lettres de chaque mot correspond à un chiffre de pi (3,1415926535).

Méthode des associations verbales : Procédé mnémotechnique qui consiste à associer à des mots les éléments à retenir ou à relier ceux-ci sous forme d'histoire.

La méthode des associations verbales consiste aussi à inventer une histoire où les éléments à retenir se trouvent reliés. Si, par exemple, vous désirez vous rappeler les mots *autruche*, *autobus*, *vent*, *trottoir* et *café*, racontez-vous l'histoire suivante : « L'*autruche* est le premier animal du jardin zoologique que nous avons aperçu de l'*autobus*. Après la promenade, le *vent* était si frais que nous avons cherché sur le *trottoir* une terrasse où prendre un *café*. » Une recherche a montré que les sujets utilisant cette méthode se sont rappelé six fois plus d'éléments que les sujets qui avaient mémorisé la liste en se la répétant (Loftus, 1980).

À vous les commandes

Tout le monde peut développer sa mémoire. Le secret est d'y mettre un peu d'effort. Choisissez une stratégie qui vous convient et exercez-vous. Plus vous travaillerez, plus votre mémoire s'améliorera. Vous pourrez mémoriser les noms des gens que vous rencontrerez ou le contenu de vos manuels si vous vous appliquez et si vous utilisez les techniques présentées dans le chapitre. Voici, en résumé, ce que vous pouvez tirer du chapitre pour améliorer votre mémoire.

- Quand vous apprenez une donnée, prenez le temps de l'associer à ce que vous savez déjà. Vous pourrez ainsi la récupérer facilement.
- Si vous voulez vraiment vous rappeler une chose, vous devez y prêter attention. En classe, par conséquent, asseyez-vous loin des étudiants susceptibles de vous déranger. Quand vous étudiez, installez-vous dans un endroit où vous ne serez pas distrait.
- Rappelez-vous que la mémoire à court terme a une durée d'environ 30 secondes et que vous devez employer la répétition pour y conserver une information.
- Comme la capacité de la mémoire à court terme est d'environ sept éléments, assemblez les données en sept groupes.
- Efforcez-vous de comprendre vraiment la signification des choses que vous désirez vous rappeler.

- Dormez suffisamment, et ce pour deux raisons. Premièrement, nous ne retenons pas l'information convenablement quand nous sommes somnolents. Deuxièmement, le traitement et le stockage de l'information s'effectuent pendant le sommeil.

- Méfiez-vous de la mémorisation en série. Lorsque vous étudiez, repassez plutôt la matière en commençant votre récapitulation à différents endroits, tantôt à la seconde section, tantôt à la quatrième, par exemple. Commencez au milieu quand vous mémorisez une liste.

- Répartissez vos heures d'étude; évitez les séances d'étude intensive de dernière minute.

- Exploitez votre système de double codage et faites des associations visuelles et verbales. Vous saurez sûrement inventer vos propres procédés mnémotechniques. Voici néanmoins quelques conseils relatifs à l'utilisation de ceux que nous avons présentés. Utilisez :
  - la méthode des lieux pour mémoriser les idées d'un récit ou d'un discours;
  - la méthode des mots inducteurs pour mémoriser des listes;
  - la méthode de la décomposition de mots pour mémoriser des termes inusités ou des noms de personnes;
  - la méthode des associations verbales pour mémoriser dans l'ordre tous les éléments d'une liste. ■

RÉSUMÉ

Mémoires remarquables

Les personnes dotées d'une imagerie eidétique, ou mémoire photographique, sont capables de repêcher une image visuelle détaillée dans leur mémoire à long terme. La plupart des gens peuvent grandement améliorer leur faculté de récupération en utilisant plus efficacement les processus mnémoniques.

Les stratégies les plus efficaces pour éviter les oublis sont les procédés mnémotechniques, qui organisent ou classifient l'information sous forme visuelle ou verbale. Ces procédés comprennent la méthode des lieux, la méthode des mots inducteurs et la méthode des associations verbales.

QUESTIONS DE RÉVISION

1. Les stratégies qui consistent à associer l'information à mémoriser avec des images mentales ou des mots sont appelées _____.

2. Nommez le procédé mnémotechnique décrit dans chacun des exemples suivants.

   a) Pour vous rappeler les articles à apporter à une réunion, vous les associez aux éléments d'une série déjà apprise. _____

   b) Pour vous rappeler un exposé, vous visualisez chacune des idées qu'il comporte et l'associez à une partie de la salle de cours. _____

   c) Pour vous rappeler les courses que vous devez faire, vous composez les rimes suivantes : « Au marché en premier, les journaux secundo, le nettoyeur tout à l'heure, l'essence si j'y pense. » _____

   d) Pour vous rappeler le nom *Vincent Rousseleau*, vous le décomposez en des mots que vous pouvez visualiser : *vingt*, *cent*, *roue*, *sel*, *eau*.
   _____

Les réponses aux questions de révision se trouvent en annexe.

LE CHAPITRE 8 EN UN CLIN D'ŒIL

LES TROIS PALIERS DE LA MÉMOIRE

Mémoire sensorielle

Mémoire sensorielle : maintien éphémère de l'information dans les organes sensoriels.

Mémoire à court terme

Mémoire à court terme : contient les données en cours de traitement; capacité de 7 éléments et durée d'environ 30 secondes. Les procédés de transfert des données entre la mémoire à court terme et la mémoire à long terme influent sur leur récupération.

Le **regroupement** accroît la capacité de la mémoire à court terme.

La **répétition** favorise la rétention.

Système de double codage : codage de l'information sous forme visuelle et verbale.

Mémoire à long terme

Mémoire à long terme : mémoire relativement permanente contenant les informations entreposées en vue d'un usage futur.

Mémoire sémantique : type de mémoire à long terme où sont entreposés les faits (idées, concepts) et les relations qui les unissent.

Mémoire épisodique : type de mémoire à long terme où est entreposée l'information relative aux événements de notre vie.

Récupération : retour du contenu de la mémoire à long terme dans la mémoire à court terme. Deux stratégies de récupération : **reconnaissance** et **rappel**. Les comptes rendus des témoins oculaires laissent penser que les souvenirs peuvent être modifiés. Les gens peuvent avoir des **souvenirs fictifs** mais aussi des **souvenirs refoulés** qui remontent à la surface. Il est cependant presque impossible de les distinguer.

LE PROBLÈME DE L'OUBLI

La recherche sur l'oubli

- **Effet de position sérielle :** il est plus facile de se souvenir des éléments placés au début et à la fin d'une liste que des éléments situés au milieu.

- L'**apprentissage échelonné** (séances d'étude entrecoupées de périodes de repos) favorise la rétention.

- L'**apprentissage massé** (séances d'étude prolongées sans intervalles de repos) nuit à la rétention.

- **Souvenirs liés à l'état physiologique :** le rappel est plus facile lorsqu'il s'effectue dans le même contexte émotionnel que la mémorisation.

Les théories sur l'oubli

1. **Théorie de l'interférence :** l'oubli est dû à l'interférence proactive ou à l'interférence rétroactive. **Interférence proactive :** mécanisme par lequel un apprentissage ancien fait oublier un apprentissage récent. **Interférence rétroactive :** mécanisme par lequel un apprentissage récent fait oublier un apprentissage antérieur.

2. **Théorie du déclin :** la trace mnésique se détériore avec le temps.

3. **Théorie de l'oubli motivé :** nous oublions les événements douloureux, angoissants ou embarrassants.

4. **Théorie de l'entrave à la récupération :** l'oubli est une perturbation de la récupération et non du stockage de l'information.

LA BIOLOGIE DE LA MÉMOIRE

Théories

Modifications dans le cerveau
Potentialisation à long terme : processus par lequel les souvenirs de la mémoire à court terme deviennent des souvenirs de la mémoire à long terme après une stimulation répétée de la synapse, ce qui mène à des modifications chimiques et structurales dans les dendrites du neurone récepteur. Ces modifications entraînent une augmentation de la sensibilité du neurone à la stimulation.

L'amnésie

1. **Amnésie :** perte de la mémoire consécutive à une lésion cérébrale ou à un traumatisme psychologique.
   - *Amnésie rétrograde :* incapacité de se rappeler les événements antérieurs à un traumatisme.
   - *Amnésie antérograde :* incapacité de former de nouveaux souvenirs.

2. Les tumeurs cérébrales, les accidents vasculaires cérébraux, les interventions chirurgicales, l'alcoolisme et les traumatismes (consécutifs à la pratique de la boxe par exemple) peuvent provoquer des troubles de la mémoire.

3. **Maladie d'Alzheimer :** détérioration progressive des facultés mentales touchant principalement les personnes âgées et se caractérisant par des pertes de mémoire graves. Les causes possibles sont des facteurs génétiques, un virus lent et l'accumulation de protéine amyloïde dans le tissu cérébral.

AMÉLIORATION DE LA MÉMOIRE

Les **procédés mnémotechniques** consistent à associer l'information à des images mentales ou à des mots afin de faciliter la mémorisation.

Exemples : méthodes des **lieux**, des **mots inducteurs**, de la **décomposition de mots** et des **associations verbales**.

La pensée et l'intelligence

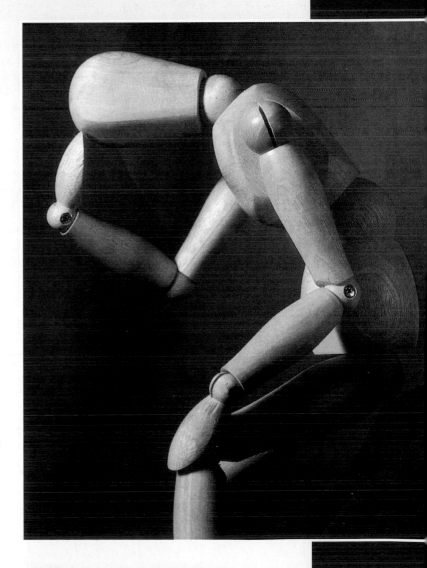

OBJECTIFS

Au fil de votre lecture, gardez à l'esprit les questions guides suivantes et tentez d'y répondre dans vos propres mots.

▲ Qu'est-ce que la pensée et comment pensons-nous et formons-nous des concepts ?

▲ Comment parvenons-nous à résoudre des problèmes et à avoir une pensée créatrice ?

▲ Qu'est-ce que l'intelligence et comment pouvons-nous la mesurer ?

« Eh, Dave, j'ai un rapport pour toi.

— Qu'est-ce que ça dit ?

— Nous avons une autre unité AE-35 en mauvais état. Mon prédicteur de défaillances indique qu'elle tombera en panne d'ici vingt-quatre heures. »

Bowman pose son livre et fixe la console de l'ordinateur d'un air songeur. Il sait, bien sûr, que Hal n'est pas vraiment *là*, peu importe le sens que l'on donne à ce mot. Comment dire d'un ordinateur qu'il est *là* sans évoquer la pièce hermétiquement fermée où se trouve un véritable labyrinthe d'unités de stockage interconnectées et de grilles de traitement des données; il est *là*, près de l'axe principal du carrousel. Obéissant à une sorte de compulsion psychologique, chacun est porté à fixer les lentilles de la console principale en s'adressant à Hal sur le plateau de contrôle, comme s'il s'agissait d'un échange face à face. Toute autre attitude aurait pu paraître impolie.

« Je ne comprends pas, Hal. Il est impossible que *deux* unités sautent en deux jours.

— Cela semble étrange, Dave. Mais je t'assure qu'une défaillance est imminente...

— As-tu une idée de ce qui peut causer le problème ? »

Contrairement à son habitude, Hal hésite longuement avant de répondre :

« Pas vraiment, Dave. Comme je l'ai signalé tout à l'heure, je ne parviens pas à localiser le problème.

— Es-tu certain de ne pas avoir fait une erreur ? demande Bowman avec circonspection. Tout le monde peut faire des erreurs.

— Je ne veux pas insister, Dave, mais je suis incapable de faire des erreurs.

— Très bien, Hal, s'empresse d'ajouter Dave. Je comprends ton point de vue. Restons-en là. »

Il a le goût d'ajouter « et oublie donc toute cette histoire. » Mais, bien entendu, c'est une chose que Hal ne pourrait jamais faire.

Arthur C. Clarke, 2001 l'odyssée de l'espace.

Dans cet extrait du roman *2001 l'odyssée de l'espace* (inspiré du film portant le même titre), Dave Bowman, astronaute à bord du vaisseau spatial *Discovery*, s'adresse à Hal, le cerveau ordinateur du vaisseau, qui dirige également la mission. L'extrait est représentatif du film, au cours duquel les spectateurs ne peuvent chasser l'impression que Hal, l'ordinateur, est un être humain qui pense et qui est intelligent. Dans ce court dialogue, Bowman semble vraiment s'adresser à une autre personne, et non à un ordinateur. Qu'y a-t-il dans l'attitude de Hal qui nous porte à l'assimiler à un être humain ?

L'astronaute Dave Bowman en conversation avec l'ordinateur Hal.

L'une des premières qualités humaines que nous relevons chez Hal est sa capacité de converser tout naturellement. Non seulement il parle, mais encore il utilise le langage de manière spontanée et avec précision. Il écoute Dave, décode ce qu'il entend, puis répond correctement. Hal possède également d'autres qualités humaines. Il prend le temps d'analyser ce qui cause la défaillance de l'unité AE-35. Il raisonne patiemment avec Dave. Il sait même comment résoudre des problèmes. Hal détecte une défectuosité dans son unité de calcul et sait qu'il sera débranché si on le découvre. Sa solution ? Éliminer les membres de l'équipage, subtilement et systématiquement.

Ces caractéristiques humaines que nous observons chez Hal — langage, traitement de l'information, raisonnement, résolution de problèmes — sont appelées des habiletés cognitives. La cognition consiste en un processus d'« acquisition de connaissances » au moyen de la faculté de sentir, de percevoir, d'apprendre, de se rappeler et de penser. Bref, nos habiletés cognitives nous permettent de connaître le monde et de nous y adapter.

La plupart des psychologues abordent l'étude de la cognition à l'aide de l'une ou l'autre des deux approches suivantes (Best, 1992). La première est l'approche du traitement de l'information; la seconde est l'approche connexionniste. L'approche du traitement de l'information s'appuie sur des modèles abstraits de la cognition humaine sans chercher à démontrer directement comment le cerveau fonctionne. L'un de ces modèles est celui de la mémoire à trois phases décrit par Atkinson et Shiffrin en 1968. Selon ce modèle, l'information est captée par une chaîne sensorielle, puis traitée dans la mémoire immédiate ou encore emmagasinée dans la mémoire à long terme (ce modèle est expliqué de manière détaillée au chapitre 8). La plupart des modèles de traitement de l'information supposent l'existence d'une unité centrale de traitement commandant l'ensemble du processus cognitif. (Ce poste de commande aurait son siège dans le cerveau, mais son emplacement exact n'est pas déterminé.) Pour sa part, l'approche connexionniste tente de décrire les processus cognitifs en s'intéressant tout particulièrement à l'activité neurale à l'intérieur du cerveau. Les connexionnistes élaborent des modèles mathématiques de la pensée humaine, que l'on pourrait comparer à des systèmes interconnectés de cellules nerveuses. Le connexionnisme est également connu sous le nom de *réseau neuronal distribué*.

Il existe deux grandes différences entre ces approches. Premièrement, l'approche du traitement de l'information est abstraite, tandis que le connexionnisme est très concret et se fonde sur les structures anatomiques. Dans le modèle du traitement de l'information, on n'attribue pas à une structure particulière du cerveau la responsabilité de la mémoire temporaire de travail, on se contente d'affirmer que le cerveau fonctionne comme s'il était doté d'une telle mémoire. Les connexionnistes proposent des modèles de cognition qui fonctionnent exactement comme le cerveau et tentent de démontrer que ce dernier est capable d'effectuer les calculs qu'exigent ces modèles.

La deuxième différence importante entre les deux approches a trait à la manière dont l'information est traitée. Le modèle du traitement de l'information présume fondamentalement que la majorité des informations sont traitées l'une après l'autre, *en série*. Le modèle connexionniste soutient que pour être en mesure d'analyser et de traiter la quantité énorme de données dont il est bombardé à chaque instant, le cerveau doit effectuer de multiples opérations à la fois, *en simultanéité*. Un exemple simple suffit à comprendre la différence entre le traitement en série et le traitement en simultanéité. Supposons que vous devez sortir le plus rapidement possible d'un musée en feu les 1000 plus importantes œuvres d'art qui s'y trouvent. Vous pouvez former une seule rangée de personnes qui se passeront de l'une à l'autre les œuvres d'art jusqu'à la sortie du musée. Mais vous pouvez aussi former dix rangées de personnes qui achemineront ces œuvres de la même manière vers dix sorties différentes. Dans le premier cas, vous optez pour un traitement en série des œuvres d'art. Dans le second, vous disposez de dix rangées de personnes qui travaillent en parallèle ou en simultanéité. Il est évidemment plus rapide de sortir dix œuvres à la fois que de les sortir une par une. Les connexionnistes soutiennent que l'information circule tellement lentement dans le cerveau, comme on l'a vu au chapitre 3, que le traitement des nombreuses données recueillies doit nécessairement s'effectuer en simultanéité. Pour résoudre un problème complexe dans un délai raisonnable, le cerveau est forcé d'examiner de nombreux aspects de ce problème en même temps.

Ces deux modèles de cognition ont leurs avantages et leurs inconvénients. Dans l'état actuel des connaissances, il est encore difficile de savoir lequel des deux

Cognition : Ensemble des activités mentales que nécessitent l'acquisition, le stockage, la récupération et l'utilisation des connaissances. Ces activités comprennent notamment des processus cognitifs tels que la perception, l'apprentissage, la mémoire, le langage et la pensée.

Approche du traitement de l'information : Étude de la cognition à l'aide de modèles abstraits décrivant comment le cerveau reçoit de l'information sensorielle en série, pour ensuite la traiter, l'emmagasiner, puis la récupérer au besoin.

Approche connexionniste : Étude de la cognition à l'aide de modèles mathématiques reproduisant les systèmes interconnectés de neurones dans le cerveau afin de montrer que le cerveau travaille en simultanéité pour la réception, le traitement, le stockage et la récupération de l'information.

décrit le mieux les processus cognitifs. Peut-être chacun permet-il de décrire différents types de pensées.

Dans le présent chapitre, nous examinerons les habiletés cognitives associées à la pensée. Vous apprendrez que nous pensons à la fois en images et en mots. Vous découvrirez comment se forment les concepts et pourquoi ils sont importants. Nous vous ferons traverser les étapes que parcourent habituellement les gens pour résoudre des problèmes. Enfin, vous constaterez non seulement que les psychologues ne s'entendent pas sur la façon de mesurer l'intelligence, mais aussi qu'ils ne parviennent même pas à s'accorder sur la définition de celle-ci.

LA PENSÉE

▲ *Qu'est-ce que la pensée et comment pensons-nous et formons-nous des concepts ?*

Pensée : Utilisation de connaissances qui ont été réunies et traitées; manipulation mentale de concepts et d'images permettant d'exécuter des activités mentales telles que le raisonnement, la résolution de problèmes, l'utilisation et la compréhension du langage, et la prise de décisions.

Selon la psychologie cognitive, nous parvenons à apprendre des choses en réunissant, en traitant et en emmagasinant des informations. Ce savoir nous vient par la sensation, par l'apprentissage et la mémoire, et par la pensée. L'exercice de la pensée suppose que nous agissons mentalement sur les informations que nous avons senties, perçues, apprises et emmagasinées.

Que voulez-vous dire lorsque vous affirmez que nous agissons mentalement sur l'information recueillie ? Imaginons un instant que vous êtes Dave Bowman et que, bouleversé par la mort de vos compagnons astronautes, vous vous enfermez avec un collègue dans une cabine que vous supposez hors d'écoute des organes auditifs de Hal. (Malheureusement, vous ne savez pas que Hal possède des yeux qui lui permettent de lire sur les lèvres.) En discutant de la mort des astronautes et des autres problèmes liés à l'ordinateur, vous vous formez une image mentale de la console de l'ordinateur de Hal; vous imaginez les innombrables fils, les puces et autre matériel électronique qui composent Hal. Vous vous remémorez des événements étranges et des bribes de conversations que vous avez entendues au cours des derniers jours, et vous commencez à faire des liens entre tous ces éléments. Vous remontez la succession des problèmes jusqu'à Hal. Vous discutez des solutions possibles et prenez finalement une décision : débrancher la source des problèmes.

Que venez-vous de faire ? Vous venez de penser. Vous avez utilisé de l'information antérieurement recueillie et stockée, et vous avez agi mentalement sur cette information en vous formant des idées, en raisonnant, en résolvant des problèmes, en dégageant des conclusions, en prenant des décisions, en exprimant vos pensées et en comprenant celles exprimées par les autres. La pensée met en œuvre différentes opérations mentales. Nous en examinerons quelques-unes, à savoir l'imagerie mentale, la formation des concepts, la résolution de problèmes et la créativité. Mais avant d'aborder ces sujets, nous devons d'abord nous poser une question plus large : *comment* pensons-nous ? Quels moyens utilisons-nous pour codifier l'information reçue de façon à pouvoir ensuite nous en servir pour penser ?

COMMENT PENSONS-NOUS ? LES IMAGES ET LES MOTS

Réfléchissez à ces deux phrases très différentes l'une de l'autre :

1. L'hippopotame bleu bulbeux, empestant la saumure de poisson en putréfaction, entre dans la pièce en se dandinant et s'affaisse sur le plancher en faisant ploc, l'air repu.
2. Tous les êtres humains naissent libres et égaux en dignité et en droits. (*Déclaration universelle des droits de l'homme.*)

Après avoir lu la première phrase, pouviez-vous « voir » l'hippopotame qui traversait la pièce ? Étiez-vous presque dégoûté par l'odeur de poisson ? Pouviez-vous « sentir » les vibrations du plancher au passage de l'hippopotame ? Qu'en est-il de la deuxième phrase ? Pouviez-vous « voir » l'égalité en dignité et en droits ? *Comment* nous représentons-nous l'information dans nos esprits ? Pensons-nous en images ? La phrase au sujet de l'hippopotame nous incite à répondre que oui. Mais la plupart d'entre nous n'avons probablement eu aucune image mentale en lisant la phrase évoquant les concepts abstraits que sont le droit à la liberté et à l'égalité, et pourtant nous avons compris ce qu'elle exprimait.

La manière dont l'information est représentée dans nos esprits suscite une certaine controverse. Certains spécialistes affirment que nous transformons l'information reçue au sujet d'objets et d'événements réels en représentations mentales de ces objets et événements. Lorsque nous pensons, nous manipulons mentalement ces images mentales. D'autres croient plutôt que nous transformons l'information captée en descriptions verbales appelées *propositions* et que des images mentales sont parfois récupérées dans la mémoire pour être ajoutées aux propositions (Pylyshyn, 1979).

La proposition se définit comme la plus petite unité de connaissance pouvant être reconnue comme vraie ou fausse. Même si les propositions sont des événements cognitifs abstraits, la plupart des théories propositionnelles les décrivent comme de courtes phrases du genre « Bouchard est premier ministre ». John Anderson (1978, 1983) a proposé une théorie appelée contrôle adaptatif de la pensée et reposant sur les propositions. Anderson conçoit les propositions comme les nœuds d'un filet dont tous les brins conduisent à des propositions. De telle sorte que toutes les opérations de la pensée sont en fait des propositions ou des combinaisons de propositions. Réunissant les concepts d'image mentale et d'image verbale (proposition), Allan Paivio (1971, 1991) a élaboré une théorie du traitement cognitif appelée hypothèse de la double codification.

Images mentales : Représentations mentales d'objets et d'événements qui ne sont pas physiquement présents. Ces images entrent en œuvre dans les processus de pensée visant à résoudre des problèmes, à exprimer des idées, etc.

L'hypothèse de la double codification

Selon l'hypothèse de la double codification, l'information est codifiée à la fois à l'aide d'un système d'imagerie et d'un système verbal, fonctionnant indépendamment l'un de l'autre. Nous avons recours aux images pour traiter les objets réels et concrets, tels que les hippopotames bleus et la *Mona Lisa*. Nous utilisons le système verbal pour des éléments plus abstraits tels que les mots et les concepts, parlés ou écrits, par exemple la liberté. Le système de l'imagerie se spécialise donc dans le traitement de l'information concernant des objets et des événements non verbaux, tandis que le système verbal se spécialise dans le traitement de l'information linguistique et l'élaboration du discours (Paivio, 1991).

Hypothèse de la double codification : Théorie voulant que l'information soit encodée dans deux systèmes distincts mais reliés : le système de l'imagerie, pour les objets concrets et les images, et le système verbal, pour les idées abstraites et les mots, parlés et écrits.

Jusqu'à un certain point, les deux systèmes sont interconnectés, comme en témoigne le fait que nous pouvons transformer une information verbale telle que la description d'un hambourgeois tendre qui grésille sur le gril en une image mentale visuelle, tactile, olfactive, gustative ou auditive. Inversement, lorsque nous nous formons une image mentale du hambourgeois tendre, nous pouvons recourir à notre système verbal pour en retrouver le nom afin de passer une commande à notre restaurant favori. Ces dernières années, de nombreuses recherches ont porté sur l'imagerie mentale; certaines d'entre elles ont conduit à des découvertes intéressantes, comme nous pourrons le constater dans la section qui suit.

L'imagerie mentale

L'un des plus éminents chercheurs en imagerie mentale, Stephen Kosslyn, écrivait : « Lorsque nous avons une image mentale visuelle, nous avons l'impression de "voir", mais de voir avec les yeux de l'esprit plutôt qu'avec nos vrais yeux » (Kosslyn, 1987, p. 149). De même, nous pouvons entendre avec les « oreilles » de notre esprit, sentir avec le « nez de notre esprit », et ainsi de suite pour chacun de nos sens. Dans une enquête menée auprès de 500 adultes, McKellar (1972) a découvert que la plupart des gens faisaient l'expérience non seulement de l'imagerie visuelle et auditive, mais également de l'imagerie tactile, motrice, gustative et olfactive. Gonzales, Campos et Perez (1977) ont montré que l'imagerie mentale est liée à la pensée créatrice. Bon nombre des recherches sur l'imagerie ont démontré la ressemblance entre les objets physiques réels et leurs représentations mentales. Dans une étude célèbre, Shepard et Metzler (1971) ont mesuré le temps que les sujets prenaient pour déterminer si des paires de figures étaient identiques ou différentes.

À vous les commandes

Quelques-unes des figures utilisées par Metzler et Shepard apparaissent ci-après. À l'aide d'une montre munie d'une trotteuse, calculez le temps qu'il vous faut pour déterminer si, dans chacune des paires, les figures sont identiques ou non. Quelle paire a été la plus longue à évaluer ?

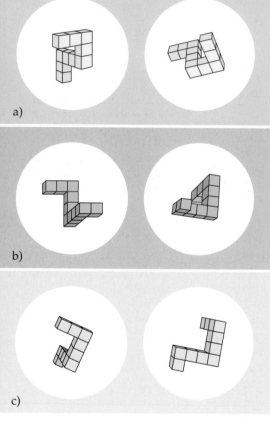

a)

b)

c)

Ce devrait être la paire c). Voici pourquoi. Avant de pouvoir juger si les deux objets d'une paire sont identiques, vous devez mentalement faire pivoter l'un d'entre eux, puis comparer l'image ainsi obtenue avec l'autre objet. Shepard et Metzler ont constaté que l'angle de la rotation imposé à l'objet déterminait fortement le temps nécessaire pour prendre la décision. Par conséquent, lorsque nous faisons mentalement pivoter un objet de 20 degrés seulement, nous avons besoin de moins de temps pour le comparer avec un autre que lorsque cette rotation atteint, par exemple, 150 degrés. Cette constatation vaut également pour les objets réels. Le demi-tour est forcément plus court que le tour complet.

D'autres études ont révélé l'existence d'une correspondance entre nos perceptions réelles et nos images mentales. Tout comme un éléphant réel est plus gros qu'un lapin réel, l'image mentale d'un éléphant est plus grosse que celle d'un lapin. Qui plus est, les détails de l'anatomie d'un éléphant sont plus faciles à voir si l'image que nous en avons est plus grosse (Kosslyn, 1975). La taille des objets que nous voyons avec les yeux de notre esprit demeure constante, tout comme d'ailleurs leur forme, tel le contour d'un pays ou d'une province (Shepard et Chipman, 1970). ■

Les images mentales facilitent la pensée. Ainsi, si vous pensez à un chien, vous en voyez presque inévitablement un dans votre esprit. Une bonne partie de nos pensées sont constituées d'images mentales. Souvent, nous résolvons des problèmes en manipulant mentalement des images de la situation problématique. Parfois, c'est en nous forgeant des images mentales de questions difficiles que nous devenons le plus créatifs. En fait, Albert Einstein a affirmé qu'il a pensé pour la première fois à la théorie de la relativité lorsqu'il a visualisé un rayon de lumière et s'est imaginé en train de le poursuivre à sa propre vitesse.

L'imagerie mentale, nous l'avons vu au chapitre 8, est également une aide précieuse pour la mémoire. Recensant les écrits sur cette question, Paivio (1991) affirme qu'il est plus facile de se rappeler de l'information chargée d'images que de l'information plus abstraite. Dans une étude comparant différentes techniques de mémorisation, Richardson (1978) est parvenu à la conclusion que l'imagerie mentale était plus efficace que toutes les autres techniques de mémorisation étudiées. Donc, si vous prenez le temps de vous forger des images mentales de la matière que vous étudiez, vous aurez de meilleures chances de la retenir. À cette constatation s'ajoute également une réalité découverte par les écrivains, à savoir qu'en décrivant des objets, ils créent des images dans l'esprit du lecteur et peuvent ainsi non seulement mieux capter leur intérêt, mais aussi faciliter la compréhension du texte. On a même constaté que les gens ont plus de facilité à se familiariser avec de nouveaux concepts lorsqu'ils reçoivent la directive de recourir à l'imagerie mentale pour les apprendre (Katz et Paivio, 1975). Voilà qui est fort intéressant dans la mesure où les processus cognitifs dépendent de notre capacité de concevoir.

LES CONCEPTS : COMMENT NOUS ORGANISONS NOS CONNAISSANCES

Imaginez que vous êtes soudainement transporté dans un pays exotique quelque part dans l'hémisphère oriental. Les gens sont gentils, mais vous avez beaucoup de difficulté à communiquer avec eux parce que leur langue est complètement différente de la vôtre. Vous êtes entouré d'objets et d'artefacts inhabituels, et parfois bizarres. Comment allez-vous vous débrouiller dans cet environnement inconnu ? Pendant quelques jours, vous êtes totalement désorienté, mais après une seule semaine, vous constatez que vous avez appris le nom et l'utilité d'un grand nombre d'objets courants ainsi que les noms de certains animaux. Comment est-ce possible ? Comment avez-vous pu vous adapter aussi rapidement ?

La raison fondamentale de la rapidité de vos progrès dans l'apprentissage de cette culture étrangère, c'est que vous êtes capable de former et d'utiliser des concepts. Lorsque nous voyons un objet inconnu ou vivons une situation nouvelle, nous les rattachons à notre structure conceptuelle existante et les plaçons dans les catégories qui leur conviennent. Dans ce pays étranger, si vous voyez quelqu'un souffler dans un objet allongé ressemblant à un tuyau dont il sort des sons bizarres, vous classerez probablement le tuyau en question dans la catégorie des instruments musicaux, dont il possède les caractéristiques.

Lorsque nous formons des concepts, nous regroupons mentalement dans une même catégorie les objets ou les événements possédant des caractéristiques ou des attributs semblables. Les attributs des concepts sont reliés entre eux selon des règles précises. L'une de ces règles est celle de la *conjonction* (Haygood et Bourne, 1965), qui consiste à relier des attributs à l'aide du mot *et*. Une personne peut par exemple concevoir ainsi un livre pour enfants : « un livre qui contient des mots faciles à lire *et* des images ». Légèrement différente, la règle de la *disjonction* consiste à relier les attributs d'un concept à l'aide du mot *ou*. Ainsi, une autre personne peut avoir la conception suivante d'un livre pour enfants : « un livre qui contient des mots faciles à lire *ou* des images ». Nous avons tendance à assimiler plus aisément les concepts formés à l'aide de la règle de la conjonction que ceux formés à l'aide d'autres règles, parce que nous l'utilisons plus souvent dans la vie courante (Bourne, 1974; Best, 1992).

Comment assimilons-nous de nouveaux concepts ? Comme il est impossible d'observer directement la pensée ou la formation de concepts, les psychologues ont dû déployer beaucoup d'ingéniosité pour concevoir des expériences permettant d'étudier ce processus de formation des concepts. Les méthodes utilisées varient d'une étude à l'autre, mais en général les sujets doivent choisir parmi plusieurs objets

Concept : Structure mentale permettant de placer dans une même catégorie les objets dotés de caractéristiques semblables.

Attribut : Caractéristique telle que la couleur, la forme et la taille, qui peut varier d'un stimulus à un autre.

Tous les animaux de cette photo répondent au concept de « chien », sauf un.

celui qui correspond à un concept en particulier. Les différentes recherches effectuées ont abouti à deux théories principales : la *théorie de la vérification des hypothèses* et la *théorie des prototypes*.

Selon la théorie de la vérification des hypothèses, les gens se concentrent sur un ou plusieurs attributs et formulent une *hypothèse*, c'est-à-dire qu'ils essaient de deviner comment l'attribut est rattaché au concept. Ils vérifient ensuite cette hypothèse. Si elle se révèle fausse, ils choisissent une nouvelle hypothèse pouvant intégrer des attributs différents ou semblables, mais à l'aide de règles différentes. L'une des stratégies les plus couramment employées pour vérifier une hypothèse consiste à modifier un attribut à la fois jusqu'à ce qu'on ait trouvé la combinaison d'attributs qui correspond au concept (Bruner, Goodnow et Austin, 1956). D'après Marvin Levine (1975), les gens se constituent un réservoir d'hypothèses. Ils en choisissent une et la vérifient; si cette hypothèse est compatible avec la rétroaction, présente et passée, ils la retiennent. Sinon, ils choisissent, à même leur réservoir, une autre hypothèse conforme à cette rétroaction.

En matière de formation des concepts, une autre théorie courante est celle des prototypes, élaborée par Eleanor Rosch (1973). De l'avis de cette théoricienne, dans la vie, nos concepts sont organisés en prototypes, ou exemples idéaux. Tout prototype est essentiellement une « représentation sommaire » de toutes les choses correspondant à ce concept (Medin, 1989). Lorsque nous sommes mis en présence d'un nouvel élément, nous décidons s'il fait partie d'un concept en particulier en le comparant avec le prototype de ce concept. Ainsi, imaginez que, au cours d'une promenade sur la grève dans votre pays exotique de tout à l'heure, vous tombez sur une petite pièce de métal ronde sur laquelle des symboles sont gravés de chaque côté. Vous allez probablement supposer qu'il s'agit d'une pièce de monnaie quelconque parce qu'elle ressemble à votre prototype du concept de pièce de monnaie.

Prototype : Modèle ou exemple-type pour représenter les éléments appartenant à une catégorie déterminée d'objets.

À vous les commandes

Afin de vous rendre compte de la façon dont se forment vos concepts, regardez bien les images ci-dessous pour essayer de découvrir, à l'aide des réponses « oui » et « non », ce qu'est un *chapan*. Ce faisant, remarquez comment se forme le concept dans votre esprit et à quelle stratégie vous faites appel. Essayez de noter les règles que vous appliquez pour combiner les attributs, quels attributs semblent importants, et ainsi de suite.

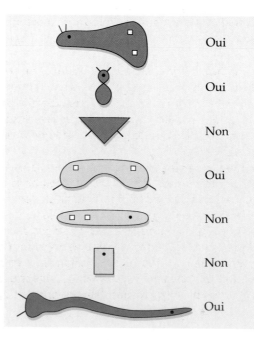

Avez-vous découvert qu'un chapan est une créature à ligne courbe ayant deux antennes ? Ce sont là les deux seuls attributs *pertinents*; tous les autres — la couleur, les points noirs, la forme, etc. — sont des attributs *inutiles*. C'est à l'aide d'activités comme celle-ci que les chercheurs ont découvert un certain nombre d'autres facteurs, outre la pertinence, qui influent sur l'intégration de concepts. En voici quelques-uns :

Le nombre d'attributs. Il est plus facile d'intégrer un concept lorsqu'il n'y a qu'un ou deux attributs pertinents ou seulement quelques attributs inutiles, que lorsqu'il y en a plusieurs.

L'importance des attributs. Il est plus facile d'intégrer un concept si les attributs pertinents sont importants ou évidents.

Les exemples positifs plutôt que négatifs. Si l'on parle aux gens de ce qui *existe*, ils peuvent plus facilement utiliser ces renseignements que si on leur parle de ce qui *n'existe pas*. Même s'il est parfois utile, et même nécessaire, d'établir des caractéristiques négatives, l'apprentissage est généralement plus rapide si les exemples fournis sont positifs. Ainsi, vous découvrirez plus rapidement ce qu'est un chapan si l'on vous dit que cette créature possède un contour ondulé et deux antennes que si l'on vous indique qu'elle n'a ni cornes ni pattes. ■

Sans notre aptitude à former des concepts, il nous serait impossible de penser comme nous pensons. Chaque fois qu'un objet légèrement différent d'un autre nous serait présenté, nous devrions nous renseigner sur lui comme s'il s'agissait d'un objet totalement nouveau. Il nous faudrait alors emmagasiner séparément chaque petit élément d'information et aucun élément ne serait rattaché à un autre. Au fond, nous ne pourrions fonctionner que par instinct, parce que nous serions incapables d'appliquer des apprentissages antérieurs à de nouvelles situations. À vrai dire, en l'absence d'aptitudes conceptuelles, il nous serait pratiquement impossible de manipuler de l'information mentale, c'est-à-dire de raisonner, de prendre des décisions, de comprendre le langage, de communiquer de l'information à d'autres personnes et de résoudre des problèmes.

RÉSUMÉ

La pensée, imagerie et concepts

La cognition est le processus par lequel « nous apprenons des choses ». Ce processus de cueillette et de traitement de l'information comprend, entre autres, la sensation, la perception, l'apprentissage, la mémoire, la pensée et la résolution de problèmes.

La pensée est la manipulation mentale de l'information recueillie et traitée. Cela consiste notamment à créer des images mentales, à former des concepts, à résoudre des problèmes et à utiliser le langage. Les scientifiques ne s'entendent pas sur la façon dont nous pensons, mais les études les plus récentes appuient l'hypothèse d'une double codification faisant simultanément appel à une imagerie mentale et à un système verbal.

Les images mentales sont des représentations mentales des objets et des événements. Les recherches menées dans les domaines de la rotation mentale, de la taille relative et de la forme des objets démontrent l'existence d'une similitude entre les objets réels et les représentations mentales que nous en avons.

Les concepts sont des idées ou des notions que nous avons d'objets ou de situations possédant des caractéristiques semblables appelées attributs. On forme des concepts en reliant entre eux des attributs selon des règles précises et en fonction de leur pertinence et de leur importance. La théorie de la vérification des hypothèses et celle des prototypes sont deux théories s'appliquant à la formation des concepts.

1. Donnez une définition de la cognition.

2. La façon dont nous pensons suscite une certaine controverse, mais la recher-che tend à appuyer _____, selon laquelle l'information est codée à la fois par un système d'imagerie et par un système verbal.

3. Au fur et à mesure que vous vous familiarisez avec la matière du présent manuel, vous devriez prendre le temps de vous forger des _____, parce que la recherche indique qu'il s'agit là de la technique de mémorisa-tion la plus efficace.

4. Au cours de la formation de concepts, notre attention se porte sur la perti-nence, l'importance et le nombre de caractéristiques d'un objet, également appelés _____.

5. Pourquoi l'aptitude à former des concepts est-elle si importante ?

Les réponses aux questions de révision se trouvent en annexe.

▲ *Comment parvenons-nous à résoudre des problèmes et à avoir une pensée créatrice ?*

LA RÉSOLUTION DE PROBLÈMES : PASSER DU PROBLÈME À LA SOLUTION

Il y a plusieurs années, à Montréal, une semi-remorque de douze pieds de hauteur a tenté de passer sous un viaduc n'ayant que onze pieds et demi de hauteur. Comme cela était prévisible, le camion est resté coincé, ne pouvant ni avancer ni reculer, ce qui a provoqué un immense embouteillage. Après avoir passé des heures à tirer et à pousser la semi-remorque, les policiers et les employés des services de transport étaient perplexes. Un jeune garçon, qui passait par là, contempla la scène et leur dit : « Vous pourriez peut-être dégonfler un peu les pneus. » La suggestion était simple et imaginative... et efficace.

Nos vies quotidiennes sont remplies de problèmes et de dilemmes qui n'ont peut-être pas la même envergure que celui-là, mais auxquels nous devons égale-ment trouver des solutions. Décider ce que nous allons manger pour souper ou quelle émission de télévision nous allons regarder constitue un problème. Certains problèmes sont faciles à résoudre; d'autres, comme celui de la semi-remorque coin-cée, n'ont pas de solution aussi évidente. La résolution de problèmes consiste à passer d'un état initial, le problème, à un état final, la solution.

Résolution de problèmes : Série d'opérations mentales que nous ef-fectuons pour atteindre un objectif qui n'est pas immédiatement atteignable.

Comment expliquer que le jeune garçon ait pu trouver, pour dégager la semi-remor-que, une solution à laquelle de nombreux travailleurs « expérimentés » n'avaient pas pensé ? Il semble que nous suivions tous certaines étapes lorsque nous ten-tons de résoudre des problèmes et que parfois nous tombons en panne d'idées, comme ces travailleurs. Les policiers et les autres travailleurs ont probablement essayé de résoudre le problème en ayant recours à des méthodes qui avaient déjà fonctionné avec d'autres camions. Mais le jeune garçon, qui n'avait jamais été aux prises avec des problèmes de ce genre, a abordé la question avec un regard neuf, sans être influencé par des solutions « éprouvées ». Dans cette section du manuel, nous expliquerons les étapes habituellement suivies dans la résolution de problè-mes et examinerons de plus près les obstacles qui parfois nous empêchent de trou-ver les solutions. Nous verrons également comment une période d'incubation d'un problème — qui consiste à le mettre de côté pendant un certain temps pour faire autre chose — peut soudain nous permettre d'entrevoir la solution.

Les étapes de la résolution de problèmes

Les psychologues ont relevé trois étapes dans la résolution de problèmes : la pré-paration, la production et l'évaluation (Bourne, Dominowski et Loftus, 1979). Nous examinerons chacune d'entre elles en les appliquant au problème suivant :

Une femme a aménagé un étang dans son jardin. Elle se rend chez le pépiniériste pour y acheter des nénuphars. Le commis lui dit alors qu'une variété spéciale de nénuphar est en solde. Cette variété a la propriété de doubler chaque jour en nombre. Les grenouilles n'auront pas à sauter d'une feuille à l'autre, elles pourront y marcher. Le commis lui explique aussi qu'avec un seul nénuphar, son étang sera couvert de feuilles en seulement trente jours. Comme les nénuphars sont en solde, la femme en achète deux. En combien de temps les deux plants de nénuphars réussiront-ils à couvrir l'étang de feuilles, étant donné qu'un seul peut le faire en trente jours ?

Prenez un instant pour essayer de résoudre le problème. Notez votre réponse par écrit, puis poursuivez votre lecture. La réponse apparaît dans les pages suivantes.

La préparation

Dans la résolution de problèmes, la première étape est celle de la préparation, qui consiste à préparer le terrain pour trouver une solution efficace. Au cours de cette étape, nous cernons les données disponibles, démêlons les faits pertinents de ceux qui ne le sont pas et précisons le but visé. La résolution d'un problème dépend du soin que nous mettons à examiner les faits importants et à définir l'objectif poursuivi de manière aussi large que possible. L'exemple du camion coincé illustre bien ce dernier élément. Tant que le but était de tirer le camion hors du viaduc, toutes les tentatives sont restées infructueuses. C'est seulement lorsque le petit garçon a formulé dans sa tête l'objectif en termes plus larges, à savoir libérer le camion d'une *manière quelconque,* qu'une solution de rechange efficace s'est imposée.

Voyons maintenant comment l'étape de la préparation peut s'appliquer au problème des feuilles de nénuphar. Nous devons d'abord cerner les données. Quels faits sont pertinents et lesquels peuvent être ignorés ? Faits pertinents : 1) le nombre de feuilles de nénuphar double chaque jour; 2) avec un seul plant, la dame pourra recouvrir son étang en trente jours. Nous devons ensuite préciser le but : déterminer en combien de temps l'étang pourra être recouvert de feuilles de nénuphar si la dame se procure deux plants. Si ce genre de problème vous est déjà familier, cette étape vous semblera probablement facile. Sinon, vous devrez réfléchir un peu plus longtemps.

Préparation : Première étape de la résolution de problèmes, au cours de laquelle les données disponibles sont circonscrites, les faits pertinents distingués des faits non pertinents et le but défini.

La production

Au cours du processus de production, le résolveur de problèmes avance les solutions possibles, également appelées les *hypothèses*. Normalement, plus on formule d'hypothèses, plus on a de chances de résoudre le problème, car on disposera ainsi d'un plus vaste choix de solutions à l'étape de l'évaluation.

Il existe deux manières principales de formuler des hypothèses : les algorithmes et la méthode heuristique. Un algorithme est un ensemble de règles qui, lorsqu'elles sont appropriées au problème, finissent *toujours* par conduire à la solution. Les problèmes de mathématiques illustrent à merveille les algorithmes : pour résoudre le problème 2×10, on peut utiliser l'algorithme $2 + 2 + 2 + 2 + 2 + 2 + 2 + 2 + 2 + 2$. Comme vous pouvez le constater, les algorithmes finissent par mener à la bonne réponse, mais la démarche peut être très longue. Pouvez-vous élaborer un algorithme pour résoudre le problème des feuilles de nénuphar ?

Une méthode consisterait à calculer d'abord combien il y aura de feuilles après trente jours si la dame commence avec un plant (1, 2, 4, 8, 16, 32... et ainsi de suite jusqu'au trentième nombre, qui est 536 870 912 feuilles), puis à refaire la même opération avec deux plants de nénuphars (2, 4, 8, 16, 32... jusqu'au nombre 536 870 912) et à voir en combien de jours il est possible de parvenir à ce nombre. Étant donné l'importance des nombres en cause, il est facile de comprendre pourquoi les gens ne sont pas portés à utiliser des algorithmes pour résoudre des problèmes, à l'exception des problèmes mathématiques simples. Les ordinateurs n'ont toutefois aucun problème à travailler avec les algorithmes, car ils fonctionnent à une vitesse fantastique et ne font jamais d'erreurs mathématiques.

Production : Étape de la résolution de problèmes au cours de laquelle différentes solutions possibles au problème sont proposées.

Algorithme : Stratégie de résolution de problèmes qui aboutit toujours à une solution. Cette stratégie consiste souvent à essayer systématiquement toutes les possibilités.

Heuristique : Méthode de résolution de problèmes élaborée à partir d'expériences antérieures et comportant des recherches sélectives de solutions appropriées aux problèmes, mais qui n'aboutissent pas nécessairement à une solution.

Les hypothèses sont également formulées à l'aide de l'heuristique, méthode beaucoup plus rapide — lorsqu'elle fonctionne. L'heuristique, ce sont les règles qui régissent les connaissances empiriques découlant des expériences passées du même genre. L'heuristique a le désavantage de ne pas garantir une solution; elle est efficace dans la plupart des cas, mais pas toujours. Il existe différentes catégories de règles heuristiques. Nous nous pencherons sur les trois règles les plus efficaces : l'analyse objectifs-moyens, la démarche à rebours et la définition de buts partiels.

L'*analyse objectifs-moyens* consiste à déterminer quelle mesure serait susceptible de réduire l'écart entre la situation présente et l'état souhaité. En d'autres termes, nous essayons d'imaginer par quels moyens nous pouvons parvenir à nos fins. Lorsque vous devez résoudre un problème de mathématiques, vous cernez l'information fournie et essayez d'imaginer quelles opérations mathématiques pourraient vous permettre de trouver la solution. Si vous voulez installer un nouveau canapé dans votre appartement et que la porte est trop étroite pour qu'il puisse y passer, vous avez recours à l'analyse objectifs-moyens pour imaginer les mesures que vous devez prendre pour que votre volonté se réalise.

La *démarche à rebours* est souvent utilisée pour résoudre des problèmes complexes tels que les preuves mathématiques. Cette technique consiste à partir du but visé et à remonter à la situation présente, plutôt que de faire l'inverse. Supposons que vous voulez découvrir comment un magicien fait sortir un lapin d'un chapeau. Ce problème est difficile à résoudre si vous partez de la situation donnée, un chapeau apparemment vide. Mais si vous partez de la situation finale, le lapin qui sort du chapeau, il apparaît plus évident que le lapin doit être placé dans le chapeau soit avant, soit pendant le numéro du magicien. Comme celui-ci peut difficilement le faire pendant son spectacle, la première hypothèse est la meilleure. Si tel est le cas, le chapeau doit être muni d'un compartiment pouvant contenir le lapin. Les solutions possibles deviennent donc évidentes si vous abordez le problème par la situation finale.

Une autre façon de résoudre des problèmes complexes consiste à *définir des buts partiels* permettant d'atteindre le but principal. En 1962, le président John F. Kennedy déclarait que le but du programme spatial des États-Unis était de faire en sorte qu'un Américain marche sur la Lune avant la fin de la décennie. La NASA ne s'est pas contentée de construire une grosse fusée et d'envoyer un équipage sur la Lune; elle s'est également fixé des buts partiels comportant plusieurs petites missions de plus en plus complexes. La NASA a d'abord organisé la série de vols suborbitaux et orbitaux *Mercury*, avec un astronaute à bord, puis la série de vols *Gemini*, avec deux astronautes à bord, et enfin la série *Apollo*, qui a permis à des équipages de trois astronautes d'effectuer des vols orbitaux et des vols en orbite autour de la Lune, lesquels ont abouti à l'atterrissage de deux astronautes sur cet astre.

À vous les commandes

```
   D O N A L D
 + G É R A L D
 ───────────
   R O B E R T
```

Essayez de voir si vous pouvez vous donner des buts partiels pour résoudre le problème suivant élaboré par Bartlett (1958). L'objectif consiste à attribuer un chiffre de 0 à 9 à chacune des lettres. Votre indice de départ est le suivant : D = 5. La réponse figure ci-après.

De toute évidence, il serait difficile de résoudre ce problème, en un temps raisonnable, à l'aide d'un algorithme. Il existe 362 880 combinaisons possibles de lettres et de chiffres. Au rythme d'une combinaison par minute, 8 heures par jour, 5 jours par semaine, 52 semaines par année, il faudrait presque 3 ans pour essayer toutes les combinaisons possibles. Il est beaucoup plus facile et beaucoup plus rapide d'utiliser ici une technique heuristique. En cherchant la solution à ce problème, vous avez probablement fait appel à vos connaissances de l'arithmétique pour déterminer, par exemple, la valeur de T (si D = 5, alors D + D = 10; donc, T = 0, et vous reportez le 1 dans la colonne des dizaines).

```
   5 2 6 4 8 5
 + 1 9 7 4 8 5
 ───────────
   7 2 3 9 7 0
```

L'évaluation

L'étape de l'évaluation commence dès qu'une ou plusieurs solutions possibles ont été formulées. Ces hypothèses sont alors évaluées en fonction des critères énoncés à l'étape de la préparation. Si l'une de ces hypothèses satisfait aux critères, le problème est résolu. Si aucune d'entre elles ne satisfait aux critères, il faut revenir à l'étape de la production et formuler d'autres solutions possibles. Dans le problème des feuilles de nénuphar, on peut supposer qu'avec deux plants, la dame pourra couvrir son étang en seulement la moitié du temps, soit quinze jours. Cette hypothèse est logique mais inexacte; il faut donc formuler d'autres hypothèses. Comment savoir si vos hypothèses sont fausses ? Il faut les mettre à l'essai afin de voir si elles permettent de résoudre le problème.

Évaluation : Dernière étape d'une résolution de problèmes, au cours de laquelle les hypothèses sont évaluées pour voir si elles répondent aux conditions de l'objectif défini à l'étape de la préparation.

Les obstacles à la résolution de problèmes

Avez-vous l'impression que vous pouvez résoudre certains problèmes aisément alors que vous bloquez devant d'autres ? Nous rencontrons tous des obstacles qui nous empêchent de résoudre efficacement des problèmes. Les deux principaux obstacles sont la *fixation sur une stratégie de résolution de problèmes* et la *fixité fonctionnelle*.

Vous avez sans doute entendu dire qu'en vieillissant, les gens cessent d'évoluer. Ils deviennent plus intransigeants dans leurs opinions, ils s'en tiennent aux produits qu'ils connaissent et aux activités qui leur plaisaient auparavant. Ils utilisent également toujours les mêmes méthodes pour résoudre des problèmes. Ils s'en remettent aux méthodes qui ont fait leurs preuves plutôt que d'essayer de trouver des solutions innovatrices et peut-être meilleures.

A.S. et E.H. Luchins (1950) ont été les premiers chercheurs à démontrer que l'expérience passée pouvait avoir une influence sur le choix des méthodes de résolution de problèmes. Ils ont eu recours à des problèmes tels que celui-ci : « Une cruche a une capacité de 25 litres, une autre de 5 litres et une troisième de 2 litres. Comment pouvez-vous obtenir exactement 16 litres d'eau ? »

La réponse se lit comme suit : « Remplissez la cruche de 25 litres; remplissez ensuite la cruche de 5 litres à même la première, qui ne contiendra plus alors que 20 litres d'eau. Remplissez ensuite la cruche de 2 litres, toujours à même la première cruche, puis videz la cruche de 2 litres et remplissez-la de nouveau. Il restera exactement 16 litres d'eau dans la cruche de 25 litres. »

À vous les commandes

Avant de poursuivre votre lecture, essayez de résoudre les problèmes de cruches d'eau présentés ci-dessous, semblables à ceux de Luchins et Luchins (1950). Travaillez aussi rapidement que possible.

Problème	Capacité des cruches			Volume à obtenir
	A	**B**	**C**	
1.	29	55	3	20
2.	21	127	3	100
3.	14	163	25	99
4.	18	43	10	5
5.	9	42	6	21
6.	20	59	4	31
7.	23	49	3	20
8.	15	39	3	18
9.	28	59	3	25
10.	18	48	4	22
11.	14	36	8	6

Luchins (1942) a constaté que plus de 70 % des sujets, enfants ou adultes, résolvaient les problèmes à l'aide du même algorithme : B − A − 2C, sans remarquer qu'ils pouvaient résoudre les problèmes 7, 9 et 11 simplement en soustrayant C de A, ou les problèmes 8 et 10 en additionnant A et C. Ils n'ont pas découvert les solutions plus courtes et plus faciles parce que leur expérience des cinq premiers problèmes les avait amenés (comme vous, probablement !) à adopter une stratégie unique de résolution de problèmes.

Fixation sur une stratégie de résolution de problèmes : Obstacle mental à la résolution de problèmes qui se produit lorsque les gens appliquent uniquement les méthodes éprouvées plutôt que d'en essayer de nouvelles.

Une telle fixation sur une stratégie de résolution de problèmes peut être utile lorsque tous les problèmes sont du même type. Mais elle peut aussi inciter les gens à ignorer d'autres solutions parfois plus simples et les empêcher d'élaborer de nouvelles stratégies pour résoudre de nouveaux types de problèmes. Ainsi, l'une des principales difficultés du problème DONALD + GÉRALD = ROBERT tient au fait que les gens ont l'habitude d'aborder ces problèmes d'arithmétique en allant de la colonne de droite à celle de gauche. Si vous vous êtes acharné à résoudre le problème de cette façon, vous avez probablement éprouvé beaucoup de difficulté.

Les gens peuvent être littéralement prisonniers de leurs méthodes rigides lorsqu'ils essaient de résoudre un problème. Par exemple, l'un des auteurs du présent manuel, qui voulait peindre un objet à l'aide d'un pistolet à peinture, n'a pu trouver la canette ronde que l'on fixe au-dessous du pistolet. Après avoir cherché en vain la canette en question, il a fini par en emprunter une à un ami. Plus tard, lorsqu'il a raconté à sa femme qu'il avait perdu sa canette, elle lui a répondu : « Est-ce que tu parles de la canette qui est dans une boîte sur ton établi ? » La canette était bel et bien sur l'établi. Il ne l'avait pas trouvée parce qu'il était à la recherche d'une canette, et non d'une boîte.

Fixité fonctionnelle : Obstacle à la résolution de problèmes qui surgit lorsque les gens sont incapables d'attribuer de nouveaux usages à un objet parce que l'usage courant leur est trop familier.

Examinons la seconde grande barrière à la résolution de problèmes. Supposons qu'on vous donne les objets illustrés sur la photo de la page ci-contre et qu'on vous demande de fixer la bougie au mur de manière à pouvoir l'allumer normalement, sans risquer qu'elle tombe (Duncker, 1945). Comment vous y prendriez-vous ? La solution consiste à vider la boîte d'allumettes, à vous servir des punaises pour la fixer au mur, à allumer la bougie et à laisser couler un peu de cire dans le fond de la boîte, puis à enfoncer la bougie dans la cire fondue. Duncker a découvert que ses sujets avaient beaucoup plus de mal à résoudre le problème lorsque la boîte était pleine d'allumettes que lorsque les allumettes étaient posées à côté de celle-ci. Dans le premier cas, les sujets voyaient la boîte comme un contenant et imaginaient difficilement qu'elle puisse leur être utile. Cette tendance à attribuer uniquement des usages familiers à des objets courants est appelée la fixité fonctionnelle.

La fixation sur une stratégie de résolution de problèmes et la fixité fonctionnelle ne sont que deux des nombreux obstacles à la recherche efficace de solutions à des problèmes. Vous savez bien en outre, que plus la solution tarde à venir, plus vous vous impatientez. Vous avec donc avantage, dans ce cas, à mettre le problème de côté pendant un certain temps.

L'incubation

Incubation : Laps de temps pendant lequel la recherche active d'une solution à un problème est abandonnée. Il s'agit parfois d'une étape essentielle à la résolution d'un problème complexe dont la solution nous échappe.

Avez-vous déjà remarqué que si vous délaissez temporairement un problème particulièrement difficile pour y revenir après avoir fait autre chose, la solution vous vient soudainement à l'esprit ? Il semble que pour certains problèmes, une période d'incubation soit parfois nécessaire afin d'obtenir une vision plus claire des faits et des solutions possibles. Köhler (1925) a observé le phénomène de l'incubation chez son chimpanzé Sultan. Comme nous l'avons vu au chapitre 7, Sultan était devant une banane hors de sa portée et n'avait à sa disposition que deux courts bâtons. Au début, le chimpanzé était perplexe. Après quelques semaines d'incubation du problème, la solution lui est brusquement apparue. Il a fixé les deux bâtons ensemble pour en obtenir un plus long et a pu ainsi atteindre sa banane.

Si vous avez eu du mal à résoudre le problème des feuilles de nénuphar, peut-être pourriez-vous trouver la solution en incubant le problème pendant quelque temps.

La bonne réponse est 29 jours. La solution est simple, si vous songez d'abord à ce qui se produit avec un plant de nénuphar. Le deuxième jour, il se divise en deux plants. Alors, si la dame commence avec deux plants, elle ne gagne qu'une journée par rapport à un plant, et il faudra par conséquent 29 jours pour couvrir l'étang.

Pour résoudre le problème des feuilles de nénuphar, vous auriez pu utiliser d'abord un algorithme (1, 2, 4, 8... pour un plant, et 2, 4, 8... pour deux plants), puis, en constatant que le modèle se répétait, opter pour une méthode heuristique. Souvent, les gens abordent un problème à l'aide d'une méthode et décident ensuite de passer à une autre lorsqu'ils constatent que celle-ci peut être plus rapide, ou que la première méthode est infructueuse.

La flexibilité est un atout en matière de résolution de problèmes. La fixation sur une stratégie particulière et la fixité fonctionnelle sont des facteurs de rigidité à ce chapitre. Un bon résolveur de problèmes doit faire preuve de créativité dans les méthodes qu'il utilise et concevoir des techniques qui favorisent la flexibilité de la pensée plutôt que la rigidité.

Problème de la bougie. *Comment faire pour installer la bougie au mur de façon à pouvoir l'allumer normalement ?*

RÉSUMÉ

La résolution de problèmes

La résolution de problèmes comporte trois étapes principales : la préparation, la production et l'évaluation. L'étape de la préparation consiste à circonscrire les données, à distinguer les faits pertinents des faits non pertinents et à définir le but à atteindre.

Au cours de l'étape de la production, l'esprit échafaude différentes solutions, appelées hypothèses. La formulation des hypothèses peut se faire de deux façons : à l'aide d'un algorithme, qui conduit infailliblement à une solution, ou en ayant recours à l'heuristique, qui s'appuie sur les expériences antérieures sans mener nécessairement à une solution, mais qui est une méthode plus facile et plus rapide que l'algorithme. Les trois règles les plus efficaces de l'heuristique sont l'analyse objectifs-moyens, la démarche à rebours et la définition de buts partiels.

L'étape de l'évaluation commence lorsqu'une ou plusieurs hypothèses ont été formulées. Si l'une des hypothèses énoncées à l'étape de la préparation satisfait aux critères définis, le problème est alors résolu.

La fixation sur une stratégie de résolution de problèmes et la fixité fonctionnelle sont deux des obstacles à la résolution de problèmes. La fixation sur une stratégie consiste à utiliser une méthode éprouvée, mais inopportune pour résoudre un problème nouveau. La fixité fonctionnelle est l'incapacité d'attribuer des usages différents à des objets courants. Pour surmonter ces obstacles, il est parfois utile d'abandonner temporairement la recherche d'une solution à un problème et de s'accorder une période d'incubation.

Solution au problème de la bougie. *À l'aide des punaises, on fixe au mur le tiroir de la boîte d'allumettes. On pose ensuite la bougie sur le tiroir et on l'allume.*

QUESTIONS DE RÉVISION

1. Énumérez et décrivez les trois étapes de la résolution de problèmes.
2. Quelle est la différence entre les algorithmes et les méthodes heuristiques ?
3. Lorsque nous prenons des mesures pour réduire la différence entre la situation présente et la situation souhaitée, nous avons recours à _____.
4. Si nous résolvons un problème en partant de la situation finale pour remonter à la situation initiale, nous avons recours à _____.
5. Lorsque nous avons à résoudre un problème très complexe, par exemple comment mettre fin à la diminution de la couche d'ozone, nous devons définir plusieurs _____.
6. Nommez deux obstacles à la résolution de problèmes et mentionnez une méthode pouvant aider à surmonter ces barrières.

Les réponses aux questions de révision se trouvent en annexe.

LA CRÉATIVITÉ : TROUVER DES SOLUTIONS ORIGINALES AUX PROBLÈMES

Êtes-vous une personne créatrice ? Nous sommes portés à penser que les peintres, les danseurs et les compositeurs sont des personnes créatrices, mais n'avons-nous pas tous une certaine créativité ? Même lorsque vous faites quelque chose d'aussi banal que prendre des notes, vous déployez probablement une certaine dose de créativité. Vous les organisez à votre façon et vous utilisez probablement des abréviations uniques et inhabituelles, différentes de celles de la personne assise à côté de vous. Dans une plus ou moins grande mesure, chacun fait preuve de créativité dans certains aspects de sa vie (Richards et coll., 1988).

Qu'est-ce que la créativité ? La créativité est définie différemment selon les cultures (Lubart, 1990), mais elle est généralement perçue comme une façon spéciale de résoudre les problèmes, en rattachant entre eux des éléments nouveaux ou inhabituels de manière pratique, utile et signifiante pour les tenants d'une culture (Gardner, 1988). L'habileté créatrice n'est pas l'apanage des humains. Comme nous l'avons vu, le chimpanzé Sultan a trouvé une solution créatrice pour s'emparer de la banane. Et tout comme Hal a su élaborer un plan ingénieux pour éviter d'être débranché, les ordinateurs d'aujourd'hui ont été conçus de manière à pouvoir proposer des solutions uniques et utiles à des problèmes qu'ils n'ont pas été programmés pour résoudre (Waldrop, 1988).

> **Créativité :** Aptitude à trouver à un problème des solutions originales, qui sont également pratiques et utiles.

À vous les commandes

Voici des exemples d'épreuves que l'on rencontre couramment dans les tests de créativité. Prenez quelques minutes pour y répondre et essayez de déterminer quels traits ou habiletés ces exercices tentent de mesurer. (Voir la figure 9.1 pour la solution au problème des pièces de monnaie.)

1. En cinq minutes, voyez combien de mots vous pouvez former en vous servant du mot suivant :	HIPPOPOTAME
2. En cinq minutes, énumérez toutes les choses que vous pouvez faire avec un trombone.	
3. Tracez cette figure sur une feuille de papier vierge et faites un dessin dans lequel elle sera comprise.	
4. Prenez dix pièces de monnaie et placez-les de façon à former l'image présentée ici. En déplaçant seulement deux pièces de monnaie, formez deux rangées de six pièces chacune.	

Le remue-méninges

> **Remue-méninges :** Technique de résolution de problèmes en groupe dans laquelle les participants sont encouragés à trouver autant de solutions que possible à un problème en s'aidant des idées des autres, sans tenir compte de leur aspect pratique.

La plupart des gens ont fait l'expérience d'un remue-méninges, technique de pensées divergentes utilisée dans les activités de création. A.F. Osborn (1963), l'homme qui a popularisé cette technique, décrit le remue-méninges comme une technique de résolution de problèmes en groupe obéissant aux quatre règles suivantes.

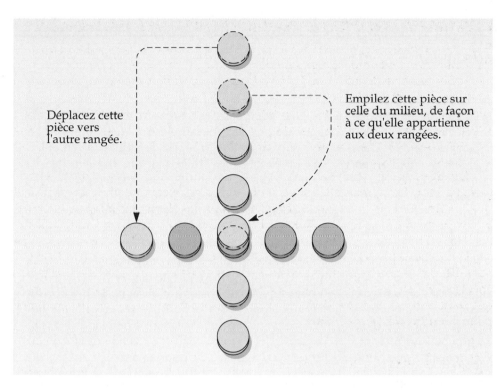

Déplacez cette pièce vers l'autre rangée.

Empilez cette pièce sur celle du milieu, de façon à ce qu'elle appartienne aux deux rangées.

Figure 9.1 **Solution au problème des pièces de monnaie.** Pour résoudre ce problème, il faut se rendre compte que l'on peut empiler une pièce sur celle du milieu, de sorte qu'elle appartienne à la fois à la rangée et à la colonne.

Première règle.   Aucune critique. Réserver tous les jugements pour après la séance de remue-méninges.

Deuxième règle.   Proposer autant de solutions que possible au problème. Plus il y en a, mieux c'est.

Troisième règle.   Encourager l'originalité. Plus l'idée est unique et originale, mieux c'est. Ne pas se demander si l'idée est réalisable.

Quatrième règle.   Essayer de tirer parti des idées précédentes.

Osborn affirme que la technique du remue-méninges permet de trouver deux fois plus d'idées utiles dans un même laps de temps (Vervalin, 1978). L'efficacité du remue-méninges, par rapport à celle d'autres techniques de créativité, fait toutefois l'objet d'une certaine controverse. Ainsi, plusieurs chercheurs ont démontré que les personnes qui travaillent individuellement proposent un plus grand nombre d'idées uniques et créatrices que celles qui travaillent au sein d'un groupe (Diehl et Stroebe, 1987; Mullen, Johnson et Salas, 1991; Taylor, Berry et Block, 1958). L'une des principales raisons de l'échec du remue-méninges est que, dans un groupe nombreux, certaines personnes se traînent les pieds et laissent les autres faire le travail et trouver les idées (Mullen, Johnson et Salas, 1991). L'expérience montre également que les gens sont plus productifs lorsqu'on leur demande de proposer des idées pratiques plutôt que des idées farfelues (Weisskopf-Joelson et Eliseo, 1961).

Selon J.P. Guilford (1959, 1967), psychologue qui a étudié en profondeur les processus mentaux, la pensée créatrice est associée aux aptitudes suivantes :

1. *La fluidité*. L'aptitude à imaginer de nombreuses solutions à des problèmes.

2. *La flexibilité*. L'aptitude à passer d'une stratégie à une autre pour résoudre un problème.

3. *L'originalité*. L'aptitude à imaginer des solutions originales ou différentes à un problème.

Guilford a également postulé l'existence de deux types de pensée, la pensée convergente et la pensée divergente. Dans la pensée convergente, notre esprit *converge* vers une seule réponse ou solution correcte, choisie parmi plusieurs solutions

Pensée convergente : Type de pensée qu'il faut utiliser lorsqu'il n'existe qu'une seule réponse ou solution correcte à un problème.

RECHERCHE ET DÉCOUVERTES

Le remue-méninges électronique

Le remue-méninges est une technique de résolution de problèmes utilisée depuis près de quarante ans. Elle connaît actuellement un renouveau en raison du développement des communications électroniques. Il n'est désormais plus nécessaire de réunir des experts dans une même salle. On épargne du temps et de l'argent en les mettant en communication électronique à l'aide d'un logiciel semblable à ceux utilisés pour les services de bavardage Internet.

Les chercheurs ont évalué l'efficacité du remue-méninges électronique selon les mêmes critères que ceux appliqués dans le passé au remue-méninges en personne, y compris l'inégalité du degré de productivité des participants déjà soulignée dans d'autres études, l'effet d'égalisation ou d'appariement social et la créativité. [On parle d'effet d'égalisation ou d'appariement social lorsqu'un groupe tend à se mettre au « diapason » du faible rendement d'une partie de ce groupe, ce qui le rend moins productif (Paulus et Dzindolet, 1993).] En plus de posséder l'avantage évident de regrouper des personnes très éloignées les unes des autres, le remue-méninges électronique permet aussi aux participants de garder l'anonymat. Plusieurs études indiquent déjà que cette nouvelle forme

de regroupement d'idées serait plus féconde que celle des groupes non anonymes.

Une équipe de recherche a comparé les idées générées par les groupes électroniques anonymes et non anonymes, les groupes de discussion traditionnels et les individus. Leurs résultats révèlent que les groupes de remue-méninges électroniques anonymes permettent des brassages d'idées plus libres générant une moisson d'idées fraîches, moins redondantes que celles véhiculées par les autres groupes (Cooper et coll., 1998). Une autre équipe de recherche a aussi trouvé que les groupes anonymes étaient plus créatifs que les groupes de remue-méninges ayant servi de groupes de comparaison (Sosik et coll., 1998). Une autre équipe encore a pu observer que l'utilisation d'un écran public pour l'affichage des suggestions réduisait l'effet « tire-au-flanc », mais non celui « d'égalisation vers le bas », d'appariement social décrit plus haut (Roy et coll., 1996). Il semble donc que, sans être la panacée en matière de créativité de groupe, le remue-méninges électronique possède plusieurs avantages sur le remue-méninges traditionnel en face à face des années soixante.

Pensée divergente : Type de pensée qu'il faut utiliser lorsque l'objectif consiste à proposer le plus grand nombre d'idées possible.

ou réponses possibles. Vous avez eu recours à la convergence, dans le problème DONALD + GÉRALD, pour découvrir le chiffre représenté par chacune des lettres. La pensée divergente est le contraire. Dans la pensée divergente, nous proposons autant de solutions différentes, ou *divergentes*, que possible, telles qu'énumérer tous les usages que l'on peut faire d'un trombone. La pensée divergente est le type de pensée le plus souvent associé à la créativité. C'est pourquoi la plupart des tests de créativité et la plupart des techniques visant à améliorer la pensée créatrice mettent l'accent sur la pensée divergente.

Mais que penser de tous les livres qui prétendent nous enseigner à être plus créatifs ?   Bien des livres, et souvent même des cours universitaires, prétendent développer la créativité individuelle. La plupart des études sur la créativité font ressortir le fait que plus une personne est renseignée sur un type particulier de problème, plus elle a de la facilité à trouver une solution. En ce sens, les livres d'auto-apprentissage nous aident probablement, en augmentant notre connaissance des différentes techniques de résolution de problèmes. Toutefois, les recherches effectuées à ce jour soulèvent des doutes quant à la possibilité d'apprendre à une personne à devenir plus créative. En fait, Teresa Amabile (1983) a démontré que les récompenses extérieures (jouets ou argent) avaient plutôt tendance à inhiber le processus de création. Elle a découvert que les groupes auxquels on avait promis une récompense s'ils se montraient créatifs, produisaient des œuvres moins intéressantes que les groupes qui travaillaient sans espoir de récompense (pour une analyse plus approfondie de ce phénomène, voir le chapitre 10).

Une autre raison pour laquelle les programmes de créativité ont peu de succès est que la créativité n'existe peut-être pas. Selon B.F. Skinner (1981), le comportement créatif, en apparence spontané, appartiendrait en fait à une « catégorie » de réactions qui ne seraient que le résultat de renforcements antérieurs. Si cette hypothèse est vraie, il est permis de douter qu'un livre ou un cours de créativité puisse modifier sensiblement notre comportement et nous rendre plus créatifs.

Quoi qu'il en soit, la créativité n'en demeure pas moins un sujet qui mérite d'être étudié. Deux chercheurs, Sternberg et Lubart (1991, 1992, 1995, 1996) ont proposé ce qu'ils appellent une théorie de l'« investissement » de la créativité. Selon cette théorie, les gens créatifs sont ceux qui sont habituellement prêts à « acheter à bas prix et à revendre à prix élevé » dans le domaine des idées. Ils achètent à bas prix en se posant comme les champions d'idées dans lesquelles ils voient du potentiel, mais qui ne présentent que peu ou pas d'intérêt pour la majorité. Une fois que ces idées ont fait leurs preuves et sont devenues très appréciées, ces « originaux » passent à une autre idée peu prisée mais prometteuse.

Théorie de l'investissement de la créativité : Théorie de la créativité postulant que les personnes créatives sont celles qui sont prêtes à « acheter à bas prix pour revendre à prix élevé » dans le domaine des idées.

Selon cette théorie, la créativité exige la combinaison de six atouts distincts mais intimement liés : des capacités intellectuelles, des connaissances, une certaine forme de pensée, un certain type de personnalité, de la motivation et un environnement propice (Sternberg et Lubart, 1996). La plupart des personnes créatives posséderaient toutes ou la plupart de ces qualités :

Capacités intellectuelles.   Les personnes créatives doivent être assez intelligentes pour pouvoir envisager les problèmes sous des angles nouveaux.

Connaissances.   Elles doivent avoir une connaissance de base suffisante d'un problème pour être en mesure d'évaluer les solutions possibles.

Forme de pensée.   Elles doivent posséder une forme de pensée les incitant à poursuivre leurs propres idées hors des sentiers battus et être capables de distinguer l'important de l'accessoire.

Personnalité.   Elles doivent posséder une personnalité leur permettant de se battre sans faiblir contre les dogmes établis et d'aller jusqu'au bout de leurs idées sans compromettre leur position.

PENSÉE CRITIQUE • Psychologie en direct

Résoudre les problèmes quotidiens

La réussite scolaire exige davantage que mémoriser le contenu des manuels. Pour réussir en classe et dans la vie, vous devez apprendre à résoudre toutes sortes de problèmes. L'exercice qui suit vous fournit l'occasion d'appliquer un certain nombre de méthodes à des problèmes quotidiens.

Les principales méthodes de résolution de problèmes présentées dans le présent chapitre sont les algorithmes, qui consistent à découvrir les solutions possibles en procédant de manière systématique, et les techniques heuristiques, qui consistent à trouver les solutions possibles en s'appuyant sur ses connaissances et ses expériences. Nous avons parlé de trois techniques heuristiques : l'analyse objectifs-moyens, la démarche à rebours et la définition de buts partiels.

Vous trouverez ci-dessous trois problèmes de la vie réelle, dont certains vous sont peut-être familiers. Pour chaque problème, 1) inscrivez votre réponse par écrit; 2) précisez la méthode que vous avez utilisée

(algorithmes ou analyse objectifs-moyens, démarche à rebours ou définition de buts partiels; et 3) essayez de trouver une solution différente à ce problème en utilisant l'une des autres méthodes.

1. Vous vous réveillez de bon matin et constatez que la pluie s'infiltre dans le plafond de votre chambre. Vous devez boucher cette fuite suffisamment vite pour arriver à temps à votre premier cours. Comment vous y prendrez-vous ?

2. Le bureau de l'aide financière refuse de renouveler votre bourse avant de connaître les sommes que vous avez gagnées l'an passé. Vous devez retrouver les talons de vos chèques de paye pour vérifier votre revenu.

3. Vous voulez trouver une manière délicate et respectueuse de rompre avec votre petit ami ou petite amie.

RÉSUMÉ

La créativité

La créativité est l'aptitude pour trouver à un problème des solutions nouvelles ou originales qui soient également pratiques et utiles. La pensée créatrice est associée à la fluidité, à la flexibilité et à l'originalité. Guilford a postulé l'existence de deux types de pensée : la pensée convergente, qui est la recherche d'une seule solution à un problème, et la pensée divergente, qui consiste à proposer le plus grand nombre de solutions possibles. Les séances de remue-méninges sont un exemple de pensée divergente.

Selon la théorie de l'investissement de la créativité, les personnes créatives « achètent à bas prix » en défendant des idées impopulaires mais prometteuses, et « revendent à prix élevé » en développant ces idées jusqu'à ce qu'elles deviennent largement acceptées. Cette théorie allègue également que la créativité est tributaire de six caractéristiques et avantages bien précis : les capacités intellectuelles, les connaissances, une certaine forme de pensée, un certain type de personnalité, de la motivation et un environnement propice.

QUESTIONS DE RÉVISION

1. Qu'est-ce que la créativité ?
2. Selon J.P. Guilford, la pensée créatrice est associée à _____, à _____ et à _____.
3. Quel type de pensée chacun des exemples suivants décrit-il ?
    a) Une adolescente de 16 ans songe à toutes les excuses qu'elle pourrait invoquer pour justifier sa rentrée tardive à la maison. _____
    b) Un étudiant doit donner la bonne réponse à chacune des questions d'un examen. _____
4. La technique de résolution de problèmes par laquelle un groupe de personnes essaient de trouver le plus de solutions possible à un problème s'appelle un _____.
5. Vous êtes professeur de musique et aimeriez que vos étudiants composent des chansons. Pour les motiver, devriez-vous offrir un jeu Nintendo à l'élève qui écrira la chanson la plus originale? Justifiez votre réponse.
6. La théorie de l'investissement de la créativité repose sur le postulat que les personnes créatives _____ dans le domaine des idées.
    a) achètent à prix élevé   b) vendent à prix élevé   c) achètent à bas prix
    d) achètent à bas prix et vendent à prix élevé

Les réponses aux questions de révision se trouvent en annexe.

L'INTELLIGENCE

▲ *Qu'est-ce que l'intelligence et comment pouvons-nous la mesurer ?*

Sous les lumières éblouissantes du studio de télévision, un doigt sur la sonnette, un concurrent se tient prêt à répondre à la question qui lui permettra d'enlever la victoire. Aux prises avec des éléments de preuve contradictoires, une poursuite virulente et une défense énergique, un juge rend une décision qui fera jurisprudence. Devant des centaines de collègues, une chercheuse décrit les méthodes de recombinaison dont elle s'est servie pour découvrir les vecteurs de clonage qui pourront peut-être déboucher sur le traitement d'une maladie dévastatrice. Diriez-vous que ces personnes sont intelligentes ? Probablement, surtout si vous êtes occidental. Quels éléments vous amènent à conclure que ces personnes sont intelligentes ? Qu'est-ce que l'intelligence ?

▲ *De quelles manières la cognition, ou la manière dont nous pensons au sujet du monde qui nous entoure, évolue-t-elle au cours des différentes périodes de la vie ?*

LE DÉVELOPPEMENT COGNITIF DE L'INTELLIGENCE SELON PIAGET

Il est difficile de traiter de la pensée et de l'intelligence sans aborder les travaux de Piaget. Celui-ci a démontré que l'intelligence de l'enfant est fondamentalement différente de celle de l'adulte (Flavell, 1999; Papert, 1999). Il a établi que le nourrisson part d'un niveau de conscience « primitif » et que son développement intellectuel évolue au cours de stades distincts, motivé par un désir inné de connaissance du monde. Sa théorie, élaborée au cours des années vingt et trente, est si exhaustive, si rigoureusement construite et si riche d'enseignements qu'elle occupe encore aujourd'hui une position centrale dans le domaine cognitif de la psychologie du développement.

On présente souvent la théorie de Piaget comme une théorie sur le développement de l'intelligence. Toutefois, il faut garder à l'esprit que la conception piagétienne de l'intelligence est très différente de la conception psychométrique de l'intelligence, de laquelle sont issus les tests d'intelligence (Legendre-Bergeron, 1980). Les théoriciens affiliés à cette dernière conception s'intéressent plus à la détermination des habiletés qui constituent l'intelligence et aux épreuves qui serviront à les mesurer. La conception piagétienne de l'intelligence repose, quant à elle, sur la connaissance et la compréhension des différents niveaux d'organisation des habiletés cognitives (stades) qui jalonnent le développement d'un individu. Donc, il faut aussi voir la théorie de Jean Piaget comme une théorie sur le développement des habiletés cognitives, sur le développement de la pensée.

Pour mieux apprécier les contributions de Piaget à l'étude du développement de l'intelligence humaine, nous devons d'abord nous arrêter aux trois concepts de base de sa théorie, soit les schèmes, l'assimilation et l'accommodation. Les schèmes constituent l'unité de base de l'intellect. Ils fonctionnent comme des modèles qui organisent nos interactions avec l'environnement, un peu comme les plans d'un architecte ou d'un entrepreneur.

Au cours des premières semaines de la vie, par exemple, le nouveau-né possède apparemment plusieurs schèmes basés sur les réflexes innés de succion ou de saisie des objets. Il s'agit avant tout de schèmes sensori-moteurs, à peine plus que des mécanismes de stimulus-réponse, comme téter quand la mère donne le sein à son enfant. Peu après, d'autres schèmes apparaissent. Le bébé développe un schème plus élaboré relié à la consommation d'aliments solides, un autre pour les concepts de « mère » et de « père », et ainsi de suite. Il est important de retenir que les schèmes, nos outils de connaissance du monde, se multiplient et se modifient tout au long de notre existence (Leahy et Harris, 1997).

L'assimilation et l'accommodation sont les deux principaux processus par lesquels les schèmes s'accroissent et se modifient au fil du temps. L'assimilation consiste à absorber de nouvelles informations s'intégrant facilement aux schèmes déjà existants. Les nourrissons, par exemple, étendent le schème de succion du mamelon à d'autres objets, aux couvertures ou aux doigts.

L'accommodation se produit lorsque de nouvelles informations ou stimuli ne peuvent être assimilés aux anciens et que de nouveaux schèmes se forment, ou lorsque de vieux schèmes sont modifiés de manière à pouvoir intégrer de nouveaux éléments. La première fois qu'un bébé tente de manger de la nourriture solide à l'aide d'une cuillère constitue un bon exemple d'assimilation. Lorsque la cuillère pénètre sa bouche, l'enfant l'assimile d'abord au schème de succion qui a fait ses preuves dans le passé : il serre donc les lèvres et la langue autour de l'ustensile comme autour d'un mamelon. Après quelques essais infructueux, il « s'accommode » de cette nouveauté en modifiant la position de ses lèvres et de sa langue de manière à déplacer la nourriture de la cuillère à sa bouche.

Les stades du développement cognitif de la naissance à l'adolescence

Grâce aux processus d'assimilation et d'accommodation et aux modifications des schèmes que ceux-ci entraînent, les capacités cognitives d'un enfant subissent une série de changements ordonnés d'une complexité croissante. Lorsqu'une quantité suffisante de changements a eu lieu, l'individu connaît une transformation globale de ses points de vue et perspectives. Piaget a appelé ces grandes étapes du développement « stades de développement cognitif » (voir le tableau 9.1).

Schèmes : Structures cognitives ou modèles d'action formés par plusieurs idées organisées se développant et se modifiant au fil de l'expérience.

Assimilation : Processus qui pousse à réagir à une nouvelle situation de la même manière que dans une situation semblable déjà rencontrée, familière.

Accommodation : Processus de réajustement des façons de penser existantes, restructuration des schèmes pour y incorporer de nouvelles informations, de nouveaux objets ou de nouvelles idées.

Pouvez-vous deviner à quel stade de développement cognitif ce petit se trouve ? Comprenez-vous pourquoi ce stade est appelé sensori-moteur ?

Tableau 9.1   Les quatre stades du développement cognitif définis par Piaget.

STADES	CAPACITÉS	LIMITES
SENSORI-MOTEUR De la naissance à 2 ans	Utilisation des sens et des capacités motrices pour explorer l'environnement et se développer cognitivement.	Le début de ce stade se caractérise par l'absence du concept de *permanence de l'objet* (compréhension du fait que les objets continuent d'exister même lorsqu'on ne peut plus les voir, les entendre ou les sentir).
PRÉOPÉRATOIRE De 2 à 7 ans	Maîtrise considérable du langage et acquisition de la pensée symbolique.	. Incapacité d'effectuer des « opérations » (réversibilité et conservation). . Pensée *égocentrique* (incapacité de tenir compte du point de vue de l'autre). . Pensée *animiste* (croyance que tous les objets sont vivants).
OPÉRATOIRE CONCRET De 7 à 11 ans	. Application des « opérations » aux objets concrets. . Compréhension du principe de *conservation* (du fait que les pensées et les changements de formes ou d'apparence sont réversibles).	Incapacité de penser de manière abstraite ou hypothétique.
OPÉRATOIRE FORMEL 11 ans et plus	Pensée abstraite et hypothétique.	Le début de ce stade est marqué par une tendance à *l'égocentrisme* de l'adolescent avec les problèmes qui en découlent, tels que le *mythe personnel* et la croyance en un *auditoire imaginaire*.

Selon Piaget, les enfants passent tous par les mêmes quatre stades de développement cognitif environ au même âge, peu importe le milieu culturel dans lequel ils grandissent. Aucun de ces stades ne peut être omis, étant donné que les capacités acquises au cours des stades précédents sont essentielles à l'acquisition de celles des stades suivants. Examinons plus en détail ces quatres stades : sensori-moteur, préopératoire, opératoire concret et opératoire formel.

Le stade sensori-moteur

Au cours du stade sensori-moteur, allant de la naissance jusqu'à l'acquisition suffisante du langage vers l'âge de deux ans, les enfants explorent le monde et développent leurs schèmes cognitifs essentiellement au moyen de leurs sens et de leurs activités motrices, d'où l'expression *sensori-moteur*.

Un concept important acquis au cours de ce stade est celui de la permanence de l'objet. À la naissance et pendant les trois ou quatre mois qui suivent, le nourrisson est incapable d'évoquer les objets en leur absence. Il ne semble pas posséder les schèmes nécessaires à la représentation des objets disparaissant de sa vue. Pour lui, loin des yeux est vraiment loin du cœur. Vous pouvez vérifier cela en laissant un bébé de

Stade sensori-moteur : Premier stade de développement cognitif défini par Piaget (de la naissance jusqu'à environ deux ans), au cours duquel le développement cognitif de l'enfant s'effectue par l'exploration du monde au moyen des perceptions sensorielles et des fonctions motrices.

Permanence de l'objet : Terme du vocabulaire piagetien désignant une étape majeure dans le développement cognitif du nourrisson, soit la conscience du fait que les objets (ou les personnes) continuent d'exister même lorsqu'ils ne peuvent être vus, entendus ou touchés directement.

trois ou quatre mois manipuler un jouet, puis en couvrant celui-ci de la main; vous verrez que le bébé réagit comme si ce jouet n'avait jamais existé. Vers la fin du stade sensori-moteur, l'enfant aura acquis les schèmes nécessaires à la maîtrise du concept de permanence de l'objet et il ira activement à la recherche du jouet caché.

Le stade préopératoire

Au cours du stade préopératoire s'échelonnant approximativement de l'âge de deux à sept ans, l'enfant effectue des progrès spectaculaires dans l'acquisition du langage. Cette période marque aussi le début de la pensée symbolique, c'est-à-dire de l'utilisation de symboles, tels que les mots, pour représenter les concepts. Mais la pensée est encore limitée. Piaget a qualifié cette période de préopératoire, car l'enfant ne maîtrise pas encore les *opérations*, il ne peut pas encore prendre conscience de la réversibilité des processus mentaux.

Par exemple, si on demande à un petit garçon se trouvant au stade préopératoire s'il a un frère, il répond « oui » sans hésiter. Cependant, si on retourne la question pour lui demander « ton frère a-t-il un frère ? », il répond par la négative. Afin de comprendre que son frère a un frère, il doit être capable de *renverser* le concept « avoir un frère ». En plus de manquer de cette souplesse permettant d'envisager simultanément les divers aspects et relations d'un problème ou d'une situation que Piaget appelait « opérations », la pensée de l'enfant à ce stade d'évolution est également *égocentrique* et *animiste*.

1. L'égocentrisme intellectuel désigne la capacité limitée d'un enfant se trouvant au stade préopératoire d'établir une distinction entre son point de vue et celui des autres. Les enfants à ce stade de leur développement ont de la difficulté à concevoir qu'il existe d'autres points de vue que le leur. Les enfants d'âge préscolaire se planteront droit devant vous pour pouvoir mieux voir la télévision ou n'hésiteront pas à vous poser des questions de façon répétée lorsque vous êtes au téléphone. Ce sont des manifestations de l'égocentrisme propre à cet âge qui porte à présumer spontanément que les autres ressentent les mêmes choses que soi, qu'ils voient, entendent, sentent et pensent exactement de la même manière.

2. L'animisme désigne la croyance que tous les objets sont des êtres vivants ou animés. Les enfants au stade préopératoire croient que les objets, tels que le soleil, les arbres, les nuages ou le savon, ont des motifs, des sentiments et des intentions (par exemple, « les nuages sombres sont en colère » ou « le savon coule au fond de la baignoire parce qu'il est fatigué »).

Le stade opératoire concret

Entre l'âge de sept et onze ans environ, les enfants se trouvent au stade opératoire concret. Au cours de ce stade, d'importantes habiletés cognitives apparaissent. Contrairement au stade préopératoire, les enfants sont maintenant capables d'appliquer les opérations aux objets *concrets*. Ayant intégré le concept de *réversibilité*, ils peuvent désormais saisir celui de conservation. Ils reconnaissent que certaines caractéristiques physiques des objets, le volume par exemple, demeurent constantes même lorsque leur apparence extérieure est modifiée.

Stade préopératoire : Deuxième stade de développement cognitif défini par Piaget. Il s'échelonne approximativement de l'âge de deux à sept ans et se distingue par la capacité de l'enfant à utiliser le langage de manière cohérente et par l'acquisition de la pensée symbolique. A ce stade, l'enfant n'a cependant pas encore maîtrisé les opérations (la réversibilité des processus mentaux) et sa pensée est égocentrique et animiste.

Égocentrisme intellectuel : Incapacité de tenir compte d'autres points de vue que le sien, caractéristique selon Piaget du stade préopératoire.

Animisme : Selon Piaget, croyance de l'enfant au stade préopératoire que tous les objets sont vivants et doués d'intentions, de conscience et de sentiments.

Stade opératoire concret : Troisième stade de développement cognitif défini par Piaget (approximativement de sept à onze ans). L'enfant est maintenant capable d'appliquer les opérations aux objets concrets et comprend les concepts de réversibilité et de conservation.

Conservation : Capacité de reconnaître qu'une quantité, un poids ou un volume donnés demeurent constants malgré leurs changements de forme, de longueur ou de position.

« Pourquoi est-ce que ma poupée ne peut pas utiliser ton téléphone ? »

Est-ce là un exemple d'animisme, d'égocentrisme ou des deux ?

À vous les commandes

Pour comprendre ce que l'on entend par « conservation », imaginez-vous en train d'observer Piaget testant un de ses jeunes enfants au stade préopératoire. Il commence par placer devant l'enfant deux verres de taille identique remplis de la même quantité d'eau (voir la figure 9.2). Lorsque l'enfant a reconnu que ces verres contiennent la même quantité d'eau, Piaget verse l'eau de l'un dans un verre beaucoup plus haut, de forme plus allongée, puis demande de nouveau à l'enfant si les deux verres contiennent encore la même quantité d'eau. Que pensez-vous que l'enfant réponde ? La plupart des enfants se trouvant au stade préopératoire répondent que le verre plus haut contient maintenant plus d'eau que l'autre. Un enfant parvenu au stade opératoire concret sera capable de reconnaître que la quantité d'eau est demeurée la même.

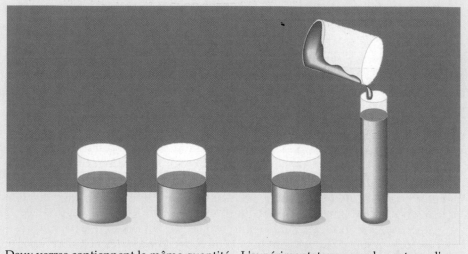

Deux verres contiennent la même quantité d'eau. L'enfant peut voir qu'il s'agit du même volume.

L'expérimentateur verse le contenu d'un des verres dans le verre plus haut, puis demande à l'enfant si chacun de ces deux verres contient le même volume d'eau.

Figure 9.2 **Test de conservation.** Un enfant au stade préopératoire affirmera que le verre plus haut représenté du côté droit de l'illustration contient plus d'eau que celui de gauche. Cela s'explique par le fait qu'il n'a pas encore atteint le stade de développement cognitif permettant de maîtriser le concept de « conservation ».

Le stade opératoire formel

Stade opératoire formel : Quatrième stade de développement cognitif défini par Piaget, s'étendant approximativement de l'âge de 11 ans en montant, caractérisé par la maîtrise de la pensée abstraite et hypothétique.

La dernière période définie dans la théorie de Piaget est le stade opératoire formel, qui débute normalement aux alentours de l'âge de 11 ans. À ce stade, les enfants commencent à appliquer les opérations aux concepts abstraits, après l'avoir fait avec les objets concrets. Ils développent également la capacité de penser de manière hypothétique, de se poser des questions telles que « Qu'est-ce qui se passerait si... ? », leur permettant ainsi une formulation et un examen systématiques des concepts.

Des adolescents s'interrogeant sur la possibilité de travailler à temps partiel, par exemple, peuvent se demander comment ils arriveront à concilier travail et amis, combien d'heures par semaine ils pourront travailler et pour quel genre de travail ils sont qualifiés, avant de remplir des formulaires de demande d'emploi. La pensée opératoire formelle permet aussi à l'adolescent de construire des arguments bien structurés à partir de questions hypothétiques telles que « Qu'est-ce qui se passerait si les dinosaures étaient encore vivants aujourd'hui ? ». Confronté à la même tâche, un enfant se trouvant au stade préopératoire aurait de la difficulté à distinguer la réalité de la fiction, tandis que celui du stade opératoire concret répondrait de manière plutôt limitée, par exemple « Ils ne peuvent pas être vivants aujourd'hui; ça fait longtemps qu'ils sont morts ».

Bien que certains chercheurs pensent qu'un grand nombre d'adultes n'atteignent jamais le stade opératoire formel (Datan et coll., 1987; Kohlberg et Gilligan, 1971), ce dernier est cependant nécessaire à un développement intellectuel de niveau supérieur. Pour la première fois dans l'histoire de leur développement cognitif, les individus peuvent appliquer le raisonnement abstrait nécessaire à la manipulation de concepts algébriques ou grammaticaux complexes qui sont, en fait, des « symboles de symboles ». La capacité de pensée sur la pensée permet également aux penseurs opérationnels formels de réexaminer leurs valeurs et leurs croyances à la lumière de celles de leurs amis, professeurs et parents.

RÉSUMÉ

Le développement de l'intelligence selon Piaget

La théorie du développement de l'intelligence de Jean Piaget est fondée sur le concept de schèmes, lesquels sont des substructures cognitives ou plans mentaux nous permettant d'interpréter le monde. Les schèmes déjà existants peuvent parfois être utilisés tels quels pour intégrer de nouvelles informations. Dans d'autres occasions ces schèmes doivent être modifiés, ce qui fait appel au processus dit d'accommodation.

Selon Piaget, le développement de l'intelligence s'effectue selon un ordre invariable de quatre stades : le stade sensori-moteur, de la naissance à l'âge de deux ans; le stade préopératoire, de deux à sept ans; le stade opératoire concret, de sept à onze ans; et le stade opératoire formel, de l'âge de onze ans et plus.

Au cours du stade sensori-moteur, l'enfant acquiert le concept de permanence de l'objet. Au cours du stade préopératoire, les enfants sont mieux équipés pour manipuler les symboles, mais leur pensée est encore égocentrique et animiste.

Au stade opératoire concret, les enfants maîtrisent les opérations (ils peuvent penser à des choses concrètes sans être vraiment en train de les faire). Ils comprennent les principes de conservation et de réversibilité. Au cours du stade opératoire formel, l'adolescent est capable de penser de manière abstraite et de composer avec des situations hypothétiques, mais il demeure encore enclin à l'égocentrisme.

Bien que l'on ait reproché à Piaget d'ignorer le rôle des facteurs génétiques et culturels, il demeure l'un des plus importants penseurs des temps modernes dans le domaine de la psychologie.

Les psychologues expliquant le développement de l'intelligence en termes de traitement de l'information trouvent le modèle de Piaget particulièrement utile pour expliquer l'évolution de la capacité d'attention et de la mémoire au cours des différentes périodes de la vie. Les résultats des recherches récentes sur les changements reliés à l'âge en matière de traitement de l'information sont très encourageants, contrairement aux conclusions pessimistes des études antérieures.

QUESTIONS DE RÉVISION

1. _____ a été un des premiers scientifiques à prouver que les processus cognitifs de l'enfant sont fondamentalement différents de ceux de l'adulte. a) Baumrind   b) Beck   c) Piaget   d) Elkind

2. L'interprétation de nouvelles informations à l'aide des schèmes existants fait appel à _____, tandis que l'intégration des informations exigeant un réajustement de ces schèmes repose sur _____.
a) l'adaptation, l'accommodation   b) l'adaption, la réversibilité   c) l'égocentrisme, la postschématisation   d) l'assimilation, l'accommodation

3. Veuillez associer chacun des stades du développement cognitif défini par Piaget aux concepts correspondants.

1) Égocentrisme et animisme
2) Permanence de l'objet
3) Pensée abstraite et hypothétique
4) Conservation, réversibilité
5) Mythe personnel et auditoire imaginaire

a. Sensori-moteur
b. Préopératoire
c. Opératoire concret
d. Opératoire formel

Les réponses aux questions de révision se trouvent en annexe.

DÉFINIR L'INTELLIGENCE : PAS SI FACILE !

Même si la plupart des chercheurs reconnaissent que l'intelligence est un ensemble de caractéristiques et d'aptitudes cognitives inobservables directement, les définitions de l'intelligence se sont modifiées au fil des époques et se distinguent encore aujourd'hui par des différences importantes. Avec le temps, les psychologues se sont divisés en deux camps : le premier estime que l'intelligence est une aptitude générale unique et le second soutient qu'il existe en réalité plusieurs sortes d'intelligence. Les premiers tests d'intelligence considéraient l'intelligence comme une aptitude mentale générale regroupant toutes les fonctions cognitives. Charles Spearman était un tenant de cette théorie. Ayant observé une corrélation entre différents tests d'aptitudes mentales, Spearman (1927) a supposé que l'intelligence était une faculté cognitive unique qu'il a appelée le facteur *g*. Selon lui, le facteur *g* est une aptitude cognitive générale qui permet de raisonner, de résoudre des problèmes, et d'obtenir de bons résultats dans tous les domaines de connaissances. Inspirés des travaux de Spearman, des tests standardisés servant à mesurer l'intelligence générale ont fait leur apparition dans les services militaires, les écoles et les entreprises (Lubinski et Dawis, 1992).

Environ une décennie plus tard, L.L. Thurstone (1938) se démarquait de ce point de vue en posant l'existence de sept aptitudes mentales de base, indépendantes les unes des autres : la compréhension verbale, la fluidité verbale, l'aptitude numérique, l'aptitude spatiale, la mémoire associative, la vitesse de perception et le raisonnement. Bien des années après, J.P. Guilford (1967) augmenta ce nombre et postula l'existence d'au moins 120 facteurs ayant une influence sur l'intelligence. Mais à peu près à la même époque, après avoir de nouveau analysé les données de Thurstone, Raymond Cattell (1963, 1971) réfutait l'idée des intelligences multiples. Selon lui, le facteur *g* existe bel et bien, mais il y a deux types d'intelligence, l'intelligence fluide et l'intelligence cristallisée. L'intelligence fluide est notre aptitude à acquérir de nouvelles connaissances et à résoudre de nouveaux problèmes. Étant déterminée par des facteurs génétiques et biologiques, l'intelligence fluide est en quelque sorte notre *capacité* d'apprendre de nouvelles choses. L'intelligence cristallisée se définit plutôt comme l'accumulation de connaissances au cours d'une vie. La somme de nos connaissances dépend à la fois de notre degré d'intelligence fluide, de notre culture, de notre éducation et de nos expériences de vie. Des recherches ont démontré que l'intelligence cristallisée tend à augmenter avec l'âge, tandis que l'intelligence fluide a tendance à diminuer après 40 ans (Horn, 1978). Plus récemment, les résultats de l'étude longitudinale de Seattle sur l'évolution de l'intelligence adulte indiquent que le déclin de l'intelligence fluide s'amorcerait même avant l'âge de quarante ans, et que les hommes connaîtraient une diminution plus rapide de l'intelligence cristallisée après soixante-dix ans que les femmes.

Ne peut le dépasser.

Intelligence fluide : Capacité d'acquérir de nouvelles connaissances et de résoudre des problèmes, qui est en partie déterminée par les facteurs biologiques et génétiques et est relativement stable sur de courtes périodes.

Intelligence cristallisée : Ensemble des connaissances et des expériences acquises au cours d'une vie grâce à l'interaction entre l'intelligence fluide et l'expérience de l'environnement.

La théorie cognitive contemporaine

Les théoriciens contemporains de la cognition affirment que les premiers théoriciens ont mis la charrue avant les bœufs, c'est-à-dire qu'ils ont conçu des tests d'intelligence, qu'ils les ont administrés et qu'ils en ont analysé les résultats avant même de formuler des définitions de l'intelligence. À leur avis, il y a beaucoup plus à comprendre que ce que mesurent les tests d'intelligence traditionnels. Ils ont également tendance à penser qu'en dépit de liens apparents entre les différentes aptitudes mentales, certaines personnes excellent davantage dans certains domaines d'intelligence, ce qui pourrait peut-être indiquer, comme l'ont avancé Thurstone et Guilford, que les aptitudes mentales sont réellement distinctes les unes des autres.

La théorie des intelligences multiples de Gardner

Un théoricien de la cognition, Howard Gardner, a proposé une théorie des intelligences multiples. À l'aide de critères personnels rigoureux, il a établi l'existence de huit formes bien distinctes d'intelligence (1983, 1996) :

1. **L'intelligence linguistique,** reliée au langage, à la communication verbale, au maniement efficace des concepts nécessaires à la lecture ou à la composition d'un récit.

2. **L'intelligence logico-mathématique** permettant de résoudre des problèmes ou d'effectuer des analyses scientifiques, comme établir une preuve logique ou trouver la solution d'un problème de mathématiques.

3. **L'intelligence spatiale** reliée à la représentation mentale des objets, permettant par exemple d'imaginer comment faire entrer de nombreux cadeaux dans une même boîte ou d'esquisser le plan d'un édifice.

4. **L'intelligence musicale** comprend les aptitudes nécessaires à l'apprentissage du chant ou du piano, par exemple.

5. **L'intelligence dite corporelle ou kinesthétique** touche au mouvement corporel déployé dans la danse, par un joueur frappant une balle de baseball, ou par quelqu'un construisant une bibliothèque de ses propres mains.

6. **L'intelligence interpersonnelle**. Cela comprend les compétences sociales, telles que la capacité de communiquer verbalement et la sensibilité aux sentiments des autres.

7. **L'intelligence intrapersonnelle**. Il s'agit de la connaissance de soi-même qui permet de se fixer des buts réalistes ou de prendre conscience d'émotions destructrices.

8. **L'intelligence naturaliste**. C'est celle qui nous permet de nous sentir en harmonie avec la nature, de mieux apprécier les caractéristiques des saisons ou encore nous incite à utiliser des produits sans danger pour l'environnement.

Selon Gardner (1991), les gens parviennent à connaître le monde qui les entoure à l'aide de ces huit formes d'intelligence. Les *profils d'intelligence* tendraient aussi à varier selon les forces ou les faiblesses de chacun dans différents domaines, et les modes d'utilisation de l'intelligence dans l'acquisition de nouvelles connaissances, l'exécution des tâches ou la résolution des problèmes.

Par conséquent, affirme Gardner, les tests d'intelligence devraient consister à évaluer les points forts d'une personne plutôt qu'à établir son seul « QI ». Les éducateurs ont reconnu la valeur de la théorie de Gardner et ont élaboré des programmes d'études tenant compte des différentes habiletés intellectuelles des enfants. Un peu partout au Canada et aux États-Unis, les commissions scolaires ont créé des écoles spécialisées dans l'enseignement des mathématiques, des sciences (comme les écoles Fernand-Séguin à Québec et à Montréal), de la technologie, des arts visuels et des arts d'interprétation afin d'offrir aux étudiants un milieu d'apprentissage adapté à leurs aptitudes personnelles et à leur mode d'apprentissage.

Théorie des intelligences multiples : Gardner postule l'existence de huit formes distinctes d'intelligence au moyen desquelles les personnes apprennent à connaître et à contrôler leur environnement.

*Incapacité prolongé
Traumatisme
Carence affective grave
Manque de stimuli or bas âge*

La théorie triarchique de Sternberg

S'appuyant sur les découvertes des chercheurs en traitement de l'information, Robert Sternberg (1985) a élaboré ce qu'il appelle une théorie triarchique de l'intelligence humaine. Sternberg a l'impression que les processus intellectuels que nous utilisons pour résoudre des problèmes sont encore plus importants que les produits visibles de l'intelligence que sont les bonnes réponses à un test d'intelligence ou les solutions à des problèmes internationaux, et que les théories de l'intelligence devraient prendre ces processus en considération. La théorie triarchique discerne dans l'intelligence trois aspects distincts mais connexes : les éléments internes de l'intelligence, l'utilisation qui est faite de ces éléments pour s'adapter aux changements environnementaux et l'application de l'expérience vécue aux situations de la vie réelle (Frensch et Sternberg, 1990). Certaines personnes semblent avoir une plus grande aptitude à utiliser un aspect ou plus de l'intelligence. Chacun des trois aspects est expliqué brièvement ci-dessous.

Anne Hébert

S. Bassouls, Sygma 215205 Publiphoto

Gabriel Garcia Marquez

Julie Payette

Agence spatiale canadienne

Catherine Deneuve

221368. M. Rosenstiehl

Stevie Wonder

Daniel Langlois

Image actuelle Publiphoto

Certains psychologues affirment qu'il existe différents types d'intelligence et de créativité. Des auteurs reconnus tels que Anne Hébert et Gabriel Garcia Marquez, par exemple, représentent l'intelligence littéraire; Julie Payette, Stephen Hawking et Daniel Langlois de Softimage représentent l'intelligence et la créativité associées à la recherche scientifique; Catherine Deneuve et Stevie Wonder illustrent l'intelligence et la créativité associées aux arts de la scène; quant à Mélanie Turgeon, elle représente le haut niveau d'intelligence motrice dont font preuve les athlètes de calibre mondial.

Mélanie Turgeon

Équipe canadienne de ski alpin

Stephen Hawking

1. *L'aspect interne de l'intelligence*, ce sont nos processus mentaux, que Sternberg groupe en trois méga-éléments : ceux que nous utilisons pour acquérir et emmagasiner des connaissances; ceux que nous employons dans la perception, la mémoire à court et à long terme, et la résolution de problèmes; ceux qui nous servent à planifier, à diriger et à évaluer notre pensée. Ainsi, lorsque nous complétons une analogie telle que « la tanière est à l'ours ce que la ruche est à _____ », nous mettons à contribution des connaissances emmagasinées dans la mémoire à long terme, nous les faisons passer dans notre mémoire temporaire de travail, nous décidons de la stratégie à utiliser et nous nous servons de notre raisonnement et de nos aptitudes à résoudre des problèmes pour finalement obtenir la réponse « l'abeille ». Selon Sternberg, ce qui distingue les intellectuels, c'est l'usage qu'ils font de leurs méga-éléments pour planifier et évaluer les stratégies de résolution de problèmes.

2. La *capacité d'adaptation de l'intelligence* est évidente lorsque nous utilisons nos éléments internes pour adapter ou modifier notre environnement, ou pour choisir de nouveaux environnements qui conviennent davantage à nos objectifs. Par exemple, vous pouvez utiliser votre capacité d'adaptation pour résoudre le problème posé par un chien qui aboie la nuit. Vos aptitudes à penser vous aideront à décider si vous voulez vous adapter à la situation ou la modifier.

3. *L'intelligence résultant de l'expérience* met à contribution notre aptitude à suivre des processus automatiques bien rodés pour accomplir des tâches usuelles ainsi que notre aptitude à tirer des leçons des expériences vécues pour résoudre de nouveaux problèmes. Les pompiers utilisent fort habilement cet aspect de l'intelligence. S'ils survivent à de multiples situations dangereuses, c'est qu'ils se servent de leurs aptitudes et de leurs expériences pour définir leur comportement en cas d'urgence.

Le principal intérêt de la théorie de l'intelligence de Sternberg est de mettre en lumière le *processus* qui sous-tend la pensée plutôt que le seul produit final, et de souligner l'importance de *l'application* des aptitudes mentales aux situations réelles plutôt que de les tester de manière isolée. Sternberg (1998) a récemment proposé l'expression : *intelligence efficace* pour décrire la capacité de s'adapter à des environnements, de les modifier ou de les choisir de manière à réaliser nos ambitions personnelles ou sociales.

Nous avons examiné plusieurs théories de l'intelligence, de la théorie du facteur *g* de Spearman à la conception triarchique de Sternberg, en passant par celle des intelligences multiples de Gardner. Bien que ces théories aient été généralement acceptées par les éducateurs, un grand nombre de théoriciens de la cognition continuent encore à croire que, pour la plupart des gens, l'intelligence est une « capacité mentale très générale » (Arvey et coll., 1994). Ces différences persistantes d'opinion entre les théoriciens contemporains rendent donc difficile la définition du concept d'intelligence. Nous pouvons maintenant nous reposer la question formulée au début de la présente section : Qu'est-ce que l'intelligence ? Nous proposons cette définition concise : l'intelligence réside dans les aptitudes cognitives employées pour acquérir des connaissances, les mémoriser et utiliser les éléments de sa propre culture pour résoudre des problèmes courants et pour s'adapter rapidement tant à un milieu stable qu'à un milieu en transformation.

LA MESURE DE L'INTELLIGENCE : QU'EST-CE QU'UN BON TEST D'INTELLIGENCE ?

Même si l'intelligence est beaucoup plus que ce qu'un test peut mesurer, les éducateurs et les psychologues utilisent couramment les tests de quotient intellectuel pour mesurer l'intelligence générale de leurs élèves ou de leurs clients et les classer par catégories. Le quotient intellectuel est le résultat obtenu à un test conçu pour mesurer les aptitudes verbales et numériques nécessaires pour réussir les cours

Intelligence : Ensemble d'aptitudes cognitives servant à acquérir des connaissances, à les mémoriser et à utiliser les éléments de sa propre culture pour résoudre des problèmes de la vie quotidienne et pour s'adapter rapidement tant à un milieu stable qu'à un milieu en transformation.

donnés dans le système scolaire public normal. Le quotient intellectuel ne permet pas de définir toutes les aptitudes intellectuelles et ne permet pas nécessairement non plus de prédire le degré de réussite dans le « monde réel ».

Dans la section suivante, nous étudierons les tests d'intelligence de manière détaillée, mais nous devons d'abord examiner quelques principes généraux qui régissent les tests psychologiques : la standardisation, la fidélité et la validité.

La standardisation

Standardisation : Processus consistant à établir les normes d'un test afin d'évaluer quelles aptitudes, quelles connaissances ou quelles caractéristiques sont représentatives de la population en général. Aussi, processus qui consiste à normaliser les procédures à suivre pour administrer et noter les tests, afin que tous soient soumis aux mêmes conditions.

Dans le domaine des tests, le terme standardisation a deux significations (Groth-Marnat, 1990). Premièrement, il faut établir des normes pour tous les tests. C'est-à-dire que les tests doivent être administrés à un grand nombre de personnes afin de déterminer quels résultats sont les résultats moyens, lesquels sont au-dessus de la moyenne et lesquels sont au-dessous de la moyenne. Ce genre de standardisation est nécessaire pour définir les propriétés statistiques du test et revêt une importance particulière lorsque le test sert à évaluer des milliers de personnes. La plupart des tests publiés dans les magazines populaires ne sont pas standardisés et ne peuvent donc pas servir à déterminer la « normalité » du comportement mesuré.

Deuxièmement, les procédures de testage doivent être standardisées. Les conditions d'administration d'un test doivent être claires et entièrement décrites dans un manuel accompagnant le test. Tous les sujets doivent être traités également, c'est-à-dire recevoir les mêmes directives et répondre aux mêmes questions dans les mêmes conditions. Il s'agit de faire en sorte que les différences de résultats puissent réellement être attribuées à des différences d'aptitude des sujets ou à des traits qui les caractérisent, et non au déroulement du test lui-même. Pour les mêmes raisons, les méthodes de notation doivent aussi être décrites en détail dans le manuel de testage.

Si vous entreprenez un jour des études universitaires aux États-Unis, vous découvrirez par l'expérience ce qu'est le processus de standardisation. En effet, tout candidat aux études universitaires de premier cycle aux États-Unis doit passer le SAT (Scholastic Aptitude Test, ou test d'habileté scolaire). Aux deuxième et troisième cycles, c'est le GRE (Graduate Record Exam) qu'il faut passer. Ces tests mesurent tous deux les habiletés verbales et numériques. Ils sont toujours donnés le même jour et à la même heure dans des conditions identiques dans les 50 États américains et dans plusieurs villes d'autres pays, notamment à Montréal. Si les conditions n'étaient pas les mêmes partout, les résultats pourraient varier en fonction de ces conditions plutôt que selon les aptitudes des étudiants. Ainsi, si les candidats montréalais avaient droit à l'usage d'une calculatrice contrairement aux candidats new-yorkais, ils seraient avantagés par rapport à ceux-ci. En plus de la validité et de la fidélité, la standardisation est donc indispensable à la qualité d'un test.

La fidélité

Fidélité : Degré de cohérence interne d'une épreuve et de permanence des résultats au cours d'administrations successives d'un même test.

La fidélité exprime la permanence des résultats fournis par des administrations successives d'un même test (Groth-Marnat, 1990). On établit habituellement la fidélité d'un test en faisant repasser le même test à des sujets à une date ultérieure

Lorsqu'on fait passer des tests standardisés, toutes les précautions sont prises pour s'assurer que tous les sujets sont placés dans des conditions identiques et reçoivent les mêmes directives.

afin de voir si leurs résultats sont très différents de ceux de la première épreuve. Une fidélité de 100 % signifie que toute personne à qui le test est administré à différents moments obtient toujours le même résultat. Ce n'est jamais le cas, mais un bon test doit être relativement fidèle, du moins sur de courtes périodes. Ainsi, si un jour votre résultat au SAT est de 475 et que, une semaine plus tard, il chute à 250, cela signifierait que le test n'est absolument pas fidèle et par conséquent inutile.

La validité

La validité est la capacité d'un test de mesurer réellement ce qu'il cherche à mesurer (Groth-Marnat, 1990). La validité a plusieurs facettes. La plus importante est la *validité relative à un critère*, ou le degré de précision avec lequel les résultats d'un test peuvent prédire une autre variable servant de critère. La validité relative à un critère est exprimée comme la corrélation entre le résultat du test et le critère. Comme nous l'avons vu au chapitre 1, une *corrélation* est une mesure normalisée de la relation entre deux variables. Une corrélation élevée indique que les deux variables sont étroitement rattachées, tandis qu'une faible corrélation indique qu'il y a peu ou pas de rapport entre elles. Lorsque la corrélation entre deux variables est élevée, l'une des variables peut servir à prédire l'autre. Par conséquent, lorsqu'un test est valide, les résultats peuvent servir à prédire le comportement d'une personne placée dans une autre situation. Ainsi, un test administré aux candidats à un emploi est valide s'il peut prédire le rendement de ces personnes au travail, et le SAT est valide s'il réussit à prévoir la performance scolaire.

Le test non valide est tout à fait inutile, même s'il est standardisé et fidèle. Imaginons que vous administrez à une personne un test de sensibilité de la peau. Ce genre de test peut être facile à standardiser (les directives précisent les points exacts du corps où le test doit être appliqué) et il peut fort bien aussi être fidèle (chaque nouvelle application du test donne des résultats semblables), mais il ne peut certainement pas être valide pour prédire les résultats scolaires, car les résultats du test sont en corrélation avec des critères autres que le succès dans les études.

La plupart des tests psychologiques sont soigneusement standardisés, même si leur fidélité et leur validité varient grandement. Dans la plupart des cas, c'est la validité d'un test — ce qui est réellement mesuré par des tests psychologiques, surtout les tests de quotient d'intelligence — qui suscite de la controverse.

Validité : Capacité d'un test de mesurer réellement ce qu'il cherche à mesurer.

RÉSUMÉ

Définir et mesurer l'intelligence

Dès les premières recherches sur l'intelligence, les théoriciens en ont proposé des définitions différentes. Charles Spearman percevait l'intelligence comme une aptitude cognitive générale, le facteur *g*; L.L. Thurstone distinguait sept aptitudes mentales distinctes; J.P. Guilford stipulait l'existence d'au moins 120 aptitudes mentales différentes; et Raymond Cattell attribuait deux formes différentes au facteur *g*, l'intelligence fluide et l'intelligence cristallisée.

Les théoriciens contemporains de la cognition estiment que l'intelligence est bien davantage que ce que mesurent les tests, et qu'il existe probablement plus d'une forme d'intelligence. Howard Gardner a postulé l'existence d'au moins six formes différentes d'intelligence chez les humains; selon lui, l'enseignement et l'évaluation devraient tenir compte des différents modes d'apprentissage des élèves et de leurs principales aptitudes cognitives. Robert Sternberg a élaboré ce qu'il a appelé une théorie triarchique de l'intelligence, qui met l'accent sur le processus de la pensée plutôt que sur le produit fini (la réponse). La théorie triarchique discerne trois aspects dans l'intelligence : les éléments internes, l'utilisation qui est faite de ces éléments pour s'adapter aux changements et le recours à l'expérience passée pour résoudre des problèmes.

Notre définition de l'intelligence est celle-ci : « L'intelligence consiste à employer ses aptitudes cognitives pour acquérir et mémoriser des connaissances, pour utiliser les connaissances propres à sa culture pour résoudre des problèmes quotidiens et pour s'adapter rapidement tant à un milieu stable qu'à un milieu en transformation.

QUESTIONS DE RÉVISION

1. Comment Spearman conçoit-il l'intelligence et quelle autre conception peut-on opposer à la sienne ?
2. Quelle est la différence entre l'intelligence fluide et l'intelligence cristallisée ?
3. Selon la théorie triarchique de l'intelligence proposée par Sternberg, quels sont les trois aspects de l'intelligence ?
4. Qu'est-ce que l'intelligence ?
5. Quel principe de testage correspond aux définitions ci-dessous : la standardisation, la fidélité ou la validité ?
   a) Lorsqu'un même test est administré à la même personne à deux semaines d'intervalle, les résultats obtenus sont très semblables. _____
   b) Un test ou tout autre instrument d'évaluation mesure réellement ce qu'il prétend mesurer. _____
   c) Le test a été administré à un grand nombre de personnes afin de déterminer quels résultats constituent la moyenne, sont au-dessus et au-dessous de la moyenne, bref quels résultats sont représentatifs de la population en général. _____

Les réponses aux questions de révision se trouvent en annexe.

39 LES TESTS D'INTELLIGENCE

Il existe différentes sortes de tests d'intelligence et chacun aborde la question sous un angle légèrement différent. Cependant, la plupart cherchent à mesurer les aptitudes pouvant prédire de manière valide les résultats scolaires. En d'autres termes, la plupart des tests d'intelligence sont conçus de manière à prédire la performance des élèves. Examinons de plus près les tests les plus couramment utilisés à cette fin.

Les tests d'intelligence individuels

Le premier test d'intelligence à avoir été largement utilisé est l'échelle d'intelligence de Stanford-Binet. En gros, ce test reposait sur les tout premiers tests mis au point en France, au tournant du siècle, par Alfred Binet. Lewis Terman (1916) a élaboré le Stanford-Binet (à l'université de Stanford) afin de mesurer les aptitudes intellectuelles d'enfants de trois à seize ans nés aux États-Unis. Le test, périodiquement révisé — la dernière révision remonte à 1985 —, est administré individuellement (une personne qui administre le test et une personne qui répond aux questions) et les épreuves consistent notamment à reproduire des plans géométriques, à relever les similitudes entre des objets et des situations, et à répéter une séquence de nombres. Dans la version originale de Stanford-Binet, les résultats étaient exprimés sous la forme d'un *âge mental*. Ainsi, lorsqu'un enfant de sept ans obtenait des résultats correspondant à ceux d'un enfant moyen de huit ans, on le considérait comme ayant un âge mental de huit ans. Afin de déterminer le quotient d'intelligence (QI) de l'enfant, on divisait son âge mental par son âge réel (âge réel exprimé en années). La formule permettant d'établir le QI était la suivante :

$$QI = \frac{AM}{AR} \times 100 = \frac{8}{7} \times 100 = 1,14 \times 100 = 114 \, .$$

(Le rapport était multiplié par 100 afin de supprimer les décimales ou les fractions.) Un enfant de sept ans ayant un âge mental de huit ans aurait donc un QI de 114.

Quotient d'intelligence (QI) : Résultat obtenu à un test conçu pour mesurer les aptitudes verbales et numériques.

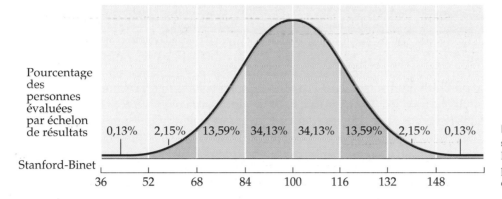

Figure 9.3 **Distribution des résultats du test Stanford-Binet.** Notons que plus des deux tiers des personnes évaluées, soit 68,26 %, ont un QI compris entre 84 et 116.

Un enfant « normal » devrait avoir un âge mental *égal* à son âge réel. Par « normal », on entend ici « correspondant aux normes ou aux statistiques utilisées pour standardiser le test ». Il n'existe nulle part d'enfant considéré comme le type absolu de la normalité.

Aujourd'hui, les résultats au test Stanford-Binet sont exprimés sous la forme d'une comparaison entre les résultats obtenus par une personne et un échantillon national de personnes du même âge. On établit ces *QI types* en calculant l'écart entre le résultat d'une personne à un test et la moyenne nationale. Lorsqu'on leur administre un test d'intelligence standardisé tel que le Stanford-Binet, la majorité des gens obtiennent des résultats se situant à l'intérieur d'un écart type (16 points) au-dessus ou au-dessous de la moyenne nationale, qui est de 100 points. Par conséquent, l'enfant dont les résultats au Stanford-Binet sont deux écarts types au-dessus de la moyenne nationale a un QI standardisé égal à 132, et celui dont les résultats correspondent à un écart-type au-dessous de la moyenne nationale se voit attribuer un QI standardisé de 84.

La figure 9.3 illustre la distribution typique de la courbe des résultats au test Stanford-Binet : la majorité (68 %) des enfants qui passent le test obtient des résultats se situant dans la moyenne, tandis qu'environ 16 % d'entre eux dépassent le 116 et que 16 % obtiennent moins de 84.

Les résultats obtenus au test Stanford-Binet étant conçus pour prédire les résultats scolaires, les enfants qui ont un QI élevé devraient en principe poursuivre leurs études plus longtemps et obtenir des notes élevées. En fait, les corrélations entre le Stanford-Binet et d'autres tests d'aptitudes scolaires sont situées par Bossard et coll. (1980) entre 0,70 et 0,82, ce qui donne un rapport relativement étroit entre le QI et l'aptitude aux études. On peut donc affirmer que le test Stanford-Binet est un indicateur prévisionnel valide du rendement scolaire.

Les tests de Wechsler

Parmi les autres principaux tests d'intelligence administrés individuellement figurent les tests de Wechsler. En 1939, David Wechsler, psychologue clinicien de l'hôpital Bellevue à New York, a décidé d'élaborer sa propre échelle d'intelligence en adoptant une méthode différente de celle de Terman. Le test Stanford-Binet mis au point par Terman comprend une série de questions adaptées aux différents groupes d'âge, et les sujets doivent répondre aux questions correspondant à un groupe d'âge avant de passer à la série de questions suivantes. L'échelle de Wechsler comporte trois tests *séparés* : l'Échelle d'intelligence préscolaire et primaire de Wechsler pour enfants (WPPSI), destinée aux enfants de trois ans à six ans; l'Échelle d'intelligence pour enfants de Wechsler — troisième édition (WISC-III), destinée aux enfants de cinq ans à quinze ans; et l'Échelle d'intelligence de Wechsler pour adultes — révisée (WAIS-R) (Groth-Marnat, 1990).

L'autre principale différence entre le Stanford-Binet et les tests de Wechsler est la mesure dans laquelle les aptitudes verbales sont évaluées. Le Stanford-Binet est

Contrairement au Stanford-Binet, l'Échelle d'intelligence de Weschler comprend des épreuves permettant de mesurer la performance non verbale; c'est le cas de l'épreuve de dessin avec des pièces géométriques que passe cet enfant.

d'abord conçu pour mesurer les aptitudes verbales, tandis que les échelles de Wechsler sont à moitié verbales et à moitié non verbales. L'approche de Wechsler a deux avantages. Les aptitudes verbales et non verbales peuvent être évaluées séparément ou ensemble, et les personnes incapables de parler ou de comprendre la langue du test peuvent aussi être testées. Il n'est pas indispensable d'administrer la partie verbale des tests, car chacun des sous-tests permet d'obtenir des résultats indépendants. Toutefois, le WISC-III fait toujours l'objet de controverses, car certains le jugent discriminatoire envers les enfants de groupes ethniques et culturels (voir Berk, 1982; Jensen, 1980; Reynolds et Brown 1984; Reynolds et Kaiser, 1990). D'autres pensent qu'il est dépassé et ne permet de mesurer que des aspects très limités de l'intelligence, et qu'il devrait par conséquent être amélioré ou remplacé par des tests conçus en fonction du concept d'intelligences multiples (Carroll, 1993; Sternberg, 1993; Sternberg et Kaufman, 1998).

Malgré ces critiques, le WISC-III est encore le test d'intelligence générale le plus fréquemment administré individuellement. On le considère valide s'il est utilisé comme moyen de prévision de la réussite scolaire (Weiss, Prifitera et Roid, 1993). Il constitue en effet un bon indicateur des chances de succès scolaire de la plupart des enfants au Canada et aux États-Unis. (Voir au tableau 9.2 les différentes épreuves faisant partie du WISC-III.)

Les tests collectifs d'intelligence

La majorité des tests d'intelligence employés aujourd'hui ne sont pas des tests individuels; ce sont des tests de groupe. Les tests individuels sont utiles pour établir un diagnostic parce qu'ils sont administrés par des psychologues qui possèdent la formation nécessaire pour contrôler non seulement les bonnes et les mauvaises réponses mais également les frustrations, les difficultés de chaque individu, etc. Toutefois, l'administration d'un test individuel exige beaucoup de temps (chaque test prend entre une et deux heures en moyenne) et coûte cher (comme on exige d'eux de longues années d'étude et d'expérience, les psychologues réclament des honoraires élevés). Le test collectif d'intelligence est un moyen rapide et moins coûteux d'évaluer les aptitudes intellectuelles d'un groupe important d'individus.

Le test militaire Alpha

Les tests collectifs d'intelligence ont été administrés pour la première fois aux recrues de l'armée américaine pendant la Première Guerre mondiale. Comme il fallait évaluer les capacités de deux millions de recrues en un court laps de temps, les tests individuels étaient hors de question. Une équipe de psychologues dirigée par Robert Yerkes fut donc chargée d'élaborer le premier test collectif d'intelligence, le test militaire Alpha. Il s'agissait du premier test papier-crayon capable de mesurer des aptitudes cognitives telles que le raisonnement mathématique, les analogies et le jugement pratique.

Il existe aujourd'hui plusieurs types de tests collectifs d'intelligence, notamment les tests collectifs de connaissances, qui servent à mesurer les connaissances acquises, et les tests collectifs d'aptitudes, qui servent à mesurer la capacité d'une personne à réussir dans un ou plusieurs domaines donnés. Au Québec, par exemple, on se sert de tests d'aptitudes pour sélectionner les candidats dans les facultés où il y a contingentement. Ainsi, les candidats à la médecine peuvent avoir à se soumettre à un test équivalent au MCAT (*Medical College Admission Test*) et ceux au droit à un test équivalent au LCAT (*Legal College Admission Test*). On vise de cette façon à s'assurer que les inscrits seront ceux qui ont le plus de chances de réussir leurs études.

Les usages et les abus des tests d'intelligence

Les employeurs, les éducateurs et les cliniciens utilisent couramment et à de multiples fins les tests collectifs et individuels d'intelligence. Les employeurs s'en servent pour l'engagement et la promotion du personnel. Les écoles y ont recours

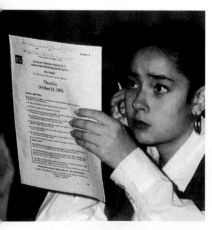

Au Canada, certaines universités font passer aux candidats le test d'aptitude aux études universitaires, conçu par l'Université de Montréal. Les antécédents scolaires des étudiants n'en demeurent pas moins le meilleur indicateur des aptitudes au bon rendement scolaire.

Tableau 9.2   Épreuves du WISC-III.

Épreuves verbales	Exemples*
Connaissances	Nommez les cinq continents.
Similitudes	En quoi les ordinateurs et les livres se ressemblent-ils ?
Arithmétique	Si une carte de hockey coûte trois cents, combien coûteront cinq cartes de hockey ?
Vocabulaire	Qu'est-ce qu'une *lampe* ?
Jugement	Que devez-vous faire si vous brisez accidentellement le jouet d'un ami ?

Épreuves de performance	Exemples*
Images à compléter Qu'est-ce qui manque sur cette ambulance ?	
Substitution Inscrivez le bon chiffre au-dessus de chaque symbole.	
Histoire en images Placez ces images par ordre chronologique.	
Dessin avec formes géométriques Reproduisez ce dessin avec des formes géométriques.	
Assemblage Assemblez ce petit casse-tête.	

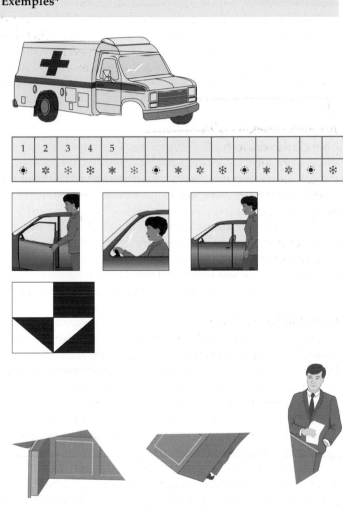

* Ces exemples sont semblables à ceux utilisés dans le vrai test.

pour définir les besoins des élèves et évaluer leurs aptitudes en vue de les orienter vers les programmes qui leur sont destinés (enfants doués, déficients mentaux capables de poursuivre des études, jeunes en difficulté d'apprentissage, etc.). Les cliniciens font usage des tests d'intelligence pour différentes raisons, notamment pour savoir si le comportement de leurs clients est à la hauteur de leur potentiel intellectuel. Et pourtant, comme certains le font remarquer, l'intelligence est bien davantage que ce que les tests permettent de mesurer; il n'est donc pas justifié, et probablement contraire à l'éthique, de se fier seulement à un test d'intelligence pour prendre des décisions importantes ayant des conséquences sur la vie des personnes.

Les uns et les autres

LES TESTS D'INTELLIGENCE, LES DIFFÉRENCES CULTURELLES ET LA RÉUSSITE SCOLAIRE

Le débat au sujet de la courbe d'intelligence

Un livre publié par Richard J. Herrnstein et Charles Murray intitulé *The Bell Curve : Intelligence and Class Structure in American Life* (1994) a récemment relancé la controverse au sujet des différences entre les groupes raciaux ou ethniques dans les résultats aux tests d'intelligence. Les données indiquent que les enfants issus de certaines minorités ethniques obtiennent des résultats différents de ceux des enfants de la majorité blanche (Arvey et coll., 1994; Graham et Lilly, 1984; Groth-Marnat, 1990; Herrnstein et Murray, 1994; Kamin et Omari, 1998; Lynn, 1996; Neisser et coll., 1996). Bien que les membres de chaque groupe ethnique puissent obtenir des moyennes se situant à tous les niveaux de l'échelle des quotients intellectuels et que les courbes de tous les groupes se recoupent considérablement, les moyennes obtenues par l'ensemble de certains groupes ethniques s'écartent de la moyenne nationale.

La controverse ne porte pas tant sur l'existence des différences observées entre les différents groupes, mais sur les raisons de ces différences et leurs implications sur les politiques scolaires et sociales (voir Kamin, 1995; Zigler et Seitz, 1982). Pourquoi certains Américains obtiennent-ils, en tant que groupe, des résultats aux tests de QI inférieurs à d'autres groupes ? Que peut-on faire pour réduire cet écart ?

La plupart des psychologues croient que ces différences sont attribuables à des différences socio-économiques plutôt qu'ethniques (Gardner, 1995; Kamin, 1995; Sternberg et Kaufman, 1998; Thomas, 1995). Lorsque la majorité des enfants issus de familles de la classe moyenne entrent à l'école, peu importe leur origine ethnique, ils sont prêts, tant sur les plans scolaire et social qu'émotif, à entreprendre leur formation dans le milieu scolaire public. Leurs parents leur ayant lu des histoires depuis leur plus tendre enfance, les livres sont pour eux des compagnons de route familiers. Ils ont l'habitude de regarder des images et d'en décoder le contenu (aussi surprenant que cela puisse sembler, cette aptitude n'est pas innée mais acquise). Ils connaissent les noms et les sons de la plupart des lettres de l'alphabet. Ils ont l'habitude de partager leurs jouets avec d'autres enfants et ont été éduqués à résoudre les conflits de manière non agressive. Plusieurs d'entre eux sont allés à la maternelle; ils se sentent donc à l'aise dans une salle de classe. Bref, leurs parents et le milieu culturel de classe moyenne dont ils proviennent les ont bien préparés à leur première expérience scolaire.

De nombreux enfants ne sont cependant pas nés dans la classe moyenne et ont été élevés dans des environnements totalement différents (Mercer, 1988). Ces enfants se sentent totalement dépassés par ce que l'on attend d'eux lorsqu'ils arrivent à l'école. Ils n'ont peut-être encore jamais vu de livres d'images et encore moins entendu quelqu'un leur en faire la lecture. Ou jamais entendu la comptine de l'alphabet ni eu la chance de l'apprendre. Jamais eu de jouets et donc certainement pas la chance d'apprendre à les partager avec d'autres. Qui plus est, à l'intérieur de certaines sous-cultures, les enfants qui se distinguent de leurs camarades par la qualité de leurs résultats scolaires sont la risée du groupe (Pearson, 1995). Il n'est donc pas surprenant que ces enfants obtiennent des résultats moins élevés aux tests d'intelligence et qu'ils éprouvent des difficultés à l'école.

Un autre facteur pouvant avoir des répercussions sur les résultats obtenus aux tests de QI est la langue. Bien qu'il soit difficile de trouver des enfants qui n'aient pas été exposés à la langue parlée à la télévision, un grand nombre d'entre eux apprennent la langue de leur culture et le dialecte de leur quartier (Philips, 1983; Tanner-Halverson, Burden et Sabers, 1993). Lorsqu'ils arrivent à l'école et entendent leur professeur s'exprimer en langue standard, ils en connaissent peut-être le vocabulaire, mais non la syntaxe et la grammaire utilisées en classe. En apprenant à lire, c'est cette langue officielle qu'on leur demande d'assimiler et non la langue qui leur est familière. Étant donné que la plupart des apprentissages scolaires sont basés sur le langage, ces enfants se trouvent désavantagés dès le départ.

Les barrières linguistiques et les différences socio-économiques ne signifient pas que ces enfants sont moins intelligents que les autres. Ces différences culturelles peuvent cependant les désavantager dans leur scolarité ou lorsqu'ils doivent passer des tests d'évaluation pour des emplois dans le domaine de l'éducation. Cet état de choses est lourd de conséquences sur le plan des politiques publiques. Si la réussite scolaire et la recherche fructueuse d'un emploi dépendent de l'obtention de résultats élevés aux tests d'intelligence, les étudiants atteignant de faibles résultats à ces tests s'en trouveront désavantagés pendant toute leur vie.

La situation au Québec

Au Québec, la situation des minorités ethniques est très différente de celle des Noirs américains. En effet, on a constaté, notamment, que le rendement scolaire des allophones néo-québécois est très comparable à celui des francophones québécois. En fait, plus les enfants d'immigrants sont intégrés jeunes dans le système scolaire, plus leur comportement est semblable à celui des écoliers francophones (Adiv et Doré, 1984; Maisonneuve, 1987). Une étude menée dans deux écoles québécoises révèle même une réussite scolaire légèrement plus élevée parmi les élèves néo-québécois nés de parents néo-québécois (Brochu et Chalom, 1986). En fait, les faibles rendements de certains élèves allophones s'expliquent plutôt par le fait qu'ils ont immigré à un âge avancé et qu'ils ne parlaient pas français à leur arrivée au pays. Ainsi, les enfants des minorités ethniques dont l'écriture est idéographique ou dont l'alphabet n'est pas romain éprouvent souvent des difficultés d'alphabétisation, ce qui est tout à fait normal.

D'autre part, si une certaine proportion des enfants d'immigrants accusent un retard scolaire, c'est souvent parce qu'ils n'ont pas pu fréquenter l'école normalement dans leur pays d'origine, notamment à cause d'un état de guerre. Plusieurs d'entre eux y ont souffert de privations physiques ou affectives qui persistent à cause de la pauvreté, de l'insalubrité des logements et de l'éclatement familial. Dans le cas de ces élèves, c'est donc leur qualité de vie et celle de leur milieu qui jouent un rôle déterminant dans leur réussite scolaire. D'ailleurs, les résultats de l'étude PAREA menée par Peggy Tchoryk-Pelletier, sociologue, (1989) semblent démontrer que la réussite scolaire des élèves, qu'ils soient québécois ou néo-québécois, est liée essentiellement au degré de scolarité du père. Une étude de l'Organisation de coopération et de développement économiques (1987) aboutit à la même conclusion : « [...] de toutes les variables testées, l'origine sociale — c'est-à-dire la catégorie socioprofessionnelle du chef de famille, avec tout ce que cela sous-entend pour la qualité de la vie et de l'environnement de l'enfant — constitue le facteur d'explication le plus probant ».

Comme l'affirme l'Unesco, le milieu familial constitue un lieu privilégié pour promouvoir l'alphabétisation. L'engagement actif de la famille dans le milieu scolaire et dans l'éducation des enfants semble primordial. La plupart des chercheurs s'entendent pour dire que ce n'est pas l'ethnicité qui influe sur le rendement scolaire, mais bien divers facteurs tels que la qualité du milieu familial, la scolarité des parents, leurs revenus, leur position sociale, l'attitude des parents envers l'école et la réussite scolaire, l'âge auquel les enfants arrivent dans le pays d'accueil, le retard scolaire pris dans leur pays d'origine pour diverses raisons et leur degré de maîtrise du français (Husen et Torsten, 1975; Leblanc et coll., 1988).

Cependant, tous ces facteurs environnementaux ou culturels restent indissociablement liés et dépendants de la condition socio-économique des familles : plus les parents vivent dans des conditions précaires, moins ils sont en mesure d'assurer à leurs enfants les acquis et les habiletés nécessaires à leur réussite socioscolaire, et ce, quels que soit leur âge, leur langue, leur religion ou leur pays d'origine. Pour répondre à ce problème, les États-Unis ont lancé, en 1965, un vaste programme d'intervention au préscolaire en milieu socio-économiquement faible : le programme *HeadStart*. Ce programme vise à donner aux enfants un bon départ avant même leur entrée en maternelle. On a ensuite créé le programme *Follow-Through* qui a les mêmes objectifs d'éducation compensatoire au primaire.

Mesures mises en place par l'école québécoise

Au Québec, la problématique est double (CSIM, 1991). On a, d'une part, des élèves issus de groupes linguistiques minoritaires pour qui l'intégration et le succès scolaires dépendent de leur possibilité et de leur rapidité à développer des compétences et à maîtriser la langue d'enseignement, le français. Parallèlement, comme la pauvreté existe toujours au Québec et plus particulièrement à Montréal (taux de ménages à faibles revenus en 1996 : 27,3 %), près du tiers des écoles accueillent des enfants de milieux économiquement défavorisés qui ont donc peu de chances de réussite à l'école.

Dès la fin des années soixante, le Projet d'action scolaire et sociale (PASS) allait prôner des maternelles 4 ans avec des programmes similaires au HeadStart américain. Il a permis la naissance d'un programme d'envergure qui en est à son cinquième plan quinquennal : l'Opération Renouveau (OR).

Ce programme permet de répartir les ressources matérielles et pédagogiques pour intervenir dans des écoles qui sont classées selon le degré de défavorisation du milieu qu'elles servent. Outre les maternelles 4 ans (un an d'avance sur les autres élèves), l'OR encourage l'élaboration de projets locaux définissant des mesures propres à assurer une meilleure performance scolaire et une vision plus positive de l'école chez les enfants pauvres. Ces mesures comprennent des services aux élèves (banque alimentaire, ajout de spécialistes, personnes ressources, bibliothèques, sorties, travail sur l'image de soi et la perception de l'école, etc.), des services aux enseignants (perfectionnement, soutien, matériel didactique et pédagogique, etc.) et des services aux parents (cours aux parents comme le programme « J'apprends avec mon enfant », agents de liaison avec le milieu, etc.). Ces mesures et services, en général, ont réellement amélioré la performance des enfants de milieu socio-économique faible. Cependant, en 30 ans d'intervention, l'écart entre élèves riches et élèves pauvres est demeuré à peu près le même. C'est que, selon les recherches (Crespo et Lessard, 1985), toute initiative nouvelle susceptible d'améliorer la performance ou l'intégration en milieu défavorisé est immédiatement reproduite dans les écoles plus riches, ce qui augmente d'autant leur succès. C'est dire que pour assurer un rattrapage entre riches et pauvres, il faudrait investir dans les écoles les plus faibles tout en empêchant les écoles plus favorisées de continuer à progresser, ce qui, bien sûr, est impensable !

L'expérience a cependant prouvé que, pour être efficace, une intervention en milieu de pauvreté doit se faire dès les premières années de la scolarité. ■

LES DIFFÉRENCES D'INTELLIGENCE : EN QUOI ET POURQUOI SOMMES-NOUS DIFFÉRENTS ?

Les différences dans les aptitudes intellectuelles sont plus qu'évidentes. Certains sont capables de démonter une montre brisée et d'en réassembler toutes les pièces de telle sorte qu'elle fonctionne encore mieux qu'avant. D'autres sont à peine capables de remettre une montre à l'heure, mais peuvent en dessiner une qui semble plus réelle que celle que vous portez au poignet. La section qui suit porte sur les différences d'intelligence entre les individus. Nous examinerons l'effet de l'âge sur l'intelligence ainsi que les cas extrêmes. Nous nous intéresserons également à la controverse entourant l'influence de l'hérédité et du milieu sur les capacités intellectuelles.

L'âge et le quotient d'intelligence

Les résultats des tests d'intelligence semblent varier selon l'âge (Birren et Schaie, 1985 ; Kausler, 1992). Botwinick (1977) décrit un modèle classique de vieillissement

Au Québec, les programmes de maternelle 4 ans visent à préparer à l'école les enfants d'âge préscolaire venant de milieux défavorisés et à leur donner une vision plus positive de l'école.

intellectuel, affirmant que la performance intellectuelle demeure la même à tous les âges pourvu qu'une personne dispose d'un temps illimité pour accomplir une tâche, mais qu'elle diminue lorsqu'il s'agit d'une tâche devant être accomplie rapidement. Kaufman, Reynolds et McLean (1989) ont récemment démontré que cette affirmation était fondée en ce qui concerne le WAIS. Les résultats des épreuves verbales, pour lesquelles aucune limite de temps n'est imposée, ont une faible corrélation avec l'âge, tandis que les résultats des épreuves de performance, qui sont minutées, tendent à diminuer avec l'âge des sujets. Cette théorie peut elle-même être rattachée au modèle de vieillissement de l'intelligence fluide et de l'intelligence cristallisée (Horn, 1978), laquelle soutient que les personnes plus âgées ont tendance à demeurer tout aussi habiles à accomplir des tâches mesurant l'intelligence cristallisée, mais voient leur habileté diminuer lorsqu'il s'agit de tâches mesurant l'intelligence fluide. Toutes ces études révèlent que l'âge a une influence sur l'intelligence, non pas sur le contenu de nos idées, mais sur la vitesse avec laquelle nous pouvons manipuler ce contenu ainsi que sur notre aptitude à acquérir de nouvelles connaissances. Il ne faut donc pas présumer que les personnes âgées sont devenues « trop vieilles ». Elles font tout simplement les choses, y compris penser, plus lentement mais tout aussi bien.

La déficience mentale

Même si les tests d'intelligence ont des lacunes, on s'en sert encore pour évaluer les aptitudes mentales des personnes soupçonnées de posséder une intelligence inférieure ou supérieure à la normale afin de leur proposer des programmes de formation adaptés à leurs besoins particuliers. Nul ne pourrait contester que les personnes souffrant d'une déficience ont besoin d'une aide spéciale de la société pour y fonctionner. Et tout enseignant est disposé à admettre que les élèves doués ont besoin de programmes spéciaux leur permettant d'exploiter leurs talents.

On reconnaît les personnes qui souffrent d'une déficience surtout à la lenteur de leur fonctionnement intellectuel et à leur difficulté à résoudre les problèmes de la vie courante (Grossman, 1983; Zigler et Hodapp, 1986). Les cliniciens classent généralement dans la catégorie des déficients mentaux les personnes ayant un résultat inférieur à 70 à un test d'intelligence. Bien sûr, les gens sont déficients à différents degrés, comme l'indique le tableau 9.3.

Tableau 9.3   Degrés de déficience mentale.

Degré de déficience	Quotient intellectuel	En % de la population de déficients	Caractéristiques
Léger	50 - 70	80 - 85 %	Habituellement capables d'acquérir une certaine autosuffisance; peuvent se marier, avoir des enfants et occuper des emplois à temps plein non spécialisés.
Moyen	35 - 49	10 - 12 %	Capables d'accomplir des tâches simples non spécialisées; peuvent subvenir à une partie de leurs besoins.
Grave	20 - 34	4 - 7 %	Capables de suivre une routine quotidienne, mais sous surveillance constante. Avec une formation adéquate, peuvent maîtriser les habiletés de base de la communication.
Profond	moins de 20	1 %	Capables d'assumer uniquement les comportements les plus rudimentaires, tels que marcher, manger seul et dire quelques mots.

Tout comme chez les personnes normales, la personnalité et la motivation jouent chez les personnes déficientes un rôle important dans leur réussite. Comme ces personnes subissent de nombreux échecs et sont souvent ridiculisées, elles se découragent facilement et craignent d'entreprendre de nouvelles tâches. Elles dépendent davantage de leurs parents ou de leurs proches pour faire des choses qu'elles pourraient apprendre à faire par elles-mêmes. Il est donc important que les personnes déficientes soient orientées vers des activités qu'elles peuvent réussir, telles que des jeux olympiques adaptés, afin d'accroître leur estime de soi. En outre, ces personnes peuvent être déficientes dans presque tous les domaines et être normales ou même douées dans d'autres. Les exemples les plus frappants sont ceux de déficients mentaux ou de personnes émotivement perturbées qui sont de véritables « savants » dans des domaines tels que le calcul rapide, la mémorisation ou la performance musicale. Peut-être avez-vous eu l'occasion de voir le film *Rain Man*, dans lequel Dustin Hoffman interprète le rôle d'un érudit doué d'habiletés mathématiques exceptionnelles. Nous aurions tout intérêt à offrir aux personnes souffrant de déficience mentale des occasions d'exploiter leurs talents.

Quelles sont les causes de la déficience mentale ?   Certaines formes de déficience sont d'origine organique, tandis que d'autres sont d'origine inconnue. Le *syndrome de Down* est un exemple de déficience organique résultant d'un chromosome supplémentaire dans les cellules du corps. Cette maladie se caractérise par une déficience moyenne, une langue tirée, une figure rondelette, un empâtement de la parole, des anomalies cardiaques et une personnalité sympathique et chaleureuse. Dans la plupart des cas, le syndrome de Down se manifeste chez les bébés nés de mères de moins de 20 ans ou de plus de 35 ans; il est donc associé à l'âge de la mère, au moment où celle-ci ne produit pas encore ou ne produit plus les quantités maximales d'hormones œstrogènes. D'autres formes de déficience sont attribuées à la consommation abusive de drogues et d'alcool pendant la grossesse, aux carences du milieu pendant les premières années de la vie, ainsi qu'à des facteurs génétiques. Mais dans 70 à 75 % des cas, on ignore la cause de la déficience mentale. En général, les individus faisant partie du groupe des déficients dont les problèmes sont d'origine inconnue sont des déficients légers dont les familles se situent au bas de l'échelle socio-économique. Ce genre de déficience est souvent qualifié de *déficience familiale*.

La douance

À l'autre extrémité de la courbe de l'intelligence, on trouve les individus intellectuellement *doués*, ceux qui ont obtenu un résultat supérieur à 140 aux tests d'intelligence et qui présentent habituellement les traits énumérés ci-dessous. (Rappelez-vous que les personnes douées possèdent également d'autres traits de personnalité et que tous ces traits ne sont pas nécessairement présents chez chacune d'entre elles.)

- Autonomie, motivation personnelle et autodiscipline.
- Facilité à apprendre rapidement des connaissances nouvelles.
- Intérêts diversifiés ou intérêt très marqué pour un domaine précis.
- Curiosité et désir intense de connaître les causes et les effets des phénomènes.
- Pensée critique et analytique.
- Facilité de communication et vocabulaire étendu.
- Sens aigu de l'observation.
- Facilité à émettre des idées créatrices.
- Flexibilité dans les idées et les actions.
- Apprentissage précoce de la lecture et penchant pour les lectures savantes.
- Sensibilité aux émotions des autres.
- Bon sens de l'humour.
- Grande capacité d'attention.

- Autorité personnelle.
- Relations harmonieuses avec les pairs et les adultes.
- Comportement mûr et réfléchi.

Certains de ces traits vous étonnent-ils ? Souvent, les gens ont tendance à penser que les personnes douées sont socialement mésadaptées, qu'elles ont toujours le nez dans les livres ou passent leur vie devant un écran d'ordinateur. En 1921, Lewis Terman, qui a traduit l'échelle d'intelligence Binet pour en faire l'échelle Stanford-Binet, s'est intéressé à ce stéréotype et a cherché à savoir s'il était fondé. Il a entrepris une étude de longue durée auprès de 1500 enfants ayant obtenu un résultat de 140 ou plus aux tests d'intelligence afin de vérifier les liens entre l'intelligence, d'une part, et la réussite sociale et professionnelle, d'autre part. En 1951, ces enfants, alors âgés d'une quarantaine d'années, étaient beaucoup plus nombreux à être devenus des chercheurs scientifiques, des ingénieurs, des médecins, des avocats ou des professeurs, ou encore à s'être illustrés dans le domaine des affaires et d'autres domaines, que cela n'aurait été le cas dans un groupe aléatoire (Terman, 1954, p. 41). Aujourd'hui, les sujets de Terman ont atteint les quatre-vingts ans et, comparativement à la moyenne des gens de leur âge, ils sont plus heureux, en meilleure santé et plus riches, et ils présentent également un taux de suicide, d'alcoolisme et de divorce moins élevé.

Pourquoi certains individus sont-ils doués ?   Les niveaux d'aptitudes intellectuelles varient de toutes sortes de manières. Certaines personnes sont douées, d'autres sont déficientes, et la plupart se situent entre les deux. Pour connaître l'origine de ces différences, nous devons examiner les influences respectives de l'hérédité et du milieu sur l'intelligence.

L'EFFICACITÉ DU CERVEAU : POURQUOI CERTAINS CERVEAUX SEMBLENT PLUS INTELLIGENTS QUE D'AUTRES ?

Les cerveaux peuvent différer de nombreuses manières : certains sont plus gros, d'autres plus rapides, d'autres encore contiennent un plus grand nombre de cellules nerveuses; certains sont dépourvus d'aires importantes ou ont subi des dommages dus à des traumatismes. Il paraît logique que des cerveaux plus gros dénotent une intelligence supérieure; après tout, les humains ont un cerveau relativement volumineux, et notre espèce est certainement plus douée d'intelligence que les chiens, qui ont un plus petit cerveau. Un certain nombre d'animaux, comme les baleines et les dauphins, ont un cerveau plus gros que les humains, mais le nôtre est plus gros comparativement à la taille de notre corps.

La grosseur du cerveau ne peut toutefois être le seul facteur de développement d'une grande intelligence, puisque des personnes considérées comme très intelligentes ne possèdent pas toujours de gros cerveaux. De fait, les femmes, qui sont aussi intelligentes que les hommes, ont des cerveaux en moyenne plus petits que ceux des hommes. Par conséquent, plutôt que de se préoccuper de la grosseur du cerveau, la plupart des recherches récentes sur les fondements physiologiques de l'intelligence se sont concentrées sur le concept d'efficacité du cerveau.

Ce n'est pas la première fois que l'on se penche sur ce concept (voir Vernon, 1983, 1985 et Sternberg et Kaufman, 1998). La rapidité d'exécution de calculs et de traitement de l'information a souvent été reliée au degré d'intelligence (Calvin, 1994). La recherche a même permis de démontrer que la réaction de personnes normales à des stimuli soudains s'enregistre beaucoup plus rapidement sur leur encéphalogramme que celle de sujet atteints de la maladie d'Alzheimer (Polich, 1993). L'efficacité du cerveau — le lien entre la vitesse cognitive et l'intelligence — est démontrée non scientifiquement tous les jours lors de jeux télévisés tels que *Génies en herbe*.

Efficacité du cerveau : Quantité d'énergie utilisée par le cerveau pour résoudre des problèmes. Les cerveaux plus efficaces utilisent moins d'énergie que les cerveaux moins efficaces pour résoudre les mêmes problèmes.

Si le cerveau d'une personne traite l'information plus efficacement, cette personne sera capable d'apprendre ou de retrouver des informations emmagasinées dans sa mémoire plus rapidement, et elle fera généralement moins d'efforts et dépensera moins d'énergie pour résoudre le même problème qu'une personne au cerveau moins efficace. Richard Haier, de l'université de Californie à Irvine, a dirigé plusieurs projets de recherche utilisant la TEP dont les résultats viennent confirmer le concept d'efficacité du cerveau.

Comme vous l'avez appris au chapitre 3, la TEP permet de mesurer l'activité cérébrale en enregistrant les quantités de glucose radioactif utilisé par les différentes parties du cerveau. Une zone du cerveau plus active en consomme davantage qu'une région moins sollicitée. Haier et son groupe de recherche (1998) a découvert que les zones du cerveau de personnes d'une haute intelligence occupées à la résolution d'un problème étaient moins activées que celles d'un individu de moindre intelligence attelé à la même tâche. Cette corrélation négative entre le degré d'activité du cerveau et l'intelligence indique que les aires corticales des personnes plus intelligentes métabolisent le glucose plus rapidement que les personnes obtenant des résultats moins élevés aux tests de QI. L'hypothèse de l'efficacité cérébrale a également été confirmée par une étude utilisant la TEP qui consistait à comparer la vitesse d'assimilation du glucose par les personnes normales à celle de personnes handicapées mentales (Haier et coll., 1995). Le taux de consommation de glucose était plus élevé parmi les participants retardés dont le cerveau devait déployer plus d'efforts.

Comment se fait-il que le cerveau des personnes plus intelligentes fonctionne plus efficacement ?   Une des réponses possibles à cette question toucherait au processus d'élagage neural. Le nombre de connexions synaptiques du cerveau augmente jusqu'à l'âge de cinq ans, puis commence à diminuer considérablement jusqu'au début de l'adolescence (Huttenlocher, 1979). Cette réduction du nombre de synapses est appelée élagage neural. Certains chercheurs pensent que celui-ci est

Élagage neural : Diminution du nombre de synapses après l'âge de cinq ans permettant au cerveau de fonctionner plus efficacement.

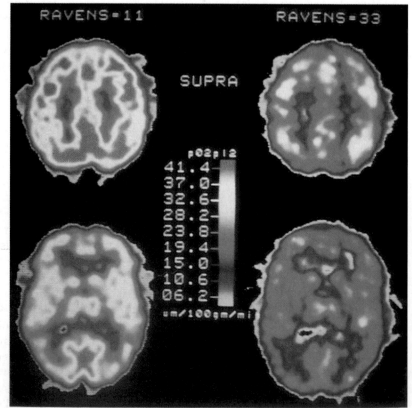

Ces images obtenues par TEP illustrent bien le concept d'efficacité cérébrale. Les clichés de la colonne de gauche proviennent d'une personne possédant un QI moins élevé et ceux de la colonne de droite, d'une personne dont le QI est élevé. Remarquez que le cerveau de la première personne est considérablement plus activé pendant la résolution d'un même problème (les zones en rouge et jaune indiquent une activité cérébrale plus intense) que celui de la seconde (les zones bleues et vertes signalent une activité cérébrale plus faible). Cela indique que le cerveau d'une personne douée d'un QI plus élevé fonctionne plus efficacement que celui d'un individu possédant un QI peu élevé.

nécessaire au développement normal du cerveau, car il y aurait autrement un nombre trop élevé de connexions redondantes, ce qui amènerait une organisation cérébrale anormale et du handicap mental (Haier, 1993).

Le concept d'élagage neural est appuyé par les images de cerveaux d'enfants obtenues par TEP qui indiquent que l'utilisation de glucose par le cerveau augmente jusqu'à l'âge de cinq ans avant de commencer à diminuer jusqu'au début de l'adolescence (Chagani, Phelps et Mazziotta, 1987). Si l'élagage neural est nécessaire au développement intellectuel normal, un élagage plus important, ou *hyperélagage,* pourrait peut-être produire un développement intellectuel supérieur à la moyenne.

On peut donc en déduire que l'hyperélagage de la totalité du cerveau pourrait produire un cerveau extrêmement efficace, donc une personne plus intelligente que la moyenne. Si cet hyperélagage était limité à une petite partie de l'encéphale, la personne ne posséderait que un ou plusieurs talent(s) plus marqué(s) — en mathématiques, pour l'apprentissage des langues étrangères ou la musique, par exemple. Cela pourrait expliquer les capacités exceptionnelles de calcul ou de détermination des dates manifestées par certains handicapés mentaux (Haier, 1993). Personne ne sait quel mécanisme intervient dans l'élagage neural, mais il semble être nécessaire au développement intellectuel normal.

LES INFLUENCES DE L'HÉRÉDITÉ ET DE L'ENVIRONNEMENT SUR L'INTELLIGENCE

De nos jours, la majorité des chercheurs sont convaincus que l'hérédité et le milieu jouent tous les deux un grand rôle dans la détermination du degré d'intelligence (Bouchard et coll., 1990; Plomin, 1989; Thompson, Detterman et Plomin, 1991). Cependant, cette question a été débattue pendant des années, les théoriciens optant tantôt pour l'une, tantôt pour l'autre.

Hérédité ou environnement : quel facteur est le plus déterminant dans le développement de l'intelligence ?

Les psychologues s'entendent généralement sur le fait qu'un grand nombre de traits de caractère ou de comportements se retrouvent fréquemment à l'intérieur d'une même famille. Les similitudes entre les membres d'une famille s'expliquent certes par l'hérédité, mais elles peuvent aussi être dues à des facteurs environnementaux, puisque les membres d'une famille vivent généralement ensemble. Une façon très efficace de distinguer les effets de l'hérédité de ceux de l'environnement est d'étudier des jumeaux monozygotes (c'est-à-dire issus d'un même œuf) qui ont été élevés dans des milieux différents.

La plus importante étude de jumeaux jamais menée est l'étude du Minnesota sur des jumeaux élevés dans des milieux différents, commencée en 1979. Ses résultats et d'autres encore portant sur les jumeaux permettent d'attribuer un rôle prépondérant à l'hérédité dans le façonnement de traits aussi divers que la courbe de l'encéphalogramme (Stassen, Lykken, Propping et Bomben, 1988), la personnalité (Bouchard, 1994, 1995a; Bouchard et Propping, 1993), la psychopathologie (Bouchard et Propping, 1993), les intérêts religieux (Waller, Kojetin, Bouchard, Lykken et Tellegen, 1990) et l'intelligence (Bouchard, 1993, 1995b). Bien que tous ces résultats ne manquent pas d'intérêt, nous allons maintenant nous concentrer sur la recherche portant sur le degré d'héritabilité de l'intelligence.

L'étude du Minnesota sur des jumeaux élevés dans des milieux différents

Dans cette étude, 100 groupes de jumeaux ou de triplés monozygotes ayant été élevés séparément ont fait l'objet d'évaluations physiologiques et psychologiques (Bouchard, Lykken, McGue, Segal et Tellegen, 1990). Ces jumeaux avaient été séparés à un très jeune âge et n'ont été réunis qu'une fois adultes. Étant donné que chaque paire de jumeaux possédait le même bagage génétique mais avait été élevée dans des familles différentes, les chercheurs disposaient ainsi d'une occasion

Des vrais jumeaux ayant été élevés séparément possèdent souvent une personnalité, des intérêts et une intelligence semblables. Jerry Levy et Mark Newman, des jumeaux séparés à la naissance, se sont trouvés réunis à une convention de pompiers.

unique de distinguer, dans un cadre expérimental naturel, les effets de l'hérédité de ceux de l'environnement.

Lorsque les données sur les QI furent réunies et permirent de dresser des statistiques, Bouchard et ses collègues parvinrent à la conclusion qu'environ 70 % des variations de résultats aux tests d'intelligence de jumeaux éduqués dans des environnements différents, étaient attribuables à des facteurs génétiques (Bouchard, 1993, 1995b; Bouchard, Lykken, McGue, Segal et Tellegen, 1990; McGue, Bouchard, Iacono et Lykken, 1993). Cela signifie que seulement 30 % des différences dans les résultats aux tests de QI pourraient s'expliquer par des facteurs environnementaux, tels que le type d'éducation reçu, le niveau socio-économique et le degré de scolarité des parents.

Bien que les données réunies grâce à cette étude et les degrés de corrélation entre les résultats des tests de QI de ces jumeaux ne soient pas contestés, le degré d'héritabilité de 70 % a été remis en question (Beckwith, Geller et Sarkar, 1991; Dudley, 1991). Le problème avec ces cas de jumeaux élevés séparément est que l'on ne dispose d'aucun moyen de contrôler le degré de similitude des familles ou des environnements éducatifs et leur influence sur chacun de ces jumeaux. Comme il est impossible, en réalité, de distinguer les effets de l'environnement de ceux de l'hérédité, de nombreux chercheurs en sont venus à penser que l'effet de l'hérédité se rapprocherait plus de 50 % que des 70 % avancés par Bouchard.

Comme nous l'avons vu, les facteurs génétiques jouent un rôle important dans le développement de l'intelligence. Chaque personne possède des capacités intellectuelles innées, d'origine héréditaire. Mais c'est l'environnement qui détermine, du moins en bonne partie, la capacité d'une personne d'exploiter pleinement son potentiel intellectuel. Peu importe comment se répartissent les influences du milieu et de l'hérédité, c'est sur le milieu que les psychologues, les parents, les enseignants et les intervenants sociaux peuvent agir. D'où l'importance de chercher à améliorer les conditions de vie de nos enfants afin de les aider à tirer le meilleur parti possible de leurs ressources innées.

RÉSUMÉ

Les tests d'intelligence et les facteurs d'influence sur les différences d'intelligence

Pour être utile, un test doit être standardisé, fidèle et valide. La standardisation consiste, d'une part, à faire passer un test à un grand nombre de personnes afin d'en établir les normes et, d'autre part, à utiliser des méthodes identiques pour l'administration d'un test, de sorte que tous les sujets testés le soient dans les mêmes conditions. La fidélité est le degré de permanence des résultats dans les applications successives d'un même test. La validité est la capacité d'un test de mesurer réellement ce qu'il cherche à mesurer.

Les tests d'intelligence ne mesurent pas l'intelligence générale et ne sont pas conçus pour le faire; ils permettent plutôt de mesurer les aptitudes verbales et numériques nécessaires pour réussir à l'école. Plusieurs tests d'intelligence individuels sont d'usage courant. Le Stanford-Binet mesure surtout les aptitudes verbales des enfants âgés de trois à seize ans. Les tests Wechsler, qui comprennent trois tests adaptés à trois groupes d'âge différents, mesurent à la fois les aptitudes verbales et non verbales.

L'âge n'entraîne aucune diminution de nos aptitudes intellectuelles, seulement un ralentissement cognitif. Les personnes possédant un quotient d'intelligence de 70 et moins sont considérées comme déficientes mentales, tandis que celles dont le quotient intellectuel est de 140 et plus appartiennent au groupe des individus doués.

Le concept de l'efficacité du cerveau renvoie à la quantité d'énergie que le cerveau dépense pour résoudre des problèmes. Plus un cerveau est efficace, moins il utilise d'énergie pour résoudre un problème. L'efficacité du cerveau dépend peut-être de l'élagage neural, le processus de réduction du nombre de synapses qui commence après 5 ans.

Pendant bon nombre d'années, les influences respectives de l'hérédité et de l'environnement sur l'intelligence ont suscité beaucoup de controverses. Des études récentes sur les jumeaux et sur les enfants adoptés révèlent qu'environ la moitié des différences individuelles d'intelligence peuvent être attribuées à l'hérédité, et l'autre moitié, à l'environnement.

QUESTIONS DE RÉVISION

1. Les tests d'intelligence permettent-ils de mesurer avec précision les véritables capacités intellectuelles d'une personne ?

2. Quelles sont les principales différences entre le Stanford-Binet et les échelles d'intelligence de Wechsler ?

3. Que mesurent les tests collectifs d'intelligence ?

4. Les personnes deviennent-elles moins intelligentes en vieillissant ? _____

5. Selon l'étude de longue durée menée par Terman auprès de 1500 enfants doués, les personnes ayant un quotient intellectuel élevé ont-elles tendance à être socialement mésadaptées ? _____

6. Qu'est-ce que l'élagage neural ? _____

7. Quel élément joue le rôle le plus important dans la détermination de l'intelligence, l'hérédité ou l'environnement ? _____

Les réponses aux questions de révision se trouvent en annexe.

LE CHAPITRE **9** EN UN CLIN D'ŒIL

LA PENSÉE

Cognition : processus d'acquisition et de traitement de l'information au moyen de la sensation, de la perception, de l'apprentissage, de la mémoire et de la pensée.

Pensée : manipulation mentale des informations recueillies et traitées.

Comment pensons-nous ?

Hypothèse de la double codification
L'information est encodée dans deux systèmes distincts.

Système de l'imagerie : convertit les objets réels et concrets et les événements en images mentales.

Images mentales : représentations mentales d'objets et d'événements.

Système verbal : traite les idées abstraites ainsi que les mots parlés et écrits.

Les concepts

Structures mentales permettant de placer dans une même catégorie les objets dotés de caractéristiques semblables (**attributs**).

Deux théories sur la formation des concepts :

Théorie de la vérification des hypothèses : nous nous concentrons sur un attribut, nous essayons de deviner comment il se rattache au concept et nous vérifions notre hypothèse.

Théorie des prototypes : nous comparons un nouvel élément avec un **prototype** (représentation sommaire).

La résolution de problèmes

Série de trois étapes menant d'un état initial, le problème, à un état final, la solution :

1. **Préparation :** rassembler les données disponibles, discerner les faits pertinents et préciser le but visé.

2. **Production :** avancer des solutions possibles, ou hypothèses, à l'aide d'**algorithmes** et de l'**heuristique**.

3. **Évaluation :** déterminer si les hypothèses satisfont aux critères établis à l'étape de la préparation.

Obstacles à la résolution de problèmes : **fixation sur une stratégie** et **fixité fonctionnelle**.

La créativité

Aptitude à trouver des solutions originales, pratiques et utiles aux problèmes. Deux types :

Pensée convergente : mène à une seule solution.

Pensée divergente : mène à plusieurs solutions.

L'INTELLIGENCE

Ensemble d'aptitudes cognitives servant à acquérir des connaissances, à les mémoriser et à utiliser les éléments de sa propre culture pour résoudre les problèmes de la vie quotidienne et s'adapter rapidement tant à un milieu stable qu'à un milieu en transformation.

Théories

- **PIAGET : théorie du développement de l'intelligence.**

  Concepts de base

  ▷ *Schèmes*
  structures cognitives pour organiser les idées.

  ▷ *Assimilation*
  intégration de nouvelles informations aux schèmes existants.

  ▷ *Accommodation*
  restructuration des schèmes pour y incorporer de nouvelles informations.

  Quatre stades du développement cognitif

  1. *Sensori-moteur*
  (de la naissance à deux ans)

  2. *Préopératoire*
  (de deux à sept ans)

  3. *Opératoire concret*
  (de 7 à 11 ans)

  4. *Opératoire formel*
  (11 ans et plus)

- **SPEARMAN :** l'intelligence est une faculté cognitive unique (**facteur g**).

- **CATTELL :** il existe deux types d'intelligence.

  1. ***Intelligence fluide***
  Capacité d'acquérir de nouvelles connaissances et de résoudre de nouveaux problèmes.

  2. ***Intelligence cristallisée***
  Accumulation de connaissances au cours d'une vie.

- **GARDNER : théorie des intelligences multiples.**

  1. intelligence linguistique

  2. intelligence logico-mathématique

  3. intelligence spatiale

  4. intelligence musicale

  5. intelligence corporelle ou kinesthésique

  6. intelligence interpersonnelle

  7. intelligence intrapersonnelle

  8. intelligence naturaliste

- **STERNBERG : théorie triarchique de l'intelligence**, selon laquelle il existe trois aspects de l'intelligence :

  1. Éléments internes

  2. Capacité d'adaptation fondée sur l'utilisation des éléments internes

  3. Aptitude à s'appuyer sur les expériences vécues pour résoudre de nouveaux problèmes

La mesure de l'intelligence

Trois caractéristiques d'un bon test d'intelligence.

1. *Standardisation*
établissement de normes et normalisation des procédures.

2. *Fidélité*
permanence des résultats.

3. *Validité*
capacité de mesurer réellement l'élément à l'étude.

Les tests d'intelligence

Quotient d'intelligence (QI) : résultat obtenu à un test conçu pour mesurer les aptitudes verbales et numériques; permet de prédire le rendement scolaire et NON l'intelligence globale.

Deux principaux tests d'intelligence individuels

1. *Stanford-Binet*
   mesure principalement les aptitudes verbales.

2. *Wechsler*
   trois tests destinés à des groupes d'âge différents; mesurent les aptitudes verbales et non verbales.

Les différences d'intelligence

- Les différences entre les groupes raciaux ou ethniques dans les résultats aux tests d'intelligence découlent du degré de préparation à l'école et de barrières linguistiques et non de facteurs innés.
- Le vieillissement influe sur la vitesse de traitement mais non sur les aptitudes intellectuelles.
- Déficience mentale : QI de 70 et moins.
- Douance : QI de 140 et plus.

L'efficacité du cerveau

Quantité d'énergie utilisée par le cerveau pour résoudre des problèmes (inversement proportionnelle à l'efficacité). Peut être due à l'**élagage neural**, la diminution du nombre de synapses après l'âge de cinq ans.

L'influence de l'hérédité et de l'environnement sur l'intelligence

Hérédité (capacités innées)	Environnement (détermine la capacité d'exploiter pleinement le potentiel intellectuel)

Importance ÉGALE dans l'intelligence

La motivation et l'émotion

PLAN DU CHAPITRE

Au fil de votre lecture, gardez à l'esprit les questions guides suivantes et tentez d'y répondre dans vos propres mots.

▲ Pourquoi ressentons-nous la faim, recherchons-nous diverses formes de stimulation et avons-nous besoin de nous accomplir ?

▲ Sommes-nous essentiellement motivés par des forces biologiques ou psychologiques ?

▲ Quels concepts fondamentaux doit-on connaître pour comprendre ce qu'est l'émotion ?

▲ Quelle est la cause de l'activation émotionnelle ?

En 1993, à l'investiture du président Clinton, Maya Angelou, une auteure afro-américaine, a ému le peuple américain avec un poème évocateur, intitulé « *Le renouveau de l'aube* ». Ce jour-là, peu des Américains ayant assisté à sa prestation avaient conscience de l'ampleur de sa réussite. Maya Angelou est la deuxième poète lauréate de toute l'histoire des États-Unis, une réalisation remarquable quand on connaît ses origines.

Maya Angelou est née et a grandi dans le sud rural des États-Unis à l'époque de la ségrégation et de la Grande Dépression. Enfant, elle a été victime d'un racisme exacerbé, de pauvreté et d'abus sexuels. Sa douleur était telle qu'elle s'est renfermée en elle-même et est demeurée muette pendant cinq ans. Son premier livre, *Je sais pourquoi chante l'oiseau en cage*, relate éloquemment sa jeunesse.

Aujourd'hui, Maya Angelou est professeure d'études américaines à l'université de Wake Forest, elle écrit et anime une série télévisée à la chaîne PBS, et donne des conférences dans le monde entier à 15 000 $ par prestation. Elle a également écrit de nombreux livres et pièces de théâtre pour lesquels elle touche des droits d'auteur considérables. En parlant de son combat et de la lutte de l'être humain contre l'adversité, Maya Angelou affirme que « malgré les nuits de terreur, de hantise, de souffrance, d'affliction et de détresse, l'aube finit toujours par se lever, et la vie reprend son cours (Haynes, 1993, p. 73).

Comment la psychologie peut-elle expliquer cet optimisme à toute épreuve ? Qu'est-ce qui a tiré Maya Angelou de sa douleur et de son mutisme pour la mener sur la scène de l'investiture présidentielle ? Les recherches menées sur la motivation et les émotions visent à répondre à ce genre de « pourquoi » et à expliquer les états émotionnels.

La motivation renvoie à certains facteurs (tels que les besoins, les désirs et les centres d'intérêt) qui activent, maintiennent et dirigent le comportement d'un individu en fonction d'un objectif précis. L'émotion, de son côté, a trait aux sentiments ou aux réactions affectives qui résultent d'une activation physiologique, de pensées et de croyances, de la subjectivité et de l'expression corporelle (froncement des sourcils, sourires, gestes, etc.). En d'autres mots, la motivation stimule et dirige le comportement, et l'émotion est la réaction d'ordre sensible.

La motivation et l'émotion se chevauchent. Ainsi, si vous surprenez l'être aimé dans les bras d'une autre personne, vous pouvez réagir en éprouvant diverses émotions (la jalousie, la peur, la tristesse, l'incrédulité). Des motifs tout aussi diversifiés peuvent déterminer votre comportement en pareille situation. Votre désir de sécurité peut vous amener à fermer les yeux sur la situation, et votre besoin d'amour et d'appartenance peut vous inciter à passer l'éponge pour préserver votre relation. On ne peut certes se soustraire aux chevauchements entre la motivation et l'émotion ainsi qu'entre d'autres sphères de la psychologie. Néanmoins, nous traiterons ici chacun de ces sujets séparément et nous examinerons des théories et des problèmes ayant trait à la motivation et à l'émotion.

Motivation : Processus par lequel on active, maintient et dirige un comportement en fonction d'un objectif devant procurer une satisfaction.

Émotion : Réaction intense, globale et brève de l'organisme à une situation inattendue, accompagnée d'un état affectif perçu comme agréable ou désagréable.

▲ *Pourquoi ressentons-nous la faim, recherchons-nous diverses formes de stimulation et avons-nous besoin de nous accomplir ?*

QU'EST-CE QUE LA MOTIVATION ?

La recherche sur la motivation vise à répondre aux « pourquoi » des comportements humains et animaux. Pourquoi Maya Angelou a-t-elle gardé le silence pendant cinq ans ? Pourquoi jouons-nous plusieurs heures durant à un jeu vidéo au lieu de préparer un examen important ? Pourquoi les saumons remontent-ils les cours d'eau pour frayer au prix de leur vie ? Chaque comportement est déclenché par un ou plusieurs motifs, dont certains ont été examinés précédemment. Par exemple, nous avons étudié au chapitre 6 le motif du sommeil et le besoin de passer par des états altérés de conscience. Ici, nous examinerons trois motifs essentiels : la faim et le besoin de manger, la recherche de stimuli et le besoin d'accomplissement. Nous nous pencherons aussi sur les principales théories biologiques et psychologiques qui fournissent les meilleures explications sur la motivation en général, c'est-à-dire sur les raisons pour lesquelles nous agissons comme nous le faisons.

AVOIR FAIM ET MANGER : LES FACTEURS INTERNES ET EXTERNES

Comment savez-vous que vous avez faim ? Est-ce le vide de votre estomac qui vous pousse à manger ? Est-ce la vue d'un délicieux hambourgeois ou l'odeur des brioches encore chaudes ? La faim, bien que constituant évidemment un besoin interne, biologique (c'est-à-dire un motif primaire), est fortement influencée par des forces externes, environnantes. Voyons d'un peu plus près ces facteurs internes et externes.

Les facteurs internes

À l'heure actuelle, les chercheurs se concentrent sur trois facteurs internes qui nous poussent à éprouver la faim, soit les stimuli stomacaux, les signaux provenant du sang et ceux envoyés par le cerveau.

L'estomac

L'une des premières expériences menées sur les facteurs internes de la faim fut celle de Cannon et Washburn en 1912. Aux fins de cette étude, Washburn avala un ballon de caoutchouc qu'il fit gonfler dans son estomac. Il put ainsi enregistrer simultanément ses contractions stomacales et les impressions de faim qu'il éprouvait (voir la figure 10.1). Comme le ballon se contractait chaque fois que Washburn signalait un tiraillement d'estomac, les chercheurs conclurent tout naturellement que la sensation de faim était causée par les mouvements de l'estomac.

Selon vous, en quoi cette conclusion est-elle fautive ? Nous avons vu au chapitre 1 que les chercheurs doivent toujours prendre en considération la présence

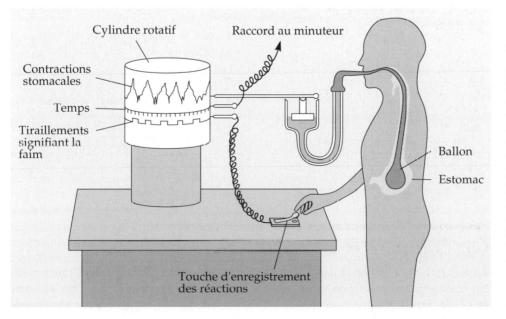

Figure 10.1 **Technique de Cannon et Washburn pour évaluer la faim.** D'abord le sujet avala un ballon gonflable conçu pour déceler les mouvements de l'estomac. Ces derniers furent automatiquement enregistrés et les enregistrements furent ensuite comparés avec les signaux volontaires émis par le sujet chaque fois qu'il éprouvait la faim. Comme les contractions de l'estomac survenaient en même temps que la sensation de faim, les chercheurs conclurent que la faim était provoquée par les mouvements de l'estomac. Des recherches ultérieures ont quelque peu modifié cette conclusion.

Source : W.B. Cannon, *Handbook of General Psychology*, Clark University Press, 1934.

potentielle de *variables parasites* ou *extérieures*, c'est-à-dire de facteurs qui engendrent des données sans rapport avec l'expérience et qui en faussent les résultats. Dans ce cas-ci, on s'est rendu compte par la suite qu'un estomac vide est plutôt inactif et que les contractions stomacales de Washburn résultaient simplement de la présence du ballon. En effet, son estomac avait fini par « croire » qu'il était plein et il réagissait en tentant de digérer le ballon.

D'autres expériences ont fourni des preuves de l'absence de lien entre les stimuli stomacaux et la sensation de faim, notamment celles menées sur des rats auxquels on avait retiré l'estomac ou la voie nerveuse reliant l'estomac aux autres organes. Le comportement révélant la faim chez ces rats était essentiellement le même que chez les rats du groupe témoin (dont l'estomac et la voie nerveuse étaient intacts) (Morgan et Morgan, 1940). De la même manière, les patients humains ayant subi une ablation de l'estomac en raison d'un ulcère ou d'un cancer éprouvent la faim de façon normale (Janowitz, 1967).

Le cerveau

N'y a-t-il alors aucun lien entre l'estomac et la sensation de faim ? Pas nécessairement. Comme vous l'avez remarqué lors de votre dernier repas du temps des fêtes, vous n'avez plus tellement envie de nourriture quand votre estomac est plein. Des expériences suggèrent que certains récepteurs spécialisés situés dans les parois de l'estomac pourraient servir à déclencher la sensation de satiété et à contrôler l'ingestion de nourriture (Deutsch, 1990). Ainsi, si on bloque temporairement le canal allant de l'estomac aux intestins, les animaux mangeront des quantités normales et arrêteront de s'alimenter dès que leurs estomacs seront remplis. En outre, si une partie du repas est retirée de leur estomac de façon expérimentale, ils recommenceront à se nourrir jusqu'à ce que leur estomac soit rempli à nouveau.

Il est hors de doute que les récepteurs de l'estomac jouent un rôle dans la faim. Cependant, puisque les animaux et les humains à qui l'on a enlevé l'estomac continuent d'éprouver la faim et la satiété, d'autres facteurs doivent également entrer en ligne de compte. Parmi eux, on retrouve les signaux dérivés du sang. Étant donné que le flux sanguin transporte les nutriments des aliments aux cellules de notre corps, la recherche s'est aussi penchée sur ces signaux.

Les signaux sanguins

La recherche menée sur la chimie sanguine indique qu'il existe au moins trois importants facteurs influençant les sensations de faim et de satiété : le taux de glucose et la présence d'insuline et de leptine dans le sang. Comme vous l'avez appris en biologie, le *glucose* (le sucre du sang) représente la majeure source d'énergie du corps. Bien que des travaux antérieurs avaient montré qu'un faible taux de glucose suscite la sensation de faim, d'autres recherches ont mis en évidence que les diabétiques éprouvent toujours la faim en dépit de taux élevés de glucose sanguin. Comment cela s'explique-t-il ? En fait, ce n'est pas le taux de glucose qui affecte les sensations de faim ou de satiété, mais l'assimilation du glucose par les cellules (Franken, 1998).

Par conséquent, outre le glucose, le corps a besoin d'un autre facteur, l'*insuline* (une hormone sécrétée par le pancréas) pour extraire le sucre du sang. Chez les personnes non diabétiques, la présence du glucose et de l'insuline à la suite d'un repas contribue normalement à combler la faim. En revanche, les personnes diabétiques doivent s'injecter de l'insuline pour rendre le glucose des aliments assimilable. Alors seulement leur sensation de faim est apaisée.

La *leptine* (tiré du grec *leptos* qui signifie svelte) joue aussi un rôle important dans la faim. Étant donné les implications de la leptine dans l'obésité, la récente découverte du gène produisant la leptine a été largement vulgarisée. Chez la souris, une déficience fonctionnelle du gène de la leptine (appelé Ob) ou son absence entraîne l'obésité (Friedman et coll, 1994). Apparemment, la leptine est libérée par les cellules lipidiques lors de l'ingestion de nourriture. Le cerveau répond alors à cette protéine en envoyant un message signalant la satiété. En conséquence, la souris arrête de manger. Lorsque la leptine est déficiente ou absente, la souris se suralimente au point d'en devenir extrêmement obèse. Dans des expériences subséquentes, on a injecté de la leptine synthétique à des souris dont l'obésité résultait de l'absence du gène Ob (Campfield, 1995; Halaas et coll., 1995; Pellymounter et coll., 1995). Les résultats ont révélé que non seulement les souris mangeaient moins et avaient maigri, mais la vitesse de leur métabolisme avait aussi augmenté. Par ailleurs, chez les humains, des mutations du gène récepteur de la leptine provoquent l'obésité et engendrent des anomalies de la glande pituitaire (Clement et coll., 1998).

Ainsi qu'on l'a vu au chapitre 3, on trouve dans le cerveau une région appelée *hypothalamus* qui régit différents systèmes, dont le comportement alimentaire (faim, soif) et la régulation thermique (la chaleur du corps). Les premières recherches sur la faim ont d'ailleurs révélé qu'une région de l'hypothalamus, l'hypothalamus latéral (HL), semble stimuler le désir de s'alimenter (Anand et Brobeck, 1951). On découvrit de même qu'une autre région, l'hypothalamus ventro-médian (HVM), provoque la sensation de satiété et signale à l'organisme qu'il faut cesser de manger (Hetherington et Ranson, 1942). Depuis, on désigne communément l'hypothalamus latéral comme étant le centre de la *faim*, qui déclenche le processus de consommation d'aliments, et l'hypothalamus ventro-médian comme étant le centre de la *satiété*, qui commande d'arrêter de manger. L'importance de l'hypothalamus ventro-médian est telle que, lorsqu'il est détruit, les rats qui en sont dépourvus se suralimentent jusqu'à devenir extrêmement obèses (voir la figure 10.2). De même, lorsque l'hypothalamus latéral est détruit, les animaux refusent de manger et peuvent se laisser mourir de faim si on ne les contraint pas à se nourrir. Avec le temps, les rats dont l'hypothalamus latéral est abîmé se remettent à manger, mais leur poids reste bien en deçà de la normale. Chez les êtres humains atteints de tumeurs à l'un ou l'autre des hypothalamus, on constate des réactions similaires.

La recherche portant précisément sur la fonction des hypothalamus révèle cependant que ces régions ne servent pas simplement de mécanismes signalant au sujet qu'il a faim ou qu'il est repu. On a découvert que des lésions aux hypothalamus, en plus d'influer sur la régulation du poids corporel, modifient le choix de la nourriture ingérée et le niveau d'insuline sécrétée. Par exemple, les animaux souffrant de lésions à l'hypothalamus ventro-médian font la fine gueule; ils rejettent les aliments qui ne plaisent pas à leur palais (Ferguson et Keesey, 1975; Weingarten, Chang et McDonald, 1985). Par ailleurs, les lésions engendrent aussi une plus grande sécrétion d'*insuline*, hormone que sécrète le pancréas et qui transforme en réserve de gras le *glucose* sanguin (dérivé du sucre qui fournit à l'organisme sa principale source énergétique). L'insuline influe sur la faim de façon *indirecte* en abaissant le taux de glucose sanguin. Les lésions à l'hypothalamus ventro-médian font

Hypothalamus latéral (HL) : Région de l'hypothalamus qui régit la stimulation du comportement alimentaire.

Hypothalamus ventro-médian (HVM) : Région de l'hypothalamus qui signale à l'organisme qu'il faut cesser de manger.

a)   Hypothalamus latéral

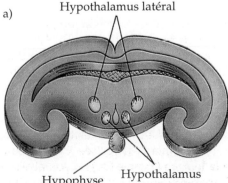

Hypophyse   Hypothalamus ventro-médian

b)

Figure 10.2 a) **Coupe transversale du cerveau du rat.** Ce diagramme montre la moitié arrière du cerveau du rat. Voyez les positions respectives des hypothalamus ventro-médian et latéral. b) **Lésions à l'hypothalamus ventro-médian.** La région ventro-médiane de l'hypothalamus du rat figurant à gauche a été détruite. On constate son obésité par rapport au rat de poids normal à ses côtés.

Point de réglage : Niveau homéostasique propre à un certain poids d'un organisme et résultant de divers facteurs, tels que l'alimentation précoce et l'hérédité.

donc augmenter le taux d'insuline, ce qui pousse les animaux à se suralimenter. Ces lésions élèveraient aussi le point de réglage ou thermostat contrôlant le poids « naturel » à maintenir. Un point de réglage plus élevé accentue la faim et incite les animaux à se nourrir davantage. À l'inverse, des lésions à l'hypothalamus latéral diminuent le besoin de nourriture et abaissent le point de réglage (Vilberg et Keesey, 1990).

Ainsi donc, les facteurs internes tels que l'intégrité de l'hypothalamus (l'hypothalamus latéral et l'hypothalamus ventro-médian), les signaux sanguins (insuline, glucose et leptine), de même que les stimuli de l'estomac semblent tous jouer un rôle important dans la faim et le désir de s'alimenter. Néanmoins, soulignons que d'autres facteurs internes ont également été étudiés, notamment les mécanismes du système nerveux central et la présence ou l'absence de certains neurotransmetteurs (Seeley et Schwartz, 1997).

Les facteurs externes

Le conditionnement culturel exerce l'une des plus importantes influences externes sur l'alimentation (Rozin, 1996). Les Nord-Américains, par exemple, dînent en général vers dix-huit heures, alors que les Espagnols et les Sud-Américains prennent leur dîner vers vingt-deux heures. Quant à ce que vous mangez, avez-vous déjà eu le goût d'un rat ou d'un chien ? Cette idée vous répugne probablement autant qu'à tout Nord-Américain moyen. Sachez cependant que les hindous éprouvent la même répugnance à l'idée de manger de la vache !

En plus des facteurs culturels, d'autres facteurs externes tels que les stimuli visuels suscitent la faim et déclenchent l'acte de s'alimenter. Stanley Schachter (1971) et ses collègues ont mené une série d'expériences pour lesquelles on avait réuni des sujets dont le poids était normal et des obèses, à qui on envoyait divers signaux externes déclenchant l'idée de manger (par exemple, la présence d'aliments ou une horloge annonçant l'heure du repas). Les chercheurs ont ainsi découvert que les participants obèses étaient davantage stimulés par la vue et l'arôme des aliments, et qu'ils étaient plus attentifs à la succession des heures entre les repas.

L'interaction interne et externe

Reprenant les conclusions de ces recherches et poussant plus avant, Judith Rodin (1981, 1992) a constaté que, dans toutes les catégories de poids, on trouve des individus qui réagissent aux facteurs externes provoquant le désir de manger, par exemple la vue d'aliments. Il semble qu'on doive chercher du côté de la réaction insulinique causée par la vue des aliments l'une des raisons pour lesquelles certains ont tendance à se suralimenter. Lorsque Rodin (1984, 1985) a invité les sujets à déjeuner à son laboratoire après un jeûne de dix-huit heures, elle s'est rendu compte que des facteurs externes comme la vue et l'odeur d'un bifteck grésillant dans la poêle faisaient grimper le taux d'insuline de certains sujets. Si vous connaissez des gens qui se plaignent d'engraisser rien qu'en sentant ou en regardant les aliments, vous pourrez leur dire qu'ils ne sont pas loin de la vérité; la hausse du taux sanguin d'insuline incite à la suralimentation.

La recherche de Rodin montre comment les facteurs internes et externes peuvent exercer des actions réciproques commandant tel ou tel comportement alimentaire. La hausse interne, biologique, du taux d'insuline est déclenchée par des facteurs externes, soit la vue et l'odeur d'un bifteck grésillant dans la poêle. Cette expérience démontre également le phénomène du conditionnement classique (voir le chapitre 7). À l'instar des chiens de Pavlov qui apprenaient à saliver au son d'une cloche, les mangeurs réagissant aux facteurs externes apprennent à faire augmenter leur taux d'insuline en sentant et en regardant des aliments appétissants.

Est-il possible de contrebalancer les effets des facteurs internes et externes pour réellement perdre du poids ? Comme l'obésité est causée par un apport calorique supérieur à ce que l'organisme peut métaboliser ou brûler, la méthode la plus sûre pour maigrir consiste à adopter un régime alimentaire équilibré et à faire de l'exercice régulièrement (Foreyt et coll., 1996; Wadden et coll., 1997).

Cependant, le poids ne se résume pas à la simple équation de l'apport calorique et de la dépense énergétique. Nous connaissons tous une personne dans notre entourage qui mange tout ce qu'elle désire sans prendre un kilo. Des études indiquent que ces individus « naturellement » minces digèrent plus rapidement, possèdent un métabolisme plus rapide ou encore un point de réglage plus bas (Bouchard, 1996, 1997; Warden, 1997). Des recherches effectuées sur les enfants adoptés et les jumeaux ont également montré que la propension à être mince ou gros peut être de nature génétique. En effet, le poids des enfants adoptés se rapproche davantage de celui de leurs parents biologiques que de celui de leurs parents adoptifs, et ce, indépendamment du poids des enfants (Hewitt, 1997).

Avant de délaisser le sujet, il importe de relativiser l'importance des facteurs biologiques dans la maîtrise du poids. Rappelons que l'obésité entraîne la maladie et même la mort (Gibbs, 1996). En mettant trop d'emphase sur le rôle tenu par les facteurs génétiques et biologiques, on découragerait les changements d'habitudes pour une vie plus saine (Willett et coll., 1995). D'autre part, beaucoup de personnes sont captives du cycle destructeur des régimes et des rechutes, qui engendrent un sentiment de culpabilité, et font alterner dépressions et tentatives désespérées. Bien que les dangers d'un tel régime yo-yo aient été exagérés (Brownell et Rodin, 1994a; Stunkard, 1996), il n'en demeure pas moins que l'obsession nord-américaine du corps et de la maîtrise du poids reste potentiellement néfaste. Selon Brownell et Rodin (1994b), « suivre un régime peut comporter des risques, mais le jeu en vaut la chandelle pour certains ... C'est pourquoi il convient de distinguer les régimes qu'entreprennent les personnes qui ne sont que légèrement potelées de ceux des personnes dont l'excès de poids entraîne des risques réels pour la santé ou occasionne des troubles psychosociaux graves » (p. 781).

L'anorexie mentale et la boulimie

La peur de l'obésité entraîne ces deux troubles graves que sont l'anorexie mentale (refus de s'alimenter et chute du poids) et la boulimie (consommation récurrente d'énormes quantités d'aliments, suivie d'efforts de rejet au moyen de laxatifs ou de vomissements afin d'éviter tout gain de poids).

L'anorexie mentale est un trouble fort complexe caractérisé par un refus prolongé de s'alimenter, qui se traduit en général par une perte de poids de l'ordre de 20 % à 25 %. La peur effroyable de devenir obèse qu'entretient l'anorexique ne s'atténue pas, même s'il maigrit de façon radicale. La perception que l'anorexique se fait de son apparence est déformée au point qu'un corps squelettique lui semble encore trop gras. Non seulement de nombreux anorexiques refusent de manger, mais ils s'astreignent à des séances de conditionnement physique extrême. Ils feront par exemple du vélo ou de la course des heures durant, ou encore ils marcheront sans cesse à vive allure (Brotman, 1994).

Les anorexiques souffrent communément de fractures osseuses et d'ostéoporose, et l'arrêt du cycle menstruel est fréquent. Pratiquée chez un anorexique, la scintigraphie cérébrale, sorte de radiographie du cerveau, révèle un élargissement des ventricules et des sillons, ce qui signale habituellement la déperdition de tissus cervicaux (Lambe et coll., 1997). Environ un anorexique sur vingt finit par mourir des suites de sa maladie (Brotman, 1994).

À l'occasion, l'anorexique succombe à la tentation et s'empiffre; il s'empresse aussitôt de se faire vomir ou de prendre des laxatifs. Cette pratique est connue sous l'appellation de *boulimie*. Lorsque le phénomène survient de lui-même, on parle de *boulimie mentale*. Les cas de boulimie sont beaucoup plus fréquents que les cas d'anorexie mentale (Franken, 1998). En plus de se nourrir compulsivement, les boulimiques présentent aussi d'autres comportements compulsifs tels que la pratique du vol à l'étalage et l'alcoolisme. Comme l'anorexie, la boulimie est très dommageable

Anorexie mentale : Trouble de l'alimentation prenant la forme d'une peur obsessive de l'obésité qui pousse à se sous-alimenter, souvent au point de mettre la santé en péril.

Boulimie : Trouble de l'alimentation se manifestant par un besoin irrépressible de consommer d'énormes quantités d'aliments, dont on se purge par la suite en prenant des laxatifs ou en vomissant.

Plusieurs biographies de Lady Diana laissent présumer qu'elle était atteinte d'anorexie, de boulimie ou des deux troubles.

pour la santé et peut même mettre la vie en danger. Ce trouble alimentaire a des répercussions diverses : il entraîne l'érosion de l'émail dentaire, la perte des dents, des troubles de la digestion et de graves maladies du système digestif (Hyde, 1991; Levenkron, 1982).

Conscients de leur rapport malsain avec la nourriture, les boulimiques cherchent désespérément de l'aide et habituellement, répondent plus efficacement aux thérapies que les anorexiques (Keel et Mitchell, 1997; Strober, Freeman et Morrell, 1997; Thackwray et coll., 1993). Il est important de savoir reconnaître les symptômes de l'anorexie et de la boulimie (voir le tableau 10.1) et de demander l'aide d'un thérapeute si vous les éprouvez. Il est indéniable que ces troubles graves compromettent la santé et nécessitent des traitements.

Contrairement à la croyance, ces troubles de l'alimentation ne sont pas réservés aux femmes de race blanche appartenant aux classes moyenne et aisée. Des gens de toutes les couches économiques de la société peuvent en souffrir, quoique la prévalence de la boulimie soit plus élevée dans les classes sociaux-économiques défavorisées (Gard et Freeman, 1996). Bien que des hommes souffrent également de ces troubles, leur incidence chez eux est plus rare que chez les femmes (Heatherton et coll., 1997; Seligmann, 1994). Les hommes sont plus enclins à s'entraîner de façon compulsive et à utiliser les stéroïdes malgré leur nocivité afin d'atteindre leur idéal de musculature. Il est intéressant de noter que les adolescents afro-américains et américains d'origine asiatique sont moins enclins à souffrir de ces troubles (Crago, Shisslak et Estes, 1996).

Quelle est la cause de l'anorexie mentale et de la boulimie ?   Il semble qu'il y ait autant de causes que de victimes. Les anorexiques et les boulimiques partagent à la fois une crainte de prendre du poids et une perception irréaliste de leur image corporelle (Gardner et Bokenkamp, 1996). Certaines théories avancent des causes physiques telles que les dérèglements hypothalamiques, la diminution des taux de divers neurotransmetteurs et les désordres hormonaux ou génétiques. D'autres théories mettent en cause des facteurs psychologiques et sociaux comme le perfectionnisme, l'impression d'une perte de maîtrise de soi, les pensées destructrices, la dépression, les familles dysfonctionnelles, la distorsion de sa propre image et la pression sociale en faveur de la minceur (Hermans, 1998; Pliner et Hadddock, 1996; Sharpe et coll., 1998).

Tableau 10.1   Symptômes de l'anorexie mentale et de la boulimie.

Symptômes de l'anorexie mentale	Symptômes de la boulimie
• Poids corporel équivalant à moins de 85 % du poids normal selon l'âge et la grandeur	• Poids normal ou au-dessus de la normale
• Peur effroyable de devenir gros ou de gagner du poids, en dépit d'un poids anormalement bas	• Séances récurrentes de gavage
• Distorsion de son image corporelle ou de la perception de son poids	• Ingestion d'énormes quantités de nourriture en moins de deux heures
• Importance excessive accordée au poids corporel dans l'estime de soi	• Pulsions incontrôlables vis-à-vis de la nourriture
• Déni de la gravité d'un poids corporel anormalement bas	• Tendance à se purger (se faire vomir, et utiliser des laxatifs et des diurétiques à outrance)
• Aménorrhée – arrêt des menstruations	• Sessions intenses d'exercice pour éviter la prise de poids
• Tendance à se purger (se faire vomir, et utiliser des laxatifs ou des diurétiques à outrance)	• Jeûne pour éviter la prise de poids
	• Importance excessive accordée au poids corporel dans l'estime de soi

Source : DSM-IV, 1994.

a) 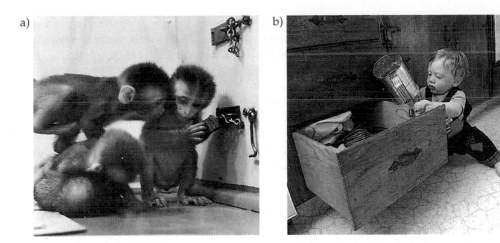 b)

Figure 10.3 **À la recherche de stimuli.** a) Les singes déploient de gros efforts afin d'ouvrir des loquets pour le simple plaisir de le faire ou de satisfaire leur curiosité. b) Les jeunes enfants, sur qui les objets domestiques exercent une fascination, recherchent aussi les stimuli.

LA RECHERCHE DE STIMULI : LA THÉORIE DE L'ACTIVATION

La recherche de stimuli constitue un autre motif d'ordre biologique influençant notre comportement. Selon la théorie de l'activation, il existe un niveau optimal ou idéal d'activation que tous les organismes veulent atteindre ou maintenir (Berlyne, 1971; Hebb, 1955, 1966). L'activation renvoie à un état de vigilance et de stimulation mentale et physique. Tout le monde s'accorde pour dire que la faim affecte de façon évidente notre comportement. Toutefois, nous sommes moins enclins à reconnaître que tous les organismes vivants nécessitent aussi un certain degré d'activation.

Peu après la naissance, les nouveau-nés montrent une préférence marquée pour les stimuli visuels complexes par rapport aux stimuli simples. Les adultes prêtent également plus d'attention, et pendant une plus longue période, aux stimuli complexes et changeants (voir le chapitre 5). Parallèlement, des études sur la recherche de stimuli ont démontré que les singes acceptent d'exécuter différentes tâches pour peu qu'on leur permette de satisfaire leur curiosité à l'intérieur du laboratoire (Butler, 1954). Tel qu'illustré à la figure 10.3, les singes apprennent même à ouvrir des loquets par simple curiosité et pour le plaisir de les manipuler (Harlow, Harlow et Meyer, 1950).

Lorsque le taux d'activation est trop faible ou trop élevé, l'efficacité en est altérée. Cette situation est illustrée par une cloche à la figure 10.4. Ainsi, en classe, vous avez peut-être déjà remarqué que le fait d'être trop détendu ou trop anxieux peut avoir une incidence négative sur vos facultés lors d'un examen. Quand vous êtes faiblement activé, votre esprit vagabonde au point de faire des erreurs d'inattention, comme par exemple cocher la case A par inadvertance alors qu'en fait, vous

La théorie de l'activation : Besoin d'atteindre et de maintenir un niveau optimal d'activation. L'efficacité est optimale dans des conditions d'activation modérée plutôt que trop faible ou trop élevée.

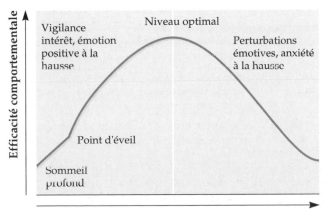

Figure 10.4 **Le niveau optimal d'activation.** Quel niveau d'activation assure une efficacité maximale ? Selon la théorie de l'activation, notre efficacité s'améliore à mesure que nous passons du sommeil profond à un état de vigilance. Cependant, au-delà d'un certain point, nous souffrons d'un trop plein de stimulation qui entraîne un déclin de notre efficacité.

vouliez cocher la case B dans une question à choix multiples. En revanche, dans un état d'activation exagéré, vous êtes anxieux au point d'oublier ce que vous aviez étudié la veille. Ce blanc de mémoire est le résultat de stimuli trop forts qui empêchent la récupération efficace de l'information entreposée dans la mémoire à long terme (Anderson et coll., 1989).

À vous les commandes

Éprouvez-vous de l'anxiété à l'idée d'un examen ? Voici des conseils presque infaillibles pour vous aider à rester calme et à garder le contrôle avant et pendant l'épreuve :

Étape 1 *Préparez-vous à l'avance.* Améliorez votre façon de lire, votre prise de notes et vos habiletés à étudier. (À ce sujet, revoyez les conseils donnés dans l'introduction.) La solution la plus éprouvée pour vaincre l'anxiété demeure la préparation et le *travail assidu*. Si vous êtes bien préparé, vous contrôlerez la situation et serez plus calme.

- Lisez vos manuels de façon active en utilisant la méthode SQL3R (survol, questionnement, lecture, récitation, révision et rédaction).
- Gérez votre temps judicieusement et répartissez votre temps d'étude. Rien ne sert de se bourrer le crâne la veille.
- Faites de l'écoute active afin de prendre de bonnes notes de cours.
- Suivez les consignes d'usage qui préparent aux examens.

Étape 2 *Apprenez à vivre avec l'anxiété.* Comme vous venez de l'apprendre, les travaux sur la recherche de stimuli démontrent que l'on obtient une efficacité optimale quand l'activation est modérée. Il est normal de ressentir quelques papillons dans l'estomac avant et pendant un examen. Cependant, trop d'anxiété nuit à une bonne concentration et peut compromettre votre rendement. Afin de trouver le juste équilibre, suivez les conseils suivants :

- Remplacez vos pensées anxieuses par des pensées qui vous détendent. Essayez de relaxer.
- Apprenez à banaliser les examens.
- Faites de l'exercice. En plus d'être une excellente soupape pour le stress, l'exercice favorise un sommeil réparateur et profond. ■

La recherche de sensations

Nous désirons tous atteindre un niveau optimal d'activation, mais comment expliquer que certaines personnes aient un besoin extrême de stimulation ? Qu'est-ce qui motive les gens à pratiquer l'escalade, suspendus au-dessus de profonds précipices ? Pourquoi certains prennent-ils plaisir à descendre des rivières dangereuses en canot peumatique ? Des recherches indiquent que les personnes avides de sensations fortes auraient biologiquement besoin d'un plus haut niveau de stimulation (Zuckerman, 1979, 1999).

En général, les personnes avides de sensations fortes sont plus susceptibles de s'adonner à l'usage des stupéfiants, d'avoir des partenaires sexuels multiples, de se rendre coupables de voies de fait et d'opter pour les métiers et les sports à risques élevés (Darkes et coll., 1998 ; Franken, 1998 ; Montefiore, 1993 ; Zuckerman, 1979, 1994, 1996).

À vous les commandes

Voici une échelle de Zuckerman simplifiée. Avant d'aller plus loin, encerclez-y, parmi les choix A ou B, les énoncés qui décrivent *le mieux* vos sentiments.

1. (A) J'aimerais avoir un emploi qui me permettrait de voyager.
   B Je préférerais un emploi qui n'exige pas de déplacements.

2. A Par temps froid, l'air vivifiant me revigore.
   (B) Par temps froid, je préfère ne pas sortir.

3. A Je deviens blasé en voyant sans cesse les mêmes visages.
   (B) Je suis heureux de voir chaque jour des visages familiers.

4. A Je préférerais vivre dans une société idéale, où chacun serait heureux et
      en sécurité.
   (B) J'aurais préféré vivre aux jours mouvementés de notre histoire.

5. (A) Parfois, j'aime faire des choses un peu apeurantes.
   B Un être raisonnable évite les activités qui sont dangereuses.

6. (A) Je n'aimerais pas être hypnotisé.
   B J'aimerais bien tenter l'expérience de l'hypnose.

7. A Le plus important dans l'existence, c'est de vivre pleinement et de tenter
      le plus d'expériences possibles.
   (B) Dans la vie, la chose la plus importante est de trouver la paix et le bon-
      heur.

8. (A) J'aimerais bien m'essayer au parachutisme.
   B Jamais je ne voudrais sauter hors d'un avion, avec ou sans parachute.

9. A Je préfère entrer peu à peu dans un bassin d'eau froide, en prenant le
      temps de m'acclimater à la température.
   (B) J'aime plonger ou sauter directement dans la mer ou dans une piscine
      d'eau froide.

10. A Lorsque je suis en vacances, je préfère le confort d'un bon lit et d'une
       chambre.
    (B) Lorsque je suis en vacances, je préfère les imprévus du camping.

11. (A) Je préfère les êtres qui expriment leurs émotions, même s'ils sont quel-
       que peu instables.
    B Je préfère les êtres calmes et tempérés.

12. (A) Un bon tableau devrait choquer ou secouer les sens.
    B Un bon tableau devrait inspirer la paix intérieure et la sérénité.

13. A Ceux qui conduisent une motocyclette éprouvent le besoin inconscient
       de se blesser.
    (B) J'aimerais faire de la moto.

*Le saut à l'élastique vous tente-t-il ?
Selon vous et d'après le test de
Zuckerman, quel serait le degré de
recherche de sensation d'une personne pratiquant ce sport ?*

Vos résultats
Comptez un point pour chacune des réponses suivantes : 1. A, 2. A, 3. A, 4. B,
5. A, 6. B, 7. A, 8. A, 9. B, 10. B, 11. A, 12. A, 13. B. Faites le total et comparez votre
résultat avec les cotes apparaissant ci-dessous.

0 - 3	très faible besoin de stimulation
4 - 5	faible
6 - 9	moyen
10 - 11	élevé
12 - 13	très élevé

Selon des études effectuées sur des versions plus élaborées de l'échelle de Zuckerman, les personnes avides de sensations fortes présentent les quatre caractéristiques suivantes : 1) le besoin d'aventure et d'émotions fortes (la vitesse au volant ou la pratique du parachutisme); 2) la recherche d'expériences nouvelles (les voyages, les amis inhabituels, les drogues); 3) l'envie de faire tomber ses propres inhibitions (se laisser aller); 4) la faible tolérance à la routine (à la répétition et la monotonie).

Zuckerman pense que l'écart entre le désir de sensations de deux individus peut mener à des tensions entre mari et femme, patient et thérapeute, parent et enfant. Ces particularités individuelles peuvent entraîner des problèmes d'ordre professionnel lorsque la personne n'est pas faite pour un travail de bureau routinier, pour travailler à une chaîne de montage ou pour occuper un poste comportant maints défis à relever.

LE BESOIN D'ACCOMPLISSEMENT : À LA RECHERCHE DU SUCCÈS

Quelle motivation a poussé Maya Angelou à surmonter son traumatisme d'enfance et à contrecarrer les effets négatifs de la pauvreté et du racisme qu'elle a subis ? Que penser du cas de Thomas Edison qui, non content d'avoir inventé l'ampoule électrique, a réalisé plus d'un millier d'inventions dont le microphone et le phonographe ? Enfant, il passait des heures à mener des expériences pour comprendre le fonctionnement des choses. Qu'est-ce qui le motivait ?

Besoin d'accomplissement : Besoin de réussir, de faire mieux que les autres, d'accomplir avec brio des tâches posant un défi.

La réponse à ces questions réside dans ce que le psychologue Henry Murray (1938) a appelé le besoin d'accomplissement, c'est-à-dire le besoin de réussir, de faire mieux que les autres et d'accomplir avec brio les tâches posant des défis. Avant de continuer votre lecture, complétez l'exercice de pensée critique qui suit cette section. Vous pourrez ainsi mesurer votre propre besoin d'accomplissement.

Les caractéristiques des gagneurs

En quoi les individus ayant un vif désir d'accomplissement diffèrent-ils des autres ? Afin de le savoir, McClelland (1958, 1987, 1993) et d'autres chercheurs ont découvert des attributs permettant d'identifier les personnes ayant un besoin d'accomplissement élevé.

1. Les personnes ayant un vif désir d'accomplissement semblent préférer les tâches modérément difficiles. Elles évitent les tâches trop faciles, car celles-ci présentent peu de défi et apportent peu de satisfaction. Elles évitent également les tâches trop difficiles, parce que la probabilité de réussite est trop faible. Ainsi, au jeu des anneaux, par exemple, elles se placent souvent à moyenne portée de la cible.

2. Les personnes ayant un désir élevé d'accomplissement sont attirées par les carrières où la compétition est plus vive et où ils peuvent démontrer leur savoir-faire (McClelland, 1987).

3. Les personnes ayant un vif désir d'accomplissement ont tendance à préférer les tâches dont l'aboutissement est évident. Elles recherchent les situations pour lesquelles leurs performances peuvent leur valoir des commentaires. Elles préfèrent recevoir la critique d'un évaluateur sévère mais compétent plutôt que celle d'un juge amical mais moins compétent (McClelland, 1985).

4. Ces individus dont le besoin d'accomplissement est élevé préfèrent se porter personnellement responsables d'un projet. En assumant une responsabilité directe, ils se sentent satisfaits lorsque la tâche est accomplie.

5. Ils sont davantage portés à persister lorsque le degré de difficulté d'une tâche augmente (Cooper, 1983). Devant un problème insoluble, 47 % ont persévéré jusqu'à la fin de l'épreuve, alors que seulement 2 % des individus dont la motivation d'accomplissement était faible l'ont fait (French et Thomas, 1958).

6. Les individus éprouvant un vif désir d'accomplissement réussissent vraiment mieux que les autres. Ils obtiennent de meilleurs résultats aux examens, ils ont

de meilleures notes à l'école secondaire et à l'université, et ils excellent dans la profession qu'ils choisissent (McCall, 1994; Neumann, 1988).

Pourquoi certains tendent-ils davantage vers la réussite et l'accomplissement que d'autres ? Le besoin d'accomplissement semble être acquis dès l'enfance, principalement par l'interaction des parents et de l'enfant. Les enfants très motivés ont en général des parents qui favorisent l'indépendance et qui récompensent fréquemment la réussite (Harold et Eccles, 1990). La culture dans laquelle nous sommes nés et avons grandi influence aussi notre besoin de nous accomplir. Par exemple, les thèmes et les événements abordés dans la littérature enfantine recèlent souvent des messages subtils teintés de valeurs culturelles. En Amérique et en Europe de l'Ouest, les histoires pour enfants encouragent souvent le travail assidu et la persévérance. Une étude menée par Richard de Charms et Gérald Moeller (1962) a permis d'établir une corrélation significative entre les thèmes reliés à la réussite abordés dans la littérature enfantine et les réalisations industrielles de divers pays. Inversement, voyez-vous en quoi la publicité vantant les mérites des loteries et des jeux-questionnaires basés sur le hasard affaiblit le besoin d'accomplissement du téléspectateur ?

Vincent van Gogh, l'un des artistes les plus prolifiques du XIXᵉ siècle, incarne un des meilleurs exemples de motivation intrinsèque. Durant sa vie, il n'a vendu qu'une seule toile.

✕ À vous les commandes

Songez un instant que l'on vous demande d'écrire l'histoire d'un personnage fictif qui débute par cette phrase : « Après les examens de la première session, Anne se retrouve première de classe à la faculté de médecine. » Qu'écririez-vous ensuite ? (Si vous êtes de sexe masculin, remplacez Anne par Jean.) À présent, lisez la prochaine section, qui porte sur la peur de la réussite et sur la recherche effectuée par Matina Horner. ■

La peur de la réussite

En analysant les récits écrits par des étudiants et des étudiantes à partir de cette phrase, Matina Horner (1968, 1972) découvrit une grande différence fondée sur le sexe : 62 % des femmes avaient fait subir à Anne des péripéties négatives, alors que seulement 9 % des hommes avaient fait la même chose avec Jean. Plusieurs femmes avaient écrit des histoires relatant le rejet social dont Anne était victime ou comment son succès l'avait fait douter de sa féminité. Les histoires des hommes retraçaient les récompenses et l'approbation sociale dont jouissait Jean par suite de son dur labeur. La recherche de Horner a suscité plus de deux cents autres études et a eu beaucoup d'écho dans la presse américaine (Paludi, 1992; Walsh, 1987).

Pourquoi la recherche de Horner a-t-elle suscité autant d'intérêt ? Peut-être parce que cette recherche fut menée vers la fin des années soixante, alors que le mouvement féministe était à son apogée. L'idée voulant que les femmes craignent la réussite était séduisante, car elle incitait directement ces dernières à se changer elles-mêmes, et non à changer la société dans son ensemble. Les études de Horner expliquaient apparemment pourquoi moins de femmes réussissaient à occuper des postes influents : elles craignaient simplement la réussite (Paludi, 1992).

Toutefois, des recherches plus récentes ont mis à jour des failles d'ordres divers dans les premières études (Mednick, 1989; Pfost et Fiore, 1990). Par exemple, malgré de nombreuses tentatives en ce sens, les chercheurs n'ont pas pu reproduire les résultats de Horner (Heckhausen et coll., 1985; Zuckerman et Wheeler, 1975). Cela pourrait s'expliquer par le fait que les temps ont changé. À l'époque de l'expérience de Horner, qu'Anne ait connu un vif succès à la faculté de médecine détonnait avec la place des femmes dans la société en ces années. En conséquence, ce n'était probablement pas tant la peur de la réussite en général qu'éprouvaient les femmes, mais plutôt la crainte de réussir dans une profession inhabituelle pour leur sexe dans les années soixante et soixante-dix. En fait, lorsqu'on remplaça la faculté de médecine par l'académie de ballet ou l'école des soins infirmiers, les résultats initiaux de Horner

Les femmes craignent-elles de réussir dans les occupations de prestige ? En dépit des insuffisances de la recherche en ce domaine, plusieurs allèguent encore la prétendue peur de la réussite chez les femmes pour expliquer pourquoi elles gagnent moins que les hommes et pourquoi elles détiennent moins de postes d'influence.

PENSÉE CRITIQUE • Psychologie en direct

Évaluez votre besoin d'accomplissement

Évaluez votre besoin d'accomplissement. Prenez 20 minutes et effectuez les deux tests qui suivent.

Test 1

Selon ce que vous ressentez dans les situations décrites ci-dessous, répondez le plus honnêtement possible par oui ou par non.

1. Lorsqu'on me donne le choix d'un travail, je choisis toujours la tâche modérément difficile plutôt que celle qui est très difficile ou très facile. _____

2. J'aime les tâches qui me donnent l'occasion de me mesurer aux autres. _____

3. J'aime les tâches où des buts sont clairement présentés et définis et où les résultats sont palpables. _____

4. Je préfère recevoir des commentaires sur mon travail pendant son exécution. _____

5. Je préfère recevoir les commentaires critiques d'un évaluateur sévère mais compétent, plutôt que les commentaires amicaux d'un évaluateur qui l'est moins. _____

6. J'aime sentir que je suis seul(e) responsable de l'aboutissement du projet. _____

7. Dans l'exécution d'un projet difficile, je persiste malgré les embûches. _____

8. Je reçois souvent des prix récompensant ma performance, par exemple, les honneurs dans les activités sportives ou les marques d'estime dans les associations. _____

Test 2

Le test d'aperception thématique consiste en une série d'illustrations ambiguës comme celle de la figure 10.5. Ce test est l'un des plus communément utilisés pour mesurer le besoin d'accomplissement. Observez attentivement l'image ci-contre et écrivez une courte histoire en vous guidant sur les questions suivantes :

1. Dans cette image, que s'est-il passé et quelle en est la cause ?

2. Qui sont ces personnes et que ressentent-elles ?

3. Selon vous, que va-t-il leur arriver à court et à moyen terme ?

Résultats

Test 1

Ces huit questions font appel aux caractéristiques des gagneurs que nous avons étudiées plus tôt. Les personnes ayant répondu oui à la majorité des questions ont généralement un vif désir d'accomplissement.

Test 2

Additionnez un point chaque fois que, dans votre histoire, vous abordez l'un des points suivants :

1. Définition d'un problème

2. Résolution d'un problème

3. Embûches lors d'une résolution de problème

4. Utilisation de techniques de résolution de problème

5. Anticipation du succès ou résolution du problème

Plus votre score est élevé, plus votre besoin d'accomplissement est grand.

Figure 10.5 **La mesure du besoin d'accomplissement.** Voici l'une des nombreuses cartes du test d'aperception thématique. On mesure le besoin d'accomplissement d'une personne au moyen de l'interprétation qu'elle fait de ces images.

furent inversés : les sujets masculins racontèrent au sujet de Jean des histoires négatives (Cherry et Deaux, 1978; Shapiro, 1979).

Que penser des résultats de ces études ? La peur de la réussite est-elle présente chez les femmes ou chez les hommes ? La réponse est ambiguë (Paludi, 1992). En attendant que de nouvelles études viennent débrouiller ces questions, n'oublions pas que la peur de la réussite *peut* influer sur le choix d'une profession et sur les réalisations, tant chez les femmes que chez les hommes. Certaines femmes peuvent se montrer peu disposées à faire des études supérieures en physique et en ingénierie par crainte de la réprobation sociale. Pour la même raison, certains hommes peuvent être peu enclins à étudier la poésie ou les soins infirmiers. Les parents, les orienteurs et les professeurs doivent se montrer sensibles à cette possibilité. En tant qu'étudiant, vous devez essayer de déceler en vous toute peur de ce genre qui pourrait exercer une influence quelconque sur votre choix de carrière et vos options. ■

Les motivations intrinsèques et extrinsèques et l'accomplissement

La motivation intrinsèque se définit comme étant le désir de s'adonner à une activité pour le seul plaisir de la chose, et la motivation extrinsèque, comme le désir de s'adonner à une activité en raison de récompenses externes ou afin d'éviter une punition. Des études révèlent que les individus qui touchent un salaire ou toute autre forme de récompense pour accomplir une tâche qu'ils avaient précédemment remplie pour le plaisir y perdent à la fois plaisir et intérêt (Amabile, 1985; Hennessey et Amabile, 1998; Knoop, 1994).

On donna à des enfants d'âge préscolaire qui aimaient dessiner du papier à dessin et des crayons feutres (Lepper, Greene et Nisbett, 1973). On promit à un groupe d'enfants de leur décerner un diplôme portant un sceau doré et un ruban en récompense de leurs dessins. Au deuxième groupe d'enfants, on demanda de dessiner, puis on leur attribua inopinément une récompense après qu'ils eurent terminé. On ne promit ni n'attribua aucune récompense au troisième groupe. Quelques semaines plus tard, les mêmes enfants purent choisir de dessiner s'ils en avaient envie et le temps consacré au dessin fut enregistré. Ainsi que le montre la figure 10.6, il semble que le fait d'avoir déjà reçu une récompense ait sapé l'intérêt des enfants des premier et deuxième groupes pour le dessin. Une étude similaire menée auprès d'étudiants d'université (McNeill et Kimmel, 1988) révéla que le fait d'offrir une récompense monétaire à ceux qui résolvaient un problème faisait chuter considérablement leur motivation intrinsèque et nuisait à leur rendement scolaire.

Comment interprétez-vous les résultats de cette étude ? Il semble que le motif pour lequel nous faisons une tâche détermine le plaisir que nous éprouvons à faire cette chose. Lorsque nous faisons une chose sans motif apparent, il semble que nous fondions notre geste sur des motifs internes, personnels (nous le faisons parce que « cela nous plaît », parce que « c'est agréable »). Toutefois, si une récompense extrinsèque est en jeu, l'action procède de motifs externes, impersonnels (on dira qu'on le fait pour l'argent ou pour plaire à la direction). Ce déplacement de la motivation entraîne en général une diminution du plaisir et du rendement.

Motivation intrinsèque : Désir de s'adonner à une activité pour le seul plaisir de la chose. La motivation est dérivée de la satisfaction inhérente au comportement en question.

Motivation extrinsèque : Désir de s'adonner à une activité en raison de récompenses externes ou afin d'éviter une punition. La motivation n'est pas inhérente au comportement en question.

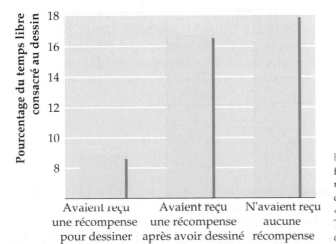

Figure 10.6 **Motivations intrinsèques et extrinsèques.** Parmi les enfants à qui on accorda du temps pour dessiner, ceux qui avaient déjà reçu une récompense pour leurs dessins étaient maintenant moins enclins à choisir librement de dessiner. *Source* : Lepper et coll., « Undermining Children's Intrinsic Interest with Extrinsic Rewards : A Test of the Overjustification Hypothesis », *Journal of Personality and Social Psychology*, American Psychological Association, 1973.

Les enfants semblent éprouver un amour intrinsèque de l'art; pourtant, peu d'adultes prennent plaisir à ce comportement. Est-ce parce que nous avons reçu des notes pour nos travaux, des éloges ou d'autres récompenses extrinsèques qui ont détruit notre motivation intrinsèque initiale ?

Cependant, comment cette théorie explique-t-elle que la perspective d'une augmentation de salaire ou d'une médaille d'or augmente la productivité et stimule le plaisir de la compétition ? La réponse semble résider dans la façon dont les récompenses extrinsèques sont accordées.

En premier lieu, il est préférable d'employer les récompenses dans le but de souligner la compétence ou le rendement remarquable de l'individu plutôt que de les utiliser dans le but de le contrôler. La recherche montre que les récompenses extrinsèques n'atténuent pas l'intérêt intrinsèque si elles soulignent la compétence (Deci, 1995). En fait, les récompenses peuvent même intensifier le désir de réussir à nouveau. En effet, recevoir une augmentation de salaire ou gagner une médaille d'or nous renseigne et nous fournit de précieuses indications sur nos capacités, ce qui renforce notre satisfaction. Par contre, si les récompenses sont utilisées dans le but d'exercer un certain contrôle, par exemple, donner de l'argent ou des privilèges à condition qu'un enfant obtienne de bonnes notes en classe, cela affaiblit sa motivation intrinsèque.

En second lieu, les récompenses ne doivent pas agir à titre de pression externe. On a démontré que les récompenses extrinsèques données sans arrière-pensées et perçues comme telles par les enfants stimulent leur intérêt pour les tâches créatives. En revanche, s'ils perçoivent la récompense comme une pression externe de création, leur intérêt s'atténuera (Eisenberger et Armeli, 1997).

D'après la recherche effectuée sur les motivations intrinsèques et extrinsèques, la manière dont on accorde les récompenses engendre de sérieuses répercussions. Par exemple, les établissements scolaires où l'on a recours aux récompenses extrinsèques pour favoriser la présence en classe, voient le taux d'absentéisme grimper dès que la récompense n'est plus offerte. Une étude a d'ailleurs révélé que les élèves à qui on offre une rémunération pour enregistrer des textes pour les aveugles montrent ensuite un sens des responsabilités moindre que ceux qui le font gratuitement (Kunda et Schwartz, 1983).

À vous les commandes

Voici quelques conseils pratiques fondés sur les études de motivations intrinsèques et extrinsèques qui pourraient vous être utiles lorsque vous travaillez seul ou en équipe :

1. *Limitez le recours aux récompenses extrinsèques.* En général, il est préférable de recourir le moins possible et le moins longtemps possible aux récompenses extrinsèques. Lorsqu'un enfant apprend à jouer d'un instrument de musique, il convient de lui donner des petites récompenses jusqu'à ce qu'il atteigne un

certain niveau de maîtrise de son instrument. Cependant, une fois qu'il joue et répète pour le plaisir de la chose, il vaut mieux laisser tomber les récompenses. De même, si vous désirez consacrer plus de temps à l'étude, commencez par vous récompenser pour chaque progrès significatif, sans toutefois vous interrompre quand vous fonctionnez bien. Comprenez bien que ces conseils s'appliquent surtout aux récompenses *tangibles* et que féliciter quelqu'un et lui donner des commentaires positifs accroît généralement son degré de motivation intrinsèque (Carton, 1996; Eisenberger et Cameron, 1996).

2. *Employez les récompenses pour souligner la compétence.*   Utilisez les récompenses extrinsèques pour souligner la compétence ou un rendement remarquable, plutôt que pour la seule participation à une activité. Dans les écoles, il serait préférable d'accentuer la motivation intrinsèque des élèves en offrant des médailles ou des privilèges pour l'assiduité, plutôt que de récompenser leur présence en classe par de l'argent. De même, récompensez-vous en regardant un film ou en bavardant avec un ami au téléphone, après avoir travaillé fort ou avoir réussi brillamment à un examen. Ne vous récompensez pas pour des demi-succès où vous n'avez fourni que des efforts mitigés.

3. *Pour renforcer les comportements, misez sur les raisons intrinsèques.*   Plutôt que de songer aux gens que vous pourrez impressionner par de bonnes notes scolaires ou par des emplois bien rémunérés, concentrez-vous sur les raisons qui vous satisfont personnellement. Songez combien il est stimulant d'acquérir de nouvelles connaissances, de devenir une personne instruite et de développer une pensée critique. Ces raisons devraient augmenter votre plaisir à fréquenter l'université, et accroître votre motivation générale et votre rendement. ■

RÉSUMÉ

Qu'est-ce que la motivation ?

La recherche sur la motivation tente de cerner le pourquoi du comportement humain, tandis que la recherche sur l'émotion a trait aux sentiments. Étant donné que les comportements motivés sont souvent étroitement liés aux émotions, l'étude de ces deux sujets est fréquemment menée de concert. Nous examinerons une panoplie de motifs dans le texte qui suit mais dans ce chapitre-ci, nous nous sommes concentrés sur la faim, la recherche de stimuli et le besoin d'accomplissement.

Des facteurs internes (stimuli stomacaux, signaux du sang et du cerveau) et externes (le conditionnement culturel et les stimuli visuels) affectent la faim et le besoin de manger.

Nombre de personnes souffrent de troubles alimentaires. L'obésité semble résulter de facteurs biologiques, notamment l'héritage génétique, et de facteurs psychologiques.

L'anorexie mentale (perte de poids extrême causée par un refus de s'alimenter) et la boulimie (consommation excessive d'aliments, suivie d'un comportement purgatif) sont les conséquences d'une peur intense de l'obésité.

La motivation provient également de la recherche de stimuli. Les gens désirent obtenir un niveau optimal de stimulation qui maximise leur efficacité. Ce niveau de stimulation varie d'un individu à un autre. D'après Zuckerman, les personnes avides de sensations fortes sont biologiquement portées vers les stimulations plus puissantes. L'inverse est aussi vrai pour celles qui recherchent peu de sensations.

Le besoin d'accomplissement se manifeste par le besoin de réussir, de faire mieux que les autres et d'accomplir avec brio les tâches posant un défi. Les études sur les motifs intrinsèques et extrinsèques ont montré que les récompenses extrinsèques font fléchir la motivation de réussir et le besoin d'accomplissement.

QUESTIONS DE RÉVISION

1. Qu'ont en commun la motivation et l'émotion et en quoi se distinguent-elles ?

2. Quels sont les principaux facteurs internes et externes qui déterminent la faim et le comportement alimentaire ?

3. Le _____ pousse les individus à rechercher la nouveauté et le changement dans leur milieu, sans raison apparente. a) réflexe sensoriel b) caractère social c) dynamisme d) besoin de stimulation

4. On appelle _____ le désir d'accomplir une action uniquement pour le plaisir qu'elle procure, et _____ le désir d'accomplir une action pour recevoir une récompense externe ou éviter une punition. a) motivation personnelle, motivation externe b) motivation interne, motivation externe c) motivation intrinsèque, motivation extrinsèque d) motivation individualiste, motivation sociale

5. Le besoin de réussir, de faire mieux que les autres, d'accomplir avec brio des tâches posant un défi s'appelle _____.

Les réponses aux questions de révision se trouvent en annexe.

LES THÉORIES GÉNÉRALES DE LA MOTIVATION

▲ *Sommes-nous essentiellement motivés par des forces biologiques ou psychologiques ?*

Pour mieux comprendre la motivation de Maya Angelou à se réaliser de manière remarquable, nous allons étudier quatre théories qui se regroupent en deux catégories : les théories biologiques et les théories psychosociales (voir le tableau 10.2).

LES THÉORIES BIOLOGIQUES : À LA RECHERCHE DES MOTIFS INTERNES DU COMPORTEMENT

Plusieurs théories de la motivation privilégient l'approche biologique, c'est-à-dire qu'elles s'intéressent aux processus internes qui contrôlent et dirigent le comportement. Au nombre des théories axées sur la biologie, notons les théories reposant sur l'instinct et la pulsion biologique.

Les théories reposant sur l'instinct

À l'aube de la psychologie, la définition de ce qu'est un instinct n'était pas aussi rigoureuse que celle que nous venons de présenter. Des chercheurs, notamment William McDougall (1908), soutenaient que les êtres humains étaient dotés de plusieurs instincts, dont la répulsion, la curiosité, l'affirmation de soi, l'instinct maternel ou paternel, etc. D'autres chercheurs ajoutèrent à cette liste leurs instincts préférés, ce qui rallongea l'énumération au point de la dénuer de sens. Ainsi fut dressée la liste de plus de 10 000 instincts humains (Bernard, 1924). Certains auteurs ont cru reconnaître là, non sans humour, « l'instinct de croire aux instincts » (Weiner, 1985).

En plus de la confusion engendrée par cette liste qui s'allongeait sans cesse, la définition de l'instinct entraînait des explications circulaires. Vous a-t-on déjà dit que les hommes sont naturellement ou instinctivement agressifs et que les femmes ont l'instinct maternel ? Si vous demandez des preuves de ces instincts, votre interlocuteur, à l'instar des chercheurs de la génération de McDougall, vous offrira des exemples de brutalité masculine ou de maternage. Ainsi, le comportement *lui-même* devient sa *propre* explication : les gens se conduisent tels qu'ils le font parce qu'ils agissent naturellement de cette manière. Pareil raisonnement est bien sûr inacceptable du point de vue scientifique.

Au cours des dernières années, la sociobiologie, une branche de la biologie, est venue confirmer les assertions de McDougall concernant les divers instincts.

Chez les oiseaux, nidifier et nourrir ses petits sont des comportements instinctifs. Le comportement humain est-il motivé par des instincts similaires ?

Instinct : Comportement inné déclenché par un stimulus spécifique dans un organisme physiologiquement disposé et qui se manifeste de manière semblable chez les individus sains d'une même espèce.

Tableau 10.2   Les théories de la motivation.

Théorie	Définition
Théories biologiques	
Théorie reposant sur l'instinct	Peu importe l'espèce, la motivation résulte d'un comportement non appris, uniforme dans son expression et universel.
La théorie des pulsions biologiques	La motivation débute avec un besoin physiologique (un manque) qui fait naître une énergie psychologique (motivation) dirigée vers un comportement qui satisfera le besoin originel.
Théories psychosociales	
La théorie des incitateurs	La motivation résulte d'un stimuli ambiant qui « attire » l'organisme dans une certaine direction.
Les théories cognitives	La motivation se base sur des processus mentaux (attributions et attentes) dirigés vers un objectif précis
Association des théories biologiques et psychosociales	
La hiérarchie des besoins de Maslow	Les motifs de base d'un individu (tels que les besoins physiologiques et le besoin de sécurité) doivent être satisfaits avant de pouvoir combler ses motifs plus élevés (tels que le sentiment d'appartenance et l'estime de soi).

Ces comportements sont des ensembles de réactions motrices stricts et arrêtés qui ne sont pas acquis, mais caractéristiques des membres d'une même espèce et dont la base génétique s'est établie au fil de l'évolution. On observe des comportements instinctifs chez plusieurs espèces animales. Les oiseaux qui nidifient et les saumons qui remontent les rivières pour frayer en sont des exemples. La démarche sociobiologique soutient que la génétique et l'évolution ont engendré différents comportements sociaux tant chez les êtres humains que chez les animaux. Certains sociobiologistes, notamment Edward O. Wilson (1975, 1978), sont d'avis que la compétition, la guerre, l'agressivité, les différences entre mâles et femelles, l'altruisme et plusieurs autres comportements se transmettent génétiquement d'une génération à l'autre. La plupart des psychologues s'entendent pour dire que la biologie et la génétique sont des facteurs importants pour comprendre le comportement humain.

La théorie des pulsions biologiques

Au cours des années trente, les notions de pulsion et de réduction des pulsions remplacèrent peu à peu la théorie des instincts. En vertu de la théorie des pulsions biologiques (Hull, 1952; Spence, 1951), la motivation est déclenchée par un *besoin physiologique*, c'est-à-dire une carence ou une déficience physiologique. Ce besoin provoque une pulsion, c'est-à-dire une mobilisation d'énergie psychologique, dirigée vers un acte destiné à satisfaire ce besoin. Prenons l'exemple d'une situation où nous sommes privés de nourriture : le besoin biologique provoqué par cette carence crée un état de tension physique et déclenche une pulsion, la faim, qui nous motive à chercher des aliments.

Théorie des pulsions biologiques : Théorie selon laquelle la motivation est déclenchée par un besoin physiologique (une carence ou une déficience) qui provoque une activation psychologique ou pulsion orientée vers un comportement propre à satisfaire ce besoin.

LES THÉORIES PSYCHOSOCIALES : LE RÔLE DES INCITATEURS, DES COGNITIONS ET DES BESOINS

La théorie reposant sur l'instinct et la théorie des pulsions biologiques n'expliquent pas toutes les motivations de nos comportements. Par exemple, comment ces théories expliqueraient-elles que nous continuions parfois de manger après que

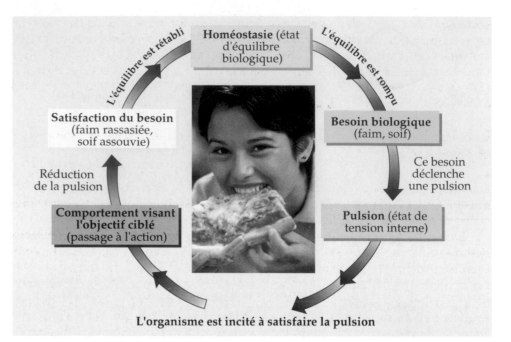

Figure 10.7   La théorie des pulsions biologiques. Cette théorie est fondée sur l'homéostasie, la tendance naturelle du corps à maintenir un état d'équilibre. Par exemple, la faim et la soif créent un déséquilibre qui déclenche une pulsion nous incitant à rechercher de la nourriture ou de l'eau. Lorsque l'équilibre est rétabli, la motivation (de rechercher nourriture ou eau) diminue.

nos besoins biologiques ont été pleinement satisfaits ? Pourquoi un individu s'astreint-il à travailler des heures supplémentaires alors que son salaire habituel suffit à combler tous ses besoins biologiques élémentaires ? Il faut chercher les réponses à de telles questions du côté des théories psychosociales qui accordent une place importante aux incitateurs, aux facteurs cognitifs et à la hiérarchie des besoins.

La théorie des incitateurs

Alors que les théories des pulsions affirment que des facteurs internes *poussent* les individus dans certaines directions, les théories des incitateurs reposent sur l'idée selon laquelle des stimuli externes *attirent* les individus dans certaines directions (Bolles, 1970, 1975; Pfaffmann, 1982). À cause de certaines caractéristiques des stimuli externes, l'individu est incité à accomplir certaines actions pour atteindre des objectifs souhaités ou à agir de manière à éviter ou à éliminer les événements indésirables.

Initialement, nous mangeons parce que la faim nous y pousse. Si nous continuons de manger une fois repus, c'est que, par exemple, la vue d'une tarte aux pommes excite notre gourmandise. On pourrait expliquer la motivation de Maya Angelou à écrire de la poésie et des livres par la présence d'incitateurs tels que la reconnaissance de son travail découlant de la couverture de presse, les marques d'estime sous forme d'invitations à donner des conférences, et les bénéfices d'importantes rémunérations. Certes, les facteurs externes motivent les comportements, mais les facteurs cognitifs engendrent une motivation encore plus puissante.

Les théories cognitives

L'approche cognitive de la motivation souligne l'importance des processus mentaux dans un comportement orienté vers un objectif précis. Si vous obtenez une note de passage élevée en psychologie, vous pouvez interpréter ce succès de plusieurs manières : vous le méritez parce que vous avez bien étudié, vous avez réussi parce que vous avez eu de la veine ou parce que votre manuel était très intéressant et complet (notre interprétation favorite !). Les chercheurs qui s'intéressent aux *attributions*, c'est-à-dire aux explications des causes d'un comportement, ont découvert que l'interprétation que nous donnons de notre propre comportement et de celui d'autrui exerce souvent une forte incidence sur la motivation. Par exemple, les gens qui attribuent leur réussite à leurs aptitudes personnelles et à leurs

Théorie des incitateurs : Théorie selon laquelle la motivation résulte de stimuli ambiants qui « attirent » l'organisme dans certaines directions.

Stimulus externe

attributions + attentes

efforts ont tendance à déployer plus d'efforts pour atteindre leurs buts que ceux qui attribuent leur réussite à la chance (Weiner, 1972, 1982). Les *attentes* comptent également pour beaucoup dans la motivation (Higgins, 1997). La note que vous souhaitez obtenir à un examen influe de toute évidence sur votre volonté de lire et d'étudier les textes s'y rapportant, tout comme la promotion convoitée affecte votre propension à effectuer des heures supplémentaires sans toucher de rémunération.

La hiérarchie des besoins de Maslow : l'association des théories biologiques et psychosociales

Le modèle de la hiérarchie des besoins établi par Abraham Maslow (1954, 1970) constitue l'une des plus ambitieuses tentatives d'explication de la motivation. Maslow prit en compte les besoins biologiques et psychologiques et y associa plusieurs des concepts de motivation dont nous avons parlé.

La théorie de Maslow repose sur l'idée que nous éprouvons tous de nombreux besoins concurrents qui cherchent à s'exprimer. En ce moment, par exemple, votre besoin de sommeil peut concurrencer votre besoin d'achever cette lecture avant le prochain examen. Bien entendu, tous les besoins ne sont pas d'égale importance. Selon Maslow, les motifs diffèrent avant tout par leur *prépotence*, ou force relative. On doit d'abord satisfaire ses besoins les plus puissants, tels que la faim et la soif, avant de s'intéresser à ses besoins d'ordre supérieur, tels que le besoin de sécurité, le sentiment d'appartenance et l'estime de soi. Ainsi qu'on le voit à la figure 10.8, Maslow a hiérarchisé les besoins en cinq paliers; les besoins physiologiques essentiels constituent la base de la pyramide et ceux inhérents à l'actualisation de soi se retrouvent au sommet. Même s'il croyait que les motifs d'ordre supérieur étaient plus faibles que les toutes-puissantes pulsions biologiques, Maslow était d'avis que dès qu'ils sont libérés de leurs besoins primaires, les êtres humains cherchent à satisfaire des besoins qui favoriseront leur épanouissement.

Hiérarchie des besoins : Théorie de la motivation de Maslow, selon laquelle certains motifs, par exemple les besoins physiologiques et le besoin de sécurité, doivent être satisfaits avant que l'on entreprenne de satisfaire des besoins d'ordre supérieur, par exemple le sentiment d'appartenance et l'estime de soi.

Évaluation de la théorie de Maslow

La hiérarchie des besoins telle que l'a établie Maslow semble juste en de nombreuses situations; un affamé cherchera d'abord à apaiser sa faim, puis il s'inquiétera de sa sécurité avant de chercher l'amour et l'amitié. Les détracteurs de Maslow ont

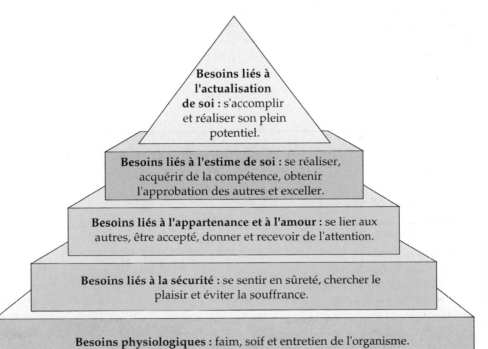

Figure 10.8 **Hiérarchie des motifs ou des besoins établie par Maslow.** Selon Maslow, il faut d'abord assurer la satisfaction des besoins physiques, essentiels, avant que ne s'expriment des besoins d'ordre supérieur. *Source :* A.H. Maslow, *Motivation and Personality*, 2ᵉ éd., Harper et Row, 1979.

cependant fait valoir que certaines parties de sa théorie s'appuyaient sur de piètres recherches. On cherche parfois à satisfaire des besoins d'ordre supérieur même lorsque ceux de la base de la hiérarchie demeurent insatisfaits (Geller, 1982; Neher, 1991; Williams et Page, 1989). Ainsi, dans certains pays en voie de développement, les individus peuvent être extrêmement affamés, souffrir de maladies graves et habiter une zone ravagée par la guerre et conserver néanmoins de solides attaches sociales et un fort sentiment d'estime personnelle. Pendant la famine et la guerre en Somalie, on a recensé de nombreux exemples de parents qui, au sacrifice de leur vie, parcouraient des centaines de kilomètres avec leurs enfants affamés pour atteindre les points de distribution des vivres dépêchés par le secours international. Parmi les parents qui parvenaient à ces centres de distribution, plusieurs se liguaient pour partager les approvisionnements insuffisants. Si l'on adhère étroitement à la théorie de Maslow selon laquelle chacun doit d'abord satisfaire au moins en partie ses besoins inférieurs avant que ses besoins supérieurs n'influent sur son comportement, il faudrait, pour rendre compte de la hiérarchie des besoins qu'ont manifestée ces parents somaliens, inverser la pyramide des besoins de Maslow et « la faire tenir sur la tête » (Neher, 1991, p. 97).

Il semble donc que Maslow ait exagéré l'importance de la progression séquentielle vers le sommet de la pyramide. Bien que l'on cherche dans la mesure du possible à combler ses besoins essentiels en premier lieu, on peut tenter de pourvoir à ses besoins d'ordre supérieur même si les circonstances empêchent que l'on satisfasse complètement ses besoins primaires.

RÉSUMÉ
Les théories générales de la motivation

On aborde l'étude de la motivation sous deux angles différents : d'une part les théories biologiques (dont les théories sur l'instinct et la théorie des pulsions biologiques), et d'autre part les théories psychosociales (dont la théorie des incitateurs et les théories cognitives) et l'interactionnisme (la hiérarchie des besoins de Maslow).

Les théories sur l'instinct soutiennent l'hypothèse de l'existence de composantes innées, génétiques, qui contribuent à la motivation. La théorie des pulsions biologiques stipule que les tensions internes (suscitées par les demandes homéostatiques de l'organisme) « poussent » l'organisme vers la satisfaction de ses besoins essentiels.

Selon la théories des incitateurs, la motivation résulte de stimuli ambiants externes qui « attirent » l'organisme dans certaines directions. Les théories cognitives soulignent l'importance des pensées, des attributions et des attentes.

Abraham Maslow a établi une hiérarchie de besoins ou de motifs qui met à contribution les théories biologiques et psychosociales. Il était d'avis que l'individu doit d'abord satisfaire ses besoins primaires (physiologie, survie) avant de tenter de combler ses besoins supérieurs. Les critiques ont émis des doutes quant à la pertinence d'une telle séquence d'étapes.

QUESTIONS DE RÉVISION
1. Définissez *instinct* et *homéostasie*.
2. Associez les exemples ci-dessous aux théories de la motivation leur correspondant le plus.
   a. Théorie de l'instinct
   b. Théorie des pulsions
   c. Théorie des incitateurs
   d. Théorie cognitive
   e. Hiérarchie des besoins de Maslow

_____ 1. Joindre une association pour se faire accepter des autres.
_____ 2. La génétique et l'évolution engendrent la volonté de survie qui motive deux animaux à se battre l'un contre l'autre.
_____ 3. Manger dans le but de se rassasier.
_____ 4. Étudier assidûment pour un examen parce que ce comportement vous permettra d'obtenir des bonnes notes.
_____ 5. Manger une tarte qui semble délicieuse.

3. Les théories _____ soulignent l'importance des pensées, des attributions et des attentes dans la motivation des comportements. a) sur l'attribution b) sur la motivation c) sur le besoin d'accomplissement d) cognitives

4. Selon la théorie _____, la survie et le besoin de sécurité doivent être satisfaits avant que l'individu puisse combler ses besoins d'ordre supérieur tels que la réalisation ou l'actualisation de soi. a) évolutive b) basée sur l'instinct c) de Maslow d) de Weiner

Les réponses aux questions de révision se trouvent en annexe.

QU'EST-CE QUE L'ÉMOTION ?

▲ *Quels concepts fondamentaux doit-on connaître pour comprendre ce qu'est l'émotion ?*

42

Les émotions jouent un rôle important dans nos vies. Elles teintent nos rêves, nos souvenirs et nos perceptions et, lorsqu'elles sont perturbées, entrent pour une part appréciable dans l'apparition des troubles psychologiques. Que signifie le mot *émotion* ? Dans le langage courant, nous décrivons nos émotions par les sentiments que nous éprouvons : « je me sens triste » ou « j'étais en colère ». Les psychologues, quant à eux, définissent et étudient les émotions en tenant compte de trois composantes :

1. La *composante cognitive*, à savoir les pensées, les croyances et les attentes qui déterminent le type de réaction émotionnelle et son intensité. Ce qui procure un intense plaisir à l'un peut sembler ennuyant et insupportable à l'autre.

2. La *composante physiologique*, qui comprend les changements physiques survenant dans l'organisme. Par exemple, lorsque la colère ou la peur stimule émotionnellement l'organisme, le pouls et la respiration s'accélèrent, et les pupilles se dilatent.

3. La *composante comportementale*, les diverses formes d'expression que peuvent prendre les émotions. Les expressions faciales, les gestes et les postures du corps ainsi que le ton de la voix peuvent varier en fonction de la colère, de la joie, de la tristesse, etc.

Dans la section qui suit, nous examinerons séparément ces trois composantes de l'émotion, bien qu'elles se produisent simultanément.

LA COMPOSANTE COGNITIVE : LES ÉMOTIONS SUBJECTIVES ET LEUR ÉVALUATION

Dans *Hamlet*, Shakespeare écrit : « Rien n'est bon ou mauvais en soi, tout dépend de ce que l'on en pense. » Il est vrai que notre perception cognitive des événements influence beaucoup nos émotions. Un examen de fin de session peut déclencher une grande anxiété chez certains étudiants, une inquiétude moyenne chez d'autres et être une source de stimulation pour d'autres encore. Mesurer de façon précise la part cognitive des émotions pose un réel défi.

Afin d'étudier les composantes cognitives associées aux émotions, les psychologues font normalement appel à des techniques fondées sur le compte rendu personnel, telles que les tests, les sondages et les entrevues. Toutefois, pareilles techniques engendrent de nombreux problèmes. Tout d'abord, les émotions ne se décrivent pas facilement. Les êtres humains diffèrent non seulement par leurs expériences subjectives et l'expression de leurs émotions, mais également par leur aptitude à identifier précisément leurs émotions et à les décrire. Le problème se pose particulièrement lorsqu'on effectue des études avec des enfants ou des animaux.

Ensuite, certains sujets peuvent mentir ou dissimuler leurs sentiments pour répondre à des attentes sociales ou pour plaire à l'expérimentateur. Par ailleurs, les souvenirs que l'on conserve des émotions passées peuvent être inexacts. Avez-vous remarqué combien on préfère se souvenir des aspects agréables d'un événement (« Ce furent mes plus belles vacances de camping ! ») ?

Finalement, il est souvent peu réaliste ou peu éthique de ressusciter artificiellement des émotions fortes afin de pouvoir les étudier. Souvenez-vous de l'expérience de Milgram sur l'obéissance abordée dans le premier chapitre : cette expérience a été vivement critiquée parce que l'expérimentateur créait de l'anxiété et de la culpabilité chez les sujets en leur demandant d'administrer des décharges électriques à d'autres prétendus participants.

LA COMPOSANTE PHYSIOLOGIQUE : LE RÔLE DU CERVEAU ET DU SYSTÈME NERVEUX AUTONOME

Imaginez que vous vous promenez seul dans une rue sombre d'un quartier dangereux de la ville. Soudain quelqu'un surgit derrière une pile de boîtes de carton et se met à courir dans votre direction. Comment réagiriez-vous ? Comme la plupart d'entre nous, vous jugeriez sans doute que cette situation est périlleuse et vous prendriez la fuite. Vous ressentiriez probablement surtout de la peur et cela provoquerait les réactions physiologiques suivantes : une accélération de la fréquence cardiaque et de la tension artérielle, une dilatation des pupilles, une transpiration abondante, une sensation de sécheresse dans la bouche, une respiration accélérée ou irrégulière, une hausse du taux de glucose sanguin, des tremblements, une diminution du tractus gastro-intestinal et une érection des poils (chair de poule). Ces réactions physiologiques sont déclenchées par le cerveau, en particulier le système limbique et les lobes frontaux du cortex cérébral, et le système nerveux autonome.

Le cerveau

Le système limbique, plus particulièrement l'hypothalamus et l'amygdale, (voir la figure 10.9) semble jouer un rôle particulièrement important dans les émotions primaires, telles que la peur, la colère et le désir sexuel. Par exemple, des décharges électriques administrées au système limbique créent « une rage feinte » qui transforme un chat docile en un animal agressif grondant et cherchant à griffer (Morris et coll., 1996). Par contraste, la stimulation des régions avoisinant le système limbique peut déclencher chez le même animal des attitudes affectueuses comme le ronronnement et le lèchement des doigts. (On considère cette rage comme étant « feinte », car elle se manifeste sans qu'il y ait provocation et disparaît immédiatement par la suite.)

Il arrive parfois que des informations provenant des sens se dirigent directement vers le système limbique, avant même que le cortex (et l'intellect) aient le temps d'interpréter ou d'intervenir dans la réponse. En vous promenant dans une rue sombre, vous est-il déjà arrivé de sursauter en entendant un bruit étrange avant même d'avoir déterminé s'il s'agissait d'une menace réelle ? Ce raccourci vers le système limbique nous permet d'éviter les stimuli potentiellement dangereux. En court-circuitant le cortex, ces signaux neuraux des émotions expliquent la peur non fondée éprouvée par les personnes souffrant de troubles d'anxiété (LeDoux, 1996).

Le contrôle des émotions s'effectue également par les lobes frontaux du cerveau. Rappelez-vous l'accident de Phineas Gage : après qu'une tige métallique eut endommagé ses lobes frontaux, il ne réussit plus à évaluer et à contrôler ses émotions. Le cortex moteur des lobes frontaux joue aussi un rôle dans les émotions. Dans une situation nocturne dangereuse où vous êtes seul et effrayé par quelque chose, vous avez le choix entre fuir et vous cacher, ou rester et affronter l'objet de vos craintes. Cette réponse motrice est orchestrée par les lobes frontaux.

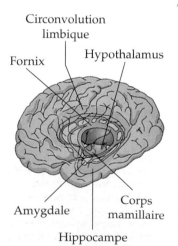

Circonvolution limbique
Fornix
Hypothalamus
Amygdale
Corps mamillaire
Hippocampe

Figure 10.9 **Les régions du cerveaux impliquées dans les émotions.** Le système limbique est constitué de plusieurs structures subcorticales (limbus) entourant le tronc cérébral. La structure rouge du centre représente le thalamus.

Effets du système sympathique		Effets du système parasympathique
Dilatation des pupilles	**Yeux**	Rétrécissement des pupilles
Sensation de sécheresse	**Bouche**	Salivation
Chair de poule, transpiration	**Peau**	Pas de chair de poule
Accélération de la fréquence respiratoire	**Poumons**	Respiration normale
Accélération de la fréquence cardiaque	**Cœur**	Diminution de la fréquence cardiaque
Hausse du taux d'épinéphrine et de norépinéphrine	**Glandes surrénales**	Diminution du taux d'épinéphrine et de norépinéphrine
Ralentissement du tractus gastro-intestinal	**Digestion**	Augmentation du tractus gastro intestinal

Figure 10.10 **L'émotion et le système nerveux autonome.** Lors d'une activation émotionnelle, le système sympathique, partie du système nerveux autonome, prépare le corps au combat ou à la fuite. Il est à noter que durant cette activation, la digestion et les fonctions de reproduction sont inhibées puisque ni l'une ni l'autre ne sont nécessaires dans une telle situation. À l'opposé, le système parasympathique prépare le corps à retourner à son stade initial.

Le système nerveux autonome

Tandis que le système limbique et les lobes frontaux jouent des rôles extrêmement importants dans les émotions, le système nerveux autonome commande les signes concrets de stimulation (pouls accéléré, respiration rapide et profonde, tremblements, etc.). Ces réactions automatiques résultent de liens établis entre le système nerveux autonome, les diverses glandes et les muscles (voir la figure 10.10).

Le système nerveux autonome se subdivise en deux parties : le *système nerveux sympathique* et le *système nerveux parasympathique*. Au signal d'une émotion vive, le système sympathique accélère la fréquence cardiaque, la fréquence respiratoire, etc. (la réponse de « combat ou de fuite »). À l'opposé, lorsque vous êtes détendu, le système parasympathique renverse ces effets. L'action combinée des deux systèmes nous permet de répondre adéquatement aux émotions.

Dans ce schème, quel est le rôle de l'adrénaline ?   L'adrénaline, ou plus précisément l'*épinéphrine*, est une hormone sécrétée par les glandes surrénales pour stimuler l'hypothalamus. Alors que le système nerveux sympathique, le système limbique et les lobes frontaux s'activent instantanément, l'épinéphrine et la norépinéphrine, une autre hormone surrénale, agissent à plus long terme en maintenant le système nerveux autonome sous le contrôle du système sympathique jusqu'à ce que le danger soit écarté. Les dommages résultant des effets excessifs et prolongés d'une stimulation du système sympathique due au stress seront abordés au chapitre 12.

Le détecteur de mensonge   Lire

Le détecteur de mensonge ou polygraphe est un instrument qui enregistre simultanément les indications de l'activation du système sympathique, dont la tension artérielle, la fréquence cardiaque, la fréquence respiratoire et la conduction électrique de la peau (voir la figure 10.11). Le fonctionnement de cet appareil se fonde sur l'étroite relation existant entre le système nerveux autonome et les émotions. Durant des siècles, on a cherché des moyens simples de détecter les mensonges; le plus célèbre, le détecteur de mensonge, est parfois utilisé par la police, et certains employeurs s'en servent à l'occasion pour filtrer les candidats et déceler les employés chapardeurs.

Peut-on se fier à l'efficacité du détecteur de mensonge ?   La croyance populaire veut que le mensonge active le système nerveux sympathique d'une personne. Seulement, le mensonge n'est que faiblement relié à la nervosité. Certaines personnes

Détecteur de mensonge : Instrument qui mesure l'activation émotionnelle par l'enregistrement de réactions physiologiques, comme la fréquence cardiaque, la tension artérielle, la fréquence respiratoire et la conduction électrique de la peau. Ces mesures sont simultanément enregistrées alors que le sujet répond à des questions visant à évaluer sa crédibilité.

a)

b)

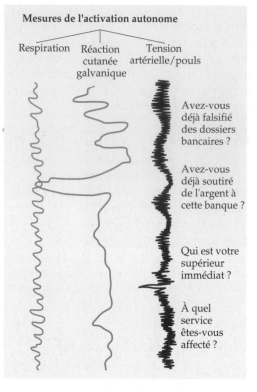

Mesures de l'activation autonome

Respiration   Réaction   Tension
       cutanée   artérielle/pouls
      galvanique

Avez-vous déjà falsifié des dossiers bancaires ?

Avez-vous déjà soutiré de l'argent à cette banque ?

Qui est votre supérieur immédiat ?

À quel service êtes-vous affecté ?

Figure 10.11 **Le test du détecteur de mensonge.** a) Pendant le test du polygraphe ou détecteur de mensonge, les sangles autour de la poitrine mesurent la fréquence respiratoire, le brassard enregistre la tension artérielle, et les électrodes posées aux doigts mesurent la réaction cutanée galvanique (RCG) (la transpiration). b) Les sorties imprimées du polygraphe sont utilisées pour détecter le mensonge ou la malhonnêteté des employés ou des criminels suspectés. Remarquez le pic saillant dans la RCG en réponse à la question « Avez-vous déjà soutiré de l'argent à cette banque ? » On pourrait voir là un mensonge, si les recherches en psychologie n'avaient démontré que les taux d'erreurs de l'appareil se situent entre 25 et 75 pour cent !

deviennent nerveuses même si elles disent la vérité, alors que d'autres restent calmes même en mentant délibérément. Plus encore, le détecteur de mensonge ne peut préciser quelle émotion le sujet ressent (nervosité, excitation, désir sexuel, etc.) ni discerner une réponse provoquée par une activation émotionnelle d'une activation d'un autre type, comme l'exercice physique, par exemple.

Ces problèmes incitent la plupart des psychologues et des scientifiques à douter de la fiabilité des détecteurs de mensonge (Iacono et Lykken, 1997). Le cas de Floyd Fay illustre bien les limites de cet appareil : cet homme, innocent, a été condamné pour meurtre et emprisonné à vie après avoir échoué au test du détecteur de mensonge. Durant son incarcération, Floyd Fay est devenu un expert des tests effectués au détecteur de mensonge. Il a même enseigné à d'autres comment contrôler les réactions enregistrées par l'appareil. Des vingt-sept prisonniers qui avaient admis leur culpabilité à Fay, 23 ont réussi à déjouer la machine (Kleinmuntz et Szucko, 1984). Floyd Fay a enfin été innocenté après qu'un avocat ait retracé le vrai meurtrier.

Ce cas met en lumière une des nombreuses lacunes du détecteur de mensonge. Bien que les partisans de l'appareil soutiennent que son taux de précision est de 90 pour cent et plus, les tests actuels révèlent un taux d'erreur se situant entre 25 et 75 pour cent. On a beau prétendre que les innocents n'ont rien à craindre du test au détecteur de mensonge, les études semblent démontrer le contraire (Faigman et coll., 1997; Honts, 1994; Kleinmuntz et Szucko, 1984; Lykken, 1984, 1988).

On a fait plusieurs propositions pour résoudre les problèmes que pose l'usage de cet appareil, comme la confrontation du suspect à des détails incriminants, c'est-à-dire à des faits uniquement connus du coupable (par exemple, le moment du délit). Le coupable reconnaîtrait ces indices pour ce qu'ils sont et répondrait aux questions différemment qu'une personne innocente (Lykken, 1984, 1988). Afin d'augmenter la fiabilité de l'appareil, Bashore et Rapp (1993) travaillent à développer un détecteur de mensonge qui mesure les ondes cervicales associées au mensonge. Parallèlement, d'autres psychologues ont proposé de recourir aux ordinateurs et aux analyses statistiques pour améliorer la fiabilité du détecteur de mensonge (Honts, 1994; Kleinmuntz et Szuko, 1984).

Malgré les améliorations apportées au test du détecteur de mensonge, nombre de psychologues s'opposent fermement à l'utilisation de cet appareil pour déterminer l'innocence ou la culpabilité d'un accusé (Iacono et Lykken, 1997). En 1988, réagissant à l'inquiétude grandissante du public et à la controverse ayant cours au sein du milieu scientifique, le Sénat américain a voté une loi limitant sévèrement l'emploi du détecteur de mensonge dans les tribunaux, les bureaux gouvernementaux et l'industrie privée.

LA COMPOSANTE COMPORTEMENTALE : L'EXPRESSION DES ÉMOTIONS

Après avoir examiné les composantes cognitive et physiologique des émotions, examinons-en maintenant la composante comportementale, c'est-à-dire la manière dont elles s'expriment. L'expression des émotions est une forme très puissante de communication. Le sourire d'un enfant nous porte vers lui, une alerte au feu jette la panique dans une foule, les pleurs d'un ami nous brisent le cœur et nous rendent empathiques. Bien que nous puissions verbaliser nos émotions, plus souvent qu'autrement nous les exprimons de façon « non verbale », c'est-à-dire par des expressions faciales, des gestes, la position du corps, le toucher, le regard et le ton de la voix.

À vous les commandes

Supposez que vous exécutez une improvisation dans un cours de théâtre. Essayez de prononcer ces mots de plusieurs manières différentes : « je m'excuse ». Prenez d'abord un ton colérique, puis un ton sarcastique, un ton craintif et enfin, un ton affectueux. Notez que les mots restent les mêmes, mais que la communication de vos émotions change du tout au tout. ■

Les expressions faciales

Les expressions faciales contribuent de façon primordiale à communiquer les émotions. Le visage compte 44 muscles : quatre servent à mastiquer, les 40 autres permettent l'expression faciale. Des études menées depuis trente ans suggèrent que certaines expressions faciales sont innées et, par conséquent, identiques et comprises partout au monde. Par exemple, des gens de cultures très différentes affichent des expressions faciales similaires lorsqu'elles expriment certaines émotions (Biehl et coll., 1997; Ekman, 1993; Ekman et Friesen, 1971; Keating et coll, 1981). Comme vous pouvez l'observer à la figure 10.12, les expressions faciales d'une femme

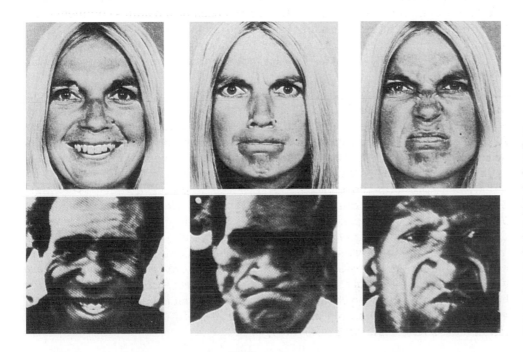

Figure 10.12 **Universalité culturelle des émotions.** Afin de démontrer que les expressions faciales des émotions sont universelles et non acquises, Paul Ekman se rendit dans les régions reculées de la Nouvelle-Guinée, où il découvrit que les membres d'une tribu pouvaient facilement identifier les émotions apparaissant sur le visage d'une Occidentale (photos supérieures). Par la suite, il se rendit compte que des étudiants américains pouvaient identifier sans difficulté les mêmes expressions faciales des membres de cette tribu.

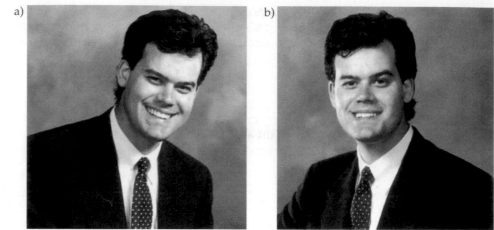

Figure 10.13 **Le sourire de Duchenne.** a) Un sourire de franc bonheur est appelé « sourire de Duchenne ». Voyez comment les muscles autour des yeux se contractent. b) Cependant, dans un sourire « social », seuls les muscles autour de la bouche sont mis à contribution.

occidentale et d'un membre d'une tribu de la Nouvelle-Guinée sont sensiblement les mêmes pour exprimer les mêmes émotions.

Des recherches indiquent que l'interprétation de ces expressions faciales est universelle. Les participants à l'étude, occidentaux ou autres, sont aptes à identifier au moins six émotions de base : la joie, la surprise, la colère, la tristesse, la peur et le dégoût (Buck, 1984; Matsumoto, 1992). En d'autres mots, peu importe la culture, un froncement de sourcils est reconnu comme étant un signe de mécontentement et un sourire, un signe de plaisir (Ekman, 1993).

Les chercheurs ont développé des techniques très sensibles de mesure qui leur permettent de détecter les subtilités des émotions dans l'expression faciale et de différencier les expressions vraies des expressions feintes. Par exemple, les chercheurs ont identifié 18 différents types de sourires, dont notamment le sourire affligé, le sourire faux des mondanités et le sourire de soulagement. La différence entre le sourire « social » et le « sourire de Duchenne », d'après l'anatomiste français Duchenne de Boulogne qui a été le premier à le décrire en 1862, est digne d'intérêt : d'après lui, quand nous sourions faussement, c'est-à-dire que nous arborons un sourire « social », les muscles volontaires de la mâchoire sont tirés vers l'arrière, mais nos yeux « ne sourient pas ». En revanche, les sourires francs sollicitent non seulement les muscles autour des mâchoires, mais aussi ceux autour des yeux (voir la figure 10.13). Duchenne de Boulogne mentionne que « le muscle de l'œil ne peut être gouverné puisqu'il n'obéit qu'aux douces émotions provenant de l'âme » (cité dans Goode et coll., 1991, p. 127).

Le geste

Bien que les émotions soient communiquées par le biais des expressions du visage, elles le sont également par le geste. Vous connaissez sûrement une personne qui joue sans cesse avec ses cheveux par nervosité ou qui se gratte le cou en réponse à l'anxiété. Des études ont confirmé que l'anxiété pousse les gens à se toucher, se gratter ou frotter certaines parties de leur corps (Harrigan et coll., 1991).

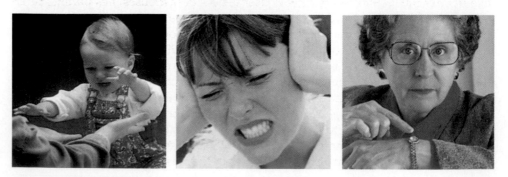

Les gestes sont d'importantes formes d'expression des émotions. Quelles émotions chacune de ces personnes tente-t-elle de communiquer ?

Dans une étude de l'expression corporelle, Aronoff et ses collègues (1992) ont noté que les postures arrondies du corps suggèrent de la bienveillance et une certaine chaleur alors que les postures anguleuses laissent supposer un danger et une certaine menace.

À vous les commandes

En vous servant des images ci-dessous, imitez les postures arrondies ou anguleuses qui y sont décrites. Demandez à un ami d'identifier les émotions associées à votre expression corporelle. Les observations de votre ami correspondent-elles aux conclusions d'Aronoff ?

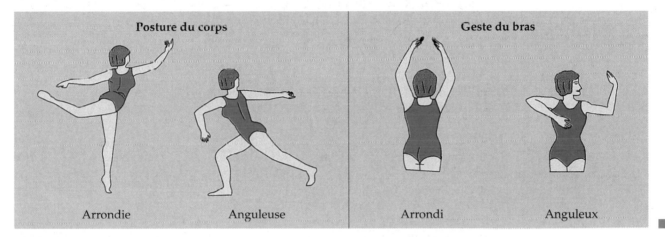

Posture du corps   Geste du bras

Arrondie   Anguleuse   Arrondi   Anguleux

L'intelligence émotionnelle : une combinaison des trois composantes de l'émotion

Vous avez déjà entendu parler du quotient intellectuel (QI), mais connaissez-vous l'intelligence émotionnelle (IE) ? Daniel Goleman (1995) est à l'origine de ce concept. Selon lui, l'intelligence émotionnelle repose sur la connaissance et la maîtrise de ses émotions, la capacité d'éprouver de l'empathie envers les autres et d'entretenir des relations humaines satisfaisantes. En somme, l'intelligence émotionnelle d'une personne combine judicieusement les trois composantes des émotions (cognitive, physiologique et comportementale).

Goleman affirme que la réussite des personnes dotées d'un QI modeste s'explique souvent par leur intelligence émotionnelle élevée. Il croit que les mesures traditionnelles de l'intelligence ne tiennent pas compte d'une gamme d'aptitudes cruciales qui prédisposent les gens à exceller dans la vie : la connaissance de soi, la maîtrise de ses pulsions, la persévérance, la ferveur et la capacité de se motiver, la capacité d'éprouver de l'empathie envers les autres et l'aisance sociale.

Goleman suggère également qu'une déficience de l'intelligence émotionnelle pourrait expliquer plusieurs problèmes sociaux, tels que la violence familiale et la violence des jeunes. Selon lui, l'intelligence émotionnelle devrait être cultivée, car elle permettrait de contrecarrer ces conséquences désastreuses. Les parents pourraient aider leurs enfants à développer leur intelligence émotionnelle en les encourageant à identifier et à modifier leurs émotions au besoin, de même qu'à comprendre comment elles influencent leurs actions (Kuebli, 1999; Mayer et Salovey, 1997). Les écoles qui ont adopté les préceptes de Goleman affirment que non seulement les élèves démontrent une attitude positive dans leurs relations avec les autres, mais aussi que leur pensée critique s'est améliorée (Mitchell, Sachs et Tu, 1997, p. 62).

Les détracteurs de cette théorie, cependant, craignent un usage abusif de ce concept qu'ils considèrent fourre-tout. Leur opposition la plus vive est dirigée contre la proposition de Goleman d'enseigner l'intelligence émotionnelle à l'école. Ainsi, Paul McHugh, directeur du département de psychiatrie à l'université John Hopkins,

Intelligence émotionnelle : D'après Goleman, l'aptitude à connaître et à maîtriser ses émotions, à éprouver de l'empathie envers les autres et à entretenir des relations humaines satisfaisantes.

reproche à Goleman « de présumer que l'on connaît les émotions adéquates à enseigner aux enfants, alors qu'on ne sait même pas encore lesquelles doivent être enseignées aux adultes » (cité dans Gibbs, 1995, p. 68). L'intelligence émotionnelle est un concept controversé, mais les chercheurs sont tout de même ravis de voir le sérieux avec lequel on considère maintenant la recherche sur les émotions. Les études futures éclaireront notre compréhension des émotions et, qui sait, nous confirmeront peut-être la justesse de la théorie de Goleman.

RÉSUMÉ

Qu'est-ce que l'émotion ?

Chaque émotion compte trois composantes de base : cognitive (pensées, croyances et attentes), physiologique (accélération de la fréquence cardiaque, de la fréquence respiratoire, etc.) et comportementale (expressions faciales et gestes).

On étudie la composante cognitive des émotions en recourant aux techniques de compte rendu personnel : tests, sondages et interviews.

Les études de la composante physiologique indiquent que la plupart des émotions trouvent leur source dans une activation non spécifique et générale du système nerveux à laquelle participent le cortex cérébral, le système limbique et les lobes frontaux du cerveau. Les signes les plus évidents d'activation (tremblements, accélération de la fréquence cardiaque, transpiration, etc.) résultent de l'activation du système nerveux sympathique, une subdivision du système nerveux autonome. Le corps retourne à son état normal par l'action du système parasympathique.

Le détecteur de mensonge sert à mesurer les fluctuations de l'activation émotionnelle (accélération de la fréquence cardiaque, hausse de la tension artérielle, etc.), mais les psychologues réprouvent généralement le recours à cet appareil, car nombre d'études ont démontré son peu de fiabilité.

La composante comportementale des émotions renvoie à la manière dont nous exprimons nos émotions. Les expressions faciales et les gestes sont les deux principales formes de communication non verbale.

L'intelligence émotionnelle se décrit à l'aide de quatre caractéristiques : la connaissance et la maîtrise de ses émotions, la capacité à éprouver de l'empathie et à entretenir des relations humaines satisfaisantes.

QUESTIONS DE RÉVISION

1. Attribuez à chaque exemple la composante émotionnelle correspondante.
   a. Cognitive
   b. Physiologique
   c. Comportementale
   _____ 1. Accélération de la fréquence cardiaque.
   _____ 2. Pleurs au cinéma.
   _____ 3. Conviction que les hommes ne doivent pas pleurer.
   _____ 4. Cris d'encouragement lors d'une partie de soccer.

2. Lorsque l'individu est activé émotionnellement, la branche _____ du système nerveux _____ accélère la fréquence cardiaque et la tension artérielle, et active également d'autres réponses à une situation de danger.

3. Le détecteur de mensonge ou polygraphe sert principalement à mesurer la composante _____ des émotions. a) physiologique b) articulaire c) cognitive d) subjective

4. Connaître et maîtriser ses émotions, sympathiser avec les autres et entretenir des relations humaines satisfaisantes sont les facteurs clés de _____. a) l'actualisation de soi b) l'intelligence émotionnelle c) la métacognition émotionnelle d) le quotient intellectuel empathique

LES THÉORIES GÉNÉRALES DE L'ÉMOTION

Les chercheurs s'accordent généralement sur ce qui définit une émotion (les composantes cognitive, physiologique et comportementale), mais non sur les causes des émotions. Quatre théories tentent d'expliquer les émotions : la théorie de James-Lange, la théorie de Cannon-Bard, l'hypothèse de la rétroaction faciale et la théorie de l'identification cognitive de Schachter. Au fil de votre lecture, référez-vous à l'occasion à la figure 10.14 qui dresse un résumé de ces quatre théories. Nous allons aussi examiner les facteurs dérivés de l'évolution et de la culture qui expliquent les émotions.

▲ *Quelle est la cause de l'activation émotionnelle ?*

LA THÉORIE DE JAMES-LANGE : LA RÉACTION CONSTITUE L'ÉMOTION

Selon les idées émises par le psychologue William James, puis développées par le physiologue Carl Lange, les émotions dépendent de la rétroaction de l'organisme. Contrairement à l'idée répandue selon laquelle on pleure parce qu'on est triste, James écrivit : « Nous nous sentons tristes *parce que* nous pleurons, en colère *parce que* nous donnons un coup, apeurés *parce que* nous tremblons » (James, 1890).

Pourquoi tremblerais-je, sinon parce que j'ai éprouvé de la peur ? Selon la théorie de James-Lange, la réaction physique du tremblement est déclenchée par un stimulus particulier, par exemple apercevoir un grand ours en forêt. Cette théorie s'articule ainsi : d'abord, on perçoit un événement, le corps réagit et *ensuite* on interprète les changements physiques comme étant une émotion particulière (voir la figure 10.14a). William James a émis l'hypothèse selon laquelle la perception que

Théorie de James-Lange : Théorie énonçant que l'émotion est en fait la perception qu'a le sujet de ses propres réactions corporelles et que chaque émotion est distincte physiologiquement.

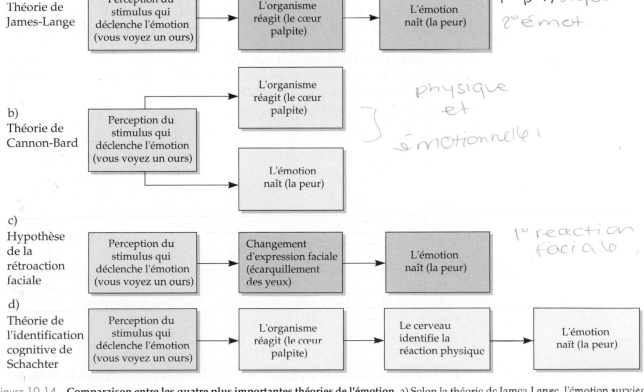

Figure 10.14 **Comparaison entre les quatre plus importantes théories de l'émotion. a)** Selon la théorie de James-Lange, l'émotion survient après que le corps est excité. **b)** Selon la théorie de Cannon-Bard, l'activation et l'émotion surviennent simultanément. **c)** L'hypothèse de la rétroaction faciale soutient que les changements de l'expression faciale engendrent les émotions. **d)** La théorie de l'identification cognitive de Schachter suggère que l'activation autonome de l'organisme donne au cerveau le désir d'en connaître les raisons; lorsque la cause de l'activation est définie, l'émotion peut naître.

l'on a de sa propre activation physiologique (palpitations cardiaques, creux à l'esto-mac, rougeur aux joues), de ses actes (courir, frapper, crier) et des changements de son expression faciale (pleurer, sourire, froncer les sourcils) forme ce que l'on appelle les émotions. En bref, les changements physiques *causent* l'émotion. Si aucun change-ment physique ne survient, on n'enregistre aucune émotion.

LA THÉORIE DE CANNON-BARD : LES ÉMOTIONS ET LES RÉACTIONS SURVIENNENT SIMULTANÉMENT

Walter Cannon (1927) et Philip Bard (1934) n'étaient pas d'accord avec l'approche proposée par James et Lange. Leur hypothèse soutient plutôt que la perception d'un stimulus pertinent (apercevoir l'ours) amène le thalamus à émettre des messa-ges *simultanés* (voir la figure 10.14b). Ceux qui sont dirigés vers le système nerveux autonome déclenchent des réactions physiques (palpitations cardiaques, fuite, écarquillement des yeux, bouche bée). Les autres sont acheminés au cortex cérébral qui analysera le stimulus et produira l'émotion (la peur). L'un des éléments-clés de la théorie de Cannon-Bard est donc que la réaction physique n'est pas un facteur nécessaire ni même important de l'émotion. Cannon appuyait sa thèse sur de nom-breuses expériences faites sur des animaux qu'on avait opérés pour les empêcher d'éprouver une excitation physiologique. Or, on pouvait encore observer chez ces animaux des grognements et des postures défensives, réactions que l'on peut qua-lifier d'émotionnelles (Cannon, Lewis et Britton, 1927).

L'HYPOTHÈSE DE LA RÉTROACTION FACIALE : LE VISAGE DÉTERMINE LES ÉMOTIONS

À l'origine, les tenants de l'hypothèse de la rétroaction faciale soutenaient que les changements de l'expression faciale pouvaient fournir des renseignements sur l'émo-tion que l'on ressentait (Gelhorn, 1964; Izard, 1984, 1990; Tomkins, 1962). Ainsi, si vous souriez, c'est que vous devez être heureux. Les expressions faciales étaient considérées comme involontaires et devaient entraîner davantage de réactions émotionnelles. Toutefois, des recherches ultérieures menées auprès d'acteurs pro-fessionnels permirent de démontrer que, lorsqu'on leur demandait d'afficher sur commande diverses expressions faciales, leurs réactions autonomes étaient sem-blables à celles qui accompagnent normalement les émotions (Ekman, Levenson et Friesen, 1983).

Selon l'hypothèse révisée de la rétroaction faciale, non seulement les change-ments faciaux correspondent aux émotions et les intensifient, mais ils *causent* ou mettent en branle l'émotion même (Adelman et Zajonc, 1989; Laird et Bressler, 1992). Les contractions des divers muscles faciaux émettent des messages spécifiques à l'intention du cerveau, qui identifie chacune des émotions de base. À l'instar de James, ces chercheurs estiment que l'on ne sourit pas parce qu'on est heureux, mais que l'on est heureux parce qu'on sourit (voir la figure 10.14c). L'hypothèse de la rétroaction faciale soutient également la théorie évolutive de Darwin (1872), selon laquelle l'expression libre d'une émotion l'intensifie, alors que la suppression de sa manifestation extérieure l'atténue.

Si l'expression d'une émotion *entraîne* des réactions émotionnelles, nous pour-rions ainsi expliquer plusieurs expériences courantes. Vous sentez-vous dépressif après qu'un ami vous a confié ses problèmes ? Votre mimétisme facial calquant l'expression de tristesse sur le visage de l'ami peut entraîner des réactions physio-logiques similaires chez vous. Cette théorie pourrait avoir d'importantes inciden-ces pour les thérapeutes qui travaillent constamment auprès de patients dépressifs et pour les acteurs qui simulent des émotions pour gagner leur pain. Si Darwin a raison et que l'expression d'une émotion l'intensifie, il faut alors remettre en cause la théorie selon laquelle on doive exprimer sa colère et son agressivité pour *libérer* la tension accumulée.

Théorie de Cannon-Bard : Théorie selon laquelle le thalamus réagit aux stimuli suscitant l'émotion en émet-tant simultanément des messages au cortex cérébral et au système ner-veux autonome. Selon cette hypo-thèse, toutes les émotions sont sem-blables sous l'angle physiologique.

Hypothèse de la rétroaction faciale : Hypothèse selon laquelle les mou-vements des muscles faciaux produi-sent ou intensifient les réactions émotionnelles.

À vous les commandes

Tenez un stylo ou un crayon entre vos lèvres, la bouche fermée, tel qu'on peut le voir sur la photo du haut. Restez dans cette position de 15 à 30 secondes. Comment vous sentez-vous ? Maintenant, tenez le stylo ou le crayon entre vos dents en ouvrant votre bouche et en montrant les dents, comme sur la photo du bas. Concentrez-vous pendant 15 à 30 secondes sur ce que vous ressentez.

Selon des études, lorsque vous montrez les dents, vous êtes enclin à ressentir des émotions agréables. Pouvez-vous expliquer pourquoi ? (Adaptation tirée de Strack et coll., 1988.) ■

LA THÉORIE DE L'IDENTIFICATION COGNITIVE DE SCHACHTER : L'INTERPRÉTATION CONSTITUE L'ÉMOTION

Les trois théories précédentes fournissent une explication du mécanisme des émotions, mais elles accordent peu d'intérêt au rôle de la cognition et de l'interprétation. Selon la théorie de l'identification cognitive de Schachter cependant, les émotions dépendent de deux facteurs : l'activation physique et l'interprétation de cette activation. Ainsi, Schachter approuve la théorie de James-Lange selon laquelle les émotions résulteraient d'une conscience de l'activation du corps. Il est également d'avis, suivant la théorie de Cannon-Bard, que les émotions sont physiologiquement similaires. La théorie de Schachter a le mérite d'associer les deux théories en proposant que nous concentrions notre attention sur les facteurs *externes* plutôt que les facteurs *internes*, afin de différencier les émotions les unes des autres et de les interpréter. Par exemple, si l'on pleure pendant un mariage, on interprète son émotion comme de la joie ou du bonheur; mais si l'on pleure à des funérailles, on dira qu'il s'agit de tristesse (voir la figure 10.14d).

Aux fins de l'étude classique menée par Schachter et Singer (1962), les sujets, croyant qu'on leur administrait une vitamine, reçurent des injections d'épinéphrine. On étudia ensuite leur activation et l'identification qu'ils en firent (voir la figure 10.15). Le premier groupe avait été *bien* informé des effets auxquels il devait s'attendre (tremblements des mains, excitation et palpitations cardiaques); le deuxième groupe avait été *mal* informé et s'attendait à éprouver des démangeaisons,

> **Théorie de l'identification cognitive de Schachter :** Théorie selon laquelle les composantes de l'activation cognitive (la pensée), subjective (l'évaluation) et physiologique sont toutes nécessaires aux expériences émotionnelles.

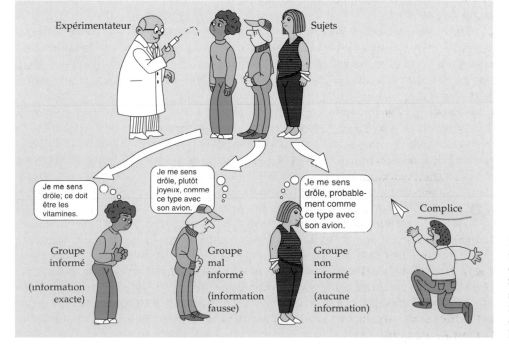

Figure 10.15 **Théorie de l'identification cognitive.** L'expérience classique menée par Schachter et Singer auprès de trois groupes de sujets (informés, mal informés, non informés) démontre l'importance de l'identification cognitive dans l'expérience émotionnelle.

un engourdissement et une migraine. Enfin, le troisième groupe ne reçut *aucune* information quant aux effets potentiels de la prétendue vitamine.

Après l'injection, chacun des sujets fut amené dans une pièce où se trouvait un *complice*, c'est-à-dire un participant qui prétendait être un volontaire. La mission de certains complices était de simuler la gaieté (ils lançaient des avions et des boulettes de papier dans une corbeille), alors que d'autres manifestaient du mécontentement et de la colère (ils se plaignaient du questionnaire et exprimaient leur insatisfaction par rapport au déroulement de l'expérience).

Les résultats de l'étude confirmèrent l'hypothèse de départ : les sujets qui ne disposaient pas d'une identification cognitive appropriée pour leur activation émotionnelle (les groupes mal informés et non informés) avaient tendance à interpréter leurs symptômes en fonction de la situation dans laquelle ils se trouvaient. Ainsi, ceux qui étaient en présence d'un joyeux complice ont décrit leurs émotions comme plutôt heureuses, tandis que ceux qui étaient en compagnie d'un complice grincheux avaient ressenti des sentiments qu'ils associaient plutôt à la colère. Par contre, les sujets appartenant au groupe bien informé savaient que leur activation physiologique résultait de l'injection; en général, la présence du complice n'influait pas sur leurs émotions.

L'attribution erronée

Attribution erronée : Attribution incorrecte de l'activation interne à de fausses causes internes ou externes. Cette définition s'étend plus généralement à toute attribution causale erronée.

Même si certains chercheurs ont été incapables de reproduire ces résultats (Marshall et Zimbardo, 1979; Reisenzein, 1983), les études portant sur l'attribution erronée (un individu croit que la cause d'une émotion est autre que ce qu'elle est en réalité) viennent indirectement les appuyer. Par exemple, vous arrive-t-il d'être anormalement timide ou embarrassé en présence d'une personne séduisante sur qui vous souhaiteriez faire bonne impression ? Suivant la théorie de l'attribution erronée, votre anxiété ou votre timidité pourrait s'atténuer si l'on vous expliquait que cette réaction est attribuable à une autre raison plausible que celle de vouloir plaire à cette personne. Voilà précisément ce qu'ont découvert Susan Brodt et Philip Zimbardo (1981) en invitant à leur laboratoire des femmes timides et des femmes hardies, à qui ils demandèrent de s'entretenir avec un bel homme qui se fit passer pour un sujet participant à l'expérience. Avant d'entrer en interaction avec lui, les deux groupes de femmes furent dirigés dans une pièce exiguë où on leur fit entendre des bruits trop forts. On prévint alors la moitié des femmes (le groupe expérimental) que les bruits déclencheraient chez elles de fortes pulsations cardiaques, symptôme commun de la timidité. L'autre groupe de femmes (le groupe témoin) ne reçut aucun commentaire au sujet des bruits. Par la suite, lorsque les femmes timides et informées s'entretinrent avec le bel homme, leur timidité était réduite de façon substantielle. Apparemment, elles attribuaient leurs battements de cœur aux bruits plutôt qu'à leur timidité ou à leur inaptitude sur le plan social.

Une recherche analogue a démontré que pareille réidentification émotionnelle peut contribuer à alléger l'insomnie (Storms et Nisbett, 1970). Forts de savoir que les insomniaques subissent une forte activation physiologique à l'heure du coucher, par crainte de ne pas trouver le sommeil ou de ne pas pouvoir rester endormis, les chercheurs formèrent l'hypothèse selon laquelle les insomniaques pourraient plus facilement trouver le sommeil s'ils pouvaient attribuer leur activation à une pilule. Sous le couvert d'une expérience portant sur les médicaments et les fantasmes, les sujets insomniaques reçurent un placebo à prendre avant le coucher. On dit aux sujets du *groupe de relaxation* que le comprimé contribuerait à réduire leur fréquence cardiaque et les détendrait. On dit aux sujets du *groupe d'activation* que la pilule aurait pour effet d'augmenter leur tension et leur anxiété. (En décrivant aux sujets ces prétendus effets secondaires des comprimés et en leur disant que le but de l'expérience était de recueillir de l'information sur ce qu'éprouvent les insomniaques au coucher, les expérimentateurs visaient à dissiper leur méfiance.) Quant aux sujets du groupe témoin, on leur affirma que les pilules n'auraient aucun effet secondaire.

On nota ensuite le temps que chacun des sujets mit à s'endormir. Comme on l'avait prévu, les sujets du groupe d'activation s'endormirent nettement plus vite que ceux du groupe témoin et du groupe de relaxation. Les sujets excités furent apparemment portés à réinterpréter leur activation insomniaque en l'associant au comprimé et non pas à leur propre insomnie. Par contre, les sujets du groupe de relaxation eurent *plus* de difficulté, pas moins, à trouver le sommeil. Il semble que lorsqu'ils se rendirent compte que l'activation subsistait en dépit du comprimé qu'ils avaient pris pour favoriser la détente, ils devinrent plus anxieux et estimèrent que leur problème était plus sérieux qu'ils ne l'avaient cru jusqu'alors.

Ainsi qu'on peut le voir, les études portant sur l'attribution erronée peuvent fournir d'importantes données quant à la manière dont chacun identifie et interprète ses émotions. Elles soulèvent également des questions pertinentes sur le rôle des placebos et des procédés cognitifs d'un patient. La relation existant entre de tels facteurs psychologiques, la santé physique et la maladie fera l'objet du prochain chapitre.

RECHERCHE ET DÉCOUVERTES

L'amour sur un pont suspendu

Le pont de bois qui enjambe le canyon Capilano en Colombie-Britannique mesure 1,5 m de largeur et 135 m de longueur. Suspendu à 69 m au-dessus de la rivière du même nom, ce pont, très prisé par les touristes, oscille dans le vent lorsqu'on s'y engage. Une fois au milieu, on a l'impression de se trouver à une hauteur vertigineuse. Les oscillations du pont suspendu de Capilano pourraient-elles influer sur les *battements* du cœur ?

En 1974, Donald Dutton et Arthur Aron ont réalisé une expérience sur ce pont. Deux assistants de recherche, un homme et une femme, ont approché à tour de rôle des touristes masculins qui se présentaient seuls à l'entrée du pont. Ils ont demandé à chacun de se rendre au milieu du pont et d'y écrire un récit imaginaire en s'inspirant d'un dessin. Les chercheurs donnaient ensuite à chaque participant un numéro de téléphone où ils pourraient connaître les résultats de la recherche s'ils le désiraient.

Dutton et Aron ont répété l'expérience sur un autre pont, non loin du pont suspendu. Il s'agissait également d'un pont en bois, mais très stable et enjambant la rivière à une hauteur de 3 m seulement. Dans ce cas, on demandait donc aux touristes d'écrire une histoire au milieu d'un pont qui ne devait raisonnable-ment pas susciter la peur. Les chercheurs s'attendaient évidemment à observer des différences entre les récits de l'un et l'autre groupe, mais selon vous, que désiraient-ils vraiment étudier ?

Dutton et Aron tentaient de vérifier une théorie sur les erreurs d'attribution des émotions, selon laquelle une personne, stimulée émotionnellement, attribue parfois à tort, ou reporte, son excitation à un autre stimulus qui l'excite également sur le plan émotionnel. Dans l'expérience de Capilano, Dutton et Aron voulaient déterminer si les participants s'étant trouvés sur le pont suspendu transféreraient les émotions associées à la peur à celles qu'ils étaient susceptibles d'éprouver envers la jolie assistante de recherche. Si c'était le cas, cette dernière serait perçue comme plus attrayante par les sujets se trouvant sur le pont suspendu que par ceux s'étant trouvés sur l'autre pont. Et selon eux, c'est exactement ce que l'expérience a révélé.

Des 85 touristes masculins auxquels l'assistante de recherche s'était adressée, 50 % ont téléphoné pour connaître les résultats de l'expérience (tandis que 30 % des participants ont téléphoné à l'assistant de recherche). Des membres du groupe ayant traversé le pont peu élevé, moins de 15 % ont téléphoné à l'assistante de recherche (et environ le même pourcentage a téléphoné à l'assistant). Il est aussi intéressant de noter que, dans les récits imaginés par les hommes auxquels l'assistante s'était adressée sur le pont suspendu, le contenu à caractère sexuel était beaucoup plus important que, dans les récits de l'autre groupe.

Même s'il s'est écoulé plus d'un quart de siècle depuis cette expérience, l'effet de l'excitation sur l'attraction entre deux personnes demeure un sujet controversé en psychologie. Les deux chercheurs ont conclu que la *théorie de l'attribution erronée* expliquait les résultats qu'ils avaient obtenus, c'est-à-dire que l'excitation physiologique des touristes masculins, associée au fait de se trouver potentiellement en danger, avait été attribuée à tort à la présence d'une femme attrayante. Et comme cela se produit souvent, cette interprétation de Dutton et Aron des résultats de leur expérience n'a pas fait l'unanimité.

Trois ans après la recherche initiale, Robert Kenrick et Donald Cialdini (1977) ont suggéré que la *théorie du renforcement négatif* expliquait de façon plus satisfaisante ce qui s'est passé sur le pont de Capilano. Selon eux, les touristes ont éprouvé de l'estime pour l'assistante de recherche parce que sa présence sur le pont réduisait la peur associée au fait de marcher sur ce pont. (Ce phénomène, appelé renforcement négatif, est étudié dans le chapitre 7.)

Plus de dix ans plus tard, Allen, Kenrick, Linder et McCall (1989) ont proposé une explication qui leur semblait plus simple. Ils ont suggéré que l'accroissement de l'excitation n'avait pas été attribué à tort à la présence de l'attrayante assistante de recherche et qu'au contraire, l'excitation associée au fait de se trouver sur un pont oscillant n'avait fait qu'augmenter l'attraction qu'éprouve toute personne envers une personne séduisante du sexe opposé. Ils ont appelé leur explication *théorie de la facilitation de la réaction*.

Craig Foster, Betty Witcher, W. Keith Campbell et Jeffrey Green ont réalisé en 1998 une autre expérience pour expliquer les effets de l'excitation sur l'attraction entre deux personnes. Ils avaient au préalable passé en revue toutes les études qu'ils avaient pu trouver sur le sujet, de façon à déterminer quelles variables devaient être prises en compte, lesquelles devraient être manipulées (les variables indépendantes), et lesquelles devraient être mesurées (les variables dépendantes).

Les chercheurs ont découvert, comme vous vous y attendiez peut-être, que les variables indépendantes les plus fréquentes étaient l'intensité de l'excitation et l'objet de l'attraction (de même sexe ou de sexe opposé). Ils ont en outre déterminé que l'ambiguïté de l'excitation était une variable importante dont il fallait

tenir compte ou qu'il fallait manipuler. Dans certaines expériences, la source de l'excitation était bien définie (la menace d'un choc électrique), tandis qu'elle était ambiguë (avancer sur un pont suspendu) dans d'autres expériences.

Cette équipe de chercheurs a ensuite élaboré le *modèle de l'évaluation initiale et de l'ajustement* de l'excitation et de l'attraction, selon lequel l'établissement d'un lien entre l'excitation et l'attraction se ferait en deux étapes. Durant la première étape, le participant attribue automatiquement son excitation à la présence de la personne attrayante, quelle qu'en soit la source réelle. Durant la seconde étape, il a l'occasion de réévaluer son jugement initial et peut corriger l'erreur d'attribution de l'excitation. Cet ajustement serait fondé sur la connaissance que le participant a de la source de son excitation et du fait que l'excitation influe sur l'attraction.

Pour vérifier cette théorie, Foster et ses collègues ont conçu une expérience relativement simple. On a demandé à chaque participant de faire de l'exercice pendant deux minutes de manière à accroître leur rythme cardiaque et leur tension artérielle, ce qui crée de l'excitation. On leur a ensuite demandé de regarder des photographies de deux femmes moyennement attrayantes et de les noter, soit pendant qu'ils effectuaient une tâche distrayante, soit alors qu'ils étaient inactifs. La tâche distrayante avait pour but d'éviter que les participants ne remarquent que la source initiale de leur excitation était l'exercice, même s'ils avaient attribué celle-ci à l'examen de la photographie d'une femme. Les résultats indiquent que les personnes occupées à une tâche distrayante ont effectivement assigné une note plus élevée aux photographies que les autres participants, ce qui confirme le modèle de l'évaluation et de l'ajustement.

Une chose aussi simple que la rencontre d'un homme et d'une femme attrayante sur un pont suspendu peut donc mener à un quart de siècle de recherche en psychologie !

Quelle théorie est la plus juste ?

Comme vous l'imaginez bien, chaque théorie a ses limites. Ainsi, la théorie de James-Lange n'indique pas que l'activation physique peut se produire sans que les émotions entrent en jeu (par exemple, lorsque nous faisons de l'exercice). De plus, cette théorie implique qu'il existe un patron d'activation distinct pour chacune des émotions, qui nous permettrait de faire la différence entre la tristesse, la joie ou la colère. Même si les recherches ont montré que l'activation physique varie subtilement selon les émotions primaires (peur, joie, colère, etc.) (Levenson, 1992), la plupart d'entre nous ne sommes pas conscients de ces légères différences. Il doit donc exister d'autres raisons qui expliquent la cause des émotions.

La théorie de Cannon-Bard, selon laquelle le cortex et le système nerveux autonome reçoivent simultanément des messages du thalamus, est appuyée par l'expérimentation. Par exemple, les personnes victimes d'un dommage à la colonne vertébrale continuent de ressentir des émotions — souvent plus intensément qu'avant leur accident (Bermond et coll., 1991). Toutefois, ce n'est pas l'action du thalamus mais bien celles du système limbique, de l'hypothalamus et du cortex frontal qui sont importantes dans l'activation des émotions (Davidson, 1999; Jansen et coll., 1995).

La recherche sur l'hypothèse de la rétroaction faciale a partiellement confirmé la théorie de James-Lange en montrant une réponse physiologique distincte pour les émotions primaires telles que la peur, la tristesse et la colère. En effet, on a démontré que la rétroaction faciale intensifie les émotions subjectives et influe sur l'humeur. Conséquemment, si vous voulez modifier votre mauvaise humeur ou rendre une émotion agréable plus intense, adoptez l'expression faciale appropriée. Essayez de sourire quand vous êtes triste et souriez davantage lorsque vous êtes heureux.

Finalement, la théorie de l'identification cognitive de Schachter, qui porte une attention particulière au processus cognitif des émotions, n'explique pas pourquoi nous nous entendons bien d'emblée avec certaines personnes et pas avec d'autres. Des études ont dévoilé que certains signaux neuraux des émotions vont directement au système limbique en court-circuitant le cortex (LeDoux, 1986, 1992). Souvenez-vous de l'exemple où, dans l'obscurité, on sursaute en entendant un bruit

RECHERCHE ET DÉCOUVERTES

Les enfants violentés sont-ils plus susceptibles de développer des émotions négatives ?

Depuis toujours, la violence envers les enfants est la honte de l'humanité et l'on tente maintenant de déterminer scientifiquement les causes de la maltraitance, d'en trouver les traitements et d'en comprendre les effets. Seth Pollak de l'université du Wisconsin à Madison et ses collègues de l'université de Rochester (1997) ont récemment mené une recherche intéressante visant à comprendre le comportement des enfants maltraités par leurs parents.

On a présenté des diapositives noir et blanc d'une femme, exprimant tour à tour de la joie, de la colère et un visage neutre, à un panel de 44 enfants, dont 23 étaient des enfants maltraités. L'âge de ces enfants variait entre 7,1 et 11,4 ans. On a demandé aux enfants d'appuyer sur un bouton lorsqu'ils voyaient une expression de colère ou une expression de joie, comparativement à un visage neutre. Des électrodes, attachées sur leur tête, mesuraient l'activité électrique de leur cerveau durant l'expérience.

Comme on s'y attendait, les deux groupes d'enfants, maltraités ou non, montraient une activité du cerveau plus intense lors de la visualisation des expressions de joie et de colère, et une activité plus faible à la vue d'un visage neutre. Leurs réponses variaient cependant en intensité : alors que les enfants non maltraités répondaient de façon égale aux visages heureux ou en colère, les enfants maltraités étaient plus alertes et réagissaient davantage aux visages en colère.

Cette étude physiologique confirme de précédentes observations du comportement. Par exemple, contrairement aux autres enfants, les enfants maltraités expriment des émotions négatives plus rapidement et plus fréquemment (Gaensbauer et Hiatt, 1984; Sroufe, 1979).

En incluant les processus cognitifs et physiologiques dans leurs études du comportement, Seth Pollak et ses collègues pourraient aider à identifier les mécanismes qui rendent les enfants maltraités susceptibles de développer des problèmes de comportement. Par exemple, la forte réaction des enfants maltraités à la colère peut refléter un processus cognitif plus efficace et plus apte à s'adapter à un environnement menaçant et stressant. Cependant, cette sensibilité exacerbée aux émotions négatives peut causer des difficultés relationnelles dans une situation dite normale (Rogosch et coll., 1995). Ainsi, cette contre-réaction pourrait expliquer la difficulté qu'ont ces enfants à composer avec l'anxiété et leur comportement hostile envers les autres enfants (Klimes-Dougan et Kistner, 1990; Main et George, 1985). Les résultats de Seth Pollak et de ses collègues, combinés à ceux des études antérieures, pourraient servir à élaborer des programmes pour venir en aide aux enfants maltraités et à leurs parents.

bizarre avant même que le cortex n'en interprète l'origine. Cette preuve et bien d'autres encore suggèrent que les émotions peuvent se reproduire sans l'intervention de processus cognitif conscient (Izard, 1993).

En sommes, les émotions primaires se distinguent les unes des autres par de subtiles différences dans leur activation physique. Ces différences se remarquent par des changements dans l'expression faciale ou par un de degré de stimulation variable des organes commandés par le système autonome. Par ailleurs, les émotions simples (ce qu'on aime, ce qu'on n'aime pas, la peur et la colère) ne requièrent pas initialement de processus cognitif conscient; cette réponse simple, rapide et automatique peut, plus tard, être modifiée par l'activation du cortex. Les émotions complexes (jalousie, chagrin, dépression, honte, amour), quant à elles, semblent combiner plusieurs éléments cognitifs.

En plus du processus cognitif, des expressions faciales et de l'activation physiologique, l'environnement joue également un rôle dans les émotions, comme vous pourrez le constater en lisant l'encadré *Recherche et découvertes*. En outre, comme nous le découvrirons dans la section *Les uns et les autres*, l'évolution, la culture et le sexe influencent aussi nos émotions.

Les uns et les autres

LES INFLUENCES ÉVOLUTIVES ET CULTURELLES SUR LES ÉMOTIONS

D'où viennent nos émotions ? Sont-elles innées ou les acquiert-on à force d'expériences personnelles ou en observant nos semblables ? Sont-elles le produit de l'évolution ? Diffèrent-elles selon les cultures ? Vous croyez qu'il existe plusieurs réponses à ces questions ? Vous avez raison.

Les théories évolutives

Les thèses voulant que les émotions soient innées, qu'elles soient peut-être l'aboutissement d'une évolution, se fondent sur les constatations suivantes :

1. Quelques heures seulement après la naissance, les nouveau-nés expriment distinctement des émotions qui ressemblent fort à celles des adultes (Field et coll., 1982).

2. Tous les nouveau-nés, même ceux qui sont sourds et aveugles, ont des expressions faciales semblables dans des situations semblables (Eibl-Eibesfeldt, 1980b; Feldman, 1982).

3. Les nouveau-nés reconnaissent très tôt les expressions faciales de leurs proches (Nelson, 1987).

4. Il existe une similitude frappante de l'expression des émotions dans des cultures extrêmement variées (Ekman, 1993).

Les similitudes entre les cultures et entre les nouveau-nés touchant l'expression des émotions viennent à l'appui de la théorie évolutive des émotions d'abord formulée par Charles Darwin en 1872. Dans son œuvre classique, *L'expression des émotions chez l'homme et les animaux* (1872), Darwin avançait que les émotions évoluent selon leur valeur pour la survie et la sélection naturelle. Ainsi, la peur permet à un organisme d'éviter le danger et a donc une valeur de survie. De même, la colère et l'agressivité préparent l'organisme au combat pour l'accouplement et l'appropriation des ressources nécessaires à la survie. La théorie moderne de l'évolution soutient que les émotions fondamentales, notamment la peur, la colère et le désir sexuel, naissent dans les structures sous-corticales du cerveau (système limbique). Étant donné que les zones supérieures du cerveau (cortex) se sont développées après le système limbique, la théorie évolutive soutient l'hypothèse que les émotions fondamentales ont évolué avant la pensée.

Tableau 10.3   Émotions humaines fondamentales.

Carroll Izard	Paul Ekman et Wallace Friesen	Robert Plutchik	Silvan Tomkins
Peur	Peur	Peur	Peur
Colère	Colère	Colère	Colère
Dégoût	Dégoût	Dégoût	Dégoût
Surprise	Surprise	Surprise	Surprise
Joie	Bonheur	Joie	Plaisir
Honte	—	—	Honte
Mépris	Mépris	—	Mépris
Tristesse	Tristesse	Tristesse	—
Intérêt	—	Anticipation	Intérêt
Culpabilité	—	—	—
—	—	Acceptation	—
—	—	—	Détresse

Les similitudes culturelles

Plusieurs théoriciens contemporains, dont Carroll Izard (1984), Paul Ekman et Wallace Friesen (1975), Robert Plutchik (1980) et Silvan Tomkins (1980), accordent foi à la preuve biologique de la théorie évolutive des émotions, qu'ils soutiennent par la preuve culturelle. Ainsi qu'on le voit au tableau 10.3, chacun de ces théoriciens propose entre sept et dix émotions primaires ou fondamentales qu'ils déclarent universelles sur le plan culturel. Essentiellement, ces émotions sont exprimées et reconnues de la même manière, nonobstant les différences culturelles. Remarquez les similitudes qui apparaissent entre les énumérations.

Comment ces théoriciens expliquent-ils les émotions ne figurant pas au tableau, notamment l'amour ?   Ils répondent que l'amour, à l'instar de nombreuses émotions, est simplement une association d'émotions primaires variant en intensité. Plutchik soutient l'hypothèse que les émotions primaires, telles que la peur, l'acceptation et la joie, s'allient pour former des émotions secondaires, telles que l'amour, la soumission, la crainte et l'optimisme (voir la figure 10.16). En traçant un parallèle entre les émotions

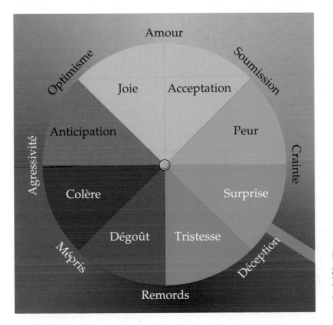

Figure 10.16   **Cercle des émotions de Plutchik.** Le cercle intérieur englobe les huit émotions primaires. Le cercle extérieur montre comment les émotions primaires s'allient pour former les émotions secondaires. *Source* : R. Plutchik, *Emotion : a Psychoevolutionary Synthesis*, Harper et Row, 1980.

et les couleurs primaires et secondaires, on s'aperçoit que les émotions voisines se ressemblent davantage que celles qui sont éloignées l'une de l'autre. Par exemple, selon le modèle de Plutchik, la peur est semblable à l'acceptation, qui diffère considérablement de la colère et du dégoût. Non seulement la théorie évolutive est appuyée par la présence des mêmes émotions primaires dans toutes les cultures mais aussi, comme nous l'avons vu précédemment, par la similitude des expressions faciales associées aux mêmes émotions.

Les différences culturelles

En poussant plus loin l'étude des émotions primaires et de leur expression, on découvre que les différences culturelles dans l'expression des émotions peuvent s'expliquer par les règles de manifestation des émotions, sortes de normes culturelles qui contrôlent adéquatement l'expression des émotions. Ces normes, qui varient selon la culture, dictent comment les émotions doivent être exprimées, ainsi que où et quand leur expression est appropriée (Ekman, 1993; Scherer et Walbott, 1994). Par exemple, les parents influencent les émotions de leurs enfants en réagissant avec colère à leurs crises, en compatissant à certaines de leurs peines et parfois en les ignorant simplement. De cette manière, les enfants apprennent à distinguer les émotions qui conviennent en telle ou telle situation de celles qu'il faut apprendre à maîtriser.

Il existe presque autant de variations dans les règles de manifestation des émotions qu'il y a de cultures dans le monde. Dans la culture japonaise, par exemple, les enfants apprennent à cacher les émotions négatives derrière un masque stoïque ou un sourire poli (Dresser, 1996). De même, on attend des jeunes hommes masaï qu'ils cachent leurs émotions en public en arborant un visage froid et sévère (Keating, 1994).

Le contact physique en public a également à ses règles. Les Nord-Américains et les Asiatiques évitent généralement de se toucher, à l'exception de la famille et des amis proches qu'ils embrassent pour les féliciter ou les saluer. À l'opposé, les gens d'Amérique latine et du Moyen-Orient s'embrassent très souvent dans toutes sortes de circonstances et se tiennent la main en signe d'amitié (Axtell, 1991). ∎

Règles de manifestation des émotions : Normes culturelles qui dictent la manière dont les émotions doivent être exprimées, et le lieu et le moment appropriés pour le faire.

D'importantes différences culturelles déterminent l'expression des émotions. Ainsi, on verra communément des hommes iraniens s'embrasser lorsqu'ils se rencontrent, alors qu'en Amérique du Nord les hommes échangent généralement une poignée de main ou se donnent une tape sur l'épaule.

PENSÉE CRITIQUE • Psychologie en direct

Reconnaître les formes d'incitation émotionnelle : la publicité et les tentatives quotidiennes de persuasion

Les annonceurs consacrent chaque année des milliards de dollars à engager des professionnels qui comprennent nos frayeurs et nos désirs les plus profonds et savent les utiliser pour nous inciter à acheter une automobile trop chère pour nos moyens ou à enregistrer nos achats sur telle ou telle carte de crédit. (Nos amis intimes et les membres de nos familles sont tout aussi doués lorsqu'il s'agit de recourir aux leviers émotionnels.) Parfois, on recourt à l'incitation émotionnelle au nom du bien commun; les annonces sur la sécurité routière qui nous pressent de boucler la ceinture en sont un exemple. Toutefois, le plus souvent, l'incitation est davantage une exploitation illégitime des émotions. Un esprit critique doit être en mesure de distinguer les incitations émotionnelles des incitations fondées sur la logique et le sens commun.

Voici quelques exemples d'incitations émotionnelles intéressées :

a) *Incitation fondée sur l'estime de soi* : Démarche manipulatrice jouant sur le besoin d'être bien dans sa peau (« Les grands connaisseurs de vin préfèrent... », « Les mères qui se préoccupent réellement de leurs enfants... »).

b) *Incitation fondée sur les peurs sociales* : Démarche véhiculant des menaces implicites d'ostracisme ou de rejet de la société (« Pas même votre meilleur ami ne vous dira ceci... »).

c) *Incitation fondée sur une autorité ou un expert* : Démarche consistant à citer une figure d'autorité pour faire valoir une idée; bien que la compétence de certaines figures d'autorité soit légitime dans la sphère qui est la leur, par exemple un mécanicien qualifié qui parle d'un problème de mécanique, les annonceurs font souvent appel à des figures d'autorité qui ne sont pas qualifiées pour porter un jugement d'expert. Ainsi, un journaliste réputé vendra de l'assurance sur la vie.

d) *Incitation fondée sur la pitié* : Démarche destinée à vous persuader de faire ou d'acheter quelque chose sans quoi quelqu'un en souffrira.

e) *Incitation fondée sur la force* : Démarche visant à vous persuader de faire ou d'acheter quelque chose sans quoi vous en souffrirez.

f) *L'approche « gens ordinaires »* : Démarche fondée sur le principe de la similitude. Si vous pensez que celui qui tente de vous persuader est quelqu'un comme vous, vous serez plus facilement persuadé.

g) *Les associations* : Recours à un symbole positif qui endosse ce que le vendeur tente de vous faire acheter. Ici, le principe repose sur le conditionnement classique (voir le chapitre 7), selon lequel vous reportez sur le produit les qualités positives de la personnalité qui le vante.

L'exercice qui suit aiguisera votre aptitude à reconnaître les incitations émotionnelles illégitimes. Dans chaque cas, indiquez la forme d'incitation émotionnelle employée. Il peut y en avoir plusieurs dans certains cas.

1. Un message publicitaire montre une grand-mère sympathique assise près de son téléphone, attendant patiemment que ses proches bien-aimés l'appellent.

2. Un adolescent proteste contre le projet de vacances familiales, ce à quoi son père rétorque : « C'est à celui qui paie les comptes de prendre les décisions. »

3. Une affiche publicitaire pour du beurre d'arachide affirme : « Les mamans chouettes font les bons choix. »

4. Une publicité pour un rince-bouche montre simplement deux personnes sortant du sommeil et disant : « Ouache ! L'haleine du matin, la pire de la journée ! »

5. Une collégienne demande à son professeur de bien vouloir accepter son travail même s'il est en retard : « Vous savez, j'y ai travaillé toute la fin de semaine. Je sais bien que la date de remise est passée, mais je n'ai pas le choix : je dois travailler à plein temps tout en poursuivant mes études. »

6. Devant une maison luxueuse, un courtier dit à un jeune couple : « Vous et votre famille méritez ce qu'il y a de mieux. »

7. Un champion olympique nous recommande de faire comme lui, c'est-à-dire de porter un casque à vélo.

8. Un message publicitaire électoral montre un candidat retournant des steaks sur un gril à un pique-nique syndical, puis jouant au hockey avec ses enfants à la maison.

9. Dans une campagne publicitaire sur les bienfaits des produits laitiers, on voit Roch Voisine s'arrêtant de jouer de la guitare pour boire du lait.

10. Après avoir vanté devant son personnel l'importance de la fidélité à l'entreprise, un directeur demande des « volontaires » pour déménager un collègue durant la fin de semaine.

RÉPONSES : 1. d); 2. e); 3. a); 4. b); 5. d); 6. a); 7. c); 8. f); 9. g); 10. e). Bien que nous fournissions une liste de réponses possibles, nous vous invitons à discuter de vos réponses avec vos amis. La comparaison de vos réponses respectives contribuera à affiner votre sens critique.

RÉSUMÉ

Les théories générales de l'émotion

L'activation des émotions fait l'objet de quatre explications : selon la théorie de James-Lange, on interprète ses émotions en fonction des sensations physiques qu'on éprouve (rythme cardiaque, tremblements, etc.); selon la théorie de Cannon-Bard, les émotions sont issues de la stimulation indépendante et simultanée du cortex cérébral et du système nerveux autonome.

La troisième théorie générale de l'émotion, l'hypothèse de la rétroaction faciale, soutient que les mouvements faciaux provoquent des émotions déterminées. Enfin, selon la théorie de l'identification cognitive de Schachter, les émotions résulteraient d'une association de deux facteurs : l'activation physique et l'évaluation cognitive de celle-ci. En d'autres mots, on remarque ce qui se passe autour de soi, de même que ses réactions physiques, puis on identifie l'émotion d'après ces observations et l'interprétation qu'on en fait.

La plupart des psychologues sont d'avis que les émotions sont le résultat d'interactions complexes entre l'évolution et la culture. Des études ont permis d'identifier sept à dix émotions fondamentales qui sont universelles, c'est-à-dire ressenties et exprimées de manière semblable dans presque toutes les cultures.

QUESTIONS DE RÉVISION

1. Associez les définitions et les exemples suivants avec la théorie émotionnelle qui y correspond le plus.

   a. James-Lange
   b. Cannon-Bard
   c. L'hypothèse de rétroaction faciale
   d. La théorie de l'identification cognitive de Schachter
   e. La théorie évolutive

   _____ 1. Les réactions subjectives et cognitives des émotions se produisent simultanément avec l'activation physiologique.
   _____ 2. Les émotions sont le résultat de l'activation physique et de l'interprétation cognitive de cette activation.
   _____ 3. À la vue d'un ours, mon cœur se met à battre la chamade et, mort de peur, je prends la fuite.
   _____ 4. Tous les enfants, même ceux qui naissent aveugles et sourds, arborent des expressions faciales similaires pour exprimer les émotions similaires.
   _____ 5. Sourire rend heureux.

2. Comment Charles Darwin a-t-il expliqué l'évolution des émotions ?

3. Bien que les émotions primaires et leur expression semblent être culturellement universelles, il existe néanmoins des différences culturelles dans la façon de manifester ses émotions. Ces différences sont dictées par _____. a) les usages   b) les coutumes   c) les signaux sociaux   d) les règles de manifestation des émotions

Les réponses aux questions de révision se trouvent en annexe.

LE CHAPITRE **10** EN UN CLIN D'ŒIL

QU'EST-CE QUE LA MOTIVATION ?

Motivation : dirige le comportement.

Émotion : réaction d'ordre sensible.

Avoir faim et manger

- Des facteurs *internes* (estomac, sang, cerveau) et *externes* (conditionnement culturel et stimuli visuels) influent sur la faim et l'apport d'aliments.

- Les troubles alimentaires sont dus à des facteurs biologiques et psychologiques :

1. **Obésité** : état d'une personne dont le poids dépasse considérablement le poids recommandé.	2. **Anorexie mentale** : refus prolongé de s'alimenter se traduisant par une perte de poids radicale.	3. **Boulimie** : consommation compulsive de nourriture suivie par l'induction du vomissement ou la prise de laxatifs.

La théorie de l'activation

Recherche de stimuli : il existe un *niveau optimal d'activation* qui assure une efficacité maximale. Les personnes avides de sensations fortes auraient biologiquement besoin d'un haut niveau de stimulation.

Le besoin d'accomplissement

Besoin d'accomplissement : besoin de réussir, de faire mieux que les autres et de relever des défis avec brio.

La recherche sur les motivations **intrinsèques** et **extrinsèques** révèlent que les gratifications extrinsèques peuvent amoindrir l'intérêt et le besoin d'accomplissement.

LES THÉORIES GÉNÉRALES DE LA MOTIVATION

Les théories biologiques

- **Théories de l'instinct :** la motivation résulte de facteurs innés.

- **Théorie des pulsions biologiques :** des besoins physiologiques (associés au maintien de l'*homéostasie*) déclenchent des pulsions que l'organisme cherche à satisfaire.

Les théories psychosociales

- **Théorie des incitateurs :** la motivation résulte de l'attraction exercée par des stimuli extérieurs.

- **Théories cognitives :** axées sur les pensées, les attributions et les attentes associées à l'établissement et à l'atteinte des objectifs.

L'association des théories biologiques et psychosociales

Hiérarchie des besoins de Maslow : les besoins physiologiques doivent être satisfaits avant que l'individu ne tente de satisfaire ses besoins d'ordre supérieur.

QU'EST-CE QUE L'ÉMOTION ?

Trois concepts fondamentaux

Composante cognitive (*pensées, croyances et attentes*)	Les processus cognitifs déterminent le type et l'intensité des émotions.
	Les psychologues font appel à des méthodes fondées sur le compte rendu personnel (tests, sondages et entrevues) pour étudier la composante cognitive.
Composante physiologique (*fréquence cardiaque, fréquence respiratoire*, etc.)	Les émotions déclenchent une activation générale du système nerveux et en particulier du cortex cérébral, du système limbique et des lobes frontaux. Le *système nerveux sympathique* commande les signes concrets de stimulation. Le *système nerveux para-sympathique* renverse les effets de l'activation sympathique.
	Le **polygraphe** (détecteur de mensonges) enregistre les signes de l'activation du système nerveux sympathique mais ne constitue pas un instrument fiable pour déterminer l'innocence ou la culpabilité d'un accusé.
Composante comportementale (*expressions faciales* et *gestes*)	Les expressions faciales et les gestes sont des formes très puissantes de communication non verbale qui expriment les émotions.

Intelligence émotionnelle (IE) : aptitude à connaître et à maîtriser ses émotions, à éprouver de l'empathie et à entretenir des relations humaines satisfaisantes.

LES THÉORIES GÉNÉRALES DE L'ÉMOTION

Quatre théories

| **James-Lange** L'émotion est la perception qu'a le sujet de ses réactions physiques (augmentation de la fréquence cardiaque, tremblement, etc.). | **Cannon-Bard** L'émotion découle de la stimulation indépendante et simultanée du cortex cérébral et du système nerveux autonome. | **Rétroaction faciale** Les mouvements du visage produisent les réactions émotionnelles. | **Identification cognitive de Schachter** Les émotions dépendent de deux facteurs : l'activation physique et l'interprétation de cette activation. |

Il existerait de 7 à 10 **émotions** primaires, *universelles* et innées, mais les **règles** présidant à leur **manifestation** varieraient selon la culture et le sexe.

La psychologie de la santé

Au fil de votre lecture, gardez à l'esprit les questions guides suivantes et tentez d'y répondre dans vos propres mots.

▲ Qu'est-ce que la psychologie de la santé ?

▲ Quelles sont les principales causes du stress et quelles sont ses conséquences ?

▲ En quoi le stress est-il lié au cancer et aux maladies du cœur ?

▲ Quelles sont les techniques et les ressources mises à la disposition des personnes souffrant de stress ?

Ce bruit... on croirait entendre mille explosions ! Je ne vois rien; la lumière trop crue me brûle les yeux. Suis-je mort ? Je dois être mort, car je ne peux respirer. Je ne peux respirer ! Un tube sort de ma gorge. Je ne peux pas bouger; mes bras sont immobilisés par des sangles. Quoi ? Qui est là ? Une infirmière ! Elle dit que le tube est branché à un respirateur. Il respire à ma place. Bon. Le bruit provient des appareils et des moniteurs qui me maintiennent en vie...

J'ai dû m'assoupir. Où suis-je ? Je ne parviens pas à rassembler mes idées... J'ai l'esprit brumeux... Voilà, je me souviens ! J'ai fait une crise cardiaque. J'ai subi un pontage. Ce doit être terminé à présent. Il semble que je m'en sois sorti. Quelle angoisse ! Devoir décider de les laisser m'ouvrir la cage thoracique et m'opérer à cœur ouvert. J'étais terrifié ! Rien que de penser que ma vie dépend de cet appareil branché à mon cœur et à mes poumons... Heureusement, quelqu'un a fait appel à un psychologue ! La décision a été moins difficile à prendre grâce à son aide; il a répondu aux questions de Carole et aux miennes, nous a fait voir des films montrant à quoi il fallait s'attendre.

Voilà Carole ! Je dois lui dire à quel point... Sapristi ! je ne peux pas parler. Le tube qui sort de ma gorge. C'est si bon de sentir sa main dans la mienne. Nous ne nous sommes pas tenus par la main depuis la naissance des enfants. Il faudra reprendre cette bonne habitude lorsque... si je sors d'ici. Qu'est-ce que c'est ? L'infirmière répond qu'en général le tube est retiré à ce stade-ci, mais parce que je fume beaucoup, j'ai besoin du respirateur plus longtemps. J'aurais vraiment dû cesser de fumer. Il y a un tas de choses auxquelles la docteure m'avait conseillé de mettre fin, mais je n'écoutais pas. Mon père est mort à 55 ans d'une crise cardiaque, j'aurais dû tenir compte de ce genre d'avertissement. La docteure m'avait pourtant dit que je devais non seulement cesser de fumer, mais aussi changer mes habitudes alimentaires, perdre du poids, faire de l'exercice et réduire les sources de stress. Réduire le stress ? Comment ?

C'est toujours la course contre la montre pour respecter les délais de production, il faut assister aux réunions, répondre aux attentes des clients. Comment l'entreprise continuera-t-elle de rouler pendant mon séjour à l'hôpital ? Et qui sera l'entraîneur de l'équipe de soccer d'Élisabeth ? Personne ne peut motiver ces jeunes comme moi ! Je les stimule à gagner et chaque fois, ils gagnent ! Qui emmènera la troupe de scouts de Louis en expédition le week-end prochain ? Et qui présidera la réunion du Club optimiste la semaine prochaine ?... Un instant ! La docteure m'a recommandé de me détendre et je ne l'ai pas écoutée. C'est pourquoi je suis dans ce lit. Je ne devrais plus m'inquiéter de ce qu'il advient en mon absence. Il faut plutôt veiller à changer mes habitudes. Cette crise cardiaque m'a donné la frousse. Carole a dit que j'ai failli mourir. Je vais changer mes habitudes. Je n'allumerai plus jamais une cigarette. Je ne participerai plus à toutes ces activités; je choisirai ici et là, selon mes capacités. Quant au régime et à l'exercice, c'est le moment ou jamais !

Connaissez-vous quelqu'un qui ressemble à cet homme victime d'une crise cardiaque ? Votre père ? Votre tante ? Un ami ? Vous peut-être ? Notre personnage est fictif, mais sa personnalité rassemble les traits de personnes réelles et permet de mettre en lumière certaines questions auxquelles s'intéresse la psychologie de la santé. En effet, les recommandations qu'adresse la docteure à ce patient prédisposé aux maladies du cœur se fondent sur des résultats de recherches menées en psychologie de la santé.

Dans le présent chapitre, il sera question de plusieurs découvertes qui, selon la recherche, ont une incidence importante sur le bien-être physique. Par exemple, saviez-vous que de tous les facteurs qui contribuent à l'apparition d'une maladie grave telle qu'un trouble cardiaque ou le cancer des poumons, le tabagisme est le plus aisément évitable ? Que les individus dotés de certains types de personnalité sont plus susceptibles que d'autres de souffrir d'une maladie du cœur ? Que le stress excessif peut réduire la résistance de l'organisme et favoriser l'apparition de maladies bénignes, telles que le rhume et la grippe, ou graves, telles que le cancer et les maladies du cœur ? Que ceux qui s'estiment maîtres d'eux-mêmes et de leur milieu semblent mieux réagir au stress que ceux qui se sentent impuissants ? Saviez-vous qu'aujourd'hui les décès sont davantage causés par des schèmes de comportement que par des maladies d'origine virale ou bactérienne ? Ce chapitre portera, notamment, sur ces découvertes de la psychologie de la santé.

LA PSYCHOLOGIE DE LA SANTÉ

La psychologie de la santé est l'étude du lien existant entre les facteurs psychologiques et l'état de santé physique. Elle se préoccupe du bien-être de l'individu et de la prévention de la maladie. Les psychologues de la santé s'intéressent au mode de vie, aux activités, aux réactions émotionnelles, aux manières d'interpréter les événements et aux caractéristiques de la personnalité qui influent sur la santé physique des individus. Certains de ces psychologues font surtout de la recherche, alors que d'autres collaborent avec les médecins et les autres spécialistes de la santé pour mettre en pratique les conclusions auxquelles aboutissent les recherches.

La psychologie de la santé a considérablement évolué au cours de la dernière décennie, tant sur le plan de la recherche que de la pratique. Au fil de l'histoire, peu ont contesté le lien entre la santé du corps et celle de l'esprit. Toutefois, la découverte, à la fin du XIXe siècle, des causes physiologiques de maladies infectieuses telles que la fièvre typhoïde ou la syphilis a incité les médecins à chercher les causes des maladies *uniquement* du côté de la physiologie. Cette tendance a grandement contribué à l'avancement de la médecine et de la santé publique depuis un siècle, à tel point que l'espérance de vie au Canada est passée de 59 ans à 75 ans chez les hommes et de 61 ans à 81 ans chez les femmes depuis les années 20 (Statistique Canada, 1992). Parallèlement, ce ne sont plus les maladies infectieuses comme la pneumonie, la grippe, la tuberculose et les infections gastro-intestinales qui causent le plus de décès, mais des maladies comme le cancer, les maladies cardiovasculaires, les accidents et les maladies pulmonaires chroniques (Statistique Canada, 1995). Ce sont maintenant ces maladies découlant de notre mode de vie ou de certains schèmes de comportements qui emportent le plus de gens. À la faveur de ce changement, nous avons repris conscience du lien existant entre la santé physique et la santé mentale.

LE RÔLE DES PSYCHOLOGUES DE LA SANTÉ

Les psychologues de la santé sont des praticiens et des chercheurs qui s'intéressent au rôle que jouent les facteurs psychologiques dans divers problèmes de santé, tels un taux élevé de cholestérol, l'hypertension, la douleur chronique, le diabète, le cancer et le sida. Par exemple, Lewis, Thomas et Worobey (1990) ont étudié le lien entre la capacité d'adaptation au stress des nouveau-nés et leur prédisposition à la maladie. Ils ont ainsi découvert que les nourrissons de deux mois qui réagissaient vivement aux vaccins étaient plus susceptibles d'être malades à dix-huit mois que

44

▲ *Qu'est-ce que la psychologie de la santé ?*

Psychologie de la santé : Étude du lien existant entre les facteurs psychologiques et l'état de santé physique. Cette étude met l'accent sur le bien-être et la prévention de la maladie.

ceux dont la réaction s'était vite estompée. Dans une autre étude, Margaret Chesney s'est intéressée à la manière dont les sidéens s'adaptent à leur maladie. Elle espère que ses découvertes pourront améliorer ou prolonger la vie de ces personnes (DeAngelis, 1992).

Les psychologues de la santé qui sont praticiens travaillent habituellement dans les hôpitaux et les cliniques. La médecine ayant fait des bonds prodigieux sur le plan technologique ces dernières années, notamment en ce qui a trait aux greffes du cœur et aux pontages, on est parfois porté à conclure qu'il suffit d'une intervention chirurgicale pour remédier à un grave problème de santé. Or, ce n'est pas si simple. Selon Jack Copeland, spécialiste de la chirurgie cardiothoracique, ses patients souffrent également de problèmes d'ordre psychologique. Un sentiment de culpabilité extrême afflige ceux qui ont reçu une greffe; ils ont des inquiétudes concernant leur apparence, les restrictions alimentaires auxquelles ils devront se soumettre, leurs activités qu'ils devront limiter et le reste (Rodgers, 1984). Les psychologues de la santé travaillent entre autres avec les médecins, les infirmières, les anesthésistes afin d'aider les patients aux prises avec de tels problèmes. Ils aident ces derniers et les membres de leur famille à prendre d'importantes décisions. Ils les conseillent avant et après l'intervention chirurgicale ou le traitement, de manière que les patients sachent à quoi s'attendre et ne soient pas effrayés par la batterie de tests parfois stressants et pénibles qui précèdent souvent les interventions. En expliquant aux patients l'objet de ces tests et en leur suggérant des moyens d'y faire face, les psychologues les aident à surmonter des situations porteuses de stress.

Quelle part le bien-être tient-il dans la psychologie de la santé ? Les psychologues de la santé jouent également un rôle d'éducateurs auprès du grand public en l'informant sur la nécessité de prendre soin de sa santé. Ils le renseignent sur les effets du stress, du tabagisme, du manque d'exercice, bref sur ce qui influe sur la santé. Ils élaborent et mettent en œuvre des programmes visant à aider les gens à s'adapter à des troubles chroniques, par exemple la douleur et l'hypertension artérielle, et à comprendre les comportements nuisibles, tels que le manque d'assurance et l'agressivité.

LA DOULEUR CHRONIQUE : COMMENT LES PSYCHOLOGUES AIDENT LES PATIENTS À Y FAIRE FACE

C'est pour la douleur que les gens consultent un médecin le plus souvent. C'est le principal symptôme relevé dans plus de 80 % de toutes les consultations médicales (Turk, 1994). On veut éviter la douleur, mais elle est nécessaire à la survie : elle signale des situations dangereuses ou nocives; elle oblige à prendre du repos le temps de guérir une blessure. Par contre, la douleur chronique, qui persiste longtemps après la guérison ou est associée à une maladie chronique, n'est pas utile.

Douleur chronique : Douleur continue persistant pendant au moins six mois.

Si vous avez déjà eu un « tour de reins » ou un mal de tête persistant, vous avez une idée de ce que doivent supporter ceux qui souffrent d'une névralgie (douleur intense dans la région d'un nerf) ou de douleur chronique causée par l'arthrite. Comme leur douleur est constante, ces personnes deviennent irritables, anxieuses, déprimées et dépendantes, ce qui les amène à avoir une piètre opinion d'elles-mêmes. Leur vie sociale et leurs relations personnelles en sont profondément détériorées; elles réduisent considérablement leurs activités, de nature sportive ou autre; certaines doivent même cesser de travailler (Egan et Keaton, 1987; Olshan, 1980).

Les techniques de conditionnement opérant

Il n'est pas facile de travailler avec des patients souffrant de douleur chronique parce qu'il existe de nombreux facteurs susceptibles de renforcer la douleur. Par exemple, le fait de parler de la douleur concentre l'attention sur celle-ci. L'anxiété accroît également la perception de la douleur, ce qui augmente l'anxiété et, par conséquent, accroît encore la douleur. Les patients souffrant de douleur chronique ont tendance à réduire leurs activités et à éviter de faire de l'exercice, alors que, contrairement à la croyance populaire, les activités physiques et autres sont souvent bénéfiques. Faire de l'exercice libère des endorphines, des substances chimiques qui s'attachent à des cellules nerveuses du cerveau et réduisent la perception de la douleur. Les patients souffrant de douleur chronique risquent donc d'adopter par conditionnement opérant des comportements nocifs, comme se plaindre de la douleur, parce que ceux-ci sont renforcés. Dans ce cas, le psychologue peut entreprendre un programme de modification du comportement s'adressant non seulement au patient, mais aussi aux membres de sa famille.

Endorphines : Substances chimiques similaires à la morphine naturellement présentes dans le cerveau et susceptibles de réduire la perception de la douleur.

Le biofeedback

On emploie généralement l'électromyographe (EMG) pour appliquer la technique de biofeedback à des patients souffrant de douleur chronique. Cet appareil mesure la tension musculaire grâce à l'enregistrement de l'activité électrique au niveau de la peau. L'utilisation de l'EMG convient particulièrement lorsque la douleur est associée à une tension musculaire considérable, comme dans les cas de maux de tête dus à la tension ou de douleurs lombaires. On fixe des électrodes dans la région douloureuse et on demande au patient de se détendre. Lorsque ce dernier a réussi à atteindre un certain état de relaxation, l'appareil émet un signal sonore ou lumineux, qui remplit la fonction de rétroaction pour le patient.

Électromyographe (EMG) : Appareil utilisé en biofeedback pour mesurer la tension musculaire et fournir une rétroaction (un signal sonore ou lumineux) au patient lorsque ce dernier atteint un certain état de relaxation.

Les techniques de relaxation

Comme leur douleur ne semble jamais disparaître tout à fait, les personnes souffrant de douleur chronique ont tendance à en parler et à y penser dès qu'elles ne sont pas entièrement absorbées dans une activité. De plus, lorsque les proches réagissent à ce comportement en accordant davantage d'attention et de soins à la personne souffrante, non seulement ils renforcent le comportement de celle-ci mais ils intensifient sa perception de la douleur (Block, Kremer et Gaynor, 1980; Flor, Kerns et Turk, 1987, 1994). Pour soulager l'inconfort de ces malades, il leur faut donc au contraire tenter de les distraire en les invitant à voir des films et des spectacles, à participer à des fêtes ou à faire de l'exercice. Les malades auraient aussi avantage à se changer les idées en pratiquant des techniques de relaxation, car cela réduira la tension et l'anxiété qui accompagnent la douleur.

Techniques de relaxation : Méthodes dont on se sert pour soulager l'anxiété et la tension physique reliées au stress et à la douleur chronique.

RÉSUMÉ

La psychologie de la santé

La psychologie de la santé est l'étude du lien existant entre les comportements psychologiques et l'état de santé physique. Elle porte surtout sur le bien-être et la prévention de la maladie.

Les psychologues de la santé aident les patients qui s'apprêtent à subir une grave intervention chirurgicale en les informant sur ce qui les attend pendant et après l'opération. Ils leur suggèrent, à eux et à leur famille, des moyens de faire face aux problèmes psychologiques post-opératoires.

QUESTIONS DE RÉVISION

1. La psychologie de la santé est l'étude du lien entre _____ et _____.

2. Quels sont les rôles des psychologues de la santé ?

3. Une douleur constante qui persiste pendant au moins six mois est appelée douleur _____.

Les réponses aux questions de révision se trouvent en annexe.

45

▲ *Quelles sont les principales causes du stress et quelles sont ses conséquences ?*

Stress : Selon Hans Selye, ensemble des réactions non spécifiques de l'organisme à toute demande d'adaptation qui lui est faite.

Agent stressant : Tout stimulus qui déclenche la réaction de stress.

Eustress : Selon Selye, stress agréable, souhaitable, comme celui que procure l'exercice physique.

Détresse : Selon Selye, stress désagréable, insupportable, comme celui que crée une longue maladie.

LE STRESS ET LA SANTÉ

Les chercheurs qui ont étudié le stress et ses conséquences sur les êtres humains et les animaux ont donné plusieurs définitions de ce phénomène. Nous emploierons la définition proposée par Hans Selye (1974), un physiologue montréalais dont les recherches — entreprises dans les années trente — et les écrits sur le sujet sont d'une importance considérable. Selye définit le stress comme l'ensemble des réactions non spécifiques de l'organisme à toute demande d'adaptation qui lui est faite. Si nous disputons deux matches de tennis consécutifs en pleine canicule, notre organisme réagira en accélérant notre fréquence cardiaque et notre fréquence respiratoire, et en stimulant nos glandes sudoripares. Lorsque vous apprenez dix minutes avant le début d'un cours que le travail pratique que vous venez de commencer doit être remis ce jour même, et non pas le vendredi suivant comme vous le pensiez, vos fréquences cardiaque et respiratoire augmentent et vous êtes pris de sueurs froides. Ainsi, le stress est une réaction physique qui peut survenir par suite de stimuli internes (cognitifs) ou externes (environnants). Un stimulus causant un stress est un agent stressant.

Afin de définir clairement ce que sont le *stress* et les *agents stressants*, imaginons que vous suivez un cours d'art oratoire et que l'on vous demande à l'improviste de prononcer un discours sur un sujet qui n'est pas dans vos cordes. Vos réactions physiques — accélération de votre fréquence cardiaque, hausse de votre tension artérielle, papillons dans l'estomac, dessèchement de la bouche, accélération de la fréquence respiratoire, etc. — sont des signes de *stress*. Les *agents stressants* qui déclenchent ces réactions sont votre autocritique intérieure, les regards et les réactions de vos camarades, les commentaires et les réactions du professeur.

L'eustress et la détresse

Il ne faut pas déduire de cet exemple que le stress est toujours un mal à éviter. En y regardant bien, on s'aperçoit que la définition de Selye parle de toute demande faite à l'organisme pour qu'il s'adapte. Ainsi, presque tous les stimuli externes peuvent causer un stress et, en réalité, le stress est souvent agréable et bénéfique. Par exemple, l'exercice physique est un agent stressant bénéfique parce qu'il accroît l'efficacité du système cardiovasculaire. Selye (1974) fait une distinction entre l'eustress (stress agréable, désirable, tel que celui d'une séance d'exercice modéré) et la détresse (stress désagréable, insupportable, tel que celui qu'occasionne une longue maladie). Le corps est presque toujours en état de stress, que ce stress soit plaisant ou déplaisant, modéré ou excessif. L'absence complète de stress ne peut être qu'une absence de stimulation externe, ce qui conduit éventuellement à la mort. Les psychologues de la santé se sont principalement intéressés aux conséquences négatives du stress; c'est ce qui explique qu'on utilise le terme *stress* pour désigner surtout le stress nocif ou déplaisant (soit la détresse telle que la définit Selye), bien que le stress ait aussi un aspect positif.

LES CAUSES DE STRESS : DES CHANGEMENTS DE VIE IMPORTANTS AUX MENUS TRACAS

Le stress est omniprésent dans toutes les sphères de l'existence, mais à divers degrés. Les principales causes de stress sont les changements de vie, le stress chronique, les tracas, la frustration et les conflits.

Les changements de vie

Les événements importants qui ponctuent une vie, par exemple le mariage, le décès d'un membre de la famille ou le changement de résidence, sont porteurs de stress. Selon Holmes et Rahe (1967), l'exposition à de nombreuses situations stressantes en peu de temps peut avoir des conséquences défavorables pour la santé.

Odile Martinez

Génératrice d'un état de stress in-
tense, la perte de son conjoint ou
d'un membre de sa famille immé-
diate est certes la situation la plus
accablante qui soit.

Qu'il s'agisse d'événements heureux comme un mariage, d'événements tragiques comme le décès d'un être cher ou de modifications banales comme un changement d'horaire de travail, tous ces changements causent du stress. Et si le surcroît de stress excède la faculté d'adaptation de l'organisme, il pourra s'ensuivre une maladie d'intensité moyenne ou grave.

Holmes et Rahe ont conçu une échelle regroupant 43 situations classées selon l'importance de leur contribution aux problèmes de santé. Ils ont attribué à chaque situation une cote exprimée en « unités de changement », établissant ainsi une *échelle d'évaluation de l'ajustement social*. Cette échelle a été révisée et mise à jour plusieurs fois depuis 1967. Au cours de la dernière mise à jour (Miller et Rahe, 1997), on a augmenté à 87 le nombre d'événements porteurs de changement et on a inclus le sexe, l'âge, l'état civil et l'éducation en tant que facteurs déterminants.

La perception d'un même événement varie d'un individu à l'autre : une situation peut paraître très stressante pour une personne, mais peu stressante pour une autre (Lazarus et Folkman, 1984). Par exemple, quelqu'un peut considérer le fait de déménager dans une autre province comme un grand sacrifice et en éprouver un stress considérable, tandis que quelqu'un d'autre, qui y verra une occasion formidable de voir du pays, n'éprouvera que très peu de stress.

À vous les commandes

Holmes et Rahe ont élaboré une échelle d'évaluation de l'ajustement social pour les adultes d'âge postcollégial. Selon eux, les personnes qui obtiennent un pointage élevé sont plus susceptibles d'avoir des problèmes comme une maladie cardiaque, une dépression ou un cancer que les personnes qui obtiennent un pointage sous la moyenne.

Pour vous faire une idée de cette échelle, examinez l'échelle d'évaluation du stress chez les collégiens (p. 386). Lisez la liste des situations ou événements et cochez ceux qui s'appliquent à vous, puis additionnez les unités de stress associées aux situations ou événements que vous avez vécus au cours de la dernière année.

Quel total avez-vous obtenu ? Michael Renner et Scott Mackin, les auteurs de l'échelle, ont constaté que les pointages de leurs élèves se situaient entre 182 et 2571, la moyenne étant de 1247.

Reportez dans la dernière colonne la « cote de stress » associée à chaque situation ou événement que vous avez vécu au cours de l'année, puis faites l'addition.

Échelle d'évaluation du stress chez les collégiens	Cote de stress	Votre pointage
1. Être victime d'un viol	100	
2. Découvrir sa propre séropositivité	100	
3. Être accusé de viol	98	
4. Mort d'un ami intime	97	
5. Mort d'un parent proche	97	
6. Contracter une maladie sexuellement transmissible (autre que le sida)	94	
7. Avoir peur d'être enceinte	91	
8. Session d'examens	90	90
9. Avoir peur que sa partenaire ne soit enceinte	90	
10. Se réveiller trop tard un jour d'examen	89	89
11. Échouer un cours	89	
12. Être trompé(e) par son amoureux ou son amoureuse	85	85
13. Mettre fin à une relation amoureuse	85	85
14. Maladie grave d'un ami intime ou d'un parent proche	85	85
15. Difficultés financières	84	
16. Rédaction d'une dissertation importante	83	
17. Être surpris en train de tricher à un examen	83	
18. Conduire en état d'ébriété	82	
19. Souffrir de surmenage à cause de l'école ou du travail	82	82
20. Passer deux examens le même jour	80	80
21. Tromper son amoureux ou son amoureuse	77	
22. Se marier	76	
23. Conséquences néfastes de l'abus d'alcool ou de drogues	75	
24. Dépression ou graves difficultés psychologiques d'un ami intime	73	
25. Conflit avec ses parents	73	73
26. Prendre la parole devant la classe	72	72
27. Manque de sommeil	69	69
28. Changement des conditions de logement (tracasseries ou déménagement)	69	
29. Participer à une compétition ou à un spectacle	69	
30. Être impliqué dans une bagarre	66	
31. Conflit avec un colocataire	66	
32. Changement au travail (recherche d'un emploi, nouvel emploi, difficultés au travail)	65	65
33. Choisir une spécialité ou s'inquiéter de son avenir	65	
34. Suivre un cours que l'on déteste	62	62
35. Abus d'alcool ou de drogues	61	
36. Conflit avec un professeur	60	
37. Début d'un semestre	58	58
38. Un premier rendez-vous amoureux	57	57
39. Inscription au collège	55	
40. Vivre une relation amoureuse	55	55
41. Déplacements réguliers pour se rendre au collège ou au travail	54	
42. Pression exercée par les pairs	53	
43. Vivre hors de son foyer pour la première fois	53	
44. Être malade	52	
45. S'inquiéter de son apparence	52	
46. N'obtenir que des A	51	
47. Avoir de la difficulté dans un cours que l'on aime	48	
48. Se faire de nouveaux amis; bien s'entendre avec ses amis	47	
49. Campagne de recrutement pour le club d'étudiants	47	
50. Tomber endormi en classe	40	
51. Assister à un événement sportif (par ex. une partie de football)	20	
Total		450

Source : Renner et Mackin, 1998.

1646
1641

Vous voulez abaisser votre niveau de stress ? Efforcez-vous de suivre les conseils donnés dans la préface à ce sujet et vous réduirez au minimum l'effet de certains des principaux facteurs de stress au collège. Par exemple, la pratique de la lecture active et une répartition adéquate du temps d'étude rendent la session d'examens (dont la cote de stress est de 90) beaucoup moins stressante et réduit le risque d'échouer un cours (une cote de stress de 89). De même, un emploi du temps approprié vous évitera de vous réveiller trop tard un jour d'examen (une cote de stress de 89 également).

Selon Lazarus (1990), une situation est stressante si elle impose au sujet une demande excédant les ressources dont il dispose pour y faire face. Il pense que nous évaluons les situations afin de déterminer si elles sont dangereuses ou potentiellement dangereuses, ou si elles représentent un défi que nous souhaitons relever avec optimisme et enthousiasme. Nous faisons cette évaluation en fonction de nos idées, de nos aptitudes et de nos expériences personnelles. Ainsi, toute situation peut être perçue comme une rude épreuve ou comme une occasion en or, selon l'évaluation qu'en fait chacun.

Le stress chronique

Les situations stressantes ne prennent pas seulement la forme d'événements ponctuels et de brève durée comme un décès ou une naissance. Une union conjugale orageuse, de piètres conditions de travail ou un climat politique défavorable peuvent être des agents stressants chroniques. Une étude récente a montré que le stress dû à l'exposition régulière au bruit produit par des avions amène des changements hormonaux et cardiaques (Evans et coll., 1995). De plus, les enfants qui vivent dans une zone où le bruit est régulièrement très intense manquent d'assiduité lorsqu'on leur demande d'accomplir une tâche exigeante.

La réaction de chacun face aux agents stressants chroniques dépend de l'évaluation cognitive qu'il fait de la situation. Sur le plan personnel, un divorce, la violence familiale, l'alcoolisme et les problèmes financiers peuvent infliger un grave stress à tous les membres d'une famille (Wallerstein et Kelly, 1980). Notre vie sociale peut aussi être stressante, puisque cela demande souvent beaucoup d'efforts et d'énergie pour se faire des amis et les garder. Cela est particulièrement vrai pour ceux qui sont timides ou mal à l'aise en présence de gens qu'ils connaissent peu. Même les amitiés de longue date peuvent parfois être difficiles à maintenir à cause de l'éloignement ou des trajectoires différentes qu'empruntent les individus, comme un mariage ou des impératifs professionnels qui limitent le temps libre de chacun.

La plupart des recherches menées sur le stress chronique ont porté spécialement sur les agents stressants liés au travail. Les gens peuvent être stressés parce qu'ils veulent conserver leur emploi ou parce qu'ils veulent en changer, parce qu'ils

Le stress des sans-abri et des chômeurs est causé par de multiples agents stressants.

Pour certains Québécois, le déménagement peut être une aventure plutôt agréable. Ne dit-on pas que c'est notre passe-temps national ? Pour bien des personnes, cependant, cela représente un événement stressant qui peut avoir des conséquences néfastes sur la santé.

s'inquiètent de leur rendement personnel ou qu'ils ont des difficultés avec leurs collègues (Gross, 1970; Neubauer, 1992). Les emplois les plus stressants sont ceux qui exigent beaucoup en matière de rendement et de concentration et qui ne favorisent guère la créativité ou l'avancement. Le travail sur une chaîne d'assemblage se classe très haut dans l'échelle des emplois stressants.

Des chercheurs (Doby et Caplan, 1995; Piorkowske et Stark, 1985) ont établi que le stress du travail que ressent un individu peut se répercuter sérieusement sur les membres de sa famille. Ainsi, un père victime de stress professionnel entrera plus facilement en conflit avec son fils, et ce dernier sera également plus susceptible d'entretenir des relations insatisfaisantes avec ses semblables (Piorkowske et Stark, 1985).

Les tracas

Tracas : Soucis insignifiants en eux-mêmes, mais dont l'accumulation peut se révéler une importante source de stress.

En plus des divers types de stress chronique, il y a le stress quotidien imputable aux menus tracas de l'existence. Ces soucis, insignifiants en eux-mêmes, qu'il s'agisse de trouver une place pour se garer, de courir à l'épicerie acheter du lait pour le déjeuner ou de tâcher de faire fonctionner un logiciel, peuvent se révéler une importante source de stress s'ils s'accumulent (deLongis et coll., 1988).

Certains experts, notamment Pearlin (1980), croient que les tracas peuvent occasionner plus de stress que les événements marquants de la vie. Il se pourrait en effet que les individus soient affectés par les événements marquants justement parce que le nombre de tracas qui les assaille augmente sensiblement lorsque ces événements se produisent (deLongis et coll., 1982). Par exemple, en tant qu'événement porteur de changement, le divorce est extrêmement stressant, mais il entraîne souvent une augmentation du nombre de tracas durant une longue période, notamment l'obligation d'assumer de nouvelles besognes auparavant dévolues à l'épouse ou au mari. Il se peut aussi que les préparatifs de déménagement ou une longue période de mise en vente de la résidence causent davantage de stress que le déménagement lui-même.

La frustration

Frustration : État déplaisant de tension, d'anxiété et activité accrue du système nerveux sympathique résultant d'une contrariété.

Vous êtes-vous déjà senti miné par le stress parce que vous étiez empêché de faire quelque chose dont vous aviez envie ? Lorsqu'on se fixe un objectif auquel on ne peut parvenir, la frustration monte et l'on subit du stress. La frustration est un état émotionnel négatif résultant le plus souvent de l'impossibilité d'atteindre un objectif. C'est ce qui arrive, par exemple, lorsqu'on se voit refuser un prêt après avoir déniché la voiture idéale ou que l'on est recalé au test d'admission au programme universitaire de son choix.

La frustration est étroitement liée à la motivation. On ne deviendrait pas frustré si l'on n'avait pas d'abord été motivé à réaliser un projet particulier. Et plus on est motivé, plus on est frustré lorsqu'on est empêché de réaliser son objectif. Par exemple, si vous êtes immobilisé dans un bouchon de circulation et que ce contretemps vous met en retard à un examen important, vous serez très frustré. En revanche, s'il vous prive de cinq minutes d'un exposé ennuyeux, votre niveau de frustration sera presque nul.

À vous les commandes

Les changements technologiques continuels ajoutent aux tracas et aux frustrations de la vie quotidienne, comme l'ont constaté Michelle Weil et Larry Rosen (1997), qui examinent le problème dans un ouvrage récent : *TechnoStress : Coping with technology @ work @ home @ play.*

Certaines des situations suivantes vous sont-elles familières ? Vous avez acheté un nouveau magnétoscope mais celui-là non plus, vous n'arrivez pas à le programmer ! Une erreur s'est encore produite alors que vous utilisiez votre nouveau logiciel de traitement de texte et cette fois, vous avez entièrement perdu votre dissertation trimestrielle. Vous avez essayé pendant plusieurs jours de rejoindre au téléphone un professeur pour lui demander une lettre de référence, mais chaque fois vous obtenez le répondeur, et inversement lorsqu'il tente de vous rappeler. Lorsque vous recevez votre courrier électronique, vous perdez un temps fou à cause de la quantité considérable d'annonces et de facéties qui vous sont envoyées. Vous êtes resté coincé sur l'autoroute parce qu'un bidule électronique dans votre voiture fonctionnait mal. Ce sont là autant d'exemples de ce que les auteurs appellent techno-stress.

Tous les individus ne réagissent pas de la même façon au stress et cela est vrai en particulier pour le techno-stress. Weil et Rosen définissent trois types « techno » (*Techno-Types*). Pour déterminer à quelle catégorie vous appartenez, répondez au questionnaire suivant.

1. Vous avez reçu en cadeau d'anniversaire un appareil électroménager (par exemple, une cafetière) entièrement automatisé. Quel énoncé décrit le mieux la réaction que vous aurez après avoir déballé ce présent ?
   a) Vous êtes transporté, excité et impatient de l'essayer.
   b) Vous êtes ambivalent et vous vous demandez si vous avez réellement besoin de cet objet. Vous vous débrouillez très bien avec ce que vous possédez déjà. Vous vous contentez probablement de ranger le nouvel appareil pour le moment.
   c) Vous êtes troublé, inquiet et nerveux. Vous vous demandez si vous saurez vous servir de l'appareil, et si vous ne pourriez pas l'échanger contre un objet un peu plus pratique.

2. Que faites-vous lorsque vous désirez enregistrer une émission de télévision diffusée alors que vous êtes au travail ?
   a) Vous programmez rapidement le magnétoscope sans difficulté, en vous sentant sûr de vous.
   b) Vous demandez à quelqu'un d'autre de régler le magnétoscope, ou vous consultez le guide d'utilisation pour tenter de comprendre ce qu'il faut faire. Vous savez qu'il est possible d'enregistrer l'émission, mais vous doutez de réussir à faire fonctionner correctement l'appareil.
   c) Il est hors de question d'enregistrer l'émission vous-même. Après tout, le magnétoscope n'est-il pas fait uniquement pour regarder des films loués ?

3. Un ami vous annonce qu'il vient d'acheter un ordinateur dernier cri, doté des gadgets multimédias les plus avancés. Il vous invite à venir admirer son acquisition. Que lui répondez-vous ?
   a) Vous renoncez à vos projets de fin de semaine. Vous vous précipitez chez votre ami et vous vous amusez pendant huit heures avec cette petite merveille.
   b) Vous marmonnez quelques mots de félicitation et promettez d'aller voir son nouveau jouet dès que vous en aurez le temps.
   c) Vous faites la sourde oreille et vous contentez d'intercaler des « oh ! » et des « hum ! » lorsque cela vous paraît approprié, mais vous n'avez aucune intention de vous rendre à son ennuyeuse invitation.

Avant de calculer votre pointage, vous aimeriez peut-être savoir quels sont les trois types « techno » définis par les auteurs. Les *adeptes fervents*, 10 à 15 % de la population, adorent la technologie, la trouvent amusante et sont les premiers à se procurer toutes les nouveautés. Au contraire les *ambivalents sceptiques*, qui forment entre la moitié et les deux tiers de la population et que la technologie n'amuse pas, n'adoptent les nouveautés qu'une fois convaincus qu'elles sont indispensables ou peuvent leur faciliter les choses. Enfin, les *réfractaires* évitent de se frotter à la technologie car ils se sentent incapables, voire même stupides, face à elle.

Si vous avez choisi l'énoncé a) dans deux cas sur trois, vous êtes probablement un adepte fervent. Si vous avez choisi l'énoncé b) plus fréquemment que les autres, vous êtes sans doute, comme la majorité des gens, un ambivalent sceptique. Si les énoncés c) décrivent le mieux vos réactions, vous êtes réfractaire.

Si vous êtes un adepte fervent, la technologie n'est pas une source de stress pour vous. Si vous appartenez à l'une des deux autres catégories, le conseil suivant peut vous aider à réduire le techno-stress. Premièrement, évaluez chaque nouvelle technologie en fonction de son utilité pour vous, compte tenu de votre mode de vie. Lorsqu'un objet est susceptible de vous être réellement utile, apprenez à vous en servir si cela ne vous stresse pas trop. Deuxièmement, faites-vous à l'idée que la technologie est là pour rester. Vous devez donc trouver des moyens de l'intégrer à votre vie et de faire face au techno-stress, comme aux autres formes de stress. ■

Les conflits

Conflit : État émotionnel désagréable causé par l'incapacité de choisir entre au moins deux objectifs ou impulsions incompatibles.

Le conflit est également une importante source de stress. Un conflit survient lorsque les individus sont contraints de choisir entre au moins deux voies inconciliables. La somme de stress découlant d'un conflit dépend de la complexité de ce conflit et de la difficulté qu'on a à le résoudre. Les trois principaux types de conflits qui engendrent divers degrés de frustration et de stress sont : les conflits approche-approche (opposant deux appétences), les conflits évitement-évitement (opposant deux aversions) et les conflits approche-évitement (opposant une appétence et une aversion).

Conflit approche-approche : Conflit dans lequel l'individu doit choisir entre deux solutions menant toutes deux à des résultats désirables.

Dans un conflit approche-approche, l'individu doit choisir entre au moins deux solutions favorables. Ainsi, quel que soit son choix, le résultat sera souhaitable. Vous croyez que les conflits de ce genre n'engendrent pas de stress ? Imaginez que vous deviez choisir entre deux emplois d'été. Le premier vous ferait vivre dans un lieu de villégiature où vous rencontreriez des gens intéressants et pourriez prendre du bon temps; le deuxième vous permettrait d'acquérir une expérience précieuse et serait un atout dans votre curriculum vitae. Quel que soit l'emploi pour lequel vous opterez, vous en tirerez profit. En fait, vous aimeriez pouvoir cumuler les deux emplois, mais cette impossibilité vous cause du stress.

Conflit évitement-évitement : Conflit dans lequel l'individu doit choisir entre au moins deux solutions menant toutes deux à des résultats indésirables.

Un conflit évitement-évitement exige que l'on choisisse entre au moins deux solutions déplaisantes qui mèneront à des conclusions négatives, quel que soit le choix définitif. *Le choix de Sophie*, roman de William Styron dont on a tiré le film du même nom, offre un bon exemple de conflit opposant deux aversions. Sophie et ses deux enfants sont déportés vers un camp de concentration où un officier nazi oblige Sophie à un choix cruel. L'un de ses deux enfants pourra rester en vie si elle désigne elle-même *lequel* des deux elle abandonne. Si elle refuse de faire un choix, les deux enfants seront exécutés. Bien entendu, aucune des avenues n'est acceptable, car chacune mène à un aboutissement tragique. Il s'agit d'un cas exceptionnel, mais tous les conflits évitement-évitement peuvent engendrer un stress intense et parfois de longue durée, comme dans le cas de Sophie.

Conflit approche-évitement : Conflit dans lequel l'individu doit choisir entre des solutions menant à des résultats à la fois souhaitables et indésirables.

L'individu fait face à un conflit approche-évitement lorsqu'il doit consentir à quelque chose dont les conséquences seront à la fois désirables *et* indésirables. Nous avons tous dû prendre des décisions de ce genre, par exemple vouloir s'engager dans une relation amoureuse, mais hésiter par crainte de devoir délaisser ses amis. Ce conflit peut susciter une forte ambivalence. L'individu aux prises avec un conflit approche-évitement fera l'expérience d'un dénouement heureux et malheureux en même temps, quelle que soit l'avenue qu'il choisit.

Plus le conflit dure et la décision est importante, plus l'individu souffre de stress. En général, un conflit approche-approche se résout plus facilement, car l'issue est heureuse quelle que soit la décision prise. Par contre, un conflit évitement-évitement est extrêmement difficile à résoudre, car les deux choix amènent un résultat déplaisant. Un conflit approche-évitement est moins stressant qu'un conflit évitement-évitement, car il est modérément difficile à résoudre.

RECHERCHE ET DÉCOUVERTES

Procrastination, performances et santé

Votre professeur vous a-t-il demandé de rédiger une dissertation trimestrielle pour ce cours ? Avez-vous déjà commencé ce travail, ou attendez-vous comme d'habitude à la dernière minute pour vous y mettre ? Souvenez-vous qu'une répartition équilibrée du temps d'étude est plus efficace qu'une longue séance de bourrage de crâne la veille de l'examen. Mis à part les résultats, vous êtes-vous demandé quels effets *votre approche* du travail scolaire peut avoir sur votre santé ?

Dianne Tice et Roy Baumeister (1997), de la Case Western University, ont étudié les effets de la procrastination du point de vue des performances, du stress et de la santé. Dès le début du trimestre, ils ont donné une dissertation trimestrielle aux élèves dans le cadre de leur cours de psychologie de la santé, puis ils ont évalué continuellement le stress, la santé et la procrastination chez 44 volontaires. Comme vous vous y attendiez peut-être, ceux qui remettent tout au lendemain ont été plus nombreux à remettre leur dissertation en retard et ils ont en général obtenu de moins bonnes notes. Cependant, l'étude a aussi révélé que la procrastination est une source de stress.

La rédaction d'une dissertation et la préparation d'un examen engendrent du stress qui provoque une réduction de la fonction immunitaire, ce qui peut entraîner des problèmes de santé. Peut-on en conclure qu'un élève qui travaille régulièrement de la date d'assignation d'une tâche à sa date de remise éprouvera un stress constant pendant tout le trimestre, alors que l'élève qui attend à la dernière minute pour s'y mettre éprouvera un stress intense mais sur une courte période seulement ? En réalité, non. Tice et Baumeister ont découvert que ceux qui remettent toujours l'étude à faire au lendemain éprouvent beaucoup plus de stress et ont davantage de problèmes de santé que les autres.

Bref, concluent fermement les chercheurs : « *Ne remettez pas les choses au lendemain* ». Mettez-vous au travail dès qu'on vous assigne une tâche ! En fait mettez en pratique les conseils qui vous sont donnés dans la préface : répartissez uniformément votre temps d'étude et attaquez-vous à vos travaux le plus tôt possible, car la procrastination nuit à votre santé et à vos résultats.

LES CONSÉQUENCES DU STRESS : LES RÉACTIONS DE L'ORGANISME

Il importe peu que la cause d'un stress soit d'ordre psychologique ou physiologique. Lorsque nous sommes stressés, notre organisme subit plusieurs changements physiologiques mineurs ou majeurs. (Nous avons déjà parlé de certains d'entre eux.) Les changements les plus importants, ceux qui peuvent affaiblir la résistance de l'organisme aux maladies, sont régulés par le système nerveux autonome (voir le chapitre 3).

Les effets physiologiques du stress

Dans des conditions normales de faible stress quotidien, le système parasympathique a tendance à décélérer la fréquence cardiaque et à abaisser la tension artérielle, alors qu'il intensifie les mouvements musculaires de l'estomac et des intestins. Ainsi, l'organisme peut conserver son énergie, absorber les éléments nutritifs et maintenir son fonctionnement normal. Par contre, dans des conditions stressantes, le système sympathique prend le relais : il accélère les fréquences cardiaque et respiratoire, hausse les tensions artérielle et musculaire, ralentit les mouvements musculaires de l'estomac, contracte les vaisseaux sanguins et libère certaines hormones telles que l'épinéphrine (adrénaline) et le cortisol. À leur tour, ces hormones libèrent dans le circuit sanguin les gras qui fournissent de l'énergie.

Le combat ou la fuite

L'activité sympathique est une réaction au stress qui s'explique aisément. Aux premiers temps de l'évolution humaine, le système nerveux autonome dictait l'une ou l'autre des impulsions suivantes face au stress : combattre ou fuir. Lorsqu'un individu était soumis à un stress extrême, qu'il avait par exemple à se défendre contre un ours ou un ennemi puissant, il n'y avait pour lui que deux solutions raisonnables : livrer combat ou prendre ses jambes à son cou. Nos aïeux avaient besoin, en pareilles situations, du tonus physiologique fourni par le système nerveux sympathique.

Les réactions de combat ou de fuite du système nerveux autonome étaient essentielles lorsque la survie dépendait de la chasse et de la cueillette, mais elles sont moins importantes dans le monde moderne.

Nous avons les mêmes réactions autonomes que nos lointains ancêtres, mais le milieu dans lequel nous évoluons est très différent. Pour nous sortir d'une situation stressante, il est rare que nous ayons à livrer combat ou à détaler en vitesse. Nous n'avons donc pas besoin que notre fréquence cardiaque s'accélère ou que notre tension artérielle et notre taux hormonal s'élèvent. On nous a enseigné à ne pas combattre ni fuir, mais à conserver notre sang-froid et à résoudre les problèmes de façon rationnelle. Cette façon de faire nous prive d'une réaction physique aux changements physiologiques occasionnés par les agents stressants. Ainsi, dans notre culture, la réaction de fuite ou de combat du système nerveux autonome peut même être inadaptée (Sapolsky, 1994; Arnsten, 1998). Cela provoque des changements physiologiques qui, à long terme, peuvent se révéler néfastes pour la santé et contribuer à de graves maladies, dont les maladies du cœur et le cancer (ainsi que nous le verrons plus loin dans ce chapitre).

Syndrome général d'adaptation : Selon la description de Hans Selye, réaction physiologique généralisée, provoquée par de graves agents stressants, qui se déroule en trois phases : l'alarme, la résistance et l'épuisement.

En 1936, Selye définit et nomma syndrome général d'adaptation une réaction physiologique généralisée, provoquée par de graves agents stressants (voir la figure 11.1). Cette réaction compte trois phases : la phase initiale sonne l'*alarme*, c'est-à-dire que l'organisme réagit à l'agent stressant en activant le système nerveux sympathique (accélération de la fréquence cardiaque, hausse de la tension artérielle, sécrétion hormonale, etc.). L'organisme dispose alors d'une grande somme d'énergie, sa vigilance est accrue et il est prêt à combattre l'agent stressant, sauf que sa résistance à la maladie a faibli. Si l'agent stressant demeure présent, l'organisme entre en *phase de résistance*. Au cours de cette phase, l'alarme s'estompe et l'organisme s'adapte à l'agent stressant; son taux de résistance à la maladie croît au-delà des taux normaux. Cependant, cette faculté d'adaptation et de résistance est très astreignante et l'exposition prolongée à un agent stressant entraînera tôt ou tard une *phase d'épuisement*. Au cours de cette phase finale, les signes révélateurs de l'alarme réapparaissent, la résistance à la maladie décroît, l'énergie nécessaire à l'adaptation s'épuise et la mort vient mettre fin au processus. Selon Selye, l'exposition prolongée à des agents stressants met en jeu la santé et même la vie du sujet.

Figure 11.1 **Le syndrome général d'adaptation.** Selon Hans Selye, lorsque l'organisme est exposé pendant longtemps à de graves agents stressants, il déclenche une réaction en trois phases. Pendant la phase initiale, l'alarme (A), la résistance à la maladie diminue. Si le stress se poursuit, l'organisme entre en phase de résistance (B), pendant laquelle s'accroît son taux de résistance. Après une exposition prolongée au stress, l'organisme entre en phase d'épuisement (C); sa résistance à la maladie diminue et, finalement, la mort s'ensuit.

Source : H. Selye, *Le stress sans détresse*, Édition La Presse, 1974.

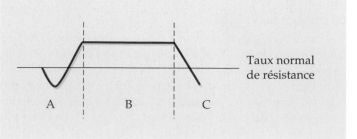

Taux normal de résistance

A   B   C

PENSÉE CRITIQUE • Psychologie en direct

Agir sagement

Reconnaître le rôle des valeurs personnelles dans la résolution d'un conflit

La plupart des élèves sont en mesure de donner des exemples personnels de conflits approche-approche, évitement-évitement, approche-évitement, et d'indiquer ce qu'ils ont fait pour les résoudre. Plusieurs avouent prendre conseil d'autrui lorsqu'ils sont aux prises avec un conflit. Même s'ils estiment l'opinion d'autrui, les êtres doués d'une pensée critique savent qu'en dernier recours, toute décision ne peut être fondée que sur les valeurs et les objectifs personnels du décideur. Les décideurs compétents assument l'entière responsabilité de leur avenir. Ils savent qu'eux seuls peuvent véritablement évaluer les mérites de chaque solution possible.

Un être capable de pensée critique reconnaît également qu'une décision comporte une part de stress qu'il ne peut éviter. En réalité, éviter de prendre une décision équivaut à en prendre une, sans profiter de l'avantage que procure l'analyse du problème.

Voici une fiche et quelques conseils qui vous aideront à prendre de meilleures décisions dans vos conflits du moment (d'après Seech, 1987) :

1. Tout d'abord, précisez de quel type de conflit il s'agit : approche-approche, approche-évitement ou évitement-évitement.

2. Énumérez, dans la colonne de gauche, toutes les solutions de rechange ou les actions à entreprendre qui vous viennent à l'esprit. Même si la désignation de conflit approche-approche laisse sous-entendre que seules deux avenues sont possibles, la plupart des conflits ont plusieurs solutions. Déterminer les options qui s'offrent à vous requerra beaucoup de travail. Consultez des ouvrages sur votre problème et parlez-en au plus grand nombre de personnes possible.

3. Dressez la liste des conséquences logiques de chaque solution, sans vous préoccuper de leur importance ou de leur probabilité de se concrétiser.

4. Évaluez ensuite l'importance de chaque aboutissement et la probabilité qu'il se produise. En vous basant sur une échelle de zéro à cinq (zéro exprimant l'improbabilité et cinq exprimant la certitude), assignez une cote à chaque probabilité. En utilisant une échelle similaire (zéro exprimant l'insignifiance et cinq exprimant une grande importance), évaluez l'importance que vous accordez à chaque conséquence.

5. Passez votre liste en revue. Vous pourriez trouver quelque utilité à multiplier les cotes de probabilité par les cotes d'importance et à comparer les résultats obtenus pour chacune des solutions. Peut-être éprouverez-vous de la difficulté à coter certains sentiments ou situations complexes. Toutefois, cet exercice fondé sur la réflexion et l'évaluation contribuera à résoudre les conflits qui vous déchirent même lorsque la décision sera extrêmement difficile à prendre. Notez aussi les sentiments que vous associez à chaque solution. Prendre une sage décision exige que l'on intègre prudemment les sentiments et les cognitions.

6. Lorsque vous aurez passé en revue chaque solution, demandez-vous laquelle correspond à vos objectifs globaux et à vos valeurs personnelles. Certaines solutions vous sembleront plus ou moins attrayantes lorsque vous les évaluerez en fonction de vos objectifs à long terme touchant votre carrière, vos relations et vos croyances. Vous pourriez revoir cette liste en compagnie d'un proche qui jouit de votre confiance avant de prendre une décision finale.

Lorsque votre décision sera prise, passez à l'action en y mettant tout votre cœur. Laissez tomber vos attentes. Plusieurs décisions n'entraînent pas les résultats escomptés et, si l'on se préoccupe trop de ce qui devrait advenir, on se prive de ce qui advient vraiment. Si la décision s'avère mauvaise, ne vous entêtez pas. Modifiez vos plans.

TYPE DE CONFLIT _____

SOLUTIONS	CONSÉQUENCES LOGIQUES	PROBABILITÉ	IMPORTANCE

Le stress et le système immunitaire

Les changements physiologiques causés par le stress peuvent entraver le fonctionnement du système immunitaire (Arnsten, 1998; Baum et coll., 1982; Cohen et Hebert, 1996; Cohen et coll., 1998). S'il fonctionne normalement, le système immunitaire dépiste les maladies et protège l'organisme. Inversement, l'affaiblissement du système immunitaire rend l'organisme vulnérable à un grand nombre de maladies. Plusieurs études démontrent qu'un stress intense, par exemple un deuil, une intervention chirurgicale ou une privation de sommeil, entraîne des transformations dans le système immunitaire (Jemmott et Locke, 1984; Schleifer et coll., 1980; Maier, Watkins et Fleshner, 1994). On a établi un lien entre ces transformations et les taux sanguins élevés d'hormones liées au stress telles que l'épinéphrine, la norépinéphrine et le cortisol. Il semble que la présence de ces hormones précède souvent l'affaiblissement du système immunitaire (Stein, 1983) et l'apparition de maladies infectieuses (Jemmott et Locke, 1984), dont le rhume ou la grippe (Cohen et coll., 1998).

Mais comment un facteur psychologique, comme le sentiment de perte, peut-il avoir un effet sur les cellules du système immunitaire ? Les facteurs psychologiques n'agissent pas directement sur les cellules du système immunitaire. Les sources psychologiques de stress (comme la mort d'un être cher) provoquent un réflexe de lutte ou de fuite. Ce réflexe mobilise immédiatement les ressources énergétiques de l'organisme en vue de la survie, ce qui entraîne la libération d'hormones, telles le cortisol, qui bloquent tous les processus durables de l'organisme, dont la réparation des tissus, les défenses immunitaires, la digestion et la reproduction (Sapolsky, 1996a, 1996b) de manière que le cerveau et les muscles puissent utiliser toute l'énergie disponible (Maier, Watkins et Fleshner, 1994). Si la situation d'urgence ne dure que quelques minutes, cette réaction physiologique est une solution adéquate au problème de lutte ou de fuite, et la fonction immunitaire reprend rapidement son fonctionnement normal. Mais si une personne est soumise à un stress prolongé, par exemple à une longue séance d'examens difficiles ou à un interminable mariage acrimonieux, elle est continuellement dans un état où son système nerveux autonome est stimulé, de sorte que le fonctionnement de son système immunitaire risque d'être longtemps ralenti.

Ainsi, je pourrais attraper un rhume ou la grippe simplement parce que j'ai subi un stress intense ? Vous êtes *plus susceptible* d'attraper un rhume ou la grippe lorsque vous subissez un stress intense. En effet, les résultats d'une étude menée par Cohen et ses collaborateurs (1991, 1996, 1998) indiquent que le stress contribue de faiblement à modérément à l'infection par le virus du rhume de cerveau et à l'apparition d'un rhume. Il semble que le stress détruit la première ligne de défense de l'organisme qui empêche normalement le virus de pénétrer dans le circuit sanguin. Le rhume de cerveau est indéniablement une infection ennuyeuse, mais elle ne menace pas la vie du patient. Mais il existe également un lien entre le stress et des maladies plus graves. À la suite des pressions exercées par les psychologues de la santé, les institutions médicales ont reconnu que plusieurs maladies sont causées ou aggravées par le stress (Sapolsky, 1994).

RÉSUMÉ

Le stress et la santé

Le stress est l'ensemble des réactions non spécifiques de l'organisme à toute demande d'adaptation qui lui est faite. Un agent stressant est un stimulus qui cause un stress. Il y a deux types de stress, l'un bénéfique et l'autre néfaste.

Parmi les nombreuses causes de stress, on compte les changements de vie, le stress chronique, les tracas, la frustration et les conflits. Il existe trois types de conflits : les conflits approche-approche (opposant deux appétences), les conflits évitement-évitement (opposant deux aversions) et les conflits approche-évitement (opposant une appétence et une aversion).

Lorsqu'il éprouve un stress, l'organisme subit des perturbations physiologiques. La région sympathique du système nerveux autonome est alors activée, la fréquence cardiaque devient plus rapide et l'hypertension artérielle est à la hausse. Cette activation est bénéfique s'il faut combattre ou prendre la fuite, mais elle peut être néfaste lorsque aucune réaction n'est possible.

Hans Selye formula le syndrome général d'adaptation après qu'il eut constaté qu'une réaction physiologique généralisée faisait suite à la pression exercée par de puissants agents stressants. Le syndrome général d'adaptation compte trois phases : l'alarme, la résistance et l'épuisement.

Un stress prolongé peut affaiblir le système immunitaire, ce qui rend l'organisme vulnérable à plusieurs maladies, dont le rhume de cerveau, la grippe et plusieurs maladies graves, telles que le cancer et les maladies du cœur.

QUESTIONS DE RÉVISION

1. On définit le _____ comme étant une réaction non spécifique de l'organisme à toute demande d'adaptation qui lui est faite.

2. On appelle _____ les ennuis inhérents à la vie quotidienne.

3. Quelle est la différence entre une frustration et un conflit ?

4. Le _____ est la réaction physique de l'organisme à des agents stressants. Il se déroule en trois phases, soit l'alarme, la résistance et l'épuisement.

5. Pourquoi les étudiants ont-ils souvent un rhume ou une grippe après la période d'examens et la remise de leurs travaux de session ?

Les réponses aux questions de révision se trouvent en annexe.

LE STRESS ET LES MALADIES GRAVES

Les facteurs psychologiques jouent un rôle important dans l'évolution de plusieurs maladies physiques, notamment les maladies du cœur, le cancer, la polyarthrite rhumatoïde, la bursite, la migraine, l'asthme et les troubles gastro-intestinaux tels que les ulcères et la colite. Pour expliquer comment le stress, qui est occasionné par des facteurs psychologiques, peut engendrer des maladies physiques, nous examinerons les deux principales causes de mortalité dans notre société : le cancer et les maladies du cœur.

LE CANCER : DES CAUSES DIVERSES, DONT LE STRESS

Nous craignons tous le mot *cancer*, non sans raison : le cancer est la première cause de mortalité chez les femmes aux États-Unis et cette maladie risque de devenir bientôt la première cause de mortalité pour les deux sexes (Henderson, Ross et Pike, 1991). Au Canada, le cancer était responsable de 27,4 % des décès en 1995 et la progression était particulièrement notable chez les femmes (Statistique Canada, 1993).

À l'origine du cancer, il y a une cellule dont les caractéristiques naturelles ont été modifiées au point de provoquer sa prolifération sans contrôle. Ces cellules qui se sont ainsi multipliées envahissent peu à peu les cellules saines et, à moins qu'on ne les détruise ou les enlève, elles provoquent une dégradation des tissus et des organes et entraînent la mort. À ce jour, on a recensé plus de cent types de cancers. Il semble qu'ils seraient attribuables à certaines prédispositions héréditaires, à des facteurs environnementaux et à des perturbations du système immunitaire. Même si nous ne pouvons rien contre l'hérédité, nous pouvons réduire les risques de cancer en modifiant quelque peu notre comportement.

▲ *En quoi le stress est-il lié au cancer et aux maladies du cœur ?*

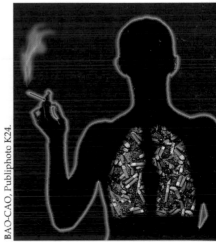

Le tabagisme cause le cancer. C'est cependant là un facteur de maladie que l'on peut éviter, tout simplement en ne fumant pas.

BAO-CAO, Publiphoto K24.

Ce que vous faites à vos poumons, le feriez-vous à votre peau ?

Le tabagisme est la cause de décès et de maladie la plus facile à prévenir. Des affiches comme celle-ci tentent d'inciter les jeunes à cesser de fumer en établissant un lien entre les dommages aux organes internes provoqués par le tabagisme et le fait que fumer rend la personne peu attrayante.

En quoi le comportement peut-il causer le cancer ?   On a parfois l'impression que tout peut causer le cancer. Certaines substances présentes dans l'environnement, par exemple la fumée de cigarette et les produits chimiques nocifs, peuvent causer le cancer. Cette maladie est également provoquée par des changements biochimiques internes qui peuvent influer sur la reproduction cellulaire. La plupart des gens ne se rendent pas compte que leur comportement peut avoir une incidence sur ces deux facteurs. Votre comportement peut très bien vous mettre en contact avec des produits cancérogènes environnementaux. Par exemple, si vous fumez, vous vous exposez aux substances cancérogènes présentes dans le tabac. Afin de réduire les facteurs de risque environnementaux, évitez d'entrer en contact avec les produits cancérogènes connus. Cela peut être compliqué s'il vous faut pour cela modifier une habitude ancrée, comme cesser de fumer ou trouver un autre emploi, mais vous êtes maître de ces facteurs. Les effets du comportement sur la biochimie structurale sont par contre beaucoup plus complexes et il est plus difficile de les modifier.

À vous les commandes

L'American Cancer Society conseille aux personnes qui désirent arrêter de fumer d'appliquer les quatre techniques suivantes.

- *Respirez profondément,* en inspirant et en expirant lentement, chaque fois que vous avez envie griller une cigarette.
- *Buvez quotidiennement beaucoup d'eau* et des boissons exemptes de caféine, plus particulièrement aux moments où vous aviez l'habitude de fumer, par exemple lorsque vous étudiez.
- *Occupez-vous,* de manière à ne pas penser à fumer, lorsque vous avez envie d'allumer une cigarette. Par exemple, allez faire une courte promenade ou téléphonez à un ami.
- *Attendez* avant d'allumer une cigarette : résistez à l'envie du tabac.
- Mais avant tout, s'il vous arrive de flancher et de fumer une cigarette, n'en allumez pas une deuxième.   ■

Il est évidemment beaucoup plus facile de ne jamais commencer à fumer que de s'arrêter. La majorité des fumeurs éprouvent énormément de difficulté à cesser de fumer. Les méthodes qui donnent les meilleurs résultats comprennent des mesures visant à apprendre comment résister à l'envie de recommencer à fumer. La plupart des gens ne réussissent pas à arrêter de fumer lors de la première tentative et on estime que de 50 % à 80 % de ceux qui cessent de fumer finissent par recommencer (Sarafino, 1998, p. 212). Aucune méthode n'est efficace si le fumeur n'est pas fortement motivé, mais les avantages associés à l'abandon du tabagisme sont énormes : cela assure une vie plus agréable et plus longue. (Voir dans Wetter et coll., 1998, *Smoking Cessation Clinical Practice Guideline* de l'Agency for Health Care Policy and Research.)

Le comportement peut également influer sur la façon dont l'organisme combat un cancer. Par exemple, même un faible manque de sommeil peut affaiblir le système immunitaire (Irwin et coll., 1994). Des chercheurs ont interrompu le sommeil de 23 hommes et ils ont mesuré l'activité des cellules à fonction immunitaire appelées cellules tueuses. Après une nuit sans sommeil, l'activité de ces cellules n'était qu'à 72 % de leur activité moyenne normale chez les participants. Donc, même un petit changement de comportement, comme de passer une nuit à étudier pour préparer un examen, est susceptible de réduire l'efficacité du système immunitaire. Les chercheurs ont en outre constaté qu'il suffit d'une nuit normale de sommeil, après la privation, pour que les cellules tueuses reprennent leur pleine activité.

Le stress et la chimie du corps   Lire

Pour bien saisir le lien entre le comportement et la chimie du corps, il importe de comprendre ce qu'il advient normalement des cellules cancéreuses. Dès que celles-ci commencent à se multiplier, le système immunitaire les attaque pour en limiter la prolifération (voir la photographie ci-contre). Ce type de combat est incessant et, chez un individu normal et en bonne santé, le système immunitaire limite constamment le nombre de cellules cancéreuses.

Ce n'est pas ce qui se produit lorsque l'organisme subit un stress. Nous l'avons vu, la réponse au stress libère des hormones surrénales qui gênent le fonctionnement du système immunitaire. Ce freinage affaiblit la faculté de résistance de l'organisme face au germe responsable de la maladie et à la prolifération des cellules cancéreuses. Riley (1981) a découvert que chez les animaux, le stress peut inhiber les défenses du système immunitaire contre le cancer et favoriser la croissance d'une tumeur. Les observations de Solomon, Amkraut et Kasper (1974) permettent de penser que le stress peut agir directement sur les lymphocytes, les cellules du système immunitaire qui enrayent le cancer.

La personnalité peut aussi influer sur l'évolution d'un cancer. Selon la théorie et les recherches sur le cancer, la personnalité ne joue aucun rôle dans l'apparition d'un cancer, mais elle influe sur les chances de l'organisme de le combattre efficacement. Ceux qui sont mal préparés à faire face au stress risquent davantage que les autres la suppression de leurs fonctions immunitaires.

Des recherches indiquent également qu'un ensemble de traits de la personnalité et de caractéristiques de l'environnement au cours de l'enfance peut rendre une personne vulnérable sur le plan psychologique, ou au contraire résistante au stress. Lorsqu'un individu vulnérable fait face à un stress d'origine psychologique ou physique, il a tendance à réagir émotionnellement de façon négative en adoptant des modèles malsains de comportement. Le risque accru de maladie ou de mort prématurée chez les personnes vulnérables est comparable au risque de souffrir de haute tension ou d'un taux élevé de cholestérol dans le sang (Friedman, Hawley et Tucker, 1994). (Voir Anderson, 1998, pour une revue des contributions importantes de psychologues à la compréhension du cancer.)

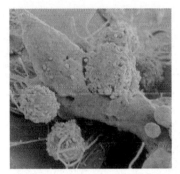

Cette photomicrographie montre un lymphocyte T. La structure arrondie au centre de la photo vient de faire périr une cellule cancéreuse (la structure en forme de patate douce transpercée par le lymphocyte T).

LES TROUBLES CARDIOVASCULAIRES : LA PRINCIPALE CAUSE DE MORTALITÉ EN AMÉRIQUE DU NORD

Les troubles cardiovasculaires, en particulier l'hypertension artérielle et les maladies du cœur, sont la cause de 40 % des décès au Canada. On comprend alors que les psychologues de la santé s'inquiètent grandement des effets du stress et des autres facteurs de risque de maladies cardiovasculaires.

L'hypertension artérielle

On parle d'hypertension artérielle lorsque la tension artérielle d'un individu est élevée de façon chronique. Chez un faible pourcentage d'hypertendus, la montée de la tension artérielle est provoquée par une affection physique, par exemple une maladie rénale, mais dans la majorité des cas — environ 85 % —, on ne décèle aucune cause médicale (Sarafino, 1990). Dans ce cas, il s'agit d'hypertension essentielle.

On ne sait pas de façon certaine si le stress peut causer l'hypertension essentielle, mais il est indéniable que la tension artérielle des personnes souffrant de cette forme d'hypertension a tendance à s'élever de façon exagérée et prolongée lorsque ces personnes font face à des situations stressantes (Goldstein, 1981). On a noté de telles réactions exagérées en réaction au rhume de cerveau (Hines et Brown, 1936), à l'apnée inspiratoire (Ayman et Goldshine, 1939), à l'exercice physique (Alam et Smirk, 1938; Groen et coll., 1977) et à des agents stressants mentaux tels que des problèmes d'arithmétique (Brod, 1970; Faulkner et coll., 1979).

Pourquoi est-il inquiétant de souffrir d'hypertension ?   Les réactions de hausse de pression des hypertendus étant plus intenses et de plus longue durée, ces derniers risquent davantage l'accident cardiovasculaire, car le surcroît de pression contre les parois de leurs vaisseaux sanguins peut amener les vaisseaux affaiblis ou obstrués à se rompre. De plus, l'hypertension artérielle exerce un stress excessif sur le cœur,

Hypertension artérielle : Tension musculaire excessive doublée d'une tension artérielle supérieure à la normale.

Hypertension essentielle : Tension artérielle chroniquement élevée n'ayant aucune cause médicale décelable.

l'obligeant à un effort supplémentaire susceptible d'entraîner une crise cardiaque. Il vaut donc mieux suivre les recommandations du médecin s'il nous conseille de réduire notre consommation de sel ou de perdre quelques kilos. Un apport excessif en sodium augmente la quantité d'eau présente dans le sang, ce qui oblige le cœur à pomper davantage pour fournir à l'organisme l'oxygène dont il a besoin. Plus on est gras, plus on a de masse tissulaire à oxygéner.

Les maladies du cœur

Maladies du cœur : Terme générique employé pour désigner l'ensemble des affections néfastes pour le muscle cardiaque et qui engendrent une insuffisance cardiaque.

L'appellation générique maladies du cœur désigne toutes les affections qui finissent par gêner le fonctionnement du muscle cardiaque et entraîner une insuffisance cardiaque. La coronaropathie résulte de l'artériosclérose, durcissement progressif de la paroi des artères coronariennes, qui réduit ou obstrue l'approvisionnement sanguin vers le cœur. L'artériosclérose cause l'angine (douleur thoracique provoquée par une quantité insuffisante de sang dans le cœur) ou une crise cardiaque (mort de tissus musculaires du cœur) (Rhode, Watt et Smith, 1989).

Les chercheurs ont isolé des facteurs qui contribuent aux maladies du cœur : le tabagisme, le stress, certaines caractéristiques de la personnalité, l'obésité, un régime alimentaire riche en gras et le manque d'exercice. Comme la victime de crise cardiaque dont il est question en début de chapitre, nombreuses sont les personnes qui font fi des facteurs de risque jusqu'au jour où — si elles en ont la chance — elles sont obligées de modifier leur mode de vie.

Je comprends le rôle du stress dans la formation d'un cancer, mais comment contribue-t-il aux maladies du cœur ? Il faut se rappeler que notre réponse « programmée » de combat ou de fuite face à un agent stresseur provoque l'activation de la partie sympathique du système nerveux autonome. Il en résulte la sécrétion d'épinéphrine et de cortisol dans le circuit sanguin. La présence simultanée de ces deux hormones augmente la fréquence cardiaque et oblige l'organisme à puiser dans ses provisions de gras pour fournir rapidement aux muscles une source d'énergie. Si une action physique est alors accomplie, par exemple si on livre combat ou qu'on fuit, le gras est employé comme source énergétique et n'entraîne aucun effet secondaire indésirable. Par contre, si aucune action physique n'est accomplie, comme c'est généralement le cas dans notre société moderne, le gras sécrété dans le circuit sanguin peut adhérer aux parois des vaisseaux sanguins et y former des dépôts graisseux (voir les photos ci-contre). De tels dépôts graisseux s'accumulent jusqu'à obstruer le flux sanguin acheminé vers le cœur, causant ainsi une crise cardiaque (Lee, 1983). La crise cardiaque du patient mentionné en début de chapitre a probablement été causée de la sorte, étant donné qu'il subissait un stress constant.

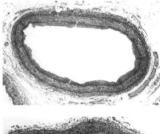

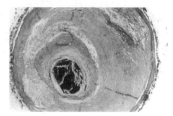

L'obstruction des artères qui acheminent le sang vers le cœur est l'une des principales causes des maladies du cœur. L'artère de la photo supérieure est normale, celle du centre est bloquée partiellement par des dépôts graisseux et celle de la photo inférieure est complètement obstruée. Afin de prévenir l'accumulation de dépôts graisseux sur les parois artérielles, il faut diminuer le stress, changer ses habitudes alimentaires et faire de l'exercice.

Une recherche menée récemment en Suède (Orth-Gomer et coll., 1994) a montré que le fait de réduire le stress entraîne une réduction du rapport du cholestérol total (CT) aux lipoprotéines de haute densité (HDL, ou « bon » cholestérol). On sait qu'il est souhaitable que le rapport CT/HDL soit le plus faible possible. Au cours de cette étude, on a enseigné des techniques de réduction du stress à 132 ouvriers, soit 97 femmes et 35 hommes. Six mois plus tard, le rapport CT/HDL avait diminué de 6 % chez les membres du groupe qui avaient appliqué ces techniques. Une amélioration de cet ordre est assez importante pour influer sur le risque de blocage des artères coronaires dû au taux de cholestérol dans le sang.

Les personnalités de type A

Personnalité de type A : Ensemble de caractéristiques comportementales comprenant une ardente ambition, le sens de la compétition, un dynamisme effréné, un souci constant de ses responsabilités, un sentiment d'urgence, un point de vue cynique et hostile.

Les effets du stress peuvent s'amplifier si l'individu est trop énergique, compétitif, ambitieux, impatient et hostile. Les individus dotés d'une personnalité de type A sont chroniquement énervés, ont tendance à parler rapidement, à avoir un sentiment d'urgence et, comme notre patient cardiaque, ils sont préoccupés par leurs responsabilités. L'antithèse d'une telle personnalité est la personnalité de type B. Les individus dotés d'une personnalité de type B sont calmes, détendus, décontractés.

Nous devons à deux cardiologues, Meyer Friedman et Ray Rosenman (1959), la première description de la personnalité de type A. Ce concept pourrait bien avoir vu le jour au milieu des années cinquante, lorsqu'un rembourreur engagé pour recouvrir les chaises de la salle d'attente du cabinet de Friedman lui signala qu'elles étaient toutes usées au même endroit. Le rembourreur constata que les chaises semblaient neuves, sauf sur le rebord avant, où elles étaient très usées, comme si les patients s'étaient assis seulement sur le bord de leurs sièges. Friedman ne fit d'abord pas grand cas de cette observation, mais il se ravisa bientôt. Rosenman et lui énoncèrent une théorie selon laquelle le fait d'être doté d'une personnalité de type A n'est pas étranger aux maladies du cœur et à l'hypertension artérielle essentielle.

Les premières recherches portant sur le comportement de type A laissaient croire qu'il s'agissait d'un important facteur de risque de maladies du cœur et d'hypertension artérielle. Toutefois, des recherches plus récentes n'ont pas permis d'établir cette corrélation (Mathews, 1984; Williams, 1984). Il semble que les caractéristiques d'une personnalité de type A ne contribuent pas toutes aux maladies du cœur et que seules certaines d'entre elles jouent un rôle à cet égard, notamment l'hostilité, la colère et l'impétuosité (Dembroski et Costa, 1988). La recherche confirme d'ailleurs la chose. Il semble en effet que l'individu de type A montre des réactions physiologiques plus intenses que celles de l'individu de type B lorsqu'il est aux prises avec des situations exigeant un effort d'adaptation actif ou qui suscitent la colère (Contrada et Krantz, 1988). Au cours d'une recherche plus récente, une équipe a passé en revue 45 études portant sur les effets de l'hostilité sur la santé. Elle en est venue à la conclusion que, en général, l'hostilité représente un facteur de risque indépendant pour les maladies coronariennes (Miller et coll., 1996).

En quoi le cynisme est-il lié aux maladies du cœur ?   Les cyniques, dont l'attitude générale est teintée de négativisme, s'attendent toujours à des problèmes, de sorte qu'ils sont sans cesse en alerte, tentant de prévoir et de prévenir les ennuis. Cette attitude engendre un état constant de stress. À cause de leur hostilité, de leur méfiance et de leur esprit de compétition, ces personnes ont également tendance à vivre davantage de conflits interpersonnels (Friedman, Hawley et Tucker, 1994). Le fait d'avoir continuellement des conflits de ce type peut entraîner la perte du soutien des pairs et la stimulation du système nerveux autonome, qui sont susceptibles d'accroître à leur tour le risque de maladies cardiovasculaires.

Peut-on passer du comportement de type A au comportement de type B ?   Les individus de type A dont l'attitude est positive n'ont pas à changer leur comportement. Les individus de type A qui sont cyniques devraient cependant modifier leur attitude et respirer un peu. Les psychologues de la santé ont élaboré deux démarches visant à modifier le comportement de type A : la démarche globale et la démarche spécifique.

La démarche globale vise à modifier l'ensemble des comportements qui constituent la personnalité de type A. Friedman et ses collaborateurs (1986) l'utilisent dans leur programme de prévention des maladies coronariennes récurrentes. Ce programme dispense des conseils sur le diagnostic et le traitement d'une coronaropathie : prescription d'un régime alimentaire, d'un programme d'exercices et de médicaments pertinents, et mise sur pied d'une thérapie de groupe afin de modifier ou d'éliminer les comportements de type A. Les individus de type A sont incités à ralentir la cadence et à accomplir des tâches incompatibles avec leur personnalité. Par exemple, ils doivent essayer d'*écouter* autrui sans interruption ou faire délibérément la queue au supermarché dans la plus longue file d'attente. Les détracteurs de cette démarche lui reprochent surtout d'éliminer les traits de personnalité désirables autant que les indésirables.

Personnalité de type B : Ensemble de caractéristiques comportementales associées à une attitude générale de calme, de patience et de détente.

« Ciel ! Quelle belle journée pour un bourreau de travail ! »

Dessin de Ross; © 1986 The New Yorker Magazine, Inc.

Démarche globale : Technique de modification comportementale consistant à changer l'ensemble des comportements qui constituent la personnalité de type A.

Tableau 11.1   Profils des schèmes comportementaux des personnalités de type A et de type B.

CARACTÉRISTIQUES	TYPE A	TYPE B
Discours		
Débit	Rapide	Lent
Production de mots	Réponses d'un seul mot; accélération en fin de phrase	Mesurée; pauses ou interruptions fréquentes
Volume	Élevé	Doux
Qualité	Énergique, laconique, dur	Monotone
Intonation, inflexion	Discours explosif, haché, accent sur les mots-clés	
Temps de réponse	Réponses immédiates	Fait une pause avant de répondre
Durée des réactions	Brèves et directes	Longues, décousues
Autres	Avale ses mots, omet des mots, répète des mots	
Comportements		
Soupir	Fréquent	Rare
Posture	Tendu, assis sur le bord de sa chaise	Détendue, à l'aise
Attitude générale	Alerte, intense	Calme, attentive
Expression faciale	Tendue, hostile; grimaces	Détendue, amicale
Sourire	En coin	Large
Rire	Sec	Doux gloussements
Serrement des poings	Fréquent	Rare
Réactions pendant l'entrevue		
Interrompt l'intervieweur	Souvent	Rarement
Revient au sujet lorsque interrompu	Souvent	Rarement
Tente de terminer les questions de l'intervieweur	Souvent	Rarement
A recours à l'humour	Rarement	Souvent
Presse l'intervieweur (« oui, oui », « hum, hum », hochements de tête)	Souvent	Rarement
Tente de dominer l'entrevue	Grande variété de techniques : interruptions, échanges verbaux, commentaires superflus, réponses détournées ou trop longues, questionne ou corrige l'intervieweur	Rarement
Hostilité	Souvent manifestée pendant l'entretien par des mécanismes tels que l'ennui, la condescendance, l'autoritarisme et le défi	Aucune
Comportements caractéristiques		
Satisfait au travail	Non, souhaite grimper les échelons	Oui
Motivé, ambitieux	Oui, selon les autres et lui-même	Pas particulièrement
Sentiment d'urgence	Oui	Non
Impatient	Déteste faire la queue, ne souffre pas d'attendre au restaurant, irrité lorsqu'il suit un véhicule lent	Accepte les délais de toutes sortes sans être contrarié ou énervé
Compétitif	Apprécie la compétition au travail, veut gagner à tous les jeux (même avec des enfants)	N'apprécie pas la compétition et participe rarement à des activités compétitives
Admet s'adonner à des activités et entretenir des pensées polyphasiques	Réfléchit souvent à deux choses (ou plus) en même temps, fait souvent deux choses à la fois	Réfléchit rarement à deux choses en même temps, fait rarement deux choses à la fois
Hostilité	Dans la forme et le fond — se plaît à argumenter, use d'un excès de qualificatifs, généralise dangereusement, lance des défis, s'emporte verbalement, recourt à l'obscénité	Rarement présente, quel que soit le contexte

Source : M.A. Chesney, J.R. Eagleston et R.H. Rosenman, « Type A Behavior : Assessment and Intervention by Chesney, Eagleston and Rosenman », *Medical Psychology*, C.K. Porkop et L.A. Bradley (Éd.), © 1981, Academic Press.

L'autre méthode proposée porte le nom de démarche spécifique. Elle est axée uniquement sur les comportements de type A qui sont susceptibles de causer une maladie du cœur, en particulier ceux qui dénotent une attitude cynique et hostile. L'individu qui saura modifier les comportements ciblés réduira assurément les risques de développer une maladie du cœur.

Bien entendu, le stress et le comportement de type A ne sont pas les seuls facteurs de risque associés aux maladies du cœur. L'obésité peut infliger un stress direct au cœur parce qu'un excédent de poids oblige ce muscle à pomper davantage de sang dans les tissus excédents. Un régime alimentaire riche en matières grasses, particulièrement à teneur élevée en cholestérol, peut contribuer à l'obstruction des vaisseaux sanguins par suite de l'accumulation de dépôts graisseux. Le manque d'exercice physique favorise les gains de poids et prive l'organisme de bienfaits comme le renforcement des muscles cardiaques, l'amélioration de l'efficacité du cœur et la sécrétion d'hormones telles que la sérotonine, qui calme l'individu et procure le bien-être.

> **Démarche spécifique :** Technique de modification comportementale consistant à changer seulement les comportements de type A dont on sait précisément qu'ils mènent à des maladies du cœur, particulièrement l'attitude cynique et hostile.

À vous les commandes

Si vous sentez que la colère vous gagne, vous pouvez prendre certaines mesures pour vous calmer. Premièrement, demandez-vous si la situation en cause vaut vraiment la peine que vous vous mettiez en colère. Deuxièmement, évaluez la situation pour déterminer si vous avez raison de vous mettre en colère. Si vous vous rendez compte que vous êtes responsable de la situation ou qu'il s'agit d'un cas où personne n'est en fait responsable, respirez profondément et n'y pensez plus. Enfin, demandez-vous si le fait de vous mettre en colère changera vraiment quoi que ce soit. Si la colère ne fera aucune différence, laissez-la se dissiper. Cependant, si la situation est assez grave pour provoquer votre colère, que vous vous sentez justifié de vous mettre en colère et que cela peut changer quelque chose, alors manifestez votre colère : vous vous sentirez peut-être mieux (Jaret, 1995). Toutefois, manifester sa colère ne signifie pas devenir violent. Faire preuve de violence n'est pratiquement jamais une réponse adéquate à un problème et ce comportement ne permet pas de se sentir mieux. ■

Les uns et les autres

LES CONSÉQUENCES DU MODE DE VIE SUR LA SANTÉ

Examinons quelques études portant sur les différences culturelles afin de bien saisir l'influence marquée qu'a le mode de vie occidental sur l'évolution des troubles cardiovasculaires et du cancer. Le groupe Ni-Hon-San (Nippon, Honolulu, San Francisco) procède depuis 1964 à une étude continue sur la coronaropathie auprès de 12 000 hommes japonais. Les sujets vivant au Japon ont les plus faibles taux de coronaropathie. Les sujets ayant émigré à Hawaii présentent des taux moyens et ceux qui ont émigré en Californie montrent les taux de coronaropathie les plus élevés. Les chercheurs du groupe Ni-Hon-San ont établi que ces différences étaient dues à l'acculturation, processus par lequel un groupe humain assimile les comportements et les coutumes d'un autre groupe humain. Les Japonais qui vivent au Japon et ont conservé leur mode de vie traditionnel présentent moins de facteurs de risque d'une coronaropathie. Leurs taux sériques de cholestérol sont plus faibles, ils fument moins, sont moins obèses, consomment 40 % moins de matières grasses et sont physiquement plus actifs que leurs congénères américanisés (Kagan, Marmot et Kato, 1980; Kato et coll., 1973; Lichton, Bullard et Sherrell, 1983). Les chercheurs ont également constaté que dans les deux cultures — japonaise et américaine — la tension artérielle constitue le facteur de risque le plus fiable pour prévoir une coronaropathie. Les autres facteurs de risque non négligeables sont

Les Japonais vivant dans leur pays et dont l'alimentation demeure traditionnelle subissent en général moins de crises cardiaques que les Japonais vivant aux États-Unis dont l'alimentation est typiquement américaine.

l'âge, le taux de cholestérol sanguin, le tabagisme et les taux sériques de glucose. Soulignons qu'une corrélation négative a été établie entre la consommation d'alcool, l'activité physique et la coronaropathie, ce qui indique qu'elles servent de rempart contre la maladie (Yano et coll., 1988).

Cependant, avant de conclure que la consommation d'alcool est indiquée pour la santé, lisez plus avant. Le Japon, où la consommation d'alcool est élevée, a l'un des plus hauts taux de mortalité attribuable aux accidents vasculaires cérébraux, et ce à l'échelle mondiale. On a établi une corrélation positive entre ce genre d'attaque et la consommation d'alcool. Les buveurs, qu'ils soient modérés ou assidus, ont de trois à quatre fois plus de chances d'être victimes d'une attaque que ceux qui ne consomment pas d'alcool.

Mais terminons cette section sur une note optimiste en examinant une étude multiculturelle sur la santé préparée par les adventistes, un mouvement religieux chrétien. Les études que ces derniers ont menées dans plusieurs pays révèlent que les adventistes sont en meilleure santé et vivent plus longtemps que leurs compatriotes. Cela s'expliquerait par leur mode de vie caractéristique (Ilola, 1990). Dans l'ensemble, les adventistes ont un régime alimentaire équilibré composé d'aliments non raffinés, de céréales complètes, de protéines végétales, de fruits et de légumes. Environ 84 % d'entre eux boivent moins d'une tasse de café par jour; 99 % ne fument pas et 90 % ne consomment pas d'alcool (Phillips, Kuzma, Beeson et Lotz, 1980). En conséquence, ils sont moins susceptibles que les autres de souffrir d'une coronaropathie ou d'un accident vasculaire cérébral, de contracter une maladie du système circulatoire ou un cancer des poumons, du sein, du pancréas, du côlon et du rectum. De plus, les adventistes atteints d'un cancer ont plus de chances de survie parce qu'ils consultent un médecin dès l'apparition d'un symptôme physique (Zollinger, Phillips et Kuzma, 1984).

L'étude réalisée auprès des adventistes et l'étude Ni-Hon-San mettent en lumière les facteurs de risque d'un cancer et d'une maladie cardiovasculaire. Les sociétés occidentales peuvent mettre à profit les conclusions de ces études et réduire le taux d'incidence des maladies graves en adoptant des comportements plus sains. ■

RÉSUMÉ

Le stress et les maladies graves

Le cancer peut être causé par des facteurs environnementaux comme la fumée de cigarette ou par des transformations de la chimie du corps qui influent négativement sur la reproduction cellulaire. En période de stress, l'organisme peut être moins efficace pour repérer les proliférations cancéreuses en raison de l'affaiblissement du système immunitaire.

Les principaux facteurs de risque des maladies du cœur sont le tabagisme, le stress, l'obésité, une alimentation riche en matières grasses, le manque d'exercice et les traits de personnalité de type A. Deux démarches permettent de modifier le comportement de type A : la démarche globale et la démarche spécifique.

QUESTIONS DE RÉVISION

1. Comment le stress peut-il contribuer au développement d'un cancer ?

2. Qu'est-ce que l'hypertension artérielle et en quoi est-elle néfaste ?

3. Le stress peut contribuer aux maladies du cœur en libérant deux hormones, l'_____ et le _____, qui augmentent le taux de gras dans le sang.

4. Quelle est la différence entre la personnalité de type A et la personnalité de type B ?

5. L'_____ et le _____ sont les facteurs de la personnalité de type A le plus souvent liés à une maladie du cœur.

6. La démarche _____ et la démarche _____ sont les deux principales approches auxquelles on a recours pour modifier un comportement de type A. Laquelle vous conviendrait davantage et pourquoi ?

Les réponses aux questions de révision se trouvent en annexe.

VIVRE AVEC LE STRESS

Ce serait fantastique de pouvoir éviter toutes les situations stressantes, mais cela est pratiquement impossible. Nous subissons tous des tensions au travail, des tracas au quotidien, nous devons supporter la mort d'un être cher et le reste. Puisque nous ne pouvons échapper au stress, nous devons apprendre à réagir efficacement aux agents stressants.

Lazarus et Folkman (1984) définissent l'adaptation au stress comme étant « la constante modification de ses comportements et de ses perceptions dans le but de répondre aux demandes, internes ou externes, qui nous semblent éprouvantes ou qui sont au-dessus de nos forces ». En termes plus simples, l'adaptation est une prise en charge du stress afin d'y réagir efficacement. Il ne s'agit pas d'un geste isolé, mais d'une réaction qui permet de faire face aux divers agents stressants. Ce processus peut être axé soit sur les conséquences émotionnelles du stress, soit sur la résolution du problème qui l'occasionne.

▲ *Quelles sont les techniques et les ressources mises à la disposition des personnes souffrant de stress ?*

Adaptation : Manière efficace de faire face au stress.

LES FORMES D'ADAPTATION AXÉES SUR LES ÉMOTIONS : RÉÉVALUER LA SITUATION

Les formes d'adaptation axées sur les émotions sont des stratégies émotionnelles ou cognitives par lesquelles on modifie sa perception ou son évaluation des situations stressantes. Par exemple, imaginez que l'on refuse votre candidature à un poste que vous convoitez. Vous pourriez réévaluer la situation et juger que, de toute façon, cet emploi ne vous convenait pas vraiment. Vous vous direz que l'employeur a jugé que vous n'aviez pas toutes les compétences requises pour atteindre l'excellence et qu'il vaut donc mieux que vous n'ayez pas été engagé.

Pour faire face au stress, on a souvent recours à des *mécanismes de défense* psychologiques; on emploie inconsciemment de telles stratégies pour protéger son moi et s'épargner l'angoisse en déformant la réalité (voir le chapitre 2). Les mécanismes de défense peuvent certes alléger le sentiment d'anxiété ou de culpabilité, mais ils peuvent se révéler nuisibles à long terme. Par exemple, on a souvent recours à la *rationalisation*, c'est-à-dire que l'on s'invente des excuses lorsqu'on est frustré parce

Formes d'adaptation axées sur les émotions : Stratégies d'adaptation qui induisent des changements dans la perception que l'on se fait des situations stressantes.

qu'on n'arrive pas à réaliser ses objectifs. On peut ainsi estimer qu'un emploi nous a été refusé parce que l'on ne disposait pas des bons contacts. Les mécanismes de défense, comme les autres formes d'adaptation axées sur les émotions, peuvent parfois être nuisibles. Ainsi, un individu qui *nie* les faits refuse par définition de reconnaître l'existence d'un problème. Lorsque notre patient cardiaque apprit qu'il souffrait d'hypertension essentielle, il nia la gravité de sa situation (elle causait chez lui trop d'anxiété) et refusa de se plier aux recommandations du médecin traitant, mettant ainsi sa vie en danger.

Si les formes d'adaptation axées sur les émotions faussent parfois la perception de la réalité, elles permettent également de réagir efficacement au stress, à la condition d'être fondées sur une réévaluation précise des situations stressantes. Il est toutefois très souvent nécessaire d'affronter directement les agents stressants.

LES FORMES D'ADAPTATION AXÉES SUR LES PROBLÈMES

Formes d'adaptation axées sur les problèmes : Stratégies dans lesquelles les situations stressantes sont perçues comme des problèmes à résoudre. La recherche d'une solution vise à atténuer ou à éliminer la source de stress.

Les formes d'adaptation axées sur les problèmes s'attaquent directement à la situation ou aux agents stressants, de manière à les atténuer ou à les supprimer. En général, il s'agit des démarches employées pour résoudre les problèmes (voir le chapitre 9). Ainsi, plus un individu est enclin à résoudre ses problèmes, plus il sera en mesure d'élaborer des stratégies pour réagir efficacement au stress. Ces dernières consistent à déterminer la source de stress, à énoncer des solutions envisageables, à déceler la solution appropriée et à la mettre en œuvre de façon à supprimer la source de stress.

Illustrons la différence entre ces deux stratégies d'adaptation. Imaginez que votre professeur égare votre travail de fin de session et vous colle un échec, croyant que vous ne l'avez pas remis. Vous pourriez alors réévaluer la situation et décider que cet échec ne vous fera pas de tort (stratégie axée sur l'émotion) ou vous pourriez décider d'un plan d'action visant à prouver que vous avez fait le travail et que vous l'avez remis à temps (stratégie axée sur le problème).

On dirait que les formes d'adaptation axées sur l'émotion ne sont qu'une dérobade. Qu'en est-il au juste ? Plusieurs estiment que les formes d'adaptation axées sur le problème constituent de véritables moyens de contrer un stress, alors que celles axées sur l'émotion ne seraient en effet que des dérobades. Toutefois, il n'est pas nécessaire de connaître à fond un problème ou un agent stressant pour diminuer un stress et il arrive que la stratégie axée sur l'émotion soit la seule voie permettant de faire face à un problème. Par exemple, l'humour est une stratégie axée sur l'émotion extrêmement efficace pour modifier les humeurs négatives, supprimer la

dépression, atténuer la colère et la tension (Berkowitz, 1970; Mannell et McMahon, 1982; Martin, Labott et Stote, 1987).

De même, en de nombreuses situations, la stratégie axée sur l'émotion peut être efficace par ricochet. Supposons que vous vous apprêtiez à subir le premier examen d'une matière difficile. Vous êtes très anxieux, car vous doutez d'avoir suffisamment étudié; vous ignorez le degré de difficulté de l'examen et vous craignez de tout oublier ce que vous avez appris. Pour nombre d'étudiants, les examens sont extrêmement stressants. Si vous adoptez alors une stratégie axée sur l'émotion, vous tenterez d'abord d'apaiser vos craintes. Vous chercherez à vous rassurer, à vous calmer, à vous convaincre que la situation n'est pas aussi sombre que vous l'imaginez. Si cette stratégie réussit à calmer votre angoisse, vous pourrez ensuite recourir à une stratégie axée sur le problème pour répondre aux questions d'examen, ce qui aura pour conséquence de chasser à la fois le stress et le problème. Comme le démontre cet exemple, on peut allier les deux types de stratégies en certaines situations.

LES RESSOURCES POUR FAIRE ÉCHEC AU STRESS : DE LA SANTÉ AUX MOYENS MATÉRIELS

La capacité d'un individu à s'ajuster efficacement à un stress dépend de l'agent stressant auquel il est exposé — plus précisément de sa complexité, de son intensité et de sa durée — et du type de stratégie auquel cet individu a recours pour y faire face. Elle dépend aussi des ressources et de l'aide qui sont à sa disposition. Lazarus et Folkman (1984) ont dressé la liste de plusieurs types de ressources : la santé et l'énergie, les pensées positives, la capacité de résoudre des problèmes (dont nous avons parlé), un lieu de contrôle interne, la capacité de socialiser, le soutien de son entourage et les ressources matérielles.

PENSÉE CRITIQUE • Psychologie en direct

Vérifiez vos connaissances

Lorsqu'une personne dotée d'esprit critique acquiert une nouvelle habileté ou prend conscience d'une réalité, elle est capable d'appliquer cette information dans un autre contexte, tandis que ceux qui en sont dépourvus peuvent tout juste fournir des réponses toutes faites ou répéter des définitions.

Évaluez votre habileté à faire face au stress en appliquant ce que vous avez appris aux situations décrites ci-dessous. Énoncez d'abord une stratégie axée sur l'*émotion* (une réévaluation de la situation stressante), puis une stratégie axée sur la *résolution de problèmes* (une façon de réduire ou d'éliminer le facteur de stress).

1. Un de vos collègues vous évite et il parle contre vous aux autres.

   Stratégie axée sur l'émotion : _____
   _____

   Stratégie axée sur la résolution de problèmes :
   _____
   _____

2. Vous avez obtenu une note inférieure à la moyenne du groupe en chimie.

   Stratégie axée sur l'émotion : _____
   _____

   Stratégie axée sur la résolution de problèmes :
   _____

3. Vous venez de rédiger un texte de 20 pages sur traitement de texte. Vous étiez sur le point d'enregistrer quand il y a eu panne de courant. Vous avez tout perdu !

   Stratégie axée sur l'émotion : _____
   _____

   Stratégie axée sur la résolution de problèmes :
   _____

4. La personne que vous aimez se montre distante depuis quelque temps.

   Stratégie axée sur l'émotion : _____
   _____

   Stratégie axée sur la résolution de problèmes :
   _____

La santé et l'énergie

L'ensemble des agents stressants occasionne des changements physiologiques. En conséquence, la santé du sujet influe directement sur sa capacité d'adaptation à un facteur de stress. En consultant la figure 11.1 portant sur le syndrome général d'adaptation, on voit que la phase de résistance constitue une phase d'adaptation. La capacité de résistance et d'adaptation du sujet est fonction de sa vitalité et de sa force; il pourra faire face au stress sans entrer en phase d'épuisement aussi longtemps que sa santé le lui permettra.

Les pensées positives

Une attitude et une image de soi positives sont des ressources particulièrement utiles. La recherche révèle que même les hausses temporaires de l'estime de soi atténuent l'anxiété causée par les situations stressantes (Greenberg et coll., 1989). L'espoir peut aussi soutenir un individu dans l'adversité, ainsi que le démontrent les actualités mettant en scène des gens ayant triomphé de situations impossibles. Selon Lazarus et Folkman, l'espoir peut naître : de la confiance en soi, ce qui permet à un individu d'établir ses propres stratégies d'adaptation; de la confiance en autrui, comme le fait un patient qui s'en remet à son médecin; de la foi en un Dieu juste et bon. Dans son livre *La volonté de guérir*, Norman Cousins, un homme atteint d'une maladie généralement considérée comme mortelle, attribue sa guérison à sa bonne attitude et à des facteurs positifs comme le rire, l'espérance, la confiance et la volonté de vivre. Ayant lu le compte rendu de Selye (1956) sur l'effet pernicieux qu'ont les émotions négatives sur la chimie du corps, Cousins se mit à réfléchir aux bienfaits qu'il pourrait retirer des émotions positives. C'est ce qui l'amena à élaborer avec l'aide de son médecin son propre traitement. « Je suis la preuve vivante, affirma-t-il après sa guérison, que le rire est vraiment le remède à tous les maux. » Cousins était fermement décidé à vivre, et avait refusé plusieurs des traitements habituels de sa maladie. Mais ce qui fit probablement la différence, c'est l'incroyable dose d'humour dont il se gava, visionnant comédies sur comédies, se délectant des *insolences d'une caméra*, des films des frères Marx et dévorant les livres humoristiques. Les recherches de Martin et Lefcourt (1983) et de Nezu et ses collègues (1988) ont produit des résultats semblables à ceux de Cousins.

Le lieu de contrôle interne

Si le sujet a un lieu de contrôle interne, s'il a le sentiment de pouvoir maîtriser les événements qui marquent son existence, il peut mieux s'ajuster au stress que s'il n'exerce aucun contrôle ou qu'il est incapable de faire face aux impondérables de la vie (Strickland, 1978). Des études récentes menées en Chine (Hamid et Chan, 1998) et en Belgique (DeBrabander, Hellermans, Boone et Gertis, 1996) établissent une relation entre le stress psychologique et le lieu de contrôle. Les chercheurs ont découvert que les gens d'affaires et les étudiants ayant un lieu de contrôle interne éprouvent moins de stress psychologique que ceux qui ont un lieu de contrôle externe. Un individu doté d'un lieu de contrôle externe a un sentiment d'impuissance et s'estime incapable de modifier le cours des choses. Ainsi, l'individu ayant un lieu de contrôle interne aura plus tendance à se documenter sur la maladie qu'il a et à adopter un sain régime de vie, que celui dont le lieu de contrôle est externe (Wallston, Maides et Wallston, 1976). D'ailleurs, Cohen et Edwards (1989) ont établi qu'un lieu de contrôle interne constitue l'un des rares remparts contre le stress qui soit fiable.

La capacité de socialiser

Les rencontres en société (réunions, groupes de discussion, rendez-vous amoureux, fêtes, etc.) sont souvent une source de plaisir, mais elles peuvent aussi causer une somme considérable de stress. Le seul fait de rencontrer quelqu'un pour la première fois, de devoir faire la conversation avec quelqu'un que l'on connaît depuis peu, parfois même de discuter avec un vieil ami, tout cela peut être stressant.

Les personnes qui savent se conduire en société, qui savent s'adapter au contexte, qui maîtrisent l'art de la conversation et qui savent s'exprimer de manière à intéresser leurs interlocuteurs, éprouvent en général moins d'angoisse que les autres. En fait, les individus qui sont incapables de socialiser courent davantage le risque de connaître la maladie (Cohen et Williamson, 1991). La capacité de socialiser aide l'individu dans ses rapports avec les autres et lui permet de transmettre ses désirs et ses besoins, de réclamer de l'aide s'il lui en faut et d'atténuer l'hostilité lorsque l'atmosphère est tendue. Donc, les personnes qui sont mal à l'aise en société auraient intérêt à apprendre à se comporter en diverses situations sociales en observant ceux qui savent y faire et en leur demandant conseil. Une fois conscientes de ce que sont ces comportements appropriés, elles pourront tâcher de s'y exercer en se prêtant à des jeux de rôle avant de se lancer dans de véritables rencontres sociales.

Le soutien de l'entourage

Les amis, les parents et les organismes à vocation sociale, comme les groupes communautaires ou religieux, peuvent aider à faire face au stress (deLongis et coll., 1988). Le soutien de l'entourage peut atténuer les effets d'un divorce, de la perte d'un être cher, d'une maladie chronique, d'une grossesse, d'un licenciement ou d'une surcharge de travail (Winnubst, Buunk et Marcelissen, 1988). Lorsque nous nous trouvons dans une situation stressante, la famille et les amis nous viennent en aide. Ils veillent sur notre santé (ils voient à ce que nous nous reposions et que nous nous alimentions adéquatement), ils nous écoutent, nous tiennent la main, nous font sentir que nous comptons pour eux, nous empêchent de faire une bêtise et nous apportent la stabilité nécessaire pour compenser le changement qui déséquilibre notre existence.

Depuis quelques années, les groupes d'entraide prolifèrent. Il y a maintenant des pavillons d'accueil qui accommodent les proches de malades en phase terminale; les familles touchées par l'alcoolisme trouvent du réconfort auprès des Alcooliques anonymes et des divers groupes qu'ils parrainent; les toxicomanes sevrés et leurs proches peuvent aussi compter sur l'appui de groupes de soutien; il en est de même des personnes divorcées, des chefs de famille monoparentale, etc. Les groupes d'entraide sont bénéfiques non seulement pour le soutien qu'ils procurent, mais parce qu'ils mettent en rapport des personnes qui sont aux prises avec des problèmes semblables et qui peuvent échanger sur les moyens d'y remédier. On doit à Leff et Bradley (1986) l'idée d'établir des organismes chargés de l'entraide communautaire et offrant un soutien social et psychologique. L'apport des groupes d'entraide est inestimable pour les personnes aux prises avec des situations stressantes de longue durée, par exemple la maladie ou la pauvreté (House, Landis et Umberson, 1988).

Les ressources matérielles

« L'argent ne fait pas le bonheur », dit le dicton. On serait tenté d'ajouter : « mais il aide à accepter son malheur ». En effet, lorsqu'il s'agit de faire face au stress, l'argent et ce qu'il procure sont des ressources non négligeables (Adler et coll., 1994; Sobel, 1994). Plus on a d'argent, plus on dispose d'options et de moyens d'éliminer les sources de stress ou d'en atténuer les effets. Les gens à l'aise peuvent plus facilement suivre un régime alimentaire sain et équilibré, ils peuvent se payer des secours psychologiques, ils peuvent même démissionner si leur emploi est à l'origine de leurs maux et parfaire leur formation pour assumer d'autres fonctions. Ces gens ont les moyens de s'inscrire à des cours de gymnastique, d'habiter dans un quartier sûr, d'acheter une résidence construite conformément aux règles de sécurité les plus strictes, etc. Qu'elles soient aux prises avec les menus tracas du quotidien, avec des agents stressants chroniques ou des catastrophes, les personnes financièrement aisées qui savent employer leurs ressources financières à bon escient s'en tirent beaucoup mieux et subissent beaucoup moins de stress que les personnes démunies (Lazarus et Folkman, 1984).

Ces femmes veuves depuis peu se sont rendu compte que le soutien de l'entourage, qu'il s'agisse des amis, de la parenté ou d'organismes à vocation sociale, contribue grandement à neutraliser le stress issu du décès de leurs conjoints.

LES STRATÉGIES D'ADAPTATION PARTICULIÈRES : COMMENT ATTÉNUER LE STRESS

Nous avons déjà donné plusieurs façons de s'ajuster au stress : évaluer la situation de façon rationnelle et réaliste, se convaincre que l'on maîtrise son existence et la manière dont on fait face au stress, s'intéresser aux aspects positifs des situations stressantes plutôt qu'aux côtés négatifs, apprendre à résoudre les problèmes et à mettre fin aux conflits.

Outre ces méthodes d'adaptation cognitives, il existe plusieurs autres méthodes actives qui « [...] offrent des moyens plus directs de maîtriser et de diminuer les effets du stress [et qui] nous aident à affronter les situations stressantes inattendues en nous y préparant » (Gill, 1983, p. 84). Il sera ici question de la relaxation, de l'exercice physique.

La relaxation

La relaxation est assurément l'un des meilleurs moyens d'affronter les réactions physiques du stress. Il existe plusieurs techniques de relaxation, dont le biofeedback et la relaxation progressive.

À vous les commandes

Vous pouvez appliquer la technique de relaxation progressive décrite ci-dessous chaque fois que vous vous sentez stressé et cela, où que vous soyez, par exemple lorsque vous attendez le début d'un examen.

1. Asseyez-vous confortablement et appuyez votre tête.
2. Respirez lentement et profondément.
3. Détendez tout votre corps : relâchez toute tension. Essayez d'imaginer que votre corps est de plus en plus détendu.
4. Tendez et relâchez chaque partie de votre corps, en commençant par les orteils. Concentrez votre attention sur ceux-ci et essayez d'imaginer leur position. Recroquevillez vos orteils et comptez jusqu'à 10, puis détendez-les et notez la différence entre l'état de tension et l'état de détente. Tendez ensuite vos pieds et comptez jusqu'à 5, puis détendez-les et notez la différence entre les deux états. Procédez de la même façon pour vos mollets, vos cuisses, vos fesses, votre abdomen, votre dos, vos épaules, vos bras, vos avant-bras, vos mains et vos doigts, votre cou, vos mâchoires, votre visage et votre front.

Pour de meilleurs résultats, essayez en même temps d'imaginer la position de chaque partie de votre corps. Exercez-vous à la relaxation progressive deux fois par jour, environ 15 minutes chaque fois. Vous serez étonné de constater à quel point vous serez généralement plus détendu. ■

L'exercice physique

Si vous faites de l'exercice et que vous maintenez votre forme physique, vous serez moins anxieux, dépressif et tendu que si vous êtes sédentaire et en mauvaise condition physique (Blumenthal, Williams, Needles et Wallace, 1982; Friedman et Berger, 1991; Goldwater et Collis, 1985; Rejeski, Thompson, Brubaker et Miller, 1992). De plus, des chercheurs qui comparaient deux groupes d'adultes — l'un participant à un programme d'exercices physiques exténuants, l'autre à un programme modéré — ont découvert que ceux du premier groupe montraient une réduction du taux d'anxiété nettement supérieure à celle des membres du deuxième groupe (Blumenthal, Williams, Needles et Wallace, 1982; Goldwater et Collis, 1985).

Les formes douces d'exercice, par exemple la promenade, peuvent contribuer à réduire les effets négatifs du stress.

L'exercice physique contribue de plusieurs façons à atténuer les effets négatifs du stress. D'abord, il utilise les hormones sécrétées dans le circuit sanguin durant le stress, ce qui réduit le risque que celles-ci n'entravent le fonctionnement du système immunitaire. Ensuite, l'exercice physique peut contribuer à libérer la tension accumulée dans les muscles. Enfin, l'exercice accroît la force, la souplesse et la vigueur du corps, et augmente l'efficacité du système cardiovasculaire. À cet égard, l'*aérobic* constitue le meilleur exercice qui soit. En effet, les activités régulières et physiquement exigeantes comme la marche rapide, le jogging, le cyclisme, la natation, la danse, etc., améliorent le fonctionnement cardiovasculaire.

À vous les commandes

Voici des choses simples que vous pouvez faire lorsque vous vous sentez stressé. Attribuez à chacune l'une des cotes suivantes : 1 : fréquemment; 2 : parfois; 3 : pratiquement jamais. Si votre résultat comporte plusieurs « 3 », vous pouvez faire davantage pour réduire votre stress.

1. *Évaluez votre situation.* Définissez clairement ce qui vous stresse. Auriez-vous intérêt à recourir à une stratégie d'adaptation axée sur la résolution de problème (peut-être faudrait-il alléger votre horaire surchargé) ? Vaudrait-il mieux adopter une stratégie d'adaptation axée sur l'émotion (si votre mère est décédée, vous devez affronter la réalité de sa disparition) ?

2. *Confiez-vous.* Confiez vos inquiétudes et vos ennuis aux membres de votre famille et à vos amis. Les autres réussissent parfois à jeter un nouvel éclairage sur une situation et peuvent proposer des solutions de rechange auxquelles vous n'aviez pas songé. S'il s'agit de problèmes graves, il vaudrait mieux chercher conseil auprès d'un spécialiste de la santé mentale.

3. *Faites une chose à la fois.* Lorsque vous êtes accablé par le travail, les études, la famille ou les amis, dressez votre liste de priorités et ne faites qu'une chose à la fois. Ne cherchez pas à tout faire en même temps !

4. *Alimentez-vous sainement et reposez-vous.* On réussit mieux à faire face aux situations stressantes lorsqu'on surveille son alimentation et qu'on ne manque pas de sommeil.

5. *Prenez le temps de vivre !* Accordez-vous du temps libre. Il importe d'instaurer un équilibre entre le travail et les loisirs, car cela contribue au bien-être et permet de mieux accomplir son travail.

Hélène Décoste

Consacrer du temps aux plaisirs qu'apporte la vie est certes une bonne manière d'atténuer le stress. Accordez-vous du temps libre !

En dernier lieu, rendez-vous responsable de votre santé et de votre bien-être. Les médecins, les infirmières et le personnel médical sont à votre disposition en cas de maladie, mais il vaut mieux *prévenir* que guérir. En minimisant la quantité de stress qui nous incommode, nous aidons notre organisme à conserver la santé et à combattre la maladie. ■

RÉSUMÉ

Vivre avec le stress

Les deux principales formes d'adaptation au stress sont axées sur les émotions et sur les problèmes. L'adaptation axée sur les émotions induit des changements dans la perception ou l'évaluation des situations stressantes; elle ne vise pas à modifier ces mêmes situations. L'adaptation axée sur les problèmes s'attaque directement à la situation ou aux agents stressants, de manière à les atténuer ou à les supprimer.

La capacité du sujet de réagir efficacement à un stress dépend des ressources dont il dispose. Celles-ci comprennent notamment la santé et l'énergie, les pensées positives, un lieu de contrôle interne, la capacité de socialiser, le soutien de l'entourage et les ressources matérielles.

Relaxer, faire de l'exercice et prendre soin de soi sont des moyens d'atténuer les effets des agents stressants.

QUESTIONS DE RÉVISION

1. On appelle _____ toute méthode employée pour réagir efficacement au stress.

2. Vous avez oublié l'anniversaire de votre meilleure amie. Quelle forme d'adaptation chacune des réactions ci-dessous illustre-t-elle ?

   a) « On ne peut pas s'attendre à ce que je me souvienne de l'anniversaire de tout le monde. »

   b) « Je ferais mieux d'inscrire l'anniversaire de Catherine sur mon calendrier afin de ne plus l'oublier. »

3. Les individus dotés d'un lieu de contrôle _____ sont mieux armés face au stress que ceux dont le lieu de contrôle est _____.

4. Nommez quelques-unes des ressources dont nous disposons pour faire face au stress.

5. Nommez trois manières de se soulager des effets du stress.

Les réponses aux questions de révision se trouvent en annexe.

LE CHAPITRE **11** EN UN CLIN D'ŒIL

LA PSYCHOLOGIE DE LA SANTÉ

Psychologie de la santé : étude du lien existant entre les facteurs psychologiques et l'état de santé physique.

La douleur chronique

Traitement

Techniques de conditionnement opérant
Un programme de modification du comportement peut aider les patients à se débarrasser des facteurs qui renforcent la douleur.

Biofeedback
L'utilisation de l'**électromyographe** peut réduire la douleur due à la tension musculaire, car l'appareil émet un signal lorsque le patient atteint un certain état de relaxation.

Techniques de relaxation
Les techniques de relaxation ont pour but de centrer l'attention du patient sur la relaxation plutôt que sur la douleur.

LE STRESS ET LA SANTÉ

Stress : ensemble des réactions non spécifiques de l'organisme à toute demande d'adaptation qui lui est faite.

Les causes du stress

- **Changements de vie :** l'échelle de Holmes et Rahe classe les situations de vie selon le degré de stress qu'elles suscitent.
- **Stress chronique :** stress continuel causé par des facteurs familiaux, sociaux ou professionnels.
- **Tracas :** petits ennuis liés à la vie quotidienne.
- **Frustration :** état émotionnel déplaisant résultant d'une contrariété.
- **Conflit :** état émotionnel négatif causé par l'incapacité de choisir entre au moins deux objectifs ou pulsions incompatibles.

Conflit approche-approche : deux solutions menant à des résultats désirables.

Conflit évitement-évitement : deux solutions menant à des résultats indésirables.

Conflit approche-évitement : deux solutions menant à des résultats à la fois désirables et indésirables.

Les conséquences du stress

- Le *système nerveux sympathique* accélère les fréquences cardiaque et respiratoire, hausse la pression artérielle, contracte les muscles, etc.
- La *réaction de fuite ou de combat* peut se révéler néfaste à notre époque.
- L'affaiblissement du système immunitaire prédispose aux maladies.

- Syndrome général d'adaptation : réaction physiologique généralisée aux agents stressants importants; se déroule en trois phases :
  1. Alarme
  2. Résistance
  3. Épuisement

LE STRESS ET LES MALADIES GRAVES

Cancer

Prolifération anarchique des cellules. Causé par des facteurs héréditaires, des facteurs environnementaux et des perturbations du système immunitaire.

Troubles cardiovasculaires : principale cause de mortalité en Amérique du Nord.

- **Hypertension :** élévation chronique de la tension artérielle pouvant entraîner un accident vasculaire cérébral ou une maladie du cœur.
- **Maladies du cœur :** ensemble des troubles du muscle cardiaque qui peuvent entraîner l'insuffisance cardiaque.

Facteurs prédisposants

Stress : entraîne la sécrétion d'hormones qui libèrent du gras dans la circulation sanguine; ce gras peut adhérer aux parois des vaisseaux sanguins.

Personnalité de type A : caractérisée par le cynisme et l'hostilité et prédisposée aux maladies du cœur. Il est possible de la modifier à l'aide de la **démarche globale** et de la **démarche spécifique**.

Autres causes : tabagisme, régime alimentaire riche en matières grasses, manque d'exercice.

VIVRE AVEC LE STRESS

Les formes d'adaptation axées sur les émotions

Formes d'adaptation axées sur les émotions : stratégies émotionnelles ou cognitives par lesquelles on modifie sa perception des situations stressantes.

Mécanismes de défense : stratégies inconscientes qui protègent le moi et évitent l'angoisse en déformant la réalité.

Les formes d'adaptation axées sur les problèmes

Formes d'adaptation axées sur les problèmes : stratégies qui s'attaquent directement à la situation stressante (démarches de résolution de problèmes).

Les ressources pour faire échec au stress

Ressources : santé, image de soi et attitude positives, lieu de contrôle interne, capacité de socialiser, soutien de l'entourage et ressources matérielles.

Méthodes actives personnelles : relaxer, faire de l'exercice et prendre soin de soi.

La santé mentale

Au fil de votre lecture, gardez à l'esprit les questions guides suivantes et tentez d'y répondre dans vos propres mots.

▲ Comment les psychologues définissent-ils le comportement anormal ?

▲ Quels sont les principaux problèmes de diagnostic et de nomenclature des troubles mentaux ?

▲ Qu'est-ce que toutes les psychothérapies ont en commun ?

▲ Qu'est-ce que la psychanalyse freudienne ? Existe-t-il des formes plus modernes de psychanalyse ?

▲ Quel rôle les principes de l'apprentissage jouent-ils dans les thérapies comportementales ?

▲ Qu'est-ce qui distingue les thérapies humanistes ?

▲ Quelles sont les principales thérapies cognitives ?

▲ Quelles sont les principales thérapies biomédicales ?

Un soir, en quittant le bureau, Marie, secrétaire juridique âgée de 25 ans, est soudainement envahie par un profond sentiment d'angoisse. Elle a l'impression que quelque chose de terrible est sur le point de lui arriver, elle a des bouffées de chaleur et de la difficulté à respirer — comme si elle était en état de choc. En trébuchant, elle sort respirer un peu d'air et son angoisse disparaît peu à peu. Marie décrit ainsi la terreur qui s'est emparée d'elle : « La sensation que j'ai éprouvée n'aurait pas été plus terrible si j'avais été suspendue par le bout des doigts à l'aile d'un avion en plein vol. J'avais l'impression qu'une catastrophe allait se produire; c'était épouvantable. »

*Fishman et Sheehan
(1985), p. 26.*

Jim est étudiant en troisième année de médecine. Ces dernières semaines, il a remarqué que les hommes plus âgés qu'il croise dans la rue semblent avoir peur de lui. Depuis quelque temps, il est persuadé d'être le directeur de la CIA et il croit fermement que ces hommes sont des agents secrets d'une nation ennemie. La preuve, c'est qu'un hélicoptère survole sa maison tous les matins à 8 h 00 et tous les après-midi à 16 h 30. Il n'y a aucun doute dans son esprit : cette surveillance fait partie d'un complot visant à l'assassiner.

Bernheim et Lewine (1979), p. 4.

En 1995, Paul Bernardo, un jeune Canadien au visage angélique, a été trouvé coupable de plusieurs viols et meurtres crapuleux. En compagnie de Karla Homolka, sa jeune épouse, il avait enlevé, séquestré, violé, torturé, tué et débité des jeunes filles, dont sa propre belle-sœur. La perversité et la dépravation du couple ont été mises au jour durant le procès, car, histoire de renouveler le plaisir, les conjoints avaient pris soin de filmer sur vidéo les tortures avilissantes auxquelles ils avaient soumis leurs victimes.

Les personnes décrites ci-dessus sont toutes atteintes d'un grave problème psychologique et chaque cas soulève des questions importantes. Quelles sont les causes de l'angoisse de Marie, des idées irrationnelles de Jim et du sadisme du couple Bernardo-Homolka ? Certains événements de leur enfance peuvent-ils expliquer leur comportement d'adultes ? Leurs problèmes ont-ils une cause médicale ? Que penser des autres formes, moins graves, de comportement anormal ? La personne qui rêve à des écrasements d'avions et qui refuse de voyager en avion souffre-t-elle de maladie mentale ? L'étudiant maniaque d'ordre et de propreté qui dactylographie toutes ses notes de cours et refuse d'écrire un seul mot dans ses manuels souffre-t-il d'un trouble de santé mentale ? Bref, comment distinguer un comportement normal d'un comportement anormal ?

C'est à ces questions que nous tentons de répondre dans la première partie du chapitre. Déterminer la différence entre un comportement extravagant et un trouble de santé mentale n'est pas simple. Comme nous le verrons, à d'autres époques les comportements de Marie, de Jim et des autres auraient été expliqués différemment d'aujourd'hui. Manifestement, la classification et le diagnostic des troubles du comportement doivent se faire avec beaucoup de discernement, de sens critique et de pondération. Nous verrons d'abord les cinq normes sur lesquelles s'appuient les psychologues pour déterminer l'anormalité d'un comportement.

La seconde partie de ce chapitre porte essentiellement sur la *psychothérapie*, c'est-à-dire sur les différentes méthodes thérapeutiques employées pour améliorer le fonctionnement psychologique et favoriser une meilleure adaptation à la vie. Nous examinerons les thérapies qu'ont développées les tenants des cinq grandes approches. Nous parlerons des thérapies biomédicales, bien qu'elles ne soient pas à proprement parler des psychothérapies. Cela se justifie parce que ces thérapies sont importantes et qu'il n'est pas rare que les gens que l'on traite de cette façon suivent aussi une psychothérapie dispensée par un psychologue.

Une petite mise en garde s'impose avant que vous poursuiviez votre lecture. Lire sur la santé mentale risque de vous donner l'équivalent psychologique de la *maladie de l'étudiant en médecine* (la tendance qu'ont les étudiants en médecine à observer chez eux tous les symptômes qu'ils étudient). Lorsque des étudiants en psychologie étudient les comportements anormaux, ils ont tendance à se poser des questions sur leur propre santé mentale. Si les sujets abordés dans ce chapitre vous tracassent outre mesure, nous vous conseillons d'en parler à votre professeur ou à un thérapeute. D'autre part, l'étude des comportements anormaux vous fournit aussi l'occasion de déterminer dans quelle mesure votre mode de vie est sain et d'y apporter les corrections nécessaires. Comme vous le verrez, il existe de nombreuses solutions valables aux problèmes de comportement.

LA NORMALITÉ OU L'ANORMALITÉ DU COMPORTEMENT

Comme le montrent les cas présentés en introduction, le comportement anormal n'a pas toujours la même gravité et varie selon les personnes. Il est difficile de formuler une définition applicable à un aussi large éventail de situations, et les psychologues ne s'entendent pas tous sur ce qui caractérise le comportement anormal. Nous définirons le comportement anormal comme tout schème de comportement (pensées, sentiments ou agissements) mésadapté, perturbateur ou nuisible pour l'individu ou la société.

▲ *Comment les psychologues définissent-ils le comportement anormal ?*

Ce comportement pourrait-il être considéré comme anormal ? Même s'il ne s'agit pas d'un comportement statistiquement « normal » — peu de gens possèdent de telles collections de boutons — le terme comportement anormal est généralement réservé au comportement qui est mésadapté, perturbateur ou nuisible pour la personne qui le manifeste ou pour les autres.

Une définition aussi large résout notre premier problème, mais elle en soulève un autre : où tracer la ligne entre le normal et l'anormal ? Il est sans doute tentant d'établir des catégories bien nettes (les fous et les sains d'esprit), mais le comportement anormal, à l'instar de la plupart des comportements, s'inscrit dans un continuum et la ligne de démarcation entre le normal et l'anormal se situe dans une zone grise où l'un et l'autre se confondent.

À vous les commandes

Les étudiants qui en sont à leur première année d'étude en psychologie ont parfois tendance à s'inquiéter inutilement de leur propre santé mentale. Bon nombre d'entre eux éprouvent également des craintes injustifiées par rapport à tous les comportements anormaux. Entretenez-vous des idées fausses ? Pour le déterminer, répondez par VRAI ou FAUX aux énoncés suivants.

1. Les personnes qui ont des troubles psychologiques ont un comportement bizarre et très différent de celui des personnes normales. _____
2. Les troubles mentaux sont un signe de faiblesse personnelle. _____
3. Les personnes souffrant de maladies mentales sont souvent violentes et dangereuses. _____
4. Une personne qui a déjà souffert d'un trouble de santé mentale ne peut jamais être normale. _____
5. La plupart des personnes souffrant de troubles de santé mentale ne peuvent occuper que des emplois subalternes. _____

Chacun de ces cinq énoncés est un mythe. Voici les faits :

1. **Les faits :** Cela n'est vrai que pour une minorité de personnes et pendant une période relativement courte de leur vie. En fait, même les spécialistes de la santé ont parfois de la difficulté à distinguer les « personnes normales » des « personnes anormales » et doivent, pour y parvenir, procéder à des tests de dépistage.
2. **Les faits :** Les troubles psychologiques sont liés à de nombreux facteurs tels que le degré de stress que subit une personne, ses prédispositions génétiques, ses antécédents familiaux, etc. On ne peut reprocher à quelqu'un d'avoir des problèmes de santé mentale, pas plus qu'on ne peut lui reprocher de développer la maladie d'Alzheimer ou d'autres maladies physiques.
3. **Les faits :** Seuls quelques troubles, dont certaines personnalités paranoïaques et antisociales, sont associés à la violence. En réalité, bon nombre des personnes mentalement perturbées ne sont dangereuses que pour elles-mêmes. Le stéréotype associant la maladie mentale à la violence perdure à cause de nos préjugés, de la représentation qui en est faite au cinéma et aussi parce que chaque incident violent mettant en cause une personne souffrant de trouble mental est largement médiatisé.
4. **Les faits :** La majorité des troubles de santé mentale diagnostiqués se soignent et les personnes traitées peuvent ensuite mener une vie normale et productive. En outre, les troubles mentaux ne sont généralement que temporaires. Une personne peut connaître un épisode de perturbation mentale d'une durée variant entre plusieurs jours et plusieurs mois, puis passer des années — et même le reste de sa vie — sans éprouver d'autres difficultés.
5. **Les faits :** Chaque individu est unique : ceux qui souffrent de troubles de santé mentale tout autant que les autres. Leur vie professionnelle dépend de leurs talents particuliers, de leurs aptitudes, de leur expérience, de leur motivation, ainsi que de leur état général de santé physique et mentale. Certaines des personnes les plus créatrices ont éprouvé, à une époque de leur vie, des troubles mentaux graves (notamment Virginia Woolf, Robert Schumann et Winston Churchill). ■

Source : Adapté de « Fourteen Worst Myths », (1985).

CINQ NORMES POUR DÉTERMINER L'ANORMALITÉ DU COMPORTEMENT

Selon une définition largement acceptée, un comportement anormal est un ensemble d'émotions, de pensées et d'actions considéré comme pathologique pour une ou plusieurs des raisons suivantes : il est statistiquement rare, le sujet éprouve un malaise subjectif par rapport à son propre comportement, il y a distorsion de la pensée, incapacité ou dysfonctionnement (comportement inadapté), ou déviation par rapport aux normes sociales (adapté de Davison et Neale, 1998). Nous verrons cependant que chacun de ces critères a ses limites.

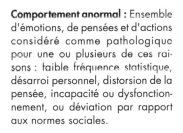

Comportement anormal : Ensemble d'émotions, de pensées et d'actions considéré comme pathologique pour une ou plusieurs de ces raisons : faible fréquence statistique, désarroi personnel, distorsion de la pensée, incapacité ou dysfonctionnement, ou déviation par rapport aux normes sociales.

La norme statistique

L'une des façons de juger si le comportement d'une personne est normal ou anormal consiste à comparer ce comportement avec celui d'autres personnes appartenant à la même culture. Les critères de normalité varient d'une culture à l'autre, mais chaque culture se caractérise par des attentes ou des normes en matière de comportement acceptable. On qualifiera ainsi d'anormal le comportement des individus qui enfreignent ces règles socioculturelles. Chaque fois que nous utilisons comme norme le modèle du comportement « de la moyenne » dans une culture donnée pour décider si un comportement est anormal ou non, nous nous référons à une norme statistique. Ainsi, dans notre culture, il est considéré comme anormal pour un homme de porter une jupe et des bas de nylon. Par contre, les femmes sont autorisées, et même encouragées à se vêtir de tailleurs sobres rappelant les complets masculins ou même à porter des vêtements masculins. Selon la norme statistique, le même comportement est jugé acceptable pour les femmes et déviant pour les hommes. On accepte plus facilement un « petit gars manqué » qu'un « efféminé » ! Par ailleurs, si l'on suppose que l'intelligence est distribuée selon une courbe normale, en forme de cloche, les individus ayant un quotient intellectuel (QI) supérieur à 132 sont statistiquement peu nombreux, ou « anormaux ». Pourtant, les gens (et les psychologues en particulier) ne considèrent *pas* comme anormal le fait d'avoir une grande intelligence, ou un talent athlétique ou artistique exceptionnel. En somme, on ne peut pas utiliser la fréquence statistique comme unique critère pour distinguer ce qui est normal de ce qui est anormal (voir la figure 12.1).

Norme statistique : Norme établissant qu'un comportement est anormal lorsqu'il s'écarte du comportement de la moyenne des gens dans une culture donnée.

La norme du malaise subjectif

Étant donné le relativisme culturel de la norme statistique, certains spécialistes de la santé mentale préfèrent se référer au jugement que porte l'individu sur son propre mode de fonctionnement et ses sentiments pour définir l'anormalité. La norme du malaise subjectif permet aux gens de définir eux-mêmes ce qu'ils considèrent comme normal ou anormal. Par exemple, une crainte modérée des serpents est statistiquement normale, mais un herpétologiste (personne qui étudie les reptiles) pourrait estimer que cette crainte est un obstacle à son avancement professionnel et s'adresser à un thérapeute pour s'en débarrasser. Cependant, puisque certaines

Norme du malaise subjectif : Norme établissant qu'un comportement est anormal lorsque l'individu est insatisfait de son propre fonctionnement psychologique.

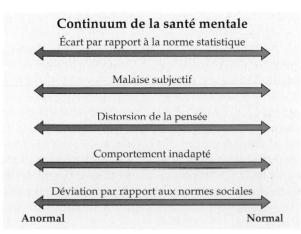

Figure 12.1 **Le comportement normal et anormal.** Les comportements normaux et anormaux ne forment pas des catégories fermées, mais se situent le long d'un continuum. Un comportement est jugé anormal dans la mesure où il s'écarte des normes statistiques, suscite un malaise personnel ou est inadapté.

personnes n'ont pas conscience d'avoir des problèmes psychologiques ou ne l'admettent pas, la norme du malaise subjectif ne peut, à elle seule, circonscrire l'anormalité.

La norme de distorsion de la pensée

Norme de distorsion de la pensée : Norme établissant qu'un comportement est anormal lorsqu'il empêche un individu d'interpréter la réalité avec justesse.

La norme de distorsion de la pensée renvoie à une incapacité de percevoir la réalité avec justesse. Les personnes qui entretiennent des idées de persécution ou qui s'imaginent victimes de conspiration ou de complots souffrent de distorsion de la pensée. Il en est de même des individus qui surestiment constamment leurs capacités ou qui se croient universellement admirés. Selon la norme de distorsion de la pensée, est considéré anormal un écart d'interprétation de la réalité par rapport au décodage normal et le manque de contact avec le réel.

La norme du comportement inadapté

Norme du comportement inadapté : Norme établissant qu'un comportement est anormal lorsqu'il empêche un individu d'avoir un fonctionnement satisfaisant dans sa propre vie et au sein de la société.

À la norme statistique, à celle du malaise subjectif et à celle de la distorsion de la pensée s'en ajoute une quatrième, la norme du comportement inadapté. Suivant cette norme, les gens sont considérés comme anormaux lorsque leurs pensées, leurs sentiments ou leurs actes nuisent au fonctionnement de leur vie intime ou sociale.

C'est à cette norme qu'on pourrait par exemple avoir recours pour détecter les toxicomanies. Les drogues à usage récréatif étant fort répandues dans de nombreuses cultures, la *norme statistique* ne peut servir à repérer les toxicomanes. La *norme du malaise subjectif* ne convient pas non plus à certains toxicomanes qui ne voient rien de problématique dans leur comportement.

La déviation par rapport aux normes sociales

Déviation par rapport aux normes sociales : Norme établissant qu'un comportement est anormal lorsqu'il va à l'encontre des normes sociales ou représente un danger pour les autres.

La cinquième approche utilisée pour déterminer si un comportement est anormal est fondée sur les normes sociales, c'est-à-dire les règles culturelles qui guident la conduite dans des situations données. Un comportement qui va à l'encontre des normes sociales ou qui représente un danger pour les autres est considéré comme anormal. Éprouver un état d'euphorie tel qu'on oublie de payer son loyer et qu'on distribue des billets de 20 $ à des étrangers constitue une déviation par rapport aux normes sociales. Ce type de comportement est fréquent chez les individus souffrant d'un *trouble bipolaire.*

Toutefois, le fait que des facteurs culturels puissent intervenir dans la détermination de ce qui constitue une déviation par rapport aux normes sociales (Sue et Sue, 1999) impose des limites à l'emploi de ce critère. L'influence de la culture sur le comportement est une question fondamentale à laquelle nous revenons constamment dans le présent ouvrage. Pour ce qui est des liens entre la culture et les comportements anormaux, examinez les exemples suivants. Au cours des premières années de leur mariage, les Lepchas du sud-est de l'Himalaya ont généralement des relations sexuelles de cinq à neuf fois par nuit. Par contre, les nouveaux mariés danis de Nouvelle-Guinée attendent en moyenne deux ans avant d'avoir leur première relation sexuelle. Aux États-Unis, les couples mariés dans la vingtaine ou la trentaine ont des relations sexuelles deux ou trois fois par semaine en moyenne (Crooks et Baur, 1999; Laumann, Paik et Rosen, 1999). Un couple dani qui se comporterait en Nouvelle-Guinée comme le font les Américains, ou de jeunes mariés américains qui attendraient deux ans avant d'avoir des relations sexuelles, seraient considérés comme anormaux selon les normes culturelles en vigueur dans leurs pays respectifs.

L'expression *comportement anormal* a donc un sens uniquement en fonction d'une culture donnée. De plus, il existe des troubles *à caractère culturel* qu'on observe seulement dans certaines communautés, et des symptômes *universels* qu'on trouve dans toutes les communautés (Green, 1999). Nous traiterons de cette question dans la prochaine section.

Chacune de ces normes pour définir le comportement anormal comporte des avantages et des inconvénients. La plupart des spécialistes de la santé mentale les utilisent en alternance ou de manière complémentaire dans leur analyse des troubles psychologiques. Les principaux points à retenir en ce qui concerne le comportement anormal sont ceux-ci :

1. Les comportements normaux et les comportements anormaux ne forment pas des catégories fermées et distinctes. Ils font partie d'un continuum. Nous pouvons tous, à l'occasion, déroger à nos normes culturelles, éprouver un malaise subjectif et manifester des comportements inadaptés. Seules les personnes ayant des comportements *extrêmes* de manière assez soutenue sont perçues comme souffrant de troubles psychologiques.

2. Le fait de juger un comportement anormal implique des *jugements de valeur*. C'est par rapport à des valeurs culturelles et à des tendances sociales dominantes, ainsi qu'à des connaissances scientifiques, que tel ou tel comportement est considéré comme normal ou anormal, acceptable ou non acceptable. La section sur la classification des comportements anormaux apportera des informations supplémentaires.

Les uns et les autres

CULTURE ET SANTÉ MENTALE

Il existe chez les Chipewyans, les Cris et les Montagnais-Naskapis du Canada une maladie appelée *psychose windigo* ou *witiko*, qui se caractérise par un délire et des impulsions anthropophagiques. Les individus atteints sont profondément déprimés et se croient possédés par l'esprit d'un *windigo*, un géant cannibale au cœur et aux entrailles de glace (Barnouw, 1985). Dans les premiers stades de la maladie, l'individu éprouve une perte d'appétit, de la diarrhée et des vomissements, et il voit ses proches se transformer en castors ou en d'autres animaux comestibles.

Dans les stades ultérieurs du trouble, l'individu est obsédé par des pensées anthropophagiques, et les membres de sa famille demandent alors l'aide d'un chaman. Ce guérisseur connaît des incantations et des rituels propres à vaincre le maléfice. Si la victime ne reçoit pas d'aide à temps, elle peut atteindre un état frénétique et attaquer ses proches afin de les dévorer (Berreman, 1971).

Tableau 12.1   Exemples de troubles de santé mentale à caractère culturel.

Sociétés	Troubles	Symptômes
Porto Rico et autres sociétés d'Amérique latine	*Ataque de nervios*	Tremblements, palpitations et crises convulsives souvent associés à la mort d'un être cher, à un accident ou à un conflit familial.
Afrique de l'Ouest	*Brain fag*	« Lassitude du cerveau »; réaction mentale et physique aux défis de l'apprentissage scolaire.
Éthiopie	*Zar*	Possession par des esprits; convulsions, mutisme et langage incompréhensible.
Asie du Sud-Est, Malaisie, Indonésie, Thaïlande	*Amok*	Comportements déchaînés, irrationnels et agressifs, et tentatives pour blesser ou tuer autrui.
Sud de la Chine et Vietnam	*Koro*	Les hommes atteints croient que leur pénis se rétracte dans l'abdomen et que la rétraction cause la mort. Les tentatives de prévention de la rétraction appréhendée peuvent causer de graves lésions physiques.
Occident	Anorexie mentale	Le trouble atteint principalement des jeunes femmes qui se préoccupent de leur minceur au point de refuser de manger. L'anorexie mentale peut être mortelle.

Source : Manuel diagnostique et statistique des troubles mentaux, 4e édition, (1994); Grisaru et coll., 1997; Paniagua, 1998.

Comme le montre le tableau 12.1, la psychose windigo n'est qu'un des nombreux troubles de santé mentale *à caractère culturel* qui ont été observés à travers le monde. Ces troubles, propres à certaines sociétés, ne sont intelligibles que dans le contexte de ces sociétés. Certains chercheurs croient que la psychose windigo, par exemple, est apparue après que les trappeurs eurent décimé le gibier dont les Amérindiens se nourrissaient et causé une famine généralisée (Bishop, 1974). La disette aurait poussé les Amérindiens à s'adonner au cannibalisme et à « créer » l'esprit du windigo. La croyance en la possession s'observe dans de nombreuses sociétés (Fadiman, 1977) et, chez les Amérindiens du Canada, elle a pu servir à expliquer un comportement socialement et psychologiquement inacceptable, le cannibalisme.

Bien que certains chercheurs rejettent l'hypothèse de la famine (Dana, 1998; Hoek et coll., 1998), la relativité culturelle des troubles de santé mentale est quasi indubitable. Par ailleurs, il semble aussi que certains troubles de santé mentale sont *universels*, c'est-à-dire qu'ils existent sous une forme ou sous une autre dans toutes les sociétés, tout en restant sujets à l'influence culturelle (Helms et Cook, 1999; Kitamura et coll., 1997).

À ce propos, Robert Nishimoto (1988) a découvert plusieurs symptômes universels et à spécificité culturelle qui facilitent le diagnostic des troubles de santé mentale. À l'aide de l'index Langer des symptômes psychiatriques, Nishimoto a recueilli des données auprès de trois groupes fort différents : des Anglo-Américains du Nebraska, des Chinois d'origine vietnamienne de Hong Kong et des Mexicains vivant au Texas et au Mexique. (L'index Langer est un instrument très répandu qui sert à dépister les personnes qui, sans être institutionnalisées, ont des troubles psychologiques qui perturbent leurs activités quotidiennes.) Nishimoto a invité les sujets à réfléchir à leur vie, et tous ont nommé au moins un des 12 mêmes symptômes (voir le tableau 12.2).

En plus des symptômes universels (comme la « nervosité » ou l'« insomnie »), Nishimoto a trouvé des symptômes particuliers aux cultures. Ainsi, les Chinois d'origine vietnamienne disaient « avoir la tête pleine », les Mexicains mentionnaient des « problèmes de mémoire » et les Anglo-Américains disaient avoir le « souffle court » et des « maux de tête ». Il paraît que les gens *apprennent* à exprimer leurs préoccupations de manière acceptable pour leurs compatriotes (Brislin, 1993). Ainsi, la plupart des Nord-Américains apprennent que les maux de tête sont une réaction commune au stress, tandis que les Mexicains apprennent que leur entourage comprend les problèmes de mémoire. Il va sans dire que les professionnels de la santé mentale qui travaillent auprès de clientèles multiculturelles doivent connaître l'existence et la nature des symptômes universels et des symptômes particuliers à chaque culture (Goleman, 1995; Lopez, 1996).

Non seulement les composantes de l'anormalité varient-elles selon les sociétés, mais notre conception de l'anormalité se modifie avec le temps. La section suivante porte justement sur l'histoire des conceptions de l'anormalité. ■

EXPLIQUER L'ANORMALITÉ : DES SUPERSTITIONS À LA SCIENCE

Avec le temps, l'explication des causes du comportement anormal a changé. À l'époque préhistorique, les gens croyaient en l'existence de bons et de mauvais esprits

Tableau 12.2 Douze symptômes associés aux troubles de santé mentale.

Nervosité	Fébrilité	Chaleurs
Troubles du sommeil	Sentiment d'isolement et de solitude	Inquiétude constante
Sentiment de découragement		Sentiment d'impuissance
Faiblesse généralisée	Incapacité à s'entendre avec les autres	Sentiment que rien ne va
Soucis personnels		

Source : Adapté de Brislin (1993).

qui leur donnaient des visions étranges et les amenaient à se comporter de manière inhabituelle. Ainsi, à l'âge de pierre, on croyait que les démons pouvaient *posséder* le corps et l'âme d'une personne, et le seul traitement connu était la trépanation. L'opération consistait à perforer, à l'aide d'outils en pierre, le crâne de la personne possédée, afin, disait-on, de permettre aux mauvais esprits de s'en échapper.

L'*explication démonologique* du comportement anormal persista jusqu'au IVᵉ siècle av. J.-C., époque à laquelle le médecin grec Hippocrate supposa l'existence d'une cause physique expliquant les troubles de comportement. Selon ce premier modèle médical, les problèmes courants tels que l'épilepsie et la dépression n'étaient plus des punitions d'esprits en colère mais plutôt le résultat d'une maladie du cerveau ou du corps. On proposait même des thérapies différentes selon les troubles ressentis.

Modèle médical : Théorie selon laquelle les comportements anormaux découlent d'une maladie mentale ou physique.

Le Moyen Âge

Au Moyen Âge (du Vᵉ au XVᵉ siècle ap. J.-C. environ), les explications surnaturelles du comportement anormal réapparurent. Cette fois encore, les gens croyaient que les individus au comportement anormal étaient possédés du démon. Il fallait donc pratiquer l'*exorcisme*. Cela consistait notamment à prier, à jeûner, à faire du bruit, à frapper la personne possédée et à lui faire boire d'horribles infusions de façon que son corps devienne inconfortable et inhabitable pour le démon (Davidson et Neale, 1994).

Au cours du XVᵉ siècle, cette préoccupation pour le démon tourna à l'obsession. On considérait qu'une personne pouvait non seulement être possédée du démon, mais même *choisir* de frayer avec celui-ci. Ces « personnes consentantes » (habituellement des femmes), appelées sorcières, étaient persécutées, torturées, emprisonnées à vie ou exécutées. L'Église fit paraître en 1484 un ouvrage intitulé *Malleus Maleficarum*, dans lequel étaient décrits les comportements caractéristiques des sorcières, notamment la perte de raison, les délires et les hallucinations. Si l'on en juge d'après les symptômes décrits, bon nombre des femmes accusées de sorcellerie souffraient probablement de troubles de santé mentale, mais un pourcentage important d'entre elles étaient sans doute saines d'esprit (Davidson et Neale, 1994).

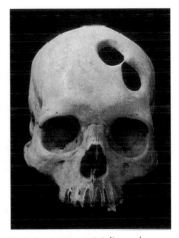

La trépanation a été l'une des premières méthodes utilisées pour corriger le comportement anormal. Elle consistait à perforer le crâne de la personne afin de permettre aux mauvais esprits de s'en échapper.

L'asile

Vers la fin du Moyen Âge, le traitement des troubles mentaux s'améliora. Des hôpitaux spécialisés, les asiles, ont fait leur apparition en Europe aux XVᵉ et XVIᵉ siècles. Ils devaient initialement constituer des refuges tranquilles, loin du monde, tout en « protégeant » la société (Alexander et Selesnick, 1966). Malheureusement, ils sont vite devenus des « prisons » inhumaines surpeuplées. La situation commença à changer en 1792, quand le médecin français Philippe Pinel fut nommé responsable de l'asile de Paris, où les malades étaient enchaînés aux murs de cellules non éclairées et non chauffées. Pinel les fit sortir de leurs cachots et exigea qu'ils soient traités humainement. Le comportement de nombreux détenus s'améliora alors tellement qu'ils purent quitter l'asile. Pinel affirmait que le comportement anormal découlait de « maladies » de l'esprit, et sa vision des choses ne tarda pas à s'imposer : les personnes qui étaient auparavant punies pour leur anormalité étaient maintenant traitées comme des malades. En posant l'hypothèse d'une origine physique des troubles du comportement, Pinel rétablissait le modèle médical qu'avait préconisé Hippocrate.

L'époque moderne

C'est à partir du modèle médical proposé par Philippe Pinel que s'est développée la psychiatrie moderne et que l'on a créé des hôpitaux psychiatriques spécialement conçus pour traiter les malades mentaux. Aujourd'hui, ces derniers sont moins souvent hospitalisés. L'existence de centres communautaires de santé mentale et la pharmacothérapie permettent de soigner un grand nombre d'individus en consultation externe. Cependant, cette approche reflète encore le modèle médical.

Malheureusement, en posant l'existence de « maladies mentales » et par conséquent de « malades mentaux », il arrive qu'on accentue les problèmes des personnes ainsi étiquetées. L'un des critiques les plus virulents du modèle médical est le

Psychiatrie : Branche de la médecine qui se spécialise dans le diagnostic, le traitement et la prévention des troubles mentaux.

Philippe Pinel a été l'un des premiers à penser que les troubles mentaux avaient des causes physiques sous-jacentes. On le voit ici demander que soient détachés les « malades mentaux » de l'hôpital Bicêtre à Paris.

psychiatre Thomas Szasz (1960, 1987). Selon lui, le modèle médical incite les gens à penser qu'ils ne sont aucunement responsables de leurs actions et que la solution à leurs problèmes ne réside que dans les médicaments, l'hospitalisation ou la chirurgie. Il affirme que la maladie mentale est un « mythe » bien commode pour étiqueter les personnes dont le comportement est étrange ou constitue une menace pour les autres et que le modèle médical ne tient pas du tout compte de ce que ces étiquettes sont attribuées dans un contexte social et culturel particulier. En outre, comme nous le verrons plus loin, les étiquettes ainsi attribuées peuvent s'autoperpétuer, amenant ainsi le malade à adopter un comportement conforme au trouble diagnostiqué.

Malgré ces critiques, le modèle médical demeure fondamental en psychiatrie, et le diagnostic et le traitement des troubles mentaux se fondent toujours sur le concept de *maladie* mentale. La psychologie, elle aussi fortement influencée par le modèle médical, propose ses interprétations tant du comportement normal qu'anormal. Le tableau 12.3 présente la vision propre à chacune des cinq grandes approches en psychologie. Nous verrons plus loin les moyens thérapeutiques que privilégie chacune.

Tableau 12.3   Normalité et anormalité selon les cinq grandes approches de la psychologie.

L'approche psychanalytique.   Inspirée des théories de la personnalité de Freud, la théorie psychanalytique considère que le comportement est le résultat des conflits intrapsychiques d'une personne. C'est lorsque les mécanismes de défense ne suffisent plus à résorber l'angoisse et les conflits inconscients d'un individu qu'apparaissent les troubles de comportement.

L'approche behavioriste.   Les théoriciens de l'apprentissage (behavioristes) soutiennent que les comportements mésadaptés s'expliquent par le fait qu'une personne a mal assimilé les exigences d'un rôle au moment des activités de conditionnement et d'imitation de modèles.

L'approche humaniste.   Les humanistes estiment que des comportements mésadaptés se manifestent chez les personnes qui éprouvent des sentiments d'impuissance et de frustration plutôt que des sentiments de responsabilité et d'estime de soi.

L'approche cognitive.   L'orientation cognitive estime que les principales causes des comportements anormaux sont les idées erronées et l'emploi de méthodes inadéquates pour résoudre les problèmes.

L'approche biologique.   Selon cette approche, le comportement anormal résulte de causes organiques, telles que les différences structurelles du cerveau, la prédisposition génétique, des dommages au système nerveux et des déséquilibres dans les neurotransmetteurs.

RECHERCHE ET DÉCOUVERTES

Être aliéné dans un milieu aliéné

Revenons maintenant sur deux questions importantes : 1. Les spécialistes de la santé mentale peuvent-ils vraiment établir une distinction entre la personne qui souffre d'un problème de santé mentale et la personne saine ? 2. Quelles sont les conséquences d'être étiqueté « souffrant de maladie mentale » et d'être traité à ce titre ?

Pour tenter de répondre à ces questions, David Rosenhan (1973) a demandé à sept de ses collègues et amis de l'aider à vérifier si des personnes normales jouant le rôle de malades pouvaient se faire interner dans un hôpital psychiatrique. Chacun de ces « pseudomalades » devait procéder de la même façon : téléphoner pour obtenir un rendez-vous dans un hôpital et, à l'arrivée, se plaindre d'entendre des voix disant « vide », « creux » et « grondement ». Cela fait, ils ne mentirent plus que sur leur nom et leur profession. Tous les autres renseignements qu'ils donnèrent à la personne qui les interviewa étaient vrais et leur comportement est demeuré normal.

Devinez ce qui s'est produit. *Tous* les sujets ont été hospitalisés et tous, sauf un, ont reçu un diagnostic de schizophrénie. Une fois hospitalisés, les pseudopatients se sont comportés normalement et ne se sont plus plaints d'entendre des voix. Ils conversaient normalement avec le personnel de l'hôpital, entretenaient des rapports normaux avec les autres patients et notaient en long et en large toutes leurs observations. Néanmoins, le personnel de l'hôpital continua de les considérer et de les traiter comme des patients, sans jamais remettre en cause le diagnostic de schizophrénie auquel le comportement normal quotidien de ces « patients » ne correspondait pourtant pas. Le personnel avait cependant relevé le fait que les pseudopatients passaient beaucoup de temps à prendre des notes; faisant allusion à cela, on avait indiqué au dossier : comportement « paranoïaque ».

Malgré leur comportement normal et leur collaboration exemplaire avec le personnel, les pseudopatients sont demeurés en moyenne dix-neuf jours à l'hôpital. Pendant ce séjour, plusieurs vrais patients ont dit douter que les pseudopatients soient réellement atteints de maladie mentale, mais aucun membre du personnel ne détecta la supercherie. On finit par signifier leur congé aux pseudopatients et on inscrivit à leurs dossiers : « Schizophrénie en rémission ».

Comment expliquer de telles erreurs ? Selon Rosenhan, il est difficile de diagnostiquer une maladie mentale, même dans les meilleures conditions. De plus, une fois les patients hospitalisés, l'environnement psychiatrique influe sur les perceptions du personnel. Toutefois, des critiques de l'étude de Rosenhan ont fait remarquer que les thérapeutes n'ont pas de raison de soupçonner que des patients se plaignant d'hallucinations auditives mentent (Davis, 1976; Spitzer, 1988). Comme l'a souligné un des psychiatres, si huit pseudopatients avalent du sang et se présentent à l'urgence avec du sang qui leur coule de la bouche, on ne pourra jamais reprocher au personnel de les avoir admis à l'hôpital.

Quoi qu'il en soit, le fait que huit personnes normales aient été victimes d'une erreur de diagnostic n'est pas le point le plus important de l'étude de Rosenhan. Le plus important est ce que Rosenhan appelle le caractère « indécollable » du diagnostic. Il entend par là qu'une fois posé, le diagnostic peut devenir une identité fondamentale de la personne et qu'il peut s'autoperpétuer. Ce qui veut dire que lorsqu'un patient est étiqueté « schizophrène », il perd son individualité et cette étiquette de schizophrène devient en quelque sorte la principale caractéristique de sa personne. L'un des pseudopatients a raconté qu'une infirmière avait déboutonné son uniforme devant plusieurs patients masculins afin d'ajuster son soutien-gorge. Cette femme ne se livrait pas à une tentative de séduction. Simplement, elle ne voyait plus les patients comme des hommes et des êtres réels (Hock, 1992). L'étiquette diagnostique peut aussi s'autoperpétuer pour l'individu diagnostiqué lui-même. Si ce dernier est traité conformément à cette étiquette pendant assez longtemps, il peut en venir à se comporter d'une façon qui confirme les présupposés liés à l'étiquette.

L'étude de Rosenhan, devenue un classique de la psychologie, s'est révélée précieuse, parce qu'elle a incité les thérapeutes à se montrer plus prudents dans leurs diagnotics et les a sensibilisés aux dangers que comportent les diagnostics (Hock, 1992). Hélas, il faut reconnaître que bien souvent l'étiquette de « malade mental » reste accolée aux gens longtemps après leur sortie de l'institut psychiatrique, ce qui les expose à la discrimination. Parce qu'ils ont souffert de troubles de santé mentale, ces gens auront de la difficulté à louer un logement ou à trouver du travail. Ce type de discrimination existe; certains candidats à une charge publique, qui ont vu leur chance d'élection s'évanouir parce qu'ils avaient déjà eu recours aux services d'un thérapeute, en savent quelque chose.

LA CLASSIFICATION DES COMPORTEMENTS ANORMAUX : LE MANUEL DIAGNOSTIQUE ET STATISTIQUE DES TROUBLES MENTAUX IV

Intellectuellement, nous sommes ouverts à de nombreuses opinions. Mais quand il s'agit de déterminer quelle explication donner à un trouble psychologique, il est essentiel de se fonder sur des preuves scientifiques, sinon on risque d'errer. Pour bien se comprendre, les psychologues et les psychiatres ont donc besoin d'un *système* d'identification des troubles de comportement qui soit clair, fiable et uniformisé. En effet, sans cela, une recherche scientifique cohérente sur ces troubles serait quasi impossible et les communications entre les spécialistes de la santé mentale seraient sérieusement compromises.

Fort heureusement, la plupart des spécialistes de la santé mentale, autant au Canada qu'aux États-Unis, utilisent un vocabulaire semblable pour parler des comportements anormaux. Ce système commun de classification est publié par l'American Psychiatric Association sous la forme d'un ouvrage de référence, le *Manuel diagnostique et statistique des troubles mentaux* (DSM-IV).

Le DSM-IV classe les comportements anormaux selon les principales ressemblances et différences observées dans les comportements des personnes perturbées (voir le tableau 12.4). Ainsi, la catégorie des *troubles de l'humeur* comprend les troubles dans lesquels le problème dominant est une perturbation émotive (telle que la dépression) plutôt qu'un problème sexuel ou de toxicomanie. Le DSM-IV contient la description de centaines de troubles du comportement. Chaque trouble répertorié et classé s'accompagne d'une description des types de comportements, de pensées et d'émotions qui lui sont associés. Le manuel ne cherche pas à expliquer les causes des troubles. C'est un ouvrage descriptif uniquement.

L'histoire du DSM

La première édition du *Manuel diagnostique et statistique des troubles mentaux*, le DSM-I, a paru en 1952, la deuxième édition en 1968 et la troisième, le DSM-III, en 1980. Une version révisée du DSM-III (le DSM-III-R) a paru en 1987. Une quatrième édition, le DSM-IV, a vu le jour en 1994. Comme nous le verrons plus loin, le recours à cet ouvrage de référence, bien que d'une utilité incontestable, soulève certains problèmes lorsqu'il s'agit de diagnostiquer et d'étiqueter un comportement anormal.

Pourquoi faut-il constamment remettre le manuel à jour ? À chaque révision, la liste des troubles diagnostiqués s'est allongée et les descriptions et les catégories ont été modifiées. Les révisions permettent de tenir compte des découvertes de la recherche scientifique ainsi que des changements dans la façon dont sont perçus les comportements anormaux au sein de la société. Par exemple, les professionnels de la santé mentale ont constaté que l'importance accordée aux processus inconscients imposait des limites trop étroites et que l'étendue de la catégorie « névroses » en restreignait l'utilité. Dans le DSM-IV, les troubles autrefois regroupés sous l'étiquette névrose ont été répartis entre les troubles anxieux, les troubles somatoformes et les troubles dissociatifs. En dépit de cette modification, le terme névrose continue de faire partie du langage courant, et des professionnels s'en servent encore pour désigner l'anxiété excessive en général.

Qu'en est-il du terme « aliénation » ? Dans quel contexte est-il utilisé ? Aliénation est un terme juridique s'appliquant à une personne qu'on ne peut tenir responsable de ses actes parce qu'elle est atteinte d'une maladie mentale (Slovenko, 1995). Dans une cause criminelle, si un accusé est déclaré innocent en raison d'aliénation, il n'est pas considéré comme responsable de son comportement criminel, parce qu'un juge ou un jury a déterminé que la maladie mentale dont il souffre le rend incapable de se rendre compte de la nature criminelle de ses actes. Dans une cause civile, une personne déclarée aliénée est considérée comme

Manuel diagnostique et statistique des troubles mentaux (DSM-IV) : Classification élaborée par un groupe de travail de l'American Psychiatric Association en vue de décrire les comportements anormaux.

Aliénation : Terme juridique s'appliquant à une personne atteinte d'une maladie mentale qui l'empêche d'être tenue responsable de ses actes et de s'occuper de ses affaires de façon adéquate.

Tableau 12.4   Principales catégories de troubles mentaux décrites dans le DSM-IV.

1. *Troubles apparaissant habituellement durant la première et la deuxième enfance ou à l'adolescence* : retard mental, énurésie fonctionnelle, etc.

2. *Trouble délirant, démence, syndrome amnésique et autres troubles cognitifs* : problèmes causés par la maladie d'Alzheimer, le VIH (SIDA), la maladie de Parkinson, etc.

3. *Troubles mentaux découlant d'un état de santé générale et non classés ailleurs* : problèmes causés par des lésions cérébrales à la suite d'une maladie, d'une consommation abusive d'alcool ou de drogues, etc.

*4. *Troubles liés à l'utilisation de substances psychotropes* : problèmes causés par la dépendance à l'alcool, à la cocaïne, au tabac et à d'autres substances psychotropes.

*5. *Schizophrénie et autres troubles psychotiques* : troubles caractérisés par d'importantes perturbations de la perception, du langage et de la pensée, des émotions et du comportement.

Troubles liés à l'utilisation de psychotropes.

*6. *Troubles de l'humeur* (troubles thymiques) : problèmes comportant de profondes perturbations de l'humeur, telles que des épisodes dépressifs et maniaques, ou une alternance des deux (troubles bipolaires).

*7. *Troubles anxieux* : problèmes liés à un état d'angoisse profonde, tels que les phobies, la névrose obsessionnelle-compulsive et l'état de stress post-traumatique.

8. *Troubles somatoformes* : problèmes découlant d'une préoccupation excessive de sa santé physique ou de symptômes physiques n'ayant aucune cause biologique.

9. *Troubles factices* : troubles qu'affichent certains individus dans le seul but de satisfaire des besoins économiques ou psychologiques.

*10. *Troubles dissociatifs* : troubles comportant une altération soudaine et temporaire de l'intégration normale de la conscience, de la mémoire ou de l'identité, tels que l'amnésie psychogène et le trouble de dépersonnalisation.

Troubles de l'humeur.

11. *Troubles sexuels* : problèmes liés à une activité sexuelle insatisfaisante, aux difficultés d'identification à un sexe, etc.

12. *Troubles de l'alimentation* : problèmes liés à la nourriture, tels que l'anorexie mentale, la boulimie et autres.

13. *Troubles du sommeil* : graves perturbations du sommeil, telles que l'insomnie, les terreurs nocturnes ou l'hypersomnie.

14. *Troubles du contrôle des impulsions non classés ailleurs* : problèmes rattachés à la kleptomanie, au jeu pathologique, à la pyromanie, etc.

15. *Troubles de l'adaptation* : problèmes rattachés à des éléments générateurs de stress, tels que le divorce, la mésentente familiale, les problèmes économiques et autres.

*16. *Troubles de la personnalité* : problèmes découlant de schèmes de comportement permanents, tels que l'égocentrisme, la dépendance excessive et les comportements antisociaux.

17. *Autres situations non attribuables à un trouble mental, nécessitant examen ou traitement* : problèmes rattachés à la violence physique ou aux agressions sexuelles, aux difficultés relationnelles, aux difficultés professionnelles et ainsi de suite.

Troubles anxieux.

* Troubles examinés dans ce chapitre.

Source : DSM-IV (1994).

incapable de s'occuper de ses affaires de façon adéquate. Tant dans les causes criminelles que civiles, on peut dans certains cas interner un individu, contre son gré, dans une institution médicale.

Le DSM-IV reflète l'époque moderne

Pour tenir compte de l'apport constant de la recherche et de la pratique clinique, le DSM-IV comprend cinq dimensions principales, appelées *axes*, qui servent de lignes directrices pour la prise de décisions à propos de symptômes

PENSÉE CRITIQUE • Psychologie en direct

Évaluer les arguments

Le diagnostic de trouble mental aide-t-il ou nuit-il au traitement ?

Certains chercheurs, dont David Rosenhan, soutiennent que les diagnostics posés étiquettent les patients et risquent d'enfermer patient et médecin dans un carcan conceptuel; de là à oublier qu'une étiquette de comportement n'explique pas ce comportement, il n'y a souvent qu'un pas. D'autres croient plutôt que les étiquettes de comportement sont nécessaires et utiles. À titre de lecteur, que pensez-vous de ce débat ? Quelle argumentation vous semble la plus solide ?

L'évaluation des arguments est l'une des démarches les plus importantes de la pensée critique. L'exercice de la pensée critique ne se limite pas à endosser la position la plus répandue ou à choisir l'un ou l'autre camp sans réfléchir, uniquement pour éviter de répondre « je ne sais pas ». Exercer sa pensée critique, c'est analyser les forces et les faiblesses de chacune des argumentations. C'est apporter une attention toute spéciale aux arguments avec lesquels nous ne sommes pas d'accord, connaissant fort bien la tendance naturelle de l'être humain à ignorer ou à simplifier à outrance l'information qui ne lui plaît pas. C'est aussi garder l'esprit ouvert, évaluer objectivement les raisons données par les deux parties, puis se faire sa propre opinion.

Afin de vous aider à aiguiser votre sens critique, nous vous proposons les lignes directrices suivantes.

1. Dressez d'abord une liste des arguments et des contre-arguments de chacun des raisonnements. Si tous les arguments et contre-arguments ne sont pas clairs, vous devrez lire entre les lignes et tenter de deviner ce que chacun veut dire. Voici un exemple d'analyse critique du débat soulevé par Rosenhan au sujet de l'utilité des diagnostics :

Argument

- Les diagnostics sont parfois erronés.
- Pour le médecin ou pour le patient, les étiquettes de comportement peuvent devenir des carcans conceptuels.

Réfutation

- L'erreur est humaine.
- Il est possible de minimiser cet aspect en vérifiant soigneusement l'exactitude des diagnostics.

(Indiquez vos propres arguments et réfutations.)

2. Après avoir éclairci tous les arguments et toutes les réfutations, évaluez les deux points de vue en vous servant des outils d'analyse suivants :

a) *Séparer les faits des opinions.* L'aptitude à distinguer les faits des opinions est un premier pas important dans l'analyse des arguments. Relisez les arguments au sujet des diagnostics et étiquettes et relevez deux faits et deux opinions pour chacun des deux camps.

b) *Repérer les erreurs de logique et les raisonnements erronés.* Dans ce volume, plusieurs exercices de pensée critique consistent à reconnaître les erreurs de logique. En voici des exemples : le chapitre 1 s'intéresse aux faux raisonnements concernant les relations de cause à effet et le chapitre 10 traite de la manipulation des sentiments.

c) *Examiner les conséquences des conclusions.* Des questions comme celles-ci peuvent vous aider à pousser plus loin votre analyse des arguments : « À quelles conclusions chacune des parties est-elle parvenue ? » ou « Existe-t-il d'autres conclusions logiques possibles ? ».

d) *Repérer et évaluer les préjugés de l'auteur ainsi que la crédibilité des sources.* Posez-vous des questions du genre de celles-ci : « Qu'est-ce que l'auteur veut que je pense ou que je fasse ? », « Quelles compétences l'auteur possède-t-il pour écrire sur ce sujet ? » ou « L'auteur est-il lui-même une source d'information fiable ? ».

Tout ce processus de réflexion exige temps et énergie, mais cela en vaut la peine. Vous prendrez en effet de meilleures décisions et vos opinions seront plus valables parce qu'elles seront le fruit d'un raisonnement attentif.

(voir le tableau 12.5). Le diagnostic des troubles est enregistré sur les axes I et II. En général, l'axe I décrit les *troubles cliniques* (soit la condition ou l'état actuel du patient), tandis que l'axe II décrit les *troubles de la personnalité* (soit les problèmes durables qui font apparemment partie intégrante d'une personne, plutôt que des choses acquises). Ainsi, un clinicien devrait enregistrer sur l'axe I des problèmes comme les troubles anxieux, les troubles liés à une substance et les troubles dépressifs, et sur l'axe II les troubles durables de la personnalité (par exemple la personnalité antisociale) et le retard mental. L'axe III permet

Tableau 12.5   Les axes du DSM-IV.

Axe	Description
Axe I *Troubles cliniques*	Symptômes causant de la souffrance ou entravant de façon significative le fonctionnement de l'individu sur les plans social et professionnel (tels les troubles anxieux ou dépressifs)
Axe II *Troubles de la personnalité et retard mental*	Problèmes chroniques ou durables, persistant généralement toute la vie, qui nuisent aux relations interpersonnelles et diminuent la capacité professionnelle
Axe III *Affections médicales générales*	Troubles physiques susceptibles d'avoir de l'importance pour la compréhension ou le traitement du sujet ayant un trouble mental
Axe IV *Problèmes sociaux et environnementaux*	Problèmes (tels un stress interpersonnel ou un événement de vie négatif) qui peuvent affecter le diagnostic, le traitement et le pronostic des troubles mentaux
Axe V *Évaluation globale du fonctionnement*	Niveau de fonctionnement global d'un individu dans ses activités sociales et professionnelles et ses loisirs

Source : Adapté du DSM-IV, *American Psychiatric Association*, Washington, DC, 1994.

d'enregistrer les affections médicales générales susceptibles d'influer sur la psychopathologie de l'individu (par exemple le diabète et l'hypothyroïdie, susceptibles d'influer sur l'humeur). L'axe IV est réservé aux facteurs psychosociaux et environnementaux porteurs de stress qui peuvent jouer un rôle dans les problèmes émotionnels (comme la mort d'un membre de la famille). L'axe V permet d'évaluer le niveau de fonctionnement global à l'aide d'une échelle de 1 (tentative sérieuse de suicide ou incapacité totale à prendre soin de soi) à 100 (heureux, productif, ayant de nombreux intérêts).

Le DSM-IV contient également la description de centaines de troubles, groupés en 17 grandes catégories (voir le tableau 12.4). Il est important de souligner que le Manuel *classifie* les troubles dont souffrent des individus, et non les individus eux-mêmes. Pour faire ressortir cette distinction importante, nous éviterons l'emploi de termes comme « un schizophrène », que nous remplacerons par des expressions telles que « un individu présentant une schizophrénie » (comme le fait le DSM-IV).

Évaluation du DSM-IV

On s'entend généralement pour dire que le DSM-IV décrit minutieusement et complètement les symptômes, qu'il uniformise les diagnostics et les traitements, et qu'il facilite la communication entre les professionnels et entre ces derniers et les patients. Mais certains lui reprochent de dépendre trop fortement du modèle médical et d'étiqueter à tort des personnes (voir la rubrique *Recherche et découvertes*) (Dana, 1998; Mead et coll., 1997; Roelcke, 1997; Sarbin, 1998). D'autres affirment que le DSM-IV est entaché de biais culturels. Même si le manuel contient une section consacrée aux troubles liés à la culture et un glossaire des syndromes propres à une culture donnée, la classification de la majorité des troubles reflète toujours les perspectives de l'Europe de l'Ouest et de l'Amérique du Nord (Dana, 1998; Kitamura et coll., 1997; Smart et Smart, 1997).

Nombreux sont ceux qui considèrent que, malgré ses lacunes, la quatrième édition du DSM constitue le système de classification scientifique le plus avancé qui soit (Frances et First, 1998; Nathan et Langenbucher, 1999). À l'instar de Churchill décrivant la démocratie, on pourrait dire du DSM-IV que c'est « le pire système qu'ait conçu l'esprit humain, à l'exception de tous les autres ».

Malgré cela, il est important d'insister sur les avantages de la classification des diagnostics. Le DSM est utile pour décrire les symptômes de différents troubles, il uniformise les diagnostics et les traitements, et il facilite la communication entre les spécialistes (McReynolds, 1989). Et bien que les troubles mentaux semblent innombrables, il existe un traitement pour la plupart d'entre eux, comme nous le verrons à la prochaine section (Buie, 1988b).

RÉSUMÉ

La normalité ou l'anormalité du comportement

On entend par comportement anormal un ensemble d'émotions, de pensées et d'actions considéré comme pathologique pour l'une ou plusieurs des raisons suivantes : sa faible fréquence, il est cause de désarroi personnel, il y a distorsion de la pensée, incapacité ou dysfonctionnement (comportement inadapté), ou déviation par rapport aux normes sociales.

Aux temps anciens, beaucoup de gens croyaient que le comportement anormal était l'œuvre des démons. Le modèle médical, qui explique l'anormalité par l'existence de troubles physiques et de maladies, a ensuite remplacé l'explication démonologique. Au Moyen Âge, la démonologie a refait surface et on avait recours à l'exorcisme pour traiter le comportement anormal. Les premiers asiles ont été construits vers la fin du Moyen Âge.

Les psychologues qui ont une vision critique du modèle médical envisagent le comportement anormal dans une perspective psychologique qui met l'accent sur les conflits inconscients, l'apprentissage inadéquat, les processus cognitifs erronés, le concept de soi négatif. Les théories biologiques modernes insistent sur les causes physiologiques des problèmes de comportement.

Le *Manuel diagnostique et statistique des troubles mentaux* (DSM-IV) classe les troubles mentaux par catégories et en fournit une description détaillée qui facilite la communication entre les spécialistes de la santé mentale.

La classification du DSM-IV présente à la fois des avantages et des inconvénients. Le Manuel décrit les symptômes, établit des normes de diagnostic et de traitement, et facilite la communication entre les spécialistes de la santé mentale.

On a reproché au DSM-IV de ne pas tenir suffisamment compte des facteurs culturels, de continuer de s'inspirer fortement du modèle médical et d'étiqueter les individus. Il arrive qu'on pose des diagnostics faux, et l'étiquette de « malade mental » peut exposer la personne à de la discrimination sur les plans social et économique.

QUESTIONS DE RÉVISION

1. Qu'est-ce qu'un comportement anormal ?

2. Nommez les cinq normes permettant de juger un comportement anormal.

3. Qu'est-ce que le DSM-IV ?

4. Les diagnostics de trouble mental peuvent devenir pour une personne une identité fondamentale et s'autoperpétuer. Expliquez.

5. Quelles ont été les deux conséquences positives de l'étude de Rosenhan ?

6. Nommez deux avantages liés à l'utilisation du DSM pour la classification des troubles mentaux.

Les réponses aux questions de revision se trouvent en annexe.

LES TYPES DE PSYCHOTHÉRAPIE

▲ *Qu'est-ce que toutes les psychothérapies ont en commun ? Quelles sont les différentes formes de psychothérapie ?*

À quoi le mot *thérapie* vous fait-il penser ? Les élèves à qui nous posons cette question en classe décrivent le plus souvent un petit bureau meublé d'un divan sur lequel s'allongent les patients pour confier leurs secrets à un thérapeute à barbe noire. Cette description ressemble-t-elle à l'image que vous vous faites de la thérapie ? Cette image populaire stéréotypée n'a bien sûr pas grand-chose à voir avec la réalité de la thérapie moderne.

Il existe aujourd'hui une grande diversité de types de psychothérapie, qui toutes cependant ont en commun certains traits. Selon la formation qu'a reçue le thérapeute et selon les besoins du client, la psychothérapie s'attaquera à l'une ou à plusieurs des catégories de troubles suivantes (voir aussi la figure 12.2).

1. *Les troubles de la pensée.* Les personnes perturbées souffrent habituellement, à divers degrés, de confusion, de modes de pensée destructeurs ou d'une incapacité d'analyser leurs problèmes. Les thérapeutes s'efforcent de modifier ces pensées, de transmettre au patient de nouvelles idées ou de nouveaux renseignements, ou de l'aider à trouver ses propres solutions aux problèmes.

2. *Les troubles émotionnels.* Les personnes qui vont en thérapie souffrent généralement de profonds malaises émotionnels. En encourageant leurs clients à exprimer librement leurs sentiments et en se montrant accueillants et compréhensifs, les thérapeutes les aident à remplacer le désespoir ou le sentiment d'incompétence par l'espoir et la confiance en soi.

3. *Les troubles de comportement.* Les personnes perturbées ont habituellement des problèmes de comportement. Les thérapeutes aident leurs clients à se débarrasser des comportements dérangeants et à adopter un mode de vie plus satisfaisant.

4. *Les relations interpersonnelles et les situations de vie difficiles.* Les thérapeutes aident leurs clients à améliorer leurs relations interpersonnelles avec les membres de leur famille, leurs amis et leurs collègues de travail. Ils les encouragent aussi à éviter ou à diminuer les sources de stress dans leurs vies, telles que les pressions professionnelles ou les conflits familiaux.

5. *Les troubles biomédicaux.* Les personnes perturbées souffrent parfois de troubles physiques qui causent leurs difficultés psychologiques ou qui y contribuent (par exemple un débalancement chimique qui mène à la dépression). Pour guérir ces maux, les thérapeutes leur prescrivent généralement des médicaments.

Même si la plupart des thérapeutes doivent aborder plusieurs problèmes à la fois avec chaque client, ils pourront, selon leur orientation, mettre l'accent sur tel ou tel aspect. Par exemple, les psychanalystes insistent généralement sur les pensées et les émotions inconscientes. Les thérapeutes cognitivistes se préoccupent surtout des systèmes de croyances et des raisonnements erronés de leurs patients, tandis que les thérapeutes humanistes tentent de modifier les réactions émotionnelles négatives de leurs clients. Les behavioristes s'attardent surtout à modifier les comportements inadaptés (on parle alors de thérapies comportementales). Les thérapeutes qui utilisent les techniques biomédicales cherchent, quant à eux, des solutions aux troubles d'origine organique.

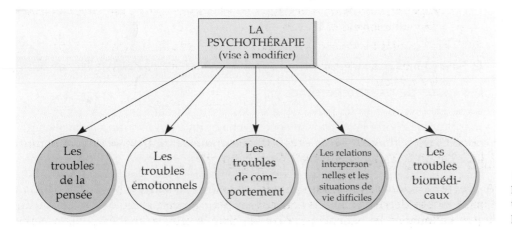

Figure 12.2 **Les cinq objectifs de la psychothérapie.** La plupart des thérapies mettent l'accent sur un ou plusieurs de ces objectifs.

Il est toutefois important de noter qu'en général les cliniciens ne s'affichent pas en tant que « behavioriste » ou « thérapeute cognitiviste », par exemple, car ces distinctions renvoient davantage aux fondements théoriques qu'ils privilégient et à l'environnement clinique dans lequel ils tiennent les thérapies. Les behavioristes et les thérapeutes cognitivistes ont des approches différentes de la thérapie, tout comme les libéraux et les conservateurs ont des approches différentes de la politique. De même, les cliniciens adeptes de perspectives différentes partagent des idées et des techniques, comme les libéraux et les conservateurs s'empruntent des idées les uns aux autres.

On dit des cliniciens qui se sentent libres de faire régulièrement des emprunts à diverses théories qu'ils ont une approche éclectique. Et s'il n'existe pas de listes de tous les behavioristes, il en existe cependant pour les psychologues, les psychiatres, les travailleurs sociaux et, parfois, pour les psychanalystes et les conseillers sociopsychologiques. Les thérapeutes indiquent aussi habituellement quels diplômes ils détiennent, ce qui permet de savoir quelle formation ils ont reçue.

À vous les commandes

Beaucoup de gens ont une idée fausse de la psychothérapie. Avant d'explorer ce sujet, examinons d'abord quelques mythes courants.

MYTHE : *Il existe une thérapie supérieure aux autres.*

On peut traiter plusieurs problèmes aussi bien avec l'une ou l'autre des principales formes de thérapie.

MYTHE : *Les thérapeutes lisent dans la pensée des gens.*

Les bons thérapeutes semblent souvent avoir la mystérieuse habileté de comprendre comment leurs clients se sentent et de savoir quand une personne cherche à éviter certains sujets. Cela ne signifie pas qu'ils soient télépathes, mais plutôt que leur formation spécialisée et leur expérience quotidienne de travail avec des personnes souffrant de troubles mentaux les a rendus perspicaces.

MYTHE : *Les personnes qui consultent un thérapeute sont ou bien folles ou bien faibles.*

La majorité des personnes consultent un thérapeute parce qu'elles souffrent de stress ou parce qu'elles croient que des consultations pourront les aider à mieux fonctionner. Étant donné qu'il est difficile d'être objectif par rapport à ses propres problèmes, consulter un thérapeute est un signe de sagesse et de force de la part de l'individu.

MYTHE : *Seules les personnes fortunées peuvent se permettre de consulter un thérapeute.*

Il est vrai que la majorité des thérapies sont coûteuses, mais plusieurs cliniques et thérapeutes appliquent un barème fondé sur le revenu du client. De plus, certaines assurances couvrent les services psychologiques. ■

RÉSUMÉ

Les types de psychothérapie

La psychothérapie est un terme général désignant les différentes méthodes utilisées pour améliorer le fonctionnement psychologique ou favoriser une meilleure adaptation à la vie. Il existe de nombreuses formes de psychothérapie, mais toutes sont axées sur le traitement de cinq grandes catégories de troubles mentaux — les troubles de la pensée, les troubles émotionnels, les troubles de comportement, les difficultés liées aux relations interpersonnelles et à certaines situations de la vie, ainsi que les troubles biomédicaux.

QUESTIONS DE RÉVISION

1. L'emploi de techniques thérapeutiques pour résoudre les difficultés psychologiques et favoriser une meilleure adaptation au quotidien est appelé
_____.

2. La psychothérapie et les thérapies biomédicales s'intéressent à cinq catégories de troubles. Quelles sont-elles ? _____,
_____, _____,
_____, _____.

3. Associez chacun des thérapeutes suivants à son champ principal d'intervention.

   1. psychanalystes
   2. behavioristes
   3. thérapeutes humanistes
   4. thérapeutes biomédicaux
   5. thérapeutes cognitivistes

   a) raisonnement et systèmes de croyances erronés
   b) pensées et émotions inconscientes
   c) troubles biologiques
   d) émotions négatives
   e) comportements inadaptés

Les réponses aux questions de révision se trouvent en annexe.

LA PSYCHANALYSE

La psychanalyse, comme son nom l'indique, est l'analyse de la psyché, c'est-à-dire l'esprit. La psychanalyse traditionnelle se fonde sur l'affirmation centrale de Sigmund Freud voulant que le comportement anormal soit le résultat de conflits inconscients entre les trois niveaux de la conscience : le *ça*, le *moi* et le *surmoi*. Nous avons déjà vu au chapitre 2 comment Freud expliquait que les pulsions primitives du ça ou les sentiments de culpabilité du surmoi forçaient le moi à adopter des mécanismes de défense et des comportements inadaptés. Au cours d'une psychanalyse, le thérapeute (ou le psychanalyste) aide le patient à ramener à la conscience ces conflits inconscients qui remonteraient aux expériences de la petite enfance. Le patient est alors en mesure de comprendre les raisons de son comportement et de se rendre compte que les circonstances qui ont provoqué ces conflits n'existent plus. Une fois cette prise de conscience faite, les conflits peuvent être résolus et le patient libéré peut adopter des modèles de comportement plus appropriés.

Comment le seul fait de prendre conscience d'un conflit dans notre inconscient peut-il nous amener à modifier notre comportement ? Freud a expliqué que la prise de conscience d'un conflit pénible entraîne un relâchement des tensions et de l'anxiété. Il avait remarqué que lorsque ses patients revivaient un incident traumatisant, émotions perturbatrices y compris, le conflit semblait perdre l'emprise qu'il exerçait sur le comportement de la personne. Ce processus de relâchement, appelé catharsis, libère l'énergie psychique auparavant accaparée par les conflits du ça, du moi et du surmoi et permet au patient de vivre plus sainement et de manière moins anxieuse.

Il n'est pas simple de comprendre les conflits inconscients qui nous habitent. Le moi a d'efficaces moyens de défense pour empêcher les pensées inconscientes de se faire jour. Pour avoir accès à l'inconscient, il faut déjouer le moi. Pour cela, les psychanalystes utilisent l'association libre et l'interprétation des rêves. Ils seront de plus attentifs aux phénomènes de résistance et de transfert que vivront leur patient au cours de la thérapie.

1. **L'association libre.** Avez-vous déjà laissé votre esprit vagabonder sans chercher à surveiller ou à contrôler la direction de vos pensées ? Si oui, vous avez peut-être noté que des pensées tout à fait étonnantes surgissent alors. La technique d'association libre consiste à encourager le patient à parler de tout ce qui lui vient à l'esprit, même s'il s'agit de souvenirs douloureux, embarrassants ou

Psychanalyse : Thérapie mise au point par Freud dans le but de ramener à la conscience les conflits inconscients qui remontent habituellement à la petite enfance. La psychanalyse est également la théorie de Freud, axée principalement sur l'étude des processus inconscients.

Catharsis : Dans la théorie psychanalytique, relâchement des tensions et diminution de l'anxiété qu'amène le fait de revivre un incident traumatisant.

Association libre : Effort pour relater sans les modifier toutes les pensées qui viennent à la conscience.

Interprétation des rêves : Explication des rêves.

Résistance : Efforts qu'oppose le patient aux tentatives que fait l'analyste pour lui faire prendre conscience de ses pensées inconscientes.

Transfert : Processus par lequel le patient reporte sur son thérapeute des émotions qu'il a vécues dans le passé.

apparemment non pertinents. Freud croyait que le premier élément qui se présentait à l'esprit d'un patient était souvent un indice important de ce que la pensée inconsciente cherchait à refouler.

2. **L'interprétation des rêves.** L'interprétation des rêves, qui a des similarités avec l'association libre, est une technique classique d'observation des processus inconscients. Freud a qualifié les rêves de « voie royale de l'inconscient ». Il pensait que le moi et ses mécanismes de défense sont inopérants durant le sommeil, de sorte que le contenu des rêves peut être fortement imprégné des conflits présents dans l'inconscient. L'interprétation des rêves est donc une explication, que cherchent ensemble le psychanalyste et son patient, de la signification des associations libres et des rêves.

3. **La résistance.** Lorsqu'il analyse le comportement et les propos d'un patient, un analyste cherche des exemples de résistance, soit la tendance défensive de l'inconscient à empêcher que des éléments *refoulés*, particulièrement menaçants, n'accèdent à la conscience. Par exemple, si le patient est en retard ou annule un rendez-vous, l'analyste en conclura peut-être que les défenses du moi du patient tentent d'empêcher que des conflits inconscients ne deviennent conscients. De même, si le patient s'interrompt au milieu d'une conversation importante ou qu'il change soudainement de sujet, l'analyste essaiera de déterminer la source de la résistance en revenant au sujet dont il était question avant le blocage. Dans une psychanalyse, il y a résistance lorsque le patient s'oppose d'une quelconque façon aux tentatives que fait l'analyste pour l'amener à prendre conscience de ses pensées inconscientes.

4. **Le transfert.** Le transfert est le processus par lequel le patient reporte sur son thérapeute les émotions qu'il a vécues dans le passé. Ces émotions concernent en général ses rapports avec sa mère, son père ou toute autre personne ayant occupé une place significative dans sa vie. On suppose que le transfert se produit lorsque le patient développe une dépendance excessive envers l'analyste ou qu'il en est amoureux et désire établir avec lui une relation intime. Au lieu de prendre ces réactions et ces émotions au pied de la lettre, l'analyste les interprète comme le reflet de liens ou de conflits ayant leur origine dans l'enfance ou encore de relations précédentes non résolues.

Interprétation : Explication des associations libres, des rêves, de la résistance et du transfert du patient fournie par le psychanalyste; de façon plus générale, tout énoncé d'un thérapeute qui présente le problème d'un patient sous un nouvel angle.

5. **L'interprétation.** L'interprétation est au cœur de la thérapie psychanalytique. Durant une psychanalyse, l'analyste écoute très attentivement et observe les schémas et les sens cachés. Il indique, au moment opportun, ce qui provoque de la résistance et ce que l'association libre, l'interprétation des rêves et le transfert révèlent au sujet des impulsions refoulées dans l'inconscient. Selon Wolitsky (1995), l'interprétation est particulièrement pertinente lorsqu'elle fait ressortir des similitudes entre le passé du patient et ses comportements actuels. Un thérapeute peut dire : « la façon dont vous agissez avec moi maintenant (vous vous montrez peu attentif lorsque je vous suggère une conduite différente) ressemble peut-être à la façon dont vous agissiez avec votre mère. Et cela a peut-être aussi quelque chose à voir avec le fait que votre femme se sent parfois très frustrée par rapport à vous ». Ce type d'interprétation est susceptible d'aider le patient à reconnaître un mode d'interaction avec les autres répétitif et problématique (Davison et Neale, 1998, p. 496-497).

Évaluation de la psychanalyse

Comme nous l'avons vu au chapitre 2, les théories de la personnalité de Freud ont eu une énorme influence et suscitent, encore aujourd'hui, des débats animés. Il en est de même de sa méthode thérapeutique. Les critiques de la psychanalyse portent sur deux points principaux :

1. *Son applicabilité limitée.* Freud a élaboré ses méthodes au début des années 1900 pour une clientèle particulière, les membres de l'aristocratie viennoise (principalement des femmes). Les collègues de Freud (Adler, Jung, Horney, etc.) et les

praticiens modernes ont certes raffiné la psychanalyse, mais encore aujourd'hui cette méthode ne semble convenir qu'à un groupe restreint d'individus. La psychanalyse traditionnelle dure longtemps (souvent des années à raison de deux à cinq séances par semaine) et coûte cher (parfois plus de 100 000 $). Elle est donc inaccessible à la plupart des gens.

En outre, la psychanalyse est peu efficace dans les cas de troubles de santé mentale graves tels que la schizophrénie, puisqu'elle se fonde sur la verbalisation et la rationalité, aptitudes qui sont justement perturbées dans les cas de troubles graves. La psychanalyse semble convenir davantage aux patients dont les troubles sont moins graves, des troubles de l'anxiété, par exemple, et qui sont très motivés et très articulés. Un peu à la blague, des critiques ont décrit le parfait candidat à la psychanalyse en ces termes : il est jeune, séduisant, verbomoteur, intelligent et réussit bien dans la vie (Schofield, 1964).

Le manque de crédibilité scientifique. Le but de la psychanalyse est explicite : faire remonter les conflits inconscients au niveau de la conscience. Mais comment savoir si ce but est atteint ? C'est à cette difficulté qu'on fait allusion quand on reproche à la psychanalyse d'être auto-explicative. En effet, lorsque le patient accepte l'interprétation que fait l'analyste de ses conflits, sa « compréhension » n'est peut-être rien d'autre que l'expression de son désir de collaborer avec le thérapeute et d'adhérer à son système de croyances (Bandura, 1969). Les concepts psychanalytiques sont difficilement évaluables dans le cadre d'une démarche scientifiquement acceptable.

Quelle importance faut-il accorder à ces critiques ? Les psychanalystes admettent qu'il est impossible d'expliquer scientifiquement certains aspects de leur thérapie, mais ils soutiennent qu'elle est bénéfique pour la plupart des patients (Gabbard, 1999; Rangell, 1997; Skues, 1998). C'est en réaction à la critique, du moins en partie, que la pratique psychanalytique s'est progressivement modifiée et simplifiée.

Les thérapies psychodynamiques

Dans les thérapies psychanalytiques modernes (dites *psychodynamiques*), le traitement est moins long (habituellement seulement une à deux séances par semaine), le patient et l'analyste sont face à face (c'est-à-dire que le patient ne s'allonge pas sur un divan), et le thérapeute adopte une approche plus directive (au lieu d'attendre la révélation graduelle de l'inconscient). En outre, tout en essayant d'aider leur client à mieux comprendre les événements de leur petite enfance et les racines inconscientes de leurs problèmes, les thérapeutes psychodynamiques accordent plus d'importance aux processus conscients et aux problèmes du moment. Les améliorations de ce type ont permis de rendre la thérapie psychanalytique accessible à un plus grand nombre et d'obtenir des résultats plus rapidement (Gabbard, 1999; Glucksman, 1997).

RÉSUMÉ

La psychanalyse

Mise au point par Sigmund Freud, la psychanalyse consiste à ramener à la conscience les conflits inconscients qui remontent habituellement à la petite enfance. Les psychanalystes ont recours à l'association libre et à l'interprétation des rêves, et sont attentifs aux phénomènes de résistance et de transfert.

À l'instar des théories psychanalytiques de la personnalité, la psychanalyse a fait l'objet de nombreux débats. On lui reproche surtout son applicabilité limitée (la psychanalyse exige beaucoup de temps, elle est très coûteuse et n'est accessible qu'à un nombre restreint de personnes) et son manque de rigueur scientifique.

QUESTIONS DE RÉVISION

1. Quel est le but premier de la psychanalyse ?

2. Le fait de revivre un incident traumatisant afin de libérer les émotions qui lui sont associées est appelé _____.

3. Quelles sont les deux principales critiques formulées à l'endroit de la psychanalyse ? _____ et _____

Les réponses aux questions de révision se trouvent en annexe.

LES THÉRAPIES COMPORTEMENTALES

Thérapie comportementale : Ensemble de techniques basées sur les principes de l'apprentissage et servant à modifier les comportements mésadaptés.

Avez-vous déjà compris pourquoi vous vous entêtez parfois à faire certaines choses en sachant fort bien qu'il serait préférable d'agir autrement ? Avoir conscience d'un problème ne suffit pas toujours à le régler. Les thérapies comportementales (également appelées thérapies de modification du comportement) utilisent les principes de l'apprentissage (voir le chapitre 7) pour modifier des comportements. Les thérapeutes du comportement estiment qu'il n'est généralement pas nécessaire de comprendre ses réactions ou de les restructurer pour pouvoir changer un comportement. Cette approche s'attaque au comportement problématique lui-même plutôt qu'aux causes ou aux « maladies » dont il découle. Ce qui ne veut pas dire qu'on ne tient pas compte des réactions et des interprétations du patient. Les thérapeutes du comportement croient que les comportements anormaux ou mésadaptés sont appris, exactement comme le sont les comportements satisfaisants. Par conséquent, on peut aussi, à condition de procéder systématiquement, « désapprendre » les comportements anormaux.

Au cours d'une thérapie comportementale, le thérapeute diagnostique le problème en dressant une liste des comportements mésadaptés de la personne et des comportements satisfaisants qui sont absents. Il tente alors de *diminuer* la fréquence des premiers et *d'accroître* celle des seconds. Pour opérer des changements de ce genre, le thérapeute du comportement fait appel aux principes du conditionnement répondant et du conditionnement opérant.

Pour modifier un comportement inadéquat, les techniques basées sur le conditionnement opérant s'attaqueront aux conséquences de ce comportement. On aura recours à la punition et à l'extinction pour le faire disparaître et on tentera d'amener

© Sidney Harris

des comportements souhaitables à l'aide de récompenses et de techniques de façonnement.

Les techniques du conditionnement répondant

Les principes du conditionnement répondant, inspirés du modèle de Pavlov dans lequel deux stimuli sont mis en association, permettent de diminuer les comportements mésadaptés en les remplaçant par de nouvelles associations. Parmi les techniques empruntées au conditionnement répondant figurent notamment la désensibilisation systématique et la thérapie par l'aversion.

La désensibilisation systématique.   Développée par Joseph Wolpe en 1958, la désensibilisation systématique est un processus graduel consistant à associer à une profonde relaxation une hiérarchie croissante de stimuli provoquant la peur.

Cette technique comporte trois étapes. Premièrement, on établit une hiérarchie, c'est-à-dire un ordre gradué des images anxiogènes. Le thérapeute et son client dressent une liste d'environ 10 scènes allant des moins anxiogènes aux plus anxiogènes (voir la figure 12.3). Deuxièmement, on enseigne au client à rester dans un état de relaxation profonde, physiologiquement incompatible avec la réaction d'anxiété. Troisièmement, on invite le client à se représenter mentalement les images classées par ordre hiérarchique, en commençant par celle qui lui fait le moins peur, tout en se maintenant dans un état de relaxation. Dès qu'une image commence à créer une réaction d'angoisse, le client cesse la visualisation et doit concentrer ses efforts sur la relaxation. Les images sont présentées progressivement jusqu'à ce que le client puisse les visualiser toutes sans ressentir d'angoisse. Des études ont démontré que cette technique de visualisation contribue à réduire l'anxiété dans des situations réelles, à l'extérieur du cabinet du thérapeute (Martin et Pear, 1992; Wolpe, 1990).

Dans certains cas, le thérapeute préfère placer la personne dans des situations réelles; il la fera par exemple grimper dans une échelle pour l'amener à combattre sa peur des hauteurs ou s'approcher du chien ou du serpent qui lui inspire de la crainte, plutôt que de recourir seulement à des mises en situation imaginaires.

Désensibilisation systématique : Dans la thérapie comportementale, processus graduel consistant à associer à une profonde relaxation des stimuli provoquant la peur, classés par ordre d'importance.

Hiérarchie : Classement des choses dans un ordre gradué, utilisé en thérapie comportementale dans le processus de désensibilisation systématique.

Figure 12.3   Exemple d'hiérarchie d'images pouvant servir à traiter une phobie des chiens. Au cours d'une désensibilisation systématique, le client place dans un ordre hiérarchique les images anxiogènes, de celle qui lui fait le moins peur à celle qui lui cause la plus grande frayeur. Dans cette figure, les images commencent avec la photo d'un chien dans une revue pour se terminer avec celle d'un gros chien qu'une personne est en train de flatter. La visualisation de chacune des images se fait en conjonction avec des techniques de relaxation, jusqu'à la disparition complète des réactions d'angoisse.

Aux derniers stades de la désensibilisation, la personne phobique s'expose directement au stimulus déclencheur de sa phobie.

La désensibilisation systématique a de nombreuses applications pratiques. Lorsqu'une situation vous angoisse beaucoup, par exemple la perspective de passer un examen ou de vous retrouver dans un espace restreint, essayez de mettre en application les trois étapes décrites ci-dessus afin de diminuer votre réaction d'anxiété et d'adopter des comportements plus réalistes et plus efficaces.

À vous les commandes

Chacun se sent plus ou moins anxieux avant un examen important (à moins de s'appeler Albert Einstein). Si vous considérez que votre nervosité vous aide en vous stimulant, passez à la prochaine section. Mais si votre anxiété vous empêche de profiter des journées et des soirées qui précèdent un examen important et qu'il vous arrive de sécher au beau milieu d'un examen, vous tirerez peut-être profit d'un type informel de désensibilisation systématique.

Étape 1 Révisez la technique de relaxation décrite au chapitre 11 et mettez-la en pratique.

Étape 2 Décomposez le fait de passer un examen en dix étapes, en commençant par l'image la moins anxiogène (par exemple le moment où un professeur vous annonce la tenue de l'examen) et en terminant par la rédaction de l'examen.

Étape 3 En commençant par l'image la moins anxiogène (l'annonce de l'examen), imaginez-vous en train de vivre chaque étape tout en restant calme et détendu. Passez en revue chacune des dix étapes. Si l'une d'elles vous rend anxieux, attardez-vous-y et reprenez la technique de relaxation jusqu'à ce que l'anxiété diminue.

Étape 4 Si vous vous sentez anxieux la veille de l'examen, ou même pendant l'examen, rappelez-vous que vous devez vous détendre. Fermez les yeux quelques instants et révisez vos dix étapes. ■

Thérapie par l'aversion : En thérapie comportementale, technique consistant à appliquer un stimulus aversif à un comportement inadapté.

La thérapie par l'aversion. À l'inverse de la désensibilisation systématique, la thérapie par l'aversion a recours aux principes du conditionnement répondant pour *créer* de l'angoisse au lieu de la faire disparaître.

Pourquoi un thérapeute voudrait-il rendre quelqu'un anxieux ? Les techniques de thérapie par l'aversion consistent à susciter de l'angoisse afin de supprimer des comportements indésirables, tels que le tabagisme et la consommation abusive d'alcool, qui sont associés au plaisir, à la relaxation ou à l'apaisement des tensions. Étant donné que ces associations agréables ne peuvent pas toujours être évitées, la thérapie par l'aversion crée des associations *désagréables* afin de les combattre.

Ainsi, la personne qui veut cesser de fumer reçoit une légère secousse électrique (stimulus aversif) chaque fois qu'elle tient ou allume une cigarette. De même, la personne qui veut cesser de boire prend de l'Antabuse, médicament qui provoque des vomissements à la moindre ingestion d'alcool. Lorsque le conditionnement répondant réussit à associer la cigarette à la douleur et l'alcool aux nausées, le retour à l'habitude autrefois appréciée suscitera une réponse négative immédiate chez le sujet.

N'est-ce pas là également un exemple de conditionnement opérant recourant à la punition pour inhiber une réaction ? Oui. Outre les associations acquises par conditionnement répondant au cours d'une thérapie par aversion, les comportements volontaires tels que boire et fumer sont aussi modifiés par les principes du conditionnement opérant.

Les techniques de conditionnement opérant : modifier les conséquences

Les techniques de conditionnement opérant font appel au façonnement et au renforcement pour accroître les comportements appropriés, de même qu'à la punition et à l'extinction pour réduire les comportements inappropriés.

Le façonnement et le renforcement

Dans les thérapies behavioristes, on appelle *comportement cible* un comportement à acquérir. Le façonnement, qui consiste à récompenser des approximations successives du comportement souhaité, est une technique de comportement opérant utilisée pour enseigner le comportement cible. L'une des applications du façonnement et du renforcement ayant donné les meilleurs résultats a trait aux enfants autistiques. Les enfants atteints d'*autisme* ne communiquent pas et n'interagissent pas normalement avec les autres. On a fait appel au façonnement pour améliorer leurs habiletés langagières. On récompense d'abord l'enfant dès qu'il émet un son, et plus tard uniquement lorsqu'il prononce un mot ou une phrase.

Dans le film Rainman, Dustin Hoffman illustre de façon touchante la souffrance et les difficultés associées à l'autisme, tandis que Tom Cruise illustre les effets de l'autisme sur les membres de la famille.

On emploie également le façonnement pour aider des personnes à acquérir des habiletés sociales. Un clinicien demandera par exemple à un individu extrêmement timide de dire simplement « bonjour » à une personne qu'il trouve attrayante, puis de s'exercer à des comportements qui l'amèneront graduellement à proposer un rendez-vous. (Oui, les hommes aiment les femmes qui font la moitié du chemin dans ce domaine.) Au cours de tels *jeux de rôles*, ou *répétition de comportements*, le clinicien fournit de la rétroaction et du renforcement à son client.

La répétition de comportements est aussi la technique sur laquelle reposent les *stages de mise en confiance*, qui visent à apprendre aux gens à s'imposer. Les participants apprennent d'abord à faire face à des situations simples, puis ils s'exercent à répondre verbalement de manière efficace et à utiliser des comportements adaptés. Par exemple, le thérapeute de Mme D. a employé, pour traiter l'agoraphobie de sa patiente, des jeux de rôle visant à façonner des comportements reflétant la confiance en soi, comme de faire face à son père dominateur.

On peut aussi enseigner des comportements adaptés ou en accroître la fréquence à l'aide de techniques qui fournissent un renforcement immédiat sous la forme de jetons (Sarafino, 1996). Les *jetons* sont des renforçateurs secondaires (conditionnés), tels des fiches, des « billets de crédit » ou tout autre objet pouvant être échangé contre une récompense primaire comme de la nourriture, une gâterie, la permission de regarder la télévision, une chambre à soi ou une sortie. Dans les centres hospitaliers, on récompense parfois les patients avec des jetons et on tente de les amener par façonnement à adopter des comportements souhaités, comme prendre leurs médicaments, assister à des séances de thérapie de groupe ou participer à des activités récréatives. On impose aussi parfois des « amendes » en cas de comportement inapproprié, c'est-à-dire qu'on demande au patient de rendre des jetons.

Ce type de renforcement peut-il avoir un effet durable ou ne dépend-il pas trop des jetons ? Les adeptes de l'économie de jetons font ressortir que ceux-ci aident les gens à acquérir des comportements bénéfiques qui deviennent une récompense en soi. Un programme complet de modification du comportement comporte plusieurs étapes, dont chacune exige l'acquisition de comportements de plus en plus complexes. Par exemple, on peut d'abord donner des jetons à un patient simplement parce qu'il a assisté à une séance de thérapie de groupe. Lorsque le patient aura acquis ce comportement, on ne le récompensera que s'il participe vraiment à la thérapie. On pourra éventuellement mettre fin à la distribution de jetons lorsque le patient recevra un renforcement du fait qu'il sent que sa participation aux séances de thérapie lui est utile.

La punition et l'extinction

Alors que le façonnement et le renforcement servent à *accroître la fréquence de comportements adaptés,* deux autres techniques de conditionnement opérant, soit la punition et l'extinction, sont utilisées pour *réduire la fréquence de comportements problématiques.* La punition est soit positive (l'application d'un stimulus désagréable, comme un léger choc électrique), soit négative (le retrait d'un stimulus agréable). La majorité des techniques comportementales font appel à la punition négative, l'une des plus courantes étant le *temps mort*, qui consiste à éloigner physiquement une personne d'une source de récompense chaque fois qu'elle se conduit de façon inappropriée.

Ainsi, dans un hôpital, toutes les tentatives pour empêcher une patiente obèse et présentant une schizophrénie de voler de la nourriture aux autres patients avaient échoué. On a finalement décidé de faire sortir cette femme de la cafétéria chaque fois qu'elle dérobait de la nourriture à une autre personne. Cette punition négative l'éloignait d'une source de récompense (la nourriture) et en moins de deux semaines, son habitude de voler de la nourriture a été éliminée et elle est finalement revenue à un poids plus normal.

La technique d'extinction, qui consiste à supprimer toute récompense, peut aussi être utilisée pour éliminer un comportement inapproprié. C'est ce que le personnel infirmier avait négligé de faire avec la patiente obèse qu'on récompensait, sans s'en rendre compte, chaque fois qu'on lui accordait de l'attention parce qu'elle se conduisait mal. Pour diagnostiquer des problèmes de comportement, les thérapeutes behavioristes déterminent d'abord de quelle façon un comportement inapproprié est récompensé, puis ils suppriment les récompenses.

Extinction : Élimination de comportements inadaptés par la suppression des récompenses (conditionnement opérant). Également, en désensibilisation systématique, élimination graduelle d'une peur (ou phobie) par l'association de la détente profonde avec le stimulus conditionné de la peur (conditionnement classique).

Modelage : Forme de thérapie behavioriste qui fait appel à l'observation et à l'imitation de modèles appropriés illustrant des comportements désirables.

Le modelage : la modification du comportement par l'observation

En plus de faire appel à des techniques de conditionnement classique ou opérant, les thérapeutes behavioristes emploient le modelage, qui consiste à observer et à imiter des comportements appropriés. En observant des personnes qui présentent des comportements désirables, le client acquiert de nouveaux comportements. Par exemple, Bandura et ses collègues (1969) ont demandé à des clients ayant une phobie des serpents d'observer des personnes (n'ayant pas cette phobie) en train de manipuler des reptiles. Après seulement deux heures d'observation, plus de 92 % des clients souffrant de phobie ont laissé un serpent ramper sur leurs mains, leurs bras et leur cou. Lorsqu'un client fait à la fois l'observation d'autres personnes et un entraînement direct et graduel, on parle de *modelage actif*.

Le modelage est également utilisé pour l'apprentissage d'habiletés sociales et dans les stages de mise en confiance. Les clients apprennent comment se conduire au cours d'une entrevue d'emploi en observant d'abord le thérapeute jouer le rôle de la personne interviewée. Le thérapeute emploie un langage approprié (pour demander avec assurance du travail), une posture adéquate, etc., puis il demande au client d'imiter son comportement en jouant le même rôle. En plusieurs séances, le client se débarrasse graduellement de l'anxiété reliée à une entrevue et il acquiert les habiletés nécessaires pour la réussir.

Évaluation des thérapies comportementales

Inspirées du conditionnement répondant et du conditionnement opérant, les techniques de la thérapie comportementale se sont révélées efficaces dans le traitement de plusieurs comportements (Bandura et coll., 1969; Lazarus, 1990; Rice et coll., 1991; Rosenthal et Steffek, 1991). Grâce à elles, certains patients ont pu quitter l'hôpital après des années d'internement.

Des critiques de la thérapie comportementale ont toutefois soulevé d'importantes questions au sujet de son efficacité générale. Ces questions touchent deux aspects principaux :

1. *La généralisation.* Qu'arrive-t-il lorsque le traitement se termine ? Les résultats obtenus peuvent-ils être généralisés ? Certains affirment que, dans « le monde réel », les patients ne bénéficient plus d'un renforcement constant et que les comportements nouvellement acquis risquent de disparaître. Tenant compte de cette possibilité, les thérapeutes du comportement s'efforcent d'orienter les clients vers des récompenses qu'ils retrouveront dans la vie réelle, à l'extérieur du milieu clinique.

2. *L'aspect éthique.* Est-il moralement acceptable qu'une personne exerce un pouvoir sur le comportement d'une autre personne ? Y a-t-il des situations dans

lesquelles la thérapie comportementale devrait être évitée ? Les behavioristes répliquent à cela que nos comportements sont déjà régis par des récompenses et des punitions, et que la thérapie comportementale permet en fait d'accroître le degré de liberté du public en dévoilant ces procédés. De plus, ajoutent-ils, la thérapie comportementale intensifie la maîtrise de soi en apprenant aux gens à modifier leur propre comportement et à conserver leurs nouveaux comportements, même à l'extérieur du milieu clinique.

RÉSUMÉ

Les thérapies comportementales

Les thérapies comportementales appliquent les principes de l'apprentissage pour modifier les comportements mésadaptés. Les thérapeutes ont recours au conditionnement répondant pour remplacer certaines associations. Dans la thérapie par l'aversion, un stimulus aversif est rattaché à un comportement mésadapté.

Les thérapies comportementales ont été efficaces dans le traitement d'un certain nombre de troubles psychologiques. Mais on leur a reproché l'impossibilité qu'il y a à les généraliser, le risque qu'il y ait substitution de symptômes et l'éthique douteuse liée au contrôle des comportements.

QUESTIONS DE RÉVISION

1. L'ensemble des techniques basées sur les principes de l'apprentissage que l'on utilise pour modifier les comportements mésadaptés constitue ce qu'on appelle _____.

2. En quoi consiste la désensibilisation systématique ?

3. Pour se guérir de l'alcoolisme, des individus prennent un médicament qui provoque des vomissements en présence d'alcool. Ces individus ont recours à la thérapie _____.

4. En thérapie comportementale, les techniques _____ font appel au façonnement et au renforcement pour accroître la fréquence des comportements adaptés, et à la punition et à l'extinction pour réduire la fréquence des comportements inappropriés. a) de conditionnement classique b) de modelage c) de conditionnement opérant d) d'apprentissage social

5. Décrivez comment on peut utiliser le façonnement pour enseigner un comportement souhaité.

6. Quels sont les deux points sur lesquels porte la critique de la thérapie comportementale ? _____ et _____

Les réponses aux questions de révision se trouvent en annexe.

LES THÉRAPIES HUMANISTES

Comme vous l'avez vu au chapitre 2, les humanistes croient que les humains sont libres de devenir ce qu'ils souhaitent devenir et qu'ils sont responsables de leurs choix. Les thérapeutes humanistes croient que les gens qui éprouvent des problèmes souffrent d'un blocage ou d'une interruption de leur croissance normale. Ce blocage est à l'origine d'un concept de soi déficient. Il faut donc lever ces obstacles pour que la personne puisse développer son estime de soi et s'épanouir. C'est à cela que s'emploie la thérapie humaniste.

Imaginez-vous en compagnie de quelqu'un qui croit en vous, qui considère que vous avez beaucoup de potentiel et qui vous traite comme un être unique et de grande valeur. Les sentiments que cela fait naître chez vous sont ceux que les thérapeutes humanistes s'efforcent de faire naître chez leurs clients.

Thérapie humaniste : Méthode thérapeutique visant à aider les individus à devenir des êtres créateurs et uniques en restructurant leur vie affective ou en procédant à des ajustements émotionnels.

Thérapie centrée sur le client : Méthode de psychothérapie, élaborée par Carl Rogers, qui insiste sur la tendance naturelle du client à vouloir être en bonne forme et productif. Les techniques employées comprennent notamment l'empathie, la considération positive inconditionnelle et l'authenticité.

La thérapie centrée sur le client

L'un des thérapeutes humanistes les plus réputés, Carl Rogers (1980, 1988), a conçu une méthode de thérapie visant à encourager les gens à exploiter leur potentiel et à établir des rapports authentiques avec les autres. Son approche est connue sous le nom de thérapie centrée sur le client. Il était très important pour Rogers d'utiliser le terme *client* plutôt que *patient*. Selon lui, le mot *patient* dénote une idée de maladie, physique ou mentale, qui dépouille la personne de sa responsabilité et de ses capacités. Le fait de traiter les gens comme des clients rappelle que ce sont eux qui ont la charge de la thérapie et que la relation entre thérapeute et client est une relation d'égalité.

À l'instar de la psychanalyse, la thérapie centrée sur le client encourage l'exploration des idées et des sentiments afin de mieux comprendre les causes des comportements. Toutefois les disciples de Rogers insistent tout particulièrement sur l'importance des expériences émotionnelles saines. Les clients ont la responsabilité de découvrir lesquelles de leurs façons d'agir et de penser sont inadaptées, tandis que le rôle du thérapeute est de créer une atmosphère accueillante au sein de laquelle le client peut explorer librement des idées et des sentiments importants (Farber, 1996).

Comment le thérapeute parvient-il à créer une telle atmosphère ?   Les thérapeutes rogériens y parviennent en établissant une relation thérapeutique qui met à contribution trois qualités importantes de la communication : l'empathie, la considération positive inconditionnelle et l'authenticité (Hergenhahn, 1990). Baignant dans cette atmosphère, les clients en viennent à croire de plus en plus en eux-mêmes et à se considérer de façon plus positive.

Empathie : Dans la théorie de Rogers, fait de voir le monde à travers les yeux du client et de ressentir les choses comme il les ressent.

Considération positive inconditionnelle : Selon Rogers, attitude de nonjugement et de sincère bienveillance que le thérapeute adopte à l'endroit du client.

Authenticité : Dans la théorie de Rogers, conscience de ses vraies pensées et de ses vrais sentiments, accompagnée d'une capacité d'en faire part honnêtement aux autres.

Évaluation des thérapies humanistes

Les adeptes des thérapies humanistes affirment que les hypothèses sur lesquelles ces thérapies reposent sont étayées par des données empiriques (Bohart et coll., 1998; Hayashi et coll., 1998). Mais les critiques soutiennent que les principes fondamentaux de la thérapie humaniste, tels que la réalisation de soi et la conscience de soi, sont difficiles à vérifier scientifiquement. La plupart des recherches portant sur les résultats obtenus grâce à cette thérapie se fondent sur l'auto-évaluation des clients. Étant donné que les gens sont enclins à justifier le temps et l'argent qu'ils ont consacrés à la thérapie, leur auto-évaluation n'est pas très crédible. En outre, les études menées sur certaines techniques thérapeutiques, telles que « l'empathie » rogérienne, ont donné des résultats inégaux (Beutler et coll., 1986; Simkin et Yontef, 1984).

L'empathie et la considération positive inconditionnelle sont des techniques importantes dans les thérapies humanistes.

Il n'en demeure pas moins que la thérapie humaniste peut aider les gens malheureux, et parfois même les gens souffrant de troubles graves, à mieux se comprendre eux-mêmes (Davison et Neale, 1990). D'ailleurs qui n'aimerait pas discuter de ses problèmes avec un thérapeute aussi chaleureux que Carl Rogers ? Et qui ne bénéficierait pas des bienfaits qu'apportent le fait de se connaître mieux et d'être responsable de soi ?

RÉSUMÉ

Les thérapies humanistes

Les thérapeutes humanistes croient que les gens qui ont des problèmes psychologiques souffrent d'un blocage ou d'une interruption de leur croissance normale. Dans la méthode centrée sur le client, proposée par Rogers, le thérapeute a recours à des moyens tels que l'empathie, la considération positive inconditionnelle et l'authenticité pour favoriser la croissance personnelle.

Il est difficile d'évaluer scientifiquement les thérapies humanistes, et la recherche portant sur certaines techniques thérapeutiques a donné des résultats mitigés. Néanmoins, la thérapie semble aider les personnes qui sont malheureuses, mais qui ne souffrent pas de troubles graves.

QUESTIONS DE RÉVISION

1. Les thérapeutes humanistes considèrent que les problèmes de comportement proviennent d' _____.

2. Nommez les techniques de thérapie rogériennes définies ci-dessous :

   a) Écoute attentive et partage de la vision intérieure et des expériences vécues du client. _____

   b) Expression honnête de ses pensées et de ses sentiments. _____

   c) Attitude de non-jugement et de bienveillance à l'égard d'une personne sans que celle-ci ne l'ait nécessairement méritée. _____

Les réponses aux questions de révision se trouvent en annexe.

LES THÉRAPIES COGNITIVES

En thérapie cognitive, on considère que les troubles émotionnels et les problèmes de comportement reposent sur l'existence de raisonnements et de croyances erronés. Ainsi, un thérapeute cognitiviste dirait que la dépression découle de convictions telles que celles-ci : « Si je ne fais pas tout à la perfection, je ne vaux rien » ou « Je suis incapable de changer ma vie de façon à en tirer satisfaction ». Lorsque les gens ont des convictions irrationnelles, comportant des exigences excessives, ou lorsqu'ils sont incapables de s'adapter à la réalité, leurs émotions et leurs comportements s'en trouvent perturbés (Beck, 1991, 1998; Brewin, 1996; Ellis, 1996, 1998; Freeman et DeWolf, 1992).

Comme les psychanalystes, les thérapeutes cognitivistes croient que les troubles de comportement sont causés par des croyances inadéquates que l'individu entretient inconsciemment. Ils analyseront donc ces pensées qui empêchent les gens de jouir de la vie afin de les amener à comprendre les raisons à la source de leurs problèmes. Pour les cognitivistes, cependant, le changement de comportement ne résulte pas de la catharsis. Ils considèrent plutôt que, en prenant conscience du caractère irréaliste de ses pensées, la personne peut modifier ses interprétations des événements pour ensuite corriger ses comportements inadaptés. Ainsi, elle peut remplacer des énoncés négatifs du langage intérieur par des énoncés positifs, comme « J'accepte mes limites » ou « Je peux modifier mon comportement de façon constructive ». Ce processus de changement des pensées destructrices ou des interprétations erronées est connu sous le nom de restructuration cognitive.

Thérapie cognitive : Thérapie qui vise à supprimer les comportements problématiques en s'intéressant tout particulièrement aux raisonnements et aux croyances erronés.

Langage intérieur : Ce qu'une personne se dit à elle-même lorsqu'elle interprète des événements.

Restructuration cognitive : En thérapie cognitive, processus par lequel le thérapeute et le client tâchent de modifier des façons de penser destructrices.

La thérapie émotivo-rationnelle

Thérapie émotivo-rationnelle : Méthode de thérapie cognitive élaborée par Albert Ellis visant à modifier le système de croyances de la personne perturbée.

L'un des thérapeutes cognitivistes les plus réputés est Albert Ellis, ancien adepte de la psychanalyse qui a mis au point, dans les années cinquante, sa propre méthode, la thérapie émotivo-rationnelle (1961, 1997, 1998). Cette thérapie en trois points reprend les trois étapes par lesquelles se forment les réactions perturbées : A) un événement activant qui agit comme une sorte de stimulus. Cela peut être, par exemple, les reproches du patron ou un échec à un examen final; B) le système de croyances qui correspond à l'interprétation que fait la personne de l'événement activant; C) la réaction émotionnelle de la personne (voir la figure 12.4). Ellis soutient que nous faisons l'erreur d'expliquer C (la conséquence émotionnelle) à partir de A (l'événement activant). Nous ne voyons pas que l'étape B (le système de croyances) est en fait celle qui engendre l'émotion. En soi, l'échec à un examen ne *cause pas* de sentiment de dépression. C'est l'étape B (le fait de croire que « je dois être parfait, sinon je ne vaux rien ») qui est la véritable cause de la dépression.

Le modèle A-B-C de Ellis pose comme hypothèse que toute personne recherche fondamentalement le succès, l'amour et la sécurité. Lorsqu'on ne peut y parvenir (à cause de l'événement activant), cela peut amener deux résultats. L'individu peut se rabattre sur :

1. Des idées rationnelles correspondant à une analyse objective de la situation : « Je n'aime pas les reproches ou les échecs scolaires, mais ce n'est pas la fin du monde » ou « Je peux atteindre mes buts par d'autres moyens ».

2. Des idées irrationnelles révélant une incapacité d'analyser objectivement la situation : « Je ne peux pas supporter les reproches ou l'échec » ou « Je dois toujours obtenir de bons résultats ».

Selon Ellis, ces idées irrationnelles non seulement provoquent des émotions négatives, mais elles sont aussi à l'origine de comportements inadéquats. Persuadées de devoir atteindre des objectifs irréalisables et incapables de s'accommoder des frustrations normales de la vie, certaines personnes sont envahies par l'angoisse, la colère ou la dépression. Par exemple, un perfectionniste pourra se sentir abattu et sans motivation. Il sera en retard au travail et travaillera moins bien. Les retards et le travail de moindre qualité lui vaudront des reproches (étape A — l'événement activant), qui viendront de nouveau rappeler la nécessité d'être parfait (l'étape B — le système de croyances), accentuant encore ses sentiments négatifs (étape C — la conséquence émotionnelle). Son monologue intérieur pourrait ressembler à ceci : « La piètre qualité de mon travail prouve bien que je suis incompétent. Je dois faire davantage d'efforts. Seule la perfection est acceptable. » Malheureusement, la perfection est inaccessible et l'idée de devoir travailler encore plus fort pour quelque chose d'impossible est très déprimante. Selon Ellis, c'est de ce cercle vicieux que naissent les troubles psychologiques (Ellis, 1987).

Cependant, au cours des dernières années, Ellis a adopté le concept général d'« exigence » (Ellis, 1991, 1993, 1997; Moeller et DeBeer,1998). Lorsqu'une personne s'impose à elle-même et aux autres des « je dois » et des « il faut », cela entraîne de la détresse émotionnelle et un dysfonctionnement comportemental qui nécessitent souvent une intervention thérapeutique. Par exemple, un divorcé que sa femme a quitté pour vivre avec un autre homme peut se tenir un langage intérieur du type : « *Il faut* que tout le monde m'aime », « Elle *ne doit pas* me rejeter » et « J'*exige* qu'elle me revienne; sinon, je me vengerai ».

Ellis pense que les clients qui se tiennent un tel langage intérieur, et se créent des obligations tout aussi irréalistes qu'inutiles, n'en parleront pas à leur thérapeute à moins que ce dernier ne les y contraigne. En thérapie, Ellis discute souvent avec ses clients; il les cajole et les taquine, en utilisant parfois des expressions très tranchantes. Plusieurs clients sont choqués de sa brusquerie et, en fait, de leurs propres croyances irrationnelles. Une fois qu'ils se sont rendu compte qu'ils entretiennent des pensées autodestructrices, Ellis tente de les amener à *se conduire*

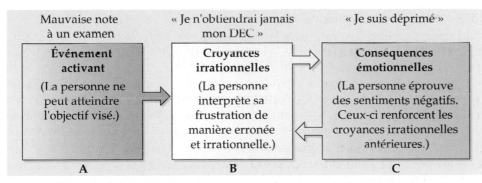

Figure 12.4 **L'élaboration d'idées fausses et irrationnelles.** Comment nos pensées et nos croyances nous rendent-elles malheureux ? Selon Ellis, nos réactions émotionnelles découlent de notre interprétation des événements, et non des événements eux-mêmes. Par exemple, si vous obtenez une mauvaise note à un examen (événement activant, A), vous vous sentirez peut-être triste et frustre (conséquence émotionnelle, C). Vous vous direz peut-être, et vous direz aux autres, que c'est le fait d'avoir eu une mauvaise note qui vous attriste, mais Ellis vous répondrait que c'est le langage intérieur que vous vous tenez (« Je n'obtiendrai jamais mon DEC » : croyance irrationnelle, B) pour interpréter l'événement qui est responsable de vos émotions et qui vous rend inquiet. De plus, votre mauvaise humeur vous amène à ruminer à propos de tout ce qui ne fonctionne pas très bien dans votre vie, ce qui entretient votre état émotionnel négatif. La théorie d'Ellis explique pourquoi le fait de faire du jogging ou de regarder la télévision peut améliorer votre humeur : cela met fin à un cercle vicieux.

différemment, à examiner de nouvelles croyances et à acquérir des habiletés susceptibles de les aider à faire face à leurs difficultés. Pour refléter cette attention accrue accordée au changement de comportement, Ellis a renommé sa thérapie *thérapie émotivo-rationnelle.*

À vous les commandes

Avant de poursuivre, examinez de plus près votre propre système de croyances. Répondez par VRAI ou FAUX aux affirmations suivantes.

1. J'ai un besoin absolu de l'amour et de l'approbation de toutes les personnes qui m'importent. _____

2. Je dois être parfaitement compétent, à la hauteur et performant. _____

3. Les gens qui sont odieux ou injustes méritent d'être blâmés pour leur méchanceté ou leur mauvais comportement. _____

4. Lorsque je suis très frustré, injustement traité ou rejeté, je ne peux pas m'empêcher de voir la situation comme pénible, horrible et catastrophique. _____

5. La détresse émotionnelle est causée par des facteurs extérieurs contre lesquels on ne peut pas grand-chose. Je suis incapable de modifier mes sentiments ou de les contrôler. _____

6. Si quelque chose semble dangereux ou menaçant, je dois m'en préoccuper et me faire du souci à ce sujet. _____

7. Mieux vaut éviter de faire face à mes difficultés et à mes responsabilités que d'avoir recours à l'autodiscipline pour réaliser des choses gratifiantes. _____

8. Mes expériences passées sont d'une importance capitale. Un événement qui a déjà marqué fortement le cours de ma vie exerce, encore aujourd'hui, une influence sur mes sentiments et mon comportement. _____

9. Je suis bouleversé si je n'arrive pas à trouver les bonnes solutions aux dures réalités de la vie. _____

10. Je peux parvenir au vrai bonheur en demeurant apathique et passif ou en prenant du bon temps sans m'engager. _____

Source : A. Ellis et R.A. Harper, *A New Guide to Rational Living*, Wilshire Book Co., Hollywood, CA. ■

Comment pouvons-nous modifier nos idées irrationnelles ? Bien qu'Ellis croit que la plupart des gens ont besoin d'un thérapeute pour percer leurs défenses et modifier leurs réactions autodestructrices, certains individus parviennent à changer leurs comportements par eux-mêmes. Ellis recommande la démarche suivante :

1. *Évaluez les conséquences.* Des émotions telles que la colère, l'anxiété et la dépression semblent souvent « naturelles », mais elles ne le sont pas. Au lieu de perpétuer ces conséquences négatives en présumant qu'elles font partie de la vie, demandez-vous si de telles réactions vous aident à vivre de manière satisfaisante et à résoudre vos problèmes.

2. *Analysez votre système de croyances.* Découvrez ce en quoi vous croyez en vous demandant *pourquoi* vous ressentez telle ou telle émotion. Selon Ellis, scruter ce en quoi vous croyez vous aidera à découvrir les idées irrationnelles qui engendrent des problèmes.

3. *Combattez les idées autodestructrices.* Lorsque vous avez découvert en vous une trop grande exigence ou une idée ou conviction irrationnelle, combattez-la. Ainsi, il est très agréable d'être aimé des personnes que vous aimez, mais si tel n'est pas le cas, il ne sert à rien de vous obstiner, c'est même contraire à votre bien-être.

4. *Exercez-vous à penser de manière positive.* Continuez d'observer vos réactions face aux événements; vous aurez ainsi des occasions de rejeter vos convictions irrationnelles et de les remplacer par des perceptions réalistes. Essayez d'adopter des comportements plus positifs et d'imaginer que les choses pourraient bien tourner.

La thérapie cognitivo-comportementale : le traitement de la dépression

Aaron Beck (1967, 1991, 1998) est également un thérapeute cognitiviste très connu. Comme Ellis, Beck pense que les problèmes psychologiques découlent d'idées irrationnelles et d'un langage intérieur autodestructeur. Mais à l'encontre d'Ellis et des psychanalystes qui encouragent leur client à exprimer ses pensées et ses sentiments dans le but de découvrir l'origine de ses comportements inadaptés, Beck emploie une approche active. Il tente d'amener ses clients à vivre, au cours des séances de thérapie et dans leur vie quotidienne, des expériences qui modifieront de manière favorable leur langage intérieur négatif. L'objectif général est d'examiner et de changer les comportements associés à des pensées destructrices, d'où l'appellation thérapie cognitivo-comportementale.

L'application de la théorie de Beck a particulièrement donné de bons résultats dans le traitement de la dépression. Beck a identifié des modèles de pensée qui selon lui sont associés à la dépression. Voici quelques-uns des plus importants.

Thérapie cognitivo-comportementale : Thérapie élaborée par Aaron Beck qui permet non seulement de modifier les pensées et les croyances destructrices, mais aussi les comportements qui leur sont associés.

Après avoir obtenu des prix ou des récompenses pour leur performance émérite, certaines personnes se disent : « À compter de maintenant, ma performance doit être impeccable. » C'est là un genre d'idée irrationnelle qui pourrait intéressser un thérapeute cognitiviste.

Agence D.P.P.I., Philippe Millereau

1. *La perception sélective.* Les personnes prédisposées à la dépression ont tendance à centrer leur attention sur les événements négatifs et à ignorer les événements positifs.

2. *La généralisation à outrance.* En se fondant sur des informations partielles, les personnes déprimées généralisent à l'excès et tirent des conclusions négatives relativement à leur propre valeur. Par exemple, elles se disent qu'elles sont de très mauvais parents ou conjoints parce qu'elles n'ont pas obtenu une promotion ou qu'elles ont eu une note médiocre à un examen.

3. *L'exagération.* Les personnes déprimées ont tendance à exagérer l'importance de leurs défauts et des événements indésirables, qu'elles considèrent comme immuables ou catastrophiques.

4. *La perception « tout ou rien ».* Les personnes déprimées voient tout en noir et blanc. Pour elles, une chose ne peut être que tout à fait bonne ou tout à fait mauvaise, tout à fait correcte ou tout à fait répréhensible, ou encore une réussite totale ou un échec cuisant.

Voici comment fonctionne la thérapie cognitivo-comportementale de Beck. On enseigne d'abord au client à reconnaître et à noter ses pensées. Par exemple, « Comment se fait-il que je sois la seule personne non accompagnée à cette soirée ? » (perception sélective) ou « Si je n'obtiens pas des A pour tous mes cours, je n'aurai jamais un bon emploi » (perception « tout ou rien »). Le thérapeute apprend ensuite au client à adopter des moyens pour vérifier ces pensées automatiques irréalistes. Par exemple, si le client pense qu'il doit avoir des A dans tous ses cours pour obtenir un emploi donné, il suffit que le thérapeute lui donne un contre-exemple pour infirmer cette croyance. Le thérapeute choisit évidemment avec soin les « tests » à faire, de manière à ne pas confirmer les croyances négatives du client, mais à obtenir au contraire des résultats positifs.

L'approche qui consiste à identifier les pensées dysfonctionnelles, puis à procéder à des vérifications directes, aide les personnes déprimées à se rendre compte que les attitudes négatives découlent en bonne partie de processus de pensée fondés sur des données irréalistes ou erronées. Beck passe ensuite à la seconde étape de la thérapie, qui consiste à persuader le client de s'adonner à des activités agréables. Les individus déprimés perdent souvent toute motivation, même pour faire les choses qu'ils avaient l'habitude d'aimer. En outre, le fait de remplacer une attitude passive par une attitude active et de recommencer à participer à des activités agréables contribue à guérir d'une dépression.

Évaluation de la thérapie cognitive : quelles sont les clés de son succès ?

Une somme considérable de données indique que la méthode de Beck est très efficace pour le traitement de la dépression, des troubles anxieux, de la boulimie, de la dépendance à la cocaïne et même de la schizophrénie (Abramowitz, 1997; Barlow, 1997; Beck et Rector, 1998; Koder, 1998). La thérapie émotivo-rationnelle d'Ellis donne elle aussi de bons résultats dans le traitement de plusieurs types de troubles (Beal et DiGiuseppe, 1998; Ellis, 1997).

Cependant, on reproche autant à Beck qu'à Ellis de ne pas tenir compte de la dynamique inconsciente de leurs clients, ou même d'en nier l'existence, et de ne pas accorder suffisamment d'importance à leur passé (Corey, 1993). On reproche en outre à Ellis de « prêcher un système moral » (Davison et Neale, 1998, p. 530). En qualifiant les pensées de ses clients d'« irrationnelles » et en insistant pour qu'ils les remplacent par des pensées « rationnelles », Ellis leur imposerait son propre ensemble de normes. D'autres critiques avancent que les thérapies cognitives donnent de bons résultats parce qu'elles font appel à des techniques comportementales, et non parce qu'elles modifient la structure cognitive sous-jacente (Bandura, 1977, 1997; Wolpe, 1976, 1989).

RÉSUMÉ

Les thérapies cognitives

La thérapie cognitive accorde beaucoup d'importance aux raisonnements et aux idées erronés qui sont à l'origine des problèmes de comportement. La thérapie émotivo-rationnelle d'Albert Ellis est une méthode consistant à remplacer les idées irrationnelles du client par des idées rationnelles et des perceptions plus justes du monde.

Des évaluations des thérapies cognitives ont permis de constater que la méthode d'Ellis avait obtenu un certain succès dans le traitement de différents troubles de santé mentale. On a cependant reproché à Ellis, tout comme à Beck d'ailleurs, d'ignorer l'importance des processus inconscients et des antécédents du client. Quant à la méthode de Beck, on s'entend pour dire qu'elle est particulièrement efficace dans le traitement de la dépression. Par ailleurs, certains critiques affirment que lorsque les thérapies cognitives réussissent, c'est parce qu'elles ont réussi à modifier le comportement des personnes traitées.

QUESTIONS DE RÉVISION

1. Comment les thérapeutes cognitivistes expliquent-ils les troubles de comportement ?

2. Dans une thérapie cognitive, le processus par lequel on modifie les pensées erronées et destructrices s'appelle _____.

3. Beck a déterminé quatre modèles destructeurs de pensée associés à la dépression : la perception sélective, la généralisation à outrance, l'exagération et la perception « tout ou rien ». Étiquetez les pensées suivantes à l'aide de ces quatre termes.

   a) Marie m'a quitté. Je n'aimerai jamais une autre femme. Je serai donc toujours seul. _____

   b) Mon ex-femme est un véritable monstre. Notre mariage était une supercherie. _____

4. Quelles sont les trois étapes (l'A-B-C) de la thérapie émotivo-rationnelle d'Ellis ? _____, _____ et _____.

5. Quels sont les quatre moyens que propose Ellis pour modifier les croyances irrationnelles ?

Les réponses aux questions de révision se trouvent en annexe.

LES THÉRAPIES BIOMÉDICALES

Les thérapies biomédicales (médication, opération au cerveau) ne peuvent être prescrites que par des médecins, souvent des psychiatres, et ne sont pas à proprement parler des psychothérapies. Ce genre de thérapie repose sur l'idée que les troubles du comportement sont provoqués par une dysfonction du système nerveux ou un débalancement biochimique. Bien que les psychologues ne soient pas habilités à prescrire de tels traitements, ils travaillent souvent avec des personnes qui sont traitées de cette façon. En effet, il arrive qu'on combine thérapie biomédicale et psychothérapie. Nous examinerons d'abord la forme la plus courante de thérapie médicale : la pharmacothérapie.

La pharmacothérapie : la révolution pharmacologique

Depuis les années 1950, l'industrie pharmaceutique a mis au point une variété étonnante de substances pour le traitement des comportements anormaux. Dans certains cas, la pharmacothérapie vise à corriger un déséquilibre chimique; l'emploi de médicaments se compare alors à l'administration d'insuline aux diabétiques, dont l'organisme est incapable de produire une quantité suffisante de cette substance. Dans d'autres cas, on se sert de médicaments pour réduire ou éliminer les symptômes de troubles mentaux même si la cause sous-jacente n'est probablement pas de nature physique.

La pharmacothérapie soulève généralement trois types de problèmes. Il faut constamment administrer la dose adéquate tout en limitant le plus possible les effets secondaires, ou réactions indésirables. En outre, comme pour tout traitement médical, les résultats de la pharmacothérapie dépendent de la coopération du patient (qui doit prendre les médicaments selon l'ordonnance) et d'une évaluation appropriée du traitement.

On classe les médicaments psychotropes en quatre grandes catégories : les anxiolytiques, les antipsychotiques, les régulateurs de l'humeur et les antidépresseurs. Le tableau 12.6 donne des exemples de médicaments de chaque catégorie.

Pharmacothérapie : Emploi de drogues chimiques pour le traitement de troubles physiques et psychologiques.

Les anxiolytiques

Les anxiolytiques (ou tranquillisants mineurs) induisent un sentiment de calme et réduisent la tension musculaire. Ces médicaments ont remplacé les sédatifs (qui avaient comme effets secondaires l'engourdissement et la somnolence) dans le traitement des troubles anxieux.

Anxiolytiques : Médicaments utilisés pour traiter les troubles anxieux.

Les antipsychotiques

On appelle antipsychotiques, ou neuroleptiques, les médicaments utilisés pour traiter la schizophrénie et autres états psychotiques aigus. On emploie aussi fréquemment l'appellation « tranquillisant majeur », ce qui laisse supposer que ces médicaments ont tous un effet calmant ou sédatif important. Mais le principal effet des

Antipsychotiques : Substances chimiques administrées dans le but de réduire ou d'éliminer les hallucinations, les fantasmes, le repli sur soi et autres symptômes des psychoses; également appelés neuroleptiques ou tranquillisants majeurs.

Tableau 12.6   La pharmacothérapie.

Type de médicament	Trouble mental	Catégorie chimique	Nom générique	Marque de commerce
Antidépresseurs	Dépression majeure (avec idées suicidaires)	Antidépresseurs tricycliques	Imipramine Amitriptyline	Tofranil Elavil
		I.M.A.O (inhibiteurs de la monoamine oxydase)	Phénelzine	Nardil
		Antidépresseurs de seconde génération	Tranylcypromine Fluoxétine	Parnate Prozac
Anxiolytiques	Troubles anxieux	Benzodiazépines	Chlordiazépoxide Diazepam	Librium Valium
		Dérivés du glycérol	Méprobamate	Miltown Equanil
Antipsychotiques	Schizophrénie	Phénothiazines	Chlorpromazine Fluphénazine Thioridazine	Thorazine Prolixin Mellaril
		Butyrophénones	Halopéridol	Haldol
		Dibenzodiazépines	Clozapine	Clozaril
Régulateurs de l'humeur	Troubles bipolaires	Antimaniaques	Carbonate de lithium	Lithonate Lithane Eskalith

antipsychotiques est de réduire ou d'éliminer les symptômes de psychose, dont les hallucinations, les fantasmes, le repli sur soi et l'apathie. Ils n'ont pas été conçus pour calmer le patient.

En dépit des problèmes associés aux antipsychotiques, leur usage a révolutionné la pratique clinique en santé mentale. Avant qu'on ait recours à des médicaments de ce type, les patients étaient internés à vie dans des institutions psychiatriques. Aujourd'hui, il est possible d'améliorer suffisamment l'état de la majorité des malades pour qu'ils puissent rentrer chez eux, à la condition de continuer à prendre les médicaments prescrits de manière à éviter une rechute (Gershon et Soares, 1997; Schooler et coll., 1997).

Les régulateurs de l'humeur et les antidépresseurs

Dans le cas des personnes souffrant de troubles bipolaires, on emploie un régulateur de l'humeur, comme le lithium, durant un épisode maniaque pour briser le cycle maniaco-dépressif. Le lithium influe sur le taux de norépinéphrine et prévient l'oscillation caractéristique entre l'euphorie extrême et la dépression extrême (Goodwin et Ghaemi, 1997).

Une personne qui souffre de dépression devra-t-elle prendre des médicaments toute sa vie ? Une fois que la prise d'antidépresseurs a rétabli l'équilibre chimique de son organisme, la personne est capable de penser plus clairement et elle peut mieux faire face à ses problèmes; en outre, elle se sent moins déprimée. Des personnes souffrant de dépression ont pu cesser de prendre des médicaments sans que les symptômes ne resurgissent après avoir modifié leur mode de vie de façon constructive. D'autres doivent continuer de consommer des médicaments pour éviter de souffrir à nouveau de dépression majeure.

Les électrochocs : une thérapie prometteuse ou dangereuse ?

Électrochocs : Thérapie biomédicale consistant à faire circuler un courant électrique dans le cerveau. Les électrochocs sont utilisés presque uniquement pour le traitement de la dépression majeure lorsque la pharmacothérapie n'a pas donné les résultats escomptés.

Les électrochocs ne sont actuellement utilisés qu'en dernier ressort parce qu'ils provoquent une attaque d'apoplexie et risquent d'entraîner des pertes plus ou moins graves de mémoire. Cependant, ils sont parfois très efficaces pour le traitement de la dépression majeure lorsque la pharmacothérapie n'a pas donné les résultats escomptés (Rabheru et Persad, 1997).

La psychochirurgie : modifier le cerveau

Psychochirurgie : Opération chirurgicale au cerveau conçue pour réduire les symptômes graves de troubles mentaux qu'on n'a pas réussi à traiter par d'autres moyens.

En thérapie biomédicale, si l'administration de médicaments ne donne pas les résultats escomptés, les cliniciens peuvent faire appel, en dernier recours, aux électrochocs ou à la psychochirurgie, qui consiste à effectuer une opération au cerveau dans le but de réduire des symptômes psychologiques. (Il est important de ne *pas* confondre la psychochirurgie avec les opérations au cerveau utilisées pour résoudre des problèmes physiques, comme l'élimination d'une tumeur ou d'un caillot sanguin.)

Les premières tentatives pour changer un mode de pensée ou un comportement problématique en modifiant le cerveau remontent loin dans l'histoire. À l'époque romaine, par exemple, on croyait qu'une blessure au cerveau causée par un coup d'épée pouvait guérir l'aliénation. En 1936, un neurologue portugais, Egaz Moniz, a traité des personnes souffrant de psychoses incontrôlables en sectionnant les fibres nerveuses reliant les deux lobes frontaux (où les zones associatives responsables du contrôle et de la planification du comportement sont localisées) et le thalamus et l'hypothalamus. Le sectionnement de ces liens entraîne la diminution des réponses émotionnelles, de sorte que le patient accepte des conditions frustrantes avec une « placidité philosophique ».

Lobotomie : Opération au cerveau au cours de laquelle on sectionne les fibres nerveuses reliant les lobes frontaux et le thalamus et l'hypothalamus dans le but de réduire ou d'éliminer des troubles mentaux.

Moniz a reçu le prix Nobel de médecine en 1949 pour la mise au point de cette technique, appelée lobotomie (Rodgers, 1992; Valenstein, 1987). Au cours des années 1940, on a pratiqué une lobotomie sur environ 50 000 patients. Un chirurgien

américain a affirmé avoir effectué 4000 opérations au moyen d'un pic à glace pla-
qué or qu'il transportait dans un étui doublé de velours. Comme l'opération néces-
sitait seulement une anesthésie locale et une petite incision à une extrémité du globe
oculaire, ce chirurgien procédait fréquemment à des opérations dans son cabinet
ou chez le patient (Rodgers, 1992).

Bien que la lobotomie avait souvent pour effet de calmer le patient, elle entraînait fréquemment une détérioration de sa condition. Plusieurs des personnes
opérées souffraient de changements de personnalité; elles étaient ternes et dé-
pourvues d'émotions. D'autres devenaient agressives et incapables de contrôler
leurs impulsions.

Évaluation des thérapies biomédicales

Les thérapies biomédicales, comme toutes les thérapies, ont leurs limites. Il est indéniable que certaines substances thérapeutiques produisent des effets secondaires indésirables. De plus, certains critiques ont fait valoir que les médicaments, s'ils
atténuent les symptômes des problèmes de santé mentale, n'exigent cependant pas
des individus qu'ils affrontent leurs problèmes personnels, ce qui peut contribuer à
faire durer le malaise.

RÉSUMÉ

Les thérapies biomédicales

Les thérapies biomédicales font appel à des techniques biologiques pour soulager les troubles mentaux. La pharmacothérapie en est de loin la forme la plus
courante. On emploie les anxiolytiques (Valium, Xanax) pour le traitement des
troubles anxieux; les antipsychotiques (Thorazine) servent à réduire les symptômes de la schizophrénie.

Les antidépresseurs (Elavil, Prozac) sont utilisés pour traiter la dépression,
et les régulateurs de l'humeur (lithium) servent à stabiliser les troubles bipolaires. Bien que la pharmacothérapie ait permis de réaliser des progrès importants dans le traitement de plusieurs troubles mentaux, il existe encore des
problèmes relativement au dosage, aux effets secondaires et à la coopération
des patients.

On emploie les électrochocs essentiellement pour traiter la dépression majeure lorsque les médicaments n'ont pas donné les résultats escomptés. La psychochirurgie, dont la lobotomie, a permis de traiter certains troubles, mais elle
comporte des risques élevés et est considérée comme une solution de dernier
recours.

QUESTIONS DE RÉVISION

1. La réduction radicale du nombre de patients hospitalisés est due principalement _____.

   a) aux thérapies biomédicales b) à la psychanalyse c) à la psychochirurgie
   d) à la pharmacothérapie

2. Quelles sont les quatre grandes catégories de médicaments psychotropes ?

3. Les électrochocs servent essentiellement à traiter _____.
   a) les phobies b) les troubles du comportement c) la dépression d) la schizophrénie

4. La lobotomie est une _____ visant à réduire des symptômes de troubles mentaux.

Les réponses aux questions de révision se trouvent en annexe.

PENSÉE CRITIQUE • Psychologie en direct

La synthèse de plusieurs formes de psychothérapie

Après avoir pris connaissance des différentes formes de psychothérapie, de nombreux lecteurs jugent qu'une ou deux semblent « avoir du bon sens », et que les autres ne méritent pas qu'on s'y arrête. Pourtant, chaque approche comporte des éléments valables, et la capacité de *synthétiser*, ou de combiner, plusieurs éléments en un modèle signifiant est une habileté importante d'un esprit critique.

Mettez à l'épreuve vos propres habiletés de synthèse en revoyant les six principales formes de thérapie (la psychanalyse et les thérapies cognitives, humanistes, comportementales, de groupe et biomédicales), puis décrivez comment on peut utiliser chaque thérapie pour traiter les problèmes suivants.

1. Mathieu, qui a 18 ans, a très peur de souffrir de schizophrénie. Ses deux parents sont atteints de cette maladie, et ses amis intimes lui reprochent d'avoir des « idées folles » et d'être déprimé.

2. Anne a 35 ans et se sent très déprimée. Elle est mariée depuis 10 ans et a toujours voulu avoir une grande famille. Mais son mari refuse catégoriquement d'avoir des enfants. Depuis quelques temps, elle pleure souvent et se sent fatiguée au point de s'absenter fréquemment de son travail.

3. Louis a 45 ans et il est insatisfait de sa situation professionnelle. Ses collègues et son superviseur l'évitent et lui reprochent d'avoir « mauvais caractère ». C'est le cinquième emploi que Louis occupe depuis quatre ans. Il pense que les autres lui envient secrètement son intelligence exceptionnelle et qu'ils complotent contre lui.

LES THÉRAPIES DE GROUPE

La majorité des thérapies dont nous avons parlé peuvent être adaptées pour des groupes. Les thérapies de groupe ont vu le jour parce qu'on manquait de thérapeutes et qu'on avait besoin de thérapies moins coûteuses. Elles comportent cependant certains avantages que ne peuvent offrir les thérapies individuelles :

1. *Le soutien du groupe.*   Lorsque nous traversons des périodes de stress et de perturbation émotionnelle, nous pouvons facilement nous imaginer que nous sommes seuls et que nos problèmes sont uniques. Il peut être très rassurant de savoir que les autres ont des problèmes semblables aux nôtres. En outre, le fait de voir les autres améliorer leur sort peut s'avérer une source importante d'espoir et de motivation.

2. *La rétroaction et l'information.*   Lorsque nous voyons notre comportement commenté de la même façon par tous les autres membres, le message livré est parfois plus convaincant que lorsqu'il vient d'un seul thérapeute. De plus, étant donné que les membres du groupe ont souvent des problèmes semblables, nous pouvons tirer profit des erreurs des autres, échanger des idées et discuter nos façons de voir.

La thérapie de groupe procure le soutien d'autres personnes et donne aux gens l'occasion de s'aider mutuellement à résoudre leurs problèmes.

La santé mentale **451**

3. *La répétition de jeux de rôle.* Au cours d'une thérapie de groupe, les participants peuvent jouer les uns pour les autres un rôle de conjoint, d'employeur, de parent, d'enfant ou de personne avec qui on a un rendez-vous amoureux. En jouant les différents rôles qui font partie des rapports humains, les gens apprennent à mieux comprendre leurs problèmes et à améliorer leur comportement en société.

Évaluation des thérapies de groupe

En dépit d'aspects indéniablement positifs, les thérapies de groupe soulèvent parfois des problèmes. Ces dernières années, de nombreuses thérapies de groupe, que l'on pourrait qualifier de « thérapies populaires », ont vu le jour. L'une d'elles, la *thérapie des vies antérieures*, aussi appelée *thérapie des régressions*, insiste sur l'influence déterminante de nos vie antérieures sur notre fonctionnement présent. Dans une autre de ces « thérapies » nouveau genre, la *thérapie de la re-naissance (rebirth)*, les participants sont invités à revivre le traumatisme de leur naissance. Ces thérapies parallèles sont souvent l'œuvre de charlatans désireux de s'enrichir rapidement.

Les thérapies populaires non seulement dénaturent la psychologie, mais elles peuvent aussi être dangereuses et coûteuses. Avant de vous joindre à un groupe thérapeutique, informez-vous sur la formation et la crédibilité de son responsable et sur l'historique du groupe.

RÉSUMÉ

Les thérapies de groupes

Outre qu'elles sont moins coûteuses et plus accessibles, les thérapies de groupe présentent trois autres avantages sur les thérapies individuelles : l'appui du groupe, la rétroaction et l'information, ainsi que la possibilité de s'exercer à certains comportements grâce aux jeux de rôle.

QUESTIONS DE RÉVISION

1. En plus de son prix avantageux et de son accessibilité, la thérapie de groupe présente trois grands avantages. Quels sont-ils ? _____, _____, _____.

2. De quoi faut-il s'informer avant de se joindre à une thérapie de groupe ?

Les réponses aux questions de révision se trouvent en annexe.

CE QU'IL FAUT SAVOIR AU SUJET DES THÉRAPIES

Comment choisir son thérapeute ? La thérapie est-elle efficace ? Ce sont là des questions d'une importance déterminante.

Choisir la bonne thérapie et le bon thérapeute

Certaines formes de thérapie sont mieux adaptées au traitement de certains troubles psychologiques. La désensibilisation systématique et d'autres techniques behavioristes sont particulièrement efficaces pour soigner les phobies. La thérapie de groupe convient très bien aux problèmes d'alcoolisme et de toxicomanie. Constatant que certaines approches théoriques sont mieux adaptées que d'autres à certains problèmes, la plupart des cliniciens ont recours à une combinaison de techniques, selon la personne à traiter et le problème en cause. En d'autres mots, ils ont recours à une approche éclectique. Dans une étude menée auprès de 400 psychologues, 41 % des thérapeutes interrogés se sont identifiés à l'approche éclectique. Les autres se servaient d'une thérapie en particulier.

Le choix d'un thérapeute. Vu la diversité des coûts et des formes de thérapies, un individu pourrait passer des mois — voire des années — à évaluer les différentes

▲ *Comment s'y prend-on pour choisir un bon thérapeute ?*

Approche éclectique : En psychothérapie, démarche du thérapeute qui emprunte des éléments aux diverses théories pour déterminer le traitement le plus approprié à son patient.

thérapies et à se renseigner sur la compétence des innombrables thérapeutes. Si une personne a le temps d'explorer les différentes options (et l'argent pour le faire), on conseille de « magasiner » afin de trouver le thérapeute qui convient le mieux à ses objectifs personnels. Mais si une personne est en crise — si elle a des pensées suicidaires ou si elle est dans une situation où elle subit de la violence —, il lui faut demander rapidement de l'aide. Il existe un peu partout des services d'assistance téléphonique, comme Tel-Aide, Tel-Jeunes et Action Écoute, grâce auxquels on peut joindre, jour et nuit, une personne capable de nous conseiller. Face à une telle situation, vous pouvez aussi consulter votre professeur de psychologie, vous adresser au centre d'orientation de votre établissement d'enseignement, à un centre communautaire de santé mentale ou même demander l'aide de l'Ordre des psychologues du Québec pour trouver un thérapeute qui réponde à vos besoins. Ce sont là autant de ressources à la disposition de tous lors d'une période de crise.

Il peut arriver que des personnes de votre entourage viennent à vous pour chercher conseil ou pour vous confier leurs difficultés. Cela est compréhensible, car le soutien de nos proches et de nos amis est précieux dans les moments difficiles. Toutefois, il est important de bien distinguer cette forme d'aide que nous pouvons apporter de celle que peut procurer un thérapeute professionnel. Il faut éviter de « jouer » les psychologues, car cela peut se révéler néfaste autant pour soi-même que pour la personne qui a besoin d'aide. Si vous croyez qu'une personne proche de vous a besoin d'une thérapie, vous pouvez l'aider à trouver un thérapeute ou même l'accompagner lors des traitements. Si cette personne refuse de se faire aider et que son problème a des répercussions sur vous, il pourrait être bon de solliciter pour vous-même l'aide d'un thérapeute. Cela vous aidera à mieux comprendre la situation et vous acquerrez des habiletés qui vous permettront de mieux y faire face.

RÉSUMÉ

Ce qu'il faut savoir au sujet des thérapies

Lorsqu'on désire suivre une thérapie, il faut bien choisir son thérapeute et s'assurer que la thérapie qu'on nous propose est efficace.

Comme certaines approches théoriques sont mieux adaptées que d'autres à certains problèmes, la plupart des cliniciens ont recours à une combinaison de techniques thérapeutiques en empruntant librement des éléments à chacune, selon la personne à traiter et le problème en cause. En d'autres mots, ils ont recours à une approche éclectique.

QUESTION DE RÉVISION

En quoi consiste l'approche éclectique en thérapie ?

La réponse à la question de révision se trouve en annexe.

LE CHAPITRE 12 EN UN CLIN D'ŒIL

LA NORMALITÉ OU L'ANORMALITÉ DU COMPORTEMENT

Cinq normes pour déterminer l'anormalité du comportement

Comportement anormal : ensemble d'émotions, de pensées et d'actions considérées comme pathologiques relativement à cinq normes : faible fréquence statistique, malaise subjectif, distorsion de la pensée, comportement inadapté, déviation par rapport aux normes sociales.

Expliquer l'anormalité

Époque préhistorique : explication démonologique; le seul traitement connu à l'âge de pierre était la *trépanation*.	IVᵉ siècle av. J.-C. : **modèle médical**; Hippocrate suppose l'existence d'une cause physique.	Moyen Âge : réapparition de l'explication démonologique; on pratique l'exorcisme, la torture, l'emprisonnement et l'exécution.	XVIIIᵉ siècle : réapparition du modèle médical avec Pinel; traitement humain des malades dans les asiles.	Époque moderne : persistance du modèle médical (**psychiatrie**).

La classification des comportements anormaux

Le *Manuel diagnostique et statistique des troubles mentaux* (DSM-IV) classe les comportements anormaux selon les principales ressemblances et différences observées dans les comportements des personnes perturbées et fournit une description détaillée des symptômes.

- Qualités : uniformise les diagnostics et les traitements et facilite la communication entre les professionnels ainsi qu'entre ces derniers et les patients.

- Défauts : dépend trop du modèle médical, étiquette à tort des personnes et est entaché de biais culturels. Les professionnels de la santé mentale peuvent commettre des erreurs de diagnostic. Or, l'étiquette de « malade mental » expose les patients à la discrimination sociale et économique.

LES TYPES DE PSYCHOTHÉRAPIE

Psychothérapie : différentes méthodes utilisées pour améliorer le fonctionnement psychologique et favoriser l'adaptation à la vie. Les différentes formes de psychothérapie sont axées sur le traitement de cinq grandes catégories de troubles mentaux : les troubles de la pensée, les troubles émotionnels, les troubles de comportement, les difficultés liées aux relations interpersonnelles et à certaines situations de la vie et les troubles biomédicaux. L'**approche éclectique** emprunte à diverses théories.

Description et principaux objectifs	Techniques et méthodes	Évaluation et critiques
Psychanalyse : inventée par Sigmund Freud pour ramener à la conscience les conflits inconscients.	Cinq grandes techniques : **association libre**, **interprétation des rêves**, **résistance**, **transfert** et **interprétation**.	1. Applicabilité limitée : inaccessible à la plupart des gens en raison de sa durée prolongée et de son coût élevé. 2. Manque de crédibilité scientifique : les théories psychodynamiques modernes remédient à certains défauts de la psychanalyse.

Thérapies comportementales : s'appuient sur les principes de l'apprentissage pour modifier le comportement.	Les techniques inspirées du conditionnement répondant comprennent la **désensibilisation systématique** (substitution de la relaxation à l'anxiété) et la **thérapie par l'aversion** (association d'un stimulus aversif à un comportement inadapté). Les techniques inspirées du conditionnement opérant comprennent le façonnement, le renforcement, la punition, l'**extinction** et le **modelage** (observation et imitation de modèles appropriés).	Efficaces dans le traitement de plusieurs troubles psychologiques, mais critiquées pour le faible degré de généralisation possible, le risque de substitution de symptômes et l'éthique douteuse liée au contrôle des comportements.
Thérapies humanistes : fondées sur la prémisse selon laquelle les problèmes résultent d'un blocage de la croissance normale.	La **thérapie centrée sur le client**, conçue par Rogers, se caractérise par l'**empathie**, la **considération positive inconditionnelle** et l'**authenticité**.	Difficiles à vérifier scientifiquement. La recherche sur certaines techniques thérapeutiques a donné des résultats inégaux.
Thérapies cognitives : s'intéressent aux raisonnements et aux croyances erronés de même qu'au **langage intérieur** négatif pour accomplir une **restructuration cognitive**.	La **thérapie émotivo-rationnelle** d'Ellis remplace les croyances irrationnelles par des croyances rationnelles et des perceptions plus justes du monde. La **thérapie cognitivo-comportementale** de Beck est une approche active qui vise à modifier les pensées et les comportements destructeurs.	La méthode d'Ellis donne de bons résultats dans le traitement de plusieurs troubles. La méthode de Beck est très efficace pour le traitement de la dépression. Certains reprochent aux deux de ne pas tenir compte de la dynamique inconsciente et du passé des clients; d'autres avancent que les thérapies cognitives sont efficaces parce qu'elles font appel à des techniques comportementales.
Thérapies biomédicales : soulagent les troubles psychologiques au moyen de techniques biologiques.	La **pharmacothérapie** est la forme la plus courante de thérapie médicale. • Les **anxiolytiques** (Valium, Xanax) servent à traiter les troubles anxieux. • Les **antipsychotiques** (Thorazine) soulagent les symptômes de la schizophrénie. • Les **antidépresseurs** (Elavil, Prozac) servent à traiter la dépression. • Les **régulateurs de l'humeur** (lithium) stabilisent les troubles bipolaires. Les **électrochocs** sont utilisés en dernier ressort pour traiter la dépression majeure. La **psychochirurgie** est une opération chirurgicale (la **lobotomie** par exemple) visant à traiter les troubles mentaux graves.	La pharmacothérapie permet de traiter de nombreux troubles mais soulève des problèmes en matière de dosage, de coopération du patient et d'évaluation du traitement. Les électrochocs et la psychochirurgie ont permis de traiter certains troubles, mais ils comportent des risques élevés et sont considérés comme des solutions de dernier recours.

Réponses aux questions

CHAPITRE 1

page 15
1. La psychologie est l'étude scientifique du comportement. **2.** Un comportement est observable et un processus mental ne l'est pas. **3.** décrire, expliquer, prédire, modifier; **4.** La recherche fondamentale a pour objet l'étude de questions théoriques, sans préoccupations pour les applications pratiques. La recherche appliquée, elle, a pour but de résoudre des problèmes précis. **5.** ... chercher à expliquer le comportement par des méthodes non scientifiques et d'être incapables de prouver leurs fondements par des méthodes objectives et normalisées.

page 22
1. Seule l'expérimentation permet aux chercheurs d'isoler un facteur et d'en examiner l'effet sur un comportement précis. **2.** hypothèse; **3.** variables; **4.** indépendante, dépendante; **5.** contrôlée; **6.** Pour faire échec aux partis pris de l'expérimentateur.

page 29
1. l'observation naturaliste; **2.** population; **3.** Quand un sujet d'étude est rare au point qu'on ne peut réunir suffisamment de sujets pour mener l'expérience. **4.** Absolument pas. Le seul moyen sûr de déceler une cause est l'expérimentation. **5.** statistiques; **6.** Les chercheurs reproduisent une recherche pour en vérifier la validité; **7.** a.

page 33
1. complice; **2.** séance de compte rendu; **3.** Il n'existe pas d'autres moyens d'étudier le comportement, les applications possibles justifient la nature de l'expérience.

CHAPITRE 2

page 42
1. l'expérience, introspection; **2.** processus psychiques; **3.** Au phénomène de l'interprétation de l'information captée par nos sens : la perception. **4.** Les structuralistes considèrent que les expériences peuvent être subdivisées en divers éléments; les gestaltistes affirment que l'expérience est un tout organisé différent de ses parties. **5.** gestalt.

page 49
1. Le conscient est la pointe de l'iceberg et la partie consciente de l'esprit. Le préconscient se trouve immédiatement sous la surface de l'eau; on peut ramener son contenu à la conscience en cas de besoin. L'inconscient est la base de l'iceberg et son contenu n'a pas accès à notre conscience. **2.** Comme une interaction dynamique entre différentes structures mentales : le *ça*, le *moi* et le *surmoi*; **3.** ça, moi, surmoi; **4.** Sa testabilité restreinte, son échantillonnage biaisé,

son information insuffisante et non concluante, son sexisme et l'absence ou l'insuffisance de données interculturelles.

page 53
1. C'est une théorie psychologique qui étudie les comportements objectivement observables. **2.** La timidité est un comportement appris résultant des interactions antérieures avec l'entourage. **3.** Elles ont un fondement scientifique rigoureux, mais elles ont une vision trop restreinte et négligent la personne au profit de la personnalité.

page 57
1. a; **2.** C'est l'ensemble des convictions que les individus entretiennent au sujet de leur nature, de leurs qualités et de leur comportement. **3.** réalisation de soi ou actualisation de soi; **4.** La naïveté des hypothèses, la testabilité restreinte et l'insuffisance des preuves, la portée restreinte.

page 59
1. Comme le résultat de la façon dont on perçoit et interprète le monde et les événements. **2.** sentiment d'efficacité personnelle; **3.** Notre personnalité est déterminée par le résultat que nous attendons d'une action précise et par la valeur de renforcement que nous accordons à certains résultats. L'influence du lieu de contrôle est déterminante. **4.** externe, interne.

page 62
1. d; **2.** Certains chercheurs pensent que la contribution de l'environnement non partagé a peut-être été sous-estimée, tandis que d'autres craignent qu'on ne se serve de la recherche sur le déterminisme génétique pour « prouver » l'infériorité de certains groupes ethniques, le caractère naturel de la domination des hommes ou l'impossibilité du progrès social. **3.** c.

page 67
1. Selon la perspective évolutionniste le comportement est déterminé à la fois par des facteurs environnementaux et génétiques, mais la sélection naturelle agit aussi sur plusieurs générations, de sorte que certains comportements favorables à la survie se transmettraient également. **2.** La majorité des psychologues reconnaît la valeur de chaque orientation et le fait qu'aucune approche en particulier ne fournit de réponses à toutes les questions. **3.** *La réponse variera d'un étudiant à l'autre.* **4.** Une démarche qui consiste à emprunter à diverses théories des éléments qui pourraient aider la compréhension et le règlement de certains cas.

CHAPITRE 3

page 75
1. central, cerveau, moelle épinière, périphérique, nerfs extérieurs au système nerveux central; **2.** *Voir la figure 3.2;* **3.** Un neurone est une cellule composée de trois par-

ties : le corps cellulaire, la dendrite et l'axone. Un nerf est un faisceau d'axones qui ont la même fonction.   **4.** La myélinisation étant incomplète avant 12 ans, l'influx nerveux est moins rapide à 6 ans qu'à 14 ans.   **5.** c.

page 80
1. synapses;   **2.** excitateurs, inhibiteurs;   **3.** Le système endocrinien se compose de glandes qui sécrètent des hormones dans la circulation sanguine.   **4.** C'est l'état d'équilibre d'un organisme qui fonctionne normalement.

page 83
1. Le système nerveux somatique transmet l'information sensorielle et l'information motrice; le système nerveux autonome régit les fonctions involontaires.   **2.** Vrai;   **3.** Avant l'attaque : le système parasympathique; après l'attaque : le système sympathique.   **4.** d.

page 97
1. Il y a réflexe lorsque l'influx passe d'un récepteur sensoriel à la moelle épinière, puis à un muscle sans passer par le cerveau. Grâce aux réflexes, les réactions à des stimuli potentiellement dangereux ou douloureux sont plus rapides.   **2.** le cortex cérébral;   **3.** a) les lobes frontaux, b) les lobes occipitaux, c) les lobes temporaux, pariétaux et frontaux, d) les lobes pariétaux;   **4.** corps calleux;   **5.** thalamus;   **6.** homéostasie;   **7.** La protubérance annulaire, le bulbe rachidien et la formation réticulée.   **8.** a.

page 104
1. anatomique;   **2.** Le dommage causé au cerveau de l'animal est permanent. Une fois qu'on a détruit une partie du cerveau d'un animal, cet animal qu'on observe n'est plus un animal normal.   **3.** électrodes;   **4.** Les électrodes donnent de petites secousses électriques à certaines parties du cerveau et le sujet décrit ses réactions, qui peuvent prendre la forme de perceptions d'éclats de lumière, de résurgences de souvenirs, de perceptions d'odeurs, etc.   **5.** déconnexion interhémisphérique;   **6.** gauche, droit;   **7.** tomodensitométrie, tomographie par émission de positons, résonance magnétique nucléaire; résonance magnétique nucléaire.

CHAPITRE 4

page 113
1. sensation;   **2.** C'est le phénomène par lequel les récepteurs convertissent les stimuli en influx nerveux.   **3.** Le système réticulé activateur;   **4.** seuil absolu;   **5.** adaptation sensorielle;   **6.** d.

page 118
1. La longueur d'onde est la distance entre les crêtes d'ondes successives, alors que l'amplitude est la hauteur de l'onde.   **2.** la cornée, la pupille, cristallin, rétine;   **3.** s'aplatit, bombe;   **4.** Les cônes, parce qu'ils sont activés par la lumière et sensibles aux détails. Les bâtonnets, parce qu'ils sont plus sensibles dans la pénombre.   **5.** adaptation à l'obscurité.

page 124
1. son;   **2.** aigu, grave;   **3.** amplitude;   **4.** L'avertisseur, l'air, le pavillon, le conduit auditif, le tympan, les osselets, la fenêtre ovale, la cochlée, la membrane basilaire, les cellules ciliées, le nerf auditif et le cerveau.   **5.** cellules ciliées, cochlée;   **6.** En général, éviter l'exposition continue à des sons intenses ou, si c'est impossible, porter des protège-tympans.

page 129
1. odorat, goût, olfaction, gustation;   **2.** Chaque molécule odorante épouse la forme d'un seul type de récepteurs olfactifs.   **3.** phéromones;   **4.** salé, sucré, acide, amer;   **5.** Le jus se répand sur les papilles, pénètre dans les pores des papilles et atteint les bourgeons du goût.

page 135
1. La somesthésie est la faculté de détecter les contacts, l'orientation, les mouvements et la position de l'organisme. Elle se compose des sens cutanés, du sens de l'équilibre et du sens kinesthésique.   **2.** tact, pression, chaleur, froid, douleur;   **3.** du portillon;   **4.** Nous avertir que nos tissus sont exposés à un danger réel ou potentiel.   **5.** ferment, ouvre;   **6.** canaux semi-circulaires.

page 139
1. La privation sensorielle est une réduction ou une élimination des stimulations sensorielles extérieures et ses effets sont l'ennui, l'exaspération, des hallucinations ou la détente.   **2.** autisme;   **3.** C'est le phénomène par lequel le corps compense la perte d'un sens par une sensibilité accrue des autres sens.

CHAPITRE 5

page 151
1. La perception est un processus de sélection, d'organisation et d'interprétation des données sensorielles en représentations mentales utilisables.   **2.** Une illusion est une fausse impression résultant d'une perception non conforme à nos sensations.   **3.** a) L'interprétation, b) La sélection, c) L'organisation;   **4.** attention sélective;   **5.** détecteurs de caractéristiques;   **6.** habituation.

page 157
1. C'est le principe selon lequel nous faisons une distinction entre la figure, qui se détache, et le fond, moins distinct.   **2.** a) La proximité, b) La continuité, c) La fermeture;   **3.** constance de la taille;   **4.** constance de la couleur.

page 168
1. les deux; un seul;   **2.** Les deux sont des indices binoculaires pour évaluer la distance. Le fonctionnement de la disparité binoculaire repose sur la production d'images différentes que le cerveau fusionne en une seule. Celui de la convergence réside dans la rotation interne des globes oculaires.   **3.** La perspective linéaire, la perspective aérienne, les gradients de texture, l'interposition, la taille relative, l'ombre et la lumière, l'accommodation, la parallaxe

de mouvement;   **4.** trichromatique;   **5.** des processus antagonistes;   **6.** Les deux sont exactes. La couleur est traitée de manière trichromatique dans la rétine et de manière antagoniste dans le nerf optique et le cerveau.   **7.** stroboscopique;   **8.** b;   **9.** a.

page 175

1. Elle montre l'importance de l'influence de l'apprentissage sur le développement perceptif.   **2.** perceptives;   **3.** Non, leurs différences culturelles leur font percevoir différemment les illusions visuelles.   **4.** Il n'y en a pas.

CHAPITRE 6

page 183

1. État de vigilance et de sensibilité aux stimuli externes et internes;   **2.** Ils considéraient cette étude comme non scientifique et extérieure à la discipline de la psychologie.   **3.** c;   **4.** Les rêves éveillés procurent une saine évasion et aident à composer avec certaines tâches ennuyeuses. Ils contribuent aussi à la relaxation, nourrissent l'intellect et accroissent la créativité. Les fantasmes donnent du piquant à la vie en toute sûreté et mettent à la portée de celui qui fantasme des partenaires autrement inaccessibles.

page 192

1. Le cycle annuel ou saisonnier, le cycle mensuel ou lunaire de 28 jours, le cycle quotidien de 24 heures, le cycle de repos et d'activité de 90 minutes;   **2.** circadiens;   **3.** électroencéphalographe;   **4.** bêta, alpha;   **5.** paradoxal (MOR);   **6.** Selon la théorie de la restauration, nous dormons pour nous restaurer physiquement; selon la théorie évolutive du rythme circadien, le sommeil est apparu dans l'évolution comme un moyen d'économiser l'énergie et d'échapper aux prédateurs.

page 197

1. l'inconscient;   **2.** L'hypothèse de l'activation-synthèse;   **3.** c;   **4.** a) L'apnée du sommeil, b) Les terreurs nocturnes, c) La narcolepsie.

page 206

1. substances psychotropes;   **2.** Modifier la production des neurotransmetteurs, modifier le stockage ou la libération des neurotransmetteurs, modifier la liaison aux récepteurs, empêcher l'inactivation des neurotransmetteurs;   **3.** consommation abusive;   **4.** La dépendance physique résulte de modifications des fonctions physiologiques par suite de l'usage répété d'une substance psychotrope. La dépendance psychologique procède d'un désir ou d'un besoin pressant de ressentir les effets d'une substance psychotrope.   **5.** disposition d'esprit, environnement.

page 212

1. c;   **2.** L'hypnose forcée, les comportements inacceptables, une force surhumaine, une mémoire exceptionnelle et une imposture.   **3.** Parce que le sujet doit prendre lucidement la décision de céder les guides de sa conscience à une autre personne.   **4.** méditation;   **5.** Font partie des rituels sacrés, ont une fonction sociale et politique et sont sources de gratification personnelle.

CHAPITRE 7

page 219

1. Un réflexe est une réponse simple, tandis qu'un instinct est une série complexe de réponses.   **2.** apprentissage;   **3.** Non, nos comportements complexes s'acquièrent généralement de plus d'une façon.

page 226

1. stimulus neutre, stimulus inconditionnel;   **2.** stimulus conditionné, réponse conditionnée;   **3.** Il lui a donné un SN (le rat) et l'a associé à un SI (le bruit) qui a provoqué une RI (les pleurs). Après plusieurs couplages, le rat est devenu un SC qui provoquait une RC (les pleurs et la peur).   **4.** conditionnement d'ordre supérieur;   **5.** L'extinction se produit seulement lorsque le stimulus conditionné est présenté seul, sans le stimulus inconditionnel. L'oubli fait suite à une absence prolongée du stimulus conditionné et du stimulus inconditionnel.   **6.** recouvrement spontané;   **7.** généralisation;   **8.** discrimination.

page 232

1. conditionnement opérant;   **2.** renforcement, punition;   **3.** La nourriture est un renforçateur primaire positif et le salaire est un renforçateur secondaire positif.   **4.** On pourrait le priver de tout privilège (punition négative) pour neutraliser son comportement agressif. Une fois ce comportement atténué, on pourrait lui redonner les privilèges habituels (renforcement positif) en récompense de son comportement pacifique.   **5.** suppression, désagréable;   **6.** négative;   **7.** positive;   **8.** Elle fait les travaux du ménage avec négligence, elle les diffère le plus longtemps possible, elle boude et maugrée.   **9.** Les punitions constantes et inévitables.

pages 240-241

1. renforcement;   **2.** b;   **3.** Il est probablement apparu un jour où Marie-Claire portait le collier et a obtenu un résultat élevé à un examen.   **4.** Tout d'abord, en le félicitant pour chaque plongeon se rapprochant du plongeon voulu, puis en le félicitant pour chacun de ses progrès vers le plongeon parfait.   **5.** d;   **6.** immédiatement après.   **7.** Après avoir éliminé les renforcements positifs à la procrastination, on pourra récompenser son effort en s'accordant consciemment du temps pour faire ce qui nous plaît davantage : voir ses amis, s'entraîner au gymnase ou regarder une émission intéressante.

page 247

1. Nous acquérons de l'information au moyen de processus perceptifs tels que l'attention, la sélection et l'organisation, nous traitons cette information en formant des images mentales, en conceptualisant, en raisonnant et en résolvant des problèmes, puis nous l'emmagasinons dans notre mémoire.   **2.** insight;   **3.** Pas d'après Tolman, qui soutient qu'une bonne partie de l'apprentissage est latent et n'est pas motivé par le renforcement.   **4.** observation;   **5.** modèle.

CHAPITRE 8

page 259
1. La mémoire sensorielle, qui est le maintien éphémère de l'information dans les organes sensoriels, la mémoire à court terme, qui contient les données en cours de traitement, et la mémoire à long terme, qui contient les données stockées en vue d'un usage futur. 2. a; 3. à court terme; 4. La répétition est le fait de ramener continuellement à la mémoire une information reçue. Sans la répétition, cette information ne resterait pas en mémoire plus de 30 secondes. 5. Les lettres de la liste A sont groupées en mots, ce qui fait sept éléments à retenir et qui correspond à la capacité habituelle de la mémoire, à plus ou moins deux éléments près. La liste B est formée de syllabes absurdes; on ne peut en retenir que trois à la fois. 6. de double codage.

page 268
1. L'information est encodée et emmagasinée en vue d'un usage futur. 2. La mémoire sémantique conserve les faits et les relations qui les unissent, alors que la mémoire épisodique conserve l'information relative aux moments et aux endroits où les épisodes de notre vie se sont produits. 3. phénomène du mot sur le bout de la langue; 4. récupération; 5. a) La reconnaissance, b) Le rappel, c) Le rappel, d) La reconnaissance; 6. souvenirs éclairs; 7. La recherche démontre que les souvenirs des sujets peuvent se déformer lorsqu'on leur présente une information fausse après la réactivation des souvenirs.

page 275
1. d; 2. L'apprentissage échelonné consiste à espacer plusieurs périodes d'apprentissage en les entrecoupant de périodes de repos. L'apprentissage massé, communément appelé bourrage de crâne, consiste à étudier de façon ininterrompue sur une longue période. 3. la mémoire liée à l'état physiologique; 4. ancien, récent; 5. récent, ancien; 6. a) La théorie de l'entrave à la récupération, b) La théorie du déclin, c) La théorie de l'oubli motivé.

page 281
1. amnésie; 2. C'est une détérioration progressive des facultés mentales qui touche principalement les personnes âgées. Elle peut être due à une cause de nature génétique, à un virus lent ou à l'accumulation de minéraux toxiques dans le tissu cérébral.

page 284
1. procédés mnémotechniques; 2. a) La méthode des mots inducteurs, b) La méthode des lieux, c) La méthode des associations verbales, d) La méthode de la décomposition de mots.

CHAPITRE 9

page 296
1. La cognition est un processus d'acquisition de connaissances au moyen de la faculté de sentir, de percevoir, d'ap-

prendre, de se rappeler et de penser. 2. l'hypothèse de la double codification; 3. images mentales; 4. attributs; 5. Parce qu'elle nous permet de catégoriser les nouvelles connaissances et de les rattacher aux précédentes, c'est-à-dire de penser par le fait même.

page 301
1. La préparation, qui consiste à cerner les données, à dégager les faits pertinents et à préciser le but; la production, qui consiste à formuler des hypothèses de solutions; l'évaluation, qui consiste à déterminer si les hypothèses répondent aux exigences de l'objectif visé. 2. Les algorithmes peuvent prendre beaucoup de temps, mais ils finissent toujours par fournir une solution. Les méthodes heuristiques sont beaucoup plus rapides, mais elles n'aboutissent pas toujours à une solution. 3. l'analyse objectifs-moyens; 4. la démarche à rebours; 5. buts partiels; 6. La fixation sur une stratégie de résolution de problèmes et la fixité fonctionnelle; l'incubation.

page 306
1. C'est l'aptitude à trouver une solution nouvelle ou unique à un problème. 2. la fluidité, la flexibilité, l'originalité; 3. a) La pensée divergente, b) La pensée convergente; 4. remue-méninges; 5. Non, parce que les gens tendent à être moins créateurs lorsque la récompense de leurs efforts est extérieure; 6. d.

page 311
1. c; 2. d; 3. 1 = b, 2 = a, 3 = d, 4 = c, 5 = d.

page 318
1. Il conçoit l'intelligence comme une faculté cognitive unique. Thurstone, Guilford et Cattell soutiennent que l'intelligence se compose de plusieurs facultés distinctes. 2. L'intelligence fluide est notre capacité innée d'apprendre de nouvelles choses. L'intelligence cristallisée est l'accumulation de nos connaissances, acquises par l'interaction entre notre intelligence fluide et notre environnement. 3. Les éléments internes de l'intelligence, l'utilisation de ces éléments pour s'adapter aux changements environnementaux et l'application de l'expérience vécue aux situations de la vie. 4. C'est l'ensemble des aptitudes cognitives employées pour acquérir des connaissances, les mémoriser et utiliser les éléments de sa propre culture pour résoudre des problèmes de la vie quotidienne et pour s'adapter à un milieu. 5. a) La fidélité, b) La validité, c) La standardisation.

page 331
1. Non, les tests d'intelligence mesurent simplement les aptitudes verbales et quantitatives et servent essentiellement à prédire la réussite scolaire. 2. Le Stanford-Binet est un test unique qui comprend une série de questions adaptées aux différents groupes d'âge, tandis que les échelles de Wechsler se composent de trois tests distincts. De plus, le Stanford-Binet est d'abord conçu pour mesurer les aptitudes verbales, tandis que les échelles de Wechsler sont à moitié verbales et à moitié non verbales. 3. Les connaissances acquises et la capacité d'une personne à réussir dans un ou plusieurs domaines donnés; 4. Non, les processus

mentaux ralentissent, mais conserve les mêmes capacités.   **5.** Non, elles sont plus heureuses et en meilleure santé que la moyenne des gens.   **6.** L'élagage neural est le processus de réduction du nombre de synapses grâce auquel l'efficacité du cerveau s'accroît.   **7.** Ni l'un ni l'autre. L'intelligence est déterminée à moitié par l'environnement et à moitié par l'hérédité.

CHAPITRE 10

page 352
1. La motivation et l'émotion se chevauchent et interagissent pour influer sur le comportement. Cependant, la motivation active et dirige le comportement, alors que l'émotion se compose de sentiments et de réactions affectives.   **2.** Les principaux facteurs internes sont les stimuli stomacaux, les signaux provenant du sang et ceux qu'envoient le cerveau; les facteurs externes sont le conditionnement culturel et les stimuli visuels.   **3.** d;   **4.** c;   **5.** la motivation d'accomplissement.

pages 356-357
1. L'instinct est un comportement inné déclenché par un stimulus spécifique dans un organisme physiologiquement disposé et qui se manifeste de manière semblable chez les individus sains d'une même espèce. L'homéostasie est l'état d'équilibre biologique.   **2.** a = 2, b = 3, c = 5, d = 4, e = 1;   **3.** d;   **4.** la hiérarchie des besoins de Maslow.

page 364
1. a = 3, b = 1, c = 2, d = 4;   **2.** sympathique, autonome;   **3.** a;   **4.** b.

page 376
1. a = 3, b = 1, c = 5, d = 2, e = 4;   **2.** Darwin avançait que les émotions évoluent selon leur valeur pour la survie et la sélection naturelle;   **3.** d.

CHAPITRE 11

page 383
1. les comportements psychologiques, l'état de santé physique;   **2.** Ils sont chercheurs et praticiens dans le milieu de la santé et jouent un rôle d'éducateurs auprès du grand public qu'ils incitent à prendre soin de sa santé.   **3.** chronique.

page 395
1. stress;   **2.** tracas;   **3.** La frustration résulte d'obstacles empêchant l'atteinte d'un objectif, alors qu'un conflit est la nécessité de choisir entre des possibilités qui s'excluent les unes les autres.   **4.** syndrome général d'adaptation;   **5.** Probablement parce qu'ils ont éprouvé beaucoup de stress, ce qui a affaibli leur système immunitaire.

page 403
1. Le stress affaiblit le système immunitaire, chargé notamment d'enrayer la multiplication des cellules cancéreuses.   **2.** C'est une tension artérielle élevée de façon chronique. La tension artérielle des personnes qui souffrent d'hypertension a tendance à s'élever de façon exagérée et prolongée face aux situations stressantes, ce qui peut aboutir à l'accident cardiovasculaire ou aux maladies du cœur.   **3.** épinéphrine, cortisol;   **4.** La personnalité de type A est toujours énervée, a un vif souci de ses responsabilités, a le sens de la compétition, est toujours à la hâte et parle rapidement. La personnalité de type B est calme et adopte une attitude décontractée.   **5.** hostilité, cynisme;   **6.** globale, spécifique.

page 410
1. stratégie d'adaptation;   **2.** a) Forme d'adaptation axée sur les émotions, b) Forme d'adaptation axée sur les problèmes;   **3.** interne, externe;   **4.** Une bonne santé, une image de soi positive, le sens de l'humour, un lieu de contrôle interne, la capacité de socialiser, le soutien de l'entourage, des ressources matérielles;   **5.** Relaxer, faire de l'exercice physique, prendre soin de soi.

CHAPITRE 12

page 428
1. Tout schème de comportement mésadapté, perturbateur ou nuisible pour l'individu ou la société;   **2.** la norme statistique, la norme du malaise subjectif et la norme du comportement inadapté, la norme de distorsion de la pensée, la déviation par rapport aux normes sociales;   **3.** C'est un répertoire classifié que des psychiatres ont élaboré pour décrire les différents troubles mentaux.   **4.** Lorsqu'un patient est étiqueté comme schizophrène, cette maladie devient la principale caractéristique de sa personne et le patient peut adopter des comportements qui confirment les idées préconçues.   **5.** Plus de prudence dans les diagnostics et une plus grande sensibilisation aux dangers que comportent les diagnostics;   **6.** Il décrit les symptômes de différents troubles, il uniformise les diagnostics et les traitements, et il facilite la communication entre les spécialistes.

page 431
1. psychothérapie;   **2.** Les troubles de la pensée, les troubles émotionnels, les troubles de comportement, les relations interpersonnelles et les situations de vie difficiles, les troubles biomédicaux;   **3.** 1. b); 2. e); 3. d); 4. c); 5. a).

page 434
1. Amener à la conscience les conflits inconscients;   **2.** catharsis;   **3.** Son applicabilité limitée et son manque de crédibilité scientifique.

page 439
1. la thérapie comportementale;   **2.** C'est un processus graduel qui consiste à associer à une profonde relaxation des stimuli provoquant la peur.   **3.** par l'aversion;   **4.** c;   **5.** En récompensant des approximations successives du comportement souhaité, on façonne un comportement mieux adapté du patient.   **6.** La généralisation, l'aspect éthique.

page 441
1. un blocage ou d'une interruption de la croissance normale;   **2.** a) Empathie, b) Authenticité, c) Considération positive inconditionnelle.

page 446

1. Par l'existence de raisonnements et croyances erronés; **2.** restructuration cognitive; **3.** a) exagération, b) perception « tout ou rien »; **4.** L'événement activant, le système de croyances et la conséquence émotionnelle; **5.** Évaluer les conséquences, analyser notre système de croyances, combattre les idées autodestructrices et s'exercer à penser de manière positive.

page 449

1. d; **2.** antidépresseurs, anxiolytiques, antipsychotiques, régulateurs de l'humeur; **3.** c; **4.** psychochirurgie.

page 451

1. Le soutien du groupe, la rétroaction et l'information, ainsi que la répétition de jeux de rôle; **2.** De la formation et de la crédibilité du responsable ainsi que de l'historique du groupe.

page 452

C'est une démarche consistant à emprunter des éléments à différentes théories afin de trouver le traitement qui convient le mieux.

Glossaire

Accommodation (intelligence) : Processus de réajustement des façons de penser existantes, restructuration des schèmes pour y incorporer de nouvelles informations, de nouveaux objets ou de nouvelles idées.

Accommodation (perception) : Modification de la courbure du cristallin qui a pour effet de focaliser les images sur la rétine.

Achromatopsie : Incapacité de voir les couleurs due à l'absence de cônes dans la rétine.

Adaptation : Manière efficace de faire face au stress.

Adaptation à l'obscurité : Augmentation de la sensibilité des bâtonnets au cours du passage de la clarté à l'obscurité.

Adaptation à la lumière : Diminution de la sensibilité des bâtonnets au cours du passage de l'obscurité à la clarté.

Adaptation sensorielle : Réduction de l'excitabilité des récepteurs sensoriels consécutive à une stimulation uniforme et continue.

Actualisation de soi : *Voir* Réalisation de soi.

Afférences : Influx nerveux qui vont des récepteurs sensoriels au système nerveux central.

Agent stressant : Tout stimulus qui déclenche la réaction de stress.

Agoniste : Substance qui imite l'action d'un neurotransmetteur.

Agressivité passive : Forme subtile d'agressivité caractérisée par la bouderie, la procrastination, l'entêtement et l'inefficacité intentionnelle.

Aire de Broca : Aire située dans le lobe frontal gauche, qui commande les muscles utilisés pour la parole.

Aire de Wernicke : Aire du cortex cérébral dont dépendent la pensée verbale et la compréhension du langage.

Aire motrice : Aire située dans la partie postérieure des lobes frontaux, qui commande les mouvements volontaires.

Aire somesthésique : Aire située dans les lobes pariétaux, qui reçoit l'information provenant des récepteurs de la peau et des muscles.

Aires associatives : Aires du cortex cérébral dont dépendent les fonctions mentales telles que la pensée, la mémoire, l'apprentissage et la résolution de problèmes.

Algorithme : Stratégie de résolution de problèmes qui aboutit toujours à une solution. Cette stratégie consiste souvent à essayer systématiquement toutes les possibilités.

Aliénation : Terme juridique s'appliquant à une personne atteinte d'une maladie mentale qui l'empêche d'être tenue responsable de ses actes et de s'occuper de ses affaires de façon adéquate.

Amnésie : Perte de la mémoire consécutive à une lésion cérébrale ou à un traumatisme psychologique.

Amnésie antérograde : Incapacité de former de nouveaux souvenirs.

Amnésie rétrograde : Incapacité de se rappeler les événements antérieurs à un traumatisme.

Amplitude : Hauteur d'une onde. L'amplitude des ondes lumineuses détermine la brillance. L'amplitude des ondes sonores détermine l'intensité des sons.

Animisme : Selon Piaget, croyance de l'enfant au stade préopératoire que tous les objets sont vivants et doués d'intentions, de conscience et de sentiments.

Anorexie mentale : Trouble de l'alimentation prenant la forme d'une peur obsessive de l'obésité qui pousse à se sous-alimenter, souvent au point de mettre la santé en péril.

Antagoniste : Substance qui entrave l'action d'un neurotransmetteur.

Antipsychotiques : Substances chimiques administrées dans le but de réduire ou d'éliminer les hallucinations, les fantasmes, le repli sur soi et autres symptômes des psychoses; également appelés neuroleptiques ou tranquillisants majeurs.

Anxiolytiques : Médicaments utilisés pour traiter les troubles anxieux.

Apnée du sommeil : Interruption temporaire de la respiration pendant le sommeil; l'une des causes du ronflement et, peut-être, de la mort subite du nourrisson.

Apprentissage : Modification relativement permanente du comportement ou du potentiel comportemental résultant de l'exercice ou de l'expérience vécue.

Apprentissage d'échappement : Forme de renforcement négatif qui amène le sujet à fuir un stimulus désagréable.

Apprentissage échelonné : Technique d'apprentissage selon laquelle les séances d'étude sont entrecoupées de périodes de repos.

Apprentissage latent : Apprentissage qui se réalise sans renforcement et qui reste caché tant que son utilisation n'est pas nécessaire.

Apprentissage massé : Technique d'apprentissage consistant à étudier sans intervalles de repos; bourrage de crâne.

Apprentissage par évitement : Forme de renforcement négatif qui amène le sujet à éviter les stimuli potentiellement désagréables.

Approche connexionniste : Étude de la cognition à l'aide de modèles mathématiques reproduisant les systèmes interconnectés de neurones dans le cerveau afin de montrer que le cerveau travaille en simultanéité pour la réception, le traitement, le stockage et la récupération de l'information.

Approche du traitement de l'information : Étude de la cognition à l'aide de modèles abstraits décrivant comment le cerveau reçoit de l'information sensorielle en série, pour ensuite la traiter, l'emmagasiner, puis la récupérer au besoin.

Approche éclectique : En psychothérapie, démarche du thérapeute qui emprunte des éléments aux diverses théories pour déterminer le traitement le plus approprié à son patient.

Arc réflexe : Trajet qu'un influx nerveux parcourt pour déclencher un réflexe.

Assimilation : Processus qui pousse à réagir à une nouvelle situation de la même manière que dans une situation semblable déjà rencontrée, familière.

Association libre : Effort pour relater sans les modifier toutes les pensées qui viennent à la conscience.

Attention sélective : Processus par lequel le cerveau trie les messages sensoriels et ne s'occupe que de ceux qui sont importants pour lui à cet instant.

Attribut : Caractéristique telle que la couleur, la forme et la taille, qui peut varier d'un stimulus à un autre.

Attribution erronée : Attribution incorrecte de l'activation interne à de fausses causes internes ou externes. Cette définition s'étend plus généralement à toute attribution causale erronée.

Audition : Fonction du sens de l'ouïe.

Authenticité : Dans la théorie de Rogers, conscience de ses vraies pensées et de ses vrais sentiments, accompagnée d'une capacité d'en faire part honnêtement aux autres.

Axone : Longue structure tubulaire rattachée au corps cellulaire qui transmet les influx à d'autres neurones ou aux muscles et aux organes.

Bâtonnets : Récepteurs rétiniens très sensibles à la lumière; ils détectent les variations de luminosité et les mouvements.

Behaviorisme : Théorie psychologique axée sur l'étude des comportements objectivement observables.

Besoin d'accomplissement : Besoin de réussir, de faire mieux que les autres, d'accomplir avec brio des tâches posant un défi.

Biais de l'échantillon : Tendance de l'échantillon des sujets d'une recherche à être atypique d'une population plus vaste.

Boulimie : Trouble de l'alimentation se manifestant par un besoin irrépressible de consommer d'énormes quantités d'aliments, dont on se purge par la suite en prenant des laxatifs ou en vomissant.

Bulbe rachidien : Structure cérébrale qui régit des fonctions involontaires, comme la respiration, la déglutition, les battements cardiaques.

Ça : Selon Freud, source des pulsions instinctives qui sont régies par le principe du plaisir et tendent vers une gratification immédiate des besoins.

Canaux semi-circulaires : Tubes recourbés de l'oreille interne contenant les cellules ciliées qui détectent les mouvements de la tête.

Carte cognitive : Image mentale d'un territoire qu'une personne ou un animal a parcouru.

Catharsis : Dans la théorie psychanalytique, relâchement des tensions et diminution de l'anxiété qu'amène le fait de revivre un incident traumatisant.

Cauchemars : Rêves angoissants qui se produisent généralement à la fin du cycle de sommeil, pendant le sommeil paradoxal (MOR).

Cellules ciliées : Récepteurs auditifs situés dans la cochlée.

Centres du plaisir : Régions cérébrales dont la stimulation provoque une sensation très agréable.

Cerveau : Masse extrêmement complexe de tissu nerveux logée dans le crâne et organisée en structures qui régissent toutes les actions volontaires et la majeure partie des actions involontaires.

Cervelet : Partie du cerveau qui coordonne l'activité motrice et qui jouerait un rôle dans l'apprentissage moteur.

Chronobiologie : Étude des rythmes biologiques.

Clairvoyance : Capacité de percevoir des objets ou des événements qui échappent aux sens connus.

Cochlée : Structure de l'oreille interne contenant les récepteurs auditifs.

Codage : Processus en trois étapes de conversion d'une information sensorielle en une sensation précise.

Cognition : Ensemble des activités mentales que nécessitent l'acquisition, le stockage, la récupération et l'utilisation des connaissances. Ces activités comprennent notamment des processus cognitifs tels que la perception, l'apprentissage, la mémoire, le langage et la pensée.

Comportement : Action ou réaction observable et mesurable d'un organisme en relation avec son environnement.

Comportement anormal : Ensemble d'émotions, de pensées et d'actions considéré comme pathologique pour une ou plusieurs de ces raisons : faible fréquence statistique, désarroi personnel, distorsion de la pensée, incapacité ou dysfonctionnement, ou déviation par rapport aux normes sociales.

Comportement superstitieux : Comportement que le sujet répète continuellement, parce qu'il a été associé à un renforçateur qui n'a pas de lien de nécessité avec ce comportement.

Concept : Structure mentale permettant de placer dans une même catégorie les objets dotés de caractéristiques semblables.

Concept de soi : Dans la théorie de Rogers, ensemble des convictions que les individus entretiennent au sujet de leur propre nature, de leurs qualités et de leur comportement.

Conception phénoménologique : Conception voulant que pour comprendre une autre personne, il faille d'abord savoir comment cette personne perçoit le monde. Le terme est emprunté à la philosophie qui définit un phénomène comme étant la perception mentale de l'environnement, et la phénoménologie comme l'étude de la manière dont chaque personne fait l'expérience de la réalité.

Condition contrôlée : Partie de l'expérience dans laquelle les sujets sont traités de la même manière que les sujets placés dans les conditions expérimentales, sauf que la variable indépendante ne leur est pas appliquée.

Condition expérimentale : Partie d'une expérience consistant à appliquer la variable indépendante aux sujets.

Conditionnement : Forme d'apprentissage qui repose sur l'association d'un comportement à une condition présente dans l'environnement.

Conditionnement d'ordre supérieur : Association d'un stimulus neutre et d'un stimulus déjà conditionné.

Conditionnement opérant : Forme d'apprentissage qui résulte de l'association entre un comportement et sa conséquence.

Conditionnement répondant : Forme d'apprentissage qui repose sur l'association d'un stimulus neutre et d'un stimulus qui provoque une réponse réflexe.

Conditionnement vicariant : Apprentissage effectué à la suite de lectures ou de l'observation d'un modèle.

Conduit auditif : Conduit où entrent les sons recueillis par le pavillon.

Cônes : Récepteurs rétiniens sensibles à la couleur et aux détails des objets.

Conflit : État émotionnel désagréable causé par l'incapacité de choisir entre au moins deux objectifs ou impulsions incompatibles.

Conflit approche-approche : Conflit dans lequel l'individu doit choisir entre deux solutions menant toutes deux à des résultats désirables.

Conflit approche-évitement : Conflit dans lequel l'individu doit choisir entre des solutions menant à des résultats à la fois souhaitables et indésirables.

Conflit évitement-évitement : Conflit dans lequel l'individu doit choisir entre au moins deux solutions menant toutes deux à des résultats indésirables.

Conscience : État de vigilance et de sensibilité aux stimuli internes et externes.

Conscient : En termes freudiens, ensemble des pensées ou des informations dont une personne est consciente ou dont elle se souvient.

Conservation : Capacité de reconnaître qu'une quantité, un poids ou un volume donnés demeurent constants malgré leurs changements de forme, de longueur ou de position.

Considération positive inconditionnelle : Selon Rogers, attitude de non-jugement et de sincère bienveillance que le thérapeute adopte à l'endroit du client.

Constance de la clarté : Invariabilité de la clarté perçue des objets, maintenue en dépit des variations de l'illumination.

Constance de la couleur : Invariabilité de la couleur perçue des objets, maintenue en dépit des variations de l'illumination.

Constance de la forme : Invariabilité de la forme perçue des objets, maintenue en dépit des variations des images rétiniennes.

Constance de la taille : Invariabilité de la taille perçue des objets, maintenue en dépit des variations de la taille des images rétiniennes.

Constance perceptive : Invariabilité d'une perception, maintenue en dépit des variations de l'information sensorielle.

Contenu latent : Dans la théorie freudienne, signification profonde et inconsciente des rêves.

Contenu manifeste : Dans la théorie freudienne, contenu superficiel des rêves, fait de symboles qui recouvrent un sens plus profond.

Contiguïté : Principe gestaltiste selon lequel nous percevons deux événements rapprochés dans le temps et dans l'espace comme unis par un lien de causalité.

Continuité : Principe gestaltiste selon lequel nous regroupons en une seule réalité les formes et les objets qui s'étendent dans une direction, même si leur succession est interrompue.

Convergence : Rotation interne des globes oculaires, qui constitue un indice binoculaire de la profondeur.

Cornée : Membrane transparente qui fait saillie à l'avant de l'œil et laisse pénétrer la lumière.

Corps calleux : Pont de fibres nerveuses qui relie les deux hémisphères cérébraux.

Corps cellulaire : Partie du neurone qui intègre l'information reçue par les dendrites, absorbe les nutriments et produit la majeure partie des protéines nécessaires au neurone.

Corrélation : Rapport mathématique mesurant la direction et la force d'une relation établie entre deux séries de variables.

Cortex cérébral : Surface plissée du cerveau, qui contient les aires sensitives, les aires motrices et les aires associatives, centres des fonctions mentales les plus complexes.

Créativité : Aptitude à trouver à un problème des solutions originales, qui sont également pratiques et utiles.

Cristallin : Structure élastique et transparente de l'œil qui bombe et s'aplatit pour focaliser la lumière sur la rétine.

Culture : Ensemble de valeurs, de conceptions et de comportements acquis par une société en réponse aux exigences de son milieu de vie et qui est transmis de génération en génération.

Démarche globale : Technique de modification comportementale consistant à changer l'ensemble des comportements qui constituent la personnalité de type A.

Démarche spécifique : Technique de modification comportementale consistant à changer seulement les comportements de type A dont on sait précisément qu'ils mènent à des maladies du cœur, particulièrement l'attitude cynique et hostile.

Dendrites : Prolongements ramifiés du neurone qui reçoivent les influx nerveux des autres neurones et les transmettent jusqu'au corps cellulaire.

Dépendance physique : Modification profonde des fonctions physiologiques résultant de l'usage répété d'une substance psychotrope, et se traduisant par des symptômes de sevrage en cas d'interruption de la consommation.

Dépendance psychologique : Désir ou besoin pressant de ressentir les effets d'une substance psychotrope.

Désensibilisation systématique : Dans la thérapie comportementale, processus graduel consistant à associer à une profonde relaxation des stimuli provoquant la peur, classés par ordre d'importance.

Détecteur de mensonge : Instrument qui mesure l'activation émotionnelle par l'enregistrement de réactions physiologiques, comme la fréquence cardiaque, la tension artérielle, la fréquence respiratoire et la conduction électrique de la peau. Ces mesures sont simultanément enregistrées alors que le sujet répond à des questions visant à évaluer sa crédibilité.

Détecteurs de caractéristiques : Cellules cérébrales spécialisées qui réagissent seulement à un certain type d'information sensorielle.

Déterminisme réciproque : Théorie de Bandura selon laquelle la personnalité résulte de l'interaction entre la pensée et le comportement d'un individu et le milieu d'apprentissage.

Détresse : Selon Selye, stress désagréable, insupportable, comme celui que crée une longue maladie.

Déviation par rapport aux normes sociales : Norme établissant qu'un comportement est anormal lorsqu'il va à l'encontre des normes sociales ou représente un danger pour les autres.

Dichromasie : Anomalie de la vision des couleurs due à l'absence d'un des trois types de cônes.

Discrimination : Processus par lequel un sujet apprend à distinguer un stimulus de stimuli semblables, du fait que ce stimulus est le seul à être associé au stimulus inconditionnel.

Disparité binoculaire : Production d'images différentes sur les rétines, due à la distance entre les deux yeux.

Données : Faits, statistiques, renseignements.

Douleur chronique : Douleur continue persistant pendant au moins six mois.

Dyslexie : Trouble de la lecture.

Échantillon : Groupe restreint de sujets qui sont représentatifs d'une population.

Efférences : Influx nerveux qui vont du système nerveux central aux muscles squelettiques.

Effet autocinétique : Mouvement apparent d'une lumière immobile dans l'obscurité.

Effet de position sérielle : Phénomène consistant à se souvenir plus facilement des éléments placés au début et à la fin d'une liste que des éléments situés au milieu.

Effet placebo : Changement observé dans le comportement des sujets du seul fait qu'ils croient avoir reçu un médicament efficace alors qu'en réalité ils n'ont reçu qu'un placebo, c'est-à-dire une substance inerte.

Effet Zeigarnik : Résolution incon-sciente d'un problème dont la solution jaillit soudainement à la conscience.

Efficacité du cerveau : Quantité d'énergie utilisée par le cerveau pour résoudre des problèmes. Les cerveaux plus efficaces utilisent moins d'énergie que les cerveaux moins efficaces pour résoudre les mêmes problèmes.

Égocentrisme intellectuel : Incapacité de tenir compte d'autres points de vue que le sien, caractéristique selon Piaget du stade préopératoire.

Élagage neural : Diminution du nombre de synapses après l'âge de cinq ans permettant au cerveau de fonctionner plus efficacement.

Électrochocs : Thérapie biomédicale consistant à faire circuler un courant électrique dans le cerveau. Les électrochocs sont utilisés presque uniquement pour le traitement de la dépression majeure lorsque la pharmacothérapie n'a pas donné les résultats escomptés.

Électrodes : Petits dispositifs (généralement des fils) qui conduisent un courant électrique provenant du tissu cérébral ou dirigé vers lui.

Électroencéphalographe : Appareil qui enregistre les grandes variations de l'activité cérébrale au moyen d'électrodes attachées au cuir chevelu.

Électromyographe (EMG) : Appareil utilisé en biofeedback pour mesurer la tension musculaire et fournir une rétroaction (un signal sonore ou lumineux) au patient lorsque ce dernier atteint un certain état de relaxation.

Émotion : Réaction intense, globale et brève de l'organisme à une situation inattendue, accompagnée d'un état affectif perçu comme agréable ou désagréable.

Empathie : Dans la théorie de Rogers, fait de voir le monde à travers les yeux du client et de ressentir les choses comme il les ressent.

Endorphines : Substances chimiques similaires à la morphine, naturellement présentes dans le cerveau et susceptibles de réduire la perception de la douleur.

Enquêtes : Méthodes de recherche consistant à étudier les comportements, opinions, idées, sentiments ou attitudes d'un échantillon d'une population à l'aide de questionnaires détaillés.

Épithélium olfactif : Membrane recouverte de mucus qui tapisse le plafond des fosses nasales et contient les récepteurs olfactifs.

Estime de soi : Selon Rogers, ensemble de sentiments que nous éprouvons à l'égard de nous-mêmes, qu'ils soient bons ou mauvais.

État hypnagogique : État de conscience associé à l'endormissement, comprenant des sensations visuelles, auditives et kinesthésiques.

États altérés de conscience : État mental différent de la vigilance habituelle survenant lors du sommeil, du rêve, de la consommation de drogues, de l'hypnose et de la méditation.

Ethnocentrisme : Tendance à considérer sa propre culture comme supérieure aux autres et à estimer que ses us et coutumes constituent le modèle par rapport auquel les autres cultures doivent être évaluées.

Éthologie : Étude du comportement animal d'un point de vue évolutionniste.

Étrier : Dernier osselet, rattaché à l'enclume et à la fenêtre ovale.

Étude de cas : Étude isolée et approfondie d'un seul sujet de recherche souffrant d'une condition particulière faisant l'objet de l'étude.

Eustress : Selon Selye, stress agréable, souhaitable, comme celui que procure l'exercice physique.

Évaluation : Dernière étape d'une résolution de problèmes, au cours de laquelle les hypothèses sont évaluées pour voir si elles répondent aux conditions de l'objectif défini à l'étape de la préparation.

Événements marquants : Événements importants, tels la remise d'un diplôme et le mariage, qui servent de points de repère dans la mémoire à long terme.

Expérience à double insu : Expérience au cours de laquelle ni le sujet ni l'expérimentateur ne connaissent le traitement administré ou ne savent à quel groupe le sujet appartient.

Expérimentation : Procédure scientifique soigneusement contrôlée visant à établir si certaines des variables manipulées par l'expérimentateur ont un effet sur les autres variables étudiées.

Extinction (conditionnement) : Disparition graduelle d'un comportement ou d'une réponse à la suite de la présentation répétée du stimulus conditionné sans le stimulus inconditionnel.

Extinction (santé mentale) : Élimination de comportements inadaptés par la suppression des récompenses (conditionnement opérant). Également, en désensibilisation systématique, élimination graduelle d'une peur (ou phobie) par l'associaton de la détente profonde avec le stimulus conditionné de la peur (conditionnement classique).

Façonnement : Enseignement d'une réponse par le renforcement des étapes de l'apprentissage.

Fenêtre ovale : Membrane de la cochlée dont les vibrations sont déclenchées par l'étrier.

Fermeture : Principe gestaltiste selon lequel nous percevons les réalités disjointes comme des réalités fermées.

Fidélité : Degré de cohérence interne d'une épreuve et de permanence des résultats au cours d'administrations successives d'un même test.

Figure et fond : Principe gestaltiste selon lequel nous faisons une distinction entre la figure, qui se détache et qui possède un contour défini, et le fond, moins distinct.

Figure réversible : Image ambiguë dans laquelle la figure peut être perçue comme le fond et vice versa.

Fixation sur une stratégie de résolution de problèmes : Obstacle mental à la résolution de problèmes qui se produit lorsque les gens appliquent uniquement les méthodes éprouvées plutôt que d'en essayer de nouvelles.

Fixité fonctionnelle : Obstacle à la résolution de problèmes qui surgit lorsque les gens sont incapables d'attribuer de nouveaux usages à un objet parce que l'usage courant leur est trop familier.

Fonctionnalisme : Théorie psychologique consistant à étudier le rôle (ou la fonction) de la conscience dans l'adaption de la personne à son environnement.

Formes d'adaptation axées sur les émotions : Stratégies d'adaptation qui induisent des changements dans la perception que l'on se fait des situations stressantes.

Formes d'adaptation axées sur les problèmes : Stratégies dans lesquelles les situations stressantes sont perçues comme des problèmes à résoudre. La recherche d'une solution vise à atténuer ou à éliminer la source de stress.

Fornix : Structure du système limbique située dans le prolongement de l'hippocampe et qui jouerait un rôle dans la formation des souvenirs.

Fossette centrale : Point de la rétine qui contient seulement des cônes et où converge la lumière provenant du centre du champ visuel; point où l'acuité visuelle est la plus grande.

Fréquence : Nombre d'ondes sonores par seconde. La fréquence détermine la hauteur des sons (de grave à aigu).

Frustration : État déplaisant de tension, d'anxiété et activité accrue du système nerveux sympathique résultant d'une contrariété.

Généralisation : Tendance à répondre de la même façon aux stimuli extérieurs semblables.

Génétique du comportement : Étude de l'influence des gènes sur le comportement.

Gestalt : Mot allemand signifiant « forme » ou «structure ».

Gradients de texture : Phénomène selon lequel la finesse apparente des textures augmente avec la distance des objets.

Gustation : Fonction du sens du goût.

Habituation : Tendance du cerveau à passer outre aux stimulations répétitives connues.

Hauteur : Degré d'acuité ou de gravité des sons, déterminé par la fréquence (de faible à fort).

Heuristique : Méthode de résolution de problèmes élaborée à partir d'expériences antérieures et comportant des recherches sélectives de solutions appropriées aux problèmes, mais qui n'aboutissent pas nécessairement à une solution.

Hiérarchie : Classement des choses dans un ordre gradué, utilisé en thérapie comportementale dans le processus de désensibilisation systématique.

Hiérarchie des besoins : Théorie de la motivation de Maslow, selon laquelle certains motifs, par exemple les besoins physiologiques et le besoin de sécurité, doivent être satisfaits avant que l'on entreprenne de satisfaire des besoins d'ordre supérieur, par exemple le sentiment d'appartenance et l'estime de soi.

Hippocampe : Structure du système limbique essentielle à la formation des nouveaux souvenirs.

Homéostasie : État d'équilibre d'un organisme qui fonctionne normalement.

Hormones : Substances qui, libérées dans la circulation sanguine par les glandes endocrines, provoquent des modifications physiologiques ou assurent le bon fonctionnement de l'organisme.

Hypertension artérielle : Tension musculaire excessive doublée d'une tension artérielle supérieure à la normale.

Hypertension essentielle : Tension artérielle chroniquement élevée n'ayant aucune cause médicale décelable.

Hypnose : État altéré de conscience correspondant à une augmentation de la suggestibilité et caractérisé par la relaxation et la fixation de l'attention.

Hypothalamus : Groupe de corps cellulaires de neurones qui commande le système endocrinien et qui régit des pulsions comme la faim, la soif, la libido et l'agressivité.

Hypothalamus latéral (HL) : Région de l'hypothalamus qui régit la stimulation du comportement alimentaire.

Hypothalamus ventro-médian (HVM) : Région de l'hypothalamus qui signale à l'organisme qu'il faut cesser de manger.

Hypothèse : Explication plausible d'un comportement étudié qui peut être vérifiée à l'aide d'une expérience ou d'une série d'observations.

Hypothèse de l'activation-synthèse : Hypothèse selon laquelle les rêves n'ont pas de signification réelle, mais résultent simplement de la stimulation aléatoire de cellules cérébrales.

Hypothèse de la double codification : Théorie voulant que l'information soit encodée dans deux systèmes distincts mais reliés : le système de l'imagerie, pour les objets concrets et les images, et le système verbal, pour les idées abstraites et les mots, parlés et écrits.

Hypothèse de la rétroaction faciale : Hypothèse selon laquelle les mouvements des muscles faciaux produisent ou intensifient les réactions émotionnelles.

Illusion : Fausse impression.

Imagerie eidétique : Capacité à se rappeler de souvenirs — particulièrement des souvenirs visuels — en les visualisant de façon très claire; mémoire photographique.

Images consécutives : Images en couleurs qui apparaissent après la fixation prolongée d'un motif composé de certaines couleurs.

Images mentales : Représentations mentales d'objets et d'événements qui ne sont pas physiquement présents. Ces images entrent en œuvre dans les processus de pensée visant à résoudre des problèmes, à exprimer des idées, etc.

Impuissance apprise : Soumission à une punition à laquelle il est impossible d'échapper.

Inconscient : Dans la terminologie freudienne, ensemble des pensées, des motifs, des pulsions ou des désirs qui échappent à l'activité consciente normale d'une personne, mais que la psychanalyse peut aider à découvrir.

Incubation : Laps de temps pendant lequel la recherche active d'une solution à un problème est abandonnée. Il s'agit parfois d'une étape essentielle à la résolution d'un problème complexe dont la solution nous échappe.

Indice : Stimulus qui amorce le processus de récupération d'un élément dans la mémoire à long terme.

Influx nerveux : Impulsion électrochimique qui parcourt l'axone jusqu'aux terminaisons axonales.

Inné : Se dit d'un comportement qui apparaît au cours d'une période prédéterminée de la vie d'un organisme, à la suite de la maturation et non de l'apprentissage.

Insight : Compréhension soudaine qui émerge pendant la résolution d'un problème.

Insomnie : Trouble du sommeil caractérisé par une difficulté à s'endormir, des réveils pendant la nuit ou des réveils précoces.

Instinct : Comportement inné déclenché par un stimulus spécifique dans un organisme physiologiquement disposé et qui se manifeste de manière semblable chez les individus sains d'une même espèce.

Intelligence : Ensemble d'aptitudes cognitives servant à acquérir des connaissances, à les mémoriser et à utiliser les éléments de sa propre culture pour résoudre des problèmes de la vie quotidienne et pour s'adapter rapidement tant à un milieu stable qu'à un milieu en transformation.

Intelligence cristallisée : Ensemble des connaissances et des expériences acquises au cours d'une vie grâce à l'interaction entre l'intelligence fluide et l'expérience de l'environnement.

Intelligence émotionnelle : D'après Goleman, l'aptitude à connaître et à maîtriser ses émotions, à éprouve de l'empathie envers les autres et à entretenir des relations humaines satisfaisantes.

Intelligence fluide : Capacité d'acquérir de nouvelles connaissances et de résoudre des problèmes, qui est en partie déterminée par les facteurs biologiques et génétiques et est relativement stable sur de courtes périodes.

Interactionnisme : Hypothèse selon laquelle plusieurs facteurs se chevauchent et plusieurs théories contribuent à l'explication de la personnalité.

Interférence : Tâche qui empêche la répétition ou le transfert des souvenirs dans la mémoire à long terme.

Interférence proactive : Mécanisme par lequel un apprentissage ancien fait oublier un apprentissage récent.

Interférence rétroactive : Mécanisme par lequel un apprentissage récent fait oublier un apprentissage antérieur.

Interposition : Phénomène selon lequel un objet qui en cache partiellement un autre paraît plus grand que lui.

Interprétation : Explication des associations libres, des rêves, de la résistance et du transfert du patient fournie par le psychanalyste; de façon plus générale, tout énoncé d'un thérapeute qui présente le problème d'un patient sous un nouvel angle.

Interprétation des rêves : Explication des rêves.

Introspection : Observation des mouvements de sa propre conscience.

Iris : Partie colorée de l'œil, composée de muscles régissant l'ouverture de la pupille.

Kinesthésie : Sens qui détecte la position et les mouvements de l'organisme.

Langage intérieur : Ce qu'une personne se dit à elle-même lorsqu'elle interprète des événements.

Lieu de contrôle : Selon Rotter, ensemble des convictions et des attentes d'une personne eu égard à sa capacité d'exercer une action déterminante sur les événements. Les individus orientés *de l'intérieur* se sentent maîtres de leur destinée, tandis que ceux qui sont orientés *de l'extérieur* sont convaincus que les résultats dépendent de l'environnement, de la chance ou du destin.

Lobes frontaux : Lobes corticaux situés dans la partie antérieure du cerveau, dont dépendent la motricité, le langage, la planification des actions, l'anticipation, le prise de décision, la conscience de soi et le contrôle des émotions et des pulsions.

Lobes occipitaux : Lobes corticaux situés dans la partie postérieure du cerveau, entièrement consacrés à la vision et à la perception visuelle.

Lobes pariétaux : Lobes corticaux situés dans la partie supérieure du cerveau, dont dépendent les sensations somatiques et les souvenirs reliés au milieu de vie.

Lobes temporaux : Lobes corticaux dont dépendent la perception auditive, la compréhension du langage, la mémoire et, en partie, l'émotivité.

Lobotomie : Opération au cerveau au cours de laquelle on sectionne les fibres nerveuses reliant les lobes frontaux et le thalmus et l'hypothalamus dans le but de réduire ou d'éliminer des troubles mentaux.

Longueur d'onde : Distance entre les crêtes d'ondes consécutives.

Maladie d'Alzheimer : Détérioration progressive des facultés mentales touchant principalement les personnes âgées et se caractérisant par des pertes de mémoire graves.

Maladies du cœur : Terme générique employé pour désigner l'ensemble des affections néfastes pour le muscle cardiaque et qui engendrent une insuffisance cardiaque.

Manuel diagnostique et statistique des troubles mentaux (DSM-IV) : Classification élaborée par un groupe de travail de l'American Psychiatric Association en vue de décrire les comportements anormaux.

Mécanismes de défense : Dans la théorie psychanalytique, réactions inconscientes du moi ayant pour but d'éviter l'anxiété et de résoudre des conflits. Tout le monde a recours à des mécanismes de défense. Ces mécanismes ne deviennent problématiques que s'ils sont utilisés de manière excessive.

Méditation : Ensemble de techniques visant à fixer l'attention et à augmenter la lucidité.

Membrane basilaire : Membrane qui, située dans la cochlée, contient les récepteurs auditifs.

Mémoire à court terme : Mémoire qui contient les données en cours de traitement. Sa capacité est limitée à sept éléments et sa durée à environ 30 secondes.

Mémoire à long terme : Mémoire relativement permanente, contenant les données entreposées en vue d'un usage futur.

Mémoire épisodique : Type de mémoire à long terme où est entreposée l'information relative aux événements de notre vie.

Mémoire sémantique : Type de mémoire à long terme où sont entreposés les faits (idées, concepts) et les relations qui les unissent.

Mémoire sensorielle : Maintien éphémère de l'information dans les organes sensoriels.

Méthode de la décomposition de mots : Procédé mnémotechnique qui consiste à décomposer un terme à retenir en mots désignant des objets faciles à visualiser.

Méthode des associations verbales : Procédé mnémotechnique qui consiste à associer à des mots les éléments à retenir ou à relier ceux-ci sous forme d'histoire.

Méthode des lieux : Procédé mnémotechnique qui consiste à associer les idées à retenir à des endroits connus.

Méthode des mots inducteurs : Procédé mnémotechnique qui consiste à associer les éléments à retenir à des mots évoquant les nombres.

Méthodologie de la recherche : Méthodes scientifiques normalisées pour l'étude de certaines questions.

Modelage : Forme de thérapie behavioriste qui fait appel à l'observation et à l'imitation de modèles appropriés illustrant des comportements désirables.

Modèle médical : Théorie selon laquelle les comportements anormaux découlent d'une maladie mentale ou physique.

Modèles : Personnes de qui on apprend en observant leurs comportements et les conditions dans lesquelles ils se produisent.

Moelle épinière : Partie du système nerveux située dans la colonne vertébrale qui intervient dans les réflexes et dans la transmission de l'information entre le cerveau et le reste de l'organisme.

Moi : Dans la théorie de Freud, partie rationnelle de la psyché qui se préoccupe de la réalité et s'efforce de maîtriser les pulsions du ça tout en tenant compte des exigences du milieu social et de l'estime de soi qui lui sont dictées par le surmoi.

Motivation : Processus par lequel on active, maintient et dirige un comportement en fonction d'un objectif devant procurer une satisfaction.

Motivation extrinsèque : Désir de s'adonner à une activité en raison de récompenses externes ou afin d'éviter une punition. La motivation n'est pas inhérente au comportement en question.

Motivation intrinsèque : Désir de s'adonner à une activité pour le seul plaisir de la chose. La motivation est dérivée de la satisfaction inhérente au comportement en question.

Mouvement stroboscopique : Illusion qui fait apparaître deux sources de lumière alternativement allumées comme une seule source de lumière.

Myéline : Isolant lipidique qui accélère la transmission des influx nerveux dans les axones.

Narcolepsie : Trouble du sommeil caractérisé par des accès soudains et irrésistibles de sommeil pendant les heures de veille normales.

Nerf : Faisceau d'axones ayant la même fonction.

Nerf auditif : Nerf crânien qui transporte l'information auditive des cellules ciliées au cerveau.

Nerf optique : Nerf crânien qui transporte l'information visuelle de la rétine au cerveau.

Neurone : Cellule nerveuse qui transmet l'information dans l'organisme.

Neurotransmetteur : Substance qui, libérée par les terminaisons axonales d'un neurone, traverse la fente synaptique et se lie aux récepteurs de la membrane d'un autre neurone.

Niveaux de traitement : Chacun des degrés d'approfondissement du traitement appliqué au contenu de la mémoire à court terme au cours de son transfert dans la mémoire à long terme.

Norme de distorsion de la pensée : Norme établissant qu'un comportement est anormal lorsqu'il empêche un individu d'interpréter la réalité avec justesse.

Norme du comportement inadapté : Norme établissant qu'un comportement est anormal lorsqu'il empêche un individu d'avoir un fonctionnement satisfaisant dans sa propre vie et au sein de la société.

Norme du malaise subjectif : Norme établissant qu'un comportement est anormal lorsque l'individu est insatisfait de son propre fonctionnement psychologique.

Norme statistique : Norme établissant qu'un comportement est anormal lorsqu'il s'écarte du comportement de la moyenne des gens dans une culture donnée.

Noyau amygdalien : Structure du système limbique liée à l'expression de la peur et de l'agressivité.

Observation naturaliste : Observation systématique du comportement d'un sujet dans son état ou dans son milieu naturel.

Olfaction : Fonction du sens de l'odorat.

Ombre et lumière : Phénomène selon lequel les objets clairs paraissent proches et les objets sombres, éloignés.

Ondes sonores : Mouvement des molécules d'air produit par les objets vibrants.

Osselets : Les trois petits os de l'oreille moyenne : le marteau, l'enclume et l'étrier.

Oubli : Disparition d'un comportement consécutive à l'absence prolongée du stimulus conditionné et du stimulus inconditionnel.

Papilles : Éminences de la surface de la langue qui contiennent les récepteurs gustatifs.

Parallaxe de mouvement : Phénomène selon lequel l'observateur en mouvement voit les objets se déplacer à différentes vitesses, en fonction de leur distance.

Parti pris de l'expérimentateur : Tendance des expérimentateurs à influer sur les résultats d'une recherche dans le sens souhaité.

Pavillon : Partie charnue de l'oreille externe appelée communément « oreille ».

Pensée : Utilisation de connaissances qui ont été réunies et traitées; manipulation mentale de concepts et d'images permettant d'exécuter des activités mentales telles que le raisonnement, la résolution de problèmes, l'utilisation et la compréhension du langage, et la prise de décisions.

Pensée convergente : Type de pensée qu'il faut utiliser lorsqu'il n'existe qu'une seule réponse ou solution correcte à un problème.

Pensée divergente : Type de pensée qu'il faut utiliser lorsque l'objectif consiste à proposer le plus grand nombre d'idées possible.

Perception : Processus de sélection, d'organisation et d'interprétation des données sensorielles en représentations mentales utilisables.

Perception de la profondeur : Faculté de percevoir la distance et, par conséquent, de percevoir l'espace en trois dimensions.

Perception extrasensorielle : Perception indépendante des sens connus et qui prend la forme de la télépathie, de la clairvoyance, de la précognition et de la télékinésie.

Permanence de l'objet : Terme du vocabulaire piagetien désignant une étape majeure dans le développement cognitif du nourrisson, soit la conscience du fait que les objets (ou les personnes) continuent d'exister même lorsqu'ils ne peuvent être vus, entendus ou touchés directement.

Personnalité de type A : Ensemble de caractéristiques comportementales comprenant une ardente ambition, le sens de la compétition, un dynamisme effréné, un souci constant de ses responsabilités, un sentiment d'urgence, un point de vue cynique et hostile.

Personnalité de type B : Ensemble de caractéristiques comportementales associées à une attitude générale de calme, de patience et de détente.

Perspective aérienne : Phénomène selon lequel la poussière et le brouillard font paraître les objets éloignés moins distincts que les objets rapprochés.

Perspective évolutionniste : Hypothèse selon laquelle l'évolution de certaines caractéristiques du comportement est attribuable au processus de sélection naturelle.

Perspective linéaire : Phénomène selon lequel les lignes parallèles semblent converger à l'horizon.

Pharmacothérapie : Emploi de drogues chimiques pour le traitement de troubles physiques et psychologiques.

Phénomène du mot sur le bout de la langue : Incapacité temporaire de se rappeler un mot pourtant connu.

Phéromones : Substances sécrétées par un organisme qui influent sur le comportement sexuel d'un autre membre de la même espèce.

Phobie : Peur excessive et irrationnelle de certains objets ou de certaines situations.

Photorécepteurs : Récepteurs visuels (cônes et bâtonnets).

Placebo : Substance ne produisant normalement aucun effet physiologique et servant de moyen de contrôle, habituellement dans les recherches sur les médicaments.

Point de réglage : Niveau homéostasique propre à un certain poids d'un organisme et résultant de divers facteurs, tels que l'alimentation précoce et l'hérédité.

Population : Total de tous les cas possibles parmi lesquels un échantillon sera sélectionné.

Potentialisation à long terme : Processus par lequel les souvenirs de la mémoire à court terme deviennent des souvenirs de la mémoire à long terme après une stimulation répétée de la synapse, ce qui mène à des modifications chimiques et structurales dans les dendrites du neurone récepteur. Ces modifications entraînent une augmentation de la sensibilité du neurone à la stimulation.

Précognition : Capacité de prédire l'avenir.

Préconscient : Dans la terminologie freudienne, ensemble des pensées ou des informations dont une personne peut, moyennant quelques efforts, aisément prendre conscience.

Préparation : Première étape de la résolution de problèmes, au cours de laquelle les données disponibles sont circonscrites, les faits pertinents distingués des faits non pertinents et le but défini.

Principe de réalité : Selon Freud, principe qui régit le moi conscient en évaluant la façon dont les exigences du ça inconscient peuvent être satisfaites tout en tenant compte des réalités du milieu environnant.

Principe du plaisir : Dans la théorie de Freud, principe qui régit le ça. Lorsque le ça est à l'œuvre, le plaisir immédiat est la seule motivation du comportement.

Privation sensorielle : Élimination la plus totale possible des stimulations sensorielles.

Procédés mnémotechniques : Stratégies qui consistent à associer l'information à mémoriser à des images mentales ou à des mots.

Processus mental : Toute activité non observable directement, par laquelle le cerveau traite des représentations, conscientes ou non, de la réalité.

Production : Étape de la résolution de problèmes au cours de laquelle différentes solutions possibles au problème sont proposées.

Programme de renforcement : Programme précisant les moments où une réponse sera renforcée.

Programme de renforcement à intervalle fixe : Programme de renforcement partiel où le renforçateur est donné après un laps de temps défini.

Programme de renforcement à intervalle variable : Programme de renforcement partiel où le renforçateur est donné après un laps de temps qui varie d'un essai à l'autre.

Programme de renforcement à proportion fixe : Programme de renforcement où le renforçateur est donné après un nombre fixe de réponses.

Programme de renforcement à proportion variable : Programme de renforcement partiel où le renforçateur est donné après un nombre de réponses variable, mais fondé sur une moyenne.

Prototype : Modèle ou exemple-type pour représenter les éléments appartenant à une catégorie déterminée d'objets.

Protubérance annulaire : Structure cérébrale située au sommet du tronc cérébral, qui intervient dans le sommeil, le rêve et la vigilance.

Proximité : Principe gestaltiste selon lequel nous regroupons les éléments physiquement rapprochés et les percevons comme une seule réalité.

Pseudo-psychologies : Conceptions populaires ayant la prétention de révéler des renseignements psychologiques à l'aide de méthodes non scientifiques ou carrément frauduleuses.

Psychanalyse : Thérapie mise au point par Freud dans le but de ramener à la conscience les conflits inconscients qui remontent habituellement à la petite enfance. La psychanalyse est également la théorie de Freud, axée principalement sur l'étude des processus incon-scients.

Psychiatrie : Branche de la médecine qui se spécialise dans le diagnostic, le traitement et la prévention des troubles mentaux.

Psychobiologie : Étude des corrélats biologiques de comportement et des activités mentales.

Psychochirurgie : Opération chirurgicale au cerveau conçue pour réduire les symptômes graves de troubles mentaux qu'on n'a pas réussi à traiter par d'autres moyens.

Psychologie : Étude scientifique du comportement et des processus mentaux.

Psychologie cognitive : Théorie psychologique centrée sur le raisonnement et sur le traitement mental de l'information.

Psychologie culturaliste : Étude de l'influence de la culture et des coutumes ethniques sur le comportement humain.

Psychologie de la santé : Étude du lien existant entre les facteurs psychologiques et l'état de santé physique. Cette étude met l'accent sur le bien-être et la prévention de la maladie.

Psychologie gestaltiste : Théorie psychologique axée sur les principes de la perception et voulant que l'expérience soit un tout organisé, différent de la somme de ses parties.

Psychologie humaniste : Théorie psychologique centrée sur l'importance des forces intérieures subjectives et qui propose une vision optimiste de la nature humaine.

Psychophysique : Étude des relations entre les stimulations physiques et les sensations qu'elles provoquent.

Psychothérapie : Application des principes et des méthodes de la psychologie au traitement des troubles mentaux ou des problèmes de la vie quotidienne.

Punition : Procédé qui diminue la probabilité de répétition d'un comportement.

Punition négative : Suppression d'un stimulus désirable en vue de diminuer la fréquence d'un comportement.

Punition positive : Présentation d'un stimulus indésirable en vue de diminuer la fréquence d'un comportement.

Pupille : Ouverture de l'iris par laquelle la lumière entre dans l'œil.

Quotient d'intelligence (QI) : Résultat obtenu à un test conçu pour mesurer les aptitudes verbales et numériques.

Rappel : Récupération de l'information, à partir d'un stimulus général, dans la mémoire à long terme.

Réalisation de soi (actualisation de soi) : Selon Maslow, la tendance innée de l'être humain à s'épanouir, tendance qui oriente son comportement et se traduit par une pleine réalisation de tout son potentiel.

Réapprentissage : Second apprentissage. Il demande généralement moins de temps que le premier.

Récepteurs : Cellules spécialisées qui détectent l'énergie des stimuli et y réagissent.

Recherche appliquée : Recherche qui utilise de façon pratique les principes et les découvertes de la psychologie pour résoudre des problèmes de la vie courante.

Recherche fondamentale : Recherche visant à étudier des questions théoriques sans chercher à résoudre un problème concret.

Reconnaissance : Association d'un stimulus en particulier à un élément de la mémoire à long terme.

Recouvrement spontané : Réapparition d'une réponse conditionnée qui avait disparu.

Récupération : Retour du contenu de la mémoire à long terme dans la mémoire à court terme en vue de son utilisation.

Rédintégration : Rappel soudain d'une chaîne de souvenirs par un stimulus.

Réflexe : Réaction à un stimulus externe qui se produit sans intervention du cerveau.

Refoulement : Selon Freud, mécanisme de défense le plus important par lequel les pulsions inacceptables sont inconsciemment empêchées de parvenir à la conscience.

Règles de manifestation des émotions : Normes culturelles qui dictent la manière dont les émotions doivent être exprimées, et le lieu et le moment appropriés pour le faire.

Regroupement : Assemblage de données en unités en vue d'accroître le contenu de la mémoire à court terme.

Remue-méninges : Technique de résolution de problèmes en groupe dans laquelle les participants sont encouragés à trouver autant de solutions que possible à un problème en s'aidant des idées des autres, sans tenir compte de leur aspect pratique.

Renforçateurs primaires : Stimuli qui augmentent la probabilité d'une réponse et qui, comme la nourriture, l'eau et le sexe, comblent un besoin biologique.

Renforçateurs secondaires : Stimuli qui augmentent la probabilité d'une réponse et qui, comme l'argent et les biens matériels, n'ont pas de valeur biologique intrinsèque.

Renforcement : Procédé qui augmente la probabilité de répétition d'un comportement.

Renforcement continu : Renforcement de toutes les réponses.

Renforcement négatif : Renforcement qui consiste à supprimer un stimulus douloureux ou désagréable.

Renforcement partiel : Renforcement d'une partie seulement des réponses.

Renforcement positif : Renforcement qui consiste à donner au sujet un stimulus désirable.

Répétition : Processus consistant à répéter des données de façon à les maintenir dans la mémoire à court terme.

Réponse conditionnée (RC) : Réponse apprise déclenchée par un stimulus conditionné.

Réponse émotionnelle conditionnée : Émotion provoquée par un stimulus conditionné.

Réponse inconditionnelle (RI) : Réponse réflexe provoquée par un stimulus sans qu'il y ait eu d'apprentissage.

Reproduire : Mener de nouveau une recherche en reprenant la même démarche.

Résistance : Efforts qu'oppose le patient aux tentatives que fait l'analyste pour lui faire prendre conscience de ses pensées inconscientes.

Résolution de problèmes : Série d'opérations mentales que nous effectuons pour atteindre un objectif qui n'est pas immédiatement atteignable.

Résonance magnétique nucléaire (RMN) : Technique d'imagerie médicale qui révèle les structures du cerveau au moyen d'ondes radio.

Restructuration cognitive : En thérapie cognitive, processus par lequel le thérapeute et le client tâchent de modifier des façons de penser destructrices.

Rétine : Membrane contenant les cônes et les bâtonnets.

Rétroaction : Processus par lequel le sujet est informé des résultats d'un comportement.

Rêve éveillé : État altéré de conscience caractérisé par la rêverie et par le libre enchaînement des pensées.

Rythmes circadiens : Rythmes biologiques qui s'étalent sur une période de 24 heures.

Saccule et utricule : Vésicules du vestibule contenant les cellules ciliées qui détectent l'angle de la tête.

Schèmes : Structures cognitives ou modèles d'action formés par plusieurs idées organisées se développant et se modifiant au fil de l'expérience.

Sclérotique : Enveloppe blanche et opaque de l'œil.

Séance de compte rendu : Séance au cours de laquelle le déroulement de l'expérience est expliqué aux sujets qui y participent.

Sens cutanés : Sens qui détectent le tact, la pression, la chaleur, le froid et la douleur.

Sens de l'équilibre : Sens qui détecte l'orientation de l'organisme par rapport à la gravité.

Sensation : Processus de détection, de traduction et de transmission au cerveau de l'information provenant du milieu externe et du milieu interne.

Sentiment d'efficacité personnelle : Selon Bandura, évaluation que fait une personne de ses chances d'atteindre ses objectifs personnels.

Septum : Structure du système limbique qui semble moduler l'expression du noyau amygdalien.

Seuil absolu : Plus petite intensité de stimulation susceptible de produire une sensation.

Seuil différentiel : Plus petite différence d'intensité susceptible d'être détectée entre deux stimuli.

Sevrage : Ensemble de réactions physiques désagréables ou douloureuses résultant de la suppression d'une substance psychotrope.

Similitude : Principe gestaltiste selon lequel nous percevons comme identiques les objets dont l'apparence ou le fonctionnement sont semblables.

Sociobiologie : Étude des fondements évolutionnistes et biologiques du comportement social.

Somesthésie : Sensibilité fournie par les sens cutanés (tact, pression, chaleur, froid et douleur), le sens de l'équilibre et le sens kinesthésique (position et mouvements de l'organisme).

Sommeil à ondes lentes (non MOR) : Stades 1 à 4 du sommeil, caractérisés par l'absence de mouvements oculaires rapides, une faible fréquence des rêves et une activité cérébrale variable.

Sommeil paradoxal (MOR) : Stade du sommeil caractérisé par des mouvements oculaires rapides, par des ondes cérébrales à haute fréquence et par le rêve.

Souvenirs éclairs : Images vives des circonstances entourant des événements surprenants ou bouleversants.

Souvenirs fictifs : Souvenirs qu'un personne croit réels, mais qui sont en fait des souvenirs d'événements qui ne se sont jamais produits.

Souvenirs liés à l'état physiologique : Mémoire liée à un état d'activation émotionnelle.

Souvenirs refoulés : Souvenirs inconscients d'un événement traumatisant.

Spectre électromagnétique : Ensemble des radiations émises par le Soleil, dont la lumière visible ne constitue qu'une petite partie.

Stade opératoire concret : Troisième stade de développement cognitif défini par Piaget (approximativement de sept à onze ans). L'enfant est maintenant capable d'appliquer les opérations aux objets concrets et comprend les concepts de réversibilité et de conservation.

Stade opératoire formel : Quatrième stade de développement cognitif défini par Piaget, s'étendant approximativement de l'âge de onze ans en montant, caractérisé par la maîtrise de la pensée abstraite et hypothétique.

Stade pré-opératoire : Deuxième stade de développement cognitif défini par Piaget. Il s'échelonne approximativement de l'âge de deux à sept ans et se distingue par la capacité de l'enfant à utiliser le langage de manière cohérente et par l'acquisition de la pensée symbolique. À ce stade, l'enfant n'a cependant pas encore maîtrisé les opérations (la réversibilité des processus mentaux) et sa pensée est égocentrique et animiste.

Stade sensori-moteur : Premier stade de développement cognitif défini par Piaget (de la naissance jusqu'à environ deux ans), au cours duquel le développement cognitif de l'enfant s'effectue par l'exploration du monde au moyen des perceptions sensorielles et des fonctions motrices.

Standardisation : Processus consistant à établir les normes d'un test afin d'évaluer quelles aptitudes, quelles connaissances ou quelles caractéristiques sont représentatives de la population en général. Aussi, processus qui consiste à normaliser les procédures à suivre pour administrer et noter les tests, afin que tous soient soumis aux mêmes conditions.

Statistique : Science qui a pour objet de réunir, d'analyser, d'interpréter et de présenter des données numériques.

Statistiquement significatif : Se dit d'un rapport que l'on ne croit pas fortuit.

Statistiques : Ensemble des données numériques recueillies et traitées dans le cadre d'une recherche.

Stimulus : Objet ou événement qui provoque une réaction dans un organisme.

Stimulus conditionné (SC) : Stimulus neutre à l'origine qui, à la suite du pairage répété avec un stimulus inconditionnel, provoque une réponse conditionnée.

Stimulus inconditionnel (SI) : Stimulus qui provoque un réflexe ou une réponse émotionnelle sans qu'il y ait eu d'apprentissage ou de conditionnement.

Stimulus neutre (SN) : Stimulus externe qui, d'ordinaire, ne provoque pas de réponse réflexe ou émotionnelle qui pourrait être conditionnée.

Stress : Selon Hans Selye, ensemble des réactions non spécifiques de l'organisme à toute demande d'adaptation qui lui est faite.

Structuralisme : Théorie psychologique axée sur l'étude des sensations et sentiments que provoque l'expérience de la perception.

Subliminal : Se dit d'un stimulus qui est inférieur au seuil de la détection consciente.

Substances psychotropes : Substances qui agissent sur le système nerveux et qui modifient le comportement, les fonctions mentales et l'état de conscience.

Surdité de conduction : Surdité due au fait que les ondes sonores ne peuvent atteindre l'oreille interne. Les otites non traitées en sont la cause la plus répandue. L'acuité auditive peut être améliorée par des prothèses.

Surdité neurosensorielle : Surdité résultant d'une détérioration des cellules nerveuses de la cochlée. Ses causes les plus fréquentes sont la maladie, des malformations congénitales, l'exposition prolongée à des sons intenses et le vieillissement. Cette surdité est irrémédiable.

Surmoi : Dans la théorie psychanalytique, partie de la personnalité qui s'édifie à partir des interdits parentaux et des normes sociales de moralité.

Synapse : Jonction entre deux neurones, où les neurotransmetteurs passent de l'axone d'un neurone au dendrite ou au corps cellulaire de l'autre.

Syndrome général d'adaptation : Selon la description de Hans Selye, réaction physiologique généralisée, provoquée par de graves agents stressants, qui se déroule en trois phases : l'alerte, la résistance et l'épuisement.

Système de double codage : Codage de l'information sous forme visuelle et verbale.

Système endocrinien : Ensemble de glandes dont les produits, libérés dans la circulation sanguine, transmettent dans l'organisme l'information chimique à l'origine des modifications du comportement et de l'accomplissement des fonctions organiques.

Système limbique : Ensemble de structures sous-corticales liées aux émotions, à l'apprentissage et à la formation de souvenirs.

Système nerveux autonome (SNA) : Subdivision du système nerveux périphérique qui régit les glandes, le muscle cardiaque ainsi que les muscles lisses des vaisseaux sanguins et des organes internes.

Système nerveux central (SNC) : Partie du système nerveux formée du cerveau et de la moelle épinière.

Système nerveux parasympathique : Subdivision du système nerveux autonome qui s'active en l'absence de facteurs physiques et mentaux de stress.

Système nerveux périphérique (SNP) : Partie du système nerveux formée par les nerfs qui unissent le système nerveux central au reste de l'organisme.

Système nerveux somatique : Subdivision du système nerveux périphérique composée des nerfs qui transmettent l'information sensorielle au système nerveux central et l'information motrice aux muscles squelettiques.

Système nerveux sympathique : Subdivision du système nerveux autonome qui s'active en présence de facteurs physiques et mentaux de stress.

Système réticulé activateur : Ensemble diffus de cellules, organisées en réseau, situées dans le bulbe rachidien, la protubérance annulaire, l'hypothalamus et le thalamus, qui filtrent l'information sensorielle.

Tache aveugle : Partie de la rétine qui ne contient pas de récepteurs et par où le nerf optique sort de l'œil.

Taille relative : Phénomène selon lequel les petits objets semblent plus éloignés que les gros.

Techniques de relaxation : Méthodes dont on se sert pour soulager l'anxiété et la tension physique reliées au stress et à la douleur chronique.

Techniques traumatisantes : Techniques de recherche qui consistent à détruire systématiquement du tissu cérébral et à observer l'effet de l'intervention sur le comportement.

Télékinésie : Capacité de déplacer ou de déformer les objets sans les toucher.

Télépathie : Capacité de communiquer par la pensée.

Terminaisons axonales : Petites structures situées à l'extrémité de l'axone qui libèrent les neurotransmetteurs.

Terreurs nocturnes : Réveils soudains survenant pendant le sommeil à ondes lentes (non MOR), accompagnés d'une activité physiologique intense et de sentiments de panique.

Thalamus : Région sous-corticale située sous le corps calleux, qui relaie l'information sensorielle.

Théorie : Ensemble de concepts étroitement reliés constitué dans le but d'expliquer certains faits et d'élaborer des hypothèses vérifiables.

Théorie de Cannon-Bard : Théorie selon laquelle le thalamus réagit aux stimuli suscitant l'émotion en émettant simultanément des messages au cortex cérébral et au système nerveux autonome. Selon cette hypothèse, toutes les émotions sont semblables sous l'angle physiologique.

Théorie de James-Lange : Théorie énonçant que l'émotion est en fait la perception qu'a le sujet de ses propres réactions corporelles et que chaque émotion est distincte physiologiquement.

Théorie de l'accomplissement des désirs : Théorie freudienne selon laquelle les rêves ont pour fonction de satisfaire partiellement et de façon symbolique des désirs inconscients.

Théorie de l'activation : Besoin d'atteindre et de maintenir un niveau optimal d'activation. L'efficacité est optimale dans des conditions d'activation modérée plutôt que trop faible ou trop élevée.

Théorie de l'apprentissage cognitif : Théorie selon laquelle l'apprentissage est plus qu'une réponse observable et fait intervenir des opérations mentales qui ne sont pas nécessairement observables ni mesurables.

Théorie de l'apprentissage par observation : Théorie selon laquelle nous apprenons certains comportements en observant les autres.

Théorie de l'apprentissage social : Théorie élaborée par Bandura, selon laquelle l'être humain apprend divers comportements en observant des modèles.

Théorie de l'entrave à la récupération : Théorie selon laquelle l'oubli est une perturbation de la récupération et non du stockage de l'information.

Théorie de l'identification cognitive de Schachter : Théorie selon laquelle les composantes de l'activation cognitive (la pensée), subjective (l'évaluation) et physiologique, sont toutes nécessaires aux expériences émotionnelles.

Théorie de l'interférence : Théorie selon laquelle nous oublions une donnée parce qu'une autre empêche son stockage ou sa récupération.

Théorie de l'investissement de la créativité : Théorie de la créativité postulant que les personnes créatives sont celles qui sont prêtes à « acheter à bas prix pour revendre à prix élevé » dans le domaine des idées.

Théorie de l'oubli motivé : Théorie selon laquelle nous oublions les événements douloureux, angoissants ou embarrassants.

Théorie de la localisation cochléaire : Théorie expliquant la façon dont nous entendons les sons aigus : à chaque son aigu distinct, les cellules ciliées se ploient sur la membrane basilaire jusqu'à un point maximal précis.

Théorie de la restauration : Théorie selon laquelle le sommeil permet aux organismes de rétablir l'équilibre corporel et peut-être aussi affectif et intellectuel.

Théorie de la spécificité des récepteurs olfactifs : Théorie selon laquelle chaque molécule odorante épouse la forme d'un seul type de récepteurs olfactifs.

Théorie des incitateurs : Théorie selon laquelle la motivation résulte de stimuli ambiants qui « attirent » l'organisme dans certaines directions.

Théorie des intelligences multiples : Gardner postule l'existence de huit formes distinctes d'intelligence au moyen desquelles les personnes apprennent à connaître et à contrôler leur environnement.

Théorie des processus antagonistes (dans la vision des couleurs) : Théorie de la vision des couleurs formulée par Ewald Hering, selon laquelle il existe trois systèmes de détection des couleurs : l'un sensible au bleu ou au jaune, l'autre sensible au rouge ou au vert et le troisième sensible au blanc ou au noir.

Théorie des pulsions biologiques : Théorie selon laquelle la motivation est déclenchée par un besoin physiologique (une carence ou une déficience) qui provoque une activation psychologique ou pulsion orientée vers un comportement propre à satisfaire ce besoin.

Théorie du déclin : Théorie selon laquelle la trace mnésique, comme tous les processus biologiques, se détériore avec le temps.

Théorie du portillon : Théorie selon laquelle les influx douloureux sont traités et modifiés par des mécanismes situés dans la moelle épinière.

Théorie évolutive du rythme circadien : Théorie selon laquelle le sommeil est un rythme circadien apparu au cours de l'évolution comme un moyen d'économiser l'énergie et d'échapper aux prédateurs.

Théorie psychanalytique : Théorie de la personnalité dans laquelle Freud explique l'influence de l'inconscient sur le comportement.

Théorie téléphonique de l'audition : Théorie expliquant la façon dont nous entendons les sons graves : les cellules ciliées se ploient et déclenchent des potentiels d'action au même rythme que la fréquence du son grave.

Théorie trichromatique : Théorie de la vision des couleurs formulée par Thomas Young, selon laquelle il existe trois systèmes de détection des couleurs, l'un sensible au rouge, l'autre au vert et le troisième, au bleu.

Thérapie centrée sur le client : Méthode de psychothérapie, élaborée par Carl Rogers, qui insiste sur la tendance naturelle du client à vouloir être en bonne forme et productif. Les techniques employées comprennent notamment l'empathie, la considération positive inconditionnelle et l'authenticité.

Thérapie cognitive : Thérapie qui vise à supprimer les comportements problématiques en s'intéressant tout particulièrement aux raisonnements et aux croyances erronés.

Thérapie cognitivo-comportementale : Thérapie élaborée par Aaron Beck qui permet non seulement de modifier les pensées et les croyances destructrices, mais aussi les comportement qui leur sont associés.

Thérapie comportementale : Ensemble de techniques basées sur les principes de l'apprentissage et servant à modifier les comportements mésadaptés.

Thérapie émotivo-rationnelle : Méthode de thérapie cognitive élaborée par Albert Ellis visant à modifier le système de croyances de la personne perturbée.

Thérapie humaniste : Méthode thérapeutique visant à aider les individus à devenir des êtres créateurs et uniques en restructurant leur vie affective ou en procédant à des ajustements émotionnels.

Thérapie par l'aversion : En thérapie comportementale, technique consistant à appliquer un stimulus aversif à un comportement inadapté.

Tolérance : Diminution de la sensibilité à une substance psychotrope, telle que l'utilisateur doit augmenter la fréquence et l'abondance de sa consommation pour obtenir l'effet désiré.

Tomodensitométrie (TDM) : Technique d'imagerie médicale qui fournit des clichés radiographiques plus clairs et plus précis que la radiographie traditionnelle.

Tomographie par émission de positons (TEP) : Technique d'imagerie médicale qui révèle l'activité d'un cerveau vivant et intact au moyen de glucose radioactif.

Tonalité : Dimension de la sensation visuelle correspondant à une couleur particulière et déterminée par la longueur de l'onde lumineuse.

Tracas : Soucis insignifiants en eux-mêmes, mais dont l'accumulation peut se révéler une importance source de stress.

Traitement automatique : Activités mentales ne requérant qu'une attention minimale; les autres activités en cours au même moment n'en sont généralement pas affectées.

Traitement de l'information (conscience) : L'approche cognitive stipulant que les rêves nous aident à trier et à approfondir nos expériences, à résoudre des problèmes et à penser de façon créative.

Traitement volontaire : Activités mentales se trouvant tout en haut du courant de conscience; elles nécessitent une concentration intense et empêchent habituellement d'accomplir d'autres activités au même moment.

Transduction : Conversion en influx nerveux de l'énergie qui stimule un récepteur.

Transfert : Processus par lequel le patient reporte sur son thérapeute des émotions qu'il a vécues dans le passé.

Tronc cérébral : Partie du cerveau, située sous les régions sous-corticales et à l'avant du cervelet, qui comprend la protubérance annulaire, le bulbe rachidien et le système réticulé activateur.

Tympan : Membrane qui, située entre le conduit auditif et l'oreille moyenne, vibre sous l'effet des ondes sonores.

Validité : Capacité d'un test de mesurer réellement ce qu'il cherche à mesurer.

Variable dépendante : Comportement mesurable observé chez un sujet et influencé par la variable indépendante.

Variable indépendante : Variable contrôlée par l'expérimentateur et dont on peut évaluer l'effet sur le sujet.

Variables : Facteurs que l'on fait varier et auxquels on peut attribuer plus d'une valeur.

Vision du relief : Vision en trois dimensions qui résulte de la fusion par le cerveau des deux images différentes reçues par les yeux.

Bibliographie

AAMODT, M.G., *Applied Industrial/Organizational Psychology*, Belmont, CA, Wadsworth, 1991.

AARONS, L., Evoked Sleep-talking, *Perceptual and Motor Skills*, 31, 1976, p. 27-40.

ADAM, K., Sleep as a Restorative Process and a Theory to Explain why, *Progress in Brain Research*, 53, 1980, p. 289-305.

ADIV, E., et F. DORÉ, *Integrating into the French Sector : An Evaluation of Linguistic and Academic Achievement of Grade 4 Students from Different Ethnic Backgrounds*, Montréal, Commission des écoles protestantes du grand Montréal, Service de l'enseignement, 1984.

ADIV, E., et F. DORÉ, *Integrating into the French Sector at the High School Level : An Evaluation of the Accueil Program and Secondary II Follow Up Classes*, Montréal, Commission des écoles protestantes du grand Montréal, Service de l'enseignement, 1984.

ADLER, N.A., *International Dimension of Organization Behavior*, 2e éd., Boston, PWS-Kent, 1991.

ADLER, N.E., BOYCE, T., CHESNEY, M.A., COHEN, S., FOLKMAN, S., KAHN, R.L., et L. SYME, Socioeconomic Status and Health : The Challenge of the Gradient. *American Psychologist*, 49, 1994, p. 15-24.

AKABAS, M.H., DODD, J., et Q. AL-AWQATI, A Bitter Substance Induces a Rise in Intracellular Calcium in a Subpopulation of Rat Taste Cells, *Science*, 242, 1988, p. 1047-1050.

ALAM, N., et F.H. SMIRK, Blood Pressure Raising Reflexes in Health, Essential Hypertension, and Renal Hypertension. *Clinical Science*, 3, 1938, p. 259-266.

ALEXANDER, C.N., LANGER, E.L., NEWMAN, R.I., CHANDLER, H.M., et J.L. DAVIES, Transcendental Meditation, Mindfulness, and Longevity : An Experimental Study with the El-derly, *Journal of Personality and Social Psychology*, 37, 1989, p. 950-964.

ALEXANDER, F.G., et S.T. SELESNICK, *The History of Psycghiatry*, New York, Harper & Row, 1966.

ALLEN, C., *The Hold Life has : Coco and Cultural Identity in an Andean Community*, Washington, DC, Smithsonian Institute, 1989.

ALLEN, J.B., KENRICK, D.T., LINDER, D.E., et M.A. McCALL, Arousal and Attraction : A Response-facilitation Alternative to Misattribution and Negative-reinforcement Models, *Journal of Personality and Social Psychology*, 57, 1989, p. 261-270.

ALLEN, L.S., HINES, M., SHRYNE, J.E., et R.A. GORSKI, Two Sexually Dimorphic Cell Groups in the Human Brain, *Journal of Neuroscience*, 9, 1989, p. 497-506.

ALLEN, L.S., RICHEY, M.F., CHAI, Y.M., et R.A. GORSKI, Sex Differences in the Corpus Collosum of the Living Human Being, *Journal of Neuroscience*, 11(4), 1991, p. 933-942.

ALLEN, R.P., et J. MIRABILE, Cited in E. Woo, How to Get A's, not Zzz's, *Los Angeles Times*, 18 juin 1997.

ALLISON, T., et D.V. CICCHETTI, Sleep in Mammals : Ecological and Constitutional Correlates, *Science*, 194, 1976, p. 732-734.

ALVAREZ, P., ZOLA-MORGAN, S., et L.R. SQUIRE, Damage Limited to Hippocampal Region Produces Long-lasting Memory Impairment in Monkeys, *Journal of Neuroscience*, 15, 1995, p. 3796-3807.

AMOORE, J.E., Specific Anosmia and the Concept of Primary Odors. *Chemical Senses and Flavor*, 2, 1977, p. 267-281.

AMOORE, J.E., JOHNSTON, W., jr., et M. RUBIN, The Stereochemical Theory of Odor. *Scientific American*, 210(2), 1964, p. 42-49.

ANAND, B.K., et B.R. BROBECK, Localization of the Feeding Center in the Hypothalamus of the Rat. *Proceedings for the Society of Experimental Biology and Medicine*, 77, 1951, p. 323-324.

ANDERSON, J.R., Arguments Concerning Representations for Mental Imagery, *Psychological Review*, 85, 1978, p. 249-277.

ANDERSON, J.R., *The Architecture of Cognition*, Cambridge, MA, Harvard University Press, 1983.

ANDERSON, K.J., REVELLE, W., et M.J. LYNCH, Caffeine, Impulsivity, and Memory Scanning : A Comparison of two Explanations for the Yerkes Dodson Effect, *Motivation and Emotiioin*, 13, 1989, p. 1-20.

ANDERSON, M.C., BJORK, R.A., et E.L. BJORK, Remembering can Cause Forgetting : Retrieval Dynamics in Long-term Memory, *Journal of Experimental Psychology : Learning, Memory, and Cognition*, 20, 1994, p. 1063-1087.

ANDREASEN, N.C., Brain Imaging : Applications in Psychiatry. *Science*, 239, 1988, p. 1381-1388.

ANDREASEN, N.C., ARNDT, S., SWAYZE, V., II, CIZADLO, T., FLAUM, M., O'LEARY, D., EHRBARDT, J.C., et W.T.C. YUH, Thalamic Abnormalities in Schizophrenia Visualized Through Magnetic Resonance Image Averaging, *Science*, 266, 1994, p. 294-298.

ANDREASEN, N.C., et D.W. BLACK. *Introductory Textbook of Psychiatry*. Washington, DC, American Psychiatric Press, 1991.

ARENDT, J., et S. DEACON, Treatment of Circadian Rhythm Disorders — Melatonin, *Chronobiology International*, 14, 1997, p. 185-204.

ARKIN, A.A., Sleeptalking, dans S.A. Ellmann et J.S. Antrobus (Éd.), *The Mind in Sleep : Psychology and Psychophysiology*, 2e éd., New York, Wiley, 1991, p. 415-436.

ARNDT, J., GREENBERG, J., PYSZCYNSKI, T., et S. SOLOMON, Subliminal Exposure to Death-related Stimuli Increases Defense of the Cultural Worldview, *Psychological Science*, 8, 1997, p. 379-385.

ARNSTEN, A.F., The Biology of Being Frazzled, *Science*, 280, 1998, p. 1711-1712.

ARONOFF, J., WOIKE, B.A., et L.M. HYMAN, Which are the Stimuli in Facial Displays of Anger and Happiness ? Configurational Bases of Emotion Recognition, *Journal of Personality and Social Psychology*, 62, 1992, p. 1050-1066.

ARVEY, R.D., *et al.*, Mainstream Science on Intelligence, *The Wall Street Journal*, 13 décembre 1994, p. A18.

ASERINSKY, E., et N. KLEITMAN, Regularly Occurring Periods of Eye Motility and Concomitant Phenomena During Sleep. *Science*, 118, 1953, p. 273-274.

Ask me no Questions, *Time*, 20 juin 1988, p. 31.

ATKINSON, R.C., et R.M. SHIFFRIN, Human Memory : A Proposed System and its Control Processes, dans K.W. Spence et J.T. Spence (Éd.), *The Psychology of Learning and Motivation*, vol. 2, New York, Academic Press, 1968.

AXTELL, R.E., *Gestures : The do's and Taboos of Body Language Around the World*, New York, Wiley, 1991.

AYMAN, D., et A.D. GOLDSHINE, The Breath Holding Test : A Simple Standard Stimulus of Blood Pressure, *Archives of Internal Medicine*, 63, 1939, p. 899-906.

BAARS, B.J., et W.P. BANKS, On Returning to Consciousness, *Consciousness and Cognition*, 1, 1992, p. 1-2.

BACH, J.S., *Drug Abuse : Opposing Viewpoints*, St. Paul, MN, Greenhaven Press, 1988.

BACHIOCCO, V., GENTILI, A., et L. BORTOLUZZI, !b-endorphin and "Overt" Pain Measures in Children, *Journal of Pain & Symptom Management*, 10, 1995, p. 1-3.

BADDELEY, A., The Concept of Working Memory : A View of its Current State and Probable Future Development, *Cognition*, 10, 1981, p. 17-23.

BADDELEY, A., Working Memory, *Science*, 255, 1992, p. 556-559.

BAENNINGER, R., Some Consequences of Aggressive Behavior, A Selective Review of the Literature on Other Animals, *Aggressive Behavior*, 1(1), 1974, p. 17-37.

BAIRD, J.C., The Moon Illusion, II. A Reference Theory, *Journal of Experimental Psychology : General*, 111, 1982, p. 304-315.

BAIRD, J.C., et M. WAGNER, The Moon Illusion, I. How High is the Sky ? *Journal of Experimental Psychology : General*, 111, 1982, p. 296-303.

BAKER, R.A., *Hidden Memories*, New York, Prometheus Books, 1996.

BAKER, R.A., A View of Hypnosis, *Harvard Mental Health Letter*, 14, 1998, p. 5-6.

BANDURA, A., Self-efficacy Mechanism in Human Agency, *American Psychologist*, 37, 1982, p. 122-147.

BANDURA, A., BLANCHARD, E.B., et B.J. RITTER, The Relative Efficacy of Desensitization and Modeling Therapeutic Approaches for Inducing Behavioral, Affective, and Attitudinal Changes, *Journal of Personality and Social Psychology*, 13, 1969, p. 173-199.

BANDURA, A., et R.H. WALTERS, *Social Learning and Personality Development*, New York, Holt, Rinehart and Winston, 1963.

BARBAR, C.E., Olfactory Acuity as a Function of Age and Gender : a Comparison of African and American Samples, *International Journal of Aging and Human Development*, 44, 1997, p. 317-334.

BARBER, T.X., *Hypnosis : A Scientific Approach*, New York, Van Nostrand, 1969.

BARBER, T.X. (Éd.), *Advances in Sheltered States of Consciousness and Human Potentialities*, vol. 1, New York, Psychological Dimensions, 1976.

BARBER, T.X., Realities of Stage Hypnosis, dans B. Zilbergeld, M.G. Edelstein et D.L. Araoz (Éd.), *Hypnosis : Questions and Answers*, New York, Norton, 1986, p. 22-27.

BARD, C., On Emotional Expression After Decortication with Some Remarks on Certain Theoretical Views, *Psychological Review*, 41, 1934, p. 309-329.

BARGH, J.A., RAYMOND, P., PRYOR, J.B., et F. STRACK, Attractiveness of the Underling : An Automatic Power-sex Association and its Consequences for Sexual Harassment and Aggression, *Journal of Personality and Social Psychology*, 68, 1995, p. 768-781.

BARINAGA, M., Is Homosexuality Biological ? *Science*, 253, 1991, p. 956-957.

BARINAGA, M., Watching the Brain Remake Itself, *Science*, 266, 1994, p. 1475-1476.

BARLOW, D.H., Cognitive-Behaviorial Therapy for Panic Disorder : Current Status, *Journal of Clinical Psychiatry*, 58, 1997, p. 32-36.

BARNETT, P.E., et D.T. BENEDETTI, A Study in « Vicarious Conditioning », Paper presented at the annual meeting of the Rocky Mountain Psychological Association, Glenwood Springs, CO, mai 1960.

BARNOUW, V., *Culture and Personality*, 4e éd., Homewood, IL, Dorsey Press, 1985.

BARTLETT, F.C., *Thinking*, London, Allen et Unwin, 1958.

BASHORE, T.R., et P.E. RAPP, Are There Alternatives to Traditional Polygraph Procedures ?, *Psychological Bulletin*, 113, 1993, p. 3-22.

BAUMRIND, D., Research Using Intentional Deception : Ethical issues revisited, *American Psychologist*, 40, 1985, p. 165-174.

BEAL, D., et R. DiGIUSEPPE, Training Supervisors in Rational Emotive Behavior Therapy, *Journal of Cognitive Psychotherapy*, 12, 1998, p. 127-137.

BEATTY, J., *Principles of Behavioral Neuroscience*, Madison, WI, Brown & Benchmark, 1995.

BECK, A.T., Cognitive Therapy : A 30-year Retrospective, *American Psychologist*, 46, 1991, p. 368-375.

BECK, A.T., et N.A. RECTOR, Cognitive Therapy for Schizophrenic Patients, *Harvard Mental Health Letter*, 15(6), 1998, p. 4-6.

BECKWITH, J., GELLER, L., et S. SARKAR, IQ and Heredity, *Science*, 252, 1991, p. 91.

BELLEZZA, F.S., Updating Memory Using Mnemonic Devices, *Cognitive Psychology*, 14, 1982, p. 301-327.

BENBOW, C.P., et D. LUBINSKI, Individual Differences Amongst the Mathematically Gifted : Their Educational and Vocational Implications, dans N. Colangelo, S.G. Assouline, et D.L. Ambroson (Eds.), *Talent Development*, vol. 2, Dayton, OH, Ohio Psychology Press, 1994, p. 83-100.

BENBOW, C.P., et D. LUBINSKI (Eds.), *Intellectual Talent : Psychometric and Social Issues*, Baltimore, Johns Hopkins University Press, (in press).

BENBOW, C.P., Sex Differences in Mathematics, dans R.I. Corsini (Ed.), *Wiley Encyclopedia of Psychology*, vol. 3, New York, John Wiley & Sons, 1984, p. 302-303.

BENBOW, C.P., SMPY's 15 Years of Research in a Nutshell, dans I. VanTassel-Baska (Ed.), *The Richardson Study : A Catalyst of Policy Change in Gifted Education*, Evanston, Il, Center for Talent Development (Northwestern University), 1986, p. 39-43.

BENSON, H., Systematic Hypertension and the Relaxation Response, *New England Journal of Medicine*, 296, 1977, p. 1152-1156.

BENSON, H., The Relaxation Response : A Bridge Between Medicine and Religion, *Harvard Medical School Mental Health Letter*, 4(9), 1988, p. 4-6.

BERK, R.A. (Ed.), *Handbook of Methods for Detecting Test Bias*, Baltimore, MD, Johns Hopkins University Press, 1982.

BERKHOUT, J., Information Transfer Characteristics of Moving Light Signals, *Human Factors*, 21, 1979, p. 445-455.

BERKOWITZ, L., Aggressive Humor as a Stimulus to Aggressive Responses, *Journal of Personality and Social Psychology*, 16, 1970, p. 710-717.

BERKOWITZ, N., Balancing the Statute of Limitations and the Discovery Rule : Some Victims of Incestuous Abuse are Denied Access to Washington Courts — Tyson versus Tyson, *University of Puget Sound Law Review*, 10, 1987, p. 721.

BERLYNE, D.E., *Aesthetics and Psychobiology*, New York, Appleton-Century-Crofts, 1971.

BERMOND, B., FASOTTI, L., NIEUWENBUYSE, B., et J. SCHUERMAN, Spinal Cord Lesions, Peripheral Feedback, and Intensities of Emotional Feelings, *Cognition and Emotion*, 5, 1991, p. 201-220.

BERNARD, L.L., *Instinct*, New York, Holt, 1924.

BERNHEIM, K.F., et R.R.J. LEWINE, *Schizophrenia : Symptoms, Causes, and Treatments*, New York, Norton, 1979.

BERREMAN, G., *Anthropology Today*, Del Mar, CA, CRM Books, 1971.

BEST, J.B., *Cognitive Psychology*, St. Paul, MN, West, 1992.

BETTELHEIM, B., *Les blessures symboliques : essai d'interprétation des rites d'initiation*, Paris, Gallimard, 1977.

BEUTLER, L.E., CARGO, M., et T.G. ARIZMENDI, Therapist Variables in Psychotherapy Process and Outcome, dans S.L. Garfield et A.E. Bergin (Éd.), *Handbook of Psychotherapy and Behavior Change*, 3ᵉ éd., New York, Wiley, 1986.

BEXTON, W.H., HERON, W., et T.H. SCOTT, Effects of Increased Variation in the Sensory Environment, *Canadian Journal of Psychology*, 8, 1954, p. 70-76.

BIEHL, M., MATSUMOTO, D., EKMAN, P., HEARN, V., HEIDER, K., KUDOH, T., et V. TON, Matsumoto and Ekman's Japanese and Caucasian Facial Expressions of Emotion (JACFEE) : Reliability Data and Cross-national Differences, *Journal of Nonverbal Behavior*, 21, 1997, p. 3-21.

BIRREN, J.E., et K.W. SCHAIE (Éd.), *Handbook of the Psychology of Aging*, 2ᵉ éd., New York, Van Nostrand Reinhold, 1985.

BISHOP, C.A., *The Norther Objibwa and the Fur Trade*, Toronto, Holt, Rinehart and Winston, 1974.

BLAKEMORE, C., et G.F. COOPER, Development of the Brain Depends on the Visual Environment, *Nature*, 228, 1970, p. 477-478.

BLEICK, C.R., et A.I. ABRAMS, The Transcendental Meditation Program and Criminal Recidivism in California, *Journal of Criminal Justice*, 1987, p. 211-230.

BLOCK, A.R., KREMER, E., et M. GAYLOR, Behavioral Treatment of Chronic Pain : The Spouse as a Discriminative Cue for Pain Behavior, *Pain*, 8, 1980, p. 367-375.

BLOOM, F.E., The endorphins : A Growing Family of Pharmacologically Pertinent Peptides, *Annual Review of Pharmacology and Toxicology*, 23, 1983, p. 151-170.

BLOOM, F.E., LAZERSON, A., et L. HOFSTAD-TER, *Brain, Mind, and Behavior*, New York, Freeman, 1985.

BLUME, S.B., Compulsive gambling : Addiction Without Drugs, *Harvard Mental Health Letter*, 8(8), 1992, p. 4-5.

BLUMENTHAL, J.A., et J.A. McCUBBIN, Physical Exercise as Stress Management, dans A. Baum et J.E. Singer (Éd.), *Handbook of Psychology and Health*, vol. 5, Hillsdale, NJ, Erlbaum, 1987.

BLUMENTHAL, J.A., WILLIAMS, R.S., NEEDLES, T.L., et A.G. WALLACE, Psychological Changes Accompany Aerobic Exercise in Healthy Middle-aged Adults, *Psychosomatic Medicine*, 44, 1982, p. 529-536.

BOHART, A.C., O'HARA, M., et L.M. LEITNER, Empirically Violated Treatments : Disenfranchisement of Humanistic and Other Psychotherapies, *Psychotherapy Research*, 8, 1998, p 141-157.

BOIVIN, D.B., CZEISLER, C.A., DIJK, D.J., DUFFY, J.F., FOLKARD, S. MINORS, D.S., TOTTERDELL, P., et J.M. WATERHOUSE, Complex Interaction of the Sleep-wake Cycle and Circadian Phase Modulates Mood in Healthy Subjects, *Archives of General Psychiatry*, 54, 1997, p. 145-152.

BOLLES, R.C., Species-specific Defense Reactions and Avoidance Learning, *Psychological Review*, 77, 1970, p. 32-48.

BOLLES, R.C., *Theory of Motivation*, 2ᵉ éd., New York, Harper et Row, 1975.

BONELLO, P.H., The Zeigarnik Effect and the Recall of Geometric Forms, *Dissertation Abstracts International*, 42 (12-A), juin 1982.

BORBELY, A.A., Circadian and Sleep-dependent Processes in Sleep Regulation, dans J. Aschoff, S. Daan et G.A. Groos (Éd.), *Vertebrate Circadian Rhythms*, Berlin, Springer/Verlag, 1982, p. 237-242.

BORBÉLY, A.A., *Les secrets du sommeil*, Paris, Belfond, 1985.

BORN, J., LANGE, T., HANSEN, K., MOLLE, M., et H.L. FEHM, Effects of Sleep and Circadian

Rhythm on Human Circulating Immune Cells, *Journal of Immunology*, 158, 1997, p. 4454-4464.

BOSSARD, M.D., REYNOLDS, C.R., et T.B. GUTKIN, A Regression Analysis of Test Bias on the Stanford-Binet Intelligence Scale for Black and White Children Referred for Psychological Services, *Journal of Clinical and Child Psychology*, 9, 1980, p. 52-54.

BOTWINICK, J, Intellectual Abilities, dans J.E. Birren et K.W. Schaie (Éd.), *Handbook of the Psychology of Aging*, 2ᵉ éd., New York, Van Nostrand Reinhold, 1977.

BOUCHARD, C., Can Obesity be Prevented ?, *Nutrition Reviews*, 54, 1996, p. S125-S130.

BOUCHARD, C., Human Variation in Body Mass : Evidence for a Role of the Genes, *Nutrition Reviews*, 55, 1997, p. S21-S-30.

BOUCHARD, T.J., jr., The Genetic Architecture of Human Intelligence, dans P.A. Vernon (Ed.), *Biological Approaches to the Study of Human Intelligence*, Norwood, NJ, Ablex Publishing Corporation, 1993, p. 33-93.

BOUCHARD, T.J., jr., Genes, Environment and Personality, *Science*, 264, 1994, p. 1700-1701.

BOUCHARD, T.J., jr., The Genetics of Personality, dans K. Blum et E.P. Nobel (Eds.), *Handbook of Psychoneurogenetics*, Boca Raton, Fl, CRC Press, 1995a.

BOUCHARD, T.J., jr., IQ Similarity in Twins Reared Apart : Findings and Responses to Critics, dans R. Sternberg et C. Grigorenko (Eds.), *Intelligence : Heredity and Environment*, New York, Cambridge University Press, 1995b..

BOUCHARD, T.J., jr., LYKKEN, D.T., McGUE, M., SEGAN, N.L., et A. TELLEGEN, Sources of Human Psychological Differences : The Minnesota Study of Twins Reared Apart. *Science*, 250, 1990, p. 223-228.

BOUCHARD, T.J., jr., et P. PROPPING, Twins : Nature's Twice Told Tale, dans T.J. Bouchard, Jr., et P. Propping (Eds.), *Twins as a Tool of Behavioral Genetics*, New York, John Wiley & Sons, 1993, p. 1-15.

BOURGUIGNON, E., Introduction : A Framework for the Comparative Study of Altered States of Consciousness, dans E. Bourguignon (Éd.), *Religion, Altered States of Consciousness and Social Change*, Columbus, Ohio State University Press, 1973.

BOURNE, L.E., An Inference Model of Conceptual Rule Learning, dans R. Solso (Éd.), *Theories of Cognitive Psychology*, Hillsdale, NJ, Erlbaum, 1974.

BOURNE, L.E., DOMINOWSKI, R.L., et E.F. LOFTUS, *Cognitive Processes*, Englewood Cliffs, NJ, Prentice Hall, 1979.

BOWER, G.H., Experiments on Story Understanding and Recall, *Quarterly Journal of Experimental Psychology*, 28, 1976, p. 211-234.

BOWERS, K.S., et E.Z. WOODY, Hypnotic Amnesia and the Paradox of Intentional Forgetting, *Journal of Abnormal Psychology*, 105, 1996, p. 381-390.

BOYNTON, R.M., Color Vision, dans M.R. Rosenzweig et L.W. Porter (Éd.), *Annual Review of Psychology*, Palo Alto, CA, Annual Reviews Inc., 1988, p. 69-100.

BRANSFORD, J.D., *Human Cognition*, Belmont, CA, Wadsworth, 1979.

BRATKO, D., et I. MARUSIC, Family Study of the Big Five Personality Dimensions, *Personality and Individual Differences*, 23, 1997, p. 365-369.

BREWIN, C.R., Theoretical Foundations of Cognitive-Behavior Therapy for Anxiety and Depression, dans J.T. Spence, J.M. Darley, et D.J. Foss (Eds.), *Annual Review of Psychology*, 47, Palo Alto, CAS, Annual Review, 1996, p. 33-57

BROCA, P., Remarques sur le siège de la faculté du langage, *Bulletin de la Société Anatomique de Paris*, 6, 1861, p. 330-357.

BROCHU, G., et M. CHALOM, *Impact de la multiethnicité en milieu scolaire : deux études de cas*, Centre de recherches caraïbes, Université de Montréal, 1986.

BROD, J., Haemodynamics and Emotional Stress, dans M. Koster, H. Musaph et P. Visser (Éd.), *Psychosomatics in Essential Hypertension*, New York, Karger, 1970.

BRODT, B.B., et P.G. ZIMBARDO, Modifying Shyness-related Social Behavior Through Symptom Misattribution, *Journal of Personality and Social Psychology*, 41(3), 1981, p. 437-449.

BROSS, M., HARPER, D., et G. SICZ, Visual Effects of Auditory Deprivation : Common Intermodal and Intramodal Factors, *Science*, 207, 1980, p. 667-668.

BROWMAN, C.P., et R.D. CARTWRIGHT, The First-night Effect on Sleep and Dreams, *Biological Psychiatry*, 15, 1980, p. 809-812.

BROWN, A.L., CAMPIONE, J.C., et C.R. BARCLAY, *Training Self-checking Routines for Estimating Test Readiness : Generalization from List Learning to Prose Recall*, Unpublished manuscript, University of Illinois, 1978.

BROWN, E., DEFFENBACHER, K., et K. STURGILL, Memory for Faces and the Circumstances of Encounter, *Journal of Applied Psychology*, 62, 1977, p. 311-318.

BROWN, J.D., Accuracy and Bias in Self-knowledge, dans C.R. Snyder et D.F. Forsyth (Eds.), *Handbook of Social and Clinical Psychology : The Health Perspective*, New York, Pergamon Press, 1991.

BROWN, R., et J. KULIK, *Flashbulb Memories*, Cognition, 5, 1977, p. 73-99.

BROWN, R., et D. McNEILL, The « tip of the tongue » Phenomenon, *Journal of Verbal Learning and Verbal Behavior*, 5, 1966, p. 325-337.

BROWNELL, K.D., et J. RODIN, Medical, Metabolic, and Psychological Effects of Weight Cycling and Weight Variability, *Archives of Internal Medicine*, 154(12), 1994a, p. 1325-1330.

BROWNELL, K.D., et J. RODIN, The Dieting Maelstrom : Is it Possible and Advisable to Lose Weight ?, *American Psychologist*, 49, 1994b, p. 781-791.

BRUNER, J.S., GOODNOW, J.J., et G.A. AUSTIN, *A Study of Thinking*, New York, Wiley, 1956.

BRUNNER, D.P., KIJK, D.J., TOBLER, I., et A.A. BORBELY, Effect of Partial Sleep Stages and EEG Power Spectra : Evidence for non-REM and REM Sleep Homeostasis, *Electroencephalography and Clinical Neurophysiology*, 75, 1990, p. 492-499.

BUCK, R., *The Communication of Emotion*, New York, Guilford Press, 1984.

BUHRMANN, H., et M. ZAUGG, Superstitions Among Basketball Players : An Investigation of Various Forms of Superstitious Beliefs and Behavior Among Competitive Basketballers at the Junior High School to University Level, *Journal of Sport Behavior*, 4(4), 1981, p. 163-174.

BUIE, J., Message Catches Publicity Wave, *APA Monitor*, novembre 1988b, p. 20.

BULLOCK, W.A., et K. GILLILAND, Eysenck's Arousal Theory of Introversionextraversion : A Conerging Measures Investigation, *Journal of Personality and Social Psychology*, 64, 1993, p. 113-123.

BUTLER, R.A., Curiosity in Monkeys, *Scientific American*, 190, février 1954, p. 70-75.

CAHILL, L., PRINS, B., WEBER, M., et J.L. McGAUGH, b-Adrenergic Activation and Memory for Emotional Events, *Nature*, 371, 1994, p. 702-704.

CAIN, W.S., STEVENS, J.C., NICKOU, C.M., GILES, A., JOHNSTON, I., et M.R. GARCIA-MEDINA, Life-span Development of Odor Identification, Learning, and Olfactory Sensitivity, *Perception*, 24, 1995, p. 1457-1472.

CAIRNS, R.B., Fighting and Punishment from a Developmental Perspective, *Nebraska Symposium on Motivation*, 20, 1972, p. 59-124.

CALVIN, W.H., The Emergence of Intelligence, *Scientific American*, octobre 1994, p. 101-107.

CAMPBELL, S.S., Effects of Timed Bright-light Exposure on Shift work Adaptation in Middle-aged Subjects, *Sleep*, 18(6), 1995, p. 408-416.

CAMPFIELD, L.A., SMITH, F.J., GUISEZ, Y., DeVOS, R., et P. BURN, Recombinant Mouse ob Protein : Evidence for a Peripheral Signal Linking Adiposity and Central Neural Networks, *Science*, 269, 1995, p. 546-549.

CAMPOS, J.J., HIATT, S., RAMSAY, D., HENDERSON, C., et M. SVEJDA, The Emergence of Fear on the Visual Cliff, dans M. Lewis et L.A. Rosenblum (Éd.), *The Development of Affect*, New York, Plenum, 1978.

CAMPOS, J., LAMB, M.E., GOLDSMITH, H.H., et C. STENBERG, Socio-emotional Development, dans J. Campos et M.M. Haith (Éd.), *Handbook of Child Psychology : Infancy and Developmental Psychobiology*, New York, Wiley, vol. 2, 1983, p. 783-916.

CANNON, W.B., The James-Lange Theory of Emotions : A Critical Examination and an Alternative Theory, *American Journal of Psychology*, 39, 1927, p. 106-124.

CANNON, W.B., LEWIS, J.T., et S.W. BRITTON, The Dispensability of the Sympathetic Division of the Autonomic Nervous System, *Boston Medical Surgery Journal*, 197, 1927, p. 514.

CANNON, W.B., et A. WASHBURN, An Explanation of Hunger, *American Journal of Physiology*, 29, 1912, p. 441-454.

CARLSON, N.R., *Foundations of Physiological Psychology*, 2e éd., Needham Heights, MA, Allyn et Bacon, 1992.

CAROLL, J.D., What Abilities are Measured by the WISC-III ?, dans B.A. Bracken et R.S. McCallum (Eds.), *Journal of Psychoeducational Assessment Monograph Series, Advances in Psychoeducational Assessment : Wecshler Intelligence Scale for Children-Third Edition*, Germantown, TN, Psychoeducational Corporation, 1993, p. 134-143.

CARSON, R.C., BUTCHER, J.N., et J.C. COLEMAN, *Abnormal Psychology and Modern Life*, 8e éd., Glenview, IL, Scott, Foresman, 1988.

CARTON, J.S., The Differential Effects of Tangible Rewards and Praise on Intrinsic Motivation : A Comparison of Cognitive Evaluation Theory and Operant Theory, *Behavior Analyst*, 19, 1996, p. 237-255.

CATTELL, R.B., Theory of Fluid and Crystallized Intelligence : A Critical Experiment, *Journal of Educational Psychology*, 54, 1963, p. 1-22.

CESARO, P. et H. OLLAT, Pain and its Treatments, *European Neurology*, 38, 1997, p. 209-215.

CHAFFEE, J. *Thinking Critically*, 3e éd., Boston, MA, Houghton Mifflin, 1992.

CHAGANI, H.T., PHELPS, M.E., et J.C. MAZZIOTTA, Positron Emission Tomography Study of the Human Brain Functional Development, *Annals of Neurology*, 22, 1987, p. 487-497.

CHAN, T.C., et M.T. TURVEY, Perceiving the Vertical Distance of Surfaces by Means of a Hand-held Probe, *Journal of Experimental Psychology : Human Perception and Performance*, 17, 1991, p. 347-358.

CHANCE, P., *Learning and Behavior*, Belmont, CA, Wadsworth, 1979.

CHANCE, P., The Divided Self, *Psychology Today*, septembre 1986, p. 72.

CHASE, W.G., et H.A. SIMON, The Mind's Eye in Chess, dans W. Chase (Éd.), *Visual Information Processing*, New York, Academic Press, 1973.

CHENEY, D., et G. FOSS, An Examination of the Social Behavior of Mentally Retarded Workers, *Education and Training of the Mentally Retarded*, 19(3), 1984, p. 216-221.

CHERRY, E.C., Some Experiments on the Recognition of Speech, With One and With two Ears, *The Journal of the Acoustical Society of America*, 25, 1953, p. 975-979.

CHERRY, F., et K. DEAUX, Fear of Success versus Fear of Gender-inappropriate Behavior, *Sex Roles*, 4, 1978, p. 97-102.

CHODOROW, N., *The Reproduction of Mothering*, Berkeley, University of California Press, 1978.

CHODOROW, N., *Feminism and Psychoanalytic Theory*, New Haven, CT, Yale University Press, 1989.

CHOLLAR, S., Body-wise : Safe Solutions for Night Work, *Psychology Today*, novembre 1989, p. 26.

CLEMENT, K., VAISE, C., LAHLOU, N., CABROL, S., PELLOUX, V., CASSUTO, D., GOURMELEN, M., DINA, C., CHAMBAZ, J., LACORTE, J.M., BASDEVANT, A., BOUGNERES, P., LUBOUC, Y., FROGUEL, P., et B. GUY-GRAND, A Mutation in the Human Leptin Receptor Gene Causes Obesity and Pituitary Dysfunction, *Nature*, 392, 1998, p. 398-401.

CLONINGER, G.B., DINWIDDIE, S.H., et T. REICH, Epidemiology and Genetics of Alcoholism, *Annual Reviews of Psychiatry*, 8, 1989, p. 331-336.

COHEN, B.M., GILLER, E., et E. LYNN, *Multiple Personality Disorder from the Inside out*, San Francisco, Sudran Press, 1991.

COHEN, J.B., et D. CHAKRAVARTI, Consumer Psychology, *Annual Review of Psychology*, 41, 1990, p. 243-288.

COHEN, L.D., KIPNES, D., KUNKLE, E.G., et P.E. KUBZANSKY, Observations of a Person with Insensitivity to Pain, *Journal of Abnormal and Social Psychology*, 55, 1955, p. 33-38.

COHEN, S., Sensory Changes in the Elderly, *American Journal of Nursing*, 81, 1981, p. 1851-1880.

COHEN, S., et J.R. EDWARDS, Personality Characteristics as Moderators of the Relationship Between Stress and Disorder, dans R.W. Neufeld (Éd.), *Advances in the Investigation of Psychological Stress*, New York, Wiley, 1989.

COHEN, S, FRANK, E, DOYLE, W.J., SKONER, D.P., RABIN, B.S., et J.M. GAWLTNEY, jr., Types of Stressors that Increase Susceptibility to the Common Cold in Healthy Adults, *Health Psychology*, 17, 1998, p. 214-223.

COHEN, S., et T.B. HERBERT, Health Psychology : Psychological Factors and Physical Disease from the Prespective of Human Psychoneuroimmunology, *Annual Review of Psychology*, 47, 1996, p. 113-142.

COHEN, S., et G.M. WILLIAMSON, Stress and Infectious Disease in Humans, *Psychological Bulletin*, 109, 1991, p. 5-24.

COLE, D.L., Psychology as a Liberating Art, *Teaching of Psychology*, 9, 1982, p. 23-26.

COLE, M., GRAY, J., GLICK, J.A., et D.W. SHARP, *The Cultural Context of Learning and Thinking*, New York, Basic Books, 1971.

COLEMAN, J.C., BUTCHER, J.N., et R.C. CARSON, *Abnormal Psychology and Modern Life*, 7e éd., Glenview, IL, Scott, Foresman, 1984.

COLEMAN, R.M., *Wide Awake at 3:00 A.M. : By Choice or by Chance ?* New York, Freeman, 1986.

COLLINS, A.M., et M.R. QUILLIAN, Retrieval Time from Semantic Memory, *Journal of Verbal Learning and Verbal Behavior*, 8, 1969, p. 240-248.

COLLINS, R.C., Head Start : Steps Toward a Two-generation Program Strategy, *Young Children*, 48(2), 1993, p. 25-33, 72-73.

CONSEIL SCOLAIRE DE L'ÎLE DE MONT-RÉAL, *Les enfants de milieux défavorisés et ceux des communautés culturelles*, Montréal : CSIM, 1991, 105 p.

CONTRADA, R.J., et D.S. KRANTZ, Stress, Reactivity, and Type A Behavior : Current Status and Future Directions, *Annals of Behavioral Medicine*, 10, 1988, p. 64-70.

COOPER, C.R., et J. DENNER, Theories Linking Culture and Psychology : Universal and Community-Specific Processes, *Annual Review of Psychology*, 49, 1998, p. 559-584.

COOPER, W.H., An Achievement Motivation Nomological Network, *Journal of Personality and Social Psychology*, 44, 1983, p. 841-861.

COOPER, W.H., GALLUPE, R.B., POLLARD, S., et J. CADSBY, Some Liberating Effects of Anonymous Electronic Brainstroming, *Small Group Research*, 29, 1998, p. 147-148.

COREN, S. Accidental Death and the Shift to Daylight Savings Time, *Perceptual and Motor Skills*, 83, 1996a, p. 921-922.

COREN, S. Daylight Savings Time and Traffic Accidents, *New England Journal of Medicine*, 334, 1996b, p. 924.

COREN, S. *Sleep Thieves : An Eye Opening Exploration Into the Science and Mysteries of Sleep*, New York, Free Press, 1996c.

CORSELLIS, J.A., BRUTON, C.J., et D. FREEMAN-BROWNE, The Aftermath of Boxing, *Psychological Medicine*, 3(3), 1973, p. 270-303.

COURTNEY, S.M., PETIT, L., MAISONG, J.M., UNGERLEIDER, L.G., et J.V. HAXBY, An Area Specialized for Spatial Working Memory in Human Frontal Cortex, *Science*, 1998, 279, p. 1347-1351.

COURTNEY, S.M., UNGERLEIDER, L.G., KEIL, K., et J.V. HAZBY, Object and Spatial Visual Workiing Memory Activate Separate Neural Systems in Human Cortex, *Cerebral Cortex*, 6, 1998, p. 39-49.

COUSINS, N., *La volonté de guérir*, Paris, Seuil, 1981.

COZBY, P.C., *Methods in Behavioral Research*, Palo Alto, CA, Mayfield, 1996.

CRAGO, M., SHISSLAK, C.M., et L.S. ESTES, Eating Disturbances Among American Minority Groups : A Review, *International Journal of Eating Disorders*, 19, 1996, p. 239-248.

CRAIG, A.D., REINMAN, E.M., EVANS, A., et M.C. BUSHNELL, Functional Imaging of an Illusion of Pain, *Nature*, 384, 1996, p. 258-260.

CRAIK, F.I.M., et R.S. LOCKHART, Levels of Processing : A Framework for Memory Research, *Journal of Verbal Learning and Verbal Behavior*, 11, 1972, p. 671-684.

CRAIK, F.I.M., et E. TULVING, Depth of Processing and the Retention of Words in Episodic Memory, *Journal of Experimental Psychology : General*, 104, 1975, p. 268-294.

CRASKE, B., Perception of Impossible Limb Positions Induced by Tendon Vibrations, *Science*, 196, 1977, p. 71-73.

CREASE, R.P., Biomedicine in the Age of Imaging, *Science*, 261, 1993, P. 554-561.

CRESPO, M., et C. LESSARD, *Éducation en milieu urbain*, Montréal, Presses de l'Université de Montréal, 1985, 458 p.

CRICK, F., Do Dendritic Spines Twitch ?, *Trends in Neuroscience*, février 1982, p. 44-46.

CRICK, F., et C. KOCH, The Problem of Consciousness, *Scientific American*, 267(3), 1992, p. 152-159.

CRICK, F., et G. MITCHISON, The Function of Dream Sleep, *Nature*, 304, 1983, p. 111-114.

CROOKS, R., et K. BAUR, *Our Sexuality*, 6e éd., Pacific Grove, Brooks/Cole, 1996.

CROW, T.J., Two Dimensions of Pathology in Schizophrenia : Dopaminergic and Non-Dopaminergic, *Psychopharmacology Bulletin*, 18, 1982, p. 22-29.

CROW, T.J., The two Syndrome Concept : Origins and Current Status, *Schizophrenia Bulletin*, 11, 1985, p. 471-486.

CUMMINGS, J.L., VINTERS, H.V., COLE, G.M., et Z.S. KHACHATURIAN, Alzheimer's Disease : Etiologies, Pathophysiology, Cognitive Reserve, and Treatment Opportunities, *Neurology*, 51, 1998, (1, Supplement 1), p. S2-S-17.

CUTLER, W.B., FRIEDMANN, E., et N.L. McCOY, Pheromonal Influences on Sociosexual Behavior in Men, *Archives of Sexual Behavior*, 27, 1998, p. 1-13.

DAMASIO, A., The Frontal Lobes, dans K.M. Heilman et E. Valenstein (Éd.), *Clinical Neuropsychology*, New York, Oxford University Press, 1979.

DAMASIO, H., GRABOWSKI, T., FRANK, R., GALABURDA, A.M., et A.R. DAMASIO, The Return of Phineas Gage : Clues About the Brain From the Skull of a Famous Patient, *Science*, 264, 1994, p. 1102-1105.

DANA, R.H., Cultural Identity Assessment of Culturally Diverse Groups : 1997, *Journal of Personality Assessment*, 70, 1998, p. 1-16.

DARKES, J., GREENBAUM, P.E., et M.S. GOLDMAN, Sensation Seeking-Disinhibition and Alcohol use Exploring Issues of Criterion Contamination, *Psychological Assessment*, 10(1), 1998, p. 71-76.

DARWIN, C.R., *The Expression of the Emotions in Man and Animals*, London, John Murray, 1872.

DATAN, N., RODEHAEAVER, D., et F. HUGHES, Adult Development and Aging, dans M.R. Rosenzweig et L.W. Porter (Eds.), *Annual Review of Psychology*, Palo Alto, CA, Annual Reviews Inc., 1987, p. 153-180.

DAVIDSON, K., et L. HOFFMAN, Sexual Fantasies and Sexual Satisfaction : An Empirical Analysis of Erotic Thought, *Journal of Sex Research*, 22, 1986, p. 184-205.

DAVIDSON, R., Cited in Ruksnis, E., 1999, The Emotional Brain and the Emergence of Affective Neuroscience, *APS Observer*, 13, avril 1999.

DAVIDSON, R.J., Emotion and Affective Style : Hemispheric Substrates, *Psychological Science*, 3, 1992, p. 39-43.

DAVIES, J.M., Dissociation, Repression and Reality Testing in the Countertransference : the Controversey Over Memory and False Memory in the Psychoanalytic Treatment of Adult Survivors of Childhood Sexual Abuse, *Psychoanalytic Dialogues*, 6, 1996, p. 189-218.

DAVIS, A.T., et R.J. KOSKY, Attempted Suicide in Adelaide and Perth : Changing Rates for Males and Females, 1971-1987, *Medical Journal of Australia*, 154, 1991, p. 666-670.

DAVIS, D., On being Detectably Sane in Insane Places : Base Rates and Psychodiagnosis, *Journal of Abnormal Psychology*, 85, 1976, p. 416-422.

DAVIS, L., Why do People Take Drugs ? *In Health*, 4(6), 1990, p. 52.

DE ANGELIS, T., Health Psychology Grows Both in Stature, Influence, *APA Monitor*, 23(4), 1992, p. 10-11.

DE BRABANDER, B., HELLERMANS, J., BOONE, C., et P. GERITS, Locus of Control, Sensation Seeking, and Stress, *Psychological Reports*, 79, 1996, p. 1307-1312.

DE CHARMS, R., et G.H. MOELLER, Values Expressed in American Children's Readers : 1800-1950, *Journal of Abnormal and Social Psychology*, 64, 1962, p. 136-142.

DECI, E.L., *Why we do What we Do : The Dynamics of Personal Autonomy*, New York, Putnam's Sons, 1995.

DEFFENBACHER, K.A., Eyewitness Accuracy and Confidence : Can we Infer Anything About their Relationship ?, *Law and Human Behavior*, 4, 1980, p. 243-260.

DeLONGIS, A., COYNE, J.C., DAKOF, G., FOLKMAN, S., et R.S. LAZARUS, Relationship of Daily Hassles, Uplifts, and Major Life Events to Health Status, *Health Psychology*, 1, 1982, p. 119-136.

DELLU, F., MAYO, W., PIAZZZA, P.V., LeMOAL, M., et H. SIMON, Individual Differences in Behavioral Responses to Novelty in Rats : Possible Relationship with the Sensation-seeking Trait in Man, *Personality and Individual Differences*, 14, 1993, p. 411-418.

DeLONGIS, A., FOLKMAN, S., et R.S. LAZARUS, The Impact of Daily Stress on Health and Mood :

Psychological and Social Resources as Mediators, *Journal of Personality and Social Psychology*, 54, 1988, p. 486-495.

DEMBROSKI, T.M., et P. COSTA, Assessment of Coronary-prone Behavior : A Current Overview, *Annals of Behavioral Medicine*, 10, 1988, p. 60-63.

DEMENT, W.C., A Life in Sleep Research, dans M.H. Chase et E.D. Weitzman (Éd.), *Sleep Disorders : Basic and Clinical Research*, New York, Spectrum, 1983.

DEMENT, W.C., The Sleepwatchers, *Stanford*, mars 1992, p. 55-59.

DEMENT, W.C., *Dormir, rêver*, Paris, Seuil, 1981.

DEMENT, W.C., et N. KLEITMAN, Cyclic Variations in EEG and their Relation to Eye Movements, Bodily Motility, and Dreaming, *Electroencephalography Clinical Neurophysiology*, 9, 1957, p. 673-690.

DEMENT, W.C., et C. VAUGHAN, *The Promise of Sleep*, New York, Delacorte Press, 1999.

DEMENT, W.C., et E. WOLPERT, The Relation of Eye Movements, Bodily Motility, and External Stimuli to Dream Content, *Journal of Experimental Psychology*, 53, 1958, p. 543-553.

DEMPSTER, F.N., Proactive Interference in Sentence Recall : Topic-similarity Effects and Individual Differences, *Memory and Cognition*, 13, 1985, p. 81-89.

DENOYELLE, F., *et al.*, Prelingual Deafness : High Prevalence of a 30delG Mutation in the Connexin 26 Gene, *Human Molecular Genetics*, 6, 1997, p. 2173-2177.

DEPUE, R.A., LUCIANA, M., ARBISI, P., COLLINS, P., et A. LEON, Dopamine and the Structure of Personality : Relationship of Agonist-induced Dopamine Activity to Positive Emotionality, *Journal of Personality and Social Psychology*, 67, 1994, p. 485-498.

DEUTSCH, J.A., *The Physiological Basis of Memory*, New York, Academic Press, 1983.

DEUTSCH, J.A., Food Intake : Gastric Factors, dans E.M. Stricker (Éd.), *Neurobiology of Food and Fluid Intake : Handbook of Behavioral Neurobiology*, vol. 10, New York, Plenum Press, 1990, p. 151-182.

DeVALOIS, R.L., Behavioral and Electrophysiological Studies of Primate Vision, dans W.D. Neff (Éd.), *Contributions to Sensory Physiology*, New York, Academic Press, vol. 1, 1965.

DIEHL, M., et W. STROEBE, Productivity Loss in Brainstorming Groups : Toward the Solution of a Riddle, *Journal of Personality and Social Psychology*, 53, 1987, p. 497-509.

DIENER, E., et R.J. LARSEN, The Experience of Emotional Well-being, dans M. Lewis et J.M. Haviland (Eds.), *Handbook of Emotions*, New York, Guilford Press, 1993, p. 405-415.

DOBY, V., et R.D. CAPLAN, Organizational Stress as Threat to Reputation : Effects on Anxiety at Work and at Home, *Academy of Management Journal*, 38, 1995, p. 1105-1123.

DOMHOFF, G., *Finding Meaning in Dreams : A Quantitative Approach*, New York, Plenum, 1996.

DRESSER, N., *Multicultural Manners : New Rules of Etiquette for a Changing Society*, New York, Wiley, 1996.

DUNCKER, K., On Problem Solving, *Psychological Monographs*, 58(5, n° 270), 1945.

DYWAN, J., Hyperamnesia, Hypnosis, and Memory : Implications for Forensic Investigation, *Dissertation Abstracts International*, 44(10-B), 1984, p. 3190.

EBBINGHAUS, H., *Memory : A Contribution to Experimental Psychology* (H.A. Ruger et C.E. Bussenius, trad.), New York, Teacher's College, 1913. (Ouvrage original publié en 1885.)

EDWARDS, G., GROSS, M.M., KELLER, J., MOSER, J., et R. ROOM, *Alcohol Related Disabilities*, Geneva, Switzerland : World Health Organization, 1977.

EGAN, K.J., et W.J. KEATON, Responses to Illness and Health in Chronic Pain Patients and Healthy Adults, *psychosomatic Medicine*, 49, 1987, p. 470-481.

EGETH, H.E., What Do we Not Know About Eyewitness Identification ? *American Psychologist*, 48, 1993, p. 577-580.

EGGER, M.D., et J.P. FLYNN, Further Studies on the Effects on Amygdaloid Stimulation and Ablation of Hypothalamically Elicited Attack Behavior in Cats, dans W.R. Adey et T. Tokizane (Éd.), *Progress in Brain Research : Vol. 27. Structure and Function of the Limbic System*, Amsterdam, Elsevier, 1967.

EIBL-EIBESFELDT, I., Strategies of Social Interaction, dans R. Plutchik et H. Kelerman (Éd.), *Emotion : Theory, Research, and Experience*, New York, Academic Press, 1980b.

EISENBERGER, R., et S. ARMELI, Can Salient Reward Increase Creative Performance Without Reducing Intrinsic Creative Interest ?, *Journal of Personality and Social Psychology*, 72, 1997, p. 652-663.

EISENBERGER, R., et J. CAMERON, Detrimental Effects of Reward : Reality or Myth ?, *American Psychologist*, 51, 1996, p. 1153-1166.

EKMAN, P., Facial Expression and Emotion, *American Psychologist*, 48, 1993, p. 384-392.

EKMAN, P., et W.V. FRIESEN, *Unmasking the Face*, Englewood Cliffs, NJ, Prentice Hall, 1975.

EKMAN, P., LEVENSON, R.W., et W.V. FRIESEN, Autonomic Nervous System Activity Distinguishes Among Emotions, *Science*, 221, 1983, p. 1208-1210.

ELLIOTT, L, et C. BRANTLEY, *Sex on Campus : The Naked Truth About the Real Sex Lives of College Students*, New York, Random House, 1997.

ELLIS, A., *A Guide to Rational Living*, Englewood Cliffs, NJ, Prentice-Hall, 1961.

ELLIS, A., *Better, deeper, and More Enduring Brief Therapy*, New York, Institute for Rational Emotive Therapy, 1996.

ELLIS, A., Reflections on Rational-emotive Therapy, *Journal of Consulting and Clinical Psychology*, 61, 1993, p. 199-201.

ELLIS, A., Using Rational Emotive Behavior Therapy Techniques to Cope with Disability, *Professional Psychology : Research and Practice*, 1997, 28, p. 17-22.

ELLIS, B., et D. SYMONS, Sex Differences in Sexual Fantasy : An Evolutionary Psychological Approach, *Journal of Sex Research*, 27, 1990, p. 527-555.

ELLMAN, S.J., SPIELMAN, A.J., LUCK, D., STEINER, S.S., et R. HALPERIN, REM Deprivation : A Review, dans S.A. Ellman et J.S. Antrobus (Éd.), *The Mind in Sleep : Psychology and Psychophysiology*, 2e éd., New York, Wiley, 1991, p. 329-368.

EYESON-ANNAN, M., PTERKEN, C., BROWN, B., et D. ATCHISON, Visual and Vestibular Components of Motion Sickness, *Aviation, Space, & Environmental Medicine*, 67, 1996, p. 955-962.

EYSENCK, H.J., *The Biological Basis of Personality*, Springfield, IL, Charles C. Thomas, 1967.

EYSENCK, H.J., Biological Dimensions of Personality, dans L.A. Pervin (Éd.), Handbook of Personality: *Theory and Research*, New York, Guilford Press, 1990..

EYSENCK, M.W., MOGG, K., MAY, J., RICHARDS, A., et A. MATTHEWS, Bias in Interpretation of Ambiguous Sentences Related to Threat in Anxiety, *Journal of Abnormal Psychology*, 100, 1991, p. 144-150.

FACKELMANN, K.A., Pacific Cocktail : The History, Chemistry, and Botany of the Mind-altering Kava Plant, *Science News*, 141, 1992, p. 424-425.

FAGEN, J.F., et L.T. SINGER, Infant Recognition Memory as a Measure of Intelligence, dans L.P. Lipsitt (Éd.), *Advances in Infancy Research*, vol. 2, Norwood, NJ, Ablex, 1983.

FAIGMAN, D.L., KAYE, D., SAKS, M.J., et J. SANDERS, *Modern Scientific Evidence: The Law and Science of Expert Testimony*, St. Paul, MN, West, 1997.

FARTHING, W.G., *The Psychology of Consciousness*, Englewood Cliffs, NJ, Prentice Hall, 1992.

FAULKNER, B., ONESTI, G., ANGELAKOS, E.T., FERNANDES, M., et C. LANGMAN, Cardiovascular Response to Mental Stress in Normal Adolescents with Hypertensive Parents, Hemodynamics and Mental Stress in Adolescents, *Hypertension*, 1, 1979, p. 23-30.

FEINBERG, R., MILLER, F., et R. WEISS, Verbal Learned Helplessness, *Representative Research in Social Psychology*, 13(1), 1983, p. 34-45.

FELDMAN, R.S. (Éd.), *Development of Nonverbal Behavior in Children*, Seacaucus, NJ, Springer-Verlag, 1982.

FERGUSON, N.B.L., et R.E. KEESEY, Effect of a Quinine-adulterated Diet Upon Body Weight Maintenance in Male Rats with Ventromedial Hypothalamic Lesions, *Journal of Comparative and Physiological Psychology*, 89, 1975, p. 478-488.

FIELD, K.M., WOODSON, R., GREENBERG, R., et D. COHEN, Discrimination and Imitation of Facial Expressions by Neonates, *Science*, 218, 1982, p. 179-181.

FINKEL, D., et M. McGUE, Sex Differences and Nonadditivity in Heritability of the Multidimensional Personality and Social Psychology, 72, 1997, p. 929-938.

FISCHBACH, G.D., Mind and Brain, *Scientific American*, 267(3), 1992, p. 48-57.

FISHER, S., et R.P. GREENBERG, *The Scientific Credibility of Freud's Theories and Therapy*, New York, Basic Books, 1977.

FISHER, S., et R.P. GREENBERG, *Freud Scientifically Reappraised : Testing the Theories and Therapy*, New York, Wiley, 1996.

FISHMAN, S.M., et D.V. SHEEHAN, Anxiety and Panic : Their Cause and Treatment, *Psychology Today*, avril 1985, p. 26-32.

FLAVELL, J.H., Cognitive Development : Children's Knowledge About the Mind, *Annual Reviews of Psychology*, 50, 1999, p. 21-45.

FLOR, H., KERNS, R.D., et D.C. TURK, The Role of Spouse Reinforcement, Perceived Pain, and Activity Levels of Chronic Pain Patients, *Journal of Psychosomatic Research*, 31, 1987, p. 251-259.

FOA, E., et M. KOZAK, Emotional Processing of Fear : Exposure to Corrective Information, *Psychological Bulletin*, 99, 1986, p. 20-35.

FOREYT, J.P., WALKER, S., POSTON, C., II, et G.K. GOODRICK, Future Directions in Obesity and Eating Disorders, *Addictive Behaviors*, 21, 1996, p. 767-778.

FOSTER, C.A., WITCHER, B.S., CAMPBELL, W.K., et J.D. GREEN, Arousal and Attraction : Evidence for Automatic and Controlled Processes, *Journal of Personality and Social Psychology*, 74, 1998, p. 86-101.

FOULKES, D., *Children's Dreams*, New York, Wiley, 1982.

FOULKES, D., Children's Dreaming, dans D. Foulkes et C. Cavallero (Eds.), *Dreaming as Cognition*, New York, Harvester Wheatsheaf, 1993, p. 114-132.

FOULKES, D., et S. FLEISHER, Mental Activity in Relaxed Wakefulness, *Journal of Abnormal Psychology*, 84, 1975, p. 66-75.

FRANKEN, R.E. *Human Motivation*, 4e éd., Pacific Grove, CA, Brooks/Cole, 1998.

FREDRIKSON, M., WIK, G., FISCHER, H., et J. ANDERSSON, Affective and Attentive Neural networks in Humans : A PET Study of Pavlovian Conditioning, *Neuroreport*, 7, 1995, p. 97-101.

FREEMAN, A., et R. DeWOLF, *The 10 Dumbest Mistakes Smart People Make and how to Avoid them*, New York, Harper Collins, 1992.

FRENCH, E.G., et F.H. THOMAS, The Relationship of Achievement Motivation to Problem-solving Effectiveness, *Journal of Abnormal and Social Psychology*, 56, 1958, p. 45-48.

FRENSCH, P.A., et R.J. STERNBERG, Intelligence and Cognition, dans M.W. Eysenck (Éd.), *Cognitive Psychology : An International Review*, New York, Wiley, 1990, p. 57-103.

FREUD, S., *L'interprétation des rêves*, Paris, PUF, 1971.

FREUD, S., The Interpretation of Dreams, dans J. Stratchey (Ed. et Trad.), *The Standard Edition of the Complete Psychological Works of Sigmund Freud*, vol. 4 et 5, London, Hogarth Press, 1900-1953. (Ouvrage original publié en 1900.)

FRIEDMAN, A.J., ZHANG, Y., *et al.*, Positional Cloning of the mouse Obese Gene and its Human Homologue, *Nature*, 372, 1994, p. 425-432.

FRIEDMAN, E., et B. BERGER, Influence of Gender, Masculinity, and Feminity on the Effectiveness of Three Stress Reduction Techniques : Jogging, Relaxation Response, and Group Interaction, *Journal of Applied Sport Psychology*, 3, 1991, p. 61-86.

FRIEDMAN, M., et R.H. ROSENMAN, Association of Specific Overt Behavior Pattern with Blood and Cardiovascular Findings — Blood Cholesterol Level, Blood Clotting Time, Incidence of Arcus Senilis, and Clinical Coronary Artery Disease, *Journal of the American Medical Association*, 162, 1959, p. 1286-1296.

FRIEDMAN, M., THORESEN, C.E., GILL, J.J., ULMER, D., POWELL, L.H., PRICE, V.A., BROWN, B., THOMPSON, L., RABIN, D.D., BREALL, W.S., BOURG, E., LEVY, R., et T. DIXON, Alteration of Type A Behavior and its Effect on Cardiac Recurrences in Past Myocardial Infarction Patients : Summary Results of the Recurrent Coronary Prevention Project, *American Heart Journal*, 112, 1986, p. 653-665.

FROMER, M.J., Motion Sickness : All in your Head ? *Psychology Today*, janvier 1983, p. 65.

FURMARK, T., FISCHER, H., WIK, G., LARSON, M., et M. FREDRIKSON, The Amygdals and Individual Differences in Human Fear Conditioning, *Neuroreport*, 8, 1997, p. 3957-3960.

FROMM, E., Dissociation, Repression, Cognition, and Voluntarism, *Consciousness and Cognition*, 1(1), 1992, p. 40-46.

GABBARD, G.O., Psychodynamic Therapy in an Age of Neuroscience, *Harvard Mental Health Letter*, 15(7), 1999, p. 4-5.

GAENSBAUER, T.J., et S. HIATT, Facial Communication of Emotion in Early Infancy, dans N. Fox et R. Davidson (Eds.), *The Psychobiology of Affective Development*, Hillsdale, NJ, Erlbaum, 1984, p. 207-230.

GALABURDA, A.M., et T.L. KEMPER, Cytoarchitectonic Abnormalities in Development Dislexia : A Case Study, *Annals of Neurology*, 6, 1979, p. 94-100.

GALANTER, E., Contemporary Psychophysics, dans R. Brown (Éd.), *New Directions in Psychology*, New York, Holt, Rinehart and Winston, 1962, vol. 1, p. 87-156.

GALLUP, G.G., et S.D. SUAREZ, Alternatives to the Use of Animals in Psychological Research, *American Psychologist*, 40, 1985, p. 1104-1111.

GAO, J., PARSONS, L.M., BOWER, J.M., XIONG, J., et P.T. FOX, Cerebellum Implicated in Sensory Acquisition and Discrimination Rather than Motor Control, *Science*, 272, 1996, p. 545-547.

GARCIA-ARRARAS, J.E., et J.R. PAPPEN-HEIMER, Site of Action of Sleep-inducing Muramyl Peptide Isolated from Human Urine : Microinjection Studies in Rabbit Brains, *Journal of Neurophysiology*, 49, 1983, p. 528-533.

GARD, M.C.E., et C.P. FREEMAN, The Dismantling of a Myth : A Review of Eating Disorders and Socioeconomic Status, *International Journal of Eating Disorders*, 20, 1996, p. 1-12.

GARDINER, H.W., MUTTER, J.D., et C. KOSMITZKI, *Lives Across Cultures : Cross-cultural Human Development*, Allyn & Bacon, 1998.

GARDNER, H., *Frames of Mind*, New York, Basic Books, 1983.

GARDNER, H., Creativity : An Interdisciplinary Perspective, *Creativity Research Journal*, 1, 1988, p. 8-26.

GARDNER, M., A Skeptic's View of Parapsychology, *The Humanist*, novembre/décembre 1977, p. 76-94.

GARDNER, R.M., et E.D. BOKENKAMP, The Role of Sensory and Nonsensory Factors in Body Size Estimations of Eating Disorders Subjects, *Journal of Clinical Psychology*, 52(1), 1996, p. 3-15.

GARNER, D.M., OLMSTED, M.P., DAVIS, R., ROCKERT, W., GOLDBLOOM, D., et M. EAGLE, The Association Between Bulimic Symptoms and Reported Psychopathology, *International Journal of Eating Disorders*, 9, 1990, p. 1-15.

GAYLORD, C., ORME-JOHNSON, D., et F. TRAVIS, The Effects of the Transcendental Meditation Technique and Progressive Muscle Relaxation on EEG Coherence, Stress Reactivity, and Mental Health in Black Adults, *International Journal of Neuroscience*, 46, 1989, p. 77-86.

GAZZANIGA, M.S., *Le cerveau dédoublé*, Bruxelles, Dessart et Mardaga, 1976.

GAZZANIGA, M.S., Organization of the Human Brain, *Science*, 245, 1989, p. 947-952.

GEEZE, D.S., et W.P. PIERSON, Airsickness in B-52 Crew Members, *Military Medicine*, 151, 1986, p. 628-629.

GELDERLOOS, P., WALTON, K.G., ORME-JOHNSON, D.W., et C.N. ALEXANDER, Effectiveness of the Transcendental Meditation Program in Preventing and Treating Substance Abuse : A Review, *The International Journal of the Addictions*, 25(3), 1991, p. 293-325.

GELLER, L., The Failure of Self-actualization Theory : A Critique of Carl Rogers and Abraham Maslow, *Journal of Humanistic Psychology*, 22, 1982, p. 56-73.

GELHORN, E., Motion and Emotion : The Role of Proprioception in the Physiology and Pathology of the Emotions, *Psychological Review*, 71, 1964, p. 457-472.

GELMAN, D., Where are the Patients ? *Newsweek*, 27 juin 1988, p. 62-66.

GENTILE, J.R., et N.M. MONACO, Learned Helplessness in Mathematics : What Educators Should Know, *Journal of Mathematical Behavior*, 5, 1986, p. 159-178.

GERSHON, S., et J.C. SOARES, Current Therapeutic Profile of Lithium, *Archives of General Psychiatry*, 54, 1997, p. 16-20.

GIBBONS, A., The Brain as « Sexual Organ », *Science*, 253, 1991, p. 957-969.

GIBBS, N. The EQ Factor, *Time*, 2 octobre 1995, p. 60-68.

GIBBS, W.W., Gaining on Fat, *Scientific American*, 275, août 1996, p. 88-94.

GIBSON, E.J., et R.D. WALK, The Visual Cliff, *Scientific American*, 202(2), 1960, p. 67-71.

GLADUE, B.A., The Biopsychology of Sexual Orientation, *Current Directions in Psychological Science*, 3, 1994, p. 150-154.

GLASS, A.L., et K.J. HOLYOAK, *Cognition*, New York, Random House, 1986.

GLUCKSMAN, M.L., Integrating Psychoanalysis and Psychodynamic Psychotherapy Into a Residency Training Program, *Journal of the American Academy of Psychoanalysis*, 25, 1997, p. 655-662.

GOLDMAN-RAKIC, P.S., Working Memory and the Mind, *Scientific American*, 267(3), 1992, p. 111-117.

GOLDSTEIN, E.B., *Sensation and Perception*, Belmont, CA, Wadsworth, 1984.

GOLDSTEIN, I.B., Assessment of Hypertension, dans C.K. Prokop et L.A. Bradley (Éd.), *Medical Psychology*, New York, Academic Press, 1981.

GOLDWATER, B.C., et M.L. COLLIS, Psychologic Effects of Cardiovascular Conditioning : A Controlled Experiment, *Psychosomatic Medicine*, 47, 1985, p. 174-181.

GOLEMAN, D., *Emotional Intelligence : Why it Can Matter More than IQ*, New York, Bantam, 1995.

GONZALEZ, M.A., CAMPOS, A., et M. PEREZ, Mental Imagery and Creative Thinking, *Journal of Psychology*, 131, 1997, p. 357-364.

GOODE, E.E., SCHROF, J.M., et S. BURKE, Where Emotions Come From, *U.S. News and World Report*, 24 juin 1991, p. 54-60.

GOODENOUGH, D.R., Dream Recall : History and Current Status of the Field, dans S.A. Ellman et J.S. Antrobus (Éd.), *The Mind in Sleep : Psychology and Psychophysiology*, 2e éd., New York, Wiley, 1991, p. 143-171.

GOODWIN, D., *Is Alcoholism Inherited ?* New York, Random House, 1988.

GOODWIN, F., et W. POTTER, Catecholamines, dans E. Usdin, I. Kopen, et J. Barchas (Éd.), *Catecholamines : Basic and Clinical Frontiers*, Elmsford, NY, Pergamon, 1979.

GOODWIN, F.K., et S.N. GHAEMI, Understanding Manic-depressive Illness, *Archives of General Psychiatry*, 55, 1998, p. 23-25.

GORDON, I.E., *Theories of Visual Perception*, 2e éd., New York, Wiley, 1997.

GORDON, T., *Parents efficaces : une méthode de formation à des relations humaines sans perdant*, Montréal, Éd. du Jour, 1977.

GORDON, W.C., *Learning and Memory*, Pacific Grove, CA, Brooks/Cole, 1989.

GOTTESMAN, I.I., *Schizophrenia Genesis : The Origins of Madness*, New York, Freeman, 1991.

GOTTESMAN, I.I., et A. BERTELSEN, Confirming Unexpressed Genotypes for Schizophrenia, *Archives of General Psychiatry*, 46, 1989, p. 867-872.

GOTTESMAN, I.I., et J. SHIELDS, *Schizophrenia : The Epigenetic Puzzle*, New York, Cambridge University Press, 1982.

GOULD, S. J., *Darwin et les grandes énigmes de la vie*, Paris, Seuil, 1984.

GRAHAM, J.R., et R.S. LILLY, *Psychological Testing*, Englewood Cliffs, NJ, Prentice-Hall, 1984.

GREEN, B.G., The Effect of Skin Temperature on Vibrotactile Sensitivity, *Perception and Psychophysics*, 21, 1977, p. 243-248.

GREENBERG, J., SOLOMON, S., et T. PYSZCYNSKI, Terror Management Theory of Self-esteem and Cultural Worldviews : Empirical Assessments and Conceptual Refinements, dans M.P. Zanna (Éd.), *Advances in Experimental Social Psychology*, vol. 29, San Diego, Academic Press, 1997, p. 66-139.

GREENFIELD, P.M., A Theory of the Teacher in the Learning Activities of Everyday Life, dans B. Rogoff et J. Lave (Éd.), *Everyday Cognition*, Cambridge, MA, Harvard University Press, 1984, p. 117-138.

GREENWALD, A.G., et M.R. BANAJI, Implicit Social Cognition : Attitudes, Self-esteem, and Stereotypes, *Psychological Review*, 102, 1995, p. 4-27.

GREENWALD, A.G., SPANGENBERG, E.R., PRATKANIS, A.R., et J. ESKENAZI, Double-blind Tests of Subliminal Self-help Audiotapes, *Psychological Science*, 2, 1991, p. 119-122.

GREER, J., et C. WETHERED, C., Learned Helplessness : A Piece of the Burnout Puzzle, *Exceptional Children*, 50(6), 1984, p. 524-530.

GREGORY, R.L., Apparatus for Investigating Visual Perception, *American Psychologist*, 24(3), 1969, p. 219-225.

GREGORY, R.L., *Eye and Brain*, 3e éd., New York, McGraw-Hill, 1977.

GROEN, J.J., HANSEN, B., HERMANN, J.M., SCHAFER, N., SCHMIDT, T.H., SELBMANN, K.H., VEXKULL, T.V., et P. WECKMAN, Haemodynamic Responses During Experimental Emotional Stress and Physical Exercise in Hypertensive and Normotensive Patients, *Progress in Brain Research*, 47, 1977, p. 301-308.

GROSS, E., Work; Organization, and Stress, dans S. Levine et N.A. Scotch (Éd.), *Social Stress*, Chicago, Aldine, 1970.

GROSSMAN, H.J. (Éd.), *Manual on Terminology and Classification in Mental Retardation*, 3e rév., Washington, DC, American Association on Mental Deficiency, 1983.

GROTH-MARNAT, G., *Handbook of Psychological Assessment*, 2e éd., New York, Wiley, 1990.

GROVES, P.M., et G.V. REBEC, *Introduction to Biological Psychology*, 3e éd., Dubuque, IA, Wm. C. Brown, 1988.

GUASTELLO, S.J., GUASTELLO, D.D., et L.L. CRAFT, Assessment of the Barnum Effect in Computer-Based Test Interpretations, *Journal of Psychology*, 123, 1989, p. 477-484.

GUILFORD, J.P., The Three Faces of Intellect, *American Psychologist*, 14, 1959, p. 469-479.

GUILFORD, J.P., *The Nature of Human Intelligence*, New York, McGraw-Hill, 1967.

GUILLEMINAULT, C., The Sleep Apnea Syndrome, *Medical Times*, juin 1979, p. 59-67.

GUSTAVSON, C.R., et J. GARCIA, Pulling a Gag on the Wily Coyote, *Psychology Today*, août 1974, p. 68-72.

GUTKIN, J., *A Study of « flashbulb » Memories for the Moment of the Explosion of the Space Shuttle Challenger*, Unpublished manuscript, Emory University, Atlanta, 1989.

HAIER, R.J., Cerebral Glucose Metabolism and Intelligence, dans P.A. Vernon (Éd.), *Biological Approaches to the Study of Human Intelligence*, Norwood, NJ, Ablex Publishing Corporation, 1993.

HAIER, R.J., CHUEH, D., TOUCHETTE, P., LOTT, I., BUCHSBAUM, M.S., MacMILLAN, D., SANDMAN, G., LaCASSE, L, et E. SOSA, Brain Size and Cerebral Glucose Metabolic Rate in Non-specific Mental Retardation and Down Syndrome, *Intelligence*, 1995.

HAIER, R.J., SIEGEL, B.V., jr., NUECHTERLEIN, K.H., HAZLETT, E., WU, J.C., PEAK, J. BROWNING, H., et M.S. BUCHSBAUM, Cortical Glucose Metabolic Rate Correlates of Abstract Reasoning and Attention Studied with Positron Emission Tomography, *Intelligence*, 12, 1988, p. 199-217.

HALAAS, J.L., GAJIWALA, K.S., MAFFEI, M., COHEN, S.L., CHAIT, B.T., RABINOWITZ, D., LALLONE, R.L., BURLEY, S.K., et J.M. FRIEDMAN, Weight Reducing Effects of the Plasma Protein Encoded by the Obese Gene, *Science*, 269, 1995, p. 543-546.

HALL, C., et R.I. VAN DE CASTLE, *The Content Analysis of Dreams*, New York, Appleton-Century-Crofts, 1966.

HALL, C.S., et V.J. NORDBY, *The Individual and his Dreams*, New York, Mentor, 1972.

HAMID, A., The Political Economy of Crack-related Violence, *Contemporary Drug Problems*, 6, 1990, p. 90-95.

HAMID, P.N., et W.T. CHAN, Locus of Control and Occupational Stress in Chinese Professionals, *Psychological Reports*, 82, 1998, p. 75-79.

HAMPSON, E., Estrogen-related Variations in Human Spatial and Articulatory-motor Skills, *Psychoneuroendocrinology*, 15(2), 1990, p. 97-111.

HANSEL, C.E.M., *ESP and Parapsychology : A Critical Reevaluation*, Buffalo, NY, Prometheus, 1980.

HARLOW, H.F., HARLOW, M.K., et D.R. MEYER, Learning Motivated by a Manipulation Drive, *Journal of Experimental Psychology*, 40, 1950, p. 228-234.

HARLOW, J., *Recovery from the Passage of an Iron Bar Through the Head*, publication of the Massachusetts Medical Society, Boston, 2, 1868, p. 237-246.

HARLOW, J.M., Passage of an Iron Rod Through the Head, *Boston Medical and Surgical Journal*, 39, 1848, p. 389-393.

HAROLD, R.D., et J.S. ECCLES, *Maternal Expectations, Advice, and Provision of Opportunities; Their Relationships to Boys' and Girls' Occupational Aspirations*, Paper presented at the meeting of the Society for Research in Adolescence, Atlanta, 1990.

HARPER, R.M. Cardiorespiratory and State Control in Infants at Risk for the Sudden Death Syndrome, dans M.II. Chase et E.D. Weitzman (Éd.), *Sleep Disorders : Basic and Clinical Research*, New York, Spectrum, 1983, p. 315-328.

HARRIGAN, J.A., LUCIE, K.S., KAY, D., McLANEY, A., et R. ROSENTHAL, Effect of Expressor Role and Type of Self-touching on Observers' perceptions, *Journal of Applied Social Psychology*, 21, 1991, p. 585-609.

HARRIS, J.L., SALUS, D., RERECICH, R., et D. LARSEN, Distinguishing Detection from Identification in Subliminal Auditory Perception : A Review and Critique of Merikle's Study, *Journal of General Psychology*, 123, p. 41-50.

HARTE, D.B., Estimates of the Length of Highway Guidelines and Spaces, *Human Factors*, 17, 1975, p. 455-460.

HARTMANN, E., Two Case Reports : Night Terrors with Sleepwalking : A Potentially Lethal Disorder, *Journal of Nervous and Mental Disease*, 171(8), 1983, p. 503-505.

HARTMANN, E., *The Nightmare : The Psychology and Biology of Terrifying Dreams*, New York, Basic Books, 1985.

HASSETT, J., Sex and Smell, *Psychology Today*, mars 1978, p. 40-45.

HAYASHI, S., KUNO, T., MOROTOMI, Y., OSAWA, M., SHIMIZU, M., et Y. SUETAKE, Client-centered Therapy in Japan : Fujio Tomoda and Taoism, *Journal of Humanistic Psychology*, 38, 1998, p. 103-124.

HAYGOOD, R.C., et L.E. BOURNE, Attribute and Rule Learning Aspects of Conceptual Behavior, *Psychological Review*, 72, 1965, p. 175-195.

HAYNES, K.A., Maya Angelou: Prime-time Poet, *Ebony*, avril 1993, p. 68, 70-73.

HEATH, A.C., NEALE, M.C., KESSLER, R.C., EAVES, L.J., et K.S. KENDLER, Evidence for Genetic Influences on Personality from Self-reports and Informant Ratings, *Journal of Personality and Social Psychology*, 63, 1992, p. 85-96.

HEATBERTON, T.F., MAHAMEDI, F., STRIEPE, M. GIELD, A.E., et P. KEEL, A 10-year Longitudinal Study of Body Weight, Dieting, and Eating Disorder Symptoms, *Journal of Abnormal Psychology*, 106, 1997, p. 117-125.

HEBB, D.O., *The Organization of Behavior*, New York, Wiley, 1949.

HEBB, D.O., *A Texbook of Psychology*, 2e éd., Philadelphia, Saunders, 1966.

HEBB, D.O., *Psychologie : science moderne*, Montréal, éd. HRW, 1974.

HECHT, S., HAIG, C., et G. WALD, The Dark Adaptation of Retinal Fields of Different Size and Location, *Journal of General Physiology*, 19, 1935, p. 321-337.

HECKHAUSEN, H., SCHMALT, H.D., et K. SCHNEIDER, *Achievement Motivation in Perspective*, Orlando, FL, Academic Press, 1985.

HELD, R., et A. HEIN, Movement-produced Stimulation in the Development of Visually-guided Behavior, *Journal of Comparative and Physiological Psychology*, 56, 1963, p. 872-876.

HELMS, J.E., et D.A. COOK, *Using Race and Culture in Counseling and Psychotherapy : Theory and Process*, Allyn & Bacon, 1999.

HENDERSON, B.E., ROSS, R.K., et M.C. PIKE, Toward the Primary, Prevention of Cancer, *Science*, 254, 1991, p. 1131-1138.

HENNESSEY, B.A., et T.M. AMABILE, Reward, Intrinsic Motivation, and Creativity, *American Psychologist*, 53, 1998, p. 674-675.

HENNEVIN, E., HARS, B., MAHO, C., et V. BLOCH, Processing of Learned Information in Paradoxical Sleep : Relevance for Memory, *Behavioral brain Research*, 69, 1995, p. 125-135.

HERMANS, D., Implicit and Explicit Memory for Shape, Body Weight, and Food-related Words in Patients with Anorexia Nervosa and Nondieting Controls, *Journal of Abnormal Psychology*, 107(2), 1998, p. 193-202.

HERRNSTEIN, R.J., et C. MURRY, The Bell Curve : Intelligence and Class Structure in American Life, New York, Free Press, 1994.

HERZOG, H.A., jr., The Moral Status of Mice, *American Psychologist*, 43, 1988, p. 473-474.

HESTON, L.L., et J.A. WHITE, *Dementia*. New York, Freeman, 1983.

HETHERINGTON, A.W., et S.W. RANSON, The Spontaneous Activity and Food Intake of Rats with Hypothalamic Lesion, *American Journal of Physiology*, 136, 1942, p. 609-617.

HEWITT, J.K. The Genetics of Obesity : What Have Genetic Studies Told us About the Environment ?, *Behavior Genetics*, 27, 1997, p. 353-358.

HICKS, R.A., JOHNSON, C., et R.J. PELLEGRINI, Changes in the Self-reported Consistency of Normal Sleep Duration of College Students, *Perceptual and Motor Skills*, 75, 1992, p. 1168-1170.

HILGARD, E.R., Hypnosis and Consciousness, *Human Nature*, 1, 1978, p. 42-51.

HILGARD, E.R., *Divided Consciousness : Multiple Controls in Human Thought and Action* (éd. augmentée), New York, Wiley-Interscience, 1986.

HILGARD, E.R., Divided Consciousness and Dissociation, *Consciousness and Cognition*, 1, 1992, p. 16-31.

HILTS, L., Clocks that Make us Run, *Omni*, septembre 1984, p. 49-55, 100.

HIMES, E.A., et G.E. BROWN, The Cold Pressor Test for Measuring the Reactability of Blood Pressure : Data Concerning 571 Normal and Hypertensive Subjects, *American Heart Journal*, 11, 1936, p. 1-9.

HIRSHKOWITZ, M., MOORE, C.A., et G. MINHOTO, The Basics of Sleep, dans M.R. Pressman et W.C. Orr (Eds.), *Understanding Sleep : The Evaluation and Treatment of Sleep Disorders*, Washington, DC, American Psychological Association, 1997.

HOBSON, J.A., *The Dreaming Brain*, New York, Basic Books, 1988.

HOBSON, J.A., *Sleep*, New York, Freeman, 1989.

HOBSON, J.A, et R.W. McCARLEY, The Brain as a Dream State Generator : An Activation-synthesis Hypothesis of the Dream Process, *American Journal of Psychiatry*, 134, 1977, p. 1335-1348.

HOBSON, J.A., et L. SILVESTRI, Parasomnias, *The Harvard Mental Health Letter*, 15(8), 1999, p. 3-5.

HOCK, R.R., *Forty Studies that Changed Psychology*, Englewood Cliffs, NJ, Prentice-Hall, 1992.

HOEK, H.W., VAN HARTEN, P.N., VAN HOEKEN, D., et E. SUSSER, Lack of Relation Between Culture and Anorexia Nervosa : Results of an Incidence Study on Curacao, *New England Journal of Medicine*, 338, 1998, p. 1231-1232.

HOLMES, T.H., et R.H. RAHE, The Social Readjustment Rating Scale, *Journal of Psychosomatic Research*, 11, 1967, p. 213-218.

HOLROYD, J. Hypnosis Treatment of Clinical Pain, *International Journal of Clinical & Experimental Hypnosis*, 44(1), 1996, p. 33-51.

HONTS, C.R., Psychophysiological Detection of Deception, *Current Directions in Psychological Science*, 3(3), 1994, p. 77-82.

HORN, J.L., Human Ability Systems, dans P.B. Baltes (Éd.), *Life-span Developmental Psychology*, New York, Academic Press, vol. I, 1978.

HORNE, J.A., Sleep Loss and « divergent » Thinking Ability, *Sleep*, 11, 1989, p. 528-536.

HORNER, M.S., *Sex Differences in Achievement Motivation and Performance in Competitive and Non-competitive Situations*, Unpublished doctoral dissertation, University of Michigan, 1968.

HORNER, M.S., Toward an Understanding of Achievement-related Conflicts in Women, *Journal of Social Issues*, 28, 1972, p. 157-175.

HORNEY, K., *Feminine Psychology*, New York, Norton, 1923/1967.

HORNEY, K., *New Ways in Psychoanalysis*, New York, International Universities Press, 1939.

HOUSE, J.S., LANDIS, K.R., et D. UMBERSON, Social Relationships and Health, *Science*, 241, 1988, p. 540-545.

HOUSTON, J., BEE, H., et D. RIMM, *Essential of Psychology*, Orlando, FL, Academic Press, 1983.

HOVLAND, C.I., Experimental Studies in Rote-learning Theory, 1. Reminiscence Following Learning by Massed and by Distributed Practice, *Journal of Experimental Psychology*, 22, 1938, p. 201-244.

HUBEL, D.H., The Visual Cortex of the Brain, *Scientific American*, 209, 1963, p. 54-62.

HUBEL, D.H., The Brain, dans Editors of *Scientific American, The Brain*, San Francisco, Freeman, 1984.

HUBEL, D.H., et T.N. WIESEL, Receptive Fields, Binocular Interaction and Functional Architecture in the Cat's Visual Cortex, *Journal of Physiology*, 160, 1962, p. 106-154.

HUBEL, D.H., et T.N. WIESEL, Receptive Fields and the Functional Architecture in two Nonstriate Visual Areas (18 and 19) of the Cat, *Journal of Neurophysiology*, 28, 1965, p. 229-289.

HUBEL, D.H., et T.N. WIESEL, Receptive Fields and the Functional Architecture of the Monkey Striate Cortex, *Journal of Physiology*, 195, 1968, p. 215-243.

HUESMANN, L.R. (Éd.), Learned Helplessness as a Model of Depression [Special issue], *Journal of Abnormal Psychology*, 87(1), 1978.

HUGDAHL, K., Cortical Control of Human Classical Conditioning : Autonomic and Positron Emission Tomography Data, *Psychophysiology*, 35, 1998, p. 170-178.

HUGHES, D.C., LEGAN, P.K., STEEL, K.P., et G.P. RICHARDSON, Mapping of the Alpha-tectorin Gene (TECTA) to Mouse Chromosome 9 and Human Chromosome 11 : a Candidate for Human Autosomal Dominant Nonsyndromic Deafness, *Genomics*, 48, 1998, p. 46-51.

HUGHES, R.J., et P. BADIA, Sleep-promoting and Hypothermic Effects of Daytime Melatonin Administration in Humans, *Sleep*, 20, 1997, p. 124-131.

HUNT, M., *Sexual Behavior in the 1970's*, Chicago, Playboy Press, 1974.

HUNT, H.T., *The Multiplicity of Dreams*, New Haven, CT, Yale University Press, 1989.

HUTTENLOCHER, P.R., Synaptic Density in Human Frontal Cortex : Developmental Changes and Effects of Aging, *Brain Research*, 163, 1979, p. 195-205.

HUXLEY, A., *Les portes de la perception*, Monaco, éd. du Rocher, 1991.

HYDE, T.S., et J.J. JENKINS, Differential Effects of Incidental Tasks on the Organization of Recall of a List of Highly Associated Words, *Journal of Experimental Psychology*, 82, 1969, p. 472-481.

IACONO, W.G., et D.T. LYKKEN, The Validity of the Lie Detector : Two Surveys of Scientific Opinion, *Journal of Applied Psychology*, 82(3), 1997, p. 426-433.

IADAROLA, M.J., et R.M. CAUDLE, Good Pain, Bad Pain, *Science*, 278, 1997, p. 239-240.

INDOW, T., Spherical Model of Colors and Brightness Discrimination by Izmailov and Sokolov, *Psychological Science*, 2, 1991, p. 260-262.

INTRAUB, H., The Role of Implicit Naming in Pictorial Encoding, *Journal of Experimental Psychology : Human Learning and Memory*, 5(2), 1979, p. 78-87.

IOLA, L.M., Culture and Health, dans R.W. Brislin (Éd), *Applied Cross-Cultural Psychology*, Newbury Park, CA, Sage, 1990, p. 278-301.

IRWIN, M., *et al.*, Partial Sleep Deprivation Reduced Natural Killer Cell Activity in Humans, *Psychosomatic Medicine*, 56, 1994, p. 493-498.

IZARD, C.E., Emotion-cognition Relationships and Human Development, dans C.E. Izard, J. Kagan, et R.B. Zajonc (Éd.), *Emotion, Cognitions, and Behavior*, New York, Cambridge University Press, 1984.

IZARD, C.E., Facial Expressions and the Regulation of Emotions, *Journal of Personality and Social Psychology*, 58, 1990, p. 487-498.

JACOBS, G.D., *Say Good Night to Insomnia*, Henry Holt & Company, 1999.

JACOBY, L.L., The Role of Mental Contiguity in Memory : Registration and Retrieval Effects. *Journal of Verbal Learning and Verbal Behavior*, 13, 1974, p. 483-496.

JAMES, W., *The Principles of Psychology*, New York, Holt, vol. 2, 1890.

JAMES, W., *The Varieties of Religious Experience : A Study in Human Nature*, New York, Long-mans, Green, 1936. (Ouvrage original publié en 1902.)

JAMISON, K.R., *Touched with Fire : Manic-depressive Illness and the Artistic Temperament*, New York, Free Press, 1993.

JANOWITZ, J.F., There's no Hiding Place down There. *American Journal of Orthopsychiatry*, 37(2), 1967, p. 296.

JANSEN, A.S.P., NGUYEN, X.V., KARPITSKIY, V., METTENLEITER, T.C., et A.D. LOEWY, Central Command Neurons of the Sympathetic Nervous System : Basis of the Fight-or-flight Response, *Science*, 270, 1995, p. 644-646.

JARET, P., Are You too Angry for Your own Good?, *Health*, 64, juillet/août 1995.

JEMMOTT, J.B., et S.E. LOCKE, Psychosocial Factors, Immunologic Mediation, and Human Susceptibility to Infectious Diseases : How Much do we Know ? *Psychological Bulletin*, 95, 1984, p. 52-77.

JENSEN, A.R., *Bias in mental Testing*, New York, Macmillan, 1980.

JOHNSON, D., Animal Rights and Human Lives : Time for Scientists to Right the Balance, *Psychological Science*, 1, 1991, p. 213-214.

JOHNSON, H.M., et C.M. SEIFERT, Sources of the Continued Influence Effect : When Misinformation in Memory Affects Later Inferences, *Journal of Experimental Psychology : Learning, Memory, and Cognition*, 20, 1994, p. 1420-1436.

JOHNSON, J.A., Units of Analysis for the Description and Explanation of Personality, dans R. Hogan, J. Johnson et S. Briggs (Eds.), *Handbook of Personality Psychology*, New York, Academic Press, 1997.

JOHNSON, M.K., et L. HASHER, Human Learning and Memory, dans M.R. Rosenzweig et L.W. Porter (Éd.), *Annual Review of Psychology*, Palo Alto, CA, Annual Reviews Inc., 1987, p. 631-688.

JONES, E., *La vie et l'œuvre de Sigmund Freud*, Paris, PUF, 1982, 1988, 1990 (3 vol).

JONES, T., et H.L. ROEDIGER, The Experiential Basis of Serial Position Effects. *European Journal of Cognitive Psychology*, 7, 1995, p. 65-80.

JONES, W.R., et N.R. ELLIS, Inhibitory Potential in Rotary Pursuit Acquisition, *Journal of Experimental Psychology*, 63, 1962, p. 534-537.

JOSEPHSON, W.L., Television Violence and Children's Aggression : Testing the Priming, Social Script, and Disinhibition Predictions, *Journal of Personality and Social Psychology*, 53, 1987, p. 882-890.

JULIEN, R.M., *A Primer of Drug Action*, 6ᵉ éd., New York, Freeman, 1992.

KAGAN, J., Biology and the Child, dans W. Damon et R.M. Lerner (Eds.), *Handbook of Child Psychology*, vol. 1, New York, John Wiley & Sons, 1998.

KAHN, E., FISHER, C., et A. EDWARDS, Night Terrors and Anxiety Dreams, dans S.A. Ellman et J.S. Antrobus (Éd.), *The Mind in Sleep : Psychology and Psychophysiology*, 2ᵉ éd., New York, Wiley, 1991, p. 437-448.

KALAT, J.W., *Biological Psychology*, 4ᵉ éd., Belmont, CA, Wadsworth, 1992.

KALES, A., et J. KALES, Recent Advances in the Diagnosis and Treatment of Sleep Disorders, dans G. Usdin (Éd.), *Sleep Research and Clinical Practice*, New York, Brunner/Mazel, 1973, p. 72-85.

KAMIN, L.J., Behind the Curve, *Scientific American*, XX, février 1995, p. 99-103.

KAMIN, L.J., et S. OMARI, Race, Head Size, and Intelligence, *South African Journal of Psychology*, 28, 1998, p. 119-128.

KARNI, A., TANNE, D., RUBENSTEIN, B.S., ASKENASY, J.J.M., et D. SAGI, Dependence on REM Sleep of Overnight Improvement of a Perceptual Skill, *Science*, 265, 1994, p. 679-682.

KASAMATSU, T., Visual Cortical Neurons Influenced by the Oculomotor Input : Characterization of their Receptive Field Properties, *Brain Research*, 113, 1976, p. 271-292.

KASSIN, S.M., RIGBY, S., et S.R. CASTILLO, *Journal of Personality and Social Psychology*, 61, 1991, p. 698-707.

KATZ, H.N., et A. PAIVIO, Imagery Variables in Concept Identification, *Journal of Verbal Learning and Verbal Behavior*, 14, 1975, p. 284-293.

KAUFMAN, A.S., et N.L. KAUFMAN, *Kaufman Assessment Battery for Children Administration and Scoring Manual*, Circle Pines, MN, American Guidance Service, 1983.

KAUFMAN, A.S., REYNOLDS, C.R., et McLEAN, J.E., Age and WAIS-R Intelligence in a National Sample of Adults in the 20- to 74- year age Range : A Cross-sectional Analysis with Educational Level Controlled, *Intelligence*, 13, 1989, p. 235-253.

KAUFMAN, L., *Sight and Mind*, New York, Oxford University Press, 1974.

KAUSLER, D.H., *Experimental Psychology and Human Aging*, New York, Wiley, 1992.

KEATING, C.F., MAZUR, A., SEGALL, M.H., CYSNEIROS, P.G., DiVALE, W.T., KILBRIDE, J.E., KOMIN, S., LEAHY, P., THURMAN, B., et R. WIRSING, Culture and the Perception of Social Dominance from Facial Expression, *Journal of Personality and Social Psychology*, 40, 1981, p. 601-614.

KEATING, C.R., World Without Words : Messages from Face and Body, dans W.J. Lonner et R. Malpass (Eds.), *Psychology and Culture*, Boston, Allyn & Bacon, 1994, p. 175-182.

KEEL, P.K., et J.E. MITCHELL, Outcome in Bulimia Nervosa, *American Journal of Psychiatry*, 154, 1997, p. 313-321.

KEENEY, T.J., CANNIZZO, S.R., et J.H. FLAVELL, Spontaneous and Induced Verbal Rehearsal in a Recall Task, *Child Development*, 38, 1967, p. 953-966.

KELLER, H., *Sourde, muette, aveugle : histoire de ma vie*, Paris, Payot, 1991. (*The Story of my Life*, New York, Doubleday, 1902.)

KELLER, H., *The world I Lived in*, New York, Century, 1910.

KELLER, H., dans R. Harrity et R.G. Martin, *The Three Lives of Helen Keller*, Garden City, NY, Doubleday, 1962, p. 23.

KELLEY, K., et D. BYRNE, *Exploring Human Sexuality*, Englewood Cliffs, NJ, Prentice Hall, 1992.

KENEALY, P.M., Mood-state-dependent Retrieval : The Effects of Mood on Memory Reconsidered, *Quarterly Journal of Experimental psychology : Human Experimental Psychology*, 50A, 1997, p. 290-317.

KENRICK, D.T., et R.B. CIALDINI, Romantic Attraction : Misattribution versus Reinforcement Explanation, *Journal of Personality and Social Psychology*, 35, 1977, p. 381-391.

KENT, D., Subliminal Advertising, Messages, and Conspiracy, *APS Observer*, 4(5), 1991, p. 18-20.

KIESTER, E., jr., *"Traveling Light" has New Meaning for Jet Laggards*, avril 1997.

KIESTER, E., jr., The Playing Fields of the Mind, *Psychology Today*, juillet 1984, p. 18-24.

KILHAM, W., et L. MANN, Level of Destructive Obedience as a Function of Transmitter and Executant Roles in the Milgram Obedience Paradigm, *Journal of Personality and Social Psychology*, 29(5), 1974, p. 696-702.

KIRSCH, I., et S.J. LYNN, The Altered State of Hypnosis : Changes in the Theoretical Landscape, *American Psychologist*, 50, 1995, p. 846-858.

KIRSCH, I., MONTGOMERY, G., et G. SAPIRSTEIN, Hypnosis as an Adjunct to Cognitive Behavioral Psychotherapy : A Meta-analysis, *Journal of Consulting and Clinical Psychology*, 63, 1995, p. 214-220.

KITAMURA, T., NAKAMURA, M., MIURA, I., et A. FUJINAWA, Symptoms of Neuroses : Profile Patterns and Factor Structure of Clinic Attenders with Non-psychotic Functional Psychiatric Disorders, *Psychopathology*, 30, 1997, p. 191-199.

KLATZKY, R.L., *Memory and Awareness*, New York, Freeman, 1984.

KLEINMUNTZ, B., et J.J. SZUCKO, A Field Study of the Fallibility of Polygraph Lie Detection, *Nature*, 308, 1984, p. 449-450.

KLIMES-DOUGAN, B., et J. KISTNER, Physically Abused Preschoolers' Responses to Peers' Distress, *Developmental Psychology*, 26, 1990, p. 599-602.

KLINGER, E., The Power of Daydreams, *Psychology Today*, octobre 1987, p. 37-44.

KLINGER, E., *Daydreaming : Using Waking Fantasies and Imagery for Self-knowledge and Creativity*, New York, Jeremy Tarcher Inc., 1990.

KLUVER, H., et P.C. BUCY, Preliminary Analysis of the Functions of the Temporal Lobes in Monkeys, *Archives of Neurology and Psychiatry*, 42, 1939, p. 979-1000.

KNOOP, R., Relieving Stress Through Value-rich Work, *Journal of Social Psychology*, 134(6), 1994, p. 829-836.

KODER, D.-A., Treatment of Anxiety in the Cognitively Impaired Elderly : Can Cognitive-behavior Therapy Help?, *International Geriatrics*, 10, 1998, p. 173-182.

KOELLA, W.P., Serotonin and Sleep, dans W.P. Koella, E. Ruther, et H. Schulz (Éd.), *Sleep '84*, Stuttgart, Gustav Fischer Verlag, 1985, p. 6-10.

KOHL, R.L., Mechanisms of Selective Attention and Space Motion Sickness, *Aviation, Space, and Environmental Medicine*, 58, 1987, p. 1130-1132.

KOHLBERG, K., et C. GILLIGAN, The Adolescent as a Philosopher : The Discovery of the Self in a Postconventional World, *Daedalus*, 100, 1971, p. 1051-1086.

KÖHLER, W., *The Mentality of Apes*, New York, Harcourt, Brace, 1925.

KOSSLYN, S.M., Information Representation in Visual Images, *Cognitive Psychology*, 7, 1975, p. 341-370.

KOSSLYN, S.M., Seeing and Imagining in the Cerebral Hemispheres : A Computational Approach, *Psychological Review*, 94, 1987, p. 148-175.

KRANTZ, D.S., GRUNBERG, N.E., et A. BAUM, Health Psychology, *Annual Review of Psychology*, 36, 1985, p. 349-383.

KRISHNA, P.G., *Koundalinie, énergie évolutrice en l'homme*, Paris, Courrier du livre, 1978.

KUEBLI, J., Young Children's Understanding of Everyday Emotions, dans L.E. Berk, Landscapes of Development, Belmont, CA, Wadsworth, 1999, p. 123-136.

KUFFER, D.J., et C.R. REYNOLDS, Management of Insomnia, *New England Journal of Medicine*, 336, 1997, p. 341-346.

KUNDA, Z., et S.H. SCHWARTZ, Under-mining Intrinsic Moral Motivation : External Reward and Self-presentation, *Journal of Personality and Social Psychology*, 45, 1983, p. 763-771.

LABERGE, D., Attention, *Psychological Science*, 1, 1990, p. 156-162.

LABERGE, S.P., *Le rêve lucide : le pouvoir de l'éveil et de la conscience dans vos rêves*, s.l., Oniros, 1991.

LAMB, M.E., Second Thoughts on First Touch, *Psychology Today*, 16(4), 1982, p. 9-11.

LAMBERG, L., *Bodyrhythms : Chronobiology and Peak Performance*, New York, Morrow, 1995.

LANGELLA, M., COLARIETI, L., AMBROSINI, M.V., et A. GIUDITTA, The Sequential Hypothesis of Sleep Function : A Correlative Analysis of Sleep Variables in Learning and Nonlearning Rats, *Physiology and Behavior*, 51(2), 1992, p. 227-238.

LAUMANN, E.O., PAIK, A., et R.C. ROSEN, Sexual Dysfunction in the United States, *Journal of the American Medical Association*, 281, 1999, p. 537-544.

LAZARUS, R.S., Theory based Stress Measurement, *Psychological Inquiry*, 1, 1990, p. 3-13.

LEAHY, T.H., et R.J. HARRIS, *Learning and Cognition*, 4e éd., Englewood Cliffs, NJ, Prentice Hall, 1997.

LEAVITT, F., *Drugs and Behavior*, 2e éd., New York, Wiley, 1982.

LEBLANC, M., *Les élèves des communautés culturelles à l'école française : cueillette d'informations*, CÉCM, Montréal, 1988.

LeDOUX, J.E., Systems and Synapses of Emotional Memory, dans L.R. Squire, N.M. Weinberger, G. Lynch, et J.L. McGuagh (Eds.), *Memory : Organization and Locus of Change*, New York, Oxford University Press, 1992.

LeDOUX, J.E., Sensory Systems and Emotion : A Model of Affective Processing, *Integrative Psychiatry*, 4, 1996, p. 237-243.

LEE, J.A., The Role of the Sympathetic Nervous System in Ischaemic Heart Disease : A Review of Epidemiological Features and Risk Factors, Integration with Clinical and Experimental Evidence and Hypothesis, *Activitas Nervosa Superior*, 25(2), 1983, p. 110-121.

LEFF, H.S., et V.J. BRADLEY, Drugs are not Enough, *American Psychologist*, 41(1), 1986, p. 73-78.

LEIBOWITZ, H.W., Grade Crossing Accidents and Human Factors Engineering, *American Scientist*, 73, 1985, p. 558-562.

LEIBOWITZ, S.F., WEISS, G.F., WALSH, U.A., et D. VISWANATH, Medial Hypothalamic Serotonin : Role in Circadian Patterns of Feeding and Macronutrient Selection, *Brain Research*, 503, 1989, p. 132-140.

LEITENBERG, H., et K. HENNING, Sexual Fantasy, *Psychological Bulletin*, 117, 1995, p. 469-496.

LEMONICK, M.D., Emily's Little Experiment, *Time*, 13 avril 1998, p. 67.

LENNE, M.G., TRIGGS, T.J., et J.R. REDMAN, Interactive Effects of Sleep Deprivation, Time of Day, and Driving Experience on a Driving Task, *Sleep*, 21(1), 1998, p. 38-44.

LEPPER, M.R., GREENE, D., et R.E. NISBETT, Undermining Children's Intrinsic Interest with Extrinsic Rewards : A Test of the Over justification Hypothesis, *Journal of Personality and Social Psychology*, 28, 1973, p. 129-137.

LEPROULT, R., COPINSCHI, G., BUXTON, O, et E. VAN CAUTER, Sleep Loss Results in an Elevation of Cortisol Levels the Next Morning, *Sleep*, 20(10), 1997, p. 865-80.

LETTVIN, J.Y., MATURANA, H.R., McCULLOCH, W.S., et W.H. PITTS, What the Frog's Eye Tells the Frog's Brain, *Proceedings of the Institute of Radio Engineers*, 47, 1959, p. 1940-1951.

LeVAY, S., A Difference in Hypothalamic Structure Between Heterosexual and Homosexual Men., *Science*, 253, 1991, p. 1034-1038.

LEVENKRON, S., *Treating and Overcoming Anorexia Nervosa*, New York, Scribner's, 1982.

LEVINE, M.A., *A Cognitive Theory of Learning*, Hillsdale, NJ, Erlbaum, 1975.

LEVINSON, D.J., *The Seasons of a Woman's Life*, New York, Knopf, 1996.

LEWIS, M., THOMAS, D.A., et J. WOROBEY, Developmental Organization, Stress and Illness, *Psychological Science*, 1, 1990, p. 316-318.

LI, C., *Path Analysis : A Primer*, Pacific Grove, CA, Boxwood Press, 1975.

LI, X., et Z. SHEN, Positive Electron Emission Layer Scanning Technique and its Application in Psychological Research, *Information on Psychological Sciences*, 3, 1985, p. 54-58.

LICHTON, I.J., BULLARD, L.R., et B.U. SHERRELL, A Conspectus of Research on Nutritional Status in Hawaii and Western Samoa — 1960-1980 with References to Diseases in which Diet has been Implicated, *World Review of Nutrition and Dietetics*, 41, 1983, p. 40 75.

LIDDLE, P.F., Dynamic Neuroimaging with PET, SPET, or fMRI, *International Review of Psychiatry*, 9, 1997, p. 331-337.

LIN, J.S., HOU, Y., SAKAI, K., et M. JOUVET, Histaminergic Descending Inputs to the Mesopontine Tegmentum and their Role in the Control of Cortical Activation and Wakefulness in the Cat, *Journal of Neuroscience*, 16, 1996, p. 1523-1537.

LINDSEY, P.H., et D.A. NORMAN, *Traitement de l'information et comportement humain : une introduction à la psychologie*, Paris, Études vivantes, 1980.

LINTON, M., I remember it well, *Psychology Today*, juillet 1979, p. 81-86.

LIU, H., MANTYH, P., et A.I. BASBAUM, NMDA-receptor Regulation of Substance P Release from Promary Afferent Nociceptors, *Nature*, 386, 1997, p. 721-724.

LOEHLIN, J.C., *Genes and Environment in Personality Development*, Newbury Park, CA, Sage, 1992.

LOFTUS, E.F., *La mémoire*, Montréal, éd. du Jour, 1983.

LOFTUS, E.F., When a Lie Becomes Memory's Truth : Memory Distortion After Exposure to Misinformation, *Current Directions in Psychological Science*, 1(4), 1992, p. 121-123.

LOFTUS, E.F., Memory Malleability-constructivist and Fuzzy-trace Explanations, *Learning and Individual Differences*, 7, 1995, p. 133-137.

LOFTUS, E.F., Memory for a Past that Never Was, *Current Directions in Psychological Science*, 6(3), 1997, p. 60-65.

LOFTUS, E.F., et H.G. HOFFMAN, Misinformation and Memory : Creation of New Memories, *Journal of Experimental Psychology : General*, 118, 1989, p. 100-104.

LOFTUS, E.F., et K. KETCHAM, *Witness for the Defense*, New York, St. Martin's Press, 1991.

LOFTUS, E.F., et M.R. KLINGER, Is the Unconscious Smart or Dumb ?, *American Psychologist*, 47, 1992, p. 761-765.

LOFTUS, E.F., et G.R. LOFTUS, On the Permanence of Stored Information in the Human Brain, *American Psychologist*, 35(5), 1980, p. 409-420.

LOGAN, G.D., Toward an Instance Theory of Automaticity, *Psychological Review*, 95, 1988, p. 492-527.

LONG, P., Medical Mesmerism, *Psychology Today*, janvier 1986, p. 28-29.

LOPEZ, S.R., Testing Ethnic Minority Children, dans B.B. Wolman (Ed.), *The Encyclopedia of Psychology, Psychiatry, and Psychoanalysis*, new York, Henry Holt, 1996.

LORAYNE, H., *Harry Lorayne's Page-a-minute Memory Book*, New York, Holt, Rinehart and Winston, 1985.

LORAYNE, H., et J. LUCAS, *The Memory Book*, New York, Ballantine, 1974.

LORENZ, K., The Companion in the Bird's World, *Auk*, 54, 1937, p. 245-273.

LORENZ, K., *L'agression : une histoire naturelle du mal*, Paris, Flammarion, 1977.

LORENZ, K.Z., *The Foundations of Ethology*, New York, Springer-Verlag, 1981.

LUBART, T.I., Creativity and Cross-cultural Variation, *International Journal of Psychology*, 25, 1990, p. 39-59.

LUCE, G., *Body Time*, New York, Pantheon, 1971.

LUCE, G., et J. SEGAL, *Sleep*, New York, Lancet, 1966.

LUCHINS, A.S., Mechanization in Problem Solving, *Psychological Monographs*, 54(6, n° 248), 1942.

LUCHINS, A.S., et E.H. LUCHINS, New Experimental Attempts at Preventing Mechanization in Problem Solving, *Journal of General Psychology*, 42, 1950, p. 279-297.

LUCINS, D., The Dopamine Hypothesis of Schizophrenia : A Critical Analysis, *Neuro-psychobiology*, 1, 1975, p. 365-378.

LUDWIG, A.M., Altered States of Consciousness, *Archives of General Psychiatry*, 15, 1966, p. 255-263.

LURIA, A.R., *The Mind of a Mnemonist*, New York, Basic Books, 1968.

LURIA, A.R., *The Working Brain*, New York, Basic Books, 1973.

LURIA, A.R., *Cognitive Development : Its Cultural and Social Foundations*, Cambridge, MA, Harvard University Press, 1976.

LURIA, A.R., *Higher Cortical Functions in Man*, New York, Basic Books, 1980.

LYKKEN, D.T., Polygraphic Interrogation, *Nature*, 307, 1984, p. 681-684.

LYNCH, E.D., LEE, M.K., MORROW, J.E., WELCSH, P.L., LeUN, P.E., et M. KING, Nonsyndromic Deafness DFNAI Associated with Mutation of a Human Homolog of the Drosophila Gene Diaphanous, *Science*, 278, 1997, p. 1315-1318.

LYNCH, G., A Magical Memory Tour, *Psychology Today*, avril 1984, p. 29-39.

LYNN, R., Racial and Ethnic Differences in Intelligence in the United States on the Differential Ability Scale, *Personality & Individual Differences*, 20, 1996, p. 271-273.

LYNN, S.J., Automaticity and Hypnosis : A Sociocognitive Account, *International Journal of Clinical and experimental Hypnosis*, 45, 1997, p. 239-250.

LYNN, S.J., et J.W. RHUE, Fantasy Proneness : Hypnosis, Developmental Antecedents, and Psychopathology, *American Psychologist*, 43, 1988, p. 35-44.

MAAS, J.B., *The Sleep Advantage : Preparing Your Mind for Peak Performance*, New York, Villard, 1998.

MADDOCK, R.J., et M.H. BUONOCORE, Activation of Left Posterior Cingulate Gyrus by the Auditory Presentation of Threat-related Words : An fMRI Study, *Psychiatry Research : Neuroimaging*, 75, 19997, p. 1-14.

MAGID, K., et C.A. McKELVEY, *High Risk : Children Without a Conscience*, New York, Bantam, 1987.

MAIER, S.F., WATKINS, L.R., et M. FLESHNER, Psychoneuroimmunology : The Interface Between Behavior, Brain, and Immunity, *American Psychologist*, 49, 1994, p. 1004-1017.

MAIN, M., et C. GEORGE, Responses of Abused and Disadvantaged Toddlers to Distress in Agemates : A Study in the Day Care Setting, *Developmental Psychology*, 21, 1985, p. 407-412.

MAISONNEUVE, D., *Le cheminement scolaire des élèves ayant séjourné en classe d'accueil*, Direction des études économiques et démographiques, ministère de l'Éducation du Québec, Direction générale de la recherche et du développement, décembre 1987.

MALGAROLI, A., TING, A.E., WENLAND, B., BERGAMASCHI, A., VILLA, A., TSIEN, R.W., et R.H. SCHELLER, Presynaptic Component of Long-term Potentiation Visualized at Individual Hippocampal Synapses, *Science*, 268, 1995, p. 1624-1628.

MALINOW, R., LTP : Desperately Seeking Resolution, *Science*, 266, 1994, p . 1195-1196.

MALINOWSKI, B., *La sexualité et sa répression dans les sociétés primitives*, Paris, Payot, 1990.

MANDLER, G., Recognizing : The Judgment of Previous Occurrence, *Psychological Review*, 87, 1980, p. 252-272.

MANNELL, R.C., et L. McMAHON, Humor as Play : Its Relationship to Psychological Well-being During the Course of a Day, *Leisure Sciences*, 5, 1982, p. 143-155.

MAQUET, P., PETERS, J.M., AERTS, J., DELFIORE, G., DEGUELDRE, C., LUXEN, A., et G. FRANCK, Functional Neuroanatomy of Human Rapid-eye-movement Sleep and Dreaming, *Nature*, 383, 1996, p. 163-166.

MARK, G.P., et T.R. SCOTT, Conditioned Taste Aversions Affect Gustatory Activity in the NTS of Chronic Decerebrate Rats, *Neuroscience Abstracts*, 14, 1988, p. 1185.

MARLER, P., et P. MUNDINGER, Vocal Learning in Birds, dans H. Moltz (Éd.), *The Ontogeny of Vertebrate Behavior*, New York, Academic Press, 1971.

MARLOWE, W.B., MANCALL, E.L., et J.J. THOMAS, Complete Kluver-Bucy Syndrome in Man, *Cortex*, 11, 1975, p. 53-59.

MARSHALL, G.P., et P.G. ZIMBARDO, Affective Consequences of Inadequately Explained Physiological Arousal. *Journal of Personality and Social Psychology*, 37, 1979, p. 970-988.

MARTIN, G., et J. PEAR, *Behavior Modification : What is is and how to do it*, 4e éd. Englewood Cliffs, NJ, Prentice Hall, 1992.

MARTIN, R.A., et H.M. LEFCOURT, Sense of Humor as a Moderator of the Relation Between Stressors and Moods, *Journal of Personality and Social Psychology*, 45, 1983, p. 1313-1324.

MARTIN, R.B., LABOTT, S.M., et J. STOTE, *Emotional Crying and Exposure to Humor as Factors in the Recovery from Depressed Mood*, Document présenté à la Eastern Psychological Association Convention, Arlington, VA, 1987.

MASLOW, A.H., *Motivation and Personality*, New York, Harper et Row, 1954.

MASLOW, A.H., *Motivation and Personality*, 2e éd., New York, Harper et Row, 1970.

MASSON, J.M. *The Assault on Truth : Freud's Suppression of the Seduction Theory*, New York, Harper Perennial, 1992.

MATARAZZO, J.D., Behavioral Health : A 1990 Challenge for the Health Sciences Professions, dans J.D. Matarazzo, S.M. Weiss, J.A. Herd, N.E. Miller, et S.M. Weiss (Éd.), *Behavioral Health : A Handbook of Health Enhancement and Disease Prevention*, New York, Wiley, 1984.

MATARAZZO, J.D., et I.N. NECKLITER, Behavioral Health : The Role of Good and Bad Habits in Health and Illness, dans S. Maes, C.D. Spielberger, P.B. Defares, et I.G. Sarason (Éd.), *Topics in Health Psychology*, New York, Wiley, 1988.

MATHEWS, K.A., Assessment of Type A, Anger, and Hostility in Epidemiological Studies of Cardiovascular Disease, dans A. Ostfeld et E. Eaker (Éd.), *Measuring Psychosocial Variables in Epidemeologic Studies of Cardiovascular Disease*, Bethesda, MD, National Institute for Health, 1984.

MATSUMOTO, D., The Role of Facial Response in the Experience of Emotion : More Methodological Problems and a Meta-analysis, *Journal of Personality and Social Psychology*, 52, 1987, p. 769-774.

MAYER, J.D., et P. SALOVEY, What is Emotional Intelligence ?, dans P. Salovey et D. Sluyter (Eds.), *Emotional Development, Emotional Literacy, and Emotional Intelligence*, New York, Basic Books, 1997.

McCALL, R.B., Academic Underachievers, *Current Directions in Psychological Science*, 3, 1994, p. 15-19.

McCAMMON, S., KNOX, D., et C. SCHACHT, *Making Choices in Sexuality*, Research, 1998.

McCLELLAND, D.C., Risk-taking in Children with High and Low Need for Achievement, dans J.W. Atkinson (Éd.), *Motives in Fantasy, Action, and Society*, Princeton, NJ, Van Nostrand, 1958.

McCLELLAND, D.C., *Human Motivation*, Glenview, IL, Scott, Foresman, 1985.

McCLELLAND, D.C., Characteristics of Successful Entrepreneurs, *Journal of Creative Behavior*, 3, 1987, p. 219-233.

McCLELLAND, D.C., Intelligence is not the Best Predictor of Job Performance, *Current Directions in Psychological Science*, 2, 1993, p. 5-6.

McDOUGALL, W., *Social Psychology*, New York, Putnam's Sons, 1908.

McGAUGH, J.L., Significance and Remembrance : The Role of Neuromodulatory Systems, *Psychological Science*, 1, 1990, p. 15-25.

McGEOCH, J.A., *The Psychology of Human Learning*, New York, Longmans, Green, 1942.

McGUE, M., BOUCHARD, T.J., jr, IACONO, W.G., et D.T. LYKKEN, Behavioral Genetics of Cognitive Ability : A Life-span Perspective, dans R. Plomin et G. McClearn (Eds.), *Nature, Nuture and Psychology*, Washington, DC, American Psychological Association, 1993, p. 59-76.

McGUER, M., When Assessing Twin Concordances, use the Probandwiser, not the Pairwise Rate, *Schizophrenia Bulletin*, 18(2), 1982, p. 171-176.

McKELLAR, P., Imagery from the Standpoint of Introspection, dans P.W. Sheehan (Éd.), *The Function and Nature of Imagery*, New York, Academic Press, 1972.

McKOON, G., RATCLIFF, R., et G.S. DELL, A Critical Evaluation of the Semantic-Episodic Distinction, *Journal of Experimental Psychology : Learning, Memory and Cognition*, 12, 1986, p. 295-306.

McMURRAY, G.A., Experimental Study of a Case of Insensitivity to Pain, *Archives of Neurological Psychiatry*, 64, 1950, p. 650-667.

McREYNOLDS, P., Diagnosis and Clinical Assessment : Current Status and Major Issues, dans M.R. Rosenzweig et L.W. Porter (Éd.), *Annual Review of Psychology*, Palo Alto, CA, Annual Reviews Inc., 1989, p. 83-108.

MEAD, M., *Continuities of Cultural Evolution*, New Haven, CT, Yale University Press, 1964.

MEDDIS, R., PEARSON, A.J.D., et G.N. LANGFORD, An Extreme Case of Healthy Insomnia, *EEG in Clinical Neurophysiology*, 35, 1973, p. 213-224.

MEDIN, D.L., Concepts and Conceptual Structure, *American Psychologist*, 44, 1989, p. 1469-1481.

MEDNICK, M.T.S., On the Politics of Psychological Constructs : Stop the Bandwagon, I want to get off, *American Psychologist*, 44, 1989, p. 1118-1123.

MEDNICK, S.A., MOFFITT, T.E., et S. STACK, *The Causes of Crime : New Biological Approaches*, New York, Cambridge University Press, 1987.

MELZACK, R., et P.D. WALL, Pain Mechanisms : A New Theory, *Science*, 150, 1965, p. 971-979.

MENNELLA, J.A., et G.K. BEAUCHAMP, The Human Infants' Response to vanilla Flavors in Mother's Milk and Formula, *Infant Behavior and Development*, 19, 1996, p. 13-19.

MERCER, J.R., Ethnic Differences in IQ Scores : What do they Mean ? (A response to Lloyd Dunn), *Hispanic Journal of Behavioral Science*, 10, 1988, p. 199-218.

MERIKLE, P.M., et E.M. REINGOLD, Recognition and Lexical Decision Without Detection : Unconscious Perception ? *Journal of Experimental Psychology : Human Perception and Performance*, 16, 1990, p. 574-583.

MESIROW, K., *Animal Research Survey*, Paper Presented at the Annual Meeting of the American Psychological Association, Toronto, Ontario, août 1984.

MICHAEL, R.P., et E.B. KEVERNE, Primate Sex Pheromones of Vaginal Origin, *Nature*, 224, 1970, p. 84-85.

MIKLOWITZ, D.J., STRACHAN, A.M., GOLDSTEIN, M.J., DOANE, J.A., SNYDER, K.S., HOGARTY, G.E., et I.R. FALLOON, Expressed Emotion and Communication Deviance in the Families of Schizophrenics, *Journal of Abnormal Psychology*, 95, 1986, p. 60-66.

MILES, C., et E. HARDMAN, State-dependent Memory Produced by Aerobic Exercise, *Ergonomics*, 41, 1998, p. 20-28.

MILGRAM, S., *Soumission à l'autorité*, Paris, Calmann-Lévy, 1990.

MILLER, G.A., The Magical Number Seven, Plus or Minus two : Some Limits on our Capacity for Processing Information, *Psychological Review*, 63, 1956, p. 81-97.

MILLER, M.A., et R.H. RAHE, Life Changes Scaling for the 1990's, *Journal of Psychosomatic Research*, 43, 1997, p. 279-292.

MILLER, N.E., Commentary on Ulrich : Need to Check Truthfulness of Statements by Opponents of Animal Research, *Psychological Science*, 2, 1991, p. 422-424.

MILLER, T.Q., SMITH, T.W., TURNER, C.W., GUIJARRO, M.L., et A.J. HALLET, A Meta-analytic Review of Research on Hostility and Physical Health, *psychological Bulletin*, 119, 1996, p. 322-348.

MINDE, K., Bonding and Attachment : Its Relevance for the Present-day Clinician, *Developmental Medicine and Child Neurology*, 28, 1986, p. 803-806.

MISCHEL, W., et Y. SHODA, Reconciling Processing Dynamics and Personality Dispositions, *Annual Reviews of Psychology*, 49, 1998, p. 229-258.

MISHKIN, M., et K.H. PRIBRAM, Visual Discrimination Performance Following Partial Ablation of the Temporal Lobe, I. Ventral vs. lateral, *Journal of Comparative and Physiological Psychology*, 47, 1954, p. 14-20.

MITCHELL, E., SACHS, A., et J. I-Chin TU, Teaching Feelings 101, *Time*, 29 septembre 1997, p. 62.

MOELLER, A.T., et Z.C. DE BEER, Irrational Beliefs and Marital Conflict, *Psychological Reports*, 82, 1998, p. 155-160.

MONTAGU, A., *La peau et le toucher : un premier langage*, Paris, Seuil, 1979.

MONTEFIORE, S.S., The Thrill of the Kill, *Psychology Today*, 26, janvier/février 1993, p. 42-45.

MOORCROFT, W., *Sleep, Dreaming, and Sleep Disorders*, New York, University Press, 1989.

MOORCROFT, W.H., *Sleep, Dreaming, and Sleep Disorders : An Introduction*, 2e éd., Landam, MD, University Press of America, 1993.

MOORE, R.Y., Circadian Rythms : Basic Neurobiology and Clinical Applications, *Annual Review of Medicine*, 48, 1997, p. 253-266.

MOORE, T.E., Subliminal Advertising : What you see is what you get, *Journal of Marketing*, 46(2), 1982, p. 38-47.

MORAY, N., Attention in Dichotic Listening : Affective Cues and the Influence of Instructions, *Quarterly Journal of Experimental Psychology*, 11, 1959, p. 56-60.

MORGAN, C.T., et J.D. MORGAN, Studies in Hunger, II : The Relation of Gastric Denervation and Dietary Sugar to the Effects of Insulin upon Food Intake in the Rat, *Journal of General Psychology*, 57, 1940, p. 153-163.

MORRELL, C.H., GORDON-SALANT, S., PEARSON, J.D., BRANT, L.J., et J.L. FOZARD, Age- and Gender-specific Reference Ranges for Hearing Level and Longitudinal Changes in Hearing Level, *Journal of the Acoustical Society of America*, 100, 1996, p. 1949-1967.

MORRIS, C.D., BRANSFORD, J.D., et J.J. FRANKS, Levels of Processing versus Transfer Appropriate Processing, *Journal of Verbal Learning and Verbal Behavior*, 16, 1977, p. 519-533.

MORRIS, J.S., FIRTH, C.D., PERRETT, D.L., ROWLAND, D., *et al.*, The Differential Neural Response in the Human Amygdala to Fearful and Happy Facial Expressions, *Nature*, 383, 1996, p. 812-815.

MORRIS, N.M., et J.R. UDRY, Pheromonal Influences on Human Sexual Behavior : An Experimental Search, *Journal of Biosocial Science*, 10, 1978, p. 147-157.

MORRIS, R.G., et A.D. BADDELEY, Primary and Working Memory Functioning in Alzheimer-type Dementia, *Journal of Clinical and Experimental Neuropsychology*, 10, 1988, p. 279-296.

MORRIS, S., Interview with James Randi, *Omni*, avril 1980, p. 46-54.

MOSS, S., et D.C. BUTLER, The Scientific Credibility of ESP, *Perceptual et Motor Skills*, 46(3), 1978, p. 992.

MULLEN, B., JOHNSON, C., et E. SALAS, Productivity Loss in Brainstorming Groups : A Meta-analytic Integration, *Basic and Applied Psychology*, 12, 1991, p. 3-23.

MURPHY, G.E., et R.D. WETZEL, The Lifetime Risk of Suicide in Alcoholism, *Archives of General Psychiatry*, 47, 1990, p. 383-392.

MURPHY, S.M., Models of Imagery in Sport Psychology : A Review, *Journal of Mental Imagery*, 14, 1990, p. 153-172.

MURRAY, H.A., *Explorations in Personality*, New York, Oxford University Press, 1938.

NADEAU, S.E., et B. CROSSON, A Guide to the Functional Imaging of Cognitive Processes, *Neuropsychiatry, Neuropsychology, and Behavioral Neurology*, 8, 1995, p. 143-162.

NADON, R., HOYT, I.P., REGISTER, P.A., et J.F. KIHLSTROM, Absorption and Hypnotizability : Context Effects Reexamined, *Journal of Personality and Social Psychology*, 60, 1991, p. 144-153.

NAEYE, R.L., Sudden Infant Death, *Scientific American*, 4(242), 1980, p. 56-62.

NANDA, S., *Cultural Anthropology*, 4e éd., Belmont, CA, Wadsworth, 1991.

NATHANS, J., The Genes for Color Vision, *Scientific American*, 260(2), 1989, p. 42-49.

NATHANS, J., PIANTANIDA, T.P., EDDY, R.L., SHOWS, T.B., et D.S. HOGNESS, Molecular Genetics of Inherited Variation in Human Color Vision, *Science*, 232, 1986, p. 203-232.

NATHANS, J., THOMAS, D., et D.S. HOGNESS, Molecular Genetics of Human Color Vision : The Genes Encoding Blue, Green, and Red Pigments, *Science*, 232, 1986, p. 193-202.

NAUTA, W.J.H., Neural Associations of the Frontal Cortex, *Acta Neurobiologiae Experi-mentalis*, 32, 1972, p. 125-140.

NEALE, J.M., OLTMANNS, T.F., et K.C. WINTERS, Recent Developments in the Assessment and Conceptualization of Schizophrenia, *Behavioral Assessment*, 5, 1983, p. 33-54.

NEBES, R.D., MARTIN, D.C., et L.C. HORN, Sparing of Semantic Memory in Alzheimer's Disease, *Journal of Abnormal Psychology*, 93, 1984, p. 321-330.

NEELY, J.H., et A.Y. DURGUNOGLU, Dissociative Episodic and Semantic Priming Effects in Episodic Recognition and Lexical Decision Tasks, *Journal of Memory and Language*, 24, 1985, p. 466-489.

NEHER, A., Maslow's Theory of Motivation : A Critique, *Journal of Humanistic Psychology*, 31, 1991, p. 89-112.

NEISSER, U., *Cognitive Psychology*, New York, Appleton-Century-Crofts, 1967.

NEISSER, U., *Memory Observed*, San Francisco, Freeman, 1982.

NEISSER, U., BOODOO, G., BOUCHARD, T.J., jr., BOYKIN, A.W., BRODY, N., CECI, S.J., HALPERN, D.F., LOEHLIN, J.C., PERLOFF, R., STERNBERG, R.J., et S. URBINA, Intelligence : Knowns and Unknowns, *American Psychologist*, 51, 1996, p. 77-101.

NEITZ, M., et J. NEITZ, Numbers and Ratios of Visual Pigment Genes for Normal Red-green Colour Vision, *Science*, 267, 1995, p. 1013-1016.

NELSON, C.A., The Recognition of Facial Expression in the First two Years of Life : Mechanisms of Development, *Child Development*, 58, 1987, p. 880-909.

NEUBAUER, P., The Impact of Stress, Hardiness, Home and Work Environment on Job Satisfaction, Illness, and Absenteeism in Critical Care Nurses, *Medical Psychotherapy*, 5, 1992, p. 109-122.

NEUMANN, Y., FINALY, E., et A. REICHEL, Achievement Motivation Factors and Students' College Outcomes, *Psychological Reports*, 62, 1988, p. 555-560.

NEZU, A.M., NEZU, C.M., et S.E. BLISSETT, Sense of Humor as a Moderator of the Relation Between Stressful Events and Psychological Distress : A Prospective Analysis, *Journal of Personality and Social Psychology*, 54, 1988, p. 520-525.

NGAI, J., CHESS, A., DOWLING, M., NECLES, N., MACAGNO, E., et R. AXEL, Coding of Olfactory Information : Topography of Odorant Receptor Expression in the Catfish Olfactory Epithelium, *Cell*, 75, 1993, p. 667-680.

NICOLI, A., *New Harvard Guide to Psychiatry*, Cambridge, MA, Harvard University Press, 1988.

NIDEFFER, R.M., Altered States of Consciousness, dans T.X. Barber (Éd.), *Advances in Altered States of Consciousness and Human Potentialities*, New York, Psychological Dimensions, 1976.

NISHIMOTO, R., A Cross-cultural Analysis of Psychiatric Symptom : Expression Using Langer's Twenty-two Item Index, *Journal of Sociology and Social Welfare*, 15, 45-62, 1988.

NOLEN-HOEKSEMA, S., et J. MORROW, A Prospective Study of Depression and Post-traumatic Stress Symptoms Following a Natural Disaster : The 1989 Loma Prieta Earthquake, *Journal of Personality and Social Psychology*, 61, 1991, p. 115-121.

NORGREN, R., et H. GRILL, Brainstem Control of Ingestive Behavior, dans D.W. Pfaff (Éd.), *The Physiological Mechanisms of Motivation*, New York, Springer-Verlag, 1982, p. 544-567.

NORMAN, D.A., *Learning and Memory*, New York, Freeman, 1982.

OGBU, J.U., Black Students' School Success : Coping with the « burden of acting white », *Urban Review*, 18(3), 1986, p. 176-206.

OGBU, J.U., Cultural Diversity and Human Development, dans D.T. Slaughter (Éd.), *Black Children and Poverty : A Developmental Perspective*, San Francisco, Jossey-Bass, 1988.

OGBU, J.U., Minority Coping Responses and School Experience, *Journal of Psychohistory*, 18(4), 1991, p. 433-456.

OGILVIE, R.D., WILKINSON, R.T., et S. ALLISON, The Detection of Sleep Onset : Behavioral, Physiological, and Subjective Convergence, *Sleep*, 12(5), 1989, p. 458-474.

OHAYON, M.M., Prevalence of DSM-IV Diagnostic Criteria of Insomnia : Distinguishing Insomnia Related to Mental Disorders from Sleep Disorders, *Journal of Psychiatric Research*, 31, 1997, p. 333-346.

OJANLATUA, A., HAMMER, A.M., et M.G. MOHR, The Ultimate Rejection : Helping the Survivors of Teen Suicide Victims, *Journal of School Health*, 57, 1987, p. 181-182.

OLDS, J., et P. MILNER, Positive Reinforcement Produced by Electrical Stimulation of Septal Area and Other Regions of Rat Brain, *Journal of Comparative and Physiological Psychology*, 47, 1954, p. 419-427.

OLSHAN, N., *Power Over your Pain Without Drugs*, New York, Rawson Wade, 1980.

ORBACH, I., *Children who don't want to live*, San Francisco, Jossey-Bass, 1988.

ORNE, M.T., et F.J. EVANS, Social Control in the Psychological Experiment : Antisocial Behavior and Hypnosis, *Journal of Personality and Social Psychology*, 1, 1965, p. 189-200.

ORTH-GOMER, K., *et al.*, Lipid Lowering Through Work Stress Reduction, *International Journal of Behavioral Medicine*, 1, 1994, p. 204-214.

ORTIZ, S., Vital Recall : Emotion and Memory, *UCI Journal*, 14(2), 1995, p. 8-11.

OSBORN, A.F., *L'imagination constructive*, Paris, Dunod, 1988.

OVERMEIER, J., et M. SELIGMAN, Effects of Inescapable shock upon Subsequent Escape and Avoidance Learning, *Journal of Comparative and Physiological Psychology*, 63, 1967, p. 23-33.

PAGANO, R.R., et S. WARRENBURG, Meditation, dans R.J. Davidson, G.E. Schwartz, et D. Shapiro (Éd.), *Consciousness and self-regulation*, New York, Plenum, 1983, p. 153-210.

PAIVIO, A., Mental Imagery in Associative Learning and Memory, *Psychological Review*, 76, 1969, p. 241-263.

PAIVIO, A., *Imagery and Verbal Processes*, New York, Holt, Rinehart and Winston, 1971.

PAIVIO, A., Dual Coding Theory : Retrospect and Current Status, *Canadian Journal of Psychology*, 45, 1991, p. 255-287.

PALUDI, M.A., *The Psychology of Women*, Dubuque, IA, Wm. C. Brown, 1992.

PANSKEPP, J., Toward a General Psychobiological Theory of Emotions, *Behavioral and Brain Sciences*, 5, 1982, p. 447-467.

PAPERT, S., Child Psychologist Jean Piaget, *Time*, 29 mars 1999, p. 105-107.

PARK, M., *Communication Styles in two Different Cultures : Korean and American*, Seoul, Han Shin, 1979.

PARKE, R., et C. COLLMER, Child Abuse : An Interdisciplinary Analysis, dans E.M. Hetherington (Éd.), *Review of Child Development Research*, Chicago, University of Chicago Press, 1975, p. 509-590.

PATTERSON, D.R., et J.T. PTACEK, Baseline Pain as a Moderator of Hypnotic Analgesia for Burn Injury Treatment, *Journal of Consulting and Clinical Psychology*, 65, 1997, p. 60-67.

PATTERSON, F., et E. LINDEN, *The Education of Koko*, New York, Holt, Rinehart and Winston, 1981.

PAULUS, P.B., et M.T. DZINDOLET, Social Influence Processes in Group Brainstorming, *Journal of Personality and Social Psychology*, 64, 1993, p. 575-586.

PAVLOV, I.P., *Les réflexes conditionnés : étude objective de l'activité nerveuse supérieure des animaux*, Paris, PUF, 1977.

PEARLIN, L.I., The Life Cycle and Life Strains, dans H.M. Blalock (Éd.), *Sociological Theory and Research : A Critical Approach*, New York, Free Press, 1980.

PEARSON, J.D., *et al.*, Gender Differences in a Longitudinal Age-associated Hearing Loss, *Journal of the Acoustical Society of America*, 97, 1995, p. 1196-1205.

PELLEYMOUNTER, M.A., CULLEN, M.J., BAKER, M.B., HECHT, R., WINTERS, D., BOONE, T., et F. COLLINS, Effects of the Obese Gene Product on Body Weight Regulation in ob/ob Mice, *Science*, 269, 1995, p. 540-543.

PENFIELD, W., *The Mystery of the Mind : A Critical Study of Consciousness and the Human Brain*, Princeton, NJ, Princeton University Press, 1975.

PENNISI, E., The Architecture of Hearing, *Science*, 1997, p. 1223-1224.

PERRY, C., Admissability and Per se Exclusion of Hypnotically Elicited Recall in American Courts of Law, *International Journal of Clinical and Experimental Hypnosis*, 45, 1997, p. 266-279.

PERRY, N.J., Industrial Time Clocks — Often at Odds with those Inside a Worker's Body, *New York Times*, 28 novembre 1982, p. F8-F9.

PERVIN, L.A., *Personality : Theory and Research*, 6e éd., New York, Wiley, 1993.

PETERSON, L.R., et M.J. PETERSON, Short-term Retention of Individual Verbal Items, *Journal of Experimental Psychology*, 58, 1959, p. 193-198.

PETRI, H.L., et M. MISHKIN, Behaviorism, Cognitivism and the neuropsychology of Memory, *American Scientist*, 82, 1994, p. 30-37.

PETRIE, K.J., et A.G. DAWSON, Symptoms of Fatigue and Coping Strategies in International Pilots, *International Journal of Aviation Psychology*, 7, 1997, p. 251-258.

PEVSNER, J., REED, R., FEINSTEIN, G., et S. SNYDER, Molecular Cloning of Ordorant-binding Protein : Member of a Ligand Carrier Family, *Science*, 241, 1988, p. 336-339.

PFAFFMANN, C., Taste : A Model of Incentive Motivation, dans D.W. Pfaff (Éd.), *The Physiological Mechanisms of Motivation*, New York, Springer-Verlag, 1982.

PFOST, K.S., et M. FIORE, Pursuit of Nontraditional Occupations : Fear of Success or Fear of not being chosen ? *Sex Roles*, 23, 1990, p. 15-24.

PHARES, E.J., *Personality*, Columbus, OH, Merrill, 1984.

PHELPS, M.E., et J.C. MAZZIOTTA, Positron Emission Tomography : Human Brain Function and Biochemistry, *Science*, 228, 1985, p. 799-809.

PHILLIPS, R.L., KUZMA, J.W., BEESON, W.L., et T. LOTZ, Influence of Selection versus Lifestyle on Risk of Fatal Cancer and Cardiovascular Disease Among Seventh-day Adventists, *American Journal of Epidemiology*, 112, 1980, p. 296-314.

PHILLIPS, S.U., *The Invisible Culture : Communication in Classroom and Community on the Warm Springs Indian Reservation*, New York, Longman, 1983.

PIAGET, J., *Play, Dreams, and Imitation in Childhood*, New York, Norton, 1951.

PIAGET, J., *La formation du symbole chez l'enfant : imitation, jeu et rêve, image et représentation*, Neuchâtel, Delachaux et Niestlé, 1970.

PILCHER, J.J., et A.J. HUFFCUTT, Effects of Sleep Deprivation on Performance : A Meta-analysis, *Sleep*, 19(4), 1996, p. 318-326.

PIORKOWSKE, C., et E. STARK, Blue-collar Stress Worse for Boys, *Psychology Today*, juin 1985, p. 15.

PINES, A.M., et E. ARONSON, Combatting Burnout, *Children et Youth Services Review*, 5(3), 1983, p. 263-275.

PIVIK, R.T., Tonic States and Phasic Events in Relation to Sleep Mentation, dans S.A. Ellman et J.S. Antrobus (Éd.), *The Mind in Sleep : Psychology and Psychophysiology*, 2e éd., New York, Wiley, 1991, p. 214-248.

PLINER, P., et G. HADDOCK, Perfectionism in Weight-concerned and-unconcerned Women, *International Journal of Eating Disorders*, 19(4), 1996, p. 381-389.

PLOMIN, R., Cité dans B. Azar, Nature, Nurture : Not Mutually Exclusive, *APA Monitor*, may 1997, p. 32.

PLOTNICK, A.B., PAYNE, P.A., et D.J. O'GRADY, Correlates of Hypnotizability in Children : Absorption, Vividness of Imagery, Fantasy Play, and Social Desirability, *American Journal of Clinical Hypnosis*, 34, 1991, p. 51-58.

PLUTCHIK, R., *Emotion : A Psycho-evolutionary Synthesis*, New York, Harper et Row, 1980.

POLICH, J., Cognitive Brain Potentials, *Current Directions in Psychological Science*, 2, 1993, p. 175-179.

POLLAK, S.D., CICCHETTI, D., KLORMAN, R., et J.T. BRUMAGHIM, Cognitive Brain Event-related Potentials and Emotion Processing in Maltreated Children, *Child Development*, 68, 1997, p. 773-787.

POSNER, M.I., et C.R.R. SNYDER, Attention and Cognitive Control, dans R.L. Solso (Éd.), *Information Processing and Cognition : The Loyola Symposium*, Hillsdale, NJ, Erlbaum, 1975.

POULOS, C.X., et H. CAPPELL, Homeostatic Theory of Drug Tolerance : A General Model of Physiological Adaptation, *Psychological Review*, 98, 1991, p. 390-408.

PRATKANIS, A.R., GREENWALD, A.G., LEIPPE, M.R., et M.H. BAUMGARDNER, dans Search of Persuasion Effects, III. The Sleeper Effect is Dead, Long live the Sleeper Effect, *Journal of Personality and Social Psychology*, 54, 1988, p. 203-218.

PRESSMAN, M.R., et W.C. ORR (Eds.), *Understanding Sleep : The Evaluation and Treatment of leep Disorders*, Washington, DC, American Psychological Association, 1997.

PYKETT, I.L., NMR Imaging in Medicine, *Scientific American*, 246(5), 1982, p. 78-88.

PYLYSHYN, Z.W., The Rate of Mental Rotation of Images : A Test of a Holistic Analogue Hypothesis, *Memory and Cognition*, 7, 1979, p. 19-28.

QUINN, J.F., et A.J. STRELKAUSKAS, Psycho Immunologic Effects of Therapeutic Touch on Practitioners and Recently Bereaved Recipients : A Pilot Study, *ANS Advanced Nursing Science*, 15(4), 1993, p. 13-26.

RABBERU, K., et E. PERSAD, A Review of Continuation and Maintenance Electroconvulsive Therapy, *Canadian Journal of Psychiatry*, 42, 1997, p. 476-484.

RAHE, R.H., et R.J. ARTHUR, Life Changes and Illness Studies : Past History and Future Directions, *Journal of Human Stress*, 4(1), 1978, p. 3-15.

RAINNIE, D.G., GRUNZE, H.C.R., McCARLEY, R.W., et R.W. GREENE, Adenosine Inhibition of Mesopontine Cholinergic Neurons : Implications for EEG Arousal, *Science*, 263, 1994, p. 689-692.

RAMACHANDRAN, V., Perceiving Shape from Shading, *Scientific American*, 259(2), 1988, p. 76-83.

RAMIREZ, G., ZEMBA, D., et R.E. GEISELMAN, Judges' Cautionary Instructions on Eyewitness Testimony, *American Journal of Forensic Psychology*, 14, 1996, p. 31-66.

RANDI, J., *Flim-flam*, Buffalo, NY, Prometheus, 1982.

RAPOPORT, J.L., The Biology of Obsessions and Compulsions, *Scientific American*, 260(3), 1989, p. 83-89.

RAYMOND, J.L., LISBERGER, S.G., et M.D. MAUK, The Cerebellum : A Neuronal Learning Machine?, *Science*, 272, 1996, p. 1126-1131.

RAZ, S., et N. RAZ, Structural Brain Abnormalities in the Major Psychoses : A Quantitative Review of the Evidence from Computerized Imaging, *Psychological Bulletin*, 208, 1990, p. 93-108.

READ, J.D., et D. BRUCE, Longitudinal Tracking of Difficult Memory Retrievals, *Cognitive Psychology*, 14, 1982, p. 280-300.

RECHTSCHAFFEN, A., et B.M. BERGMANN, Sleep Deprivation in the Rat by the Disk-over-water Method, *Behavioural Brain Research*, 69, 1995, p. 55-63.

RECHTSCHAFFEN, A., GILLILAND, M.A., BERGMANN, B.M., et J.B. WINTER, Physiological Correlates of Prolonged Sleep Deprivation in Rats, *Science*, 221, 1983, p. 182-184.

REED, L., et P.H. LEIDERMAN, Is Imprinting an Appropriate Model for Human Infant Attachment ? *International Journal of Behavioral Development*, 6, 1983, p. 51-69.

REGIER, D.A., NARROW, W.E., RAE, D.S., MANDERSCHEID, R.W., LOCKE, B.Z., et F.K. GOODWIN, The de facto US mental and Addictive Disorders Service System, *Archives of General Psychiatry*, 50, 1993, p. 85-93.

REINISCH, J.M., et S.A. SANDERS, Effects of Prenatal Exposure to Diethylstil-bestrol (DES) on Hemispheric Laterality and Spatial Ability in Human Males, *Hormones and Behavior*, 26(1), 1992, p. 62-75.

REINISCH, J.M., ZIEMBA, D.M., et S.A. SANDERS, Hormonal Contributions to Sexually Dimorphic Behavioral Development in Humans, Special Issue : Neuroendocrine Effects on Brain Development and Cognition, *Psychoneuroendocrinology*, 16(1-3), 1991, p. 213-278.

REISENZEIN, R., The Schachter Theory of Emotion : Two Decades Later, *Psychological Bulletin*, 94, 1983, p. 239-264.

REJESKI, J.W., THOMPSON, A., BRUBAKER, P.H., et H.S. MILLER, Acute Exercise : Buffering Psychosocial Stress Responses in Women, *Health Psychology*, 11, 1992, p. 355-362.

REYNOLDS, C.R., et R.T. BROWN, (Eds.), *Perspectives on Bias in Mental Testing*, New York, Plenum Press, 1984.

REYNOLDS, C.R., et S.M. KAISER, Test Bias in Psychological Assessement, dans T.B. Gutkin et C.R. Reynolds (Eds.), *The Handbook of School Psychology*, New York, Wiley, 1990, p. 487-525..

RHINE, J.B., Parapsychology and man, *Journal of Parapsychology*, 36(2), 1972, p. 101-121.

RICE, M.E., QUINSEY, V.L., et G.T. HARRIS, Sexual Recidivism Among Child Molesters Released from a Maximum Security Psychiatric Institution, *Journal of Consulting and Clinical Psychology*, 59, 1991, p. 381-386.

RICHARDS, D.D., et J. GOLDFARB, The Episodic Memory Model of Conceptual Development : An Integrative Viewpoint, *Cognitive Development*, 1, 1986, p. 183-219.

RICHARDS, R., KINNEY, K.K., BENET, J., et A.P.C. MERZEL, Assessing Everyday Creativity : Characteristics of the Lifetime Creativity Scales and Validation with Three Large Samples, *Journal of Personality and Social Psychology*, 54, 1988, p. 476-485.

RICHMOND-ABBOTT, M., *Masculine and Feminine Sex Roles over the Life Cycle*, Reading, MA, Addison-Wesley, 1983.

RIESEN, A.H., Arrested Vision, *Scientific American*, 183, 1950, p. 16-19.

RILEY, V., Psychoneuroendocrine Influences on Immunocompetence and Neoplasia, *Science*, 212, 1981, p. 1100-1109.

ROBICSEK, F., Sacred Smoke, *Utne Reader*, septembre/octobre 1992, p. 90-91.

ROBINSON, L.A., BERMAN, J.S., et R.A. NEIMEYER, Psychotherapy for the Treatment of Depression : A Comprehensive Review of Controlled Outcome Research, *Psychological Bulletin*, 108, 1990, p. 30-49.

RODGERS, C.D., PATERSON, D.H., CUNNINGHAM, D.A., NOBLE, E.G., PETTIGREW, F.P., MYLES, W.S., et A.W. TAYLOR, Sleep Deprivation : Effects on Work Capacity, Selfpaced Walking, Contractile Properties and Perceived Exertion, *Sleep*, 18, 1995, p. 30-38.

RODGERS, J., Life on the Cutting Edge, *Psychology Today*, octobre 1984, p. 56-67.

RODGERS, J.E., *Psychosurgery : Damaging the Brain to Save the Mind*, New York, HarperCollins, 1992.

RODIN, J., Current Status of the Internal-external Hypothesis for Obesity : What went wrong ? *American Psychologist*, 36, 1981, p. 361-372.

RODIN, J., A Sense of Control : Psychology Today Conversation, *Psychology Today*, décembre 1984, p. 38-42.

RODIN, J., Insulin Levels, Hunger and Food Intake : An Example of Feedback Loops in Body Weight Regulation, *Health Psychology*, 4, 1985, p. 1-18.

RODIN, J., et P. SALOVEY, Health Psychology, dans M.R. Rosenzweig et L.W. Porter (Éd.), *Annual Review of Psychology*, Palo Alto, CA, Annual Reviews Inc., 1989, p. 533-580.

ROEDIGER, H.L., The Effectiveness of four Mnemonics in Ordering Recall, *Journal of Experimental Psychology : Human Learning and Memory*, 6, 1980, p. 558-567.

ROFF, J.D., et R. KNIGHT, Family Characteristics, Childhood Symptoms, and Adult Outcome in Schizophrenia, *Journal of Abnormal Psychology*, 90, 1981, p. 510-520.

ROGERS, C.R., *Le développement de la personne*, Montréal, Dunod, 1988.

ROGERS, C.R., *A way of being*, Boston, Houghton Mifflin, 1980.

ROGOSCH, F.A., CICCHETTI, D., et J.L. ABER, The Role of Child Maltreatment in Early Deviations in Cognitive and Affective Processing Abilities and Later Peer Relationship Problems, *Development and Psychopathology*, 7, 1995, p. 591-609.

ROSA, L, ROSA, E., SARNER, L., et S. BARRETT, A Close Look at Therapeutic Touch, *Journal of the American Medical Association*, 279, 1998, p. 1005-1010.

ROSCH, E.H., Natural Categories, *Cognitive Psychology*, 4, 1973, p. 328-350.

ROSENHAN, D., On being Sane in Insane Places, *Science*, 197, 1973, p. 250-258.

ROSENTHAL, T.L., et B.D. STEFFEK, Modeling Methods, dans F.H. Kanfer et A.P. Goldstein (Éd.), *Helping People Change*, Elmsford, NY, Pergamon, 1991.

ROSENZWEIG, M.R., BENNET, E.L., et M.C. DIAMOND, Brain Changes in Response to Experience, *Scientific American*, 226, 1972, p. 22-29.

ROSS, B.M., et C. MILLSOM, Repeated Memory of Oral Prose in Gahana and New York, *International Journal of Psychology*, 5, 1970, p. 173-181.

ROSS, J., et K.A. LAWRENCE, Some Observations on Memory Artifice, *Psychonomic Science*, 13(2), 1968, p. 107-108.

ROTH, T., et F. ZORICK, The Use of Hypnotics in Specific Disorders of Initiating and Maintaining Sleep, dans M.H. Chase et E.D. Weitzman (Éd.), *Sleep Disorders : Basic and Clinical Research*, New York, Spectrum, 1983.

ROTTER, J.B., *Social Learning and Clinical Psychology*, Englewood Cliffs, NJ, Prentice Hall, 1954.

ROTTER, J.B., Internal versus External Control of Reinforcement : A Case History of a Variable, *American Psychologist*, 45, 1990, p. 489-493.

ROWE, D.C., Genetics, Temperament, and Personality, dans R. Hogan, J. Johnson et S. Briggs (Eds.), *Handbook of Personality Psychology*, New York, Academic Press, 1997.

ROY, M.C., GAUVIN, S., et M. LIMAYEM, Electronic Group Brainstorming : The Role of Feedback on Productivity, *Small Group Research*, 27, 1996, p. 215-247.

RYBACKI, J.J., et J.W. LONG, *The Essential Guide to Prescription Drugs 1999*, New York, Harper/Perennial, 1999.

SACHS, J.S., Recognition Memory for Syntactic and Semantic Aspects of Connected Discourse, *Perception and Psychophysics*, 2, 1967, p. 437-442.

SAINT-GERMAIN, C., *Les résultats des élèves aux épreuves uniques du secondaire selon la langue maternelle, Juin 1987*, Québec, ministère de l'Éducation du Québec, 1988.

SAPOLSKY, R.M., Why Stress is Bad for Your Brain, *Science*, 273, 1996b, p. 749-750.

SAPOLSKY, R.M., *Why Zebras don't get Ulcers : A Guide to Stress, Stress Related Diseases, and Coping*, New York, Freeman, 1994.

SARAFINO, E.P., *Health Psychology : Biopsychosocial Interactions*, New York, John Wiley & Sons, 1998.

SARAFINO, E.P., *Principles of Behavior Change : Understanding Behavior Modification Techniques*, New York, Wiley, 1996.

SARASON, I.G., et B.R. SARASON, *Abnormal Psychology : The Problem of Maladaptive Behavior*, 7e éd., Englewood Cliffs, NJ, Prentice Hall, 1993.

SARBIN, T.R., Self Deception in the Claims of Hypnosis Subjects, dans J. Lockard et D. Paulhus (Éd.), *Self Deception : An Adaptive Mechanism*, Englewood Cliffs, NJ, Prentice-Hall, 1988.

SARBIN, T.R., Accounting for « dissociative » Actions without Invoking Mentalistic Constructs, *Consciousness and Cognition*, 1(1), 1992, p. 54-58.

SATINOFF, E., Neural Integration of Thermoregulatory Responses, dans L.V. Di Cara (Éd.), *Limbic and Autonomic Nervous System Research*, New York, Plenum, 1974.

SATINOFF, E., LIRAN, J., et R. CLAPMAN, Aberrations of Circadian Body Temperature Rhythms in Rats with Medial Preoptic Lesions, *American Journal of Physiology*, 242, 1982, p. R352-R357.

SAUDINO, K.J., Moving Beyond the Heritability Question : New Directions in Behavioral Genetic Studies of Personality, *Current Directions in Psychological Science*, 6, 1997, p. 86-90.

SAXE, G.B., *Culture and Cognitive Development : Studies in Mathematical Understanding*, Hillsdale, NJ, Erlbaum, 1991.

SCHACHTER, S., et J.E. SINGER, Cognitive, Social, and Physiological Determinants of Emotional State, *Psychological Review*, 69, 1962, p. 379-399.

SCHERER, K.R., et H.G. WALLBOTT, Evidence for Universality and Cultural Variation of Differential Emotion Response Patterning, *Journal of Personality and Social Psychology*, 66, 1994, p. 310-328.

SCHIFFMAN, H.R., *Sensation and Perception : An Integrated Approach*, 4e éd, New York, John Wiley & Sons, 1996.

SCHLEIFER, S., KELLER, S., McKEGNEY, F., et M. STEIN, *Bereavement and Lymphocyte Function*, Document présenté à l'assemblée annuelle de l'American Psychiatric Association, Montréal, 1980.

SCHOENLEIN, R.W., PETEANU, L.A., MATHIES, R.A., et C.V. SHANK, The First Step in Vision : Femtosecond Isomerization of Rhodopsin, *Science*, 254, 1991, p. 412-415.

SCHOOLER, N.R., *et al.*, Relapse and Rehospitalization During Maintenance Treatment of Schizophrenia : The Effects of Dose Reduction and Family Treatment, *Archives of General Psychiatry*, 54, 1997, p. 453-463.

SCHRAMKE, C.J., et R.M., BAUER, State-dependent Learning in Older and Younger Adults, *Psychology & Aging*, 12, 1997, p. 255-262.

SCHULTZ, D.P., *A History of Modern Psychology*, New York, Academic Press, 1969.

SCHULTZ, W., DAYAN, P., et P.R. MONTAGUE, A Neural Substrate of Prediction and Reward, *Science*, 275, 1997, p. 1593.

SCHWEBEL, A.I., Radio Psychologists : A Community Psychology/psycho-educational Mode, *Journal of Community Psychology*, 10(2), 1982, p. 180-184.

SCOVILLE, W.B., et B. MILNER, Loss of Recent Memory After Bilateral Hippocampal Lesions, *Journal of Neurology, Neurosurgery, and Psychiatry*, 20, 1957, p. 11-21.

SEAMON, G., et M.S. GAZZANIGA, Coding Strategies and Cerebral Laterality Effects, *Cognitive Psychology*, 5, 1973, p. 249-256.

SEECH, Z., *Logic in Everyday Life : Practical Reasoning Skills*, Belmont, CA, Wadsworth, 1987.

SEELEY, R.J., et M.W. SCHWARTZ, The Regulation of Energy Balance : Peripheral Hormonal Signals and Hypothalamic Neuropeptides, *Current Directions in Psychological Science*, 6, 1997, p. 39-44.

SEGALL, M.H., CAMPBELL, D.T., et M.J. HERSKOVITS, *The Influence of Culture on Visual Perception*, New York, Bobbs-Merrill, 1966.

SEGALL, M.H., DASEN, P.R., BERRY, J.W., et Y.H. PORTINGA, *Human Behavior in Global Perspective : An Introduction to Cross-cultural Psychology*, Elmsford, NY, Pergamon Press, 1990.

SEIFERT, C.M., MEYER, D.E., DAVIDSON, N., PATALANO, A.L., et I. YANIV, Demystification of Cognitive Insight : Oppor-tunistic Assimilation and the Prepared-mind Perspective, dans R.J. Sternberg et J.E. Davidson (Eds.), *The Nature of Insight*, London, MIT Press, 1994.

SELF, T., AAHONY, M. FLEMING, J., WALSH, J., BROWN, S.D., et K.P. STEEL, Shaker-1 Mutations Reveal Roles for Myosin VIIA in Both Development and Function of Cochlear Hair Cells, *Development*, 125, 1998, p. 557-566.

SELIGMAN, M.E.P., *Learned Optimism*, New York, Knopf, 1991.

SELIGMAN, M.E.P., *What You Can Change and What You Can't*, New York, Alfred A. Knopf, 1994.

SELKOE, D.J., Amyloid Protein and Alzheimer's Disease, *Scientific American*, 265(5), 1991, p. 68-78.

SELYE, H., *Le stress de la vie*, Paris, Gallimard, 1975.

SELYE, H., *Le stress sans détresse*, Montréal, Les Éditions La Presse, 1974.

SERPELL, R., *Culture's Influence on Behavior*, London, Methuen, 1976.

SHANAB, M.E., et K.A. YAHYA, A Behavioral Study of Obedience in Children, *Journal of Personality and Social Psychology*, 35(7), 1977, p. 530-536.

SHAPIRO, J.P., « Fear of Success » Imagery as a Reaction to Sex-role Inappropriate Behavior, *Journal of Personality Assessment*, 43, 1979, p. 33-38.

SHAPIRO, K.L., CALDWELL, J., et R.E. SORENSEN, Personal Names and the Attentional Blink : A Visual "Cocktail Party" Effect, *Journal of Experimental Psychology : Human Perception and Performance*, 23, 1997, p. 504-514.

SHARPE, T.M., KILLEN, J.D., BRYSON, S.W., SHISSLAK, C.M., ESTES, L.S., GRAY, N., CRAGO, M., et C.G. TAYLOR, Attachment Style and Weight Concerns in Preadolescent and Adolescent Girls, *International Journal of Eating Disorders*, 23, 1998, p. 39-44.

SHEPARD, R.N., et S. CHIPMAN, Second-order Isomorphism of Internal Representation : Shapes of States, *Cognitive Psychology*, 1, 1970, p. 1-17.

SHEPARD, R.N., et J. METZLER, Mental Rotation of Three-dimensional Objects, *Science*, 171, 1971, p. 701-703.

SHEPPARD, R.Z., A piece of the True Couch, *Time*, 18 avril 1988, p. 85-86.

SHERIN, J.E., SHIROMANI, P.J., McCARLEY, R.W., et C.B. SAPER, Activation of Ventrolateral Preoptic Neurons During Sleep, *Science*, 271, 1996, p. 216-219.

SHNEIDMAN, E.S., Fifty-eight Years, dans E.S. Shneidman (Éd.), *On the Nature of Suicide*, San Francisco, Jossey-Bass, 1969, p. 1-30.

SHNEIDMAN, E.S., At the Point of no Return, *Psychology Today*, mars 1987, p. 58-63.

SHODELL, M., The Clouded Mind, *Science*, 84, 1984, p. 68-72.

SIEGEL, R.K., *Les paradis artificiels*, Paris, MA, 1990.

SILVERMAN, L.H., A Comprehensive Report of Studies using the Subliminal Psychodynamic Activation Method, *Psychological Research Bulletin*, Lund University, 20(3), 1980.

SILVERMAN, L.H., et F.M. LACHMANN, The Therapeutic Properties of Unconscious Oneness Fantasies : Evidence and Treatment Implications, *Contemporary Psychoanalysis*, 21(1), 1985, p. 91-115.

SIMKIN, J.S., et G.M. YONTEF, Gestalt Therapy, dans R. Corsini (Éd.), *Current Psychotherapies*, 3e éd., Itasca, IL, Peacock, 1984.

SIMON, C.W., et W.H. EMMONS, Responses to Material Presented During Various Stages of Sleep, *Journal of Experimental Psychology*, 51, 1956, p. 89-97.

SINGER, B., et V.A. BENASSI, Occult Beliefs, *American Scientist*, 69(1), 1981, p. 49-55.

SKINNER, B.F., Superstition in the Pigeon, *Journal of Experimental Psychology*, 38, 1948, p. 168-172.

SKINNER, B.F., *Par delà la liberté et la dignité*, Montréal, Hurtubise, 1972.

SKINNER, B.F., *The Shaping of a Behaviorist*, New York, Knopf, 1979.

SKINNER, B.F., Selection by Consequences, *Science*, 213, 1981, p. 501-504.

SKINNER, B.F., *What is Wrong with Daily Life in the Western World ?* Document présenté à la convention annuelle de l'American Psychological Association, Los Angeles, 1985.

SLOVENKO, R., *Psychiatry and Criminal Culpability*, New York, Wiley, 1995.

SMITH, A., *Powers of Mind*, New York, Summit, 1982.

SMITH, D., Trends in Counseling and Psychotherapy, *American Psychologist*, 37(3), 1982, p. 802-809.

SMITH, D.E.P., OLSON, M., BARGER, F., et J.V. McCONNELL, The Effects of Improved Auditory Feedback on the Verbalizations of an Autistic Child, *Journal of Autism and Developmental Disorders*, 11(4), 1981, p. 449-454.

SMITH, J.C., ELLENBERGER, H.H., BALLANYI, K., RICHTER, D.W., et J.L. FELDMAN, Pre-Botzinger Complex : A Brainstem Region that may Generate Respiratory Rhythm in Mammals, *Science*, 254, 1991, p. 726-729.

SMITH, M.L., et G.V. GLASS, Meta-analysis of Psychotherapy Outcome Studies, *American Psychologist*, 32, 1977, p. 752-760.

SMITH, P.B., DUGAN, S., et F. TROMPENAARS, Locus of Control and Affectivity by Gender and Occupational Status : A 14-nation Study, *Sex Roles*, 36, 1997, p. 51-77.

SNYDER, C.R., *Reality Negotiation : From excuses to Hope*, Symposium de la rencontre annuelle de l'American Psychological Association, Atlanta, août 1988.

SNYDER, S.H., Brain Peptides as Neurotransmitters, *Science*, 209(4460), 1980, p. 976-983.

SNYDER, S.H., Cholinergic Mechanisms in Affective Disorders, *New England Journal of Medicine*, 311(4), 1984, p. 254-255.

SOBEL, D.S., Money Matters, *Mental Medicine Update*, 3(3), 1994, p. 2.

SOLMS, M., *The Neuropsychology of Dreams*, Mahwah, NJ, Lawrence Erlbaum, 1997.

SOLOMON, G.F., AMKRAUT, A.A., et P. KASPER, Immunity, Emotions, and Stress : With Special Reference to the Mechanisms of Stress Effects on the Immune System, *Psychotherapy et Psychosomatics*, 23, 1974, p. 209-217.

SOSIK, H.J., AVOILO, B.J., et S.S. KAHAI, Inspiring Group Creativity : Comparing Anonymous and Identified Elecctronic Brainstorming, *Small Group Research*, 29, 1998, p. 3-31.

SOUCHEK, A.W., A Comparison of Dynamic Stereoscopic Acuities in Both the Primary and Secondary Positions of Gaze, en préparation, 1986.

SPANOS, N.P., BURGESS, C.A., CROSS, P.A., et G. MacLEOD, Hypnosis, Reporting Bias, and Suggested Negative Hallucinations, *Journal of Abnormal Psychology*, 101, 1992, p. 192-199.

SPEARMAN, C., *The Abilities of Man*, New York, Macmillan, 1927.

SPERLING, G., The Information Available in Brief Visual Presentations, *Psychological Monographs*, 74 (n° 498), 1960.

SPERRY, R.W., Hemisphere Deconnection and Unity in Conscious Awareness, *American Psychologist*, 23, 1968, p. 723-733.

SPIEGEL, D., Trance, Trauma, and Testimony, *Stanford Magazine*, hiver 1985, p. 4-6.

SPIELMAN, A., et C. HERRERA, Sleep Disorders, dans S.A. Ellman et J.S. Antrobus (Éd.), *The Mind in Sleep : Psychology and Psychophy-siology*, 2ᵉ éd., New York, Wiley, 1991, p. 25-80.

SPINWEBER, C.L., Randy Gardner, dans M.A. Carskadon (Éd.), *Encyclopedia of Sleep and Dreaming*, New York, Macmillan, 1993.

SPITZER, M.W., et M.N. SEMPLE, Intraural Phase Coding in Auditory Midbrain : Influence of Dynamic Stimulus Features, *Science*, 254, 1991, p. 721-724.

SPRINGER, S.P., et G. DEUTSCH, *Left Brain, Right Brain*, San Francisco, Freeman, 1981.

SQUIRE, L.R., et S.M. ZOLA, Episocic Memory, Semantic memory, and Amnesia, *Hippocampus*, 8, 1998, p. 205-211.

SQUIRE, L.R., et S.M. ZOLA, Ischemic Brain Damage and Memory Impariment : A Commentary, *Hippocampus*, 6, 1996, p. 546-552.

SROUFE, L.A., Socioemotional Development, dans J. Osofsky (Éd.), *Handbook of Infant Development*, New York, Wiley, 1979, p. 462-516.

STAATS, A.W., et C.K. STAATS, Attitudes Established by Classical Conditioning, *Journal of Experimental Psychology*, 57, 1958, p. 37-40.

STANLEY, B.G., SCHWARTZ, D.H., HERNANDEQ, L., LEIBOWITZ, S.F., et B.G. HOEBEL, Patterns of Extracellular 5-hydroxyindoleacetic acid (5-HIAA) in the Paraventricular Hypothalamus (PVN) : Relation to Circadian Rhythm and Deprivation-induced Eating Behavior, *Pharmacology, Biochemistry, and Behavior*, 33, 1989, p. 257-260.

STARK, E., Hypnosis on Trial, *Psychology Today*, février 1984a, p. 34-36.

STARK, E., To Sleep, Perchance to Dream, *Psychology Today*, octobre 1984b, p. 16.

STARKER, S., *Fantastic Thought : All about Dreams : Daydreams, and Hypnosis*, Englewood Cliffs, NJ, Prentice Hall, 1982.

STASSEN, H.H. LYKKEN, D.T., PROPPING, P., et G. BOMBEN, Genetic Determination of the Human EEG, *Human Genetics*, 80, 1988, p. 165-176.

STEEL, K.P., Progress in Progressive Hearing Loss, *Science*, 279, 1998, p. 1870-1871.

STEHLING, M.K., TURNER, R., et P. MANSFIELD, Echo-planar Imaging : Magnetic Resonance Imaging in a Fraction of a Second, *Science*, 254, 1991, p. 43-50.

STEIN, M., *Psychosocial Perspectives on Aging and the Immune Response*, Document présenté à l'Academy of Behavioral Medicine Research, Reston, VA, 1983.

STEPHAN, W., BERSCHEID, E., et E. WALSTER, Sexual Arousal and Heterosexual Perception, *Journal of Personality and Social Psychology*, 20(1), 1971, p. 93-101.

STERNBACH, R.A., Treatment of the Chronic Pain Patient, *Journal of Human Stress*, 4(3), 1978, p. 11-15.

STERNBERG, R.J., *Beyond IQ : A Triarchic Theory of Human Intelligence*, New York, Cambridge University Press, 1985.

STERNBERG, R.J., Rocky's Back Again : A Review of the WISC-III, dans B.A. Bracken et R.S. McCallum (Eds.), *Journal of Psychoeducational Assessment Monograph Series, Advances in Psychoeducational Assessment : Wecshler Intelligence Scale for Children — Third Edition*, Germantown, TN, Psychoeducational Corporation, 1993, p. 161-164.

STERNBERG, R.J., et J.C. KAUFMAN, Human Abilities, *Annual Review of Psychology*, 49, 1998, p. 479-502.

STEWART, V., Tests of the "Carpentered World" Hypothesis by Race and Environment in America and Zambia, *International Journal of Psychology*, 12, 1977, p. 161-176.

STILES, W.B., SHAPIRO, D.A., et R. ELLIOTT, « Are all Psychotherapies Equivalent ? » *American Psychologist*, 41(2), février 1986, p. 165-180.

STRACK, F., MARTIN, L.L., et S. STEPPER, Inhibiting and Facilitating Conditions of the Human Smile : A Nonobstrusive Test of the Facial Feedback Hypothesis, *Journal of Personality and Social Psychology*, 54, 1988, p. 768-777.

STRATTON, G., Some Preliminary Experiments on Vision Without Inversion of the Retinal Image, *Psychological Review*, 3, 1896, p. 611-617.

STRICKLAND, B.R, Internal-external Expectancies and Health-related Behaviors, *Journal of Counseling and Clinical Psychology*, 46, 1978, p. 1192-1211.

STROBER, M., FREEMAN, R., et W. MORRELL, The Long-term Course of Severe Anorexia Nervosa in Adolescents : Survival Analysis of Recovery, Relapse, and Outcome Predictors Over 10-15 Years in a Prospective Study, *International Journal of Eating Disorders*, 22, 1997, p. 339-360.

STROOP, J.R., Studies of Interference in Serial Verbal Reactions, *Journal of Experimental Psychology*, 18, 1935, p. 643-662.

STUNKARD, A.J., Does Dieting Cause Depression?, *The Harvard Mental Health Letter*, 12, 1996, p. 8.

SUE, D.W., et D. SUE, *Counseling the Culturally Different*, New York, Wiley, 1999.

SUEDFELD, P., The Benefits of Boredom : Sensory Deprivation Reconsidered, *American Scientist*, 63(1), 1975, p. 60-69.

SUEDFELD, P., et G. BAKER-BROWN, Restricted Environmental Stimulation Therapy and Aversion Conditioning in Smoking Cessation : Active and Placebo Effects, *Behavior Research and Therapy*, 24, 1986, p. 421-428.

SWAAB, D.F., et M.A. HOFMAN, Sexual Differentiation of the Human Hypothalamus in Relation to Gender and Sexual Orientation, *Trends in Neuroscience*, 18, 1995, p. 264-270.

SWAAB, D.F., GOOREN, L.J., et M.A. HOFMAN, Brain Research, Gender, and Sexual Orientation, *Journal of Homosexuality*, 28, 1995, p. 283-301.

SZASZ, T.S., *Le mythe de la maladie mentale*, Paris, Payot, 1986. (The Myth of Mental Illness, *American Psychologist*, 15, 113-118, 1960.)

SZASZ, T.S., *Insanity : The Idea and its Consequences*, New York, Wiley, 1987.

SZYMUSIAK, R., Magnocellular Nuclei of the Basal Forebrain : Substrates of Sleep and Arousal Regulation, *Sleep*, 18, 1995, p. 478-500.

TAKAHASHI, M., OGATA, M., et M. MIURA, The Significance of Motion Sickness in the Vestibular System, *Journal of Vestibular Research : Equilibrium & Orientation*, 7, 1996, p. 179-187.

TANABE, T., INO, M., et S.F. TAKAGI, Discrimination of Odors in Olfactory Bulb, Pyriform-amygdaloid Areas, and Orbitofrontal Cortex of the Monkey, *Journal of Neurophysiology*, 38, 1975, p. 1284-1296.

TANNER-HALVERSON, P., BURDEN, T., et D. SABERS, WISC-III Normative Data for Tohono O'odham Native-American Children, dans B.A. Bracken et R.S. McCallum (Eds.), *Journal of Psychoeducational Assessment Monograph Series, Advances in Psychoeducational Assessment : Wechsler Intelligence Scale for Children — Third Edition*, Germantown, TN, Psychoeducation Corporation, 1993, p. 125-133.

TART, C.T., *States of Consciousness*, New York, Dutton, 1975.

TAVRIS, C., et C. OFIR, *The Longest War : Sex Differences in Perspective*, San Diego, Harcourt Brace Jovanovich, 1984.

TAYLOR, D.T., BERRY, P.C., et C.H. BLOCK, Does Group Participation When Brainstorming Facilitate or Inhibit Creative Thinking ? *Administrator's Science Quarterly*, 3, 1958, p. 23-47.

TAYLOR, S.E., COLLINS, R., SKOKAN, L., et L. ASPINWALL, *Illusions, Reality and Adjustment in Coping with Victimizing Events*, Document présenté à la rencontre annuelle de l'American Psychological Association, Atlanta, août 1988.

TCHORYK-PELLETIER, P., *L'adaptation des minorités ethniques*, Saint-Laurent, Cégep de Saint-Laurent, 1989.

TEGHTSOONIAN, M., et J.B. BECKWITH, Children's Size Judgments when Size and Distance Vary : Is there a Developmental Trend to Overconstancy ? *Journal of Experimental Child Psychology*, 22(2), 1976, p. 23-39.

TELLEGEN, A., Structures of Mood and Personality and their Relevance to Assessing Anxiety with an Emphasis on Self-report, dans A.H. Tuma et J.D. Maser (Eds.), *Anxiety and the Anxiety Disorders*, Hillsdale, NJ, Erlbaum, 1985, p. 681-706.

TELLER, D.Y., PEEPLES, D.R., et M. SEKEL, Discrimination of Chromatic from White Light by Two-month-old Human Infants, *Vision Research*, 18(1), 1978, p. 41-48.

TERMAN, L.M., *The Measurement of Intelligence*, Boston, Houghton Mifflin, 1916.

TERMAN, L.M., Scientists and Nonscientists in a Group of 800 Gifted Men, *Psychological Monographs*, 68(7), 1954, p. 1-44.

TERRANCE, H.S., How Nim Chimpsky Changed my Mind, *Psychology Today*, novembre 1979, p. 65-76.

THACKWRAY, D.E., SMITH, M.C., BODFISH, J.W., et A.W. MEYERS, A Comparison of Behavioral and Cognitive-behavioral Interventions for Bulimia Nervosa, *Journal of Consulting and Clinical Psychology*, 61, 1993, p. 639-645.

THORNDIKE, E.L., Animal Intelligence, *Psychological Review Monograph*, 2(8), 1898.

THORNDIKE, E.L., The Mental Life of the Monkeys, *Psychological Review Monograph*, 3(15), 1901.

THORNDIKE, E.L., *Human Learning*, New York, Century, 1931.

THURSTONE, L.L., *Primary Mental Abilities*, Chicago, University of Chicago Press, 1938.

TOBIN, J., WU, D., et D. DAVIDSON, *Preschool in Three Cultures : Japan, China, and the United States*, New Haven, Yale University Press, 1989.

TOLMAN, E.C., et C.H. HONZIK, Introduction and Removal of Reward, and Maze Performance in Rats, *University of California Publications in Psychology*, 4, 1930, p. 257-275.

TOMKINS, S.S., *Affect, Imagery, Consciousness, the Positive Effects*, vol. 1, New York, Springer, 1962.

TOMKINS, S.S., Affect as Amplification : Some Modifications in Theory, dans R. Plutchik et H. Kellerman (Éd.), *Emotion : Theory, Research and Experience*, vol. 1, New York, Academic Press, 1980.

TORREY, E.F., *Surviving Schizophrenia : A Family Manual*, New York, Harper et Row, 1988.

TORREY, E.F., Are we Overestimating the Genetic Contribution to Schizophrenia ? *Schizophrenic Bulletin*, 18(2), 1992a, p. 159-170.

TORREY, E.F., *Freudian Fraud : The Malignant Effect of Freud's Theory on American Thought and Culture*, New York, HarperCollins, 1992b.

TORSTEN, H., *Influence du milieu social sur la réussite scolaire*, OCDE, Paris, 1975.

TRIANDIS, H.C., Theoretical Concepts That are Applicable to the Analysis of Ethnocentrism, dans R.W. Brislin (Éd.), *Applied Cross-cultural Psychology*, Newbury Park, CA, Sage, 1990, p. 34-55.

TULVING, E., *La mémoire sémantique*, Paris, Bulletin de psychologie, 1976.

TULVING, E., How Many Memory Systems are There ? *American Psychologist*, 40(4), 1985, p. 385-398.

TULVING, E., What Kind of Hypothesis is the Distinction Between Episodic and Semantic Memory ? *Journal of Experimental Psychology : Learning, Memory, and Cognition*, 12, 1986, p. 307-311.

TULVING, E., et D.M. THOMSON, Encoding Specificity and Retrieval Processes in Episodic Memory, *Psychological Review*, 80, 1973, p. 352-373.

TURK, D.C., Perspectives on Chronic Pain : The Role of Psychological Factors, *Current Directions in Psychological Science*, 3, 1994, p. 45-48.

TURNBULL, C.M., Some Observations Regarding the Experiences and Behavior of the Bamputi Pygmies, *American Journal of Psychology*, 74, 1961, p. 304-308.

ULRICH, R.E., Animal Rights, Animals Wrongs and the Question of Balance, *Psychological Science*, 2, 1991, p. 197-201.

ULRICH, R.E., STACHNIK, T.J., et N.R. STAINTON, Student Acceptance of Generalized Personality Interpretations, *Psychological Reports*, 13, 1963, p. 831-834.

ULRICH, R.S., SIMONS, R.F., LOSITO, B.D., FIORITO, E., et coll., Stress Recovery During Exposure to Natural and Urban Environments, *Journal of Environmental Psychology*, 11, 1991, p. 201-230.

VALENSTEIN, E.S., *Great and Desperate Cures : The Rise and Decline of Psychosurgery and Other Radical Treatments for Mental Illness*, New York, Basic Books, 1987.

VASSAR, R., NAGI, J, et R. AXEL, Spatial Segregation of Odorant Receptor Expression in the Mammalian Olfactory Epithelium, *Cell*, 74, 1993, p. 309-318.

VENTURA, J., NUECHTERLEIN, K.H., LUKOFF, D., et J.P. HARDESTY, A Prospective Study of Stressful Life Events and Schizophrenic Relapse, *Journal of Abnormal Psychology*, 98, 1989, p. 407-411.

VERNON, P.A., Speed of Information Processing and General Intelligence, *Intelligence*, 7, 1983, p. 53-70.

VERNON, P.A., Individual Differences in General Cognitive Ability, dans L.C. Hartlage et Telzrow (Eds.), *The Neuropsychology of Individual Differences : A Developmental Perspective*, New York, Plenum Press, 1985.

VERNOY, M.W., et S.M. LURIA, Perception of, and Adaptation to, a Three-dimensional Curvative Distortion, *Perception and Psychophysics*, 22(3), 1977, p. 245-248.

VERVALIN, C.H., Just What is Creativity ? dans G.A. Davis et J.A. Scott (Éd.), *Training Creative Thinking*, Huntington, NY, Krieger, 1978.

VIKEN, R.J., ROSE, R.J., KAPRIO, J., et M. KOSKENVUO, A Developmental Genetic Analysis of Adult Personality : Extra-version and Neuroticism from 18 to 59 years of Age, *Journal of Personality and Social Psychology*, 66, 1994, p. 722-730.

VILBERG, T.R., et R.E. KEESEY, Ventromedial Hypothalamic Lesions Abolish Compensatory Reduction in Energy Expenditure to Weight Loss, *American Journal of Physiology*, 258, 1990, p. 476-480.

VITO, C.C., et T.O. FOX, Androgen and Estrogen Receptors in Embryonic and Neonatal Rat Brain, *Developmental Brain Research*, 2(1), 1981, p. 97-110.

WADDEN, T.S., VOGT, R.A., ANDERSON, R.E., BARTLETT, S.J. FOSTER, G.D., KUEHNEL, R.H., WILK, J., WEINSTOCK, R., BUCKENMEYER, P., BERKOWITZ, R.I., et S.N. STEEN, Exercise in the Treatment of Obesity : Effects of Four Interventions on Body Composition, Resting Energy Expenditure, Appetite, and Mood, *Journal of Consulting and Clinical Psychology*, 65, 1997, p. 269-277.

WAGNER, D.A., Ontogeny in the Study of Culture and Cognition, dans D.A. Wagner et H.W. Stevenson (Éd.), *Cultural Perspectives on Child Development*, San Francisco, Freeman, 1982, p. 105-123.

WALD, G., The Receptors for Human Color Vision, *Science*, 145, 1964, p. 1007-1017.

WALDROP, M.M., Toward a Unified Theory of Cognition, *Science*, 241, 1988, p. 27-29.

WALKER, J.T., *The Psychology of Learning*, Upper Saddle River, NJ, Prentice Hall, 1996.

WALLACE, R.K., DILLBECK, M., JACOBE, E., et B. HARRINGTON, The Effects of Transcendental Meditation and TM-Sidhi Program on the Aging Process, *International Journal of Neuroscience*, 16, 1982, p. 53-58.

WALLER, N.G., KOJETIN, B.A., BOUCHARD, T.J., jr, LYKKEN, D.T., et A. TELLEGEN, Genetic and Environmental Influences on Religious Interets, Attitudes and Values . A Study of Twins Reared Apart and Together, *Psychological Science*, 1, 1990, p. 138-142.

WALLERSTEIN, J.S., et J.B. KELLY, *Surviving the Breakup : How Children and Parents Cope with Divorce*, New York, Basic Books, 1980.

WALLSTON, K.A., MAIDES, S., et B.S. WALLSTON, Health-related Information Seeking as a Function of Health-related Locus of Control and Health Value, *Journal of Research in Personality*, 10, 1976, p. 215-222.

WALSH, J.K., et S.S. LINDBLOM, Psychophysiology of Sleep Deprivaton and Disruption, dans M.R. Pressman, W.C. Orr, et al. (Eds.), *Understanding Sleep : The Evaluation and Treatment of Sleep Disorders. Application and Practice in Health Psychology*, Washington, DC, American Psychological Association, 1997, p. 73-110.

WALSH, M.R., *The Psychology of Women : On-going Debates*, New Haven, CT, Yale University Press, 1987.

WANG, M., IRWIN, R., et M.J. HAUTUS, Discriminability in Length of Lines in The Müller-Lyer Figure, *Perception & Psychophysics*, 60, 1998, p. 511-517.

WARDEN, G.H., Cité dans J. Travis, Gene Heats up Obesity Research, *Science News*, 151, 1997, p. 142.

WARGA, C., Pain's Gatekeeper, *Psychology Today*, 1987, p. 50-56.

WASSERMAN, E.A., et R.R. MILLER, What's Elementary About Associative Learning?, *Annual Review of Psychology*, 48, 1997, p. 573-607.

WATSON, J., Psychology as the Behaviorist Views it, *Psychological Review*, 20, 1913, p. 158-177.

WATSON, J.B., et R. RAYNER, Conditioned Emotional Reactions, *Journal of Experimental Psychology*, 3, 1920, p. 1-14.

WAUGH, N.C., et D.A. NORMAN, Primary Memory, *Psychological Review*, 72(2), 1965, p. 89-104.

WEBB, W.B., *Le sommeil et le rêve*, Laval, HRW, 1975.

WEBB, W.B., *Sleep the Gentle Tyrant*, 2e éd., Bolton, MA, Anker, 1992.

WEBB, W., et R.D. CARTWRIGHT, Sleep and Dreams, dans M. Rosenzweig et L. Porter (Éd.), *Annual Review of Psychology*, Palo Alto, CA, Annual Reviews Inc., 1978, vol. 29, p. 223-252.

WEEKES, J.R., LYNN, S.J., GREEN, J.P., et J.T. BRENTAR, Pseudomemory in Hypnotized and Task-motivated Subjects, *Journal of Abnormal Psychology*, 101, 1992, p. 356-360.

WEIL, A., *The Natural Mind : A New Way of Looking at Drugs and the Higher Consciousness*, Boston, Houghton Mifflin, 1972.

WEIL, A., *The Marriage of the Sun and Moon : A Quest for Unity in Consciousness*, Boston, Houghton Mifflin, 1980.

WEIL, A., et W. ROSEN, *From Chocolate to Morphine : Everyday Mind-altering Drugs*, Boston, Houghton Mifflin, 1993.

WEIL, M.M., et L.D. ROSEN, *Coping with Technology @work @home @play*, New ork, Wiley, 1997.

WEINER, B., *Theories of Motivation*, Chicago, Rand-McNally, 1972.

WEINER, B., The Emotional Consequences of Causal Attributions, dans M.S. Clark et S.T. Fiske (Éd.), *Affect and Cognition*, Hillsdale, NJ, Erlbaum, 1982.

WEINER, B., An Attributional Theory of Achievement, Motivation, and Emotion, *Psychological Review*, 92, 1985, p. 548-573.

WEINGARTEN, J.P., CHANG, P.K., et T.J. McDONALD, Comparison of the Metabolic and Behavioral Disturbances Following Paraventricular and Ventromedial Hypothalamic Lesions, *Brain Research Bulletin*, 14, 1985, p. 551-559.

WEINSTEIN, L.N., SCHWARTZ, D.G., et A.M. ARKIN, Qualitative Aspects of Sleep Mentation, dans S.A. Ellman et J.S. Antrobus (Éd.), *The Mind in Sleep : Psychology and Psychophysiology*, 2ᵉ éd., New York, Wiley, 1991, p. 172-213.

WEIR, P., Hypnosis and the Treatment of Burned Patients : A Review of the Literature, *Australian Journal of Clinical Hypnotherapy and Hypnosis*, 11, 1990, p. 11-15.

WEISS, L.G., PRIFITERA, A., et G. ROID, The WISC-III and the Fairness of Predicting Achievement Across Ethnic and Gender Groups, dans B.A. Bracken et R.S. McCallum (Eds.), *Journal of Psychoeducational Assessment Monograph Series, Advances in Psychoeducational Assessment : Wecshler Intelligence Scale for Children — Third Edition*, Germantown, TN, Psychoeducational Corporation, 1993, p. 35-42.

WEISS, R.L., *Going it Alone : The Family Life and Social Situation of the Single Parent*, New York, Basic Books, 1990.

WEISSKOPF-JOELSON, E., et T.S. ELISEO, An Experimental Study of the Effectiveness of Brainstorming, *Journal of Applied Psychology*, 45, 1961, p. 45-49.

WELLS, G.L., What Do we Know About Eyewitness Identification?, *American Psychologist*, 48, 1993, p. 553-571.

WERNER, J.S., et B.R. WOOTEN, Human Infant Color Vision and Color Perception, *Infant Behavior and Development*, 2(3), 1979, p. 241-273.

WERTZ, F.J., The Role of the Humanistic Movement in the History of Psychology, *Journal of Humanistic Psychology*, 38, 1998, p. 42-70.

WESTEN, D., Unconscious Thought, Feeling, and Motivation : The End of a Century-long Debate, dans R.F. Bornstein et J.M. Masling (Eds.), *Empirical Perspectives on the Psychoanalytic Unconscious*, Washington, DC, American Psychological Association, 1998.

WETTER, D.W., *et al.*, The Agency for Health Care Policy and Research : Smoking Cessation Clinical Practice Guideline, *American Psychologist*, 53, 1998, p. 657-669.

WHIPPLE, G.M., The Observer as Reporter : A Survey of the "Psychology of Testimony.", *Psychological Bulletin*, 6(5), 1909, p. 153-170.

WHITFIELD, J.C., et E.F. EVANS, Responses of Auditory and Cortical Neurons to Stimuli of Changing Frequency, *Journal of Neurophysiology*, 28, 1965, p. 655-672.

WHITTY, C.W.M., et O.L. ZANGWILL, Traumatic Amnesia, dans C.W.M. Whitty et O.L. Zangwill (Éd.), *Amnesia*, 2ᵉ éd. London, Butterworths, 1977.

WICKELGREN, I., Getting the Brain's Attention, *Science*, 278, 1997, p. 35-37.

WILLETT, W.C., MANSON, J.E., STAMPFER, J.E., MEIR, J., COLDITZ, G.A., *et al.*, Weight, Weight Change, and Coronary Heart Disease in Women : Risk Within the "Normal" Weight Range, *Journal of the American Medical Association*, 273, 1995, p. 461-465.

WILLIAMS, D.E., et M.M. PAGE, A Multi-dimensional Measure of Maslow's Hierarchy of Needs, *Journal of Research in Personality*, 23, 1989, p. 192-213.

WILSON, E.O., *On Human Nature*, Cambridge, MA, Harvard University Press, 1978.

WILSON, E.O., *Sociobiologie*, Monaco, éd. du Rocher, 1987.

WILSON, E.O., *Sociobiology : The New Synthesis*, Cambridge, MA, Harvard University Press, 1975.

WINNUBST, J.A.M., BUUNK, B.P., et F.H.G. MARCELISSEN, Social Support and Stress : Perspectives and Processes, dans S. Fisher et J. Reason (Éd.), *Handbook of Life Stress, Cognition and Health*, New York, Wiley, 1988.

WIXTED, J.T., et E.B. EBBESEN, On the Form of Forgetting, *Psychological Science*, 2, 1991, p. 409-415.

WOLITZKY, D., Traditional Psychoanalytic Psychotherapy, dans A.S. Gurman et S.B. Messer (Eds.), *Essential Psychotherapics : Theory and Practice*, New York, Guilford, 1995.

WOLPE, J., *Psychotherapy by Reciprocal Inhibition*, Stanford, CA, Stanford University Press, 1958.

WOLPE, J., Behavior Therapy and its Malcontent : II. Multimodal Electricism, Cognitive Exclusivism, and « exposure » Empiricism, *Journal of Behavior Therapy and Experimental Psychiatry*, 7, 1976, p. 109-116.

WOLPE, J., The Derailment of Behavior Therapy : A Tale of Conceptual Misdirection, *Journal of Behavior Therapy and Experimental Psychiatry*, 20, 1989, p. 3-15.

WOLPE, J., *Pratique de la thérapie comportementale*, Paris, Masson, 1975.

WOOD, J.V., SALTZBERG, J.A., NEALE, J.M., STONE, A.A., et T.B. RACHMIEL, Self-focused Attention, Coping Responses, and Distressed Mood in Everyday Life, *Journal of Personality and Social Psychology*, 58, 1990, p. 1027-1036.

WOOD, N., et N. COWAN, The Cocktail Party Phenomenon Revisited : How Frequent are Attention Shifts to One's Name in an Irrelevant Auditory Channel ?, *Journal of Experimental Psychology : Learning, Memory, and Cognition*, 21, 1995, p. 255-260.

WRIGHT, W., *Born that Way : Genes, Behavior, Personality*, New York, Knopf, 1998.

WYATT, J.K., et R.R. BOOTZIN, Cognitive Processing and Sleep : Implications for Enhancing Job Performance, *Human Performance*, 7, 1994, p. 119-139.

YELLOTT, J.I., Binocular Depth Inversion, *Scientific American*, 245, 1981, p. 148-159.

YOUNG, T., Color Vision, *Philosophical Transactions of the Royal Society*, 1802, p. 12.

ZAIDEL, E., A Technique for Presenting Lateralized Visual Input with Prolonged Exposure, *Vision Research*, 15, 1975, p. 283-289.

ZANOT, E.J., PINCUS, J.D., et E.J. LAMP, Public Perceptions of Subliminal Advertising, *Journal of Advertising*, 12(1), 1983, p. 39-45.

ZEIGARNIK, B.V., Untersuchungen zur Handlungsund Affektpsychologie, Herausgeben von K. Lewin, 3, Das Behalten erledigter und unerledigter Handlungen, *Psychologische Forschung*, 9, 1927, p. 1-85.

ZHDANOVA, I.V., WURTMAN, R., MORABITO, C., PIOTROVSKA, V.R., et H.J. LYNCH, Effects of Low Oral Doses of Melatonin Given 1-4 hours Before Habitual Bedtime, on Sleep in Normal Young Humans, *Sleep*, 19, 1996, p. 423-431.

ZHDANOVA, I.V., et R. WURTMAN, How Does Melatonin Affect Sleep ?, *The Harvard Mental Health Letter*, 12(12), juin 1996, p. 8.

ZIGLER, E., et R.M. HODAPP, *Understanding Mental Retardation*, New York, Cambridge University Press, 1986.

ZIGLER, E., et V. SEITZ, Social Policy and Intelligence, dans R. Sternberg (Éd.), *Handbook of Human Intelligence*, New York, Cambridge University Press, 1982 p. 586-639.

ZOLLINGER, T.W., PHILLIPS, R.L., et J.W. KUZMA, Breast Cancer Survival Rates Among Seventh-day Adventists and non-Seventh-day Adventists, *American Journal of Epidemiology*, 119, 1984, p. 503-509.

ZUBIN, J., Implications of the Vulnerability Model for DSM-IV with Special Reference to Schizophrenia, dans T. Millon et G.L. Klerman (Éd.), *Contemporary Directions in Psychopathology : Toward in DSM-IV*, New York, Guilford Press, 1986.

ZUCKERMAN, M., Sensation Seeking : *Beyond the Optimal Level of Arousal*, Hillsdale, NJ, Erlbaum, 1979.

ZUCKERMAN, M., *Behavioral Expressions and Biosocial Bases of Sensation Seeking*, New York, Cambridge University Press, 1994.

ZUCKERMAN, M., Good and Bad Humors : Biochemical Bases of Personality and its Disorders, *Psychological Science*, 5, 1995, p. 325-332.

ZUCKERMAN, M., Item Revisions in the Sensation Seeking Scale Form V (SS-V), *EDRA : Environmental Design Research Association*, 20(4), 1996, p. 515.

ZUCKERMAN, M., *Vulnerability to Psychopathology : A Biosocial Model*, Washington, DC, American Psychological Association, 1999.

ZUCKERMAN, M., et L. WHEELER, To Dispel Fantasies About the Fantasy-based Measure of Fear of Success, *Psychological Bulletin*, 82, 1975, p. 932-946.

Index